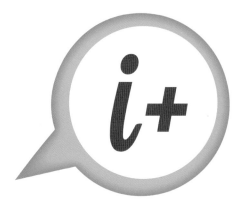

Statique | VOLUME 1

MÉCANIQUE
POUR INGÉNIEURS

3e édition

Ferdinand P. Beer, Late of Lehigh University
E. Russell Johnston, Jr., Late of University of Connecticut
David F. Mazurek, U.S. Coast Guard Academy
Adaptation : **Alain Hénault**, ÉTS – École de technologie supérieure
Révision scientifique : **Smail Guenoun**, Polytechnique Montréal

CHENELIĒRE
ÉDUCATION

Mécanique pour ingénieurs
Statique, Volume 1, 3e édition

Traduction et adaptation de : *Vector Mechanics for Engineers: Statics, Eleventh Edition* de Ferdinand P. Beer ; E. Russell Johnston, Jr. ; David F. Mazurek © 2016 McGraw-Hill Education (ISBN 978-0-07-768730-4)

© 2018 **TC Média Livres Inc.**
© 2011 Chenelière Éducation inc.
© 2004 Les Éditions de la Chenelière inc.

Conception éditoriale : Sophie Gagnon
Édition : Renée Théorêt
Coordination : Solange Lemaitre-Provost
Traduction de l'édition américaine : Claudio Benedetti, Alain Hénault et Céline Tremblay
Révision linguistique et correction d'épreuves : Nicole Blanchette
Conception graphique : Pige communication
Conception de la couverture : Guylène Lefort
Impression : TC Imprimeries Transcontinental

L'achat en ligne est réservé aux résidants du Canada.

**Catalogage avant publication
de Bibliothèque et Archives nationales du Québec
et Bibliothèque et Archives Canada**

Beer, Ferdinand P. (Ferdinand Pierre), 1915-2003

[Vector mechanics for engineers. Français]

Mécanique pour ingénieurs/Ferdinand P. Beer, Russell E. Johnston, David F. Mazurek, Phillip J. Cornwell, Brian P. Self ; adaptation, Alain Hénault, Éric David.

3e édition.

Traduction et adaptation de la 11e édition de : Vector mechanics for engineers.

Comprend un index.

Sommaire : volume 1. Statique – volume 2. Dynamique.

ISBN 978-2-7650-5814-4 (vol. 1)
ISBN 978-2-7650-5815-1 (vol. 2)

1. Mécanique appliquée. 2. Analyse vectorielle. 3. Statique. 4. Dynamique. 5. Mécanique appliquée – Problèmes et exercices. I. Johnston, E. Russell (Elwood Russell), 1925-2010, auteur. II. Mazurek, David F. (David Francis), auteur. III. Cornwell, Phillip J., auteur. IV. Self, Brian P., 1966-, auteur. V. Hénault, Alain, 1965-, éditeur intellectuel. VI. David, Éric, 1965-, éditeur intellectuel. VII. Titre. VIII. Titre : Vector mechanics for engineers. Français.

TA350.B3714 2018   620.1'05   C2017-942549-8

5800, rue Saint-Denis, bureau 900
Montréal (Québec) H2S 3L5 Canada
Téléphone : 514 273-1066
Télécopieur : 514 276-0324 ou 1 800 814-0324
info@cheneliere.ca

ISBN 978-2-7650-5814-4

Dépôt légal : 1er trimestre 2018
Bibliothèque et Archives nationales du Québec
Bibliothèque et Archives Canada

Imprimé au Canada

1 2 3 4 5   ITIB   22 21 20 19 18

Gouvernement du Québec – Programme de crédit d'impôt pour l'édition de livres – Gestion SODEC.

Ce projet est financé en partie par le gouvernement du Canada

Ferdinand P. Beer Né en France et éduqué en Suisse, Ferdinand a reçu une maîtrise en sciences de la Sorbonne et un doctorat de sciences en mécanique rationnelle de l'Université de Genève. Il a émigré aux États-Unis après avoir servi dans l'armée française au début de la Deuxième Guerre mondiale. Il a enseigné durant quatre ans au Williams College, dans le programme d'arts et de génie du Williams-MIT. Après avoir œuvré au Williams College, Ferdinand a rejoint la Faculté de génie de l'Université Lehigh, où il a enseigné pendant trente-sept ans. Il a occupé plusieurs fonctions au sein de cet établissement, y compris celle de professeur distingué de l'université et de président du Département de génie mécanique et de mécanique. En 1995, Ferdinand Beer a reçu un doctorat honorifique en génie de l'Université Lehigh.

E. Russell Johnston, Jr. Né à Philadelphie, Russell a reçu un baccalauréat en génie civil de l'Université du Delaware et un doctorat en sciences dans le domaine de la construction civile du Massachusetts Institute of Technology. Il a enseigné à l'Université Lehigh et à l'Institut polytechnique de Worcester avant de rejoindre la Faculté de génie de l'Université du Connecticut, où il a été directeur du Département de génie civil et où il a enseigné pendant vingt-six ans. En 1991, il a reçu un prix pour sa contribution exceptionnelle au domaine du génie civil de la part de la section du Connecticut de la Société américaine des ingénieurs civils.

David F. Mazurek David a reçu un baccalauréat en génie océanographique et une maîtrise en génie civil du Florida Institute of Technology, ainsi qu'un doctorat en génie civil de l'Université du Connecticut. Il a travaillé pour la division des bateaux électriques de la General Dynamics Corporation et a enseigné au Collège Lafayette avant de rejoindre l'Académie de la garde côtière des États-Unis, où il travaille depuis 1990. Ingénieur agréé au Connecticut et en Pennsylvanie, David siège depuis 1991 au Committee 15 - Steel Structures de l'American Railway Engineering & Maintenance-of-Way Association. Il est membre de l'American Society of Civil Engineers et a été élu à la Connecticut Academy of Science and Engineering en 2013. En 2014, il a reçu le Distinguished Faculty Award de l'Académie de la garde côtière des États-Unis et l'Excellence in Scholarship Award de son Center for Advanced Studies. Ses intérêts professionnels incluent le génie des ponts, les tours à étages, le génie légiste et la conception de structures résistantes aux explosions.

AVANT-PROPOS

OBJECTIFS

Pour les étudiants en génie, l'objectif principal d'un premier cours en mécanique est de développer la capacité à analyser tous les problèmes de façon simple et logique et de les résoudre en utilisant un petit nombre de principes de base qui auront été bien maîtrisés. Nous espérons que les deux volumes de cet ouvrage, conçus pour accompagner les cours de statique et de dynamique de premier cycle, permettront aux professeurs d'aider leurs étudiants à atteindre cet objectif.

APPROCHE GÉNÉRALE

L'analyse des vecteurs est présentée très tôt dans cet ouvrage et elle est utilisée dans la présentation et dans les discussions relatives aux principes fondamentaux de la mécanique. Les méthodes vectorielles sont également utilisées pour résoudre de nombreux problèmes, particulièrement les problèmes tridimensionnels pour lesquels ces techniques permettent d'obtenir des solutions plus simples et concises. Toutefois, cet ouvrage met d'abord l'accent sur la compréhension correcte des principes de la mécanique et sur leur utilisation dans la résolution de problèmes d'ingénierie. L'analyse des vecteurs y est donc surtout présentée à titre d'outil pratique[1].

Les applications pratiques sont présentées très tôt. L'une des caractéristiques de l'approche utilisée dans ces deux volumes est la séparation claire entre la mécanique des particules et la mécanique des corps rigides. Cette approche permet de se pencher sur des applications pratiques simples dans un premier temps et de retarder l'introduction de concepts plus complexes. Par exemple :

- Dans le volume *Statique*, on traite d'abord de la statique des particules (au chapitre 2) ; après que les règles d'addition et de soustraction des vecteurs ont été présentées, les principes de l'équilibre d'une particule sont immédiatement appliqués à des situations concrètes n'impliquant que des forces concurrentes. La statique des corps rigides est présentée aux chapitres 3 et 4. Dans le chapitre 3, on aborde les produits vectoriels et scalaires de deux vecteurs, pour ensuite les utiliser afin de définir le moment d'une force par rapport à un point ou un axe. La présentation de ces nouveaux concepts est suivie d'une discussion approfondie et rigoureuse sur les systèmes équivalents, ce qui mènera le lecteur à étudier plusieurs applications pratiques impliquant l'équilibre des corps rigides soumis à des forces, au chapitre 4.

- Dans le volume *Dynamique*, les sujets sont divisés de façon similaire. Les concepts de base des forces, des masses et de l'accélération, du travail et de l'énergie, de l'impulsion et de la quantité de mouvement sont d'abord appliqués dans des problèmes ne concernant que des particules. Ainsi, les étudiants peuvent se familiariser avec les trois

---

1. Dans un autre ouvrage, *Mechanics for Engineers : Statics*, cinquième édition, l'utilisation de l'algèbre vectorielle se limite à l'addition et à la soustraction des vecteurs.

méthodes de base utilisées en dynamique et apprendre leurs avantages respectifs avant de se frotter aux difficultés associées au mouvement des corps rigides.

Les nouveaux concepts sont présentés en termes simples. Comme cet ouvrage a été conçu pour les étudiants suivant un premier cours en statique, les nouveaux concepts sont présentés simplement et chaque étape est expliquée en détail. D'autre part, en abordant les aspects plus vastes des problèmes étudiés et en mettant l'accent sur des méthodes pouvant être appliquées de façon générale, on permet au lecteur de développer une approche plus mature. Les concepts de contraintes partielles et d'indétermination sont par exemple présentés au début de l'ouvrage, pour être par la suite utilisés dans l'ensemble du volume.

Les principes fondamentaux sont présentés dans le contexte d'applications simples. Tout au long de l'ouvrage, l'accent est mis sur le fait que la mécanique est une science déductive basée sur quelques principes fondamentaux. Les dérivations ont été présentées dans leur séquence logique et avec toute la rigueur qui est attendue à ce niveau. Toutefois, comme le processus d'apprentissage est principalement inductif, les applications simples sont considérées avant toute chose. Par exemple :

- La statique des particules est présentée avant la statique des corps rigides et les problèmes impliquant des forces internes ne sont pas abordés avant le chapitre 6.

- Dans le chapitre 4, les problèmes d'équilibre qui n'impliquent que des forces bidimensionnelles sont présentés dans un premier temps et résolus en utilisant l'algèbre ordinaire. Les problèmes impliquant des forces tridimensionnelles sont ensuite abordés dans la deuxième partie du chapitre.

Des diagrammes du corps libre en équilibre sont utilisés pour résoudre des problèmes d'équilibre et pour exprimer l'équivalence des systèmes de force. Les diagrammes du corps libre sont présentés au début de l'ouvrage et leur importance est mise en évidence tout au long du texte. Ils ne sont pas seulement utilisés pour résoudre les problèmes d'équilibre, mais également pour exprimer l'équivalence des systèmes de force ou, plus généralement, de deux systèmes de vecteurs. L'avantage de cette approche devient évident lors de l'étude de la dynamique des corps rigides, où elle est utilisée pour résoudre des problèmes tridimensionnels comme bidimensionnels. Le fait de mettre l'accent sur les « équations des diagrammes du corps libre » plutôt que sur les équations algébriques standard du mouvement permet au lecteur de développer une compréhension plus complète et intuitive des principes de la dynamique. Cette approche, qui a été introduite en 1962 dans la première édition de *Vector Mechanics for Engineers*, est maintenant communément acceptée par la majorité des professeurs de mécanique. Elle est conséquemment préférée à la méthode de l'équilibre dynamique et aux équations du mouvement dans la résolution des problèmes présentés dans cet ouvrage.

Une présentation visuelle en quatre couleurs. La couleur a été utilisée dans cet ouvrage non seulement pour améliorer la qualité des illustrations, mais aussi pour aider les étudiants à distinguer les différents types de vecteurs qui leur sont présentés. Bien que nous n'ayons pas eu l'intention d'employer un «code de couleur» dans cet ouvrage, les mêmes couleurs sont reprises dans tous les chapitres pour représenter des vecteurs du même type. Dans le volume *Statique*, par exemple, le rouge est utilisé exclusivement pour représenter des forces et des couples, tandis que les vecteurs de position sont représentés en bleu et les dimensions en noir. Cela permet aux étudiants de reconnaître plus facilement les forces qui agissent sur une particule ou sur un corps rigide. Ils pourront alors suivre la discussion portant sur les différents problèmes présentés dans l'ouvrage avec plus d'aisance.

Des sections optionnelles présentent des sujets avancés ou spécialisés. Plusieurs sections optionnelles ont été incluses dans cet ouvrage. Ces sections sont indiquées par des astérisques et sont donc faciles à distinguer de celles qui forment l'essentiel du cours de statique de base. Elles peuvent être omises sans que cela nuise à la compréhension du reste de l'ouvrage.

Les connaissances préalables. La matière présentée dans cet ouvrage et dans la majorité des problèmes ne nécessite pas de connaissances mathématiques préalables plus complexes que celles d'algèbre, de trigonométrie et de calcul élémentaire ; tous les éléments de l'algèbre vectorielle nécessaires à la compréhension du texte sont soigneusement présentés dans les chapitres 2 et 3. En général, les auteurs ont privilégié la bonne compréhension des concepts mathématiques de base utilisés plutôt que les manipulations agiles de formules mathématiques. Dans cette même veine, il convient de mentionner que la détermination des centres géométriques des surfaces et des courbes précède le calcul des centres géométriques par intégration. Il est donc possible d'établir fermement le concept du moment d'une surface avant d'introduire l'utilisation de l'intégration.

REMERCIEMENTS POUR LA 11ᵉ ÉDITION

Nous tenons à remercier particulièrement Amy Mazurek, qui a soigneusement vérifié les solutions et les réponses à tous les problèmes figurant dans la présente édition et qui a ensuite préparé les solutions destinées au *Manuel des solutions pour l'enseignant*.

Les auteurs remercient toutes les entreprises qui ont envoyé des photos pour la présente édition.

Nous sommes très reconnaissants à David Chelton, qui a assuré une révision attentive de l'ensemble de l'ouvrage et a formulé de nombreuses suggestions utiles.

Les auteurs remercient également les membres du personnel de McGraw-Hill pour leur soutien et leur dévouement tout au long de la préparation de cette nouvelle édition.

Nous tenons en particulier à souligner les contributions de Raghu Srinivasan (chef de marque mondial), Thomas Scaife (chef de marque), Robin Reed et Joan Weber (conceptrices de produits), Jolynn Kilburg (gestionnaire de contenu de projet) et Lora Neyens (gestionnaire de programme).

David F. Mazurek

Les auteurs remercient chaleureusement les membres du groupe de discussion et les utilisateurs des éditions antérieures de *Vector Mechanics for Engineers* pour leurs nombreuses observations et suggestions pertinentes :

George Adams
Northeastern University

William Altenhof
University of Windsor

Sean B. Anderson
Boston University

Manohar Arora
Colorado School of Mines

Gilbert Baladi
Michigan State University

Brock E. Barry
United States Military

Francois Barthelat
McGill University

Oscar Barton, Jr
U.S. Naval Academy

M. Asghar Bhatti
University of Iowa

Shaohong Cheng
University of Windsor

Philip Datseris
University of Rhode Island

Daniel Dickrell, III
University of Florida

Timothy A. Doughty
University of Portland

Howard Epstein
University of Conneticut

Asad Esmaeily
Kansas State University, Civil Engineering Department

David Fleming
Florida Institute of Technology

Ali Gordon
University of Central Florida, Orlando

Jeff Hanson
Texas Tech University

David A. Jenkins
University of Florida

Shaofan Li
University of California, Berkeley

Tom Mase
California Polytechnic State University

Gregory Miller
University of Washington

William R. Murray
Cal Poly State University

Eric Musslman
University of Minnesota, Duluth

Masoud Olia
Wentworth Institute of Technology

Mark Olles
Renssalaer Polytechnic Institute

Renee K. B. Petersen
Washington State University

Carisa Ramming
Oklohoma State University

Amir G Rezaei
California State Polytechnic University, Pomona

Martin Sadd
University of Rhode Island

Stefan Seelecke
North Carolina State University

Yixin Shao
McGill University

Muhammad Sharif
The University of Alabama

Anthony Sinclair
University of Toronto

Lizhi Sun
University of California, lrvine

Jeffrey Thomas
Northwestern University

Robert J. Witt
University of Wisconsin, Madison

Jiashi Yang
University of Nebraska

Xiangwa Zeng
Case Western Reserve University

REMERCIEMENTS POUR LA 3ᵉ ÉDITION EN FRANÇAIS

Nous tenons à remercier Smail Guenoun, professeur de Polytechnique Montréal, pour la révision scientifique de cet ouvrage.

Nous exprimons également notre reconnaissance à Marie-Laure Dano, de l'Université Laval, à Roger A. Boudreau, de l'Université de Moncton, et à Djebar Ait Messouad, de Polytechnique Montréal, pour leurs commentaires lors de l'évaluation de l'édition précédente. Ces personnes, par la qualité et la pertinence de leurs commentaires et suggestions, nous ont orienté dans la préparation de cette troisième édition.

TABLE DES MATIÈRES

4 ÉQUILIBRE DES CORPS RIGIDES 150

1 INTRODUCTION

L'ingénierie moderne s'appuie en grande partie sur les lois fondamentales de la mécanique, énoncées par Sir Isaac Newton à la fin du dix-septième siècle.

SOMMAIRE

OBJECTIFS

- **Définir** la mécanique et faire l'examen de ses principes fondamentaux.

- **Discuter** du Système international d'unités (SI).

- **Discuter** d'une bonne approche de résolution des problèmes.

- **Faire l'examen** des facteurs déterminant la précision des valeurs numériques.

1.1 QU'EST-CE QUE LA MÉCANIQUE ?

La mécanique est la science qui étudie les états de repos et de mouvement des corps soumis à l'action de forces ; elle décrit ces états et les prédit. Elle se divise en trois branches principales :

- la mécanique des corps rigides ;
- la mécanique des corps déformables ;
- la mécanique des fluides.

La mécanique des corps rigides comprend la statique, qui traite des corps au repos, et la dynamique, qui considère les corps en mouvement. Dans les deux cas, elle fait l'hypothèse que les corps sont parfaitement rigides. Cependant, les structures et les machines ne sont jamais tout à fait rigides : elles se déforment sous les charges appliquées. Ces déformations, plutôt faibles, ont habituellement peu d'incidence sur l'équilibre ou le mouvement d'une structure. Elles prennent néanmoins toute leur importance lorsque vient le temps d'analyser la résistance à la rupture. Elles entrent en ligne de compte dans l'étude des matériaux, qui constitue une division de la mécanique des corps déformables. La troisième branche de la mécanique est la mécanique des fluides, qui aborde l'étude des fluides compressibles et des fluides incompressibles. L'hydraulique, science qui étudie l'écoulement de l'eau[1], occupe une place privilégiée dans l'analyse des fluides incompressibles.

La mécanique est une branche de la physique puisqu'elle traite de phénomènes physiques. Toutefois, on l'associe parfois davantage à l'ingénierie ou aux mathématiques, et ces points de vue se défendent. En effet, la mécanique s'avère un préalable indispensable à l'étude de l'ingénierie, qui repose en grande partie sur elle. La mécanique n'a cependant pas le caractère empirique de l'ingénierie, c'est-à-dire que ses théories ne s'appuient pas uniquement sur l'expérimentation ou l'observation. En ce sens, elle ressemble davantage aux mathématiques par sa rigueur et par l'importance accordée au raisonnement déductif. On ne peut pas non plus la classer comme une science abstraite ni comme une science pure. La mécanique est en réalité une science appliquée : elle a pour but d'expliquer des phénomènes physiques et de les prédire, et elle établit, par le fait même, les bases de l'ingénierie.

1.2 CONCEPTS ET PRINCIPES FONDAMENTAUX

Bien que les débuts de la mécanique remontent à une époque fort lointaine, avec les travaux d'Aristote (384-322 av. J.-C.) et d'Archimède (287-212 av. J.-C.), il a fallu attendre les travaux de Newton (1642-1727) pour en énoncer clairement les principes de base. Ces derniers seront plus tard reformulés par d'Alembert, Lagrange et Hamilton, mais leur validité ne sera remise en cause qu'au vingtième siècle, avec l'arrivée de la théorie de la relativité d'Einstein (1905). Les limites de la mécanique newtonienne sont aujourd'hui bien connues, mais l'ingénierie moderne s'appuie toujours sur ses principes fondamentaux, énoncés il y a plus de trois siècles.

La mécanique s'appuie sur les concepts fondamentaux d'espace, de temps, de masse et de force, que l'on ne peut pas véritablement définir. L'expérience personnelle et l'intuition en donnent une compréhension qui servira de cadre de référence à notre étude.

---

1. L'hydraulique traite des liquides en général ; pour des raisons évidentes, l'eau représente le cas le plus répandu. (NdT)

On associe le concept d'espace à la position d'un point P. Cette position est définie par trois longueurs mesurées dans trois directions différentes, à partir d'un même point de référence appelé *origine*. Ces trois longueurs portent le nom de *coordonnées* du point P.

Pour décrire un événement, il ne suffit pas d'en donner la position ; il faut également prendre en compte la notion de temps.

Le concept de masse caractérise les corps et permet de comparer leur comportement dans certaines expériences fondamentales. Par exemple, deux corps de même masse sont également attirés par la Terre ; ils offrent aussi la même résistance au changement dans un mouvement de translation.

Une force représente l'action d'un corps sur un autre corps. Elle s'exerce à leur contact ou encore à distance comme dans le cas de la gravitation et des forces magnétiques. On caractérise une force par son point d'application, sa grandeur et sa direction, et on la représente par un vecteur (*voir la section 2.1.2*).

En mécanique newtonienne, l'espace, le temps et la masse sont des concepts absolus, indépendants les uns des autres. (La situation diffère en mécanique relativiste : le temps associé à un événement dépend alors de sa position et la masse d'un corps est fonction de sa vitesse.) Par contre, le concept de force est dépendant des trois autres ; en effet, l'un des principes fondamentaux de la mécanique newtonienne statue que la force résultante agissant sur un corps dépend de sa masse et de son accélération, c'est-à-dire de la façon dont sa vitesse varie dans le temps.

Ce livre porte sur les états de mouvement et de repos de particules et de corps rigides, en fonction des quatre concepts introduits précédemment. Une particule correspond à une très petite quantité de matière qui occuperait un seul point dans l'espace. Un corps rigide résulte de la combinaison d'un grand nombre de particules en positions fixes les unes par rapport aux autres. L'étude des particules est en conséquence préalable à celle des corps rigides. De plus, on peut souvent utiliser les résultats obtenus avec une particule pour traiter de problèmes relatifs à l'état de mouvement ou de repos d'un corps réel.

L'étude de la mécanique repose sur six principes fondamentaux établis expérimentalement.

L'additivité des forces (méthode du parallélogramme)   Deux forces agissant sur une particule peuvent être remplacées par une force unique équivalente appelée *résultante*, obtenue en dessinant la diagonale du parallélogramme dont les côtés correspondent aux forces de départ (*voir la section 2.1.1*).

Le principe de transmissibilité   L'équilibre ou le mouvement d'un corps rigide n'est pas modifié si l'on remplace une force agissant sur un point donné du corps par une autre force de même grandeur et de même direction appliquée à un autre point du corps, à condition que les forces soient situées sur la même ligne d'action (*voir la section 3.1.2*).

Les trois lois de Newton   Énoncées par Sir Isaac Newton vers la fin du dix-septième siècle, ces lois se résument ainsi :

Première loi   Lorsque la force résultante agissant sur une particule est nulle, cette particule reste au repos si elle était initialement au repos, alors qu'elle poursuivra son mouvement à vitesse constante suivant une ligne droite si elle était initialement en mouvement (*voir la section 2.3.2*).

Deuxième loi   Lorsque la force résultante agissant sur une particule n'est pas nulle, cette particule subira une accélération proportionnelle à la grandeur de la force et selon la même direction qu'elle. Cette loi peut s'écrire (*voir la section 12.1.1*) :

$$\mathbf{F} = m\mathbf{a} \tag{1.1}$$

où **F**, *m* et **a** représentent respectivement la force résultante agissant sur la particule, la masse de la particule et son accélération, exprimées dans un système d'unités cohérent.

Troisième loi   Les forces d'action et de réaction agissant sur deux corps qui se touchent sont de même grandeur mais de sens opposé ; de plus, elles agissent selon la même ligne d'action (*voir l'introduction du chapitre 6, p. 266*).

La loi de la gravité universelle de Newton   Deux particules de masses respectives *M* et *m* s'attirent mutuellement selon des forces égales mais opposées, notées **F** et −**F** (*voir la figure 1.1*), dont la grandeur *F* est donnée par la relation

$$F = G\frac{Mm}{r^2} \tag{1.2}$$

où *r* correspond à la distance qui sépare les particules et *G* est la constante gravitationnelle.

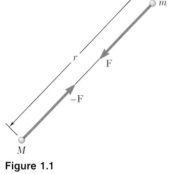

Figure 1.1

La loi de la gravité universelle introduit l'idée d'action à distance ; elle élargit également le domaine d'application de la troisième loi de Newton : l'action **F** et la réaction −**F** de la figure 1.1 sont égales et opposées, et elles ont la même ligne d'action.

L'attraction exercée par la Terre sur les particules localisées à sa surface décrit un cas particulier mais important de la loi de la gravité universelle. La force **F** exercée par la Terre sur la particule définit le poids **W** de la particule. Si *M* correspond à la masse de la Terre, *r* est égal au rayon terrestre *R*, et si nous posons

$$g = \frac{GM}{R^2} \tag{1.3}$$

la grandeur *W* du poids d'une particule de masse *m* s'écrit[2]

$$W = mg \tag{1.4}$$

La valeur exacte de *R* dans l'équation 1.3 dépend de l'altitude du point considéré, de même que de sa latitude, puisque la Terre n'est pas parfaitement sphérique. Ainsi, la valeur de *g* varie légèrement selon le lieu où nous nous trouvons. Cependant, les applications courantes sur l'ensemble de la surface du globe ne requièrent pas une telle précision et nous utilisons le plus souvent *g* = 9,81 m/s² (valeur exacte : *g* = 9,806 65 m/s²).

Nous introduirons les principes énoncés précédemment à mesure qu'ils seront nécessaires à la compréhension de notre étude. Ainsi, le chapitre 2 aborde la statique des particules en s'appuyant sur l'additivité des forces et sur la première loi de Newton. Le chapitre 3 applique le principe de la transmissibilité à la statique des corps rigides, et le chapitre 6 fait appel à la troisième loi de Newton dans l'analyse des forces qu'exercent l'un sur l'autre les éléments d'une même structure. La deuxième loi de Newton et la loi de la gravitation universelle entrent en jeu dans l'étude de la dynamique. Il sera alors démontré que la première loi de Newton correspond à un cas particulier de la deuxième loi (*voir la section 12.1.1*) et que le principe de

---

2. Une définition plus précise de **W** devrait tenir compte du mouvement de rotation de la Terre.

transmissibilité découle des autres principes; en conséquence, il ne sera plus nécessaire de le conserver (*voir la section 16.1.4*). Entre-temps, la première et la troisième loi de Newton, l'additivité des forces et le principe de transmissibilité suffisent à couvrir tout le domaine de la statique incluant les particules, les corps rigides et les systèmes de corps rigides.

Ainsi qu'il a été indiqué précédemment, les six principes fondamentaux sont établis sur des bases expérimentales. À l'exception de la première loi de Newton et du principe de transmissibilité, ils sont indépendants, c'est-à-dire que nous ne pouvons les déduire mathématiquement les uns des autres, ni à partir d'autres principes physiques élémentaires. L'ensemble de la mécanique newtonienne repose sur ces six principes. Depuis plus de trois siècles, leur application a permis de résoudre un nombre impressionnant de problèmes relatifs à l'état de repos ou de mouvement des corps rigides, des corps déformables et des fluides. Bon nombre des solutions obtenues ont pu être vérifiées expérimentalement, ce qui a confirmé la validité des principes utilisés.

Au vingtième siècle, on a dû faire appel à la théorie de la relativité pour expliquer les mouvements à l'échelle atomique et le mouvement de certaines planètes, remettant ainsi en cause l'universalité de la mécanique newtonienne. Il reste cependant qu'à l'échelle humaine et à celle des réalisations d'ingénierie, où les vitesses demeurent relativement faibles par rapport à la vitesse de la lumière, la mécanique newtonienne n'a encore jamais été contredite.

1.3 SYSTÈMES D'UNITÉS

On associe les quatre concepts fondamentaux présentés à la section précédente à des unités cinétiques, soit les unités de longueur, de temps, de masse et de force. Ces unités doivent appartenir à un système cohérent afin que l'équation 1.1 soit valide. On définit arbitrairement trois d'entre elles et on les nomme *unités fondamentales*. L'équation 1.1 détermine la quatrième, qui est appelée *unité dérivée*. Les unités cinétiques ainsi établies forment un système cohérent d'unités.

Le Système international d'unités (SI)   Dans ce système, la longueur, la masse et le temps donnent les unités fondamentales, soit respectivement le mètre (m), le kilogramme (kg) et la seconde (s), définies arbitrairement. La durée de la seconde a été fixée initialement à la fraction 1/86 400 d'un jour solaire moyen; on la décrit aujourd'hui plus précisément comme la durée de 9 192 631 770 périodes d'une radiation émise par l'atome de césium 133, qui correspond à la transition entre les deux niveaux hyperfins de son état fondamental.

On a d'abord défini le mètre comme le dix-millionième de la distance séparant l'équateur de l'un des pôles; plus précisément, il correspond à la longueur du trajet parcouru par la lumière dans le vide, dans un intervalle de temps de 1/299 792 458 de seconde. Le kilogramme, pratiquement égal à la masse de 0,001 m³ d'eau, est maintenant défini par la masse d'un étalon en platine iridié, soigneusement conservé au Bureau international des poids et mesures, à Sèvres, près de Paris, en France.

L'unité de force, dérivée des trois autres, s'appelle le *newton* (N); 1 newton correspond à la force qui donne une accélération de 1 m/s² à une masse de 1 kg (*voir la figure 1.2*). L'équation 1.1 permet d'écrire:

$$1 \text{ N} = (1 \text{ kg})(1 \text{ m/s}^2) = 1 \text{ kg} \cdot \text{m/s}^2 \tag{1.5}$$

Les unités SI constituent un système absolu d'unités, c'est-à-dire que les trois unités fondamentales restent indépendantes du lieu où les mesures

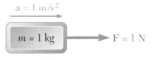

Figure 1.2

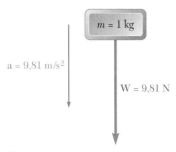

a = 9,81 m/s²

W = 9,81 N

Figure 1.3

sont prises. Autrement dit, le mètre, le kilogramme et la seconde ont la même signification et la même grandeur partout sur la Terre ou même sur une autre planète.

Le poids d'un corps, ou la force gravitationnelle exercée sur lui, s'exprime en newtons comme toutes les autres forces. Nous nous servons de l'équation 1.4 pour calculer le poids d'un corps ; pour une masse de 1 kg (*voir la figure 1.3*), nous obtenons

$$W = mg$$
$$= (1 \text{ kg})(9{,}81 \text{ m/s}^2)$$
$$= 9{,}81 \text{ N}$$

Nous employons aussi des multiples et des sous-multiples des unités SI, nommés à l'aide des préfixes listés au tableau 1.1. En ingénierie, nous utilisons couramment le kilomètre (km) et le millimètre (mm) pour la longueur ; le gramme (g), le kilogramme (kg) et la tonne métrique pour la masse ; et le kilonewton (kN) pour la force. Le tableau 1.1 permet de faire les équivalences suivantes :

$$1 \text{ km} = 1000 \text{ m} \qquad 1 \text{ mm} = 0{,}001 \text{ m}$$
$$1 \text{ kg} = 1000 \text{ g} \qquad 1 \text{ g} = 0{,}001 \text{ kg}$$
$$1 \text{ kN} = 1000 \text{ N}$$

Nous convertissons ces unités en mètres, en kilogrammes ou en newtons selon le cas, simplement en déplaçant la virgule décimale de trois positions vers la gauche ou vers la droite. Par exemple, nous convertissons 3,82 km en mètres en déplaçant la virgule de trois positions vers la droite. Nous obtenons :

$$3{,}82 \text{ km} = 3820 \text{ m}$$

À l'inverse, pour exprimer en mètres la mesure de 47,2 mm, nous déplaçons la virgule de trois positions vers la gauche. Ainsi,

$$47{,}2 \text{ mm} = 0{,}0472 \text{ m}$$

La notation scientifique permet également d'écrire :

$$3{,}82 \text{ km} = 3{,}82 \times 10^3 \text{ m}$$
$$47{,}2 \text{ mm} = 4{,}72 \times 10^{-4} \text{ m}$$

Tableau 1.1   Préfixes SI

Facteur de multiplication	Préfixe	Symbole
$1\ 000\ 000\ 000\ 000 = 10^{12}$	téra	T
$1\ 000\ 000\ 000 = 10^{9}$	giga	G
$1\ 000\ 000 = 10^{6}$	méga	M
$1\ 000 = 10^{3}$	kilo	k
$100 = 10^{2}$	hecto‡	h
$10 = 10^{1}$	déca‡	da
$0{,}1 = 10^{-1}$	déci‡	d
$0{,}01 = 10^{-2}$	centi‡	c
$0{,}001 = 10^{-3}$	milli	m
$0{,}000\ 001 = 10^{-6}$	micro	μ
$0{,}000\ 000\ 001 = 10^{-9}$	nano	n
$0{,}000\ 000\ 000\ 001 = 10^{-12}$	pico	p
$0{,}000\ 000\ 000\ 000\ 001 = 10^{-15}$	femto	f
$0{,}000\ 000\ 000\ 000\ 000\ 001 = 10^{-18}$	atto	a

‡ Éviter ces préfixes sauf pour les mesures d'aires et de volumes, ou encore pour l'usage non technique des centimètres, utilisés par exemple pour mesurer les parties du corps ou d'un vêtement.

L'unité SI du temps est la seconde (s) ; nous en exprimons les multiples et les sous-multiples à l'aide des préfixes donnés au tableau 1.1. L'usage de la minute (min), de l'heure (h), du jour (j) et de l'année (a) est également accepté.

Les angles plats se mesurent en radians (rad) et, encore une fois, les préfixes du tableau 1.1 s'appliquent pour les multiples et les sous-multiples. L'usage du degré (°), de la minute ('), de la seconde (") et de la révolution[3] (r) est également accepté.

L'emploi approprié des multiples et des sous-multiples permet d'éviter d'écrire des nombres rébarbatifs (très grands ou très petits[4]). Par exemple, nous choisirons d'écrire 427,2 km au lieu de 427 200 m, ou encore 2,16 mm ou $2,16 \times 10^{-3}$ m plutôt que 0,002 16 m.

Les unités d'aire et de volume Les aires se mesurent en mètres carrés (m^2), dont l'unité correspond à l'aire d'un carré de 1 m de côté. Les volumes s'expriment en mètres cubes (m^3), dont l'unité équivaut au volume d'un cube de 1 m de côté. Afin d'éviter l'usage excessif de petites valeurs, nous utilisons les sous-multiples du mètre, soit le décimètre (dm), le centimètre (cm) et le millimètre (mm). Par définition, nous avons

$$
\begin{aligned}
1\text{ dm} &= 0,1\text{ m} &&= 10^{-1}\text{ m} \\
1\text{ cm} &= 0,01\text{ m} &&= 10^{-2}\text{ m} \\
1\text{ mm} &= 0,001\text{ m} &&= 10^{-3}\text{ m}
\end{aligned}
$$

Les unités de surface deviennent alors :

$$
\begin{aligned}
1\text{ dm}^2 &= (1\text{ dm})^2 = (10^{-1}\text{ m})^2 = 10^{-2}\text{ m}^2 \\
1\text{ cm}^2 &= (1\text{ cm})^2 = (10^{-2}\text{ m})^2 = 10^{-4}\text{ m}^2 \\
1\text{ mm}^2 &= (1\text{ mm})^2 = (10^{-3}\text{ m})^2 = 10^{-6}\text{ m}^2
\end{aligned}
$$

et les unités de volume s'écrivent :

$$
\begin{aligned}
1\text{ dm}^3 &= (1\text{ dm})^3 = (10^{-1}\text{ m})^3 = 10^{-3}\text{ m}^3 \\
1\text{ cm}^3 &= (1\text{ cm})^3 = (10^{-2}\text{ m})^3 = 10^{-6}\text{ m}^3 \\
1\text{ mm}^3 &= (1\text{ mm})^3 = (10^{-3}\text{ m})^3 = 10^{-9}\text{ m}^3
\end{aligned}
$$

Par ailleurs, le volume d'un liquide s'exprime souvent en litres (L), autre nom donné au décimètre cube ($1\text{ L} = 1\text{ dm}^3 = 10^3\text{ cm}^3 = 10^{-3}\text{ m}^3$).

Nous employons des unités dérivées pour les moments de force, le travail et plusieurs autres quantités physiques ; les principales sont indiquées au tableau 1.2. Nous introduirons ces unités au moment opportun dans les chapitres subséquents, mais précisons dès à présent une règle importante : lorsqu'on obtient une unité dérivée en divisant une unité fondamentale par une autre, le numérateur peut contenir un préfixe mais pas le dénominateur. Par exemple, la constante k d'un ressort qui s'allonge de 20 mm sous une charge de 100 N s'exprime comme suit :

$$
k = \frac{100\,\text{N}}{20\,\text{mm}} = \frac{100\,\text{N}}{0,020\,\text{m}} = 5000\text{ N/m} \qquad \text{ou} \qquad k = 5\text{ kN/m}
$$

---

3. Le mot tour (tr) est aussi employé.

4. Lorsqu'un nombre exprimant une quantité SI comprend plus de quatre chiffres d'un côté ou de l'autre de la virgule décimale, un espace sépare des groupes de trois chiffres ; nous écrirons, par exemple, 427 000 m et 0,002 16 m.

Tableau 1.2 Principales unités SI utilisées en mécanique

Quantité	Nom de l'unité	Symbole	Détail de l'unité
Accélération	mètre par seconde carrée	...	m/s^2
Angle	radian	rad	†
Accélération angulaire	radian par seconde carrée	...	rad/s^2
Vitesse angulaire	radian par seconde	...	rad/s
Aire	mètre carré	...	m^2
Masse volumique	kilogramme par mètre cube	...	kg/m^3
Énergie	joule	J	$N \cdot m$
Force	newton	N	$kg \cdot m/s^2$
Fréquence	hertz	Hz	s^{-1}
Impulsion	newton-seconde	...	$kg \cdot m/s$
Longueur	mètre	m	‡
Masse	kilogramme	kg	‡
Moment de force	newton-mètre	...	$N \cdot m$
Puissance	watt	W	J/s
Pression	pascal	Pa	N/m^2
Contrainte	pascal	Pa	N/m^2
Temps	seconde	s	‡
Vitesse	mètre par seconde	...	m/s
Volume, solides	mètre cube	...	m^3
liquides	litre	L	$10^{-3}\ m^3$
Travail	joule	J	$N \cdot m$

† Unité dérivée (1 révolution = 2π rad = 360°).

‡ Unité de base.

1.4 MÉTHODE DE RÉSOLUTION DE PROBLÈMES

Nous aborderons les problèmes de mécanique comme si nous étions devant des situations réelles. En faisant appel à l'expérience personnelle et à l'intuition, il sera plus facile de comprendre le problème et de le poser correctement. Une fois les données clairement exposées, il n'y a cependant plus de place pour la fantaisie personnelle dans l'élaboration de la solution.

Celle-ci doit s'appuyer sur les six principes fondamentaux énoncés à la section 1.2 ou encore sur des théorèmes qui en découlent.

Ces principes doivent justifier chaque étape de la solution, que nous obtenons de façon quasi automatique en suivant des règles strictes, sans référence à une approche intuitive ou personnelle. Une fois la réponse trouvée, il est essentiel de la vérifier ; à cette étape, nous pouvons de nouveau faire appel au bon sens ou à l'expérience. Si le résultat n'est pas satisfaisant, nous devons nous assurer que le problème a été posé conformément aux données de départ, que les méthodes employées sont valides et que les calculs sont exacts.

L'exposé d'un problème doit être clair et précis ; nous devons y mentionner toutes les données et tous les autres renseignements nécessaires à la résolution. Nous l'accompagnons d'un schéma complet illustrant la situation d'ensemble, sur lequel nous inscrivons toutes les données. Nous traçons ensuite un diagramme séparé pour chacun des corps impliqués, qui regroupe les forces auxquelles le corps est soumis. Les sections 2.3.3 et le début du chapitre 4 (p. 152) donnent une description détaillée de ce type de diagramme, appelé *diagramme des forces* ou *diagramme du corps libre* (DCL).

Une fois les diagrammes complétés, nous utilisons les principes fondamentaux décrits à la section 1.2 pour écrire les équations correspondant à l'état de repos ou de mouvement des corps considérés, chaque équation étant associée à l'un des diagrammes des forces. Nous résolvons ensuite le problème en suivant strictement les règles usuelles de l'algèbre et en inscrivant chacune des étapes franchies.

Nous vérifions attentivement la réponse obtenue. Nous pouvons souvent détecter les erreurs de raisonnement simplement en analysant les unités. Par exemple, pour déterminer le moment d'une force de 50 N à un point situé à 0,60 m de la ligne d'action, nous aurions écrit (*voir la section 3.3.1*) :

$$M = Fd = (50 \text{ N})(0,60 \text{ m}) = 30 \text{ N} \cdot \text{m}$$

L'unité N · m résultant de la multiplication des newtons par les mètres correspond bien à l'unité d'un moment de force ; si nous avions obtenu une unité différente, nous aurions su immédiatement que la solution comportait une erreur.

Nous trouvons facilement une erreur de calcul en substituant les valeurs numériques obtenues dans une équation qui n'a pas été utilisée pour solutionner le problème. Les valeurs devraient normalement vérifier l'équation. Nous n'insisterons jamais assez sur l'importance de l'exactitude des résultats pour un ingénieur.

1.5 PRÉCISION DES VALEURS

La précision de la réponse à un problème dépend à la fois de la précision des données de départ et de celle des calculs effectués. La réponse ne peut être plus précise que le moins précis de ces deux facteurs. Considérons par exemple le cas d'un pont qui supporte une charge de 40 000 kg, déterminée à 50 kg près ; l'erreur relative indique la précision de cette donnée.

$$\frac{50 \text{ kg}}{40\ 000 \text{ kg}} = 0,001\ 25 = 0,125 \text{ pour cent}$$

Si nous calculons la réaction d'appui de l'un des piliers du pont, il devient incohérent d'inscrire 253,42 kN, car une telle précision ne peut être garantie. La précision de la solution ne peut dépasser celle de la donnée de départ, soit 0,125 %, quel que soit le nombre de décimales obtenues par calcul. En réalité, l'erreur peut être aussi grande que $(0,125/100)(253,42 \text{ kN}) \approx 0,30 \text{ kN}$. La réponse devrait donc être inscrite comme suit : $(253,4 \pm 0,3) \text{ kN}$.

L'ingénieur dispose rarement de données de précision supérieure à 0,2 pour cent. En conséquence, nous devrions noter les réponses aux problèmes avec une précision similaire. Pour simplifier, nous conservons en général quatre chiffres dans l'écriture des nombres commençant par « 1 », et trois chiffres dans tous les autres cas. Par ailleurs, à moins d'indication contraire, nous attribuons la même précision aux données de départ d'un problème. Par exemple, en procédant comme précédemment, une force de 40 N s'écrirait 40,0 N et une force de 15 N deviendrait 15,00 N.

Les ingénieurs et les étudiants utilisent aujourd'hui couramment les calculettes. La vitesse d'exécution et la précision des calculettes facilitent la résolution numérique de bon nombre de problèmes. Cependant, les utilisateurs ne doivent pas retenir tous les chiffres affichés mais plutôt choisir le nombre approprié de chiffres significatifs. Ainsi qu'il a déjà été indiqué, une précision supérieure à 0,2 pour cent est rarement nécessaire ni même significative dans les problèmes pratiques rencontrés en ingénierie.

2 STATIQUE DES PARTICULES

Bon nombre de problèmes concrets peuvent être résolus en considérant l'équilibre des forces en un point d'une structure que l'on assimile à une « particule ». Dans le cas d'une grue comme celle ci-contre, l'analyse de l'équilibre à l'emplacement du crochet qui retient les câbles suffit pour obtenir une relation mathématique entre les tensions de tous les câbles utilisés.

SOMMAIRE

OBJECTIFS

- **Décrire** la force comme une quantité vectorielle.

- **Faire l'examen** des opérations vectorielles utiles pour l'analyse des forces.

- **Déterminer** la résultante de forces multiples agissant sur une particule.

- **Décomposer** les forces en composantes.

- **Additionner** des forces ayant été décomposées en composantes rectangulaires.

- **Introduire** le concept du diagramme du corps libre.

- **Utiliser** les diagrammes du corps libre pour aider à l'analyse des problèmes d'équilibre de particules dans le plan et l'espace.

Ce chapitre traite de l'effet produit par des forces exercées sur des particules. D'abord, nous apprendrons à remplacer un ensemble de deux ou plusieurs forces appliquées à une particule par une force unique équivalente, appelée *résultante*. Puis, nous dériverons les expressions mathématiques reliant les forces agissant sur une particule en équilibre ; nous les utiliserons par la suite pour déterminer quelques-unes des forces en cause.

Bien qu'il soit question de « particule », notre étude ne se limite pas aux corpuscules ou aux très petits objets. Simplement, elle examine des cas où la taille et la forme des corps n'influencent pas les résultats et où les forces s'appliquent à un même point. On rencontre ces conditions dans bon nombre de situations concrètes. La matière contenue dans ce chapitre permettra donc de résoudre de véritables problèmes d'ingénierie.

Dans un premier temps, nous analyserons des cas où toutes les forces se situent dans un même plan (deux dimensions ou 2D) ; la seconde partie portera sur des ensembles de forces agissant dans un espace tridimensionnel (3D).

2.1 FORCES COPLANAIRES

2.1.1 RÉSULTANTE DE DEUX FORCES AGISSANT SUR LA MÊME PARTICULE

Une force représente l'action d'un corps sur un autre corps et est généralement caractérisée par son point d'application, sa grandeur et sa direction. Cependant, les forces agissant sur une particule donnée ont le même point d'application, soit la particule elle-même. Ce chapitre étant consacré aux particules, nous définirons complètement les forces en donnant leur grandeur et leur direction.

La grandeur d'une force s'exprime à l'aide d'un nombre et de ses unités. Nous avons vu au premier chapitre que les ingénieurs emploient les unités SI. Ils mesurent donc les forces en newtons (N) ou en kilonewtons (kN), un kilonewton étant égal à 1000 N. Pour compléter la description de la force, on donne sa direction en indiquant sa ligne d'action et le sens d'application. La ligne d'action correspond à la ligne droite infinie le long de laquelle la force agit ; on la caractérise à l'aide de l'angle qu'elle forme avec un axe préalablement déterminé (*voir la figure 2.1*). On dessine un segment de cette droite pour représenter la force ; la longueur du segment, fonction de l'échelle choisie, correspond à la grandeur de la force. Finalement, une flèche indique le sens d'application (ou orientation), précision essentielle dans la description d'une force. En réalité, deux forces de même grandeur exercées sur la même ligne d'action, mais de sens opposé (*voir les figures 2.1a et 2.1b*), ont un effet contraire sur la particule.

L'expérience démontre que nous pouvons remplacer deux forces **P** et **Q** agissant sur une particule *A* (*voir la figure 2.2a*) par une force unique **R** produisant le même effet (*voir la figure 2.2c*). On nomme cette force équivalente *résultante des forces* **P** *et* **Q.** Nous pouvons déterminer **R** en construisant un parallélogramme dont les côtés adjacents correspondent à **P** et **Q** (*voir la figure 2.2b*). La diagonale du parallélogramme qui passe

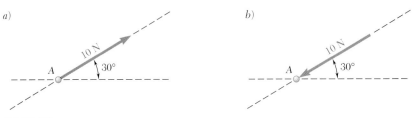

Figure 2.1

par le point A représente la résultante. Ce procédé décrit l'application de la règle du parallélogramme à l'addition de deux forces. Fondée sur des résultats expérimentaux, cette règle ne peut être ni prouvée ni dérivée mathématiquement.

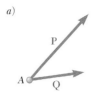

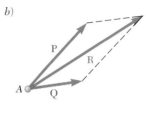

2.1.2 VECTEURS

L'addition géométrique de la figure 2.2 indique clairement que les forces n'obéissent pas aux règles d'addition de l'arithmétique ou de l'algèbre ordinaire. Par exemple, des forces de 4 N et 3 N faisant un angle droit entre elles donnent une résultante de 5 N, et non pas de 7 N. L'application de la règle du parallélogramme ne se limite pas aux forces ; elle permet d'additionner d'autres quantités physiques, également caractérisées par une grandeur et une direction, tels les déplacements, les vitesses, les accélérations et les moments de force. On représente toutes ces quantités par des vecteurs. Par ailleurs, nous appelons *scalaires* les quantités sans direction, parfaitement définies par un nombre et ses unités, tels le volume, la masse ou l'énergie.

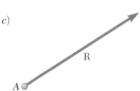

Figure 2.2

On définit les vecteurs comme des expressions mathématiques caractérisées par une grandeur et une direction, qui s'additionnent en appliquant la règle du parallélogramme. Sur un schéma, on représente un vecteur par une flèche et, dans le texte, on les distingue des scalaires en utilisant les caractères gras (**P**). Dans l'écriture manuscrite, on identifie généralement un vecteur en traçant une petite flèche au-dessus de son symbole ($\vec{P}$) ou en le soulignant ($\underline{P}$). Cette dernière notation est sans doute préférable, car on peut la reproduire plus facilement sur une machine à écrire ou un ordinateur. La grandeur d'un vecteur détermine la longueur de la flèche qui le représente. Dans ce texte, on exprime cette grandeur en utilisant un caractère italique ; ainsi, *P* représente la grandeur du vecteur **P**.

Le point d'application d'une force agissant sur une particule est la particule elle-même. Nous parlons alors d'un vecteur lié que nous ne pouvons déplacer sans modifier les conditions du problème. Par contre, nous pouvons déplacer librement dans l'espace les vecteurs de certaines quantités physiques, les couples (*voir le chapitre 3*) par exemple ; nous parlons alors de vecteurs libres. Dans d'autres cas, comme les forces agissant sur un corps rigide (*voir le chapitre 3*), nous pouvons glisser les vecteurs le long de leur ligne d'action ; nous les nommons *vecteurs glissants*.

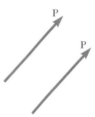

Figure 2.3

Deux vecteurs sont équipollents s'ils ont la même grandeur et la même direction, quel que soit leur point d'application (*voir la figure 2.3*). On peut identifier des vecteurs équipollents par le même symbole.

Le vecteur opposé à **P**, noté −**P**, a la même grandeur que **P**, mais il est de sens opposé (*voir la figure 2.4*). Nous disons alors que les vecteurs **P** et −**P** sont opposés. Leur somme est nulle :

$$\mathbf{P} + (-\mathbf{P}) = 0$$

Figure 2.4

2.1.3 ADDITION VECTORIELLE

Dans la section précédente, nous avons vu que, par définition, la règle du parallélogramme s'applique pour additionner les vecteurs : nous obtenons la somme des vecteurs **P** et **Q** en joignant leur origine à un point *A* et en construisant un parallélogramme dont les vecteurs constituent deux des côtés (*voir la figure 2.5*). La diagonale passant par le point *A* détermine la somme des vecteurs **P** et **Q**, notée **P** + **Q**. L'utilisation du signe + à la fois pour les scalaires et les vecteurs ne pose pas de problème à condition de distinguer clairement l'écriture des vecteurs de celle des scalaires. Il est à noter que la grandeur du vecteur **P** + **Q** ne correspond généralement pas à la somme des grandeurs des vecteurs individuels *P* + *Q*.

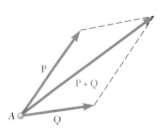

Figure 2.5

Le parallélogramme construit à partir des vecteurs **P** et **Q** reste le même si nous plaçons les vecteurs dans l'ordre inverse. L'addition de deux vecteurs est donc commutative et nous pouvons écrire

$$\mathbf{P} + \mathbf{Q} = \mathbf{Q} + \mathbf{P} \qquad (2.1)$$

Une autre façon d'additionner deux vecteurs, que nous appelons la *méthode du triangle*, est dérivée de la règle du parallélogramme. La figure 2.5 montre la somme des vecteurs **P** et **Q** obtenue par cette règle. Considérant la symétrie de la figure, les côtés opposés étant égaux et parallèles, il suffit de dessiner la moitié du parallélogramme (*voir la figure 2.6a*) pour trouver la somme : on place bout à bout les vecteurs **P** et **Q**, l'origine de **Q** jointe à l'extrémité de **P** ; on trace ensuite la résultante en reliant l'origine de **P** à l'extrémité de **Q**. La figure 2.6b illustre la même addition en considérant l'autre moitié du parallélogramme. On obtient la même résultante, ce qui confirme la commutativité de l'addition vectorielle.

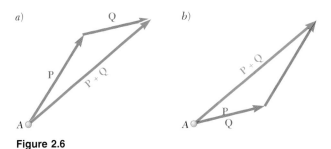

Figure 2.6

La soustraction d'un vecteur équivaut à l'addition de son vecteur opposé. Ainsi, nous obtenons **P** − **Q**, la différence entre les vecteurs **P** et **Q**, en additionnant **P** et −**Q** (*voir la figure 2.7*). Nous écrivons

$$\mathbf{P} - \mathbf{Q} = \mathbf{P} + (-\mathbf{Q}) \qquad (2.2)$$

Ici encore, il faut éviter toute confusion entre les soustractions scalaires et vectorielles en distinguant clairement l'écriture des vecteurs de celle des scalaires.

Considérons maintenant l'addition de trois vecteurs ou plus. Par définition, nous obtenons la somme de **P**, **Q** et **S** en additionnant d'abord les vecteurs **P** et **Q**, et en ajoutant ensuite **S** au vecteur **P** + **Q**. Nous écrivons

$$\mathbf{P} + \mathbf{Q} + \mathbf{S} = (\mathbf{P} + \mathbf{Q}) + \mathbf{S} \qquad (2.3)$$

L'addition de quatre vecteurs se fait de même, c'est-à-dire en ajoutant le quatrième vecteur à la somme des trois premiers. Il s'ensuit que la somme d'un nombre donné de vecteurs s'obtient en appliquant la règle du parallélogramme à répétition, en ajoutant un vecteur chaque fois, jusqu'à ce qu'un seul vecteur remplace l'ensemble des vecteurs à additionner.

Si les vecteurs sont coplanaires, c'est-à-dire s'ils se situent tous dans le même plan, on trouve facilement leur somme par une méthode graphique. La méthode du triangle s'avère alors plus simple d'utilisation que la règle du parallélogramme. La figure 2.8 illustre l'addition des vecteurs **P**, **Q** et **S** par la méthode du triangle. Il suffit d'additionner les vecteurs **P** et **Q** en premier lieu, et de répéter la méthode pour les vecteurs **P** + **Q** et **S**. L'examen de la figure 2.9 révèle qu'il n'est cependant pas nécessaire de déterminer le vecteur **P** + **Q** pour obtenir le résultat final. Il suffit de placer les vecteurs bout à bout, en joignant l'origine du deuxième à l'extrémité

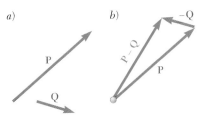

Figure 2.7

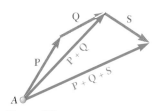

Figure 2.8

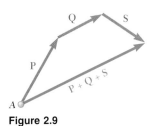

Figure 2.9

du premier et ainsi de suite, et de tracer la résultante en reliant l'origine du premier vecteur à l'extrémité du dernier ; c'est la méthode du polygone. Le résultat reste le même si nous changeons l'ordre des vecteurs, comme montré sur la figure 2.10, où les vecteurs **Q** et **S** ont été remplacés par leur somme **Q** + **S**. Nous pouvons donc écrire

$$\mathbf{P} + \mathbf{Q} + \mathbf{S} = (\mathbf{P} + \mathbf{Q}) + \mathbf{S} = \mathbf{P} + (\mathbf{Q} + \mathbf{S}) \tag{2.4}$$

Cette équation montre que l'addition vectorielle est associative, en plus d'être commutative comme nous l'avons vu précédemment. Nous avons

$$\begin{aligned} \mathbf{P} + \mathbf{Q} + \mathbf{S} &= (\mathbf{P} + \mathbf{Q}) + \mathbf{S} = \mathbf{S} + (\mathbf{P} + \mathbf{Q}) \\ &= \mathbf{S} + (\mathbf{Q} + \mathbf{P}) = \mathbf{S} + \mathbf{Q} + \mathbf{P} \end{aligned} \tag{2.5}$$

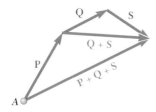

Figure 2.10

Cette expression et les relations équivalentes que nous pouvons déduire de la même manière montrent que l'ordre d'addition des vecteurs est sans importance (*voir la figure 2.11*).

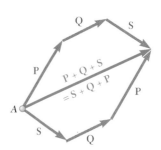

Figure 2.11

Produit d'un scalaire et d'un vecteur Pour simplifier la notation, nous écrivons souvent 2**P** pour représenter la somme **P** + **P**, ou 3**P** au lieu de **P** + **P** + **P**. En fait, nous remplaçons généralement la somme de n vecteurs **P** égaux par le produit $n\mathbf{P}$, où n est un entier positif. Le vecteur $n\mathbf{P}$ est de grandeur nP et orienté dans la même direction que **P**. Nous pouvons élargir cette définition à tous les scalaires et, reprenant la notion de vecteur opposé vue à la section 2.1.2, le produit $k\mathbf{P}$ d'un scalaire k et d'un vecteur **P** donne un vecteur de même direction que **P** si k est positif, et un vecteur de sens opposé à **P** si k est négatif. La grandeur du vecteur $k\mathbf{P}$ correspond au produit de P par la valeur absolue de k (*voir la figure 2.12*).

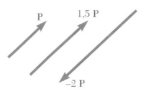

Figure 2.12

2.1.4 RÉSULTANTE DE FORCES CONCOURANTES

Considérons une particule A soumise à plusieurs forces coplanaires, c'est-à-dire situées dans un même plan (*voir la figure 2.13a*). Étant donné que toutes ces forces passent par le point A, nous dirons qu'elles sont concourantes. Nous les additionnons en utilisant la méthode du polygone (*voir la figure 2.13b*), équivalente à des applications successives de la règle du parallélogramme. La résultante **R** des forces concourantes produit le même

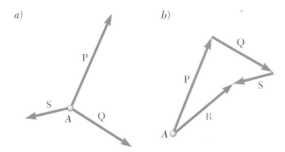

Figure 2.13

effet sur la particule *A* que l'ensemble des forces concourantes appliquées. Rappelons que l'ordre d'addition des vecteurs **P**, **Q** et **S** est sans importance.

2.1.5 DÉCOMPOSITION D'UN VECTEUR FORCE

Nous avons vu qu'il est possible de remplacer deux ou plusieurs forces agissant sur une particule par leur résultante, une force unique produisant le même effet que l'ensemble. À l'inverse, nous pouvons remplacer une force **F** appliquée à une particule par deux ou plusieurs forces dont l'action globale produira le même effet que **F** sur la particule. Nous parlons alors des composantes de la force initiale **F** et nous les obtenons en décomposant le vecteur **F**.

Un vecteur **F** donné peut être décomposé de mille et une façons. En pratique, les ensembles de deux composantes **P** et **Q** sont les plus pratiques, mais le nombre de possibilités reste illimité (*voir la figure 2.14*). Nous retiendrons ici deux cas intéressants :

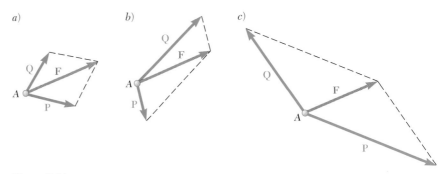

Figure 2.14

1. **L'une des composantes, P, est connue.** Nous devons déterminer la seconde composante, **Q**, en appliquant la méthode du triangle, c'est-à-dire en plaçant l'origine du vecteur **P** sur celle du vecteur **F** (*voir la figure 2.15*) ; nous obtenons alors la grandeur et la direction du vecteur **Q** en les mesurant sur le schéma dessiné à l'échelle ou en utilisant la trigonométrie. Nous pouvons ensuite déplacer la composante **Q** pour illustrer que les vecteurs **P** et **Q** doivent s'appliquer tous deux à la particule *A*.

2. **La ligne d'action de chacune des composantes est connue.** La règle du parallélogramme donne la grandeur et le sens des composantes ; il s'agit de projeter l'extrémité du vecteur **F** en abaissant des droites parallèles aux lignes d'action (*voir la figure 2.16*), délimitant ainsi le parallélogramme. Il suffit ensuite de définir les composantes **P** et **Q** en les mesurant sur le graphique ou en appliquant la loi des sinus (trigonométrie).

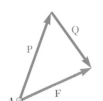

Figure 2.15

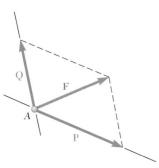

Figure 2.16

En pratique, nous rencontrons toutes sortes de situations ; par exemple, nous connaissons la direction de l'une des composantes et nous cherchons une seconde composante aussi petite que possible (*voir le problème résolu 2.2*). Dans tous les cas, nous traçons le triangle ou le parallélogramme qui satisfait les conditions données.

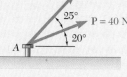

Calculez la résultante des forces **P** et **Q** appliquées au boulon *A*.

> SOLUTION

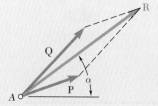

Solution graphique On choisit une échelle de forces et on construit le parallélogramme qui a **P** et **Q** comme côtés. La grandeur et l'orientation de la résultante *R* sont mesurées à l'échelle sur le tracé ; on trouve

$$R = 98 \text{ N} \qquad \alpha = 35° \qquad \mathbf{R} = 98 \text{ N} \measuredangle 35° \quad \blacktriangleleft$$

La règle du triangle peut aussi être utilisée : on place alors les vecteurs **P** et **Q** bout à bout et on mesure sur le dessin la grandeur et l'orientation de la résultante *R*.

$$R = 98 \text{ N} \qquad \alpha = 35° \qquad \mathbf{R} = 98 \text{ N} \measuredangle 35° \quad \blacktriangleleft$$

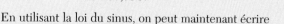

Solution trigonométrique La règle du triangle est utilisée : dans ce triangle, on connaît les deux côtés et l'angle qu'ils déterminent. On applique la loi des cosinus et on obtient

$$R^2 = P^2 + Q^2 - 2PQ \cos B$$
$$R^2 = (40 \text{ N})^2 + (60 \text{ N})^2 - 2(40 \text{ N})(60 \text{ N}) \cos 155°$$
$$R = 97{,}73 \text{ N}$$

En utilisant la loi du sinus, on peut maintenant écrire

$$\frac{\sin A}{Q} = \frac{\sin B}{R} \qquad \frac{\sin A}{60 \text{ N}} = \frac{\sin 155°}{97{,}73 \text{ N}} \tag{1}$$

Si on résout l'équation 1 en fonction du sin *A* à l'aide d'une calculatrice, on trouve

$$\sin A = \frac{(60 \text{ N}) \sin 155°}{97{,}73 \text{ N}}$$

En calculant d'abord le quotient du membre de droite et ensuite son arcsin, on obtient

$$A = 15{,}04° \qquad \alpha = 20° + A = 35{,}04°$$

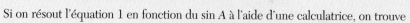

Autre solution On construit le triangle rectangle *BCD* et on a

$$CD = (60 \text{ N}) \sin 25° = 25{,}36 \text{ N}$$
$$BD = (60 \text{ N}) \cos 25° = 54{,}38 \text{ N}$$

Alors, par le triangle *ACD*, on obtient

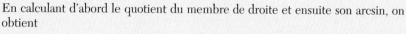

$$\tan A = \frac{25{,}36 \text{ N}}{94{,}38 \text{ N}} \qquad A = 15{,}04°$$
$$R = \frac{25{,}36}{\sin A} \qquad R = 97{,}73 \text{ N}$$

et finalement

$$\alpha = 20° + A = 35{,}04° \qquad\qquad \mathbf{R} = 97{,}7 \text{ N} \measuredangle 35{,}0° \quad \blacktriangleleft$$

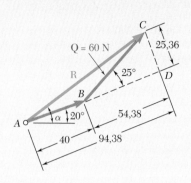

Un chaland est tiré par deux remorqueurs. Si la résultante des deux forces exercées par les remorqueurs est de 5000 N et dirigée parallèlement à l'axe du chaland, déterminez :

a) la tension dans chaque câble pour $\alpha = 45°$;
b) la valeur de α pour laquelle la tension dans le câble 2 est minimale.

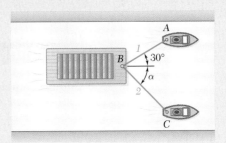

> **SOLUTION**

a) Tension pour $\alpha = 45°$

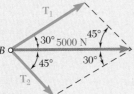

Solution graphique Si on utilise la règle du parallélogramme, la diagonale (résultante) doit être égale à 5000 N et dirigée vers la droite (*voir la figure ci-contre*). Les côtés sont tracés parallèlement aux câbles. Si le dessin est fait à l'échelle, on trouve

$$T_1 = 3700 \text{ N} \qquad T_2 = 2600 \text{ N} \qquad \blacktriangleleft$$

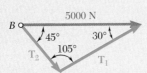

Solution trigonométrique En utilisant la méthode du triangle, on remarque que celui-ci représente la moitié du parallélogramme précédent (*voir la figure ci-contre*). Par trigonométrie, on a

$$\frac{T_1}{\sin 45°} = \frac{T_2}{\sin 30°}$$

$$= \frac{5000 \text{ N}}{\sin 105°}$$

d'où $\quad T_1 = 3660 \text{ N} \qquad$ et $\qquad T_2 = 2590 \text{ N} \qquad \blacktriangleleft$

b) Valeur de α pour laquelle T_2 est minimale La méthode du triangle est utilisée pour calculer la valeur de α. Le schéma ci-contre montre que la droite *1-1′* correspond à la direction connue de T_1. Des directions possibles de T_2 sont indiquées par les droites *2-2′*. On remarque que T_2 a une valeur minimale lorsqu'elle est perpendiculaire à T_1. On a alors

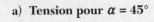

$$T_2 = (5000 \text{ N}) \sin 30° = 2500 \text{ N}$$

Les valeurs correspondantes de T_1 et α sont

$$T_1 = (5000 \text{ N}) \cos 30° = 4330 \text{ N}$$

$$\alpha = 90° - 30°$$

$$\alpha = 60° \qquad \blacktriangleleft$$

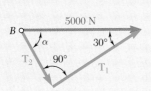

Nous avons étudié dans cette section la règle du parallélogramme appliquée à l'addition de vecteurs. Pour cela, deux problèmes résolus ont été présentés : 2.1 et 2.2. Le premier traite de la manière de calculer la résultante **R** de deux forces connues en direction et en magnitude. Le deuxième traite de la façon de décomposer une force **F** en deux composantes selon les directions désirées.

Nous allons maintenant résoudre des problèmes ayant comme point commun l'application directe de la règle du parallélogramme.

Nous suivrons les étapes suivantes :

1. **Identifier les forces appliquées et la résultante.** Il est souvent utile d'écrire l'équation vectorielle identifiant la relation entre les forces. Ainsi, au problème résolu 2.1, nous avions

$$\mathbf{R} = \mathbf{P} + \mathbf{Q}$$

   Il est important de garder cette relation à l'esprit lors de la formulation de la deuxième partie de la solution.

2. **Tracer un parallélogramme ayant comme côtés adjacents les forces appliquées et tracer la résultante en diagonale** (*voir la figure 2.2*). En utilisant la méthode du triangle, nous pouvons tracer bout à bout les deux forces appliquées. Nous pouvons ensuite tracer la résultante en reliant l'origine de la première force et l'extrémité de la dernière force appliquée (*voir la figure 2.6*).

3. **Indiquer l'ensemble des paramètres.** Si nous utilisons un des triangles du parallélogramme ou encore le triangle tracé selon la méthode du triangle, nous devons indiquer toutes les dimensions connues, incluant les côtés et les angles. Ensuite, nous devons déterminer les valeurs manquantes, soit la grandeur et la direction de chaque force, par la méthode graphique ou par trigonométrie.

4. **Appliquer les lois de la trigonométrie.** Si nous utilisons la trigonométrie et que nous connaissons deux côtés adjacents et l'angle compris entre ces deux côtés, nous devons d'abord appliquer la loi des cosinus (*voir le problème résolu 2.1*). Par contre, si nous connaissons tous les angles du triangle et un seul de ses côtés, nous appliquons alors la loi des sinus (*voir le problème résolu 2.2*).

Certaines personnes, ayant déjà été introduites à des notions de mécanique, préféreront ignorer les techniques de résolution présentées dans cette section au profit d'une approche utilisant la décomposition rectangulaire des forces. Bien que cette dernière approche soit importante et qu'elle soit présentée à la prochaine section, il est important à ce stade de l'étude de bien maîtriser la règle du parallélogramme, car elle simplifie la solution d'un grand nombre de problèmes.

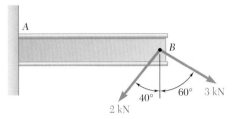

Figure P2.1

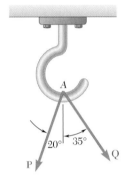

Figure P2.2 - P2.3 - P2.10

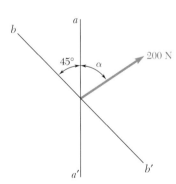

Figure P2.5 - P2.6

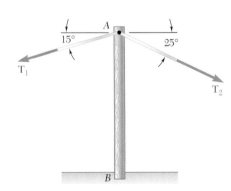

Figure P2.7 - P2.8

2.1 Deux forces sont appliquées au point B de la poutre AB illustrée.
a) En utilisant la règle du parallélogramme, déterminez la grandeur et la direction de leur résultante.
b) Déterminez les mêmes paramètres (grandeur et direction) en utilisant la méthode du triangle.

2.2 Deux forces ($\mathbf{P}$ et $\mathbf{Q}$) sont appliquées au point A du crochet illustré. Sachant que $P = 75$ N et $Q = 125$ N, déterminez graphiquement la grandeur et la direction de leur résultante en utilisant :
a) la règle du parallélogramme ;
b) la méthode du triangle.

2.3 Deux forces ($\mathbf{P}$ et $\mathbf{Q}$) sont appliquées au point A du crochet illustré. Sachant que $P = 60$ N et $Q = 25$ N, déterminez graphiquement la grandeur et la direction de leur résultante en utilisant :
a) la règle du parallélogramme ;
b) la méthode du triangle.

2.4 Les câbles AB et AD soutiennent la poutre AC. Sachant que les tensions dans les câbles sont respectivement de 1200 N pour AB et 400 N pour AD, déterminez graphiquement la grandeur et la direction de leur résultante au point A, en utilisant :
a) la règle du parallélogramme ;
b) la méthode du triangle.

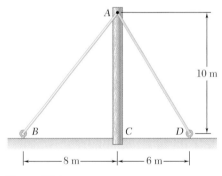

Figure P2.4

2.5 On veut décomposer une force de 200 N en deux composantes ayant les directions définies a-a' et b-b'.
a) Calculez par trigonométrie l'angle α, sachant que la composante selon l'axe a-a' est de 150 N.
b) Quelle serait la valeur correspondante selon l'axe b-b' ?

2.6 On veut décomposer une force de 200 N en deux composantes ayant les directions définies a-a' et b-b'.
a) Calculez par trigonométrie l'angle α, sachant que la composante selon l'axe b-b' est de 120 N.
b) Quelle serait la valeur correspondante selon l'axe a-a' ?

2.7 Un câble téléphonique est attaché au point A du poteau AB. Sachant que la tension au côté gauche du câble est de $T_1 = 800$ N, déterminez par trigonométrie :
a) la tension T_2 requise au côté droit si la résultante $\mathbf{R}$ des forces exercées sur le câble au point A doit être verticale ;
b) la grandeur correspondante de $\mathbf{R}$.

2.8 Un câble téléphonique est attaché au point A du poteau AB. Sachant que la tension au côté droit du câble est de $T_2 = 1000$ N, déterminez par trigonométrie :
- **a)** la tension T_1 requise au côté gauche si la résultante **R** des forces exercées sur le câble au point A doit être verticale ;
- **b)** la grandeur correspondante de **R**.

2.9 On applique sur un crochet deux forces distinctes. Sachant que la grandeur de la force **P** est de 35 N, déterminez par trigonométrie :
- **a)** la valeur de l'angle α si la résultante **R** des deux forces doit être horizontale ;
- **b)** la grandeur correspondante de **R**.

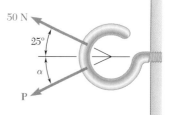

Figure P2.9

2.10 En vous référant à la situation décrite au problème 2.2 et sachant que la force **P** exercée est de 75 N, déterminez par trigonométrie :
- **a)** la grandeur de la force **Q** si la résultante **R** des deux forces appliquées au point A doit être verticale ;
- **b)** la grandeur correspondante de **R**.

2.11 On désire déposer un réservoir en acier dans un fossé. Sachant que $\alpha = 20°$, calculez par trigonométrie :
- **a)** la grandeur de la force **P** si la résultante **R** des deux forces appliquées au point A doit être verticale ;
- **b)** la grandeur correspondante de **R**.

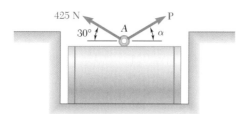

Figure P2.11 - P2.13

2.12 On désire déposer un réservoir en acier dans un fossé. Sachant que la force **P** est de 500 N, calculez par trigonométrie :
- **a)** la valeur de l'angle α si la résultante **R** des deux forces appliquées au point A doit être verticale ;
- **b)** la grandeur correspondante de **R**.

2.13 On désire déposer un réservoir en acier dans un fossé. Calculez par trigonométrie :
- **a)** la grandeur et la direction de la force **P** minimale pour laquelle la résultante **R** des deux forces appliquées au point A est verticale ;
- **b)** la grandeur correspondante de **R**.

2.14 En vous référant aux données du problème 2.9, évaluez par trigonométrie :
- **a)** la grandeur et la direction de la force **P** minimale pour laquelle la résultante **R** des deux forces appliquées sur le crochet est horizontale ;
- **b)** la grandeur correspondante de **R**.

2.15 Une automobile en panne est tirée par deux câbles. La tension dans le câble AB est de 2,2 kN, et l'angle α est 25°. Si la résultante des deux forces appliquées en A est dirigée selon l'axe de l'automobile, déterminez par trigonométrie :
- **a)** la tension dans le câble AC ;
- **b)** la grandeur de la résultante des deux forces appliquées en A.

2.16 Une automobile en panne est tirée par deux câbles. Sachant que la tension dans le câble AB est de 3 kN, déterminez par trigonométrie la tension dans le câble AC et la valeur de α pour que la force résultante en A soit une force de 4,8 kN dirigée selon l'axe de l'automobile.

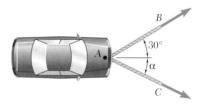

Figure P2.15 - P2.16

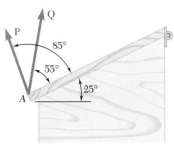

Figure P2.19 - P2.20

2.17 En vous référant à la situation décrite au problème 2.9 et sachant que $P = 75$ N et $\alpha = 50°$, évaluez par trigonométrie la grandeur et la direction de la résultante des deux forces appliquées sur le crochet.

2.18 Résolvez trigonométriquement le problème 2.1.

2.19 Deux forces **P** et **Q** sont appliquées sur le couvercle d'une boîte de rangement. Sachant que $P = 48$ N et que $Q = 60$ N, déterminez par trigonométrie la grandeur et la direction de la résultante des deux forces.

2.20 Deux forces **P** et **Q** sont appliquées sur le couvercle d'une boîte de rangement. Sachant que $P = 60$ N et que $Q = 48$ N, déterminez par trigonométrie la grandeur et la direction de la résultante des deux forces.

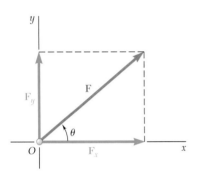

Figure 2.17

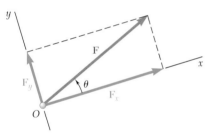

Figure 2.18

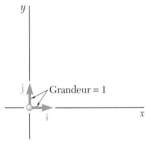

Figure 2.19

2.2 ADDITION DE FORCES À L'AIDE DE COMPOSANTES

2.2.1 COMPOSANTES RECTANGULAIRES D'UNE FORCE ET VECTEURS UNITAIRES

La résolution de plusieurs problèmes est habituellement simplifiée si on décompose les forces en deux composantes perpendiculaires entre elles. La figure 2.17 montre la décomposition d'un vecteur **F** en ses composantes **F**$_x$, le long de l'axe des x, et **F**$_y$, orientée selon l'axe des y. Le parallélogramme devient alors un rectangle et les composantes **F**$_x$ et **F**$_y$ sont appelées *composantes rectangulaires*[1].

L'axe des x correspond généralement à une direction horizontale, et l'axe des y, à une direction verticale (*voir la figure 2.17*), mais il est aussi possible de choisir des directions perpendiculaires quelconques (*voir la figure 2.18*). Pour déterminer les composantes rectangulaires d'une force (*voir les figures 2.17 et 2.18*), il s'avère plus prudent de penser à tracer des lignes parallèles aux axes x et y plutôt que de songer à abaisser des perpendiculaires à ces axes. Les risques d'erreurs sont ainsi diminués lorsque vient le temps de définir des composantes obliques, comme nous l'avons vu à la section 2.1.5.

Forces en termes de vecteurs unitaires Considérons maintenant deux vecteurs de grandeur unitaire dirigés respectivement selon le sens des x et des y positifs. Ces vecteurs sont appelés *vecteurs unitaires* et représentés par les symboles **i** et **j** (*voir la figure 2.19*). En utilisant la définition du produit d'un scalaire par un vecteur (*voir la section 2.1.3*), nous pouvons écrire les composantes rectangulaires **F**$_x$ et **F**$_y$ d'une force **F** en multipliant les vecteurs unitaires **i** et **j** par les scalaires appropriés (*voir la figure 2.20*). Nous avons

$$\mathbf{F}_x = F_x\mathbf{i} \qquad \mathbf{F}_y = F_y\mathbf{j} \qquad (2.6)$$

et

$$\mathbf{F} = F_x\mathbf{i} + F_y\mathbf{j} \qquad (2.7)$$

Les scalaires F_x et F_y sont positifs ou négatifs selon le sens de **F**$_x$ et **F**$_y$; leur valeur absolue correspond à la grandeur des composantes. F_x et F_y

---

1. La définition des composantes rectangulaires donnée pour les forces aux sections 2.2.1 et 2.2.2 s'applique également à toute autre quantité vectorielle.

sont les composantes scalaires de la force **F** alors que $\mathbf{F}_x$ et $\mathbf{F}_y$ en sont les composantes vectorielles. Lorsqu'il n'y a aucun risque de confusion, les composantes du vecteur **F** désignent les unes ou les autres. Il est à noter que la composante scalaire F_x est positive lorsque $\mathbf{F}_x$ est dans le même sens que le vecteur unitaire **i** (sens des x positifs) et qu'elle prend une valeur négative lorsque $\mathbf{F}_x$ va dans le sens opposé à **i**. De même, le signe de F_y dépend du sens de $\mathbf{F}_y$ par rapport au vecteur unitaire **j**.

Composantes scalaires   Si nous connaissons la grandeur de la force **F** et l'angle θ qu'elle forme avec l'axe des x positifs, mesuré dans le sens antihoraire (*voir la figure 2.20*), nous pouvons exprimer les composantes scalaires de **F** comme suit :

$$F_x = F \cos \theta \qquad F_y = F \sin \theta \qquad (2.8)$$

Ces relations, valables pour tout angle θ compris entre 0° et 360°, définissent à la fois le signe et la valeur absolue des composantes F_x et F_y.

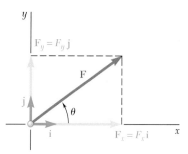

Figure 2.20

APPLICATION DE CONCEPT   2.1

Une force de 800 N est appliquée à un boulon A comme illustré à la figure 2.21a. Nous devons déterminer les composantes horizontale et verticale de la force.

> **SOLUTION**

Pour attribuer le bon signe aux composantes F_x et F_y, nous pouvons utiliser $\theta = 180° - 35° = 145°$ dans les équations 2.8. Nous pouvons aussi déterminer les signes de F_x et F_y en regardant le schéma (*voir la figure 2.21b*) et appliquer simplement les fonctions trigonométriques à l'angle $\theta = 35°$. Nous avons

$$F_x = -F \cos \alpha = -(800 \text{ N}) \cos 35° = -655 \text{ N}$$
$$F_y = +F \sin \alpha = +(800 \text{ N}) \sin 35° = +459 \text{ N}$$

Les composantes de **F** donnent alors

$$\mathbf{F}_x = -(655 \text{ N})\mathbf{i} \qquad \mathbf{F}_y = +(459 \text{ N})\mathbf{j}$$

et nous pouvons écrire

$$\mathbf{F} = -(655 \text{ N})\mathbf{i} + (459 \text{ N})\mathbf{j}$$

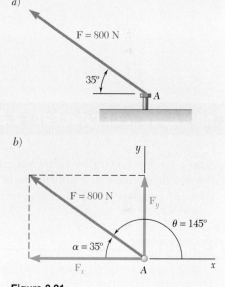

Figure 2.21

APPLICATION DE CONCEPT   2.2

Une personne tire sur une corde attachée au mur d'un édifice avec une force de 300 N (*voir la figure 2.22a*). Nous devons déterminer les composantes horizontale et verticale de la force exercée par la corde au point A.

> **SOLUTION**

La figure 2.22b (*voir à la page suivante*) montre que

$$F_x = +(300 \text{ N}) \cos \alpha \qquad F_y = -(300 \text{ N}) \sin \alpha$$

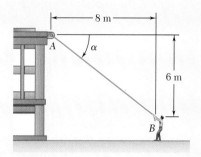

Figure 2.22a

Sachant que $AB = 10$ m et en référant à la figure 2.22a, nous trouvons

$$\cos \alpha = \frac{8\ \text{m}}{AB} = \frac{8\ \text{m}}{10\ \text{m}} = \frac{4}{5} \qquad \sin \alpha = \frac{6\ \text{m}}{AB} = \frac{6\ \text{m}}{10\ \text{m}} = \frac{3}{5}$$

Nous obtenons alors

$$F_x = +(300\ \text{N})\frac{4}{5} = +240\ \text{N} \qquad F_y = -(300\ \text{N})\frac{3}{5} = -180\ \text{N}$$

et nous écrivons

$$\mathbf{F} = (240\ \text{N})\mathbf{i} - (180\ \text{N})\mathbf{j}$$

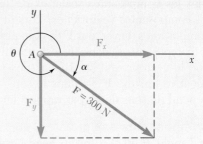

Figure 2.22b

Direction de la force Une force $\mathbf{F}$ définie par ses composantes rectangulaires F_x et F_y (*voir la figure 2.20*) a pour direction l'angle θ dont la valeur est donnée par

$$\tan \theta = \frac{F_y}{F_x} \tag{2.9}$$

Nous trouvons la grandeur F de la force en appliquant le théorème de Pythagore ; nous avons

$$F = \sqrt{F_x^2 + F_y^2} \tag{2.10}$$

Nous pouvons aussi isoler F de l'une des équations 2.8.

APPLICATION DE CONCEPT 2.3

Une force $\mathbf{F} = (700\ \text{N})\mathbf{i} + (1500\ \text{N})\mathbf{j}$ est appliquée sur un boulon A. Nous devons déterminer la grandeur de la force et indiquer sa direction en donnant l'angle θ qu'elle forme avec l'horizontale.

> SOLUTION

Dessinons d'abord un schéma pour illustrer les composantes rectangulaires et l'angle θ (*voir la figure 2.23*). L'équation 2.9 donne

$$\tan \theta = \frac{F_y}{F_x} = \frac{1500\ \text{N}}{700\ \text{N}}$$

À l'aide d'une calculatrice[2], il nous reste à diviser 1500 N par 700 N ; l'arc tangente du quotient donne $\theta = 65{,}0°$. En isolant F de la seconde équation 2.8, nous obtenons

$$F = \frac{F_y}{\sin \theta} = \frac{1500\ \text{N}}{\sin 65{,}0°} = 1655\ \text{N}$$

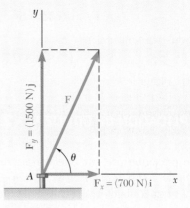

Figure 2.23

2. La calculatrice doit pouvoir effectuer les fonctions trigonométriques de base et leur inverse. Certaines calculatrices convertissent directement les coordonnées rectangulaires en coordonnées polaires, et vice versa ; si c'est le cas, il n'est plus nécessaire de passer par la trigonométrie comme nous le faisons dans les applications de concept 2.1, 2.2 et 2.3 et dans les problèmes du même genre.

Nous pouvons faciliter la dernière étape de calcul en plaçant la valeur de F_y en mémoire sur la calculatrice la première fois que nous l'utilisons ; il suffit ensuite de faire un rappel de mémoire et de diviser la valeur par $\sin \theta$.

2.2.2 SOMME DES FORCES PAR LA MÉTHODE DES COMPOSANTES

Nous avons vu que les forces s'additionnent selon la règle du parallélogramme (*voir la section 2.1.1*). Nous avons dérivé de cette règle deux autres méthodes plus pratiques pour la résolution graphique des problèmes : la méthode du triangle pour l'addition de deux forces et la méthode du polygone pour l'addition de trois forces ou plus (*voir les sections 2.1.3 et 2.1.4*). Le triangle déterminant la résultante de deux forces permettait aussi une solution trigonométrique.

Par contre, le polygone obtenu avec trois forces ou plus ne donne pas de solution trigonométrique simple. Nous pouvons toutefois trouver une solution analytique en utilisant les composantes rectangulaires des forces. Considérons, par exemple, les trois forces **P**, **Q** et **S** agissant sur une particule *A* (*voir la figure 2.24a*). La résultante **R** s'écrit

$$\mathbf{R} = \mathbf{P} + \mathbf{Q} + \mathbf{S} \tag{2.11}$$

En décomposant les forces, nous avons

$$R_x\mathbf{i} + R_y\mathbf{j} = P_x\mathbf{i} + P_y\mathbf{j} + Q_x\mathbf{i} + Q_y\mathbf{j} + S_x\mathbf{i} + S_y\mathbf{j}$$
$$= (P_x + Q_x + S_x)\mathbf{i} + (P_y + Q_y + S_y)\mathbf{j}$$

Il s'ensuit que

$$R_x = P_x + Q_x + S_x \qquad R_y = P_y + Q_y + S_y \tag{2.12}$$

Plus simplement,

$$R_x = \Sigma F_x \qquad R_y = \Sigma F_y \tag{2.13}$$

Nous pouvons en déduire que le calcul des composantes scalaires R_x et R_y de la résultante **R** d'un ensemble de forces agissant sur une même particule peut être effectué en additionnant algébriquement les composantes scalaires des forces en cause[3].

Nous obtenons la résultante en suivant les trois étapes montrées à la figure 2.24. Nous commençons par décomposer les forces selon les axes *x* et *y* (*voir les figures 2.24a et 2.24b*). Ensuite, nous additionnons les composantes pour obtenir celles de la résultante **R** (*voir la figure 2.24c*). Finalement, nous appliquons la règle du parallélogramme au vecteur $\mathbf{R} = R_x\mathbf{i} + R_y\mathbf{j}$ (*voir la figure 2.24d*). Pour faciliter ces étapes, nous pouvons inscrire tous les résultats dans un tableau (*voir le problème résolu 2.3*). La méthode analytique, pratique pour additionner trois vecteurs ou plus, est également souvent préférée à la méthode trigonométrique pour faire la somme de deux vecteurs.

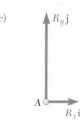

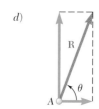

Figure 2.24

---

3. Cette conclusion s'applique également à d'autres quantités vectorielles tels les vitesses, les accélérations ou les moments de force.

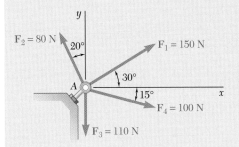

Calculez la résultante des quatre forces appliquées au boulon de la figure ci-contre.

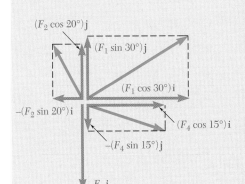

> SOLUTION

Les composantes x et y de chaque force sont obtenues par projection sur les axes choisis et leurs valeurs sont consignées dans le tableau ci-dessous. D'après la convention adoptée à la section 2.2.1, seront positives les composantes orientées vers la droite et les composantes orientées vers le haut.

Force	Grandeur (N)	Composante x (N)	Composante y (N)
$\mathbf{F}_1$	150	+129,9	+75,0
$\mathbf{F}_2$	80	−27,4	+75,2
$\mathbf{F}_3$	110	0	−110,0
$\mathbf{F}_4$	100	+96,6	−25,9
		$R_x = +199,1$	$R_y = +14,3$

La résultante $\mathbf{R}$ est donc

$$\mathbf{R} = R_x\mathbf{i} + R_y\mathbf{j}$$

$$\mathbf{R} = (199{,}1\ \text{N})\mathbf{i} + (14{,}3\ \text{N})\mathbf{j} \quad \blacktriangleleft$$

On peut maintenant calculer la grandeur et l'orientation de la résultante. Du triangle ci-contre, on peut tirer

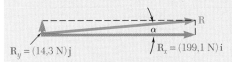

$$\tan \alpha = \frac{R_y}{R_x} = \frac{14{,}3\ \text{N}}{199{,}1\ \text{N}} \qquad \alpha = 4{,}1°$$

$$R = \frac{14{,}3\ \text{N}}{\sin \alpha} = 199{,}6\ \text{N}$$

$$\mathbf{R} = 199{,}6\ \text{N} \measuredangle 4{,}1° \quad \blacktriangleleft$$

Le dernier calcul peut être simplifié si la valeur de R_y est mise en mémoire au commencement des calculs; elle sera rappelée pour être divisée par $\sin \alpha$ (*voir la note 3 à la page 27*).

On peut aussi utiliser l'équation 2.10 pour calculer la grandeur de la résultante $\mathbf{R}$:

$$\mathbf{R} = \sqrt{R_x^2 + R_y^2}$$
$$= \sqrt{(199{,}1\ \text{N})^2 + (14{,}3\ \text{N})^2}$$
$$= 199{,}6\ \text{N}$$

Nous avons vu dans cette section que la résultante de deux forces peut être déterminée soit graphiquement, soit par la trigonométrie d'un triangle oblique.

De plus :

A. Lorsque trois forces ou plus sont impliquées, leur résultante **R** sera trouvée plus facilement en décomposant chaque force en composantes rectangulaires. Deux situations peuvent alors se présenter :

Cas 1 La force F est définie par sa grandeur et par son angle α formé avec l'horizontale. Les composantes F_x et F_y de la force (*voir l'application de concept 2.1*) sont obtenues en multipliant la grandeur F de la force par cos α et sin α, respectivement.

Cas 2 La force F est définie par sa grandeur et par les coordonnées de deux points A et B sur sa ligne d'action (*voir la figure 2.22*). L'angle α formé par **F** et l'axe x est évalué par trigonométrie. Néanmoins, les composantes de **F** peuvent aussi être évaluées directement en proportionnant les différentes dimensions présentes, sans avoir recours au calcul de α (*voir l'application de concept 2.2*).

B. Composantes rectangulaires de la résultante. Les composantes R_x et R_y de la résultante peuvent être obtenues par la somme algébrique des composantes rectangulaires de toutes les forces impliquées (*voir le problème résolu 2.3*).

La résultante peut être exprimée sous forme vectorielle en utilisant les vecteurs unitaires **i** et **j**, orientés selon les axes des x et des y, d'où

$$\mathbf{R} = R_x\mathbf{i} + R_y\mathbf{j}$$

Finalement, la grandeur et la direction de la résultante **R** peuvent être obtenues en résolvant le triangle rectangle dont les côtés sont R_x et R_y, la grandeur de **R** étant déterminée par la longueur de l'hypoténuse et sa direction, par l'angle formé entre l'hypoténuse et l'axe horizontal.

2.21 et 2.22 Déterminez les composantes x et y de chacune des forces présentes.

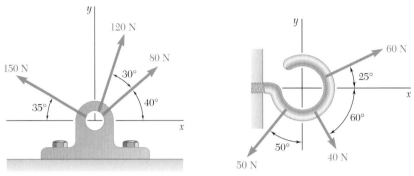

Figure P2.21   **Figure P2.22**

2.23 et 2.24 Déterminez les composantes x et y de chacune des forces présentes.

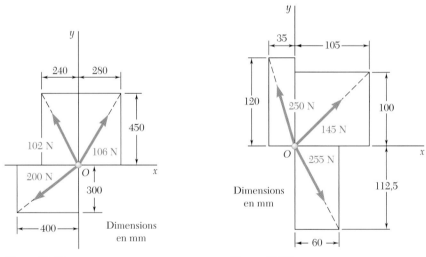

Figure P2.23   **Figure P2.24**

2.25 L'élément CB d'un étau exerce une force **P** en compression sur le billot B, dirigée selon l'axe CB (*voir la figure P2.25*). Sachant que **P** doit avoir une composante horizontale de 1200 N, déterminez :
a) la grandeur de la force **P** ;
b) sa composante verticale.

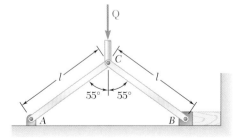

Figure P2.25

2.26 Un cylindre hydraulique exerce sur l'élément *AB* une force **P** selon l'axe *BC*. Sachant que **P** doit avoir une composante de 600 N perpendiculaire à l'élément *AB*, déterminez :
a) la taille de la force **P** ;
b) sa composante selon l'axe *AB*.

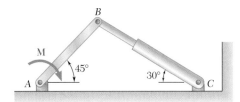

Figure P2.26

2.27 Considérez la structure de la figure P2.27. L'élément *BD* exerce sur l'élément *ABC* une force **P** dirigée selon l'axe *BD*. Sachant que **P** doit avoir une composante horizontale de 300 N, déterminez :
a) la grandeur de la force **P** ;
b) sa composante verticale.

2.28 Considérez la structure de la figure P2.28. L'élément *BD* exerce sur l'élément *ABC* une force **P** dirigée selon l'axe *BD*. Sachant que **P** doit avoir une composante verticale ne dépassant pas 240 N, déterminez :
a) la force maximum de **P** ;
b) sa composante horizontale.

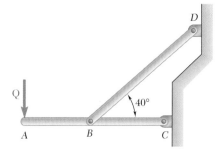

Figure P2.27

2.29 Le câble *BD* applique sur le poteau de téléphone *AC* une force en étirement **P** selon l'axe *BD*. Sachant que **P** doit avoir une composante perpendiculaire au poteau *AC* de 120 N, déterminez :
a) la taille de la force **P** ;
b) sa composante orientée selon l'axe *AC*.

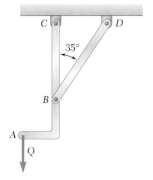

Figure P2.28

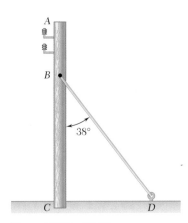

Figure P2.29 - P2.30

2.30 Le câble *BD* applique sur le poteau de téléphone *AC* une force **P** selon l'axe *BD*. Sachant que **P** a une composante orientée selon l'axe *AC* de 180 N, déterminez :
a) la taille de la force **P** ;
b) sa composante orientée selon l'axe perpendiculaire à *AC*.

2.31 Déterminez la résultante des trois forces du problème 2.24.

2.32 Déterminez la résultante des trois forces du problème 2.21.

2.33 Déterminez la résultante des trois forces du problème 2.22.

2.34 Déterminez la résultante des trois forces du problème 2.23.

2.35 En vous référant à la figure P2.35 et sachant que $\alpha = 35°$, déterminez la résultante des trois forces illustrées.

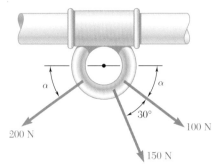

Figure P2.35

2.36 En vous référant à la figure P2.36 et sachant que la tension sur le câble *BC* est de 725 N, déterminez la résultante des trois forces appliquées au point *B* de la poutre *AB*.

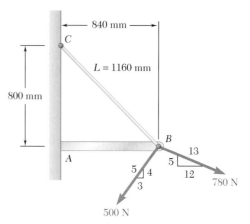

Figure P2.36

2.37 En vous référant à la figure P2.37 - P2.38 et sachant que $\alpha = 40°$, déterminez la résultante des trois forces illustrées.

2.38 En vous référant à la figure P2.37 - P2.38 et sachant que $\alpha = 75°$, déterminez la résultante des trois forces illustrées.

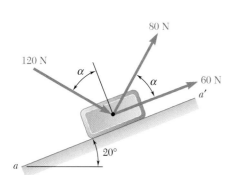

Figure P2.37 - P2.38

2.39 En vous référant à la figure P2.35, déterminez :
   a) l'angle α pour lequel la résultante des trois forces est verticale ;
   b) la grandeur correspondante de la résultante.

2.40 En vous référant à la figure P2.36, déterminez :
   a) la tension dans le câble *BC* pour laquelle la résultante des trois forces appliquées au point *B* est verticale ;
   b) la grandeur de cette résultante.

2.41 En vous référant à la figure P2.41, sachant que la résultante des trois forces appliquées au point *C* de la poutre *BC* doit être orientée selon l'axe *BC*, déterminez :
   a) la tension requise dans le câble *AC* ;
   b) la grandeur de cette résultante.

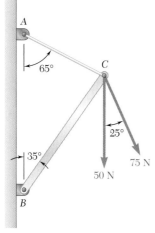

Figure P2.41

2.42 En vous référant à la figure P2.37 - P2.38, déterminez :
   a) l'angle α pour lequel la résultante des trois forces est parallèle à l'inclinaison ;
   b) la grandeur correspondante de la résultante.

2.3 FORCES ET ÉQUILIBRE DANS UN PLAN

2.3.1 ÉQUILIBRE D'UNE PARTICULE

Nous savons maintenant comment déterminer la résultante d'un ensemble de forces agissant sur une particule. Bien que nous n'ayons pas encore rencontré ce cas, il peut arriver que la résultante soit nulle. L'effet global des forces en présence est alors nul et nous disons que la particule est en équilibre. **Une particule est en équilibre lorsque l'ensemble des forces agissant sur elle donne une résultante nulle.**

Ainsi, une particule soumise à deux forces sera en équilibre si les deux forces ont la même ligne d'action, sont de même grandeur mais de sens opposé. La résultante des deux forces est alors nulle (*voir la figure 2.25*).

La figure 2.26 illustre un autre cas d'équilibre, où la particule *A* est soumise à l'action de quatre forces. Pour appliquer la méthode du polygone (*voir la figure 2.27*), nous devons placer l'origine de $\mathbf{F}_1$ au point *O* et aligner les autres forces bout à bout ; nous pouvons alors constater que l'extrémité de $\mathbf{F}_4$ coïncide exactement avec le point de départ *O*. La résultante est donc nulle et la particule est en équilibre.

Le polygone fermé de la figure 2.27 donne une représentation graphique de l'équilibre de la particule *A*. D'un point de vue algébrique, les conditions d'équilibre s'expriment à l'aide de l'équation

$$\mathbf{R} = \Sigma\mathbf{F} = 0 \tag{2.14}$$

La décomposition rectangulaire des forces permet d'écrire

$$\Sigma(F_x\mathbf{i} + F_y\mathbf{j}) = 0 \qquad \text{ou} \qquad (\Sigma F_x)\mathbf{i} + (\Sigma F_y)\mathbf{j} = 0$$

Nous pouvons en déduire les conditions nécessaires et suffisantes à l'équilibre d'une particule, soit

$$\Sigma F_x = 0 \qquad \Sigma F_y = 0 \tag{2.15}$$

Reprenons la particule de la figure 2.26 et vérifions si les conditions d'équilibre sont bien respectées. Nous avons

$$\Sigma F_x = 300 \text{ N} - (200 \text{ N}) \sin 30° - (400 \text{ N}) \sin 30°$$
$$= 300 \text{ N} - 100 \text{ N} - 200 \text{ N} = 0$$

$$\Sigma F_y = -173,2 \text{ N} - (200 \text{ N}) \cos 30° + (400 \text{ N}) \cos 30°$$
$$= -173,2 \text{ N} - 173,2 \text{ N} + 346,4 \text{ N} = 0$$

2.3.2 PREMIÈRE LOI DE NEWTON

La science de la mécanique repose sur les trois lois fondamentales énoncées par Sir Isaac Newton vers la fin du dix-septième siècle. La première de ces lois peut être formulée comme suit :

Lorsque la force résultante appliquée à une particule est nulle, la particule demeure au repos si elle était initialement immobile ; par contre, elle poursuivra son mouvement à vitesse constante et en ligne droite si elle était initialement en mouvement.

Il découle de cette loi et de la définition d'équilibre vue à la section 2.3.1 qu'une particule en équilibre est soit au repos, soit en mouvement en ligne droite et à vitesse constante. La section suivante présente des problèmes divers relatifs à l'équilibre d'une particule.

2.3.3 PROBLÈMES SUR L'ÉQUILIBRE D'UNE PARTICULE – DIAGRAMMES DES FORCES

En pratique, les problèmes de la mécanique appliquée s'inspirent de situations réelles, dont les conditions physiques sont représentées en détail sur un schéma d'ensemble.

Les méthodes d'analyse élaborées dans les sections précédentes s'appliquent à des systèmes de forces agissant sur une particule. Bon nombre de problèmes mettant en cause des structures réelles peuvent être ramenés à l'équilibre d'une particule localisée en un point de la structure.

Figure 2.25

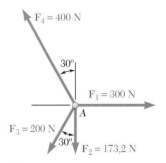

Figure 2.26

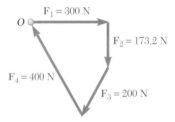

Figure 2.27

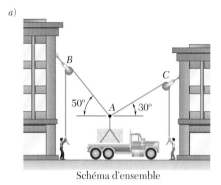

a)

Schéma d'ensemble

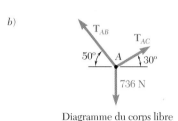

b)

Diagramme du corps libre

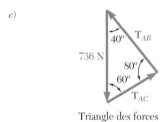

c)

Triangle des forces

Figure 2.28

Il est possible de déterminer les tensions dans les câbles supportant l'arbre montré en traitant le crochet comme une particule et en appliquant les équations d'équilibre aux forces agissant sur le crochet.

Nous devons choisir un point stratégique et, sur un schéma séparé, illustrer la particule correspondante avec l'ensemble des forces impliquées. Nous obtenons ainsi un diagramme du corps libre (DCL), appelé aussi *schéma du corps libre.*

À titre d'exemple, considérons la caisse de 75 kg illustrée à la figure 2.28*a*. Initialement posée sur le sol entre deux édifices, cette caisse est soulevée et chargée sur un camion pour être transportée. Pour l'opération, un câble vertical supporte la caisse. Le point *A* est attaché à deux cordes passées dans des poulies fixées de part et d'autre, aux points *B* et *C* des deux édifices. Nous voulons connaître la tension dans les cordes *AB* et *AC*.

Pour résoudre ce problème, nous devons d'abord tracer un diagramme du corps libre appliqué à une particule en équilibre. Le diagramme doit inclure au moins l'une des tensions cherchées ou, idéalement, les deux. Le point *A*, assimilé à une particule, s'avère ici un bon choix. La figure 2.28*b* montre le DCL des forces exercées sur ce point ; nous y voyons les forces appliquées par le câble vertical et par les deux cordes. Le câble produit une force vers le bas, de grandeur égale au poids *W* de la caisse. L'équation 1.4 permet d'écrire

$$W = mg = (75 \text{ kg})(9,81 \text{ m/s}^2) = 736 \text{ N}$$

Nous inscrivons cette valeur sur le DCL. Les deux autres forces sont inconnues, mais nous savons qu'elles correspondent aux tensions dans les cordes *AB* et *AC* ; nous les nommons donc $\mathbf{T}_{AB}$ et $\mathbf{T}_{AC}$, et les traçons à partir du point *A* dans les directions illustrées sur le schéma d'ensemble (*voir la figure 2.28a*). Le DCL ne contient pas d'autre détail.

Puisque le point *A* est en équilibre, les vecteurs des forces placés bout à bout doivent dessiner un triangle fermé, appelé *triangle des forces* (*voir la figure 2.28c*). Nous pouvons déterminer graphiquement les grandeurs T_{AB} et T_{AC} si le dessin est à l'échelle ou encore faire appel à la trigonométrie et utiliser la loi des sinus ; nous avons alors

$$\frac{T_{AB}}{\sin 60°} = \frac{T_{AC}}{\sin 40°} = \frac{736 \text{ N}}{\sin 80°}$$

$$T_{AB} = 647 \text{ N}$$

$$T_{AC} = 480 \text{ N}$$

Lorsqu'une particule en équilibre est soumise à trois forces, nous pouvons résoudre le problème graphiquement en dessinant un triangle des forces. Lorsque plus de trois forces sont en présence, nous devons tracer un polygone des forces. Pour obtenir une solution analytique, nous pouvons tracer les équations d'équilibre données à la section 2.3.1.

$$\Sigma F_x = 0 \qquad \Sigma F_y = 0 \qquad\qquad (2.15)$$

Ces équations peuvent être résolues si elles ne contiennent pas plus de deux inconnues. Il en va de même pour le triangle des forces représentant un équilibre entre trois forces ; la solution existe à condition qu'il n'y ait pas plus de deux inconnues.

Dans les problèmes courants, les deux inconnues sont le plus souvent : (1) les deux composantes (ou la grandeur et la direction) d'une même force ou (2) la grandeur de deux forces dont la direction est connue. Dans d'autres cas, nous devons chercher la grandeur de la force minimale ou maximale applicable à la situation (*voir les problèmes 2.57 à 2.61*).

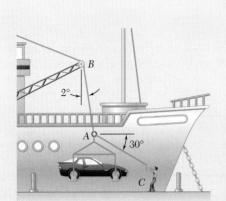

Lors du déchargement d'un cargo, on soulève une automobile de 1530 kg à l'aide d'un câble. Une corde, attachée au point A, est tirée de façon à centrer la voiture sur un point précis. L'angle entre le câble et la verticale est de 2°, tandis que celui formé par la corde et la ligne horizontale est de 30°. Déterminez l'effort de tension dans la corde.

> **SOLUTION**

L'automobile a un poids de 1530 kg × 9,81 N/kg = 15 kN.

Diagramme du corps libre (DCL) On commence par isoler le point A, puis on trace le schéma du DCL : T_{AB} sera la tension dans le câble AB, et T_{AC}, la tension dans la corde AC.

Condition d'équilibre Puisqu'on n'a que trois forces appliquées en A, on doit tracer le triangle de forces pour exprimer son équilibre. La loi du sinus donne alors

$$\frac{T_{AB}}{\sin 120°} = \frac{T_{AC}}{\sin 2°} = \frac{15 \text{ kN}}{\sin 58°}$$

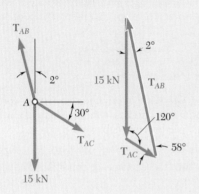

Avec une calculatrice, on calcule le dernier quotient et on l'envoie en mémoire. En multipliant successivement ce quotient par sin 120° et sin 2°, on obtient

$$T_{AB} = 15,3 \text{ kN} \qquad T_{AC} = 617 \text{ N} \blacktriangleleft$$

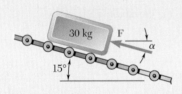

Calculez la grandeur et la direction de la plus petite force **F** qui pourra maintenir la caisse illustrée ci-contre en équilibre (la réaction des rouleaux est perpendiculaire au plan incliné).

> **SOLUTION**

Diagramme du corps libre (DCL) On doit considérer la caisse comme un point matériel et tracer le DCL.

Condition d'équilibre On peut immédiatement tracer le triangle de forces qui traduit l'équilibre de la caisse. La droite *1-1'* représente la direction connue de **P** (sa grandeur est inconnue). Si on veut obtenir la plus petite valeur de **F**, sa ligne d'action doit être perpendiculaire à **P**. Ensuite, on obtient du triangle de forces

$$F = (294 \text{ N}) \sin 15° = 76,1 \text{ N} \qquad \alpha = 15°$$

$$\mathbf{F} = 76,1 \text{ N} \, \text{↖} 15° \blacktriangleleft$$

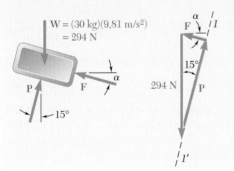

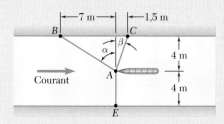

L'équipe responsable de la conception d'un nouveau type de voilier veut connaître la force de traînée à une certaine vitesse. Pour ce faire, un prototype de la coque proposée est placé dans un bassin. L'équipe simule la situation en utilisant trois câbles pour stabiliser le bateau au centre du bassin. Des dynamomètres indiquent à une certaine vitesse les lectures suivantes : câble AB, 400 N ; câble AE, 600 N. Déterminez la force de traînée appliquée sur la coque et la tension dans le câble AC.

> SOLUTION

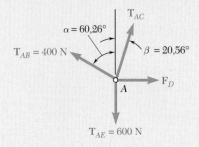

Évaluation des angles   On doit commencer par déterminer les angles α et β, qui indiquent les directions des câbles AB et AC, respectivement. On peut écrire

$$\tan \alpha = \frac{7 \text{ m}}{4 \text{ m}} = 1{,}75 \qquad \tan \beta = \frac{1{,}5 \text{ m}}{4 \text{ m}} = 0{,}375$$

$$\text{donc } \alpha = 60{,}26° \qquad \text{donc } \beta = 20{,}56°$$

Diagramme du corps libre (DCL)   On doit d'abord choisir la coque comme point d'équilibre et tracer le diagramme des forces comme illustré. On doit ensuite y inscrire les forces appliquées par les trois câbles ainsi que la force de traînée $\mathbf{F}_D$ exercée par l'eau.

Condition d'équilibre   L'équation suivante exprime la condition d'équilibre de la coque du navire :

$$\mathbf{R} = \mathbf{T}_{AB} + \mathbf{T}_{AC} + \mathbf{T}_{AE} + \mathbf{F}_D = 0 \tag{1}$$

Étant donné qu'il y a plus de trois forces en présence, on doit les décomposer selon leurs coordonnées x et y :

$$\mathbf{T}_{AB} = -(400 \text{ N}) \sin 60{,}26°\mathbf{i} + (400 \text{ N}) \cos 60{,}26°\mathbf{j}$$
$$= -(347{,}3 \text{ N})\mathbf{i} + (198{,}4 \text{ N})\mathbf{j}$$
$$\mathbf{T}_{AC} = T_{AC} \sin 20{,}56°\mathbf{i} + T_{AC} \cos 20{,}56°\mathbf{j}$$
$$= 0{,}3512 T_{AC}\mathbf{i} + 0{,}9363 T_{AC}\mathbf{j}$$
$$\mathbf{T}_{AE} = -(600 \text{ N})\mathbf{j}$$
$$\mathbf{F}_D = F_D\mathbf{i}$$

En substituant ces expressions dans l'équation 1 et en mettant en facteurs les vecteurs unitaires $\mathbf{i}$ et $\mathbf{j}$, on aura

$$(-347{,}3 \text{ N} + 0{,}3512 T_{AC} + F_D)\mathbf{i} + (198{,}4 \text{ N} + 0{,}9363 T_{AC} - 600 \text{ N})\mathbf{j} = 0$$

Cette équation sera satisfaite si, et seulement si, les coefficients des vecteurs $\mathbf{i}$ et $\mathbf{j}$ sont nuls. On a donc deux conditions d'équilibre exprimées chacune par une équation (une pour chaque axe, x et y). La condition d'équilibre exige que les deux composantes soient nulles.

$$(\Sigma F_x = 0 :) \qquad -347{,}3 \text{ N} + 0{,}3512 T_{AC} + F_D = 0 \tag{2}$$
$$(\Sigma F_y = 0 :) \qquad 198{,}4 \text{ N} + 0{,}9363 T_{AC} - 600 \text{ N} = 0 \tag{3}$$

La solution de l'équation 3 est $\qquad\qquad\qquad T_{AC} = +429 \text{ N}$ ◀

En substituant cette valeur dans l'équation 2, on aura $\qquad F_D = +196{,}6 \text{ N}$ ◀

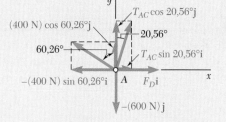

En traçant le diagramme des forces, on a attribué arbitrairement une direction pour chacune des forces recherchées. Une valeur positive dans la réponse indique que le sens est correct selon l'hypothèse de départ. Le traçage du polygone des forces présentes permettra de valider les résultats.

Quand une particule est en équilibre, la résultante des forces qui lui sont appliquées est nulle. Si nous appliquons ce principe dans le cas de forces coplanaires, deux équations exprimeront les relations entre ces forces. Comme présenté dans les problèmes résolus précédents, nous pouvons alors déterminer soit la grandeur et la direction d'une force, soit la grandeur de deux forces. Nous pouvons suivre la démarche suivante pour solutionner ce type de problème.

La première étape dans la solution d'un problème d'une particule en équilibre est le traçage du diagramme du corps libre (DCL). Ce diagramme représente la particule ainsi que l'ensemble des forces auxquelles elle est soumise. Nous devons y indiquer la grandeur des forces connues en prenant soin d'identifier tout angle ou toute dimension permettant de déduire la direction d'une force. Les grandeurs et les angles inconnus sont indiqués par des symboles appropriés. Aucune autre information n'apparaît dans le diagramme du corps libre. Un diagramme du corps libre clair et précis est de grande importance pour la résolution de ce type de problème : son omission conduit à des conclusions erronées.

Cas 1 **Si trois forces sont en présence** dans le diagramme du corps libre, la meilleure solution au problème consiste à tracer les forces bout à bout pour former un triangle des forces. Ce triangle peut être solutionné graphiquement ou trigonométriquement lorsqu'il n'y a pas plus de deux inconnues (comme présenté aux problèmes résolus 2.4 et 2.5).

Cas 2 **Si plus de trois forces sont en présence**, la solution analytique est préconisée. Les forces sont exprimées selon leurs composantes (axes des x et des y). Nous obtiendrons alors deux équations, une pour chaque axe. En situation d'équilibre, la somme algébrique des composantes doit être égale à zéro. On peut solutionner les deux équations lorsqu'il n'y a pas plus de deux inconnues (*voir le problème résolu 2.6*).

Il est fortement recommandé de suivre la démarche préconisée par les équations 2 et 3 telles qu'elles sont appliquées au problème résolu 2.6. Toute autre approche, bien que mathématiquement valable, peut nous induire en erreur lors de l'interprétation de la direction des forces.

Concluons que, dans le cas de corps en équilibre dans un plan, les solutions présentées jusqu'à maintenant concernaient des problèmes à deux inconnues. Si nous sommes en présence de plus de deux inconnues, nous devons trouver au moins une autre équation décrivant la situation pour pouvoir trouver la solution.

2.43 Deux câbles sont reliés l'un à l'autre comme illustré. Déterminez :
a) la tension dans le câble *AC* ;
b) la tension dans le câble *BC*.

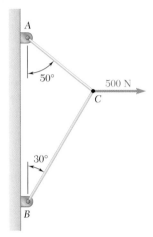

Figure P2.43

2.44 Deux câbles sont reliés l'un à l'autre comme illustré. Si $\alpha = 20°$, déterminez :
a) la tension dans le câble *AC* ;
b) la tension dans le câble *BC*.

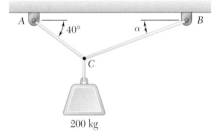

Figure P2.44

2.45 En vous référant à la figure P2.45 et sachant que $\alpha = 20°$, déterminez :
a) la tension dans le câble *AC* ;
b) la tension dans la corde *BC*.

2.46 En vous référant à la figure P2.46 et sachant que $\alpha = 55°$ et que la poutre *AC* applique sur la cheville *C* une force orientée selon l'axe *AC*, déterminez :
a) la grandeur de cette force ;
b) la tension dans le câble *BC*.

2.47 Un télésiège a été arrêté à la position illustrée à la figure P2.47 - P2.48. Sachant que chaque siège du télésiège pèse 250 N et que la personne assise dans le siège *E* pèse 765 N, déterminez le poids de la personne assise dans le siège *F*.

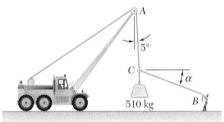

Figure P2.45

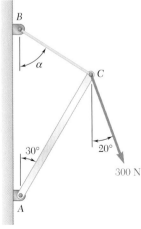

Figure P2.46

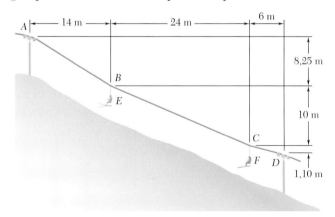

Figure P2.47 - P2.48

2.48 En vous référant à la figure P2.47 - P2.48, sachant que chaque siège pèse 250 N et que la personne assise dans le siège *F* pèse 926 N, déterminez le poids de la personne assise dans le siège *E*.

2.49 Deux forces de valeur $F_A = 8$ kN et $F_B = 16$ kN sont appliquées au gousset d'assemblage soudé comme illustré à la figure P2.49 - P2.50. Sachant que l'assemblage est en état d'équilibre, évaluez la valeur des deux autres forces en présence.

2.50 Deux forces de valeur $F_A = 5$ kN et $F_D = 6$ kN sont appliquées au gousset d'assemblage soudé comme présenté à la figure P2.49 - P2.50. Sachant que l'assemblage est en état d'équilibre, évaluez les deux autres forces en présence.

2.51 Les forces **P** et **Q** sont appliquées au gousset d'assemblage d'un aéronef comme illustré à la figure P2.51 - P2.52. Sachant que l'assemblage est en état d'équilibre et que $P = 500$ N et $Q = 650$ N, calculez la grandeur des forces appliquées sur les barres A et B.

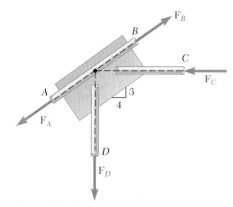

Figure P2.49 - P2.50

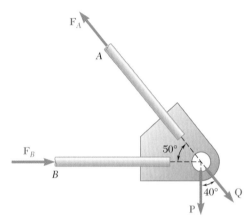

Figure P2.51 - P2.52

2.52 Les forces **P** et **Q** sont appliquées au gousset d'assemblage d'un aéronef comme présenté à la figure P2.51 - P2.52. Sachant que l'assemblage est en état d'équilibre et que les forces appliquées sur les barres A et B sont respectivement de $F_A = 750$ N et de $F_B = 400$ N, évaluez la grandeur des forces **P** et **Q**.

2.53 Un téléphérique est supporté par le câble-porteur ACB et est mû à une vitesse constante par le câble-tracteur DE comme illustré à la figure P2.53 - P2.54. Sachant que le poids de la cabine, passagers et mécanisme inclus, est de 22,5 kN, que $\alpha = 45°$ et $\beta = 40°$, et en supposant que la tension dans le câble DF est négligeable, déterminez :
a) la tension dans le câble-porteur ACB ;
b) la force de traction du câble-tracteur DE.

2.54 Un téléphérique est supporté par le câble-porteur ACB et est mû à une vitesse constante par le câble-tracteur DE comme illustré à la figure P2.53 - P2.54. Sachant que la tension dans le câble-tracteur DE est de 18 kN, que $\alpha = 48°$ et $\beta = 38°$, et en supposant que la tension dans le câble DF est négligeable, déterminez :
a) le poids de la cabine, passagers et mécanisme inclus ;
b) la tension appliquée dans le câble-porteur ACB.

2.55 Deux câbles sont reliés ensemble au point C comme illustré à la figure P2.55 - P2.56. Sachant que $Q = 60$ N, calculez :
a) la tension dans le câble AC ;
b) la tension dans le câble BC.

2.56 Deux câbles sont reliés ensemble au point C comme illustré à la figure P2.55 - P2.56. Évaluez l'étendue des valeurs possibles de la force **Q** afin que la tension appliquée sur chacun des câbles AC et BC ne dépasse pas 60 N.

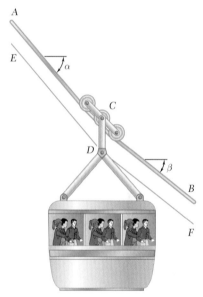

Figure P2.53 - P2.54

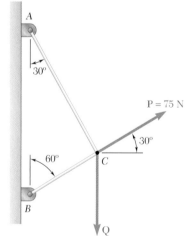

Figure P2.55 - P2.56

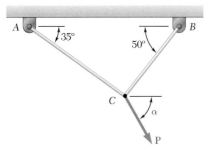

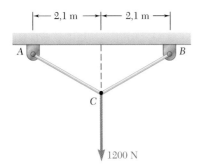

Figure P2.57 - P2.58

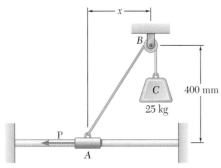

Figure P2.62

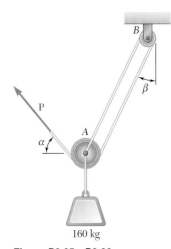

Figure P2.63 - P2.64

2.57 Deux câbles sont reliés ensemble au point C comme illustré. Sachant que la tension maximale admissible dans chacun des câbles AC et BC ne doit pas dépasser 800 N, déterminez :
a) la grandeur maximale de la force **P** à appliquer au point C ;
b) la valeur de l'angle α correspondant.

2.58 Deux câbles sont reliés ensemble au point C comme illustré. Sachant que la tension maximale admissible dans le câble AC est de 1200 N et que celle admissible dans le câble BC est de 600 N, déterminez :
a) la force **P** à appliquer au point C ;
b) la valeur de l'angle α correspondant.

2.59 En vous référant à la situation décrite au problème 2.46, déterminez :
a) la valeur que doit avoir l'angle α pour que la tension appliquée sur le câble BC soit minimale ;
b) la valeur de cette tension.

2.60 En vous référant à la situation décrite au problème 2.45, déterminez :
a) la valeur que doit avoir l'angle α pour que la tension appliquée sur la corde BC soit minimale ;
b) la valeur de cette tension.

2.61 En vous référant à la situation décrite au problème 2.44, déterminez :
a) la valeur que doit avoir l'angle α pour que la tension dans le câble BC soit minimale ;
b) la valeur de cette tension.

2.62 Une force de 1200 N est appliquée au point C exactement au centre du câble ACB. Déterminez la longueur minimale du câble, sachant que la force maximale appliquée sur chaque portion du câble ne doit pas dépasser 870 N.

2.63 Le manchon A, glissant sur une tige horizontale comme illustré, est relié à une charge de 25 kg. Évaluez la force **P** nécessaire pour garder le montage en équilibre si :
a) on désire une distance $x = 90$ mm ;
b) on désire une distance $x = 300$ mm.

2.64 Le manchon A, glissant sur une tige horizontale comme illustré, est relié à une charge de 25 kg. Si $P = 200$ N, évaluez la distance x permettant de garder le montage en équilibre.

2.65 Considérez le montage de la figure P2.65 - P2.66, constitué d'un système de poulies et de cordages. Déterminez la grandeur de la force **P** et l'angle α, sachant que $\beta = 20°$ et que le montage en situation d'équilibre supporte une charge de 160 kg. (Suggestion : pour cette situation, supposez que la tension dans la corde est la même de chaque côté de la poulie, comme on le verra au chapitre 4.)

2.66 Considérez le montage de la figure P2.65 - P2.66, constitué d'un système de poulies et de cordages. Sachant que $\alpha = 40°$ et que le montage en situation d'équilibre supporte une charge de 160 kg, déterminez :
a) l'angle β (suggestion : pour cette situation, supposez que la tension dans la corde est la même de chaque côté de la poulie, comme on le verra au chapitre 4) ;
b) la grandeur de la force **P**.

2.67 Une caisse de 61,2 kg doit être soulevée. Divers montages sont suggérés comme illustré à la figure P2.67 à la page suivante. Déterminez la tension T pour chacune de ces configurations (a à e). (Suggestion : pour cette situation, supposez que la tension dans la corde est la même de chaque côté de la

Figure P2.65 - P2.66

poulie, comme on le verra au chapitre 4. Supposez également que toutes les sections rectilignes de la corde sont parallèles.)

2.68 Trouvez la solution pour les montages *b* et *d* du problème 2.67, en supposant que l'extrémité libre de la corde est attachée à la caisse.

2.69 Considérez la figure. La poulie *C*, se déplaçant sur le câble *ACB*, supporte une charge **Q**. Un second câble *CAD*, passant par la poulie *A*, tient en position la poulie *C*. Une charge **P** de 750 N est appliquée à l'extrémité *D*. Calculez :
  a) la tension appliquée sur le câble *ACB* ;
  b) la valeur de la charge **Q**.

2.70 Considérez la figure. La poulie *C*, se déplaçant sur le câble *ACB*, supporte une charge **Q** de 1800 N. Un second câble *CAD*, passant par la poulie *A*, tient en position la poulie *C*. Une charge **P** est appliquée à l'extrémité *D*. Déterminez :
  a) la tension dans le câble *ACB* ;
  b) la valeur de la charge **P**.

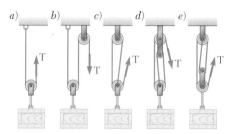

Figure P2.67

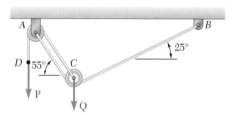

Figure P2.69 - P2.70

2.4 FORCES DANS L'ESPACE (3D)

2.4.1 COMPOSANTES RECTANGULAIRES D'UNE FORCE DANS L'ESPACE

Tous les cas étudiés jusqu'ici se résolvaient dans un plan faisant appel à deux dimensions (2D) seulement. Nous abordons maintenant des problèmes situés dans un espace tridimensionnel (3D).

Considérons une force **F** appliquée à l'origine *O* d'un système de coordonnées rectangulaires *x*, *y*, *z*. Pour définir sa direction, nous traçons un plan vertical *OBAC* contenant le vecteur **F** (*voir la figure 2.29a*). Ce plan passe par l'axe vertical *y* et son orientation est donnée par l'angle ϕ qu'il forme avec le plan *xy*. L'angle θ_y, situé entre **F** et l'axe des *y*, définit la direction de **F** dans ce plan. Si nous décomposons la force **F** en une composante verticale $\mathbf{F}_y$ et une composante horizontale $\mathbf{F}_h$ (*voir la figure 2.29b*), nous travaillons dans le plan *OBAC* selon les règles établies pour les forces coplanaires en première partie du chapitre. Les composantes scalaires correspondantes s'écrivent

$$F_y = F \cos \theta_y \qquad F_h = F \sin \theta_y \qquad (2.16)$$

Nous pouvons ensuite décomposer $\mathbf{F}_h$ en deux composantes rectangulaires $\mathbf{F}_x$ et $\mathbf{F}_z$ dans le plan *xz*, dirigées respectivement selon les axes *x* et *z* (*voir la figure 2.29c*).

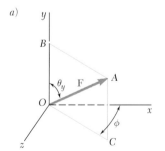

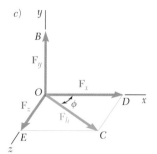

Figure 2.29

Nous obtenons

$$F_x = F_h \cos \phi = F \sin \theta_y \cos \phi$$
$$F_z = F_h \sin \phi = F \sin \theta_y \sin \phi \qquad (2.17)$$

Nous avons donc trois composantes vectorielles rectangulaires $\mathbf{F}_x$, $\mathbf{F}_y$, $\mathbf{F}_z$, dirigées selon les trois axes du système de coordonnées.

En appliquant le théorème de Pythagore aux triangles OAB et OCD de la figure 2.29, nous trouvons

$$F^2 = (OA)^2 = (OB)^2 + (BA)^2 = F_y^2 + F_h^2$$
$$F_h^2 = (OC)^2 = (OD)^2 + (DC)^2 = F_x^2 + F_z^2$$

En éliminant F_h^2 de ces équations et en isolant F, nous obtenons une expression de la grandeur du vecteur $\mathbf{F}$ en fonction de la grandeur des composantes rectangulaires :

$$F = \sqrt{F_x^2 + F_y^2 + F_z^2} \qquad (2.18)$$

Nous visualisons plus facilement la relation entre la force $\mathbf{F}$ et ses composantes en représentant une boîte dont les côtés correspondent à $\mathbf{F}_x$, $\mathbf{F}_y$ et $\mathbf{F}_z$ (*voir la figure 2.30*). Le vecteur $\mathbf{F}$ devient alors la diagonale OA de cette boîte. La figure 2.30*b* montre le triangle rectangle OAB ayant servi à dériver la première des équations (2.16), soit $F_y = F \cos \theta_y$. Sur les figures 2.30*a* et *c*, les triangles OAD et OAE occupent des positions comparables à celle du triangle OAB. Si nous notons θ_x et θ_z les angles formés par $\mathbf{F}$ avec les axes x et z respectivement, nous pouvons en faire dériver des expressions similaires à $F_y = F \cos \theta_y$ pour les autres directions. Nous obtenons

$$F_x = F \cos \theta_x \qquad F_y = F \cos \theta_y \qquad F_z = F \cos \theta_z \qquad (2.19)$$

Les trois angles θ_x, θ_y et θ_z définissent la direction de la force $\mathbf{F}$; nous les utilisons plus couramment que les angles θ_y et ϕ définis au début de cette section. Les cosinus des angles θ_x, θ_y et θ_z sont les cosinus directionnels de la force $\mathbf{F}$.

Avec l'utilisation des vecteurs unitaires $\mathbf{i}$, $\mathbf{j}$ et $\mathbf{k}$ orientés respectivement selon les axes x, y et z (*voir la figure 2.31*), le vecteur $\mathbf{F}$ peut s'écrire

$$\mathbf{F} = F_x\mathbf{i} + F_y\mathbf{j} + F_z\mathbf{k} \qquad (2.20)$$

où les composantes scalaires F_x, F_y et F_z sont données par les équations 2.19.

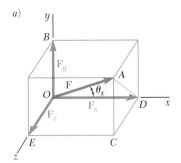

a)

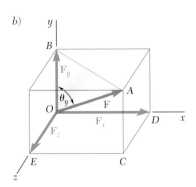

b)

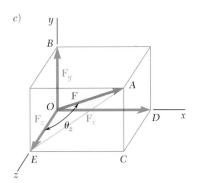

c)

Figure 2.30

APPLICATION DE CONCEPT 2.4

Une force de 500 N forme des angles de 60°, 45° et 120° avec les axes x, y et z respectivement. Déterminons les composantes F_x, F_y et F_z de la force.

> SOLUTION

En substituant les valeurs $F = 500$ N, $\theta_x = 60°$, $\theta_y = 45°$, $\theta_z = 120°$ dans les équations 2.19, nous trouvons

$$F_x = (500 \text{ N}) \cos 60° = +250 \text{ N}$$
$$F_y = (500 \text{ N}) \cos 45° = +354 \text{ N}$$
$$F_z = (500 \text{ N}) \cos 120° = -250 \text{ N}$$

En insérant ces valeurs dans l'équation 2.20, l'expression de **F** devient

$$\mathbf{F} = (250 \text{ N})\mathbf{i} + (354 \text{ N})\mathbf{j} - (250 \text{ N})\mathbf{k}$$

La convention de signes reste la même que pour les problèmes en deux dimensions : le signe positif définit une composante orientée dans le sens positif de l'axe et le signe négatif indique le sens inverse.

Nous mesurons l'angle entre la force **F** et chacun des axes à partir du côté positif de l'axe et la valeur se situe toujours entre 0° et 180°. Un angle θ_x inférieur à 90° (aigu) signifie que **F**, appliquée à l'origine O, se trouve du même côté du plan yz que l'axe des x positifs ; $\cos \theta_x$ et F_x sont alors positifs. Par contre, si l'angle θ_x est supérieur à 90° (obtus), **F** est de l'autre côté du plan yz ; $\cos \theta_x$ et F_x sont alors négatifs. Dans l'application de concept 3.1, θ_x et θ_y sont aigus alors que θ_z est obtus ; en conséquence, F_x et F_y sont positifs et F_z est négatif.

En substituant dans l'équation 2.20 les expressions de F_x, F_y et F_z obtenues en 2.19, nous trouvons

$$\mathbf{F} = F(\cos \theta_x \mathbf{i} + \cos \theta_y \mathbf{j} + \cos \theta_z \mathbf{k}) \qquad (2.21)$$

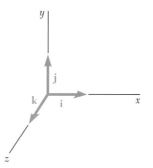

Figure 2.31

Nous en déduisons que la force **F** correspond au produit du scalaire F par le vecteur suivant :

$$\boldsymbol{\lambda} = \cos \theta_x \mathbf{i} + \cos \theta_y \mathbf{j} + \cos \theta_z \mathbf{k} \qquad (2.22)$$

Le vecteur $\boldsymbol{\lambda}$ est de grandeur égale à l'unité ; il est orienté dans la direction de **F** (*voir la figure 2.32*). Le vecteur $\boldsymbol{\lambda}$ est donc le vecteur unitaire orienté selon la ligne d'action de **F**. L'équation 2.22 indique que les composantes du vecteur unitaire $\boldsymbol{\lambda}$ correspondent aux cosinus directeurs de la ligne d'action de **F**, soit

$$\lambda_x = \cos \theta_x \qquad \lambda_y = \cos \theta_y \qquad \lambda_z = \cos \theta_z \qquad (2.23)$$

Il est à remarquer que les valeurs des angles θ_x, θ_y et θ_z ne sont pas indépendantes. En nous rappelant que la somme des carrés des composantes d'un vecteur est égale au carré de sa grandeur, nous pouvons écrire

$$\lambda_x^2 + \lambda_y^2 + \lambda_z^2 = 1$$

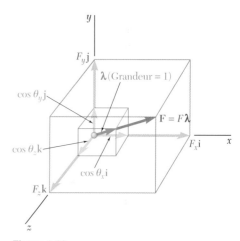

Figure 2.32

En substituant les valeurs obtenues plus haut pour λ_x, λ_y et λ_z, nous trouvons

$$\cos^2 \theta_x + \cos^2 \theta_y + \cos^2 \theta_z = 1 \qquad (2.24)$$

Revenons au cas de l'exemple 1. Une fois que les valeurs $\theta_x = 60°$ et $\theta_y = 45°$ sont fixées, l'angle θ_z doit absolument être égal à 60° ou à 120° pour satisfaire à l'équation 2.24.

Lorsque les composantes F_x, F_y et F_z de la force **F** sont connues, l'équation 2.18 détermine F, la grandeur du vecteur[4]. Nous commençons par calculer les cosinus directionnels à l'aide des équations 2.19 :

$$\cos \theta_x = \frac{F_x}{F} \qquad \cos \theta_y = \frac{F_y}{F} \qquad \cos \theta_z = \frac{F_z}{F} \qquad (2.25)$$

Nous trouvons ensuite les angles θ_x, θ_y et θ_z, qui caractérisent la direction de **F**.

---

4. Si vous utilisez une calculatrice programmée pour convertir directement les coordonnées rectangulaires en coordonnées polaires, nous vous suggérons de procéder comme suit : déterminez d'abord F_h à partir de F_x et F_z (*voir la figure 2.29c*), trouvez ensuite F à partir de F_h et F_y (*voir la figure 2.29b*). Notez que l'ordre d'entrée de F_x, F_y et F_z est sans importance.

Une force **F** a pour composantes $F_x = 20$ N, $F_y = -30$ N et $F_z = 60$ N. Nous voulons déterminer sa grandeur F ainsi que les angles θ_x, θ_y et θ_z qu'elle forme avec les axes du système de coordonnées.

> **SOLUTION**

Nous utilisons d'abord l'équation 2.18:

$$F = \sqrt{F_x^2 + F_y^2 + F_z^2}$$
$$= \sqrt{(20\,\text{N})^2 + (-30\,\text{N})^2 + (60\,\text{N})^2} = \sqrt{4900}\,\text{N} = 70\,\text{N}$$

En insérant les valeurs des composantes et de la grandeur de la force dans les équations 2.25, nous trouvons

$$\cos\theta_x = \frac{F_x}{F} = \frac{20\,\text{N}}{70\,\text{N}} \qquad \cos\theta_y = \frac{F_y}{F} = \frac{-30\,\text{N}}{70\,\text{N}} \qquad \cos\theta_z = \frac{F_z}{F} = \frac{60\,\text{N}}{70\,\text{N}}$$

Nous calculons les quotients et nous appliquons ensuite la fonction arc cosinus pour obtenir les angles

$$\theta_x = 73{,}4° \qquad \theta_y = 115{,}4° \qquad \theta_z = 31{,}0°$$

La calculatrice permet d'effectuer facilement ces opérations.

2.4.2 FORCE DÉFINIE PAR SA GRANDEUR ET DEUX POINTS SUR SA LIGNE D'ACTION

Dans bien des applications, la direction d'une force **F** est définie par les coordonnées de deux points situés sur sa ligne d'action, nommés $M(x_1, y_1, z_1)$ et $N(x_2, y_2, z_2)$, comme montré à la figure 2.33. Considérons le vecteur $\overrightarrow{MN}$ joignant M et N, dans le même sens que **F**, dont les composantes scalaires sont notées d_x, d_y et d_z. Nous pouvons écrire

$$\overrightarrow{MN} = d_x\mathbf{i} + d_y\mathbf{j} + d_z\mathbf{k} \qquad (2.26)$$

Nous déterminons le vecteur unitaire $\boldsymbol{\lambda}$, orienté selon la ligne d'action commune à **F** et MN, en divisant le vecteur $\overrightarrow{MN}$ par sa grandeur MN. Sachant que MN correspond à la distance d qui sépare M et N, nous remplaçons $\overrightarrow{MN}$ par l'expression de l'équation 2.26 et nous obtenons

$$\boldsymbol{\lambda} = \frac{\overrightarrow{MN}}{MN} = \frac{1}{d}(d_x\mathbf{i} + d_y\mathbf{j} + d_z\mathbf{k}) \qquad (2.27)$$

F étant égal au produit de F et $\boldsymbol{\lambda}$, nous avons

$$\mathbf{F} = F\boldsymbol{\lambda} = \frac{F}{d}(d_x\mathbf{i} + d_y\mathbf{j} + d_z\mathbf{k}) \qquad (2.28)$$

Les composantes scalaires de **F** s'écrivent alors

$$F_x = \frac{Fd_x}{d} \qquad F_y = \frac{Fd_y}{d} \qquad F_z = \frac{Fd_z}{d} \qquad (2.29)$$

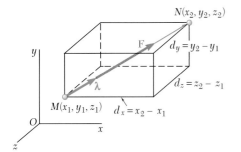

Figure 2.33

Les équations 2.29 simplifient beaucoup le calcul des composantes d'une force $\mathbf{F}$ lorsque sa ligne d'action est définie par deux points M et N. Nous obtenons les composantes du vecteur $\overrightarrow{MN}$ en soustrayant les coordonnées de M de celles de N et nous trouvons ensuite d, la distance qui sépare ces deux points :

$$d_x = x_2 - x_1 \qquad d_y = y_2 - y_1 \qquad d_z = z_2 - z_1$$

$$d = \sqrt{d_x^2 + d_y^2 + d_z^2}$$

En substituant ensuite F, d_x, d_y, d_z et d dans les équations 2.29, nous pouvons déterminer facilement les composantes F_x, F_y et F_z de la force.

Les équations 2.25 donnent les angles θ_x, θ_y et θ_z formés par le vecteur $\mathbf{F}$ avec les axes du système. En comparant les équations 2.22 et 2.27, nous pouvons également écrire

$$\cos\theta_x = \frac{d_x}{d} \qquad \cos\theta_y = \frac{d_y}{d} \qquad \cos\theta_z = \frac{d_z}{d} \qquad (2.30)$$

et déterminer les angles θ_x, θ_y et θ_z directement à partir des composantes du vecteur $\overrightarrow{MN}$ et de sa grandeur MN.

2.4.3 ADDITION DE FORCES CONCOURANTES DANS L'ESPACE

Nous obtenons la résultante $\mathbf{R}$ de deux ou plusieurs forces dans l'espace en additionnant leurs composantes rectangulaires. Les méthodes graphiques et trigonométriques s'avèrent peu pratiques en trois dimensions.

Pour additionner les forces, nous procédons comme il est indiqué à la section 2.2.2, c'est-à-dire avec les forces coplanaires. Nous avons

$$\mathbf{R} = \Sigma\mathbf{F}$$

En décomposant les forces en composantes rectangulaires, nous avons

$$R_x\mathbf{i} + R_y\mathbf{j} + R_z\mathbf{k} = \Sigma(F_x\mathbf{i} + F_y\mathbf{j} + F_z\mathbf{k})$$
$$= (\Sigma F_x)\mathbf{i} + (\Sigma F_y)\mathbf{j} + (\Sigma F_z)\mathbf{k}$$

Il s'ensuit que

$$R_x = \Sigma F_x \qquad R_y = \Sigma F_y \qquad R_z = \Sigma F_z \qquad (2.31)$$

Nous déterminons la grandeur de la résultante et les angles θ_x, θ_y et θ_z qu'elle forme avec les axes en procédant comme à la section 2.4.1. Nous écrivons

$$R = \sqrt{R_x^2 + R_y^2 + R_z^2} \qquad (2.32)$$

$$\cos\theta_x = \frac{R_x}{R} \qquad \cos\theta_y = \frac{R_y}{R} \qquad \cos\theta_z = \frac{R_z}{R} \qquad (2.33)$$

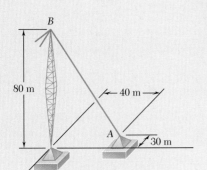

Un hauban d'une tour est ancré au point A. La tension dans le hauban a été évaluée à 2500 N. Calculez:

a) les composantes F_x, F_y et F_z de la force transmise au boulon d'ancrage;

b) les angles θ_x, θ_y et θ_z qui définissent la direction de cette force.

> SOLUTION

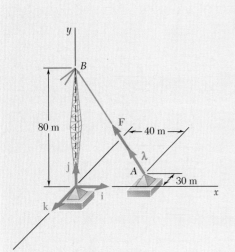

a) Composantes de la force   La ligne d'action de la force transmise au boulon d'ancrage passe par les points A et B et la force est orientée de A vers B. Les composantes du vecteur $\overrightarrow{AB}$ ont la même direction que la force. Elles sont donc

$$d_x = -40 \text{ m}$$
$$d_y = 80 \text{ m}$$
$$d_z = 30 \text{ m}$$

La distance entre A et B est

$$AB = d = \sqrt{d_x^2 + d_y^2 + d_z^2} = 94,3$$

En exprimant le vecteur $\overrightarrow{AB}$ à l'aide des vecteurs unitaires $\mathbf{i}$, $\mathbf{j}$ et $\mathbf{k}$, on a

$$\overrightarrow{AB} = -(40 \text{ m})\mathbf{i} + (80 \text{ m})\mathbf{j} + (30 \text{ m})\mathbf{k}$$

En introduisant le vecteur unitaire $\boldsymbol{\lambda} = \overrightarrow{AB}/AB$, on écrit

$$\mathbf{F} = F\boldsymbol{\lambda} = F\frac{\overrightarrow{AB}}{AB} = \frac{2500 \text{ N}}{94,3 \text{ m}}\,\overrightarrow{AB}$$

En substituant l'expression du vecteur $\overrightarrow{AB}$, on obtient

$$\mathbf{F} = \frac{2500 \text{ N}}{94,3 \text{ m}}\,[-(40 \text{ m})\mathbf{i} + (80 \text{ m})\mathbf{j} + (30 \text{ m})\mathbf{k}]$$
$$\mathbf{F} = -(1060 \text{ N})\mathbf{i} + (2120 \text{ N})\mathbf{j} + (795 \text{ N})\mathbf{k}$$

d'où les composantes de la force $\mathbf{F}$:

$$F_x = -1060 \text{ N} \qquad F_y = +2120 \text{ N} \qquad F_z = +795 \text{ N} \quad \blacktriangleleft$$

b) Direction de la force   En utilisant les équations 2.25, on obtient:

$$\cos \theta_x = \frac{F_x}{F} = \frac{-1060 \text{ N}}{2500 \text{ N}}$$

$$\cos \theta_y = \frac{F_y}{F} = \frac{+2120 \text{ N}}{2500 \text{ N}}$$

$$\cos \theta_z = \frac{F_z}{F} = \frac{+795 \text{ N}}{2500 \text{ N}}$$

d'où

$$\theta_x = 115,1° \qquad \theta_y = 32,0° \qquad \theta_z = 71,5° \quad \blacktriangleleft$$

(Note: ce résultat aurait aussi bien pu être obtenu à l'aide des composantes et de la grandeur de la force $\mathbf{F}$.)

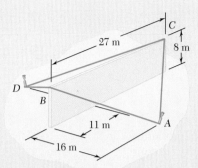

Une section de mur est temporairement retenue par des câbles, comme illustré ci-contre. Sachant que la tension dans le câble *AB* est de 8,4 kN et celle dans le câble *AC* de 12 kN, calculez la grandeur et la direction de la résultante des forces au piquet situé au point *A*.

> SOLUTION

Les composantes des forces La force appliquée par chaque câble sur le piquet *A* peut être décomposée en ses composantes selon les axes des x, y et z. On commence par calculer les composantes et les valeurs des vecteurs $\overrightarrow{AB}$ et $\overrightarrow{AC}$, en les mesurant du piquet *A* vers la section du mur. En utilisant les vecteurs unitaires **i**, **j** et **k**, on a

$$\overrightarrow{AB} = -(16 \text{ m})\mathbf{i} + (8 \text{ m})\mathbf{j} + (11 \text{ m})\mathbf{k} \qquad AB = 21 \text{ m}$$
$$\overrightarrow{AC} = -(16 \text{ m})\mathbf{i} + (8 \text{ m})\mathbf{j} - (16 \text{ m})\mathbf{k} \qquad AC = 24 \text{ m}$$

En identifiant le vecteur unitaire selon *AB* par le symbole $\boldsymbol{\lambda}_{AB}$, alors

$$\mathbf{T}_{AB} = T_{AB}\boldsymbol{\lambda}_{AB} = T_{AB}\frac{\overrightarrow{AB}}{AB} = \frac{8{,}4 \text{ kN}}{21 \text{ m}}\overrightarrow{AB}$$

En substituant dans l'équation l'expression du vecteur $\overrightarrow{AB}$, on obtient

$$\mathbf{T}_{AB} = \frac{8{,}4 \text{ kN}}{21 \text{ m}}\left[-(16 \text{ m})\mathbf{i} + (8 \text{ m})\mathbf{j} + (11 \text{ m})\mathbf{k}\right]$$
$$\mathbf{T}_{AB} = -(6{,}4 \text{ kN})\mathbf{i} + (3{,}2 \text{ kN})\mathbf{j} + (4{,}4 \text{ kN})\mathbf{k}$$

De la même façon, en identifiant par le symbole $\boldsymbol{\lambda}_{AC}$ le vecteur unitaire selon *AC,* on obtient

$$\mathbf{T}_{AC} = T_{AC}\boldsymbol{\lambda}_{AC} = T_{AC}\frac{\overrightarrow{AC}}{AC} = \frac{12 \text{ kN}}{24 \text{ m}}\overrightarrow{AC}$$
$$\mathbf{T}_{AC} = -(8 \text{ kN})$$
$$\mathbf{i} + (4 \text{ kN})\mathbf{j} - (8 \text{ kN})\mathbf{k}$$

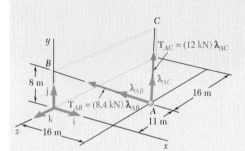

La résultante des forces La résultante **R** des forces exercées par les deux câbles est

$$\mathbf{R} = \mathbf{T}_{AB} + \mathbf{T}_{AC} = -(14{,}4 \text{ kN})\mathbf{i} + (7{,}2 \text{ kN})\mathbf{j} - (3{,}6 \text{ kN})\mathbf{k}$$

On calcule ensuite la grandeur et la direction de la résultante :

$$R\sqrt{R_x^2 + R_y^2 + R_z^2} = \sqrt{(-14{,}4)^2 + (7{,}2)^2 + (-3{,}6)^2}$$

$$R = 16{,}5 \text{ kN} \quad \blacktriangleleft$$

À partir des équations 2.33, on obtient

$$\cos\theta_x = \frac{R_x}{R} = \frac{-14{,}4 \text{ kN}}{16{,}5 \text{ kN}} \qquad \cos\theta_y = \frac{R_y}{R} = \frac{+7{,}2 \text{ kN}}{16{,}5 \text{ kN}}$$

$$\cos\theta_z = \frac{R_z}{R} = \frac{-3{,}6 \text{ kN}}{16{,}5 \text{ kN}}$$

d'où

$$\theta_x = 150{,}8° \qquad \theta_y = 64{,}1° \qquad \theta_z = 102{,}6° \quad \blacktriangleleft$$

Dans cette section, nous avons vu que les forces dans l'espace peuvent être définies soit par leur grandeur et leur direction, soit par leurs composantes rectangulaires F_x, F_y et F_z.

A. Quand une force est définie par sa grandeur et sa direction, ses composantes rectangulaires peuvent être déterminées de trois façons, selon les données dont nous disposons :

Cas 1 Si la direction d'une force est déterminée selon les angles θ_y et ϕ (*voir la figure 2.29*), nous la décomposons à l'aide des équations 2.17. Ainsi, nous commençons par décomposer la force **F** sur le plan vertical y ($\mathbf{F}_y$) et sur le plan horizontal ($\mathbf{F}_h$). Ensuite, nous décomposons $\mathbf{F}_h$ en ses composantes $\mathbf{F}_x$ et $\mathbf{F}_z$ (*voir la figure 2.29c*).

Cas 2 Si la direction de la force **F** est définie par les angles θ_x, θ_y et θ_z, la grandeur des composantes selon les trois axes est obtenue par la multiplication de la grandeur de la force **F** par le cosinus de l'angle correspondant (*voir l'application de concept 2.4*) :

$$F_x = F \cos \theta_x \qquad F_y = F \cos \theta_y \qquad F_z = F \cos \theta_z$$

Cas 3 Si la direction de la force **F** est définie par deux points dans l'espace (M et N) situés dans sa ligne d'action (*voir la figure 2.33*), nous devons d'abord exprimer le vecteur $\overrightarrow{MN}$ par ses composantes d_x, d_y, d_z et par les vecteurs unitaires **i**, **j** et **k**, d'où

$$\overrightarrow{MN} = d_x\mathbf{i} + d_y\mathbf{j} + d_z\mathbf{k}$$

Nous devons ensuite déterminer un vecteur unitaire $\boldsymbol{\lambda}$ orienté selon la ligne d'action de **F**. Cela se fait en divisant le vecteur $\overrightarrow{MN}$ par sa grandeur MN. En multipliant $\boldsymbol{\lambda}$ par la grandeur de la force **F**, nous obtenons **F** exprimée selon ses composantes rectangulaires (*voir le problème résolu 2.7*) :

$$\mathbf{F} = F\boldsymbol{\lambda} = \frac{F}{d}(d_x\mathbf{i} + d_y\mathbf{j} + d_z\mathbf{k})$$

Il est important d'utiliser un système d'annotation cohérent et significatif quand vient le temps de décomposer une force selon ses coordonnées rectangulaires. La méthode préconisée dans ce livre est illustrée au problème résolu 2.8 où, à titre d'exemple, $\mathbf{T}_{AB}$ agit du piquet A vers le point B. Il est à noter que l'ordre des lettres indique la direction de la force. Il est recommandé d'utiliser cette notation, puisqu'elle permettra de distinguer clairement le point 1, identifié par le premier indice et représentant l'origine de la force, et le point 2, identifié par le second indice et représentant l'extrémité de la force. Finalement, rappelons l'importance d'utiliser les bons signes pour indiquer la direction de chacune des composantes d'une force.

B. Quand une force est définie selon ses composantes rectangulaires F_x, F_y et F_z, la grandeur de la force **F** est obtenue comme suit :

$$F\sqrt{F_x^2 + F_y^2 + F_z^2}$$

Les cosinus directeurs de la ligne d'action de **F** s'obtiennent par les expressions mathématiques suivantes :

$$\cos\theta_x = \frac{F_x}{F} \qquad \cos\theta_y = \frac{F_y}{F} \qquad \cos\theta_z = \frac{F_z}{F}$$

À partir de là, il est possible d'évaluer les angles θ_x, θ_y et θ_z (*voir l'application de concept 2.5*).

C. Pour déterminer la résultante de deux forces ou plus dans l'espace, nous devons d'abord décomposer les forces selon leurs composantes rectangulaires. En additionnant algébriquement ces composantes selon chaque axe, nous obtiendrons les composantes R_x, R_y et R_z de la force résultante. La grandeur et la direction de la résultante sont calculées comme expliqué précédemment (*voir le problème résolu 2.8*).

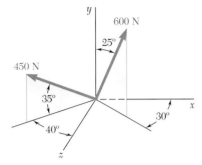

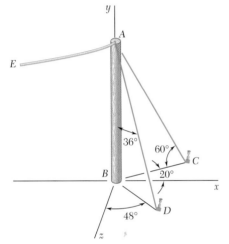

Figure P2.71 - P2.72

Figure P2.73 - P2.74

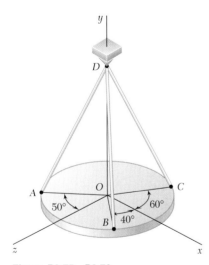

Figure P2.75 - P2.78

2.71 En vous référant à la figure, déterminez :
  a) les composantes selon les axes x, y et z de la force de 600 N ;
  b) les angles θ_x, θ_y et θ_z que cette force forme avec les axes des x, y et z.

2.72 En vous référant à la figure, déterminez :
  a) les composantes selon les axes x, y et z de la force de 450 N ;
  b) les angles θ_x, θ_y et θ_z que cette force forme avec les axes des x, y et z.

2.73 L'extrémité du câble coaxial AE est attachée au bout du poteau AB, lequel est soutenu par les haubans AC et AD. Sachant que le hauban AC supporte une tension de 120 N, évaluez :
  a) les composantes de la force exercée par le hauban AC sur le poteau ;
  b) les angles θ_x, θ_y et θ_z que cette force forme avec les axes des x, y et z.

2.74 L'extrémité du câble coaxial AE est attachée au bout du poteau AB, lequel est soutenu par les haubans AC et AD. Sachant que le hauban AD supporte une tension de 85 N, évaluez :
  a) les composantes de la force exercée par le hauban AD sur le poteau ;
  b) les angles θ_x, θ_y et θ_z que cette force forme avec les axes des x, y et z.

2.75 Un disque est suspendu au support D par les trois câbles AD, BD et CD. L'angle que ces trois câbles forment avec la verticale (axe des y) est de 30°. Sachant que la composante selon l'axe des x de la force exercée par le câble AD sur le disque est de 110,3 N, déterminez :
  a) la tension dans le câble AD ;
  b) les angles θ_x, θ_y et θ_z que la force appliquée au point A forme avec les trois axes.

2.76 Un disque est suspendu au support D par les trois câbles AD, BD et CD. L'angle que ces trois câbles forment avec la verticale (axe des y) est de 30°. Sachant que la composante selon l'axe des z de la force exercée par le câble BD sur le disque est de −32,14 N, déterminez :
  a) la tension dans le câble BD ;
  b) les angles θ_x, θ_y et θ_z que la force appliquée au point B forme avec les trois axes.

2.77 Un disque est suspendu au support D par les trois câbles AD, BD et CD. L'angle que ces trois câbles forment avec la verticale (axe des y) est de 30°. Sachant que la tension dans le câble CD est de 60 N, déterminez :
  a) les composantes de la force exercée par ce câble sur le disque ;
  b) les angles θ_x, θ_y et θ_z que la force forme avec les trois axes.

2.78 Un disque est suspendu au support D par les trois câbles AD, BD et CD. L'angle que ces trois câbles forment avec la verticale (axe des y) est de 30°. Sachant que la composante selon l'axe des x de la force exercée par le câble CD sur le disque est de −20,0 N, déterminez :
  a) la tension dans le câble CD ;
  b) les angles θ_x, θ_y et θ_z que la force appliquée au point C forme avec les trois axes.

2.79 Déterminez la grandeur et la direction de la force suivante :

$$\mathbf{F} = (260 \text{ N})\mathbf{i} - (320 \text{ N})\mathbf{j} + (800 \text{ N})\mathbf{k}$$

2.80 Déterminez la grandeur et la direction de la force suivante :

$$\mathbf{F} = (320\ \text{N})\mathbf{i} + (400\ \text{N})\mathbf{j} - (250\ \text{N})\mathbf{k}$$

2.81 Une force agit à partir des origines d'un système de coordonnées (x, y, z) et selon une direction définie par les angles $\theta_x = 69{,}3°$ et $\theta_z = 57{,}9°$. Sachant que la composante y de cette force est de $-174{,}0$ N, évaluez :
a) l'angle θ_y ;
b) les autres composantes et la grandeur de la force.

2.82 Une force agit à partir des origines d'un système de coordonnées (x, y, z) et selon une direction définie par les angles $\theta_x = 70{,}9°$ et $\theta_y = 144{,}9°$. Sachant que la composante z de cette force est de $-52{,}0$ N, évaluez :
a) l'angle θ_z ;
b) les deux autres composantes et la valeur de la force.

2.83 Une force $\mathbf{F}$ de 230 N agit aux origines d'un système de coordonnées (x, y, z). Sachant que $\theta_x = 32{,}5°$, $F_y = -60$ N et $F_z > 0$, déterminez :
a) les composantes F_x et F_z ;
b) les angles θ_y et θ_z.

2.84 Une force $\mathbf{F}$ de 210 N agit aux origines d'un système de coordonnées (x, y, z). Sachant que $F_x = 80$ N, $\theta_z = 151{,}2°$ et $F_y < 0$, déterminez :
a) les composantes F_y et F_z ;
b) les angles θ_x et θ_y.

2.85 Un plateau rectangulaire est supporté par trois câbles comme illustré. Sachant que la tension dans le câble AB est de 408 N, déterminez les composantes de cette force au point B.

2.86 Un plateau rectangulaire est supporté par trois câbles comme illustré. Sachant que la tension dans le câble AD est de 429 N, déterminez les composantes de cette force au point D.

2.87 Une tour de transmission est tenue par trois haubans ancrés à l'aide des boulons B, C et D. Sachant que la tension dans le câble AB est de 2100 N, évaluez les composantes que cette force applique au point d'ancrage B.

2.88 Une tour de transmission est tenue par trois haubans ancrés à l'aide des boulons B, C et D. Sachant que la tension dans le câble AD est de 1260 N, évaluez les composantes que cette force applique au point d'ancrage D.

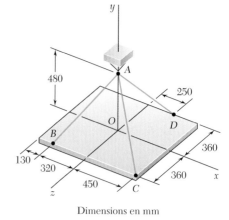

Dimensions en mm

Figure P2.85 - P2.86

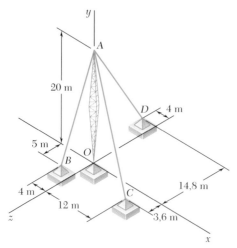

Figure P2.87 - P2.88

2.89 L'armature *ABC* est supportée par le câble *DBE* comme illustré. Le câble *DBE* passe dans l'anneau *B*, dans lequel on suppose que la force de friction est nulle. Sachant que la tension dans le câble est de 385 N, déterminez les composantes de la force exercée par le câble sur le point *D*.

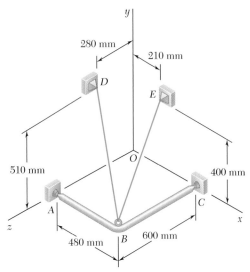

Figure P2.89 - P2.90

2.90 Pour la situation décrite au problème 2.89, déterminez les composantes de la force exercée par le câble sur le point *E*.

2.91 Évaluez la grandeur et la direction de la résultante des deux forces illustrées, sachant que *P* = 300 N et que *Q* = 400 N.

2.92 Évaluez la grandeur et la direction de la résultante des deux forces illustrées, sachant que *P* = 400 N et que *Q* = 300 N.

2.93 Sachant que la tension est de 425 N dans le câble *AB* et de 510 N dans le câble *AC*, déterminez la grandeur et la direction de leur résultante au point *A*.

2.94 Sachant que la tension est de 510 N dans le câble *AB* et de 425 N dans le câble *AC*, déterminez la grandeur et la direction de leur résultante au point *A*.

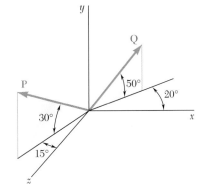

Figure P2.91 - P2.92

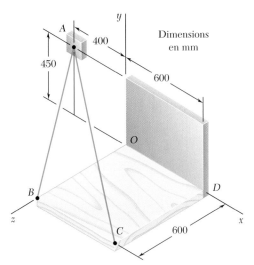

Figure P2.93 - P2.94

2.95 En vous référant aux données du problème 2.89 et sachant que la tension dans le câble est de 385 N, déterminez la grandeur et la direction de la résultante des forces exercées par le câble sur le point *B*.

2.96 L'extrémité du câble coaxial AE est attachée au bout du poteau AB, lequel est soutenu par les deux haubans AC et AD. Sachant que le hauban AC supporte une tension de 1500 N et que la résultante des forces appliquées au point A par les câbles AC et AD doit se situer dans le plan xy, évaluez :
a) la tension dans le câble AD ;
b) la grandeur et la direction de la résultante des deux forces.

2.97 L'extrémité du câble coaxial AE est attachée au bout du poteau AB, lequel est soutenu par les deux haubans AC et AD. Sachant que le hauban AD supporte une tension de 1250 N et que la résultante des forces appliquées au point A par les câbles AC et AD doit se situer dans le plan xy, évaluez :
a) la tension dans le câble AC ;
b) la grandeur et la direction de la résultante des deux forces.

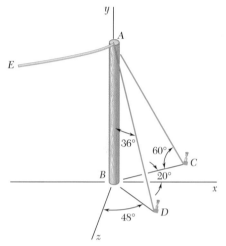

Figure P2.96 - P2.97

2.98 En vous référant aux données du problème 2.85, évaluez les tensions dans les câbles AB et AD, sachant que la tension dans le câble AC est de 54 N et que la résultante des forces appliquées par les trois câbles au point A doit être verticale.

2.5   **ÉQUILIBRE D'UNE PARTICULE DANS L'ESPACE (3D)**

Nous avons vu à la section 2.3.1 qu'une particule A est en équilibre si la résultante de toutes les forces agissant sur elle est nulle. Or, les relations 2.31 définissent les composantes R_x, R_y et R_z de la résultante ; en les annulant, nous pouvons écrire

$$\Sigma F_x = 0 \qquad \Sigma F_y = 0 \qquad \Sigma F_z = 0 \qquad (2.34)$$

Ces équations expriment les conditions nécessaires et suffisantes à l'équilibre d'une particule dans l'espace. Elles permettent de résoudre les situations d'équilibre d'une particule lorsqu'il n'y a pas plus de trois inconnues en cause.

Nous procédons en traçant d'abord le diagramme du corps libre, sur lequel figurent la particule en équilibre ainsi que toutes les forces auxquelles elle est soumise. Nous écrivons ensuite les équations d'équilibre 2.34 et nous les solutionnons, déterminant ainsi les trois inconnues. Dans la plupart des cas, ces inconnues correspondent : (1) aux trois composantes d'une force unique ou (2) à la grandeur de trois forces dont l'orientation est déjà connue.

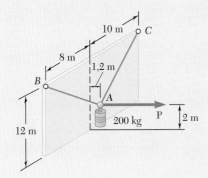

Un cylindre de 200 kg est soutenu par deux câbles AB et AC attachés à la partie supérieure d'un mur vertical. Sous l'action d'une force horizontale **P** perpendiculaire au mur, le cylindre prend la position indiquée. Calculez la valeur de **P** et la tension dans chaque câble.

> **SOLUTION**

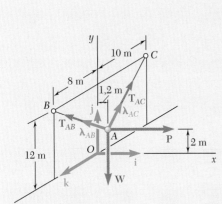

Diagramme du corps libre (DCL) des forces En choisissant le point A comme point d'équilibre, on note qu'il est soumis à quatre forces, dont trois sont de grandeur inconnue. En utilisant l'approche vectorielle, avec les vecteurs unitaires **i**, **j** et **k**, on décompose chacune des forces selon ses composantes rectangulaires, d'où

$$\mathbf{P} = P\mathbf{i}$$
$$\mathbf{W} = -mg\mathbf{j} = -(200 \text{ kg})(9{,}81 \text{ m/s}^2)\mathbf{j} = -(1962 \text{ N})\mathbf{j} \tag{1}$$

Dans le cas des forces $\mathbf{T}_{AB}$ et $\mathbf{T}_{AC}$, on détermine les composantes et les grandeurs des vecteurs $\overrightarrow{AB}$ et $\overrightarrow{AC}$. En identifiant par $\boldsymbol{\lambda}_{AB}$ le vecteur unitaire selon le sens AB, on peut écrire

$$\overrightarrow{AB} = -(1{,}2 \text{ m})\mathbf{i} + (10 \text{ m})\mathbf{j} + (8 \text{ m})\mathbf{k} \qquad AB = 12{,}862 \text{ m}$$

$$\boldsymbol{\lambda}_{AB} = \frac{\overrightarrow{AB}}{12{,}862 \text{ m}} = -0{,}09330\mathbf{i} + 0{,}7775\mathbf{j} + 0{,}6220\mathbf{k}$$

$$\mathbf{T}_{AB} = T_{AB}\boldsymbol{\lambda}_{AB} = -0{,}09330 T_{AB}\mathbf{i} + 0{,}7775 T_{AB}\mathbf{j} + 0{,}6220 T_{AB}\mathbf{k} \tag{2}$$

On procède de la même manière pour $\boldsymbol{\lambda}_{AC}$, le vecteur unitaire selon le sens AC, d'où

$$\overrightarrow{AC} = -(1{,}2 \text{ m})\mathbf{i} + (10 \text{ m})\mathbf{j} - (10 \text{ m})\mathbf{k} \qquad AC = 14{,}193 \text{ m}$$

$$\boldsymbol{\lambda}_{AC} = \frac{\overrightarrow{AC}}{14{,}193 \text{ m}} = -0{,}08455\mathbf{i} + 0{,}7046\mathbf{j} - 0{,}7046\mathbf{k}$$

$$\mathbf{T}_{AC} = T_{AC}\boldsymbol{\lambda}_{AC} = -0{,}08455 T_{AC}\mathbf{i} + 0{,}7046 T_{AC}\mathbf{j} - 0{,}7046 T_{AC}\mathbf{k} \tag{3}$$

Condition d'équilibre Étant donné que A est en équilibre, alors

$$\Sigma\mathbf{F} = 0: \qquad\qquad \mathbf{T}_{AB} + \mathbf{T}_{AC} + \mathbf{P} + \mathbf{W} = 0$$

En remplaçant les expressions des forces par les équations 1, 2 et 3, et en mettant en facteurs les vecteurs unitaires **i**, **j** et **k**, on obtient

$$(-0{,}09330 T_{AB} - 0{,}08455 T_{AC} + P)\mathbf{i}$$
$$+ (0{,}7775 T_{AB} + 0{,}7046 T_{AC} - 1962 \text{ N})\mathbf{j}$$
$$+ (0{,}6220 T_{AB} - 0{,}7046 T_{AC})\mathbf{k} = 0$$

En fixant les coefficients de **i**, **j** et **k** à zéro, on écrit les équations scalaires suivantes, qui expriment que la somme des composantes selon les trois axes des x, y et z des forces est nulle :

$$(\Sigma F_x = 0:) \qquad -0{,}09330 T_{AB} - 0{,}08455 T_{AC} + P = 0$$
$$(\Sigma F_y = 0:) \qquad +0{,}7775 T_{AB} + 0{,}7046 T_{AC} - 1962 \text{ N} = 0$$
$$(\Sigma F_z = 0:) \qquad +0{,}6220 T_{AB} - 0{,}7046 T_{AC} = 0$$

$$P = 235 \text{ N} \qquad T_{AB} = 1402 \text{ N} \qquad T_{AC} = 1238 \text{ N} \quad \blacktriangleleft$$

Nous avons vu dans le cas des forces coplanaires que la résultante des forces agissant sur une particule en équilibre doit nécessairement être égale à zéro. En appliquant ce principe d'équilibre dans le cas d'une particule dans un espace tridimensionnel, nous nous retrouvons devant trois relations exprimées à l'équation 2.34.

Nous procédons alors selon les étapes suivantes :

1. **Tracer un diagramme du corps libre (DCL).** Ce diagramme illustre toutes les forces agissant sur la particule en équilibre. Nous devons indiquer sur le diagramme la grandeur et la direction des forces connues ainsi que tout angle et toute dimension permettant de les déduire. Les forces inconnues (soit en grandeur et/ou en direction) sont identifiées à l'aide de symboles appropriés. Aucune autre information ne doit apparaître sur le DCL.

2. **Décomposer les forces en composantes rectangulaires.** Pour chacune des forces $\mathbf{F}$ en présence, nous devons identifier le vecteur unitaire $\boldsymbol{\lambda}$ définissant la direction de la force et exprimer cette force comme le produit de sa grandeur F par le vecteur unitaire $\boldsymbol{\lambda}$:

$$\mathbf{F} = F\boldsymbol{\lambda} = \frac{F}{d} (d_x\mathbf{i} + d_y\mathbf{j} + d_z\mathbf{k})$$

   où d, d_x, d_y et d_z sont obtenus par le diagramme du corps libre.

3. **Fixer la résultante des forces à zéro.** En fixant la somme des forces appliquées à une particule à zéro, nous obtenons une équation vectorielle définie en fonction des vecteurs unitaires $\mathbf{i}$, $\mathbf{j}$ ou $\mathbf{k}$. Pour satisfaire la condition d'équilibre, le coefficient de chaque vecteur unitaire doit être nul. Nous nous trouvons donc devant un système à trois équations, qui pourra être résolu s'il ne contient pas plus de trois inconnues (*voir le problème résolu 2.9*).

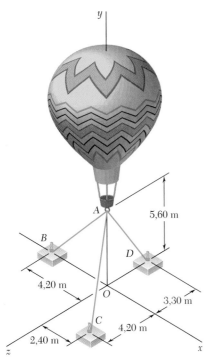

Figure P2.99 - P2.102

2.99 On utilise trois câbles pour ancrer un ballon au sol comme illustré. Déterminez la force verticale **P** exercée par le ballon au point *A*, sachant que la tension dans le câble *AB* est de 259 N.

2.100 On utilise trois câbles pour ancrer un ballon au sol comme illustré. Déterminez la force verticale **P** exercée par le ballon au point *A*, sachant que la tension dans le câble *AC* est de 444 N.

2.101 On utilise trois câbles pour ancrer un ballon au sol comme illustré. Déterminez la force verticale **P** exercée par le ballon au point *A*, sachant que la tension dans le câble *AD* est de 481 N.

2.102 On utilise trois câbles pour ancrer un ballon au sol comme illustré. Sachant que la force verticale **P** exercée par le ballon au point *A* est de 800 N, déterminez la tension dans chaque câble de rétention.

2.103 Une caisse est supportée par trois câbles comme illustré. Déterminez le poids de la caisse, sachant que la tension dans le câble *AB* est de 750 N.

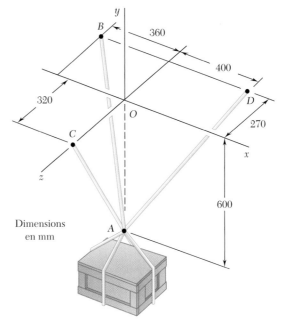

Figure P2.103 - P2.106

2.104 Une caisse est supportée par trois câbles comme illustré. Déterminez le poids de la caisse, sachant que la tension dans le câble *AD* est de 616 N.

2.105 Une caisse est supportée par trois câbles comme illustré. Déterminez le poids de la caisse, sachant que la tension dans le câble *AC* est de 544 N.

2.106 Une caisse de 163 kg est supportée par trois câbles comme illustré. Déterminez la tension dans chacun des câbles.

2.107 Trois câbles sont reliés comme illustré. Les forces **P** et **Q** sont appliquées au point *A*. Si *Q* = 0, déterminez *P* sachant que la tension dans le câble *AD* est de 305 N.

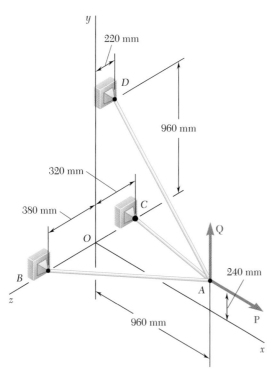

Figure P2.107 - P2.108

2.108 Trois câbles sont reliés comme illustré. Les forces **P** et **Q** sont appliquées au point *A*. Si *P* = 1200 N, estimez l'étendue des valeurs possibles de *Q* sachant que le câble *AD* est sous tension.

2.109 Une plaque rectangulaire est supportée par trois câbles comme illustré à la figure P2.109 - P2.110. Sachant que la tension dans le câble *AC* est de 60 N, évaluez le poids de la plaque.

2.110 Une plaque rectangulaire est supportée par trois câbles illustré à la figure P2.109 - P2.110. Sachant que la tension dans le câble *AD* est de 520 N, évaluez le poids de la plaque.

2.111 Une tour de transmission est tenue par trois haubans au point *A* et est ancrée aux points *B*, *C* et *D* à l'aide de boulons. Sachant que la tension dans le câble *AB* est de 840 N, déterminez la force verticale **P** appliquée par la tour au point *A*.

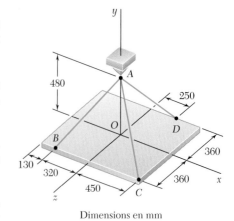

Dimensions en mm

Figure P2.109 - P2.110

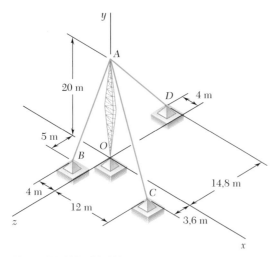

Figure P2.111 - P2.113

2.112 Une tour de transmission est tenue par trois haubans au point *A* et est ancrée aux points *B*, *C* et *D* à l'aide de boulons. Sachant que la tension dans le câble *AC* est de 590 N, déterminez la force verticale **P** appliquée par la tour au point *A*.

2.113 Une tour de transmission est tenue par trois haubans au point *A*. Elle est ancrée aux points *B*, *C* et *D* à l'aide de boulons. Sachant que la tour applique une force **P** verticale vers le haut au point *A* de 1800 N, déterminez la tension dans chacun des câbles.

2.114 Un disque horizontal dont le poids est de 600 N est suspendu au point *D* à l'aide de trois câbles (*voir la figure P2.114*). Chaque câble forme avec l'axe vertical *y* un angle de 30°. Évaluez la tension dans chaque câble.

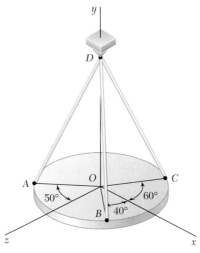

Figure P2.114

2.115 En vous référant à la plaque rectangulaire des problèmes 2.109 et 2.110, évaluez la tension de chaque câble, sachant que la plaque pèse 792 N.

2.116 Pour le système de câbles des problèmes 2.107 et 2.108, évaluez la tension dans chaque câble, sachant que *P* = 2880 N et *Q* = 0.

2.117 Pour le système de câbles des problèmes 2.107 et 2.108, évaluez la tension dans chaque câble, sachant que *P* = 2880 N et *Q* = 576 N.

2.118 Pour le système de câbles des problèmes 2.107 et 2.108, évaluez la tension dans chaque câble, sachant que *P* = 2880 N et *Q* = −576 N (**Q** orientée vers le bas).

2.119 En tentant de traverser une surface glacée, un homme de 820 N utilise deux cordes *AB* et *AC*. Sachant que la force exercée par la surface sur l'homme est perpendiculaire à cette surface, déterminez la tension dans chaque corde.

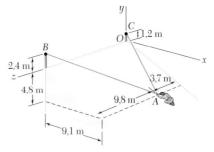

Figure P2.119

2.120 Solutionnez le problème 2.113 en supposant qu'un ami aide l'homme en A en tirant sur lui avec une force $\mathbf{P} = (-20\ \text{N})\mathbf{k}$.

2.121 Considérez la figure P2.121. Le conteneur pèse $W = 1000\ \text{N}$. Le câble AC est attaché au plafond au point C et au conteneur par l'anneau A. Le câble AE est attaché au plafond au point E et passe par l'anneau A. Un troisième câble AD est attaché au plafond au point D; il passe aussi par l'anneau A, ensuite par la poulie B et une force $\mathbf{P}$ lui est appliquée au point F. Déterminez la grandeur de $\mathbf{P}$. (Suggestion: pour cette situation, supposez que la tension dans chaque section du câble $FBAD$ est la même.)

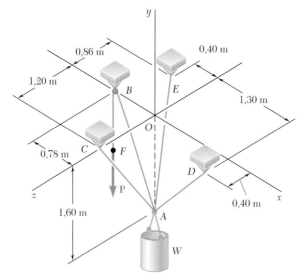

Figure P2.121

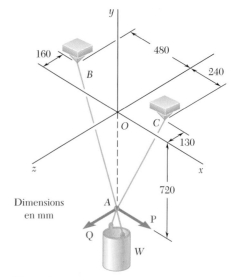

Figure P2.123

2.122 En vous référant à la situation décrite au problème 2.121, si la tension au câble AC est de 150 N, évaluez:
a) la grandeur de la force $\mathbf{P}$;
b) le poids W du conteneur.

2.123 Un conteneur est suspendu par l'anneau A comme illustré à la figure P2.123. Il est soutenu par le câble BAC, passant par l'anneau A et ancré aux points B et C. Deux forces $\mathbf{P} = Pi$ et $\mathbf{Q} = Q\mathbf{k}$ sont appliquées pour garder le conteneur dans sa position. Si le poids du conteneur est $W = 270\ \text{N}$, déterminez P et Q. (Suggestion: pour cette situation, supposez que la tension est identique dans les deux sections du câble BAC.)

2.124 En vous référant à la situation décrite au problème 2.123, déterminez W et P, sachant que $Q = 36\ \text{N}$.

2.125 Les deux manchons A et B sont reliés à un fil métallique d'une longueur de 525 mm. Les deux manchons glissent librement comme présenté à la figure P2.125. Si une force $\mathbf{P} = (341\ \text{N})\mathbf{j}$ est appliquée sur le manchon A, évaluez:
a) la tension sur le fil si $y = 155\ \text{mm}$;
b) la grandeur de la force $\mathbf{Q}$ nécessaire pour garder le système en équilibre.

2.126 Solutionnez le problème 2.125 en supposant que $y = 275\ \text{mm}$.

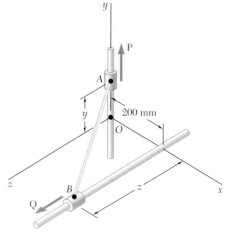

Figure P2.125

2 RÉSUMÉ

Dans ce chapitre, nous avons étudié l'effet de forces appliquées à des particules, c'est-à-dire à des corps dont la forme et la taille se rapprochent de celles d'une particule ; les forces agissant sur ces corps peuvent donc être considérées comme ayant le même point d'application.

Résultante de deux forces

Les forces sont des quantités vectorielles caractérisées par un point d'application, une grandeur et une direction. Elles s'additionnent selon la règle du parallélogramme (*voir la figure 2.34*). La grandeur et la direction de la résultante **R** de deux forces **P** et **Q** appliquées à une particule peuvent être déterminées graphiquement ou par trigonométrie, avec l'utilisation successive de la loi des sinus et de la loi des cosinus (*voir le problème résolu 2.1*).

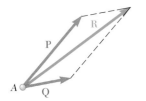

Figure 2.34

Composantes d'une force

Toute force appliquée à une particule peut être décomposée selon deux composantes ou plus, c'est-à-dire qu'elle peut être remplacée par deux forces ou plus ayant le même effet sur la particule. Nous pouvons représenter une force **F** par deux composantes **P** et **Q** en traçant un parallélogramme ayant **F** comme diagonale ; les composantes **P** et **Q** correspondent aux deux côtés adjacents du parallélogramme (*voir la figure 2.35*) et peuvent être déterminées graphiquement ou par trigonométrie (*voir la section 2.1.5*).

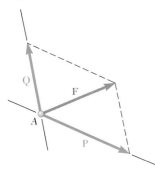

Figure 2.35

Composantes rectangulaires et vecteurs unitaires

Une force **F** peut être décomposée en deux composantes rectangulaires F_x et F_y selon les axes des coordonnées perpendiculaires (*voir la figure 2.36*). En introduisant les vecteurs unitaires **i** et **j** selon les axes x et y respectivement (*voir la section 2.2.1*), nous écrivons :

$$\mathbf{F}_x = F_x\mathbf{i} \qquad \mathbf{F}_y = F_y\mathbf{j} \qquad (2.6)$$

et

$$\mathbf{F} = F_x\mathbf{i} + F_y\mathbf{j} \qquad (2.7)$$

où F_x et F_y sont les composantes scalaires de **F**. Ces composantes, positives ou négatives, sont définies par les relations

$$F_x = F \cos \theta \qquad F_y = F \sin \theta \qquad (2.8)$$

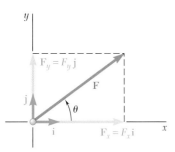

Figure 2.36

Si nous connaissons les composantes rectangulaires F_x et F_y d'une force **F**, nous obtenons l'angle θ qui définit sa direction en écrivant

$$\tan \theta = \frac{F_y}{F_x} \qquad (2.9)$$

La grandeur de la force **F** s'obtient en isolant F dans l'une des équations 2.8 ou en appliquant le théorème de Pythagore :

$$F = \sqrt{F_x^2 + F_y^2} \qquad (2.10)$$

Résultante de plusieurs forces coplanaires

Quand trois forces coplanaires ou plus agissent sur une particule, nous obtenons les composantes rectangulaires de leur résultante **R** en additionnant algébriquement leurs composantes rectangulaires correspondantes (*voir la section 2.2.2*), d'où

$$R_x = \Sigma F_x \qquad R_y = \Sigma F_y \qquad (2.13)$$

La grandeur et la direction de la résultante **R** peuvent ensuite être déterminées à l'aide de relations similaires aux équations 2.9 et 2.10 (*voir le problème résolu 2.3*).

Forces dans l'espace

Une force **F** agissant dans l'espace tridimensionnel peut être décomposée selon ses composantes rectangulaires $\mathbf{F}_x$, $\mathbf{F}_y$ et $\mathbf{F}_z$ (*voir la section 2.4.1*). En identifiant par θ_x, θ_y et θ_z les angles formés par **F** avec les trois axes des coordonnées x, y et z (*voir la figure 2.37*), nous avons

$$F_x = F \cos \theta_x \qquad F_y = F \cos \theta_y \qquad F_z = F \cos \theta_z \qquad (2.19)$$

Cosinus directeurs

Les cosinus de θ_x, θ_y et θ_z sont appelés les *cosinus directeurs* de la force **F**. En introduisant les vecteurs unitaires **i**, **j** et **k** selon les axes de coordonnées, nous écrivons

$$\mathbf{F} = F_x \mathbf{i} + F_y \mathbf{j} + F_z \mathbf{k} \qquad (2.20)$$

ou

$$\mathbf{F} = F(\cos \theta_x \mathbf{i} + \cos \theta_y \mathbf{j} + \cos \theta_z \mathbf{k}) \qquad (2.21)$$

Cette dernière équation démontre (*voir la figure 2.38*) que **F** correspond au produit de sa grandeur F par le vecteur unitaire

$$\boldsymbol{\lambda} = \cos \theta_x \mathbf{i} + \cos \theta_y \mathbf{j} + \cos \theta_z \mathbf{k}$$

Puisque la grandeur de $\boldsymbol{\lambda}$ est égale à l'unité, l'expression trigonométrique suivante doit être respectée :

$$\cos^2 \theta_x + \cos^2 \theta_y + \cos^2 \theta_z = 1 \qquad (2.24)$$

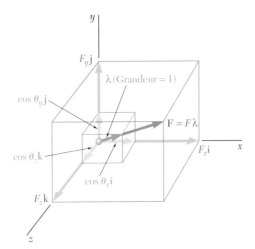

Figure 2.38

Si nous connaissons les composantes rectangulaires F_x, F_y et F_z d'une force **F**, la grandeur F de la force peut être calculée par

$$F = \sqrt{F_x^2 + F_y^2 + F_z^2} \qquad (2.18)$$

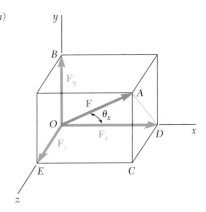

a)

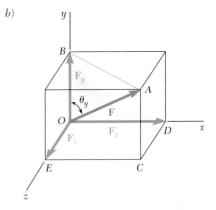

b)

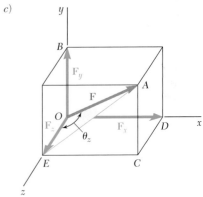

c)

Figure 2.37

et les cosinus directeurs de **F** sont obtenus par les équations 2.19. Nous avons donc

$$\cos \theta_x = \frac{F_x}{F} \qquad \cos \theta_y = \frac{F_y}{F} \qquad \cos \theta_z = \frac{F_z}{F} \qquad (2.25)$$

Quand une force **F** agissant dans l'espace tridimensionnel est définie par sa grandeur F et par deux points M et N sur sa ligne d'action (*voir la section 2.4.2*), nous obtenons ses composantes rectangulaires comme suit :

1. Nous exprimons d'abord le vecteur $\overrightarrow{MN}$ joignant les points M et N par ses composantes d_x, d_y et d_z (*voir la figure 2.39*), d'où

$$\overrightarrow{MN} = d_x\mathbf{i} + d_y\mathbf{j} + d_z\mathbf{k} \qquad (2.26)$$

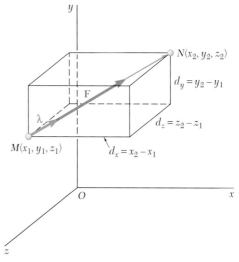

Figure 2.39

2. Nous déterminons ensuite le vecteur unitaire **λ** selon la ligne d'action de **F** en divisant $\overrightarrow{MN}$ par sa grandeur $MN = d$:

$$\boldsymbol{\lambda} = \frac{\overrightarrow{MN}}{MN} = \frac{1}{d}(d_x\mathbf{i} + d_y\mathbf{j} + d_z\mathbf{k}) \qquad (2.27)$$

Sachant que **F** est égale au produit de F par **λ**, nous avons

$$\mathbf{F} = F\boldsymbol{\lambda} = \frac{F}{d}(d_x\mathbf{i} + d_y\mathbf{j} + d_z\mathbf{k}) \qquad (2.28)$$

Il s'ensuit que les composantes scalaires de **F** (*voir les problèmes résolus 2.7 et 2.8*) sont, respectivement,

$$F_x = \frac{Fd_x}{d} \qquad F_y = \frac{Fd_y}{d} \qquad F_z = \frac{Fd_z}{d} \qquad (2.29)$$

Résultante de forces dans l'espace

Quand deux forces ou plus agissent sur une particule dans l'espace tridimensionnel, nous obtenons les composantes rectangulaires de leur résultante **R** en additionnant algébriquement leurs composantes correspondantes (*voir la section 2.4.3*), d'où

$$R_x = \Sigma F_x \qquad R_y = \Sigma F_y \qquad R_z = \Sigma F_z \qquad (2.31)$$

La grandeur et la direction de **R** sont ensuite obtenues par des équations semblables aux équations 2.18 et 2.25 (*voir le problème résolu 2.8*).

Équilibre d'une particule

Une particule est en équilibre quand la résultante de toutes les forces agissant sur elle est nulle (*voir la section 2.3.1*). Dans ce cas, la particule demeure au repos si elle était initialement au repos ou se déplace à vitesse constante et en ligne droite si elle était initialement en mouvement (*voir la section 2.3.2*).

Diagramme du corps libre

Pour résoudre un problème impliquant une particule en équilibre, nous commençons toujours par tracer le diagramme du corps libre pour la particule en incluant toutes les forces agissant sur elle (*voir la section 2.3.3*). Si seulement trois forces coplanaires agissent sur la particule, nous pouvons tracer un triangle des forces pour exprimer l'équilibre de la particule. Ce triangle peut être résolu par la méthode graphique ou par trigonométrie, pour autant qu'il n'y ait pas plus de deux inconnues (*voir le problème résolu 2.4*). Si plus de trois forces coplanaires sont en présence, nous utilisons les équations d'équilibre

$$\Sigma F_x = 0 \qquad \Sigma F_y = 0 \tag{2.15}$$

Ces équations peuvent être résolues pour deux inconnues ou moins (*voir le problème résolu 2.6*).

Équilibre dans l'espace

Pour une particule en équilibre dans l'espace tridimensionnel (*voir la section 2.5*), nous utilisons les équations d'équilibre suivantes :

$$\Sigma F_x = 0 \qquad \Sigma F_y = 0 \qquad \Sigma F_z = 0 \tag{2.34}$$

que l'on peut résoudre à condition d'avoir trois inconnues ou moins (*voir le problème résolu 2.9*).

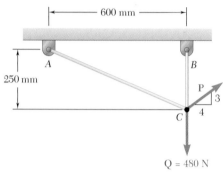

Figure P2.127 - P2.128

2.127 Deux câbles sont liés au point C, où une charge **Q** de 480 N est appliquée. Sachant que $P = 360$ N à ce point, déterminez :
a) la tension dans le câble AC ;
b) la tension dans le câble BC.

2.128 Deux câbles sont liés au point C, comme illustré, où une charge **Q** de 480 N est appliquée. Déterminez l'étendue des valeurs de P afin de tenir les deux câbles sous tension.

2.129 Considérez la figure P2.129. Sachant que l'angle entre les deux forces de 75 N est toujours de 50° mais que l'angle α peut varier, déterminez la valeur de α pour laquelle la résultante de l'ensemble des forces agissant sur A est orientée horizontalement vers la gauche.

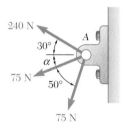

Figure P2.129

2.130 Un marin est rescapé à l'aide d'une chaise de gabier suspendue à une poulie qui peut rouler librement sur le câble porteur ACB et est tirée à vitesse constante par le câble CD. Sachant que $\alpha = 30°$, que $\beta = 10°$ et que le poids combiné du marin et de la chaise est de 1000 N, déterminez la tension :
a) dans le câble porteur ACB ;
b) dans le câble CD.

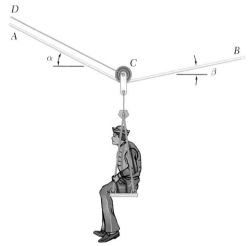

Figure P2.130 - P2.131

2.131 Un marin est rescapé à l'aide d'une chaise de gabier suspendue à une poulie qui peut rouler librement sur le câble porteur ACB et est tirée à vitesse constante par le câble CD. Sachant que $\alpha = 30°$, que $\beta = 10°$ et que la tension dans le câble CD est de 40 N, déterminez :
a) le poids combiné de la chaise et du marin ;
b) la tension dans le câble porteur ACB.

2.132 On extrait un pieu enfoncé dans le sol à l'aide de deux cordes comme illustré à la figure P2.132. Disposant des informations sur l'une des forces, évaluez la grandeur et la direction que devrait avoir la force **P** pour que la résultante des deux forces soit de 160 N verticalement vers le haut.

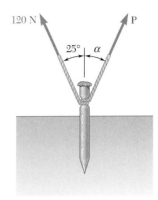

Figure P2.132

2.133 En vous référant à la figure P2.133 et sachant que le câble AB a une longueur de 13 m avec une tension de 3900 N, déterminez :
a) les composantes selon x, y et z de la force exercée par le câble au point d'ancrage B ;
b) la direction de cette force exprimée par les angles θ_x, θ_y et θ_z.

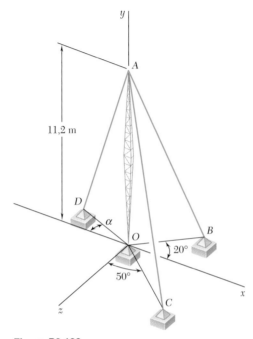

Figure P2.133

2.134 Deux câbles sont attachés au point C où une charge de 396 N est appliquée. Déterminez :
a) la tension dans le câble AC ;
b) la tension dans le câble BC.

2.135 On veut déplacer un camion accidenté comme illustré à la figure P2.135. Deux camions à remorque (B et C) sont mis à l'épreuve. Sachant que les tensions appliquées sont respectivement de 10 kN dans le câble AB et de 7,5 kN dans le câble AC, déterminez la grandeur et la direction de la résultante des forces appliquées sur le camion (en A).

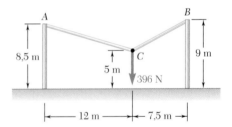

Figure P2.134

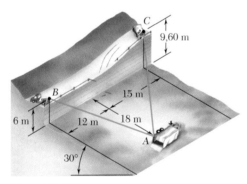

Figure P2.135

2.136 En vous référant à la figure P2.136, déterminez les composantes x et y de chacune des forces en présence.

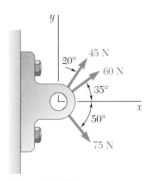

Figure P2.136

2.137 Les deux manchons A et B sont reliés par un fil métallique d'une longueur de 500 mm. Les deux manchons glissent librement comme illustré. Si une force $\mathbf{Q}$ de 60 N est appliquée sur le manchon B, évaluez :

a) la tension sur le fil si $x = 180$ mm ;

b) la grandeur de la force $\mathbf{P}$ nécessaire pour garder le système en équilibre.

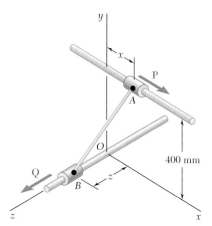

Figure P2.137 - P2.138

2.138 Les deux manchons A et B sont reliés par un fil métallique d'une longueur de 500 mm. Les deux manchons glissent librement comme présenté à la figure P2.137 - P2.138. Si $P = 120$ N et $Q = 60$ N, déterminez les distances x et z nécessaires pour conserver l'équilibre du système.

LES PROBLÈMES SUIVANTS SONT CONÇUS POUR ÊTRE SOLUTIONNÉS NUMÉRIQUEMENT.

2.139 Concevez un programme pouvant calculer la grandeur et la direction de la résultante de n forces coplanaires appliquées au point A. Appliquez ensuite ce programme pour résoudre les problèmes 2.32, 2.33, 2.35 et 2.38.

2.140 Une charge $\mathbf{P}$ est soutenue par deux câbles comme illustré à la figure P2.140. Concevez un programme pouvant calculer la tension dans chaque câble pour différentes valeurs de P et de θ, l'angle θ variant entre $\theta_1 = \beta - 90°$ et $\theta_2 = 90° - \alpha$, avec des incréments de $\Delta\theta$. Utilisez ce programme pour évaluer, dans les cas (1), (2) et (3) :

a) la tension dans chaque câble pour des valeurs de θ variant de θ_1 à θ_2 ;

b) la valeur que doit avoir θ pour que la tension dans chaque câble soit minimale ;

c) la valeur de la tension correspondante.

(1) $\alpha = 35°$, $\beta = 75°$, $P = 400$ N, $\Delta\theta = 5°$

(2) $\alpha = 50°$, $\beta = 30°$, $P = 600$ N, $\Delta\theta = 10°$

(3) $\alpha = 40°$, $\beta = 60°$, $P = 250$ N, $\Delta\theta = 5°$

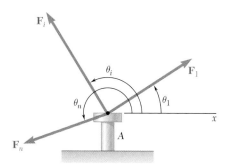

Figure P2.139

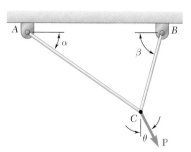

Figure P2.140

2.141 Comme illustré à la figure P2.141, un funambule marche sur une corde raide d'une longueur $L = 20,1$ m, laquelle est attachée aux points A et B distants de 20,0 m. Le poids de l'acrobate incluant sa perche est de 800 N. En négligeant le poids de la corde et toute déformation élastique, concevez un programme permettant de calculer la déformation y et la tension dans les sections AC et BC de la corde, et ce, pour des valeurs de x de 0,5 m à 10,0 m variant par tranches incrémentielles de 0,5 m. À partir des valeurs obtenues, déterminez :

a) la déformation (la flèche) maximale de la corde ;

b) la tension maximale dans la corde ;

c) les valeurs minimales de tension dans les sections AC et BC de la corde.

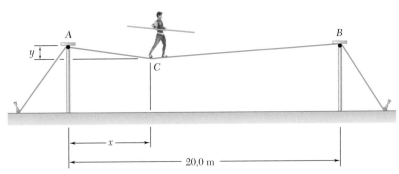

Figure P2.141

2.142 Concevez un programme pouvant calculer la grandeur et la direction de la résultante de n forces $\mathbf{F}_i$, où $i = 1, 2, ..., n$, appliquées au point A_0 des coordonnées x_0, y_0 et z_0, sachant que la ligne d'action de $\mathbf{F}_i$ passe par le point A_i ayant des coordonnées x_i, y_i et z_i. Utilisez ce programme pour résoudre les problèmes 2.93, 2.94, 2.95 et 2.135.

2.143 Trois câbles sont ancrés aux points A_1, A_2 et A_3, et attachés ensuite au point A_0, comme illustré à la figure P2.143. Une force $\mathbf{P}$ est appliquée au point A_0. Concevez un programme permettant de calculer la tension dans chaque câble. Utilisez ce programme pour résoudre les problèmes 2.102, 2.106, 2.107, 2.113 et 2.115.

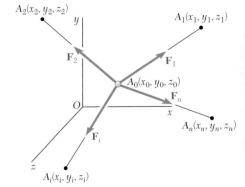

Figure P2.142

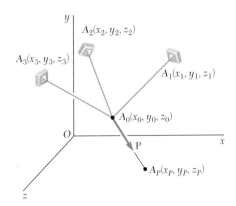

Figure P2.143

3

CORPS RIGIDES – SYSTÈMES DE FORCES ÉQUIVALENTS

Les forces exercées par plusieurs bateaux remorqueurs sur le navire peuvent être remplacées par une seule force équivalente dirigée vers l'avant.

SOMMAIRE

OBJECTIFS

- **Discuter** du principe de transmissibilité, qui permet de traiter la force comme un vecteur glissant.

- **Définir** le moment d'une force par rapport à un point.

- **Faire l'examen** des produits vectoriel et scalaire, utiles pour le calcul des moments.

- **Appliquer** le théorème de Varignon pour simplifier l'analyse de certains moments.

- **Définir** le produit mixte de trois vecteurs, et l'utiliser pour déterminer le moment d'une force par rapport à un axe.

- **Transformer** une force donnée en un système force-couple équivalent.

- **Réduire** un système de forces en un système force-couple équivalent.

- **Faire l'examen** des circonstances où un système de forces peut être réduit à une force unique.

- **Définir** le torseur et considérer le fait que n'importe quel système de forces peut être réduit à un torseur.

Dans le chapitre précédent, nous assimilions les corps étudiés à des particules, sans tenir compte de leur taille ni de leur forme. Cependant, cette simplification n'est pas toujours possible ; il faut généralement considérer la combinaison d'un grand nombre de particules juxtaposées, tenir compte des dimensions du corps et se préoccuper du fait que les forces agissent sur des particules différentes, c'est-à-dire qu'elles ont des points d'application différents.

La mécanique élémentaire s'intéresse principalement aux corps rigides, c'est-à-dire aux objets qui ne se déforment pas. Les machines et les structures réelles ne sont toutefois jamais parfaitement rigides et elles se déforment sous les charges appliquées. Plutôt faibles, ces déformations n'affectent généralement pas l'équilibre ou le mouvement des structures considérées. Elles prennent cependant toute leur importance lorsqu'on se préoccupe de la résistance à la rupture de la structure. L'étude des déformations fait l'objet de la mécanique des matériaux.

Ce chapitre traite de l'effet produit par les forces exercées sur un corps rigide. Dans un premier temps, nous verrons comment remplacer un système de forces donné par un système équivalent plus simple. Nous partons de l'hypothèse que si l'on déplace une force sur sa ligne d'action, l'effet reste le même sur le corps rigide (principe de transmissibilité). Les forces deviennent ainsi des vecteurs glissants (*voir la section 2.1.2*).

L'action d'une force sur un corps rigide fait appel à deux concepts importants :
- le moment d'une force par rapport à un point (*voir la section 3.1.5*) ;
- le moment d'une force par rapport à un axe (*voir la section 3.2.3*).

Le calcul de ces quantités fait intervenir les produits vectoriel et scalaire de deux vecteurs. Dans ce chapitre, nous introduirons les bases de l'algèbre vectorielle et nous les utiliserons pour résoudre des problèmes de forces appliquées à des corps rigides.

Nous aborderons également la notion de couple, c'est-à-dire une combinaison de deux forces de même grandeur mais de sens opposé, ayant des lignes d'action parallèles (*voir la section 3.3.1*). Nous verrons que tout système de forces agissant sur un corps rigide peut être remplacé par un système équivalent, appelé *système force-couple*, constitué d'une force exercée en un point donné et d'un couple. Dans le cas de forces concourantes, coplanaires ou parallèles, le système force-couple se réduit davantage et devient une force unique, la résultante du système, ou un couple seul, le couple résultant du système.

3.1 FORCES ET MOMENT

3.1.1 FORCES INTERNES ET EXTERNES

Lorsqu'on considère les corps rigides, on distingue les forces externes et les forces internes.

1. Les **forces externes** représentent l'action d'autres corps sur le corps rigide considéré. Elles déterminent à elles seules le comportement externe du corps en question, c'est-à-dire qu'elles peuvent le mettre en mouvement ou au contraire le maintenir immobile. Nous traiterons uniquement de ce type de forces dans ce chapitre, de même que dans les chapitres 4 et 5.
2. Les **forces internes** sont celles qui assurent l'intégrité du corps rigide. Elles comprennent les interactions entre les particules constituantes ainsi que les forces qui retiennent ensemble les différentes parties de la structure, s'il y a lieu. Les chapitres 6 et 7 sont consacrés à ces forces.

Pour illustrer la notion de force externe, prenons l'exemple suivant : des hommes tirent un camion en panne à l'aide d'un câble attaché au pare-chocs avant (*voir la figure 3.1*). Le diagramme du corps libre (DCL) de la figure 3.2 montre les forces externes appliquées au camion. Considérons tout d'abord le poids du camion : bien qu'il englobe l'attraction exercée par la terre sur toutes les parties du véhicule, on le représente par une force unique **W**, dont le point d'application, celui où la force agit, est le centre de gravité du camion. Nous verrons au chapitre 5 comment procéder pour situer le centre de gravité d'un corps. Le poids **W** tire le camion vers le bas et il entraînerait sa chute verticale si le sol ne le retenait pas en exerçant les forces de réaction **R**$_1$ et **R**$_2$ sur les points de contact. Ces forces, appliquées par le sol sur le camion, font partie des forces externes agissant sur le véhicule.

En tirant sur le câble, les hommes produisent une force de traction **F** sur le pare-chocs, qui tend à déplacer le camion en ligne droite vers l'avant. Le véhicule se met effectivement en mouvement puisque aucune force externe ne s'y oppose. (Pour simplifier, nous négligeons ici les forces de résistance au roulement.) On appelle *translation* le mouvement vers l'avant au cours duquel toutes les parties du camion restent parallèles à leur position de départ, le plancher demeurant horizontal et les parois, verticales. D'autres forces peuvent transformer le mouvement ; par exemple, la force exercée par un cric placé sous l'essieu avant ferait pivoter le camion autour de l'essieu arrière, entraînant un mouvement de rotation. Ainsi, chaque force externe agissant sur un corps rigide peut, si elle n'est pas contrée, procurer au corps une translation, une rotation ou une combinaison de ces deux mouvements.

Figure 3.1

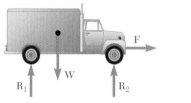

Figure 3.2

3.1.2 PRINCIPE DE TRANSMISSIBILITÉ – FORCES ÉQUIVALENTES

Conformément au principe de transmissibilité, l'équilibre ou le mouvement d'un corps rigide reste inchangé lorsqu'on remplace une force **F**, agissant sur un point donné du corps, par une force **F**′ de même grandeur et de même direction, mais appliquée à un autre point du corps, à condition que les deux forces aient la même ligne d'action (*voir la figure 3.3*). Les forces **F** et **F**′ sont dites *équivalentes* parce qu'elles produisent le même effet sur le corps rigide. Ce principe, selon lequel une force peut être transmise sur sa ligne d'action, repose sur des preuves expérimentales. Nous ne pouvons le démontrer à partir des propriétés établies jusqu'ici dans ce texte et, en conséquence, nous l'acceptons comme une loi empirique. Nous verrons cependant à la section 16.1.4, lorsque nous aborderons la dynamique des corps rigides, que l'on peut déduire le principe de transmissibilité en faisant appel à des notions à venir, incluant les deuxième et troisième lois de Newton. Pour l'instant, notre étude de la statique des corps rigides s'appuiera sur les trois principes établis jusqu'ici, soit la loi d'additivité des forces (règle du parallélogramme), la première loi de Newton et le principe de transmissibilité.

Au chapitre 2, nous avons représenté par des vecteurs les forces agissant sur une particule. Le point d'application, la particule elle-même, restant fixe, les vecteurs sont liés. Dans le cas des corps rigides, on peut déplacer la force sur sa ligne d'action, sans conséquence sur l'effet produit. On a donc affaire à des vecteurs glissants, différents des vecteurs liés. Il est à noter que les propriétés dérivées dans les prochaines sections pour les forces exercées sur les corps rigides sont valables pour tout système de vecteurs glissants. Afin de conserver le caractère intuitif de cette présentation, nous préférons cependant traiter le sujet dès le départ dans le contexte physique des forces plutôt que d'adopter d'abord le point de vue mathématique des vecteurs glissants.

Revenons à l'exemple du camion ; la ligne d'action horizontale de la force **F** passe par les deux pare-chocs (*voir la figure 3.4, page 72*). Le principe de transmissibilité permet de remplacer **F** par une force équivalente **F**′

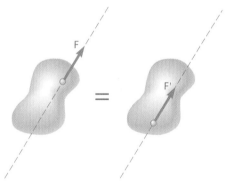

Figure 3.3

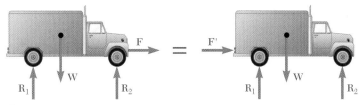

Figure 3.4

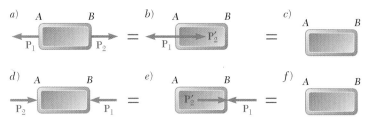

Figure 3.5

appliquée au pare-chocs arrière du véhicule. Autrement dit, le mouvement reste le même et les autres forces externes (**W**, **R**₁, **R**₂) demeurent inchangées, que les hommes poussent sur le pare-chocs arrière ou qu'ils tirent sur le pare-chocs avant.

Le principe de transmissibilité et la notion de forces équivalentes ont cependant leurs limites. Considérons, par exemple, une petite barre *AB* soumise à deux forces axiales de grandeur égale mais de sens opposé, **P**₁ et **P**₂ (*voir la figure 3.5a*). Conformément au principe de transmissibilité, on pourrait remplacer **P**₂ par une force de même grandeur et de même direction, **P**₂′, agissant au point *A* au lieu du point *B*, sur la même ligne d'action (*voir la figure 3.5b*). Les forces opposées, **P**₁ et **P**₂′, appliquées au même point, s'annulent lorsqu'on les additionne selon les règles vues au chapitre 2. Ainsi, d'un point de vue externe, la barre soumise au système de forces illustré à la figure 3.5a se comporterait comme en l'absence de forces (*voir la figure 3.5c*).

Considérons maintenant les deux forces opposées **P**₁ et **P**₂ agissant sur la barre *AB* comme illustré à la figure 3.5d. Si l'on remplace la force **P**₂, au point *A*, par **P**₂′, de même grandeur et ayant la même direction, appliquée au point *B* de la même ligne d'action, la somme de **P**₁ et **P**₂′ donne zéro cette fois encore (*voir les figures 3.5e et 3.5f*). Du point de vue de la mécanique des corps rigides, les systèmes des figures 3.5a et 3.5d sont équivalents. Pourtant, ils produisent des forces internes et des déformations très différentes. En effet, à moins d'être d'une rigidité absolue, la barre de la figure 3.5a s'allongera légèrement sous la tension imposée tandis que celle de la figure 3.5d, soumise à une compression, perdra un peu de sa longueur. On en conclut que l'on peut utiliser sans restriction le principe de transmissibilité pour étudier le mouvement ou l'équilibre des corps rigides, ou encore pour calculer les forces externes agissant sur ces corps. Par contre, il faut éviter de référer à ce principe, ou le faire avec beaucoup de prudence, lorsqu'on s'intéresse aux forces internes et aux déformations.

3.1.3 PRODUIT VECTORIEL DE DEUX VECTEURS

À ce stade, il sera utile d'introduire le concept de moment de force par rapport à un point afin de mieux saisir l'action d'une force sur un corps rigide. Or, pour bien comprendre ce concept et l'appliquer correctement, il faut d'abord ajouter le produit vectoriel à nos connaissances mathématiques.

On définit le produit vectoriel des vecteurs **P** et **Q** par un vecteur **V** qui satisfait aux conditions suivantes:

1. La ligne d'action de **V** est perpendiculaire au plan qui contient **P** et **Q** (*voir la figure 3.6a*).
2. La grandeur de **V** correspond au produit des grandeurs de **P** et **Q**, multiplié par le sinus de l'angle θ formé par ces vecteurs; la mesure de l'angle est toujours inférieure ou égale à 180°. On a donc

$$V = PQ \sin \theta \tag{3.1}$$

3. On détermine la direction de **V** en appliquant la règle de la main droite. On ferme la main droite et on la place de façon à enrouler les doigts en parcourant l'angle θ de **P** vers **Q**; le pouce pointe alors dans la direction du vecteur **V** (*voir la figure 3.6b*). Si les vecteurs **P**

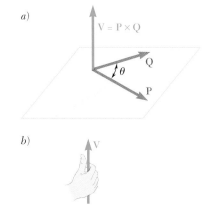

Figure 3.6

et $\mathbf{Q}$ ne sont pas initialement appliqués au même point, il faut les placer à la même origine avant de procéder. Les trois vecteurs $\mathbf{P}$, $\mathbf{Q}$ et $\mathbf{V}$ forment, pris dans cet ordre, une triade main-droite[1].

Les trois conditions énoncées définissent le vecteur $\mathbf{V}$ de façon unique. Comme indiqué, $\mathbf{V}$ correspond au produit vectoriel de $\mathbf{P}$ et $\mathbf{Q}$; mathématiquement, on écrit

$$\mathbf{V} = \mathbf{P} \times \mathbf{Q} \tag{3.2}$$

Il découle de l'équation 3.1 que le produit vectoriel de $\mathbf{P}$ et $\mathbf{Q}$ est nul pour deux vecteurs de même direction ($\theta = 0°$) ou de sens opposé ($\theta = 180°$). Lorsque l'angle θ a une valeur différente de 0° ou 180°, on peut donner à l'équation 3.1 une interprétation géométrique : la grandeur V du produit vectoriel de $\mathbf{P}$ et $\mathbf{Q}$ est égale à l'aire du parallélogramme délimité par les vecteurs $\mathbf{P}$ et $\mathbf{Q}$ (*voir la figure 3.7*). Il en découle que le produit vectoriel $\mathbf{P} \times \mathbf{Q}$ reste le même si on remplace $\mathbf{Q}$ par $\mathbf{Q}'$, un vecteur coplanaire à $\mathbf{P}$ et $\mathbf{Q}$, de façon que la ligne joignant l'extrémité de $\mathbf{Q}$ et $\mathbf{Q}'$ soit parallèle à $\mathbf{P}$. On écrit

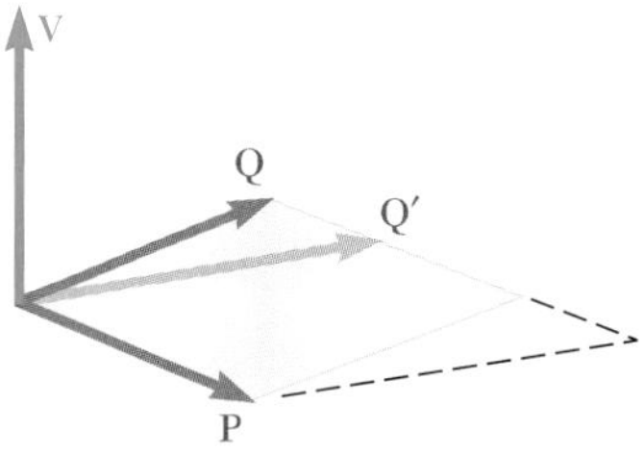

$$\mathbf{V} = \mathbf{P} \times \mathbf{Q} = \mathbf{P} \times \mathbf{Q}' \tag{3.3}$$

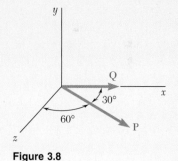

Figure 3.7

La troisième condition qui définit le produit vectoriel $\mathbf{V}$, celle qui statue que $\mathbf{P}$, $\mathbf{Q}$ et $\mathbf{V}$ doivent former une triade main-droite, implique que le produit vectoriel n'est pas commutatif, c'est-à-dire que $\mathbf{Q} \times \mathbf{P}$ n'est pas égal à $\mathbf{P} \times \mathbf{Q}$. En fait, on vérifie facilement que $\mathbf{Q} \times \mathbf{P}$ correspond à $-\mathbf{V}$, le vecteur opposé à $\mathbf{V}$. On peut donc écrire

$$\mathbf{Q} \times \mathbf{P} = -(\mathbf{P} \times \mathbf{Q}) \tag{3.4}$$

APPLICATION DE CONCEPT 3.1

Déterminons le produit vectoriel $\mathbf{V} = \mathbf{P} \times \mathbf{Q}$ où $\mathbf{P}$, de grandeur égale à 6, se situe dans le plan zx et forme un angle de 30° avec l'axe des x ; le vecteur $\mathbf{Q}$, d'une grandeur de 4 unités, suit l'axe des x (*voir la figure 3.8*).

> SOLUTION

Considérant la définition du produit vectoriel, on déduit que le vecteur $\mathbf{V}$ suivra l'axe des y, vers le haut, et que sa grandeur sera

$$V = PQ \sin \theta = (6)(4) \sin 30° = 12$$

Figure 3.8

Nous avons vu que le produit vectoriel n'est pas commutatif. On peut toutefois se demander s'il est distributif, c'est-à-dire si la relation suivante est valide :

$$\mathbf{P} \times (\mathbf{Q}_1 + \mathbf{Q}_2) = \mathbf{P} \times \mathbf{Q}_1 + \mathbf{P} \times \mathbf{Q}_2 \tag{3.5}$$

La réponse est oui. La plupart des lecteurs accepteront facilement cette réponse sans preuve formelle, en accord avec leur intuition. Cependant, vu l'importance de la relation 3.5 en algèbre vectorielle et dans l'étude de la statique, nous prenons le temps de la démontrer.

---

1. Remarquez que les axes x, y et z utilisés au chapitre 2 constituent un système main-droite d'axes orthogonaux. Les vecteurs unitaires $\mathbf{i}$, $\mathbf{j}$ et $\mathbf{k}$ définis à la section 2.4.1 forment aussi une triade main-droite orthogonale.

On peut d'abord supposer, sans rien perdre de la généralité du propos, que le vecteur **P** est orienté selon l'axe des *y* (*voir la figure 3.9a*). Représentons maintenant par **Q** la somme de **Q₁** et **Q₂**, et abaissons des perpendiculaires de l'extrémité de **Q**, **Q₁** et **Q₂** sur le plan *zx*, définissant ainsi les vecteurs **Q′**, **Q′₁** et **Q′₂**. On nommera ces vecteurs les *projections* de **Q**, **Q₁** et **Q₂** sur le plan *zx*. En se reportant à l'équation 3.3, on remplace le membre de gauche de l'équation 3.5 par **P** × **Q′** et, de la même manière, on substitue aux expressions **P** × **Q₁** et **P** × **Q₂** les produits vectoriels **P** × **Q′₁** et **P** × **Q′₂**. L'équation devient alors

$$\mathbf{P} \times \mathbf{Q'} = \mathbf{P} \times \mathbf{Q'_1} + \mathbf{P} \times \mathbf{Q'_2} \tag{3.5'}$$

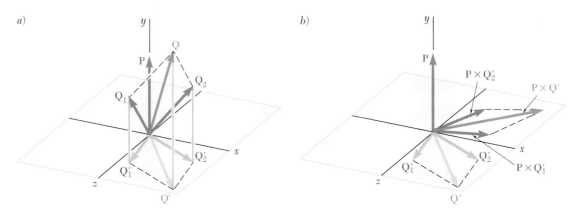

Figure 3.9

On obtient ensuite **P** × **Q′** en multipliant **Q′** par le scalaire *P* et en tournant le vecteur de 90° dans le plan *zx*, dans le sens antihoraire (*voir la figure 3.9b*) ; on trouve les deux autres produits vectoriels de l'équation 3.5′ en procédant de la même façon pour **Q′₁** et **Q′₂**. Puis, sachant que la projection d'un parallélogramme sur un plan arbitraire donne un autre parallélogramme, la projection **Q′** de la somme **Q** de **Q₁** et **Q₂** doit correspondre à la somme des projections **Q′₁** et **Q′₂** de **Q₁** et **Q₂** sur le même plan (*voir la figure 3.9a*). L'équation reliant les vecteurs **Q′**, **Q′₁** et **Q′₂** reste valide après qu'on a multiplié les trois vecteurs par le scalaire *P* et qu'on a provoqué une rotation de 90° (*voir la figure 3.9b*). L'équation 3.5′ se trouve ainsi démontrée et on est désormais certain de la distributivité du produit vectoriel.

Par contre, le produit vectoriel n'est pas associatif et, de façon générale,

$$(\mathbf{P} \times \mathbf{Q}) \times \mathbf{S} \neq \mathbf{P} \times (\mathbf{Q} \times \mathbf{S}) \tag{3.6}$$

3.1.4 COMPOSANTES RECTANGULAIRES DES PRODUITS VECTORIELS

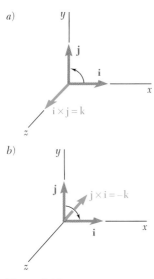

Figure 3.10

Examinons maintenant le produit vectoriel de deux des vecteurs unitaires **i**, **j** et **k** définis au chapitre 2. Prenons d'abord le produit **i** × **j** (*voir la figure 3.10a*). Les vecteurs ayant une grandeur égale à l'unité et formant un angle de 90° entre eux, le produit vectoriel donne forcément un vecteur unitaire qui correspond à **k** puisque les vecteurs **i**, **j** et **k** sont perpendiculaires entre eux et forment une triade main-droite. D'autre part, la règle de la main droite, telle que décrite à la section 3.1.3, montre que le produit inverse **j** × **i** sera égal à −**k** (*voir la figure 3.10b*). Finalement, le produit vectoriel d'un vecteur par lui-même, par exemple **i** × **i**, est égal à zéro puisque les vecteurs ont la même direction. Les différentes combinaisons de produit vectoriel de deux vecteurs unitaires donnent ce qui suit :

$$
\begin{array}{lll}
\mathbf{i} \times \mathbf{i} = \mathbf{0} & \mathbf{j} \times \mathbf{i} = -\mathbf{k} & \mathbf{k} \times \mathbf{i} = \mathbf{j} \\
\mathbf{i} \times \mathbf{j} = \mathbf{k} & \mathbf{j} \times \mathbf{j} = \mathbf{0} & \mathbf{k} \times \mathbf{j} = -\mathbf{i} \\
\mathbf{i} \times \mathbf{k} = -\mathbf{j} & \mathbf{j} \times \mathbf{k} = \mathbf{i} & \mathbf{k} \times \mathbf{k} = \mathbf{0}
\end{array}
\tag{3.7}
$$

Si l'on inscrit les vecteurs unitaires **i**, **j** et **k** dans un cercle, dans l'ordre antihoraire (*voir la figure 3.11*), on trouve facilement le signe du produit vectoriel de n'importe quelle paire de ces vecteurs. Le produit vectoriel est :

- positif si les lettres se suivent dans l'ordre antihoraire sur le cercle ;
- négatif si la séquence va dans le sens horaire.

Figure 3.11

Exprimons maintenant le produit vectoriel **V** de deux vecteurs **P** et **Q** à l'aide de leurs composantes rectangulaires. En décomposant **P** et **Q**, on obtient

$$\mathbf{V} = \mathbf{P} \times \mathbf{Q} = (P_x\mathbf{i} + P_y\mathbf{j} + P_z\mathbf{k}) \times (Q_x\mathbf{i} + Q_y\mathbf{j} + Q_z\mathbf{k})$$

La distributivité permet d'exprimer **V** comme une somme de produits vectoriels tels que $P_x\mathbf{i} \times Q_y\mathbf{j}$. Chacun des termes devient un produit vectoriel de deux vecteurs unitaires, par exemple $\mathbf{i} \times \mathbf{j}$, multiplié par le produit de deux scalaires tels que P_xQ_y. On résout en utilisant les identités 3.7 ; on met ensuite en facteur **i**, **j** et **k**, et on trouve :

$$\mathbf{V} = (P_yQ_z - P_zQ_y)\mathbf{i} + (P_zQ_x - P_xQ_z)\mathbf{j} + (P_xQ_y - P_yQ_x)\mathbf{k} \tag{3.8}$$

Les composantes du vecteur **V** s'écrivent

$$
\begin{aligned}
V_x &= P_yQ_z - P_zQ_y \\
V_y &= P_zQ_x - P_xQ_z \\
V_z &= P_xQ_y - P_yQ_x
\end{aligned}
\tag{3.9}
$$

En examinant bien, on s'aperçoit que le membre de droite de l'équation 3.8 correspond à l'expansion d'un déterminant. On peut donc exprimer le produit vectoriel **V** sous la forme suivante, plus facile à mémoriser[2] :

$$
\mathbf{V} =
\begin{vmatrix}
\mathbf{i} & \mathbf{j} & \mathbf{k} \\
P_x & P_y & P_z \\
Q_x & Q_y & Q_z
\end{vmatrix}
\tag{3.10}
$$

3.1.5 MOMENT D'UNE FORCE PAR RAPPORT À UN POINT

Considérons une force **F** appliquée à un corps rigide (*voir la figure 3.12a*). Comme à l'habitude, on la désigne par un vecteur qui représente sa grandeur et sa direction. Toutefois, l'effet produit sur le corps dépend aussi du point d'application (*A*) de la force. On indique la position *A* à l'aide d'un vecteur position **r** qui relie le point de référence fixe *O* au point *A*. Le vecteur position **r** et la force **F** déterminent un plan, comme illustré à la figure 3.12*a*.

Le moment de **F** par rapport à *O* est défini comme le produit vectoriel entre **r** et **F** :

$$\mathbf{M}_O = \mathbf{r} \times \mathbf{F} \tag{3.11}$$

a)

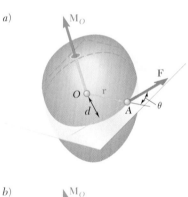

b)

Figure 3.12

---

2. On évalue un déterminant de trois lignes et trois colonnes en répétant les deux premières colonnes et en formant les produits le long de chacune des diagonales. Ensuite, la somme des produits obtenus le long des diagonales tracées en bleu est soustraite de la somme des produits obtenus le long des tracés en noir.

Conformément à la définition du produit vectoriel donnée à la section 3.1.3, le moment M_O sera perpendiculaire au plan incluant O et **F**. On détermine le sens de $\mathbf{M}_O$ en considérant la rotation du vecteur **r** vers le vecteur **F**, rotation qui sera perçue dans le sens antihoraire par un observateur placé à l'extrémité du vecteur $\mathbf{M}_O$. On trouve aussi le sens de $\mathbf{M}_O$ en utilisant une variante de la règle de la main droite : on ferme la main droite en enroulant les doigts dans le sens de rotation que **F** imprimerait au corps rigide par rapport à un axe fixe orienté selon la ligne d'action de $\mathbf{M}_O$; le pouce indique alors le sens du moment $\mathbf{M}_O$ (*voir la figure 3.12b*).

Finalement, en nommant θ l'angle formé par les lignes d'action de **r** et **F**, la grandeur du moment de **F** par rapport à O s'écrit

$$M_O = rF \sin \theta = Fd \tag{3.12}$$

où d représente la distance qui relie O perpendiculairement à la ligne d'action de **F**. Sachant que la tendance d'une force **F** à faire tourner un corps rigide par rapport à un axe qui lui est perpendiculaire est fonction de sa grandeur F et de la distance qui sépare **F** de cet axe, on peut dire que **la grandeur de $\mathbf{M}_O$ mesure la tendance de la force F à entraîner la rotation du corps rigide par rapport à un axe fixe dans la direction de $\mathbf{M}_O$**.

Dans le système métrique, où la force se mesure en newtons (N) et la distance, en mètres (m), le moment de force s'exprime en newtons-mètres (N · m).

Bien que le moment $\mathbf{M}_O$ d'une force par rapport à un point dépende à la fois de la grandeur, du sens de la force et de sa ligne d'action, il reste indépendant du point d'application de la force le long de sa ligne d'action. Réciproquement, le moment $\mathbf{M}_O$ d'une force **F** ne détermine pas la position du point d'application de **F**.

Par contre, le moment $\mathbf{M}_O$ d'une force **F** de grandeur et direction données définit complètement la ligne d'action de **F**. En fait, la ligne d'action de **F** doit se trouver dans un plan passant par O et perpendiculaire à $\mathbf{M}_O$; la distance d qui sépare cette ligne du point O correspond au quotient entre les grandeurs de $\mathbf{M}_O$ et **F**, soit M_O/F ; finalement, le sens de $\mathbf{M}_O$ détermine de quel côté de O se situe la ligne d'action de **F**.

Selon le principe de transmissibilité (*voir la section 3.1.2*), deux forces **F** et **F′** sont équivalentes, c'est-à-dire qu'elles produisent le même effet sur un corps rigide, si elles ont la même grandeur, la même direction et la même ligne d'action. À la lumière de ce que nous venons de voir, on peut reformuler ce principe comme suit : **deux forces F et F′ sont équivalentes si, et seulement si, elles sont équipollentes (même grandeur et même direction) et ont le même moment par rapport à un point O donné**. Les conditions nécessaires et suffisantes à l'équivalence entre deux forces **F** et **F′** s'écrivent alors

$$\mathbf{F} = \mathbf{F}' \qquad \text{et} \qquad \mathbf{M}_O = \mathbf{M}_O' \tag{3.13}$$

On en déduit que si les relations 3.13 s'appliquent pour un point O donné, elles sont également valables pour tout autre point.

Problèmes à résoudre en deux dimensions Plusieurs applications se traitent facilement dans un plan ; prenons le cas des structures définies par une longueur et une largeur, mais dont l'épaisseur est négligeable, et supposons que les forces s'exercent dans le plan de la structure. On représente facilement ces situations sur une page ou sur un tableau. Leur analyse s'avère beaucoup plus simple que celle des problèmes impliquant trois dimensions.

Considérons par exemple une plaque rigide soumise à une force **F** (*voir la figure 3.13*). Le moment de **F** par rapport à un point O situé

a)

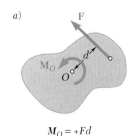

$$M_O = +Fd$$

b)

$$M_O = -Fd$$

Figure 3.13

dans le plan de la figure correspond au vecteur $\mathbf{M}_O$, de grandeur Fd et perpendiculaire à ce plan. Sur la figure 3.13*a*, le vecteur $\mathbf{M}_O$ sort de la page et la force $\mathbf{F}$ tend à faire tourner la plaque dans le sens antihoraire ; à l'inverse, sur la figure 3.13*b*, le vecteur entre dans la page et la force tend à engendrer une rotation dans le sens horaire. Il devient donc naturel de préciser le sens du moment de $\mathbf{F}$ par rapport à O en utilisant les termes *antihoraire* ↰ dans le premier cas (*voir la figure 3.13a*) et *horaire* ↲ dans le second (*voir la figure 3.13b*).

Le moment d'une force située dans le plan de la page étant toujours perpendiculaire à celle-ci, il suffira de préciser la grandeur et le sens du moment de $\mathbf{F}$ par rapport à O. On pourra indiquer le sens en attribuant un signe positif ou négatif à M_O selon que le vecteur $\mathbf{M}_O$ entre dans la page ou en sort.

3.1.6 COMPOSANTES RECTANGULAIRES D'UN MOMENT D'UNE FORCE

La distributivité des produits vectoriels facilite la détermination du moment de la résultante de plusieurs forces concourantes. Supposons que des forces $\mathbf{F}_1$, $\mathbf{F}_2$, … s'appliquent au même point A (*voir la figure 3.14*), et indiquons par $\mathbf{r}$ le vecteur position de A ; l'équation 3.5 de la section 3.4 devient

$$\mathbf{r} \times (\mathbf{F}_1 + \mathbf{F}_2 + \cdots) = \mathbf{r} \times \mathbf{F}_1 + \mathbf{r} \times \mathbf{F}_2 + \cdots \tag{3.14}$$

L'équation stipule que **le moment par rapport à un point O de la résultante de forces concourantes est égal à la somme des moments de ces forces par rapport au même point O**. Cette propriété, énoncée longtemps avant l'existence de l'algèbre vectorielle par le mathématicien français Pierre Varignon (1654-1722), est connue sous le nom de *théorème de Varignon*.

Au lieu de déterminer directement le moment d'une force $\mathbf{F}$, on peut procéder à l'aide de l'équation 3.14 pour trouver le moment de deux ou plusieurs de ses composantes. Nous verrons dans ce qui suit que l'on choisit généralement de décomposer la force selon les axes du système de coordonnées. Il arrive cependant qu'il soit plus pratique de décomposer $\mathbf{F}$ selon d'autres directions (*voir le problème résolu 3.3*).

De façon générale, il est beaucoup plus simple de déterminer le moment d'une force dans l'espace en décomposant, selon les axes x, y et z, le vecteur force ainsi que le vecteur position de son point d'application. Considérons, par exemple, le moment $\mathbf{M}_O$ par rapport à O d'une force $\mathbf{F}$ décomposée en F_x, F_y et F_z, appliquée à un point A dont les coordonnées sont x, y et z (*voir la figure 3.15*). La figure montre que les composantes de $\mathbf{r}$ correspondent aux coordonnées x, y et z du point A. On a donc

$$\mathbf{r} = x\mathbf{i} + y\mathbf{j} + z\mathbf{k} \tag{3.15}$$
$$\mathbf{F} = F_x\mathbf{i} + F_y\mathbf{j} + F_z\mathbf{k} \tag{3.16}$$

Substituons les expressions ci-dessus dans l'équation

$$\mathbf{M}_O = \mathbf{r} \times \mathbf{F} \tag{3.11}$$

Les résultats de la section 3.1.4 permettent d'écrire le moment $\mathbf{M}_O$ de $\mathbf{F}$ par rapport à O sous la forme

$$\mathbf{M}_O = M_x\mathbf{i} + M_y\mathbf{j} + M_z\mathbf{k} \tag{3.17}$$

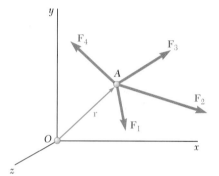

Figure 3.14

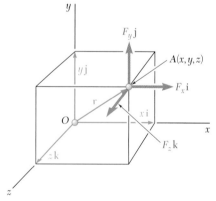

Figure 3.15

où les composantes M_x, M_y et M_z se définissent comme suit :

$$M_x = yF_z - zF_y$$
$$M_y = zF_x - xF_z \qquad (3.18)$$
$$M_z = xF_y - yF_x$$

Il sera montré à la section 3.2.3 que les composantes scalaires M_x, M_y et M_z du moment $\mathbf{M}_O$ mesurent la tendance de la force $\mathbf{F}$ à imprimer au corps rigide un mouvement de rotation selon les axes x, y et z, respectivement. Si l'on substitue les expressions 3.18 dans l'équation 3.17, on peut également écrire $\mathbf{M}_O$ sous la forme du déterminant

$$\mathbf{M}_O = \begin{vmatrix} \mathbf{i} & \mathbf{j} & \mathbf{k} \\ x & y & z \\ F_x & F_y & F_z \end{vmatrix} \qquad (3.19)$$

Si l'on veut connaître le moment de force $\mathbf{M}_B$ par rapport à un point arbitraire B d'une force $\mathbf{F}$ appliquée en A (*voir la figure 3.16*), il faut remplacer le vecteur position $\mathbf{r}$ dans l'équation 3.11 par un vecteur reliant B et A, appelé *vecteur position de A par rapport à* B, et noté $\mathbf{r}_{A/B}$. On obtient $\mathbf{r}_{A/B}$ en soustrayant $\mathbf{r}_B$ de $\mathbf{r}_A$, ce qui permet d'écrire

$$\mathbf{M}_B = \mathbf{r}_{A/B} \times \mathbf{F} = (\mathbf{r}_A - \mathbf{r}_B) \times \mathbf{F} \qquad (3.20)$$

équivalent au déterminant

$$\mathbf{M}_B = \begin{vmatrix} \mathbf{i} & \mathbf{j} & \mathbf{k} \\ x_{A/B} & y_{A/B} & z_{A/B} \\ F_x & F_y & F_z \end{vmatrix} \qquad (3.21)$$

où $x_{A/B}$, $y_{A/B}$ et $z_{A/B}$ représentent les composantes du vecteur $\mathbf{r}_{A/B}$:

$$x_{A/B} = x_A - x_B \qquad y_{A/B} = y_A - y_B \qquad z_{A/B} = z_A - z_B$$

Dans les problèmes impliquant deux dimensions (2D) seulement, on suppose que la force $\mathbf{F}$ appartient au plan xy (*voir la figure 3.17*). Si nous posons $z = 0$ et $F_z = 0$, l'équation 3.19 se réduit à

$$\mathbf{M}_O = (xF_y - yF_x)\mathbf{k}$$

Le moment de $\mathbf{F}$ par rapport à O est bel et bien perpendiculaire au plan de la page et il est complètement défini par le scalaire

$$M_O = M_z = xF_y - yF_x \qquad (3.22)$$

Comme indiqué précédemment, le vecteur $\mathbf{M}_O$ sort de la page si M_O est positif ; le corps soumis à $\mathbf{F}$ tend alors à tourner dans le sens antihoraire. À l'inverse, $\mathbf{M}_O$ entre dans la page si M_O est négatif et, dans ce cas, le corps tend à tourner dans le sens horaire autour de O.

Pour connaître le moment par rapport à $B(x_B, y_B)$ d'une force située dans le plan xy, appliquée au point $A(x_A, y_A)$ comme à la figure 3.18, on pose $z_{A/B} = 0$ et $F_z = 0$ dans l'équation 3.21 ; $\mathbf{M}_B$ étant perpendiculaire au plan xy, le calcul de M_B définit sa grandeur et son sens :

$$M_B = (x_A - x_B)F_y - (y_A - y_B)F_x \qquad (3.23)$$

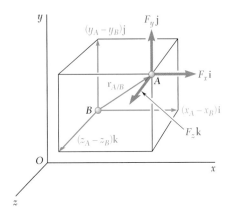

Figure 3.16

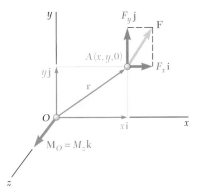

Figure 3.17

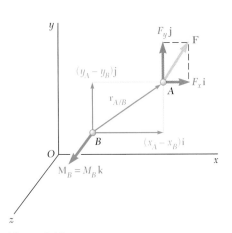

Figure 3.18

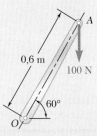

Une force verticale de 100 N est appliquée à l'extrémité d'un levier attaché à un axe en O. Déterminez :

a) le moment de la force par rapport à O ;

b) la grandeur de la force horizontale appliquée en A qui produira le même moment par rapport à O ;

c) la force minimale qui, appliquée au point A, produira le même moment ;

d) la distance par rapport à l'axe à laquelle il faut placer une force verticale de 240 N pour créer le même moment par rapport à O ;

e) si l'une des forces trouvées en b, c et d est équivalente à la force de 100 N.

> SOLUTION

a) Moment par rapport à O   La distance perpendiculaire qui sépare O et la ligne d'action de la force de 100 N est

$$d = (0,6 \text{ m}) \cos 60° = 0,3 \text{ m}$$

La grandeur du moment créé par la force de 100 N par rapport au point O est

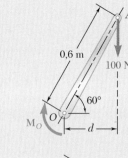

$$M_O = Fd = (100 \text{ N})(0,3 \text{ m}) = 30 \text{ N} \cdot \text{m}$$

Étant donné que la force a tendance à faire tourner le levier dans le sens horaire par rapport à O, on représente le moment par un vecteur $\mathbf{M}_O$ perpendiculaire au plan de la figure et qui entre dans la page. Cela est exprimé par

$$\mathbf{M}_O = 30 \text{ N} \cdot \text{m} \; \downdownarrows \quad \blacktriangleleft$$

b) Force horizontale   Dans ce cas, on a

$$d = (0,6 \text{ m}) \sin 60° = 0,52 \text{ m}$$

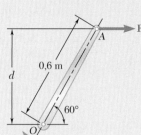

Puisque le moment par rapport au point O doit être de 30 N · m, alors

$$M_O = Fd$$
$$30 \text{ N} \cdot \text{m} = F(0,52 \text{ m})$$
$$F = 57,7 \text{ N}$$

$$\mathbf{F} = 57,7 \text{ N} \rightarrow \quad \blacktriangleleft$$

c) Force F minimale   Étant donné que $M_O = Fd$, la valeur minimale de F correspond à la valeur maximale de d. On choisit la direction de la force afin qu'elle agisse perpendiculairement au levier OA, et on note $d = 0,6$ m, d'où

$$M_O = Fd$$
$$30 \text{ N} \cdot \text{m} = F(0,6 \text{ m})$$
$$F = 50 \text{ N}$$

$$\mathbf{F} = 50 \text{ N} \; \text{\textbackslash} \; 30° \quad \blacktriangleleft$$

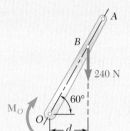

d) Force verticale de 240 N   Dans cette situation, on peut écrire

$$30 \text{ N} \cdot \text{m} = (240 \text{ N})d \qquad d = 0,125 \text{ m}$$
or $\qquad OB \cos 60° = d \qquad\qquad$ donc $\quad OB = 0,25 \text{ m} \quad \blacktriangleleft$

e) Aucune des forces trouvées en b, c et d n'est équivalente à la force originale de 100 N. Malgré le fait qu'elles produisent le même moment par rapport au point O, elles ont des composantes x et y différentes. En d'autres mots, bien que les forces produisent la même rotation sur le levier, chacune d'elles entraîne le levier à tirer sur l'axe d'une manière différente.

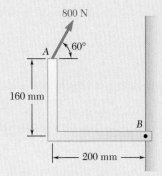

Une force de 800 N agit sur le support comme illustré. Calculez le moment de la force par rapport au point B.

> SOLUTION

Le moment $\mathbf{M}_B$ de la force $\mathbf{F}$ au point B est évalué par

$$\mathbf{M}_B = \mathbf{r}_{A/B} \times \mathbf{F}$$

où $\mathbf{r}_{A/B}$ est le vecteur tracé de B à A. En décomposant $\mathbf{r}_{A/B}$ et $\mathbf{F}$ en composantes rectangulaires, on a

$$\mathbf{r}_{A/B} = -(0,2 \text{ m})\mathbf{i} + (0,16 \text{ m})\mathbf{j}$$
$$\mathbf{F} = (800 \text{ N}) \cos 60°\mathbf{i} + (800 \text{ N}) \sin 60°\mathbf{j}$$
$$= (400 \text{ N})\mathbf{i} + (693 \text{ N})\mathbf{j}$$

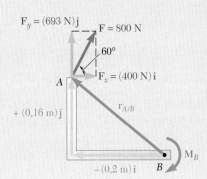

Or, à partir des produits vectoriels des vecteurs unitaires présentés aux équations 3.7 de la section 3.1.4, on obtient

$$\mathbf{M}_B = \mathbf{r}_{A/B} \times \mathbf{F} = [-(0,2 \text{ m})\mathbf{i} + (0,16 \text{ m})\mathbf{j}] \times [(400 \text{ N})\mathbf{i} + (693 \text{ N})\mathbf{j}]$$
$$= -(138,6 \text{ N} \cdot \text{m})\mathbf{k} - (64,0 \text{ N} \cdot \text{m})\mathbf{k}$$
$$= -(202,6 \text{ N} \cdot \text{m})\mathbf{k} \qquad\qquad \mathbf{M}_B = 203 \text{ N} \cdot \text{m} \downarrow \quad ◀$$

Le moment $\mathbf{M}_B$ est un vecteur perpendiculaire au plan de la figure et il entre dans la page.

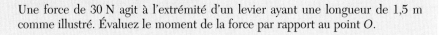

Une force de 30 N agit à l'extrémité d'un levier ayant une longueur de 1,5 m comme illustré. Évaluez le moment de la force par rapport au point O.

> SOLUTION

On décompose la force de 30 N en deux composantes, $\mathbf{P}$ suivant l'axe OA et $\mathbf{Q}$ perpendiculaire à OA. Étant donné que le point O se trouve sur la ligne d'action de la force $\mathbf{P}$, le moment de $\mathbf{P}$ par rapport à O est nul, et le moment de la force de 30 N se réduit au moment de $\mathbf{Q}$, qui est orienté en sens horaire et donc négatif en représentation scalaire.

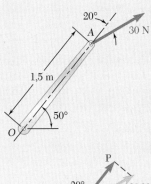

$$Q = (30 \text{ N}) \sin 20° = 10,26 \text{ N}$$
$$M_O = -Q(1,5 \text{ m}) = -(10,26 \text{ N})(1,5 \text{ m}) = -15,4 \text{ N} \cdot \text{m}$$

Étant donné que le résultat scalaire M_O est négatif, le moment $\mathbf{M}_O$ entre dans la page et s'écrit

$$\mathbf{M}_O = 15,4 \text{ N} \cdot \text{m} \downarrow \quad ◀$$

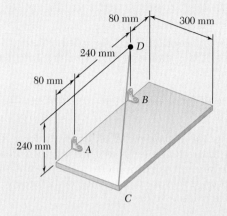

Une plate-forme rectangulaire est fixée à un mur à l'aide de deux supports A et B et d'un fil de fer CD. La tension dans CD est de 200 N. Évaluez le moment par rapport au point A de la force exercée par le fil de fer au point C.

> SOLUTION

Le moment $\mathbf{M}_A$ par rapport au point A de la force $\mathbf{F}$ exercée par le câble au point C est évalué par le produit vectoriel

$$\mathbf{M}_A = \mathbf{r}_{C/A} \times \mathbf{F} \qquad (1)$$

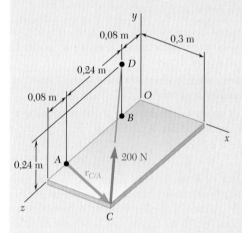

où $\mathbf{r}_{C/A}$ est le vecteur tracé du point A au point C,

$$\mathbf{r}_{C/A} = \overrightarrow{AC} = (0{,}3 \text{ m})\mathbf{i} + (0{,}08 \text{ m})\mathbf{k} \qquad (2)$$

et $\mathbf{F}$ est la force de 200 N dirigée selon CD. En introduisant le vecteur unitaire $\boldsymbol{\lambda} = \overrightarrow{CD}/CD$, on peut écrire

$$\mathbf{F} = F\boldsymbol{\lambda} = (200 \text{ N})\frac{\overrightarrow{CD}}{CD} \qquad (3)$$

La décomposition du vecteur $\overrightarrow{CD}$ donne

$$\overrightarrow{CD} = -(0{,}3 \text{ m})\mathbf{i} + (0{,}24 \text{ m})\mathbf{j} - (0{,}32 \text{ m})\mathbf{k} \qquad CD = 0{,}50 \text{ m}$$

Par substitution, on aura

$$\mathbf{F} = \frac{200 \text{ N}}{0{,}50 \text{ m}}[-(0{,}3 \text{ m})\mathbf{i} + (0{,}24 \text{ m})\mathbf{j} - (0{,}32 \text{ m})\mathbf{k}]$$

$$= -(120 \text{ N})\mathbf{i} + (96 \text{ N})\mathbf{j} - (128 \text{ N})\mathbf{k} \qquad (4)$$

En substituant dans l'équation 1 les expressions obtenues en 2 et 4 pour $\mathbf{r}_{C/A}$ et $\mathbf{F}$, et en utilisant les équations 3.7 de la section 3.1.4, on obtient

$$\mathbf{M}_A = \mathbf{r}_{C/A} \times \mathbf{F} = (0{,}3\mathbf{i} + 0{,}08\mathbf{k}) \times (-120\mathbf{i} + 96\mathbf{j} - 128\mathbf{k})$$

$$= (0{,}3)(96)\mathbf{k} + (0{,}3)(-128)(-\mathbf{j}) + (0{,}08)(-120)\mathbf{j} + (0{,}08)(96)(-\mathbf{i})$$

$$\mathbf{M}_A = -(7{,}68 \text{ N} \cdot \text{m})\mathbf{i} + (28{,}8 \text{ N} \cdot \text{m})\mathbf{j} + (28{,}8 \text{ N} \cdot \text{m})\mathbf{k} \quad \blacktriangleleft$$

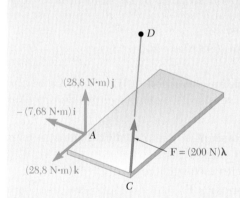

Solution alternative   Comme spécifié à la section 3.1.6, le moment $\mathbf{M}_A$ peut être présenté sous la forme d'un déterminant :

$$\mathbf{M}_A = \begin{vmatrix} \mathbf{i} & \mathbf{j} & \mathbf{k} \\ x_C - x_A & y_C - y_A & z_C - z_A \\ F_x & F_y & F_z \end{vmatrix} = \begin{vmatrix} \mathbf{i} & \mathbf{j} & \mathbf{k} \\ 0{,}3 & 0 & 0{,}08 \\ -120 & 96 & -128 \end{vmatrix}$$

$$\mathbf{M}_A = -(7{,}68 \text{ N} \cdot \text{m})\mathbf{i} + (28{,}8 \text{ N} \cdot \text{m})\mathbf{j} + (28{,}8 \text{ N} \cdot \text{m})\mathbf{k} \quad \blacktriangleleft$$

Dans cette section, nous utilisons la notion de produit vectoriel pour calculer le moment d'une force par rapport à un point et la distance perpendiculaire entre un point et une droite.

Le moment d'une force $\mathbf{F}$ par rapport à un point O d'un corps rigide est défini par

$$\mathbf{M}_O = \mathbf{r} \times \mathbf{F} \tag{3.11}$$

où $\mathbf{r}$ est le vecteur position qui relie O à tout point de la ligne d'action de la force $\mathbf{F}$. Lors du calcul du moment, il est d'une grande importance de placer les vecteurs dans le bon ordre et selon la bonne direction, car le produit vectoriel n'est pas commutatif. L'importance du moment $\mathbf{M}_O$ réside dans le fait qu'il mesure la tendance de la force $\mathbf{F}$ à faire tourner un corps rigide par rapport à un axe orienté selon $\mathbf{M}_O$.

1. **Calcul du moment $\mathbf{M}_O$ d'une force bidimensionnelle (2D).** Dans ce cas, nous pouvons utiliser l'une des quatre méthodes de calcul suivantes :

   a) Utiliser l'équation 3.12, $M_O = Fd$, qui exprime la grandeur du moment en tant que produit de la grandeur de $\mathbf{F}$ par la distance perpendiculaire d entre le point O et la ligne d'action de la force $\mathbf{F}$ *(voir le problème résolu 3.1)*.

   b) Exprimer $\mathbf{r}$ et $\mathbf{F}$ selon leurs composantes et calculer ensuite d'une façon classique le produit vectoriel $\mathbf{M}_O = \mathbf{r} \times \mathbf{F}$ *(voir le problème résolu 3.2)*.

   c) Décomposer $\mathbf{F}$ selon des axes parallèle et perpendiculaire au vecteur position $\mathbf{r}$. Seule la composante perpendiculaire a un effet sur le moment de $\mathbf{F}$ *(voir le problème résolu 3.3)*.

   d) Utiliser l'équation 3.22, $M_O = M_z = xF_y - yF_x$. Avec cette méthode de calcul, nous traitons les composantes scalaires de $\mathbf{r}$ et $\mathbf{F}$ en valeurs positives ; ensuite, en observant le schéma de la situation, nous affectons les bons signes aux moments créés par chaque composante de la force $\mathbf{F}$. Ainsi, en appliquant cette approche au problème résolu 3.2, nous avons observé que les deux forces ont tendance à créer une rotation dans le sens horaire par rapport au point B. Le moment de chaque composante de la force par rapport au point B doit donc être représenté par une valeur négative. Le moment total est donc
   $$M_B = -(0{,}16 \text{ m})(400 \text{ N}) - (0{,}20 \text{ m})(693 \text{ N}) = -202{,}6 \text{ N} \cdot \text{m}$$

2. **Calcul du moment $\mathbf{M}_O$ d'une force F tridimensionnelle (3D).** Dans ce cas, en suivant la méthode appliquée au problème résolu 3.4, nous suggérons de procéder de la façon suivante :

   a) Sélectionner le vecteur position $\mathbf{r}$ qui convient le mieux (habituellement le plus simple).

   b) Décomposer la force $\mathbf{F}$ en ses composantes rectangulaires.

   c) Calculer le moment par le produit vectoriel $\mathbf{r} \times \mathbf{F}$. Dans la plupart des problèmes en trois dimensions, il est habituellement plus facile d'utiliser le déterminant pour calculer le produit vectoriel.

3. **Calcul de la distance d perpendiculaire entre un point A et une droite donnée.** Dans ce type de problème, nous suggérons la démarche suivante :

   a) Supposer que la force $\mathbf{F}$, de grandeur connue F, est orientée selon la droite donnée.

   b) Calculer son moment par rapport au point A par $\mathbf{M}_A = \mathbf{r} \times \mathbf{F}$, selon la méthode exposée précédemment.

   c) Calculer la grandeur M_A du moment.

   d) Substituer les valeurs de F et M_A dans l'équation $M_A = Fd$ et en déduire la valeur de d.

3.1 Une force de 300 N est appliquée en *A* comme illustré. Calculez:
  a) le moment de la force de 300 N par rapport au point *D*;
  b) la force minimale appliquée au point *B* qui crée le même moment par rapport au point *D*.

3.2 Une force de 300 N est appliquée en *A* comme illustré. Calculez:
  a) le moment de la force de 300 N par rapport au point *D*;
  b) la grandeur et le sens de la force horizontale appliquée au point *C* qui crée le même moment par rapport au point *D*;
  c) la force minimale appliquée au point *C* qui crée le même moment par rapport au point *D*.

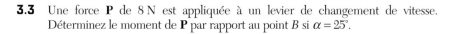

Figure P3.1 - P3.2

3.3 Une force **P** de 8 N est appliquée à un levier de changement de vitesse. Déterminez le moment de **P** par rapport au point *B* si $\alpha = 25°$.

3.4 Déterminez la grandeur et la direction de la force **P** minimale qui créera un moment de 21 N · m par rapport à *B*, et ce, dans le sens horaire.

3.5 Une force **P** de 44 N est appliquée à un levier de changement de vitesse. Le moment de **P** par rapport à *B* est de 25 N · m dans le sens horaire. Déterminez la valeur de l'angle α.

3.6 Une force verticale de 800 N est nécessaire pour retirer un clou situé au point *C* (*voir la figure P3.6*). Dès que le clou commence à bouger, on vous demande de déterminer:
  a) le moment de la force agissant sur le clou par rapport au point *B*;
  b) la grandeur de la force **P** nécessaire pour créer le même moment par rapport à *B*, sachant que $\alpha = 10°$;
  c) la grandeur minimale de la force **P** nécessaire pour créer le même moment par rapport à *B*.

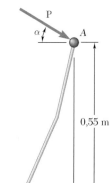

Figure P3.3 - P3.5

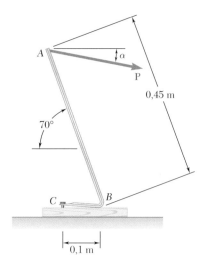

Figure P3.6

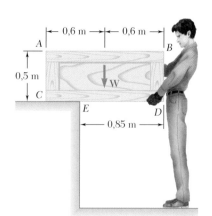

Figure P3.7 - P3.8

3.7 Une caisse ayant une masse de 80 kg est tenue en équilibre comme illustré à la figure P3.7 - P3.8. Évaluez:
  a) le moment créé par le poids *W* par rapport au point *E*;
  b) la force minimale à appliquer au point *B* qui créera un moment de la même grandeur mais de sens opposé par rapport au point *E*.

3.8 Une caisse ayant une masse de 80 kg est tenue en équilibre, comme illustré à la figure P3.7 - 3.8, page 83. Évaluez :

a) le moment créé par le poids *W* par rapport au point *E* ;

b) la force minimale à appliquer au point *A* qui créera un moment de la même grandeur mais de sens opposé par rapport au point *E* ;

c) la grandeur, la direction et le point d'application au bas de la caisse de la plus petite force verticale nécessaire pour créer un moment de la même grandeur mais de sens opposé par rapport à *E*.

3.9 et 3.10 Le hayon arrière *AB* d'une auto est supporté par un levier hydraulique *BC*. Si le levier crée une force de 125 N selon son axe sur la charnière *B*, déterminez le moment de cette force par rapport à la charnière *A*.

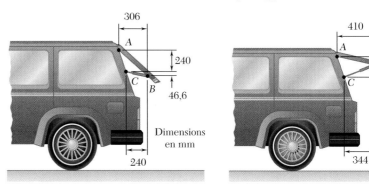

Figure P3.9   **Figure P3.10**

3.11 Un treuil manuel *AB* est utilisé pour redresser le piquet d'une clôture comme illustré à la figure P3.11 - P3.13. Sachant que la tension dans le câble *BC* est de 1040 N et que *d* = 1,90 m, déterminez :

a) le moment par rapport à *D* de la force appliquée au point *C*, et ce, par décomposition de la force selon des axes horizontal et vertical au point *C* ;

b) le moment par rapport à *D* de la force appliquée au point *C*, et ce, par décomposition de la force selon des axes horizontal et vertical au point *E*.

3.12 On vous informe qu'une force créant un moment de 960 N · m par rapport à *D* est suffisante pour redresser le piquet *CD*. Si *d* = 2,80 m, déterminez la tension nécessaire dans le câble *ABC*.

3.13 On vous informe qu'une force créant un moment de 960 N · m par rapport à *D* est suffisante pour redresser le piquet *CD*. Sachant que la capacité du treuil *AB* est de 2400 N, déterminez la distance minimale *d* nécessaire pour créer le moment voulu par rapport à *D*.

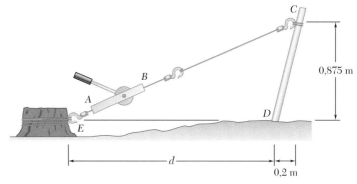

Figure P3.11 - P3.13

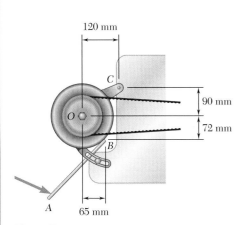

Figure P3.14

3.14 Un mécanicien utilise un bout de tuyau *AB* en guise de levier pour serrer la courroie d'un alternateur. En appuyant sur le tuyau au point *A* vers le bas, il crée une force de 485 N sur l'alternateur au point *B*. Si la ligne d'action de cette force passe par *O*, évaluez le moment créé par rapport au boulon *C*.

3.15 Formez les produits vectoriels $\mathbf{B} \times \mathbf{C}$ et $\mathbf{B}' \times \mathbf{C}$, où $B = B'$, et utilisez les résultats pour prouver l'équation

$$\sin \alpha \cos \beta = \tfrac{1}{2} \sin (\alpha + \beta) + \tfrac{1}{2} \sin (\alpha - \beta)$$

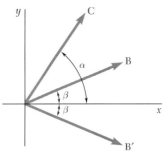

Figure P3.15

3.16 Une droite passe par les points (12m, 8m) et (–3m, –5m). Calculez la distance perpendiculaire d entre la droite et l'origine O du système de coordonnées.

3.17 Un plan contient les vecteurs $\mathbf{A}$ et $\mathbf{B}$. Évaluez le vecteur unitaire normal au plan quand $\mathbf{A}$ et $\mathbf{B}$ sont :
a) $\mathbf{A} = \mathbf{i} + 2\mathbf{j} - 5\mathbf{k}$;
   $\mathbf{B} = 4\mathbf{i} - 7\mathbf{j} - 5\mathbf{k}$;
b) $\mathbf{A} = 3\mathbf{i} - 3\mathbf{j} + 2\mathbf{k}$;
   $\mathbf{B} = -2\mathbf{i} + 6\mathbf{j} - 4\mathbf{k}$.

3.18 Les vecteurs $\mathbf{P}$ et $\mathbf{Q}$ forment les deux côtés adjacents d'un parallélogramme. Calculez l'aire du parallélogramme sachant que :
a) $\mathbf{P} = -7\mathbf{i} + 3\mathbf{j} - 3\mathbf{k}$;
   $\mathbf{Q} = 2\mathbf{i} + 2\mathbf{j} + 5\mathbf{k}$;
b) $\mathbf{P} = 6\mathbf{i} - 5\mathbf{j} - 2\mathbf{k}$;
   $\mathbf{Q} = -2\mathbf{i} + 5\mathbf{j} - \mathbf{k}$.

3.19 Déterminez le moment par rapport à l'origine O de la force $\mathbf{F} = 6\mathbf{i} + 4\mathbf{j} - \mathbf{k}$ appliquée au point A, dont le vecteur position est :
a) $\mathbf{r} = -2\mathbf{i} + 6\mathbf{j} + 3\mathbf{k}$;
b) $\mathbf{r} = 5\mathbf{i} - 3\mathbf{j} + 7\mathbf{k}$;
c) $\mathbf{r} = -9\mathbf{i} - 6\mathbf{j} + 1,5\mathbf{k}$.

3.20 Déterminez le moment par rapport à l'origine O de la force $\mathbf{F} = 2\mathbf{i} + 3\mathbf{j} - 4\mathbf{k}$ appliquée au point A, dont le vecteur position est :
a) $\mathbf{r} = 3\mathbf{i} - 6\mathbf{j} + 5\mathbf{k}$;
b) $\mathbf{r} = \mathbf{i} - 4\mathbf{j} - 2\mathbf{k}$;
c) $\mathbf{r} = 4\mathbf{i} + 6\mathbf{j} - 8\mathbf{k}$.

3.21 On veut abattre un vieux tronc d'arbre (axe BO). Des câbles AB et BC y sont attachés comme illustré; les tensions dans les câbles sont respectivement de 555 N et 660 N. Calculez le moment par rapport au point O de la résultante des deux forces appliquées au point B.

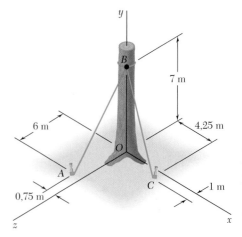

Figure P3.21

3.22 Un fermier utilise une poulie et une corde pour hisser une balle de foin de 26 kg. Calculez le moment par rapport au point A de la résultante des forces exercées par la corde sur la poulie. Le centre de la poulie est placé à 0,3 m en dessous du point B et à 7,1 m du sol.

3.23 Une canne à pêche AB de 2 m est plantée dans le sable. La force exercée sur la ligne par un poisson ayant mordu l'hameçon est de 30 N. Déterminez le moment par rapport au point A de la force exercée sur la ligne au point B.

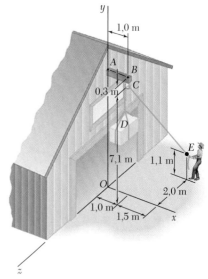

Figure P3.22

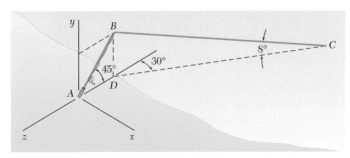

Figure P3.23

3.24 On utilise un madrier AB pour soutenir temporairement une toiture. La force qu'exerce le madrier au point A est de 228 N orientée selon la ligne d'action BA. Déterminez le moment de cette force par rapport au point C.

3.25 Une rampe $ABCD$ est soutenue par deux câbles situés aux coins C et D, respectivement. La tension dans chaque câble est de 810 N. Déterminez le moment par rapport au point A de la force exercée par :
a) le câble DE ;
b) le câble CG.

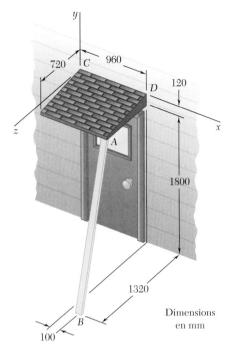

Figure P3.24

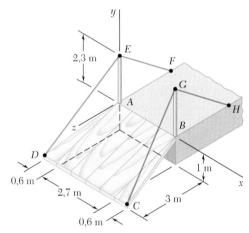

Figure P3.25

3.26 Le bras articulé d'une lampe de bureau repose dans un plan vertical formant un angle de 30° avec le plan xy. Pour repositionner la lampe, une force de 5,5 N est appliquée au point C (*voir la figure P3.26*). Évaluez le moment de la force par rapport au point O, sachant que $AB = 400$ mm, $BC = 300$ mm et que la droite CD est parallèle à l'axe z.

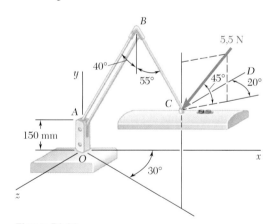

Figure P3.26

3.27 En vous référant au problème 3.21, déterminez la distance perpendiculaire entre le point O et le câble AB.

3.28 En vous référant au problème 3.21, déterminez la distance perpendiculaire entre le point O et le câble BC.

3.29 En vous référant au problème 3.24, déterminez la distance perpendiculaire entre le point D et la ligne d'action passant par AB.

3.30 En vous référant au problème 3.24, déterminez la distance perpendiculaire entre le point C et la ligne d'action passant par AB.

3.31 En vous référant au problème 3.25, déterminez la distance perpendiculaire entre le point *A* et le câble *DE*.

3.32 En vous référant au problème 3.25, déterminez la distance perpendiculaire entre le point *A* et la ligne d'action passant par *CG*.

3.33 En vous référant au problème 3.23, déterminez la distance perpendiculaire entre le point *A* et la ligne d'action passant par *BC*.

3.34 Calculez la valeur de *a* qui minimise la distance perpendiculaire minimale entre le point *C* et une section du tuyau *AB* (*voir la figure P3.34*).

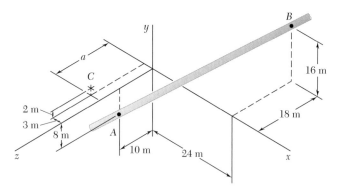

Figure P3.34

3.2 MOMENT D'UNE FORCE PAR RAPPORT À UN AXE

3.2.1 PRODUIT SCALAIRE DE DEUX VECTEURS

On définit le produit scalaire des vecteurs **P** et **Q** par le produit de leur grandeur, multiplié par le cosinus de l'angle θ qu'ils forment entre eux (*voir la figure 3.19*). L'expression mathématique du produit scalaire, noté **P** · **Q**, s'écrit

$$\mathbf{P} \cdot \mathbf{Q} = PQ \cos \theta \qquad (3.24)$$

Figure 3.19

Il est à remarquer que cette expression définit un scalaire et non pas un vecteur, d'où le nom de *produit scalaire*.

Il découle directement de la définition du produit scalaire que l'opération est commutative, c'est-à-dire que

$$\mathbf{P} \cdot \mathbf{Q} = \mathbf{Q} \cdot \mathbf{P} \qquad (3.25)$$

On démontre que le produit scalaire est également distributif en prouvant la relation suivante :

$$\mathbf{P} \cdot (\mathbf{Q}_1 + \mathbf{Q}_2) = \mathbf{P} \cdot \mathbf{Q}_1 + \mathbf{P} \cdot \mathbf{Q}_2 \qquad (3.26)$$

On peut supposer que **P** est orienté selon l'axe des *y* sans rien perdre de la généralisation souhaitée (*voir la figure 3.20*). Si on représente par **Q** la somme de $\mathbf{Q}_1$ et $\mathbf{Q}_2$, et par θ_y l'angle formé entre **Q** et l'axe des *y*, la partie de gauche de l'équation 3.26 devient

$$\mathbf{P} \cdot (\mathbf{Q}_1 + \mathbf{Q}_2) = \mathbf{P} \cdot \mathbf{Q} = PQ \cos \theta_y = PQ_y \qquad (3.27)$$

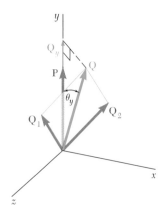

Figure 3.20

où Q_y représente la composante en y de $\mathbf{Q}$. De même, le membre de droite de l'équation 3.26 peut s'écrire

$$\mathbf{P} \cdot \mathbf{Q}_1 + \mathbf{P} \cdot \mathbf{Q}_2 = P(Q_1)_y + P(Q_2)_y \tag{3.28}$$

Puisque $\mathbf{Q}$ est la somme de $\mathbf{Q}_1$ et $\mathbf{Q}_2$, sa composante en y doit correspondre à la somme des composantes en y de $\mathbf{Q}_1$ et $\mathbf{Q}_2$. En conséquence, les expressions 3.27 et 3.28 sont égales, et la relation 3.26 est démontrée.

Par ailleurs, l'associativité ne s'applique en aucun cas aux produits scalaires. En fait, $(\mathbf{P} \cdot \mathbf{Q}) \cdot \mathbf{S}$ n'a pas de signification réelle étant donné que $\mathbf{P} \cdot \mathbf{Q}$ représente un scalaire et non pas un vecteur.

On peut aussi exprimer le produit scalaire des vecteurs $\mathbf{P}$ et $\mathbf{Q}$ en fonction de leurs composantes rectangulaires. On décompose d'abord les vecteurs et on a

$$\mathbf{P} \cdot \mathbf{Q} = (P_x\mathbf{i} + P_y\mathbf{j} + P_z\mathbf{k}) \cdot (Q_x\mathbf{i} + Q_y\mathbf{j} + Q_z\mathbf{k})$$

La distributivité permet d'écrire $\mathbf{P} \cdot \mathbf{Q}$ comme une somme de produits scalaires, tels que $P_x\mathbf{i} \cdot Q_x\mathbf{i}$ et $P_x\mathbf{i} \cdot Q_y\mathbf{j}$. Or, le produit scalaire de deux vecteurs unitaires donne toujours zéro ou un, conséquence directe de la définition du produit scalaire :

$$\begin{array}{lll} \mathbf{i} \cdot \mathbf{i} = 1 & \mathbf{j} \cdot \mathbf{j} = 1 & \mathbf{k} \cdot \mathbf{k} = 1 \\ \mathbf{i} \cdot \mathbf{j} = 0 & \mathbf{j} \cdot \mathbf{k} = 0 & \mathbf{k} \cdot \mathbf{i} = 0 \end{array} \tag{3.29}$$

L'expression de $\mathbf{P} \cdot \mathbf{Q}$ se réduit alors à

$$\mathbf{P} \cdot \mathbf{Q} = P_xQ_x + P_yQ_y + P_zQ_z \tag{3.30}$$

Dans le cas particulier où $\mathbf{P}$ et $\mathbf{Q}$ sont égaux, on obtient

$$\mathbf{P} \cdot \mathbf{P} = P_x^2 + P_y^2 + P_z^2 = P^2 \tag{3.31}$$

Applications du produit scalaire

1. **Angle entre deux vecteurs donnés** Écrivons deux vecteurs en fonction de leurs composantes :

$$\mathbf{P} = P_x\mathbf{i} + P_y\mathbf{j} + P_z\mathbf{k}$$
$$\mathbf{Q} = Q_x\mathbf{i} + Q_y\mathbf{j} + Q_z\mathbf{k}$$

On détermine l'angle entre les deux vecteurs en égalisant les expressions du produit scalaire 3.24 et 3.30. On a

$$PQ \cos \theta = P_xQ_x + P_yQ_y + P_zQ_z$$

En isolant $\cos \theta$, on trouve

$$\cos \theta = \frac{P_xQ_x + P_yQ_y + P_zQ_z}{PQ} \tag{3.32}$$

2. **Projection d'un vecteur sur un axe** Considérons un vecteur $\mathbf{P}$ formant un angle θ avec un axe, ou ligne directrice, OL (*voir la figure 3.21*). On définit la projection de $\mathbf{P}$ sur l'axe OL par le scalaire

$$P_{OL} = P \cos \theta \tag{3.33}$$

La projection P_{OL} est égale, en valeur absolue, à la longueur du segment OA ; elle prend une valeur positive si OA va dans le même sens que l'axe OL, c'est-à-dire si θ est aigu, et une valeur négative

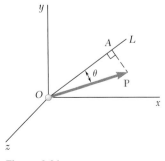

Figure 3.21

si θ est obtus. Si **P** et *OL* forment un angle droit, la projection de **P** sur *OL* est égale à zéro.

Considérons maintenant un vecteur **Q** dirigé le long de *OL* et dans le même sens que cet axe (*voir la figure 3.22*). Le produit scalaire de **P** et **Q** s'écrit

$$\mathbf{P}\cdot\mathbf{Q} = PQ\cos\theta = P_{OL}Q \qquad (3.34)$$

Il s'ensuit que

$$P_{OL} = \frac{\mathbf{P}\cdot\mathbf{Q}}{Q} = \frac{P_xQ_x + P_yQ_y + P_zQ_z}{Q} \qquad (3.35)$$

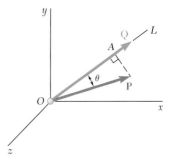

Figure 3.22

Dans le cas particulier où le vecteur choisi le long de *OL* est le vecteur unitaire **λ** (*voir la figure 3.23*), on a

$$P_{OL} = \mathbf{P}\cdot\boldsymbol{\lambda} \qquad (3.36)$$

Exprimons maintenant les vecteurs **P** et **λ** en fonction de leurs composantes rectangulaires. Rappelons que les composantes de **λ** le long des axes du système de coordonnées sont respectivement égales aux cosinus directeurs de *OL* (*voir la section 2.4.1*). La projection de **P** sur *OL* devient

$$P_{OL} = P_x\cos\theta_x + P_y\cos\theta_y + P_z\cos\theta_z \qquad (3.37)$$

où θ_x, θ_y et θ_z représentent les angles entre *OL* et chacun des axes du système.

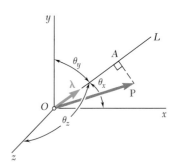

Figure 3.23

3.2.2 PRODUIT MIXTE DE TROIS VECTEURS

On définit le produit mixte de trois vecteurs **S**, **P** et **Q** par l'expression scalaire

$$\mathbf{S}\cdot(\mathbf{P}\times\mathbf{Q}) \qquad (3.38)$$

obtenue en considérant le produit scalaire de **S** et du produit vectoriel de **P** et **Q**[3].

On peut donner une interprétation géométrique simple du produit mixte de **S**, **P** et **Q** (*voir la figure 3.24*). Rappelons d'abord que le vecteur **P** × **Q** est perpendiculaire au plan qui contient **P** et **Q** (*voir la section 3.1.3*) et que sa grandeur est égale à l'aire du parallélogramme dont les côtés correspondent à **P** et **Q**. Par ailleurs, conformément à l'équation 3.34, on obtient le produit scalaire de **S** et **P** × **Q** en multipliant la grandeur de **P** × **Q** (l'aire du parallélogramme délimité par **P** et **Q**) par la projection de **S** sur le vecteur **P** × **Q** (la projection de **S** sur la normale au plan du parallélogramme). Le produit mixte est alors égal, en valeur absolue, au volume du parallélépipède formé par les vecteurs **S**, **P** et **Q** (*voir la figure 3.25*). Le produit mixte est positif si les vecteurs **S**, **P** et **Q** forment une triade main-droite et il devient négatif si les vecteurs constituent une triade main-gauche (c'est-à-dire que **S** · (**P** × **Q**) prend une valeur négative si la rotation de **P** vers **Q** est vue dans le sens horaire par un observateur placé à l'extrémité du vecteur **S**). Le produit mixte est nul si les trois vecteurs sont coplanaires.

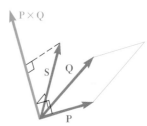

Figure 3.24

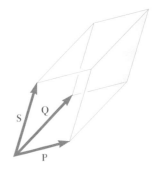

Figure 3.25

---

3. Nous introduirons un autre produit triple au chapitre 15, soit le produit vectoriel triple **S** × (**P** × **Q**).

Le parallélépipède défini dans le paragraphe précédent étant indépendant de l'ordre des vecteurs considérés, les six combinaisons de produits mixtes possibles avec les vecteurs $\mathbf{S}$, $\mathbf{P}$ et $\mathbf{Q}$ donnent la même valeur absolue ; seul le signe varie d'un produit mixte à l'autre. On peut facilement démontrer que

$$\mathbf{S} \cdot (\mathbf{P} \times \mathbf{Q}) = \mathbf{P} \cdot (\mathbf{Q} \times \mathbf{S}) = \mathbf{Q} \cdot (\mathbf{S} \times \mathbf{P})$$

$$= -\mathbf{S} \cdot (\mathbf{Q} \times \mathbf{P}) = -\mathbf{P} \cdot (\mathbf{S} \times \mathbf{Q}) = -\mathbf{Q} \cdot (\mathbf{P} \times \mathbf{S}) \quad (3.39)$$

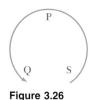

Figure 3.26

Plaçons les symboles des vecteurs dans un cercle, suivant une progression antihoraire (*voir la figure 3.26*) ; le signe du produit mixte reste le même lorsqu'on permute les vecteurs en leur conservant une séquence antihoraire. On parle alors d'une permutation circulaire. Par ailleurs, si on applique la commutativité du produit scalaire au produit mixte de $\mathbf{S}$, $\mathbf{P}$ et $\mathbf{Q}$, il découle de l'équation 3.39 que le produit mixte s'écrit sans distinction $\mathbf{S} \cdot (\mathbf{P} \times \mathbf{Q})$ ou $(\mathbf{S} \times \mathbf{P}) \cdot \mathbf{Q}$.

On peut aussi exprimer le produit mixte à l'aide des composantes rectangulaires des vecteurs. Si on remplace $\mathbf{P} \times \mathbf{Q}$ par $\mathbf{V}$ et qu'on applique l'équation 3.30 au produit scalaire de $\mathbf{S}$ et $\mathbf{V}$, on obtient

$$\mathbf{S} \cdot (\mathbf{P} \times \mathbf{Q}) = \mathbf{S} \cdot \mathbf{V} = S_x V_x + S_y V_y + S_z V_z$$

En substituant les expressions des composantes de $\mathbf{V}$ (3.9), on trouve

$$\mathbf{S} \cdot (\mathbf{P} \times \mathbf{Q}) = S_x(P_y Q_z - P_z Q_y) + S_y(P_z Q_x - P_x Q_z) + S_z(P_x Q_y - P_y Q_x) \quad (3.40)$$

On peut aussi utiliser la forme plus compacte d'un déterminant :

$$\mathbf{S} \cdot (\mathbf{P} \times \mathbf{Q}) = \begin{vmatrix} S_x & S_y & S_z \\ P_x & P_y & P_z \\ Q_x & Q_y & Q_z \end{vmatrix} \quad (3.41)$$

En suivant les règles de permutation des lignes dans un déterminant, on retrouve facilement les relations 3.39 obtenues, rappelons-le, à la suite de considérations géométriques.

3.2.3 MOMENT D'UNE FORCE PAR RAPPORT À UN AXE

Une meilleure connaissance de l'algèbre vectorielle nous permet maintenant d'aborder le concept de moment d'une force par rapport à un axe. Considérons à nouveau une force $\mathbf{F}$ agissant sur un corps rigide et le moment $\mathbf{M}_O$ de cette force par rapport au point O (*voir la figure 3.27*).

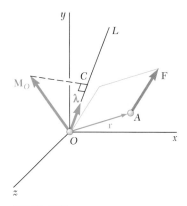

Figure 3.27

L'axe OL passe par O ; **on définit le moment M_{OL} de F par rapport à OL comme la projection OC du moment $\mathbf{M}_O$ sur l'axe OL.** Considérant $\boldsymbol{\lambda}$, le vecteur unitaire le long de OL et les expressions 3.36 et 3.11 des sections 3.9 et 3.6, donnant respectivement la projection d'un vecteur sur un axe donné et le moment $\mathbf{M}_O$ d'une force $\mathbf{F}$, on a

$$M_{OL} = \boldsymbol{\lambda} \cdot \mathbf{M}_O = \boldsymbol{\lambda} \cdot (\mathbf{r} \times \mathbf{F}) \qquad (3.42)$$

On observe que le moment M_{OL} de $\mathbf{F}$ par rapport à l'axe OL correspond au produit mixte des vecteurs $\boldsymbol{\lambda}$, $\mathbf{r}$ et $\mathbf{F}$. Exprimant M_{OL} sous la forme d'un déterminant, on trouve

$$M_{OL} = \begin{vmatrix} \lambda_x & \lambda_y & \lambda_z \\ x & y & z \\ F_x & F_y & F_z \end{vmatrix} \qquad (3.43)$$

où λ_x, λ_y et λ_z sont les cosinus directeurs de l'axe OL ;
x, y et z donnent les coordonnées du point d'application de $\mathbf{F}$;
et F_x, F_y et F_z représentent les composantes de la force $\mathbf{F}$.

On saisit mieux la signification physique du moment M_{OL} d'une force $\mathbf{F}$ par rapport à un axe fixe OL en décomposant la force $\mathbf{F}$ en deux composantes rectangulaires : la composante $\mathbf{F}_1$, parallèle à l'axe OL, et la composante $\mathbf{F}_2$, située dans un plan P perpendiculaire à OL (*voir la figure 3.28*). On décompose $\mathbf{r}$ de la même façon en $\mathbf{r}_1$ et $\mathbf{r}_2$ et on introduit les composantes de $\mathbf{F}$ et $\mathbf{r}$ dans l'équation 3.42. On obtient

$$M_{OL} = \boldsymbol{\lambda} \cdot [(\mathbf{r}_1 + \mathbf{r}_2) \times (\mathbf{F}_1 + \mathbf{F}_2)]$$
$$= \boldsymbol{\lambda} \cdot (\mathbf{r}_1 \times \mathbf{F}_1) + \boldsymbol{\lambda} \cdot (\mathbf{r}_1 \times \mathbf{F}_2) + \boldsymbol{\lambda} \cdot (\mathbf{r}_2 \times \mathbf{F}_1) + \boldsymbol{\lambda} \cdot (\mathbf{r}_2 \times \mathbf{F}_2)$$

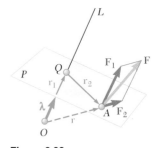

Figure 3.28

Il est à noter que seul le dernier produit mixte n'est pas nul, puisque les autres contiennent des vecteurs qui sont coplanaires lorsqu'on les ramène à une origine commune (*voir la section 3.2.2*). On a donc

$$M_{OL} = \boldsymbol{\lambda} \cdot (\mathbf{r}_2 \times \mathbf{F}_2) \qquad (3.44)$$

Le produit vectoriel $\mathbf{r}_2 \times \mathbf{F}_2$, perpendiculaire au plan P, représente le moment de la composante $\mathbf{F}_2$ de $\mathbf{F}$ par rapport à Q, le point d'intersection entre OL et le plan P. Ainsi, le scalaire M_{OL}, positif si $\mathbf{r}_2 \times \mathbf{F}$ est dans le même sens que OL et négatif autrement, mesure la tendance de $\mathbf{F}_2$ à entraîner la rotation du corps autour de l'axe fixe OL. Quant à la composante $\mathbf{F}_1$, elle n'a pas d'effet rotatif sur le corps relativement à l'axe OL. On en déduit que **le moment M_{OL} de F par rapport à OL mesure la tendance de la force F à procurer au corps rigide un mouvement de rotation autour de l'axe fixe OL.**

La définition du moment d'une force par rapport à un axe permet de déduire que le moment de $\mathbf{F}$ par rapport à un axe de coordonnées correspond à la composante de $\mathbf{M}_O$ le long de cet axe. Si l'on substitue successivement les vecteurs unitaires $\mathbf{i}$, $\mathbf{j}$ et $\mathbf{k}$ à $\boldsymbol{\lambda}$ dans l'équation 3.42, on retrouve les expressions obtenues plus tôt pour les moments de $\mathbf{F}$ par rapport aux axes du système de coordonnées et respectivement égales à celles de la section 3.1.6 pour les composantes du moment $\mathbf{M}_O$ de $\mathbf{F}$ par rapport à O, soit

$$\begin{aligned} M_x &= yF_z - zF_y \\ M_y &= zF_x - xF_z \\ M_z &= xF_y - yF_x \end{aligned} \qquad (3.18)$$

Tout comme les composantes F_x, F_y et F_z d'une force $\mathbf{F}$ agissant sur un corps rigide mesurent, respectivement, la tendance de $\mathbf{F}$ à déplacer le corps selon les axes x, y et z, les moments M_x, M_y et M_z de $\mathbf{F}$ le long des axes mesurent la tendance de $\mathbf{F}$ à donner au corps rigide un mouvement de rotation autour des axes x, y et z, respectivement.

Généralement, on établit le moment d'une force $\mathbf{F}$ appliquée au point A par rapport à un axe ne passant pas par l'origine en choisissant arbitrairement un point B sur l'axe (*voir la figure 3.29*) et en déterminant la projection sur l'axe BL du moment $\mathbf{M}_B$ de $\mathbf{F}$ par rapport à B. On a

$$M_{BL} = \boldsymbol{\lambda} \cdot \mathbf{M}_B = \boldsymbol{\lambda} \cdot (\mathbf{r}_{A/B} \times \mathbf{F}) \tag{3.45}$$

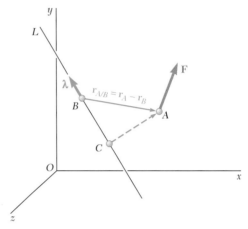

Figure 3.29

où $\mathbf{r}_{A/B} = \mathbf{r}_A - \mathbf{r}_B$ représente le vecteur tracé de B à A. Sous la forme d'un déterminant, M_{BL} s'écrit

$$M_{BL} = \begin{vmatrix} \lambda_x & \lambda_y & \lambda_z \\ x_{A/B} & y_{A/B} & z_{A/B} \\ F_x & F_y & F_z \end{vmatrix} \tag{3.46}$$

où λ_x, λ_y et λ_z sont les cosinus directeurs de l'axe BL ;

$$x_{A/B} = x_A - x_B \qquad y_{A/B} = y_A - y_B \qquad z_{A/B} = z_A - z_B$$

et F_x, F_y et F_z représentent les composantes de la force $\mathbf{F}$.

Il est à noter que le résultat est indépendant de la position du point B choisi sur l'axe donné. De fait, si on écrit M_{CL} pour un point C différent de B, on obtient

$$\begin{aligned} M_{CL} &= \boldsymbol{\lambda} \cdot [(\mathbf{r}_A - \mathbf{r}_C) \times \mathbf{F}] \\ &= \boldsymbol{\lambda} \cdot [(\mathbf{r}_A - \mathbf{r}_B) \times \mathbf{F}] + \boldsymbol{\lambda} \cdot [(\mathbf{r}_B - \mathbf{r}_C) \times \mathbf{F}] \end{aligned}$$

Or, puisque les vecteurs $\boldsymbol{\lambda}$ et $\mathbf{r}_B - \mathbf{r}_C$ se trouvent sur la même ligne, le volume du parallélépipède dont les côtés correspondent à $\boldsymbol{\lambda}$, $\mathbf{r}_B - \mathbf{r}_C$ et $\mathbf{F}$ est nul ; et le produit mixte de ces trois vecteurs est aussi nul (*voir la section 3.2.2*). L'expression de M_{CL} se réduit alors à son premier terme et l'équation devient identique à celle qui définit M_{BL}. De plus, comme nous l'avons vu à la section 3.1.5, lorsqu'on calcule le moment de $\mathbf{F}$ par rapport à un axe, A peut correspondre à n'importe quel point le long de la ligne d'action de $\mathbf{F}$.

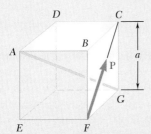

Une force **P** agit comme illustré sur un cube dont les côtés mesurent a. Déterminez les moments créés par **P** :

a) par rapport au point A du cube ;

b) par rapport à l'arête AB du cube ;

c) par rapport à la diagonale AG du cube.

d) En utilisant la réponse trouvée en c, déterminez la distance perpendiculaire séparant AG et FC.

> SOLUTION

a) Moment $\mathbf{M}_A$ de la force P par rapport à A   En choisissant les trois axes x, y et z comme illustré, on décompose la force **P** et le vecteur $\mathbf{r}_{F/A} = \overrightarrow{AF}$ tracé du point A au point d'application F de la force **P**.

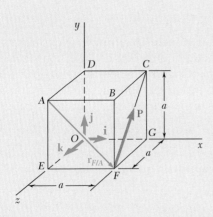

$$\mathbf{r}_{F/A} = a\mathbf{i} - a\mathbf{j} = a(\mathbf{i} - \mathbf{j})$$

$$\mathbf{P} = (P/\sqrt{2})\mathbf{j} - (P/\sqrt{2})\mathbf{k} = (P/\sqrt{2})(\mathbf{j} - \mathbf{k})$$

Le moment de **P** par rapport à A est

$$\mathbf{M}_A = \mathbf{r}_{F/A} \times \mathbf{P} = a(\mathbf{i} - \mathbf{j}) \times (P/\sqrt{2})(\mathbf{j} - \mathbf{k})$$

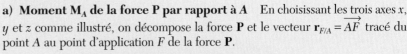
$$\mathbf{M}_A = (aP/\sqrt{2})(\mathbf{i} + \mathbf{j} + \mathbf{k}) \blacktriangleleft$$

b) Moment $\mathbf{M}_{AB}$ de la force P par rapport à AB   En projetant $\mathbf{M}_A$ sur l'arête AB, on écrit

$$M_{AB} = \mathbf{i} \cdot \mathbf{M}_A = \mathbf{i} \cdot (aP/\sqrt{2})(\mathbf{i} + \mathbf{j} + \mathbf{k}) \qquad M_{AB} = aP/\sqrt{2} \blacktriangleleft$$

Étant donné que AB est parallèle à l'axe x, M_{AB} correspond à la composante x du moment $\mathbf{M}_A$.

c) Moment $\mathbf{M}_{AG}$ de la force P par rapport à la diagonale AG   Le moment de la force **P** par rapport à AG est déterminé en projetant le moment $\mathbf{M}_A$ sur l'axe AG. En identifiant par $\boldsymbol{\lambda}$ le vecteur unitaire le long de l'axe AG, on obtient

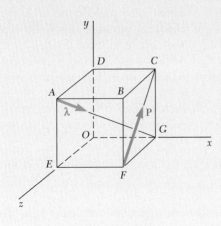

$$\boldsymbol{\lambda} = \frac{\overrightarrow{AG}}{AG} = \frac{a\mathbf{i} - a\mathbf{j} - a\mathbf{k}}{a\sqrt{3}} = (1/\sqrt{3})(\mathbf{i} - \mathbf{j} - \mathbf{k})$$

$$M_{AG} = \boldsymbol{\lambda} \cdot \mathbf{M}_A = (1/\sqrt{3})(\mathbf{i} - \mathbf{j} - \mathbf{k}) \cdot (aP/\sqrt{2})(\mathbf{i} + \mathbf{j} + \mathbf{k})$$

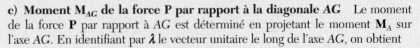
$$M_{AG} = (aP/\sqrt{6})(1 - 1 - 1) \qquad M_{AG} = -aP/\sqrt{6} \blacktriangleleft$$

Solution alternative   Le moment de **P** par rapport à l'axe AG peut aussi s'exprimer sous la forme d'un déterminant :

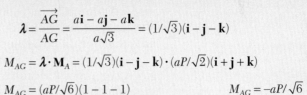
$$M_{AG} = \begin{vmatrix} \lambda_x & \lambda_y & \lambda_z \\ x_{F/A} & y_{F/A} & z_{F/A} \\ P_x & P_y & P_z \end{vmatrix} = \begin{vmatrix} 1/\sqrt{3} & -1/\sqrt{3} & -1/\sqrt{3} \\ a & -a & 0 \\ 0 & P/\sqrt{2} & -P/\sqrt{2} \end{vmatrix} = -aP/\sqrt{6}$$

d) Distance perpendiculaire entre AG et FC   On remarque que **P** est perpendiculaire à la diagonale AG. Cela peut facilement être vérifié en s'assurant que le produit scalaire $\mathbf{P} \cdot \boldsymbol{\lambda}$ soit égal à zéro :

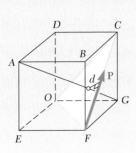

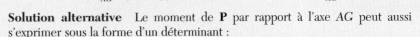
$$\mathbf{P} \cdot \boldsymbol{\lambda} = (P/\sqrt{2})(\mathbf{j} - \mathbf{k}) \cdot (1/\sqrt{3})(\mathbf{i} - \mathbf{j} - \mathbf{k}) = (P\sqrt{6})(0 - 1 + 1) = 0$$

Le moment M_{AG} peut s'écrire $M_{AG} = -Pd$, où d est la distance perpendiculaire séparant AG et FC. Le signe négatif signifie que la rotation subie par le cube sous l'effet de **P** apparaît, pour un observateur placé au point G, dans le sens horaire. En utilisant la réponse de M_{AG} trouvée en c, on obtient

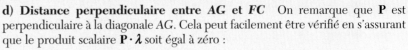
$$M_{AG} = -Pd = -aP/\sqrt{6} \qquad d = a/\sqrt{6} \blacktriangleleft$$

Dans cette section, nous avons introduit la notion du produit scalaire de deux vecteurs pour déterminer l'angle formé par deux vecteurs donnés et la projection d'une force sur un axe donné. Nous avons aussi utilisé le produit mixte de trois vecteurs afin de calculer le moment d'une force par rapport à un axe et la distance perpendiculaire entre deux droites. À partir de ces notions, nous pouvons procéder au :

1. **Calcul de l'angle formé par deux vecteurs donnés.** Nous décomposons d'abord les vecteurs en leurs composantes, pour ensuite déterminer leurs grandeurs. Le cosinus de l'angle désiré est obtenu en divisant le produit scalaire des deux vecteurs par le produit de leurs grandeurs (équation 3.32).

2. **Calcul de la projection d'un vecteur P sur un axe *OL* donné.** Nous exprimons d'abord **P** et le vecteur unitaire $\boldsymbol{\lambda}$, représentant la direction de l'axe, sous forme de composantes. Soulignons l'importance de placer correctement le sens de $\boldsymbol{\lambda}$ (c'est-à-dire de O vers L dans notre cas). La projection est obtenue par le produit scalaire $\mathbf{P} \cdot \boldsymbol{\lambda}$. Cependant, si nous connaissons l'angle θ formé par **P** et $\boldsymbol{\lambda}$, la projection peut aussi être obtenue par $P \cos \theta$.

3. **Calcul du moment $\mathbf{M}_{OL}$ d'une force par rapport à un axe *OL* donné.** Rappelons que M_{OL} peut être exprimé par

$$M_{OL} = \boldsymbol{\lambda} \cdot \mathbf{M}_O = \boldsymbol{\lambda} \cdot (\mathbf{r} \times \mathbf{F}) \tag{3.42}$$

où $\boldsymbol{\lambda}$ représente le vecteur unitaire le long de l'axe OL et **r** représente le vecteur position d'un point quelconque sur la droite OL vers un point quelconque sur la ligne d'action de la force **F**. Comme spécifié lors du calcul du moment d'une force par rapport à un point, on choisit le vecteur position de façon à faciliter les calculs. De plus, les vecteurs **r** et **F** doivent être tracés dans le bon sens et selon le bon ordre. La question c du problème résolu 3.5 illustre un exemple de ce type de situation.

Nous suggérons de suivre les deux étapes suivantes pour résoudre ce type de situation :

a) Définir $\boldsymbol{\lambda}$, **r** et **F** selon leurs composantes rectangulaires.
b) Évaluer le produit mixte $\boldsymbol{\lambda} \cdot (\mathbf{r} \times \mathbf{F})$ pour obtenir le moment de la force par rapport à l'axe désiré.

Rappelons qu'il est souvent plus facile d'utiliser le déterminant pour calculer le produit mixte dans la plupart des problèmes tridimensionnels (3D).

Terminons en soulignant que, si $\boldsymbol{\lambda}$ est dirigée selon un des axes de coordonnées, M_{OL} est égale à la composante scalaire de $\mathbf{M}_O$ le long de cet axe.

4. **Calcul de la distance perpendiculaire entre deux droites.** Rappelons que c'est la composante perpendiculaire $\mathbf{F}_2$ de la force $\mathbf{F}$ qui aura tendance à faire tourner le corps par rapport à un axe donné OL (*voir la figure 3.28*). Alors

$$M_{OL} = F_2 d$$

où M_{OL} est le moment créé par la force $\mathbf{F}$ par rapport à l'axe OL et d est la distance perpendiculaire séparant l'axe OL et la ligne d'action de $\mathbf{F}$. Cette dernière relation est une méthode simple pour déterminer la distance d.

Nous suggérons la démarche suivante pour déterminer d :

a) Supposer que la force $\mathbf{F}$ de grandeur F connue se trouve le long de l'une des deux droites données et que le vecteur unitaire $\boldsymbol{\lambda}$ se trouve le long de l'autre droite.

b) Calculer le moment M_{OL} de la force $\mathbf{F}$ par rapport à la deuxième droite en utilisant la technique présentée en 3.

c) Obtenir la grandeur de la composante parallèle F_1 de la force $\mathbf{F}$ par le produit scalaire

$$F_1 = \mathbf{F} \cdot \boldsymbol{\lambda}$$

d) Obtenir la valeur de F_2 par

$$F_2 = \sqrt{F^2 - F_1^2}$$

e) À partir de $M_{OL} = F_2 d$, et en isolant d, nous aurons la distance voulue.

Soulignons que, au problème résolu 3.5, le calcul de la distance perpendiculaire était simplifié du fait que $\mathbf{P}$ était perpendiculaire à la diagonale AG. En général, les deux droites données ne sont pas perpendiculaires, et la distance perpendiculaire entre elles doit être calculée avec la démarche présentée ci-dessus.

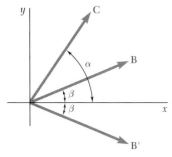

Figure P3.36

3.35 Soit les vecteurs $\mathbf{P} = 4\mathbf{i} + 3\mathbf{j} - 2\mathbf{k}$, $\mathbf{Q} = -\mathbf{i} + 4\mathbf{j} - 5\mathbf{k}$, et $\mathbf{S} = \mathbf{i} + 4\mathbf{j} + 3\mathbf{k}$, calculez les produits scalaires $\mathbf{P} \cdot \mathbf{Q}$, $\mathbf{P} \cdot \mathbf{S}$, et $\mathbf{Q} \cdot \mathbf{S}$.

3.36 Formez les produits scalaires $\mathbf{B} \cdot \mathbf{C}$ et $\mathbf{B}' \cdot \mathbf{C}$, où $\mathbf{B} = \mathbf{B}'$, et utilisez les résultats obtenus pour prouver l'identité

$$\cos \alpha \cos \beta = \tfrac{1}{2} \cos (\alpha + \beta) + \tfrac{1}{2} \cos (\alpha - \beta).$$

3.37 Considérez le filet de volley-ball de la figure P3.37 - P3.38. Déterminez l'angle formé par les haubans AB et AC.

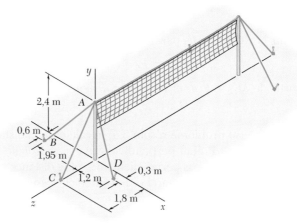

Figure P3.37 - P3.38

3.38 Considérez le filet de volley-ball de la figure P3.37 - P3.38. Déterminez l'angle formé par les haubans AC et AD.

3.39 La section AB d'un oléoduc se trouve dans le plan yz et forme un angle de 37° avec l'axe z. Les sections CD et EF sont connectées à AB comme illustré. Déterminez l'angle formé par les tuyaux AB et CD.

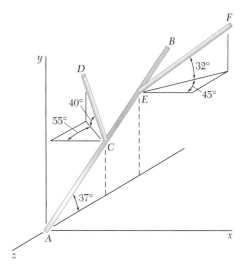

Figure P3.39 - P3.40

3.40 La section AB d'un oléoduc se trouve dans le plan yz et forme un angle de 37° avec l'axe z. Les sections CD et EF sont connectées à AB comme illustré. Déterminez l'angle formé par les tuyaux AB et EF.

3.41 Les cordes AB et BC sont utilisées pour soutenir une tente. Elles sont fixées au piquet BD en B. Si la tension dans la corde AB est de 540 N, déterminez :
a) l'angle entre la corde AB et le piquet ;
b) la projection sur le piquet de la force appliquée par la corde AB au point B.

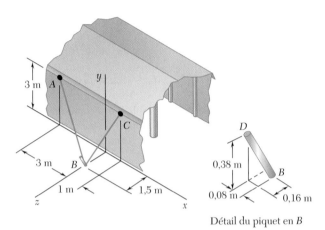

Figure P3.41 - P3.42

Détail du piquet en B

3.42 Les cordes AB et BC sont utilisées pour soutenir une tente. Elles sont fixées au piquet BD en B. Si la tension dans la corde BC est de 490 N, déterminez :
a) l'angle entre la corde BC et le piquet ;
b) la projection sur le piquet de la force appliquée par la corde BC au point B.

3.43 Un collier P glisse le long du tuyau OA. Une corde élastique PC y est attachée et elle est retenue au point C du poteau BC. Sachant que la distance OP est de 0,12 m et que la tension dans la corde est de 30 N, déterminez :
a) l'angle formé entre la corde PC et la section du tuyau OA ;
b) la projection sur OA de la force appliquée par la corde PC au point P.

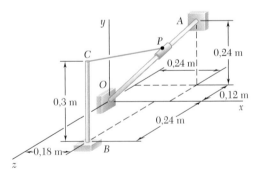

Figure P3.43 - P3.44

3.44 Un collier P glisse le long du tuyau OA. Une corde élastique PC y est attachée et elle est retenue au point C du poteau BC. Déterminez la distance OP lorsque PC et OA sont perpendiculaires.

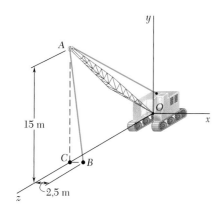

Figure P3.47 - P3.48

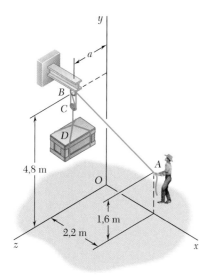

Figure P3.51 - P3.52

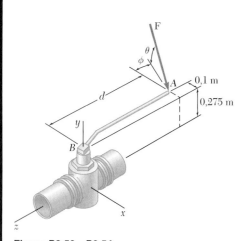

Figure P3.53 - P3.54

3.45 Évaluez le volume du parallélépipède de la figure 3.25 si :
 a) $\mathbf{P} = 4\mathbf{i} - 3\mathbf{j} + 2\mathbf{k}$, $\mathbf{Q} = -2\mathbf{i} - 5\mathbf{j} + \mathbf{k}$, et $\mathbf{S} = 7\mathbf{i} + \mathbf{j} - \mathbf{k}$;
 b) $\mathbf{P} = 5\mathbf{i} - \mathbf{j} + 6\mathbf{k}$, $\mathbf{Q} = 2\mathbf{i} + 3\mathbf{j} + \mathbf{k}$, et $\mathbf{S} = -3\mathbf{i} - 2\mathbf{j} + 4\mathbf{k}$.

3.46 Soit les vecteurs $\mathbf{P} = 3\mathbf{i} - \mathbf{j} + \mathbf{k}$, $\mathbf{Q} = 4\mathbf{i} + Q_y\mathbf{j} - 2\mathbf{k}$, et $\mathbf{S} = 2\mathbf{i} - 2\mathbf{j} + 2\mathbf{k}$. Déterminez la valeur de Q_y de façon que les trois vecteurs soient coplanaires.

3.47 Une grue est orientée de façon à ce que la flèche AO, de longueur 25 m, soit dans le plan yz. À l'instant illustré, la tension dans le câble AB est de 4 kN. Calculez le moment de la force exercée par le câble AB au point A par rapport à chacun des axes de coordonnées.

3.48 La flèche AO, de longueur 25 m, est dans le plan yz. Calculez la tension maximale permise dans le câble AB si la grandeur des moments par rapport aux axes de coordonnées de la force exercée par le câble AB au point A doit être

$$|M_x| \le 60 \text{ kN} \cdot \text{m} \qquad |M_y| \le 12 \text{ kN} \cdot \text{m} \qquad |M_z| \le 8 \text{ kN} \cdot \text{m}$$

3.49 Un fermier utilise des câbles et les treuils B et E pour soutenir le mur d'une grange. La somme des moments par rapport à l'axe des x créés par les câbles aux points A et D est de 6400 N · m. Déterminez la grandeur de $\mathbf{T}_{DE}$ quand $T_{AB} = 1100$ N.

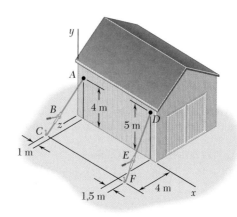

Figure P3.49

3.50 Solutionnez le problème 3.49, sachant que la tension dans le câble AB est de 1400 N.

3.51 Pour lever une caisse, une personne utilise un palan attaché au crochet B, fixé en dessous d'une poutre en I. Sachant que les moments par rapport aux axes y et z de la force appliquée au point B par la corde AB sont respectivement de 120 N · m et −460 N · m, déterminez la distance a.

3.52 Pour lever une caisse, une personne utilise un palan attaché au crochet B, fixé en dessous d'une poutre en I. Sachant que la personne applique une force de 195 N au bout A de la corde, ce qui crée un moment de 132 N · m par rapport à l'axe y, déterminez la distance a.

3.53 On désire ouvrir une valve gelée en appliquant une force $\mathbf{F}$ de 280 N (*voir la figure P3.53 - P3.54*). Si $\theta = 25°$, $M_x = -61$ N · m, et $M_z = -43$ N · m, estimez ϕ et d.

3.54 Une force $\mathbf{F}$ appliquée sur le manche de la valve ci-contre crée un moment de $M_x = -77$ N · m par rapport à l'axe x et de $M_z = -81$ N · m par rapport à l'axe z. Si $d = 0,675$ m, déterminez le moment M_y de $\mathbf{F}$ par rapport à l'axe y.

3.55 Une plaque triangulaire *ABC* est supportée par des joints à rotule aux points *B* et *D*. Elle est tenue en position d'équilibre par les câbles *AE* et *CF*. Sachant que *AE* exerce au point *A* une force de 55 N, évaluez le moment de cette force par rapport à l'axe *DB*.

3.56 Une plaque triangulaire *ABC* est supportée par des joints à rotule aux points *B* et *D*. Elle est tenue en position d'équilibre par les câbles *AE* et *CF*. Sachant que *CF* exerce au point *C* une force de 33 N, évaluez le moment de cette force par rapport à l'axe *DB*.

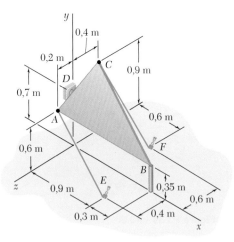

Figure P3.55 - P3.56

3.57 Un panneau publicitaire érigé sur un terrain irrégulier est soutenu par les haubans *EF* et *EG*. Si la force appliquée par *EF* au point *E* est de 230 N, évaluez le moment de cette force par rapport à l'axe *AD*.

3.58 Un panneau publicitaire érigé sur un terrain irrégulier est soutenu par les haubans *EF* et *EG*. Si la force appliquée par *EG* au point *E* est de 270 N, évaluez le moment de cette force par rapport à l'axe *AD*.

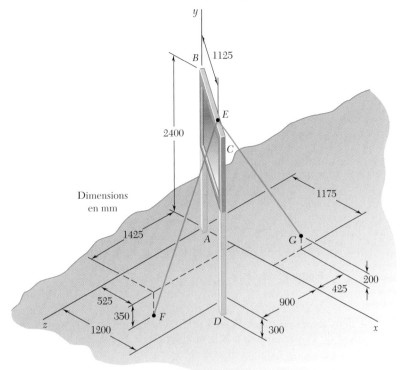

Figure P3.57 - P3.58

3.59 Un tétraèdre régulier possède des côtés de longueur a. Une force **P** est appliquée au sommet B et orientée selon l'arête BC (*voir la figure P3.59 - P3.60*). Calculez le moment de la force **P** par rapport à l'arête OA.

3.60 Les arêtes d'un tétraèdre régulier ont une longueur a. On vous demande :
   a) de démontrer que deux arêtes opposées, telles que OA et BC, sont perpendiculaires l'une par rapport à l'autre ;
   b) d'utiliser cette caractéristique ainsi que le résultat obtenu au problème 3.59 pour déterminer la distance perpendiculaire entre les arêtes OA et BC.

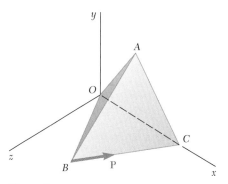

Figure P3.59 - P3.60

3.61 La barre verticale CD, de longueur 0,575 m, est soudée au milieu C de la barre AB, de longueur 1,25 m. Calculez le moment par rapport à l'axe AB de la force **P** de 1050 N.

3.62 La barre verticale CD, de longueur 0,575 m, est soudée au milieu C de la barre AB, de longueur 1,25 m. Calculez le moment par rapport à l'axe AB de la force **Q** de 775 N.

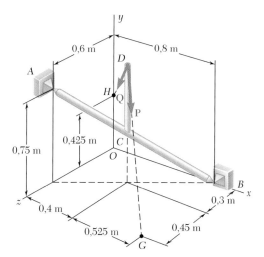

Figure P3.61 - P3.62

3.63 Soit deux forces spatiales $\mathbf{F}_1$ et $\mathbf{F}_2$ de même grandeur F. Prouvez que le moment de $\mathbf{F}_1$ par rapport à la ligne d'action de $\mathbf{F}_2$ est égal au moment de $\mathbf{F}_2$ par rapport à la ligne d'action de $\mathbf{F}_1$.

*3.64 En vous référant au problème 3.55, évaluez la distance perpendiculaire entre le câble AE et la droite joignant les points D et B.

*3.65 En vous référant au problème 3.56, évaluez la distance perpendiculaire entre le câble CF et la droite joignant les points D et B.

*3.66 En vous référant au problème 3.57, évaluez la distance perpendiculaire entre le câble EF et la droite joignant les points A et D.

*3.67 En vous référant au problème 3.58, évaluez la distance perpendiculaire entre le câble EG et la droite joignant les points A et D.

*3.68 En vous référant au problème 3.61, évaluez la distance perpendiculaire entre le câble EF et l'axe AB.

*3.69 En vous référant au problème 3.62, évaluez la distance perpendiculaire entre le câble GH et l'axe AB.

3.3 COUPLES ET SYSTÈMES FORCE-COUPLE

3.3.1 MOMENT D'UN COUPLE

Deux forces F et −F de même grandeur mais de sens opposé, appliquées sur la même ligne d'action, forment un couple (*voir la figure 3.30*).

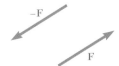

Figure 3.30

De toute évidence, la somme des composantes de ces deux forces donne toujours zéro, quelle que soit leur direction. Cependant, la somme de leurs moments par rapport à un point donné n'est pas nulle. En conséquence, les forces ne déplaceront pas le corps d'un point à un autre dans un mouvement de translation mais elles tendront à entraîner sa rotation.

Soit $\mathbf{r}_A$ et $\mathbf{r}_B$, les vecteurs position respectifs des points d'application de **F** et **−F** (*voir la figure 3.31*) ; la somme des moments des deux forces par rapport à O s'écrit

$$\mathbf{r}_A \times \mathbf{F} + \mathbf{r}_B \times (-\mathbf{F}) = (\mathbf{r}_A - \mathbf{r}_B) \times \mathbf{F}$$

Si on pose $\mathbf{r}_A - \mathbf{r}_B = \mathbf{r}$, où **r** représente le vecteur qui joint les points d'application des deux forces, on conclut que la somme des moments de **F** et **−F** par rapport à O correspond au vecteur

$$\mathbf{M} = \mathbf{r} \times \mathbf{F} \tag{3.47}$$

Le vecteur **M**, appelé *moment du couple*, est perpendiculaire au plan qui contient les deux forces ; sa grandeur est donnée par

$$M = rF \sin \theta = Fd \tag{3.48}$$

où d correspond à la distance perpendiculaire entre les lignes d'action de **F** et **−F**. On détermine le sens de **M** en appliquant la règle de la main droite.

Les forces parallèles de grandeurs égales, dirigées vers le haut et vers le bas, exercées sur les bras de cette clé pour écrou de roue, sont un exemple de couple.

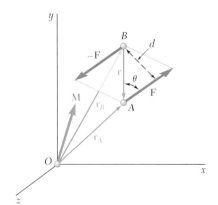

Figure 3.31

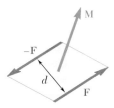

Figure 3.32

Le vecteur **r** dans l'équation 3.47 étant indépendant du choix de l'origine O du système de coordonnées, on aurait obtenu le même résultat en calculant les moments de **F** et −**F** par rapport à un autre point O'. Donc, le moment **M** d'un couple correspond à un vecteur libre (*voir la section 2.1.2*), applicable en tout point (*voir la figure 3.32*).

Considérons deux couples, l'un formé des forces **F**₁ et −**F**₁, et l'autre constitué de **F**₂ et −**F**₂ (*voir la figure 3.33*) ; conformément à la définition du moment d'un couple, leur moment sera le même si

$$F_1 d_1 = F_2 d_2 \tag{3.49}$$

et si les deux couples se situent dans des plans parallèles (ou dans le même plan) et sont de même sens.

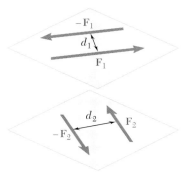

Figure 3.33

3.3.2 COUPLES ÉQUIVALENTS

La figure 3.34 montre trois couples agissant successivement sur la même boîte rectangulaire. Or, nous avons vu à la section précédente qu'un couple peut seulement produire la rotation d'un corps rigide. Chacun des couples illustrés étant caractérisé par le même moment **M** (même direction et même grandeur : $M = 3000 \text{ N} \cdot \text{mm} = 3 \text{ N} \cdot \text{m}$), on s'attend à ce que les trois couples aient le même effet sur la boîte.

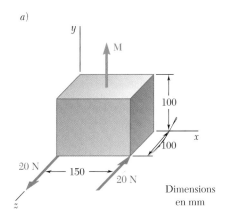

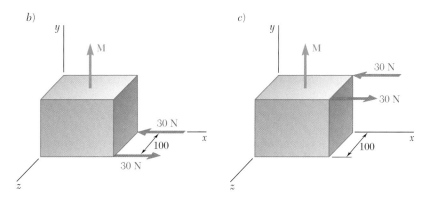

Figure 3.34

Cette conclusion paraît raisonnable *a priori* mais ne l'acceptons pas à la hâte. L'intuition s'avère très utile dans l'étude de la mécanique, mais elle ne remplace pas le raisonnement logique. Avant d'affirmer que deux systèmes (ou groupes) de forces produisent le même effet sur un corps rigide, il faut le démontrer en s'appuyant sur une base expérimentale. On obtient la preuve en considérant la règle du parallélogramme dans l'addition de deux forces (*voir la section 2.1.1*) et le principe de transmissibilité (*voir la section 3.1.2*). On établit alors que **deux systèmes de forces sont équivalents** (ils engendrent le même effet sur un corps rigide) **si l'on peut passer de l'un à l'autre en utilisant l'une ou plusieurs des opérations suivantes** :

1. en remplaçant deux forces appliquées au même point par leur résultante ;
2. en décomposant une force en deux composantes ;
3. en annulant deux forces égales mais opposées agissant sur le même point ;
4. en appliquant au même point deux forces égales mais opposées ;
5. en déplaçant une force le long de sa ligne d'action.

Chacune de ces opérations découle de la règle du parallélogramme ou du principe de transmissibilité.

Démontrons maintenant que **deux couples ayant le même moment M sont équivalents**. Considérons deux couples situés dans le même plan et supposons que ce plan corresponde à celui de la page (*voir la figure 3.35*). Le premier couple est constitué des forces $\mathbf{F}_1$ et $-\mathbf{F}_1$, de grandeur F_1, séparées par une distance d_1 (*voir la figure 3.35a*) ; le second est formé de $\mathbf{F}_2$ et $-\mathbf{F}_2$, de grandeur F_2, situées à une distance d_2 l'une de l'autre (*voir la figure 3.35d*). Les deux couples ayant le même moment $\mathbf{M}$, perpendiculaire au plan de la figure, ils devraient être de même sens (nous supposons ici le sens antihoraire), et la relation suivante devrait s'avérer juste :

$$F_1 d_1 = F_2 d_2 \tag{3.49}$$

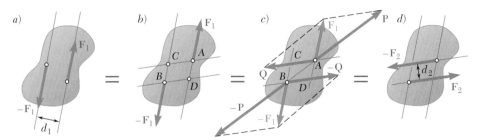

Figure 3.35

Afin de prouver l'équivalence des deux couples, nous allons transformer le premier de façon à obtenir le second en appliquant des opérations de la liste donnée précédemment.

Soit A, B, C et D les points d'intersection des lignes d'action des deux couples. Dans un premier temps, on glisse les vecteurs $\mathbf{F}_1$ et $-\mathbf{F}_1$ de sorte que leur origine corresponde respectivement aux points A et B (*voir la figure 3.35b*). On décompose ensuite la force $\mathbf{F}_1$ en une composante $\mathbf{P}$ le long de AB et une composante $\mathbf{Q}$ selon AC (*voir la figure 3.35c*) ; de même, on décompose $-\mathbf{F}_1$ en $-\mathbf{P}$ selon AB et $-\mathbf{Q}$ selon BD. Les forces $\mathbf{P}$ et $-\mathbf{P}$ sont de même grandeur, de sens opposé et elles ont la même ligne d'action. Si on les ramène au même point en les déplaçant sur leur ligne d'action commune, ces deux forces s'annulent. Le couple constitué de $\mathbf{F}_1$ et $-\mathbf{F}_1$ se trouve alors réduit à $\mathbf{Q}$ et $-\mathbf{Q}$.

Nous allons maintenant démontrer que les forces $\mathbf{Q}$ et $-\mathbf{Q}$ sont respectivement égales aux forces $-\mathbf{F}_2$ et $\mathbf{F}_2$. On trouve le moment du couple $\mathbf{Q}$ et $-\mathbf{Q}$ en calculant le moment de $\mathbf{Q}$ par rapport à B ; de même, le moment du couple $\mathbf{F}_1$ et $-\mathbf{F}_1$ correspond au moment de $\mathbf{F}_1$ par rapport à B. Or, le théorème de Varignon stipule que le moment de $\mathbf{F}_1$ est égal à la somme des moments de ses composantes $\mathbf{P}$ et $\mathbf{Q}$. Le moment de $\mathbf{P}$ par rapport à B étant égal à zéro, le moment du couple $\mathbf{Q}$ et $-\mathbf{Q}$ doit être égal au moment du couple constitué de $\mathbf{F}_1$ et $-\mathbf{F}_1$. L'équation 3.49 permet d'écrire

$$Q d_2 = F_1 d_1 = F_2 d_2 \qquad \text{d'où} \qquad Q = F_2$$

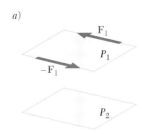

a)

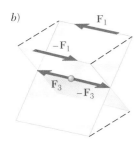

b)

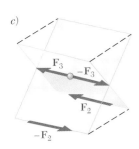

c)

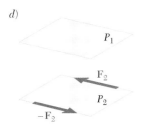

d)

Figure 3.36

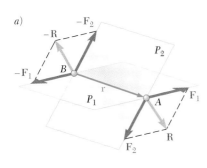

a)

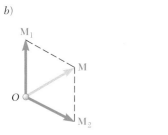

b)

Figure 3.37

Ainsi, les forces **Q** et **–Q** sont respectivement égales aux forces **–F**$_2$ et **F**$_2$, et le couple de la figure 3.35*a* est équivalent à celui de la figure 3.35*d*.

Prenons maintenant deux couples situés dans des plans parallèles P_1 et P_2 (*voir la figure 3.36a*); nous allons prouver que ces couples sont équivalents s'ils possèdent le même moment. En prévision de ce qui suit, nous pouvons supposer que les couples sont constitués de forces de même grandeur F et qu'ils agissent sur des lignes parallèles (*voir les figures 3.36a et 3.36d*). Nous allons démontrer que l'on peut obtenir le couple du plan P_2 en transformant le couple du plan P_1 à l'aide des opérations permises présentées ci-dessus.

Considérons les plans définis respectivement par les lignes d'action de **F**$_1$ et **–F**$_2$ et par celles de **–F**$_1$ et **F**$_2$ (*voir la figure 3.36b*). À l'un des points de leur ligne d'intersection, on applique deux forces **F**$_3$ et **–F**$_3$, respectivement égales à **F**$_1$ et **–F**$_1$. On peut remplacer le couple **F**$_1$ et **–F**$_3$ par un couple constitué de **F**$_3$ et **–F**$_2$ (*voir la figure 3.36c*) puisque ces deux couples ont le même moment et qu'ils se situent dans le même plan. De même, on peut substituer au couple **–F**$_1$ et **F**$_3$ le couple **–F**$_3$ et **F**$_2$. Si on annule les forces opposées **F**$_3$ et **–F**$_3$, on obtient le couple cherché dans le plan P_2 (*voir la figure 3.36d*). On en conclut que des couples ayant le même moment **M** sont équivalents, qu'ils se trouvent dans le même plan ou dans des plans parallèles.

Cette propriété s'avère essentielle à la compréhension de la mécanique des corps rigides. Elle signifie que, lorsqu'un couple agit sur un corps rigide, l'endroit où les forces s'appliquent de même que leur grandeur et leur direction sont sans importance. Seul le moment du couple (sa grandeur et sa direction) compte. Des couples de moments identiques produisent le même effet sur un corps rigide.

3.3.3 ADDITION DES COUPLES

Prenons le cas de deux plans qui se coupent, P_1 et P_2, et de deux couples agissant respectivement sur chacun de ces plans. On peut considérer, sans limiter la portée de la généralisation, que les forces **F**$_1$ et **–F**$_1$ formant le couple situé dans P_1 sont perpendiculaires à la ligne d'intersection des deux plans et qu'elles agissent respectivement aux points A et B (*voir la figure 3.37a*). De même, on suppose que le couple du plan P_2 se compose de deux forces, **F**$_2$ et **–F**$_2$, perpendiculaires à AB et appliquées respectivement en A et B. On voit que la résultante **R** de **F**$_1$ et **F**$_2$ forme un couple avec la résultante **–R** de **–F**$_1$ et **–F**$_2$. Si le vecteur **r** réunit les points B et A, et si on réfère à la définition du moment d'un couple (*voir la section 3.3.1*), le moment **M** du couple résultant s'exprime comme suit :

$$\mathbf{M} = \mathbf{r} \times \mathbf{R} = \mathbf{r} \times (\mathbf{F}_1 + \mathbf{F}_2)$$

et, appliquant le théorème de Varignon,

$$\mathbf{M} = \mathbf{r} \times \mathbf{F}_1 + \mathbf{r} \times \mathbf{F}_2$$

Or, le premier terme correspond au moment **M**$_1$ du couple du plan P_1 et le second représente le moment **M**$_2$ du couple du plan P_2. On a donc

$$\mathbf{M} = \mathbf{M}_1 + \mathbf{M}_2 \tag{3.50}$$

On en conclut que l'addition de deux couples de moments **M**$_1$ et **M**$_2$ donne un couple de moment **M** égal à la somme vectorielle de **M**$_1$ et **M**$_2$ (*voir la figure 3.37b*).

3.3.4 REPRÉSENTATION VECTORIELLE DES COUPLES

À la section 3.3.2, nous avons vu que les couples caractérisés par le même moment sont équivalents s'ils agissent dans le même plan ou dans des plans parallèles. Il n'est donc pas nécessaire de dessiner les forces qui forment un couple pour illustrer l'effet produit sur un corps rigide (*voir la figure 3.38a*).

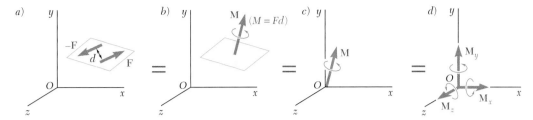

Figure 3.38

Il suffit de tracer une flèche qui représente la grandeur et la direction du moment **M** du couple (*voir la figure 3.38b*). Par ailleurs, nous avons conclu à la section 3.3.3 que la somme de deux couples donne aussi un couple et que le moment **M** du couple résultant correspond à la somme vectorielle des moments **M**$_1$ et **M**$_2$ des couples de départ. Les couples obéissent donc aux lois de l'addition vectorielle et, sur la figure 3.38b, la flèche qui représente le couple défini à la figure 3.38a peut être considérée comme un vecteur.

On appelle *vecteur-couple* le vecteur qui représente un couple. Sur la figure 3.38, une flèche rouge distingue le vecteur-couple, qui représente le couple en tant que tel, du moment du couple, représenté en vert sur les figures précédentes. Il est à remarquer que le symbole ↱ s'ajoute à la flèche rouge pour éviter toute confusion avec les vecteurs désignant les forces. Le vecteur-couple est un vecteur libre, tout comme le moment d'un couple. On peut donc décider de l'appliquer à l'origine du système de coordonnées (*voir la figure 3.38c*). On peut aussi exprimer le vecteur **M** en ses composantes **M**$_x$, **M**$_y$ et **M**$_z$ dirigées selon les axes du système (*voir la figure 3.38d*). Ces composantes vectorielles représentent elles-mêmes des couples agissant respectivement dans les plans *yz*, *zx* et *xy*.

3.3.5 DÉCOMPOSITION D'UNE FORCE EN UNE FORCE ET UN COUPLE

Considérons une force **F** appliquée à un point *A* d'un corps rigide, défini par le vecteur position **r** (*voir la figure 3.39a*). Supposons qu'il soit plus pratique de considérer que la force agit au point *O*. Le principe de transmissibilité permet de déplacer le vecteur **F** le long de sa ligne d'action, mais il n'est pas possible de le transférer à un point *O* localisé à l'extérieur de cette ligne sans modifier l'effet de la force sur le corps rigide.

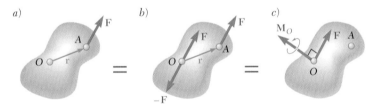

Figure 3.39

On peut cependant appliquer au point *O* deux forces égales et opposées, **F** et −**F**, sans changer l'influence de la force de départ sur le corps rigide (*voir la figure 3.39b*). À la suite de cette opération, une force **F** agit au point *O* et les deux autres forces forment un couple de moment **M**$_O$ = **r** × **F**. Ainsi, on peut déplacer toute force *F* appliquée à un corps rigide jusqu'à un point *O* choisi arbitrairement, à condition d'ajouter un couple dont le moment est égal au moment de *F* par rapport à *O*. Le couple tend à donner au corps rigide le même mouvement de rotation autour de *O* que la force **F** avant qu'elle soit transférée au point *O*. On représente le couple par un vecteur-couple **M**$_O$ perpendiculaire au plan contenant **r** et **F**. On peut appliquer le vecteur libre **M**$_O$ n'importe où ; cependant, il est souvent pratique de le placer au point O, avec $\mathbf{F}$, et la combinaison des deux vecteurs forme un système force-couple (*voir la figure 3.39c, page 105*).

Si on déplace la force $\mathbf{F}$ du point A vers un autre point O' (*voir les figures 3.40a et 3.40c*), on devra calculer le moment de $\mathbf{F}$ par rapport à O' à l'aide de $\mathbf{M}_{O'} = \mathbf{r}' \times \mathbf{F}$; un nouveau système force-couple, constitué de $\mathbf{F}$ et du vecteur-couple $\mathbf{M}_{O'}$, s'applique alors à O'. La relation entre les moments de $\mathbf{F}$ par rapport à O et à O' s'écrit

$$\mathbf{M}_{O'} = \mathbf{r}' \times \mathbf{F} = (\mathbf{r} + \mathbf{s}) \times \mathbf{F} = \mathbf{r} \times \mathbf{F} + \mathbf{s} \times \mathbf{F}$$

$$\mathbf{M}_{O'} = \mathbf{M}_O + \mathbf{s} \times \mathbf{F} \tag{3.51}$$

où $\mathbf{s}$ représente le vecteur qui relie les points O' et O. On obtient alors le moment $\mathbf{M}_{O'}$ de $\mathbf{F}$ par rapport à O' en ajoutant au moment $\mathbf{M}_O$ de $\mathbf{F}$ par rapport à O le produit vectoriel $\mathbf{s} \times \mathbf{F}$ qui correspond au moment par rapport à O' de la force $\mathbf{F}$ appliquée à O.

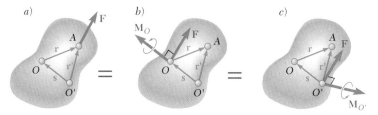

Figure 3.40

On aurait également pu obtenir ce résultat en considérant que l'on peut déplacer librement le vecteur-couple $\mathbf{M}_O$ à O' pour transférer le système force-couple de O à O' (*voir les figures 3.40b et 3.40c*); pour transporter la force $\mathbf{F}$ de O à O', il faut toutefois ajouter à $\mathbf{F}$ un vecteur-couple de moment égal au moment par rapport à O' de la force $\mathbf{F}$ appliquée à O. On en déduit que le vecteur couple $\mathbf{M}_{O'}$ doit correspondre à la somme de $\mathbf{M}_O$ et du vecteur $\mathbf{s} \times \mathbf{F}$.

Comme indiqué précédemment, le système force-couple obtenu en transférant une force $\mathbf{F}$ d'un point A à un point O comprend le vecteur $\mathbf{F}$ et un vecteur couple $\mathbf{M}_O$ qui lui est perpendiculaire. Réciproquement, on peut remplacer tout système force-couple constitué d'une force $\mathbf{F}$ et d'un vecteur-couple $\mathbf{M}_O$ mutuellement perpendiculaires par une force unique équivalente. Il suffit de déplacer la force $\mathbf{F}$ dans un plan perpendiculaire à $\mathbf{M}_O$ jusqu'à ce que son moment par rapport à O soit égal au moment du couple à éliminer.

La force exercée par une main sur la clé peut être remplacée par un système force-couple équivalent appliqué sur l'écrou.

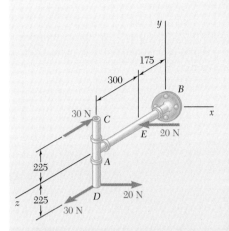

En vous référant au montage de tuyauterie illustré ci-contre, calculez les composantes d'un couple unique équivalent aux deux couples présents.

> SOLUTION

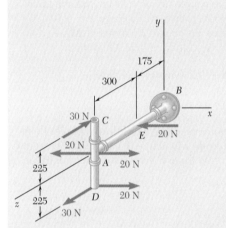

On peut simplifier les calculs en affectant au point A deux forces équipotentes de 20 N ayant la même ligne d'action mais de sens contraire. On peut alors remplacer le couple initial de 20 N par deux nouveaux couples de 20 N, dont l'un se trouve dans le plan zx et l'autre dans un plan parallèle au plan xy. On identifie les trois couples par trois vecteurs-couples $\mathbf{M}_x$, $\mathbf{M}_y$ et $\mathbf{M}_z$ orientés selon les trois axes de coordonnées. Les moments correspondants sont

$$M_x = -(30 \text{ N})(450 \text{ mm}) = -13\,500 \text{ mN} \cdot \text{m} = -13,5 \text{ N} \cdot \text{m}$$
$$M_y = +(20 \text{ N})(300 \text{ mm}) = +6000 \text{ mN} \cdot \text{m} = +6 \text{ N} \cdot \text{m}$$
$$M_z = +(20 \text{ N})(225 \text{ mm}) = +4500 \text{ mN} \cdot \text{m} = +4,5 \text{ N} \cdot \text{m}$$

Ces trois moments représentent les composantes du couple unique $\mathbf{M}$ équivalent aux deux couples donnés. On a donc

$$\mathbf{M} = -(13,5 \text{ N} \cdot \text{m})\mathbf{i} + (6 \text{ N} \cdot \text{m})\mathbf{j} + (4,5 \text{ N} \cdot \text{m})\mathbf{k} \quad \blacktriangleleft$$

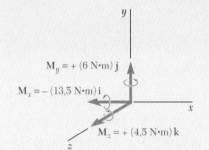

Solution alternative Les composantes du couple unique équivalent $\mathbf{M}$ peuvent aussi être obtenues en calculant la somme des moments des quatre forces initiales par rapport à un point quelconque. Si on identifie ce point par D, on aura

$$\mathbf{M} = \mathbf{M}_D = (450 \text{ mm})\mathbf{j} \times (-30 \text{ N})\mathbf{k} + [(225 \text{ mm})\mathbf{j} - (300 \text{ mm})\mathbf{k}] \times (-20 \text{ N})\mathbf{i}$$

et en calculant les différents produits vectoriels, on obtiendra

$$\mathbf{M} = -(13,5 \text{ N} \cdot \text{m})\mathbf{i} + (6 \text{ N} \cdot \text{m})\mathbf{j} + (4,5 \text{ N} \cdot \text{m})\mathbf{k} \quad \blacktriangleleft$$

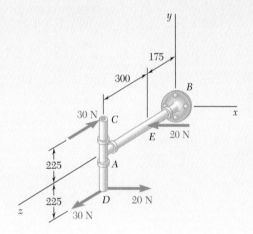

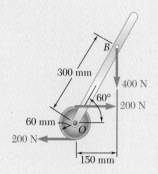

Remplacez le couple et la force illustrés ci-contre par une force unique équivalente appliquée au levier. Calculez ensuite la distance entre le point O et le point d'application de cette force équivalente.

> SOLUTION

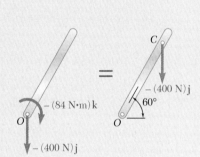

On commence par remplacer la force et le couple donnés par un système force-couple équivalent appliqué au point O. On transporte la force $\mathbf{F} = -(400 \text{ N})\mathbf{j}$ au point O ; simultanément, on additionne un couple de moment $\mathbf{M}_O$ égal au moment par rapport à O de la force dans sa position initiale. On obtient

$$\mathbf{M}_O = \overrightarrow{OB} \times \mathbf{F} = [(0,150 \text{ m})\mathbf{i} + (0,260 \text{ m})\mathbf{j}] \times (-400 \text{ N})\mathbf{j}$$
$$= -(60 \text{ N} \cdot \text{m})\mathbf{k}$$

Ce couple est additionné au couple de moment $-(24 \text{ N} \cdot \text{m})\mathbf{k}$ formé par les deux forces de 200 N ; il en résulte un couple de moment $-(84 \text{ N} \cdot \text{m})\mathbf{k}$. On peut éliminer ce dernier couple en appliquant une force $\mathbf{F}$ au point C choisi de façon à ce que

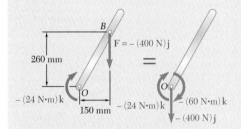

$$-(84 \text{ N} \cdot \text{m})\mathbf{k} = \overrightarrow{OC} \times \mathbf{F}$$
$$= [(OC) \cos 60°\mathbf{i} + (OC) \sin 60°\mathbf{j}] \times (-400 \text{ N})\mathbf{j}$$
$$= -(OC) \cos 60°(400 \text{ N})\mathbf{k}$$

On conclut que

$$(OC) \cos 60° = 0,210 \text{ m} = 210 \text{ mm}$$

$$OC = 420 \text{ mm} \blacktriangleleft$$

Solution alternative Puisque l'effet d'un couple est indépendant de sa position, le couple de moment $-(24 \text{ N} \cdot \text{m})\mathbf{k}$, dont le signe est négatif et donc orienté dans le sens horaire, peut être déplacé au point B ; on obtient donc un système force-couple au point B. Le couple peut alors être éliminé en appliquant une force $\mathbf{F}$ au point C choisi de façon à ce que

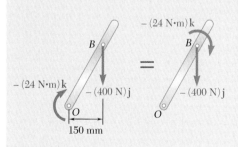

$$-(24 \text{ N} \cdot \text{m})\mathbf{k} = \overrightarrow{BC} \times \mathbf{F}$$
$$= -(BC) \cos 60°(400 \text{ N})\mathbf{k}$$

On conclut que

$$(BC) \cos 60° = 0,060 \text{ m} = 60 \text{ mm} \qquad BC = 120 \text{ mm}$$
$$OC = OB + BC = 300 \text{ mm} + 120 \text{ mm}$$

$$OC = 420 \text{ mm} \blacktriangleleft$$

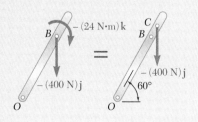

Dans cette section, nous avons étudié les caractéristiques des couples. Rappelons que l'effet net d'un couple est qu'il crée un moment. Or, un moment **M** étant indépendant du point par rapport auquel il a été calculé, **M** est un *vecteur libre* ; donc, tout moment se déplaçant d'un point à un autre de la structure demeure inchangé. De plus, deux couples sont dits *équivalents* (c'est-à-dire qu'ils ont le même effet sur un corps rigide) s'ils produisent le même moment.

Toutes les méthodes de calcul des moments présentées précédemment s'appliquent au calcul du moment d'un couple. Puisque le moment d'un couple est un vecteur libre, il sera calculé par rapport au point qui nous convient le mieux.

L'unique effet d'un couple étant de créer un moment, il est possible de représenter un couple par un vecteur appelé le *vecteur-couple*, qui est égal au moment du couple. Le vecteur-couple est un vecteur libre et il est représenté à l'aide d'un symbole spécial, ↗, afin de le distinguer des vecteurs force.

À partir des notions apprises dans cette section, voici ce que nous pouvons accomplir :

1. **Somme de deux couples ou plus.** La somme de deux couples ou plus donne un nouveau couple. Nous obtenons le moment du couple résultant par la somme vectorielle des moments des couples donnés (*voir le problème résolu 3.6*).

2. **Remplacement d'une force par un système équivalent force-couple à un point donné.** Comme analysé à la section 3.3.5, soulignons que :
   a) la force du système force-couple est égale à la force originale ;
   b) le vecteur-couple correspondant est égal au moment de la force originale par rapport au point donné ;
   c) il est important de vérifier si la force et le vecteur-couple sont perpendiculaires l'un par rapport à l'autre.

Inversement, un système force-couple peut être réduit à une force unique si la force et le vecteur-couple sont perpendiculaires l'un par rapport à l'autre (*voir le point 3 qui suit*).

3. **Remplacement d'un système force-couple (F étant perpendiculaire à M) par une force unique équivalente.** Notons que l'exigence que **F** et **M** soient perpendiculaires sera satisfaite dans tout problème bidimensionnel. La force unique équivalente est égale à **F** et elle est appliquée de façon que son moment par rapport au point d'application initial soit égal à **M** (*voir le problème résolu 3.7*).

3.70 Deux couples sont appliqués sur une plaque rhomboïdale. Calculez :
- **a)** le moment du couple formé par les deux forces de 21 N ;
- **b)** la distance perpendiculaire entre les deux forces de 12 N, si la résultante des deux couples est nulle ;
- **c)** la valeur de l'angle α, si le couple résultant est de 1,8 N · m dans le sens antihoraire et $d = 1,05$ m.

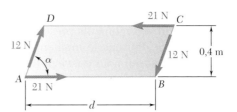

Figure P3.70

3.71 Deux forces parallèles de 40 N sont appliquées sur un levier comme illustré. Calculez le moment du couple formé par ces deux forces :
- **a)** en décomposant chacune des forces selon ses composantes horizontales et verticales et en additionnant ensuite les moments des deux couples résultants ;
- **b)** en utilisant la distance perpendiculaire entre les deux forces ;
- **c)** en additionnant les moments des deux forces par rapport au point A.

3.72 Une planche de bois dans laquelle on perce un trou est maintenue en place à l'aide de deux clous. Sachant que la perceuse exerce un couple de 12 N · m sur la planche de bois, calculez la grandeur des deux forces minimales horizontales équivalentes appliquées sur les clous s'ils sont placés :
- **a)** aux points A et B ;
- **b)** aux points B et C ;
- **c)** aux points A et C.

3.73 Considérez le gabarit pour harnais de fils électriques illustré. On enroule au besoin deux ou trois fils autour de chevilles de 50 mm de diamètre placées sur une planche de bois. La force appliquée sur chaque fil est de 12 N. Sachant que $a = 450$ mm, calculez la grandeur du couple qui en résulte sur la planche de bois :
- **a)** quand seulement les fils AB et CD sont en présence ;
- **b)** quand les trois fils sont en présence.

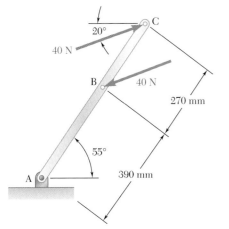

Figure P3.71

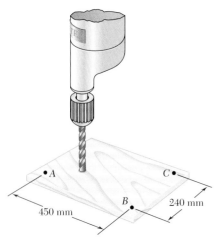

Figure P3.72

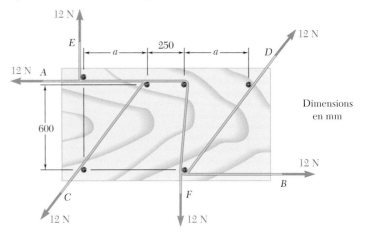

Figure P3.73 - P3.74

3.74 Considérez le gabarit pour harnais de fils électriques illustré. On enroule les fils AB et CD autour de chevilles de 50 mm de diamètre placées sur une planche de bois. La force appliquée sur chaque fil est de 12 N. Estimez la distance a minimale pour que le couple résultant appliqué sur la planche soit de 15,96 N·m dans le sens antihoraire.

3.75 Les deux arbres d'une commande angulaire tournent sous l'effet de deux couples comme illustré. Remplacez les deux couples par un couple unique équivalent, en identifiant sa grandeur et la direction de son axe.

3.76 et 3.77 Si $P = 0$, remplacez les deux couples par un couple unique équivalent, en identifiant sa grandeur et la direction de son axe.

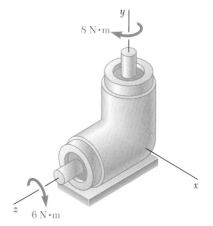

Figure P3.75

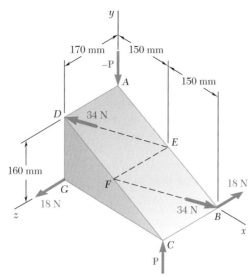

Figure P3.76 et P3.79

3.78 Si $P = 20$ N, remplacez les trois couples par un couple unique équivalent, en identifiant sa grandeur et la direction de son axe.

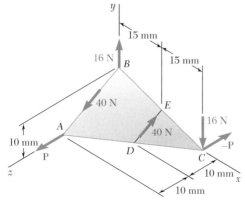

Figure P3.77 - P3.78

3.79 Si $P = 20$ N, remplacez les trois couples par un couple unique équivalent, en identifiant sa grandeur et la direction de son axe.

3.80 Une opération d'usinage consiste à percer trois trous simultanément dans un bloc de bois, les mèches des perceuses étant perpendiculaires à la surface à percer (*voir la figure P3.80*). Évaluez la grandeur et la direction du couple unique équivalent aux trois couples exercés sur les mèches.

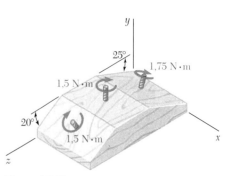

Figure P3.80

3.81 Soit le bras ajustable *ABC* montré. La tension appliquée sur le câble attaché au point *C* est de 560 N. Remplacez la force exercée par le câble en *C* par un système force-couple équivalent :
a) au point *A* ;
b) au point *B*.

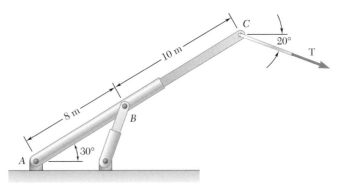

Figure P3.81

3.82 Une force horizontale **P** de 80 N est appliquée sur la cornière *ABC*, comme illustré.
a) Remplacez la force **P** par un système force-couple équivalent appliqué au point *B*.
b) Estimez les deux forces verticales appliquées aux points *C* et *D* qui sont équivalentes au couple calculé en *a*.

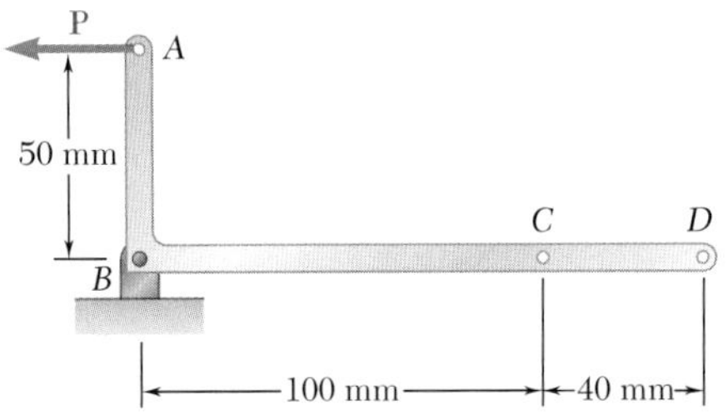

3.83 Une force **P** de 160 N est appliquée au point *A* d'une cornière, comme illustré. On vous demande de remplacer la force **P** par :
a) un système force-couple équivalent appliqué au point *C* ;
b) un système équivalent constitué d'une force verticale appliquée au point *B* et d'une autre force appliquée au point *D*.

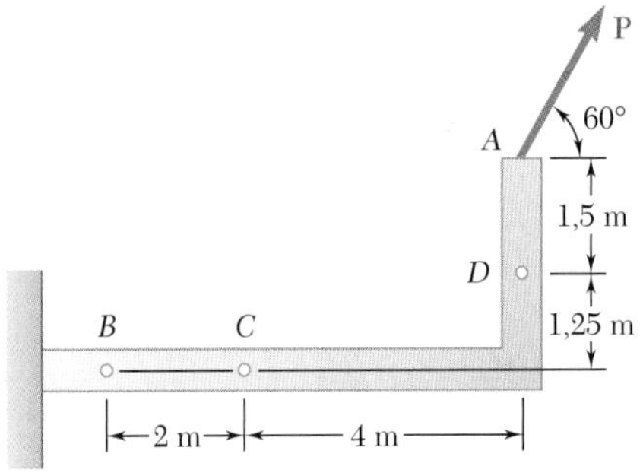

3.84 Un travailleur utilise une barre comme levier pour déplacer un rocher en appliquant une force de 360 N comme illustré.
a) Remplacez cette force par un système force-couple équivalent au point *D*.
b) Deux travailleurs essayent de déplacer le rocher en appliquant une force verticale au point *A* et une autre force au point *D*. Déterminez la grandeur et la direction de ces deux forces si leur résultante doit avoir le même effet que la force initiale de 360 N.

3.85 Un travailleur utilise une barre comme levier pour déplacer un rocher en appliquant une force de 360 N comme illustré. Si deux travailleurs essayent de déplacer le rocher en appliquant deux forces parallèles aux points *A* et *C*, déterminez la grandeur et la direction de ces deux forces si leur résultante doit avoir le même effet que la force initiale de 360 N.

Figure P3.82

Figure P3.83

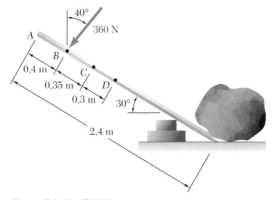

Figure P3.84 - P3.85

3.86 Un dirigeable est amarré à l'aide du câble *BD* dont la tension est de 1040 N. Remplacez la force appliquée par le câble au point *B* par un système équivalent formé de deux forces parallèles appliquées aux points *A* et *C*.

3.87 Pour déplacer une caisse de 1 m ✕ 1 m ✕ 1,2 m, trois travailleurs appliquent des forces horizontales, comme illustré.
 a) Si *P* = 240 N, remplacez les trois forces par un système force-couple équivalent appliqué au point *A*.
 b) Remplacez le système force-couple trouvé en *a* par une force unique et déterminez le point d'application de cette force sur l'arête *AB*.
 c) Évaluez la grandeur de la force **P** de telle sorte que les trois forces puissent être remplacées par une force unique équivalente appliquée au point *B*.

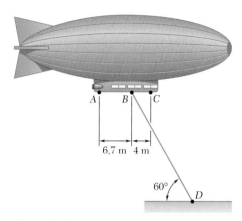

Figure P3.86

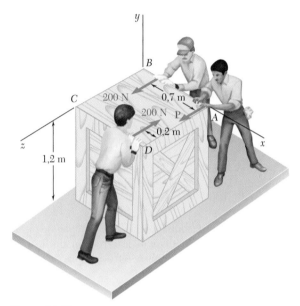

Figure P3.87

3.88 Une force et un couple sont appliqués à l'extrémité d'une poutre en console (de type cantilever).
 a) Remplacez ce système par une force unique **F** appliquée au point *C* et déterminez la distance *d* entre le point *C* et la droite *DE*.
 b) Calculez *d* si les directions des deux forces de 360 N sont inversées.

3.89 Trois barres de commande exercent des forces sur le levier *ABC*, comme illustré à la figure P3.89.
 a) Remplacez les trois forces par un système force-couple équivalent appliqué au point *B*.
 b) Déterminez la force unique équivalente au système force-couple obtenu précédemment, en identifiant son point d'application sur le levier *ABC*.

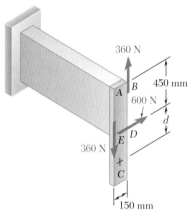

Figure P3.88

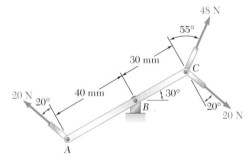

Figure P3.89

3.90 Pour tarauder un trou, un machiniste applique deux forces horizontales sur le manche d'un petit tourne-à-gauche, comme illustré. Démontrez que ces forces sont équivalentes à une force unique et identifiez, si possible, le point d'application de cette force sur le manche.

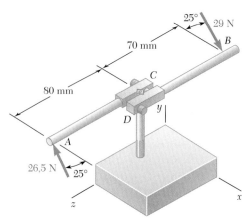

Figure P3.90

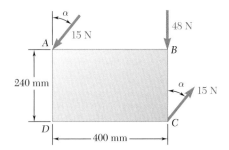

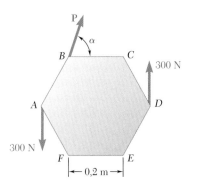

Figure P3.91

3.91 Un couple et une force sont appliqués sur une plaque rectangulaire, comme illustré. Nous désirons remplacer ce système par une force unique équivalente.

a) Si $\alpha = 40°$, évaluez la grandeur et la ligne d'action de cette force.

b) Calculez α si la ligne d'action de la force équivalente croise le côté CD, à 300 mm du point D.

3.92 Un couple et une force **P** sont appliqués sur une plaque hexagonale, comme illustré. Déterminez la grandeur et la direction de la force **P** minimale, de telle sorte que le système puisse être remplacé par une force unique appliquée au point E.

3.93 Remplacez la force **P** de 250 kN par un système force-couple équivalent appliqué au point G.

3.94 Une antenne est retenue à l'aide de trois haubans comme illustré. Sachant que la tension dans le câble AB est de 1152 N, remplacez cette force, appliquée au point A par le câble AB, par un système force-couple équivalent appliqué au point O, situé à la base de l'antenne.

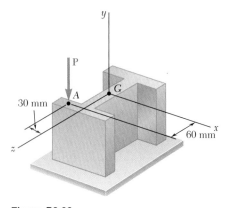

Figure P3.92

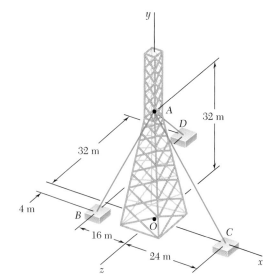

Figure P3.93

Figure P3.94 - P3.95

3.95 Une antenne est retenue à l'aide de trois haubans comme illustré. Sachant que la tension dans le câble AD est de 1080 N, remplacez cette force, appliquée au point A par le câble AD, par un système force-couple équivalent appliqué au point O, situé à la base de l'antenne.

3.96 On fixe une planche de bois sur la poignée de porte B pour bloquer la porte (*voir la figure P3.96*). La planche exerce au point B une force de 175 N orientée selon la ligne d'action AB. Remplacez cette force par un système force-couple équivalent au point C.

3.97 Une force de 110 N est appliquée sur le manche AB d'une clé à douille dans un plan vertical, parallèle au plan yz. Si le manche AB mesure 220 mm, remplacez cette force par un système force-couple équivalent appliqué à l'origine O du système de coordonnées.

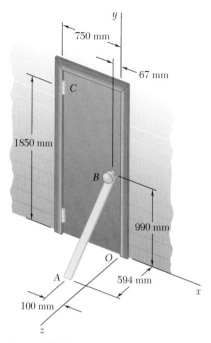

Figure P3.96

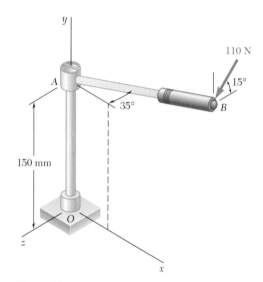

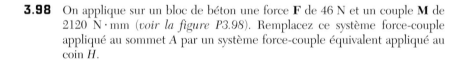

Figure P3.97

3.98 On applique sur un bloc de béton une force **F** de 46 N et un couple **M** de 2120 N·mm (*voir la figure P3.98*). Remplacez ce système force-couple appliqué au sommet A par un système force-couple équivalent appliqué au coin H.

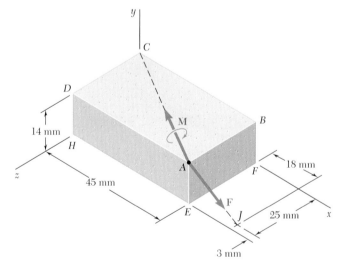

Figure P3.98

3.99 Une force $\mathbf{F}_1$ de 77 N et un couple $\mathbf{M}_1$ de 31 N · m sont appliqués au coin E d'une cornière, comme illustré à la figure P3.99. On désire remplacer $\mathbf{F}_1$ et $\mathbf{M}_1$ par un système force-couple équivalent $(\mathbf{F}_2, \mathbf{M}_2)$ appliqué au coin B. Si $(M_2)_z = 0$, calculez :
a) la distance d ;
b) $\mathbf{F}_2$ et $\mathbf{M}_2$.

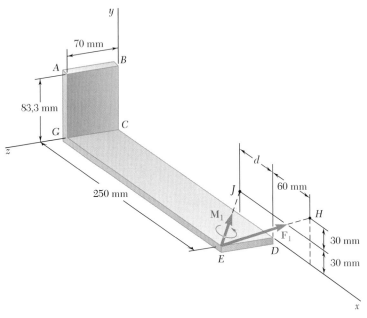

Figure P3.99

3.100 Une meule miniature pèse 2,4 N. Son centre de gravité est situé sur l'axe y. La tête de l'outil est désaxée dans le plan xz, de telle sorte que la droite BC forme un angle de 25° avec l'axe x. Démontrez que le poids de l'outil et les deux couples $\mathbf{M}_1$ et $\mathbf{M}_2$ peuvent être remplacés par une force unique équivalente. De plus, en supposant que $M_1 = 68$ N · mm et $M_2 = 65$ N · mm, évaluez :
a) la grandeur et la direction de la force équivalente ;
b) le point d'intersection de sa ligne d'action avec le plan xz.

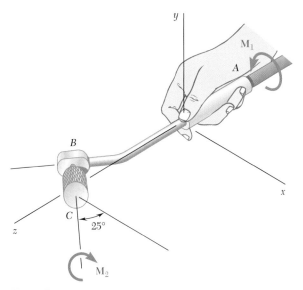

Figure P3.100

3.4 RÉDUCTION DE SYSTÈMES DE FORCES

3.4.1 RÉDUCTION D'UN SYSTÈME DE FORCES À UNE FORCE ET UN COUPLE

Considérons un système de forces $\mathbf{F}_1$, $\mathbf{F}_2$, $\mathbf{F}_3$, ..., appliquées à un corps rigide aux points A_1, A_2, A_3, ..., définis par les vecteurs position $\mathbf{r}_1$, $\mathbf{r}_2$, $\mathbf{r}_3$, etc. (*voir la figure 3.41a*). Comme nous l'avons vu à la section précédente, on peut déplacer $\mathbf{F}_1$ de A_1 à un point O donné à condition d'ajouter à la force de départ un couple de moment $\mathbf{M}_1$ égal au moment $\mathbf{r} \times \mathbf{F}_1$ de $\mathbf{F}_1$ par rapport à O. En répétant ce procédé pour $\mathbf{F}_2$, $\mathbf{F}_3$, ..., on obtient le système illustré à la figure 3.41b, constitué des forces d'origine, agissant maintenant en O, et des vecteurs-couples ajoutés. On peut dès lors faire l'addition vectorielle des forces concourantes et les remplacer par leur résultante $\mathbf{R}$. De même, on additionne les vecteurs-couples $\mathbf{M}_1$, $\mathbf{M}_2$, $\mathbf{M}_3$, ..., et on les remplace par un vecteur-couple unique $\mathbf{M}_O^R$. Ainsi, **tout système de forces, si complexe soit-il, peut être ramené à un système force-couple équivalent appliqué à un point O** (*voir la figure 3.41c*). Bien que chaque vecteur-couple $\mathbf{M}_1$, $\mathbf{M}_2$, $\mathbf{M}_3$, ..., de la figure 3.41b soit perpendiculaire à la force correspondante, la force résultante $\mathbf{R}$ et le vecteur couple résultant $\mathbf{M}_O^R$ ne sont généralement pas perpendiculaires entre eux (*voir la figure 3.41c*).

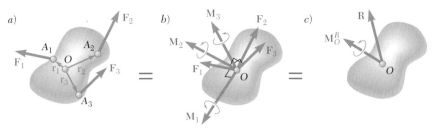

Figure 3.41

Les équations suivantes décrivent le système force-couple équivalent :

$$\mathbf{R} = \Sigma \mathbf{F} \qquad \mathbf{M}_O^R = \Sigma \mathbf{M}_O = \Sigma(\mathbf{r} \times \mathbf{F}) \tag{3.52}$$

On obtient donc la force $\mathbf{R}$ en additionnant toutes les forces du système. Le moment du vecteur-couple résultant $\mathbf{M}_O^R$, appelé *moment résultant* du système, est obtenu en additionnant les moments par rapport à O de toutes les forces du système.

Après avoir réduit un système de forces à une force et un couple au point O, on peut facilement le remplacer par une force et un couple appliqués à un autre point O'. La résultante $\mathbf{R}$ demeure inchangée alors que le nouveau moment résultant $\mathbf{M}_{O'}^R$ est égal à la somme de $\mathbf{M}_O^R$ et du moment par rapport à O' de la force $\mathbf{R}$ appliquée à O (*voir la figure 3.42*). On a

$$\mathbf{M}_{O'}^R = \mathbf{M}_O^R + \mathbf{s} \times \mathbf{R} \tag{3.53}$$

En pratique, on passe par les composantes pour réduire un système de forces à sa résultante $\mathbf{R}$ au point O et au vecteur-couple $\mathbf{M}_O^R$. Les composantes rectangulaires des vecteurs position $\mathbf{r}$ et des forces $\mathbf{F}$ du système s'écrivent

$$\mathbf{r} = x\mathbf{i} + y\mathbf{j} + z\mathbf{k} \tag{3.54}$$

$$\mathbf{F} = F_x\mathbf{i} + F_y\mathbf{j} + F_z\mathbf{k} \tag{3.55}$$

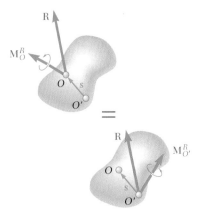

Figure 3.42

Après avoir introduit ces expressions de **r** et **F** dans l'équation 3.52, on met en facteur les vecteurs unitaires **i**, **j** et **k**, et on obtient, pour **R** et $\mathbf{M}_O^R$,

$$\mathbf{R} = R_x\mathbf{i} + R_y\mathbf{j} + R_z\mathbf{k} \qquad \mathbf{M}_O^R = M_x^R\mathbf{i} + M_y^R\mathbf{j} + M_z^R\mathbf{k} \qquad (3.56)$$

Les composantes R_x, R_y et R_z représentent respectivement la somme des composantes en x, y et z des forces données ; elles mesurent la tendance du système à transmettre au corps rigide un mouvement de translation selon x, y ou z. De même, les composantes M_x^R, M_y^R, et M_z^R correspondent respectivement à la somme des moments des forces données par rapport aux axes x, y et z, et elles expriment la tendance du système à procurer au corps rigide un mouvement de rotation autour des axes x, y ou z.

Pour connaître la grandeur et la direction de la force **R** à partir des composantes R_x, R_y et R_z, on utilise les équations 2.18 et 2.19 vues à la section 2.4.1 ; on calcule de la même façon la grandeur et la direction du vecteur-couple $\mathbf{M}_O^R$.

3.4.2 SYSTÈMES DE FORCES ÉQUIVALENTS

Nous avons vu à la section précédente que l'on peut réduire tout système de forces agissant sur un corps rigide à un système force-couple appliqué à un point donné O, qui rend parfaitement compte de l'effet des forces sur le corps. **Deux systèmes de forces sont donc équivalents s'ils peuvent être réduits au même système force-couple appliqué à un point O**. Sachant que le système force-couple au point O est défini par les équations 3.52, on peut dire que **deux systèmes de forces, $\mathbf{F}_1$, $\mathbf{F}_2$, $\mathbf{F}_3$, …, et $\mathbf{F}_1'$, $\mathbf{F}_2'$, $\mathbf{F}_3'$, …, appliqués au même corps rigide sont équivalents si, et seulement si, les sommes des forces et les sommes des moments des forces par rapport à un point O sont respectivement égales pour les deux systèmes**. Mathématiquement, les conditions nécessaires et suffisantes à l'équivalence de deux systèmes s'écrivent

$$\Sigma\mathbf{F} = \Sigma\mathbf{F}' \qquad \text{et} \qquad \Sigma\mathbf{M}_O = \Sigma\mathbf{M}_O' \qquad (3.57)$$

Pour prouver que deux systèmes de forces sont équivalents, la deuxième équation de 3.57 doit être établie pour un seul point O. Si les systèmes sont effectivement équivalents, elle sera valide pour n'importe quel point.

On peut également exprimer les conditions d'équivalence de deux systèmes de forces agissant sur un corps rigide (équation 3.57) à l'aide des composantes rectangulaires des vecteurs. On a

$$
\begin{array}{ccc}
\Sigma F_x = \Sigma F_x' & \Sigma F_y = \Sigma F_y' & \Sigma F_z = \Sigma F_z' \\
\Sigma M_x = \Sigma M_x' & \Sigma M_y = \Sigma M_y' & \Sigma M_z = \Sigma M_z'
\end{array}
\qquad (3.58)
$$

Physiquement, ces équations signifient que deux systèmes de forces sont équivalents s'ils tendent à communiquer au corps rigide (1) la même translation selon les axes x, y et z, respectivement, et (2) la même rotation autour des axes x, y et z, respectivement.

On dit généralement que deux systèmes de forces sont équipollents lorsqu'ils satisfont aux conditions exprimées dans les équations 3.57 ou 3.58, c'est-à-dire s'il y a respectivement égalité entre leurs résultantes et leurs moments résultants par rapport à un point arbitraire O. On peut donc reformuler les conclusions de la dernière section comme suit : **deux systèmes équipollents de forces agissant sur un corps rigide sont équivalents**.

Il est important de préciser que cet énoncé ne s'applique pas à tout système de vecteurs. Considérons, par exemple, un système de forces appliquées à un ensemble de particules indépendantes qui ne forment pas un corps rigide. Un autre système de forces agissant sur les mêmes particules peut s'avérer équipollent, c'est-à-dire donner la même résultante et le même moment résultant. Cependant, des forces différentes produiront un effet différent sur les particules (différents points du corps) ; en pareil cas, les systèmes de forces équipollents ne sont pas équivalents.

3.4.3 RÉDUCTION SUPPLÉMENTAIRE D'UN SYSTÈME DE FORCES

Nous avons démontré à la section 3.4.1 que tout système de forces agissant sur un corps rigide se réduit à un système force-couple équivalent, appliqué au point O et constitué d'une force $\mathbf{R}$ égale à la somme des forces du système et d'un vecteur-couple $\mathbf{M}_O^R$ de moment égal au moment résultant du système.

Lorsque $\mathbf{R} = 0$, le système force-couple se limite au seul vecteur-couple $\mathbf{M}_O^R$. Le système de forces se ramène alors simplement à un couple appelé *couple résultant* du système.

Voyons maintenant dans quelles conditions on peut ramener un système de forces à une seule force. Nous avons vu à la section 3.3.5 que l'on peut remplacer le système force-couple en O par une force unique $\mathbf{R}$ appliquée sur une nouvelle ligne d'action, à condition que $\mathbf{R}$ et $\mathbf{M}_O^R$ soient mutuellement perpendiculaires. Un système de forces se réduit donc à une force unique, la résultante, si la force $\mathbf{R}$ et le vecteur-couple $\mathbf{M}_O^R$ sont perpendiculaires entre eux. Cette condition, rarement satisfaite pour les systèmes de forces dans l'espace, sera remplie dans les systèmes composés :

a) de forces concourantes ;
b) de forces coplanaires ;
c) de forces parallèles.

Nous allons aborder séparément chacun de ces trois cas.

a) Les forces concourantes ont le même point d'application et peuvent être additionnées directement pour obtenir la résultante $\mathbf{R}$. Elles se ramènent toujours à une force unique, comme vu en détail au chapitre 2.

b) Les forces coplanaires se situent dans le même plan, généralement assimilé au plan de la figure qui représente le système (*voir la figure 3.43a*). La somme $\mathbf{R}$ des forces se trouve également dans le plan de la figure tandis que le moment de chacune des forces par rapport à O et le moment résultant $\mathbf{M}_O^R$ sont perpendiculaires à ce plan. Le système force-couple au point O se compose alors d'une force $\mathbf{R}$ et d'un vecteur-couple $\mathbf{M}_O^R$ mutuellement perpendiculaires[4] (*voir la figure 3.43b*). On ramène le tout à une force unique $\mathbf{R}$ en

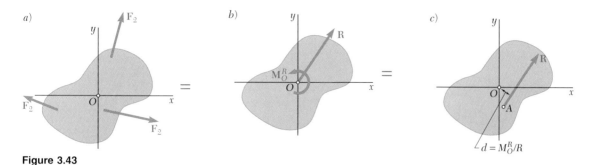

Figure 3.43

---

4. On utilise le symbole ↱ pour le vecteur-couple $\mathbf{M}_O^R$ étant donné qu'il est perpendiculaire au plan de la figure. Un couple de sens antihoraire ↰ correspond à un vecteur qui sort de la page alors qu'un couple de sens horaire ↴ entre dans la page.

déplaçant ce vecteur dans le plan de la figure jusqu'à ce que son moment par rapport à O égalise $\mathbf{M}_O^R$. Une distance $d = M_O^R/R$ sépare alors O de la ligne d'action de $\mathbf{R}$ (*voir la figure 3.43c, page 119*).

Comme observé à la section 3.4.1, on réduit plus facilement un système de forces si l'on exprime les vecteurs en composantes rectangulaires. Le système force-couple au point O se caractérise alors comme suit (*voir la figure 3.44a*) :

$$R_x = \Sigma F_x \qquad R_y = \Sigma F_y \qquad M_z^R = M_O^R = \Sigma M_O \qquad (3.59)$$

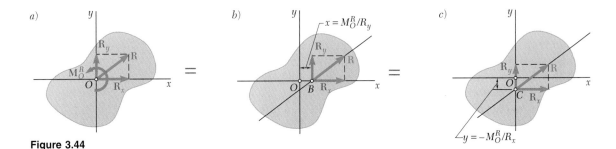

Figure 3.44

Pour réduire le système à la force unique $\mathbf{R}$, il faut que le moment de $\mathbf{R}$ par rapport à O soit égal à $\mathbf{M}_O^R$. Si l'on note x et y les coordonnées du point d'application de la résultante, la relation 3.22 vue à la section 3.1.6 donne

$$xR_y - yR_x = M_O^R$$

Cette équation représente la ligne d'action de $\mathbf{R}$. On peut également trouver directement les coordonnées x et y du point d'interception de la ligne d'action de la résultante si l'on observe que $\mathbf{M}_O^R$ doit être égal au moment par rapport à O de la composante en y de $\mathbf{R}$ lorsque $\mathbf{R}$ s'applique en B (*voir la figure 3.44b*), et au moment de sa composante en x lorsque $\mathbf{R}$ se trouve au point C (*voir la figure 3.44c*).

c) Les forces parallèles se caractérisent par des lignes d'action parallèles : elles sont de même sens ou de sens opposé. Supposons que les forces soient parallèles à l'axe des y (*voir la figure 3.45a*), leur somme $\mathbf{R}$ sera également parallèle à cet axe. Par ailleurs, le moment d'une force donnée doit être perpendiculaire à cette force ; ainsi, le moment par rapport à O de chaque force du système, de même que le moment résultant $\mathbf{M}_O^R$, se situent dans le plan zx. Le système force-couple obtenu en O se compose alors d'une force $\mathbf{R}$ et d'un vecteur-couple $\mathbf{M}_O^R$ mutuellement perpendiculaires (*voir la figure 3.45b*). On peut donc les réduire à une force unique $\mathbf{R}$ (*voir la figure 3.45c*) ou encore, si $\mathbf{R} = 0$, à un couple unique de moment $\mathbf{M}_O^R$.

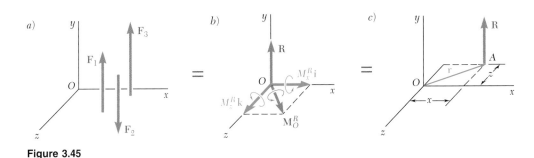

Figure 3.45

En pratique, on caractérise le système force-couple au point O par ses composantes :

$$R_y = \Sigma F_y \qquad M_x^R = \Sigma M_x \qquad M_z^R = \Sigma M_z \qquad (3.60)$$

Pour réduire le système à une force unique, on déplace $\mathbf{R}$ à un nouveau point d'application $A(x, 0, z)$ choisi de sorte que le moment de $\mathbf{R}$ par rapport à O corresponde à $\mathbf{M}_O^R$. On écrit

$$\mathbf{r} \times \mathbf{R} = \mathbf{M}_O^R$$
$$(x\mathbf{i} + z\mathbf{k}) \times R_y\mathbf{j} = M_x^R\mathbf{i} + M_z^R\mathbf{k}$$

On calcule les produits vectoriels et on égalise ensuite les coefficients des vecteurs unitaires des deux membres de l'équation ; on obtient ainsi deux équations scalaires qui définissent les coordonnées du point A.

$$-zR_y = M_x^R \qquad xR_y = M_z^R$$

Ces expressions indiquent que les moments de $\mathbf{R}$ par rapport aux axes x et z doivent correspondre respectivement à M_x^R et M_z^R.

*3.4.4 RÉDUCTION D'UN SYSTÈME DE FORCES À UN TORSEUR

La majorité des systèmes de forces dans l'espace donnent un système force-couple équivalent au point O, composé d'une force $\mathbf{R}$ et d'un vecteur-couple $\mathbf{M}_O^R$ non nuls et non perpendiculaires entre eux (*voir la figure 3.46a*). On ne peut pas alors ramener le système à une force unique ou à un couple seul. On peut toutefois remplacer le vecteur-couple par deux autres vecteurs-couples obtenus en décomposant $\mathbf{M}_O^R$: les composantes $\mathbf{M}_1$, orientée selon $\mathbf{R}$, et $\mathbf{M}_2$, située dans un plan perpendiculaire à $\mathbf{R}$ (*voir la figure 3.46b*). On remplace alors le vecteur couple $\mathbf{M}_2$ et la force $\mathbf{R}$ par une force unique $\mathbf{R}$ appliquée selon une nouvelle ligne d'action. Le système d'origine se transforme ainsi en une force $\mathbf{R}$ et un vecteur-couple $\mathbf{M}_1$ (*voir la figure 3.46c*), c'est-à-dire en une force $\mathbf{R}$ et un couple agissant dans le plan perpendiculaire à $\mathbf{R}$. On appelle *torseur* ce système force-couple particulier parce que la combinaison résultante de poussée et de rotation correspond à une torsion. La ligne d'action de $\mathbf{R}$ devient alors l'axe du torseur et le rapport $p = M_1/R$ représente le pas du torseur. Un torseur se compose donc de deux vecteurs colinéaires, soit une force $\mathbf{R}$ et un vecteur-couple que l'on écrit

$$\mathbf{M}_1 = p\mathbf{R} \qquad (3.61)$$

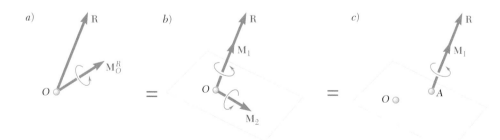

Figure 3.46

Or, l'équation 3.35 de la section 3.2.1 permet de projeter un vecteur sur la ligne d'action d'un autre vecteur. La projection de $\mathbf{M}_O^R$ sur la ligne d'action de $\mathbf{R}$ donne

$$M_1 = \frac{\mathbf{R} \cdot \mathbf{M}_O^R}{R}$$

Le pas du torseur s'exprime alors comme suit[5] :

$$p = \frac{M_1}{R} = \frac{\mathbf{R} \cdot \mathbf{M}_O^R}{R^2} \tag{3.62}$$

Pour définir l'axe du torseur, on peut écrire une relation qui contient le vecteur position $\mathbf{r}$ d'un point P choisi arbitrairement sur cet axe. On réunit ensuite la résultante $\mathbf{R}$ et le vecteur-couple $\mathbf{M}_1$ au point P (*voir la figure 3.47*) et, sachant que le moment par rapport à O de ce système force-couple est égal au moment résultant $\mathbf{M}_O^R$ du système de forces d'origine, on écrit

$$\mathbf{M}_1 + \mathbf{r} \times \mathbf{R} = \mathbf{M}_O^R \tag{3.63}$$

ou, selon l'équation 3.61,

$$p\mathbf{R} + \mathbf{r} \times \mathbf{R} = \mathbf{M}_O^R \tag{3.64}$$

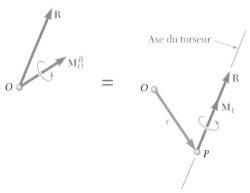

Figure 3.47

5. Les expressions obtenues en projetant le vecteur-couple sur la ligne d'action de $\mathbf{R}$ et pour le pas du torseur sont indépendantes du point O choisi. La relation 3.53 de la section 3.4.1 permet d'écrire, pour un point O' différent de O, le numérateur de l'équation 3.62 comme suit :

$$\mathbf{R} \cdot \mathbf{M}_{O'}^R = \mathbf{R} \cdot (\mathbf{M}_O^R + \mathbf{s} \times \mathbf{R}) = \mathbf{R} \cdot \mathbf{M}_O^R + \mathbf{R} \cdot (\mathbf{s} \times \mathbf{R})$$

Le produit mixte $\mathbf{R} \cdot (\mathbf{s} \times \mathbf{R})$ est égal à zéro et l'on a
$$\mathbf{R} \cdot \mathbf{M}_{O'}^R = \mathbf{R} \cdot \mathbf{M}_O^R$$

L'égalité prouve que le produit scalaire $\mathbf{R} \cdot \mathbf{M}_O^R$ est indépendant du choix du point O.

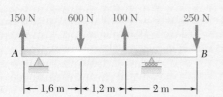

On soumet une poutre de 4,80 m de longueur à plusieurs forces comme illustré. Réduisez ce système de forces à :

a) un système force-couple équivalent au point A ;

b) un système force-couple équivalent au point B ;

c) une force unique ou résultante.

> SOLUTION

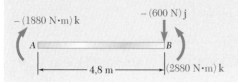

a) Système force-couple au point A Le système force-couple au point A, équivalent au système de forces appliquées sur la poutre, est constitué de la force $\mathbf{R}$ et du couple $\mathbf{M}_A^R$. On calcule ces deux éléments de la façon suivante :

$$\mathbf{R} = \Sigma \mathbf{F}$$
$$= (150 \text{ N})\mathbf{j} - (600 \text{ N})\mathbf{j} + (100 \text{ N})\mathbf{j} - (250 \text{ N})\mathbf{j} = -(600 \text{ N})\mathbf{j}$$
$$\mathbf{M}_A^R = \Sigma(\mathbf{r} \times \mathbf{F})$$
$$= (1,6\mathbf{i}) \times (-600\mathbf{j}) + (2,8\mathbf{i}) \times (100\mathbf{j}) + (4,8\mathbf{i}) \times (-250\mathbf{j})$$
$$= -(1880 \text{ N} \cdot \text{m})\mathbf{k}$$

Le système force-couple équivalent en A est donc

$$\mathbf{R} = 600 \text{ N} \downarrow \qquad \mathbf{M}_A^R = 1880 \text{ N} \cdot \text{m} \downdownarrows \quad \blacktriangleleft$$

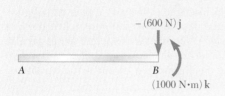

b) Système force-couple au point B On calcule un système force-couple au point B équivalent à celui trouvé au point A. La force $\mathbf{R}$ demeure inchangée ; cependant, un nouveau couple $\mathbf{M}_B^R$ doit être ajouté au système. Son moment sera égal au moment par rapport à B du système force-couple trouvé en a, d'où

$$\mathbf{M}_B^R = \mathbf{M}_A^R + \overrightarrow{BA} \times \mathbf{R}$$
$$= -(1880 \text{ N} \cdot \text{m})\mathbf{k} + (-4,8 \text{ m})\mathbf{i} \times (-600 \text{ N})\mathbf{j}$$
$$= -(1880 \text{ N} \cdot \text{m})\mathbf{k} + (2880 \text{ N} \cdot \text{m})\mathbf{k} = +(1000 \text{ N} \cdot \text{m})\mathbf{k}$$

Le système force-couple équivalent en B est donc

$$\mathbf{R} = 600 \text{ N} \downarrow \qquad \mathbf{M}_B^R = 1000 \text{ N} \cdot \text{m} \upuparrows \quad \blacktriangleleft$$

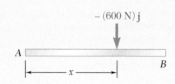

c) Force unique ou résultante La résultante du système de forces est égale à $\mathbf{R}$. Son point d'application doit être situé de telle sorte que le moment de $\mathbf{R}$ par rapport au point A soit égal à $\mathbf{M}_A^R$. On écrit donc

$$\mathbf{r} \times \mathbf{R} = \mathbf{M}_A^R$$
$$x\mathbf{i} \times (-600 \text{ N})\mathbf{j} = -(1880 \text{ N} \cdot \text{m})\mathbf{k}$$
$$-x(600 \text{ N})\mathbf{k} = -(1880 \text{ N} \cdot \text{m})\mathbf{k}$$

On trouve $x = 3,13$ m. La force unique équivalente au système de forces initial est donc définie par

$$\mathbf{R} = 600 \text{ N} \downarrow \quad \text{à} \quad x = 3,13 \text{ m} \quad \blacktriangleleft$$

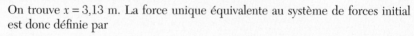

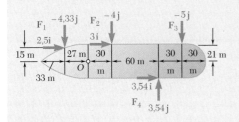

Quatre remorqueurs exercent chacun une poussée de 5000 N sur un trans-atlantique pour accostage (*voir la figure ci-contre*). Déterminez :

a) le système force-couple équivalent au mât de misaine situé au point O ;

b) le point sur la coque du navire où un seul remorqueur plus puissant devra pousser pour produire le même effet que l'ensemble des quatre remorqueurs.

> SOLUTION

a) Système force-couple équivalent au point O   On décompose chacune des forces des remorqueurs selon ses composantes horizontales et verticales, comme illustré (on utilise une échelle en kilonewtons). Le système force-couple au point O, équivalent à l'ensemble des forces appliquées sur le navire, est constitué de la force $\mathbf{R}$ et du couple $\mathbf{M}_O^R$, où

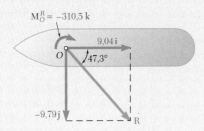

$$\begin{aligned}\mathbf{R} &= \Sigma\mathbf{F}\\ &= (2{,}50\mathbf{i} - 4{,}33\mathbf{j}) + (3{,}00\mathbf{i} - 4{,}00\mathbf{j}) + (-5{,}00\mathbf{j}) + (3{,}54\mathbf{i} + 3{,}54\mathbf{j})\\ &= 9{,}04\mathbf{i} - 9{,}79\mathbf{j}\end{aligned}$$

$$\begin{aligned}\mathbf{M}_O^R &= \Sigma(\mathbf{r}\times\mathbf{F})\\ &= (-27\mathbf{i} + 15\mathbf{j})\times(2{,}50\mathbf{i} - 4{,}33\mathbf{j})\\ &\quad + (30\mathbf{i} + 21\mathbf{j})\times(3{,}00\mathbf{i} - 4{,}00\mathbf{j})\\ &\quad + (120\mathbf{i} + 21\mathbf{j})\times(-5{,}00\mathbf{j})\\ &\quad + (90\mathbf{i} - 21\mathbf{j})\times(3{,}54\mathbf{i} + 3{,}54\mathbf{j})\\ &= (117 - 37{,}5 - 120 - 63 - 600 + 318{,}6 + 74{,}4)\mathbf{k}\\ &= -310{,}5\mathbf{k}\end{aligned}$$

Le système force-couple équivalent au point O est donc

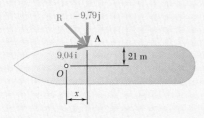

$$\mathbf{R} = (9{,}04\text{ kN})\mathbf{i} - (9{,}79\text{ kN})\mathbf{j} \qquad \mathbf{M}_O^R = -(310{,}5\text{ kN}\cdot\text{m})\mathbf{k}$$

ou bien $\qquad\qquad\qquad \mathbf{R} = 13{,}33\text{ kN} \ \diagdown 47{,}3° \qquad \mathbf{M}_O^R = 310{,}5\text{ kN}\cdot\text{m} \ \downarrow$ ◄

Note. Étant donné que l'ensemble des forces se trouve sur le plan de la figure, on pouvait s'attendre à ce que la somme des moments soit perpendiculaire à ce plan. Aussi, le moment de chacune des composantes des forces aurait pu être obtenu directement à partir du diagramme en calculant le produit de sa grandeur par sa distance perpendiculaire à O, et en affectant par la suite le signe positif ou négatif, en fonction du sens du moment.

b) Remorqueur unique   La force appliquée par un seul remorqueur (force unique) doit être égale à $\mathbf{R}$. Son point d'application A doit être situé de telle sorte que le moment de $\mathbf{R}$ par rapport au point O soit égal à $\mathbf{M}_O^R$. Sachant que le vecteur position de A est

$$\mathbf{r} = x\mathbf{i} + 21\mathbf{j}$$

on peut écrire

$$\mathbf{r}\times\mathbf{R} = \mathbf{M}_O^R$$
$$(x\mathbf{i} + 21\mathbf{j})\times(9{,}04\mathbf{i} - 9{,}79\mathbf{j}) = -310{,}5\mathbf{k}$$
$$-x(9{,}79)\mathbf{k} - 190\mathbf{k} = -310{,}5\mathbf{k} \qquad\qquad x = 12{,}3\text{ m} \quad ◄$$

Trois câbles sont attachés à une cornière comme illustré. Remplacez les forces des câbles par un système force-couple équivalent au point A.

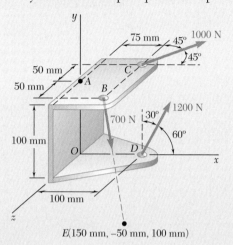

$E(150\ \text{mm}, -50\ \text{mm}, 100\ \text{mm})$

SOLUTION

On commence par déterminer les vecteurs position tracés du point A vers les points d'application des différentes forces. On décompose ensuite ces forces selon leurs composantes rectangulaires. Ayant noté que $\mathbf{F}_B = (700\ \text{N})\boldsymbol{\lambda}_{BE}$, où

$$\boldsymbol{\lambda}_{BE} = \frac{\overrightarrow{BE}}{BE} = \frac{75\mathbf{i} - 150\mathbf{j} + 50\mathbf{k}}{175}$$

on a, en mètres et en newtons,

$$\mathbf{r}_{B/A} = \overrightarrow{AB} = 0,075\mathbf{i} + 0,050\mathbf{k} \qquad \mathbf{F}_B = 300\mathbf{i} - 600\mathbf{j} + 200\mathbf{k}$$
$$\mathbf{r}_{C/A} = \overrightarrow{AC} = 0,075\mathbf{i} - 0,050\mathbf{k} \qquad \mathbf{F}_C = 707\mathbf{i} \qquad\quad - 707\mathbf{k}$$
$$\mathbf{r}_{D/A} = \overrightarrow{AD} = 0,100\mathbf{i} - 0,100\mathbf{j} \qquad \mathbf{F}_D = 600\mathbf{i} + 1039\mathbf{j}$$

Le système force-couple au point A, équivalent à l'ensemble des forces, est constitué de la force $\mathbf{R} = \Sigma\mathbf{F}$ et du couple $\mathbf{M}_A^R = \Sigma(\mathbf{r} \times \mathbf{F})$. La force $\mathbf{R}$ est obtenue en additionnant les composantes x, y et z des forces en présence :

$$\mathbf{R} = \Sigma\mathbf{F} = (1607\ \text{N})\mathbf{i} + (439\ \text{N})\mathbf{j} - (507\ \text{N})\mathbf{k} \quad \blacktriangleleft$$

Le calcul de $\mathbf{M}_A^R$ sera facilité si l'on exprime les moments des forces sous forme de déterminants (*voir la section 3.1.6*) :

$$\mathbf{r}_{B/A} \times \mathbf{F}_B = \begin{vmatrix} \mathbf{i} & \mathbf{j} & \mathbf{k} \\ 0,075 & 0 & 0,050 \\ 300 & -600 & 200 \end{vmatrix} = 30\mathbf{i} \quad -45\mathbf{k}$$

$$\mathbf{r}_{C/A} \times \mathbf{F}_C = \begin{vmatrix} \mathbf{i} & \mathbf{j} & \mathbf{k} \\ 0,075 & 0 & -0,050 \\ 707 & 0 & -707 \end{vmatrix} = \quad 17,68\mathbf{j}$$

$$\mathbf{r}_{D/A} \times \mathbf{F}_D = \begin{vmatrix} \mathbf{i} & \mathbf{j} & \mathbf{k} \\ 0,100 & -0,100 & 0 \\ 600 & 1039 & 0 \end{vmatrix} = \quad 163,9\mathbf{k}$$

La somme de ces expressions donne alors

$$\mathbf{M}_A^R = \Sigma(\mathbf{r} \times \mathbf{F}) = (30\ \text{N} \cdot \text{m})\mathbf{i} + (17,68\ \text{N} \cdot \text{m})\mathbf{j} + (118,9\ \text{N} \cdot \text{m})\mathbf{k} \quad \blacktriangleleft$$

Les composantes rectangulaires de la force $\mathbf{R}$ et du couple $\mathbf{M}_A^R$ sont illustrées ci-contre.

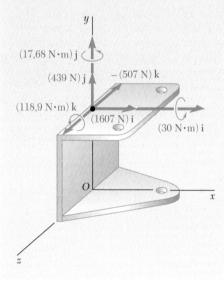

La dalle de fondation d'un petit édifice supporte quatre colonnes, comme illustré. Déterminez la grandeur et le point d'application de la résultante des quatre charges.

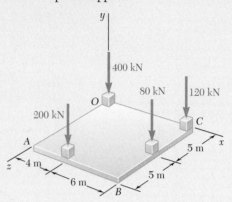

On réduit le système de forces en un système force-couple appliqué à l'origine O du système de coordonnées. Le système force-couple est constitué de la force $\mathbf{R}$ et du vecteur-couple $\mathbf{M}_O^R$, définis par

$$\mathbf{R} = \Sigma\mathbf{F} \qquad \mathbf{M}_O^R = \Sigma(\mathbf{r} \times \mathbf{F})$$

On présente les vecteurs position des points d'application des forces en présence, puis on rassemble les données sous forme de tableau.

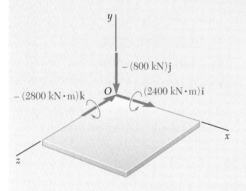

$\mathbf{r}$ (m)	$\mathbf{F}$ (kN)	$\mathbf{r} \times \mathbf{F}$ (kN·m)
0	$-400\mathbf{j}$	0
$10\mathbf{i}$	$-120\mathbf{j}$	$-1200\mathbf{k}$
$10\mathbf{i} + 5\mathbf{k}$	$-80\mathbf{j}$	$400\mathbf{i} - 800\mathbf{k}$
$4\mathbf{i} + 10\mathbf{k}$	$-200\mathbf{j}$	$2000\mathbf{i} - 800\mathbf{k}$
	$\mathbf{R} = -800\mathbf{j}$	$\mathbf{M}_O^R = 2400\mathbf{i} - 2800\mathbf{k}$

Puisque la résultante $\mathbf{R}$ et le vecteur-couple $\mathbf{M}_O^R$ sont perpendiculaires l'un par rapport à l'autre, on peut réduire encore le système force-couple à une force unique $\mathbf{R}$. Son nouveau point d'application sera choisi dans le plan de la plate-forme, de telle sorte que le moment de $\mathbf{R}$ par rapport à O sera égal à $\mathbf{M}_O^R$. En identifiant par $\mathbf{r}$ le vecteur position du point d'application voulu, et par x et z ses coordonnées, on peut écrire

$$\mathbf{r} \times \mathbf{R} = \mathbf{M}_O^R$$
$$(x\mathbf{i} + z\mathbf{k}) \times (-800\mathbf{j}) = 2400\mathbf{i} - 2800\mathbf{k}$$
$$-800x\mathbf{k} + 800z\mathbf{i} = 2400\mathbf{i} - 2800\mathbf{k}$$

d'où

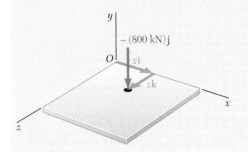

$$-800x = -2800 \qquad 800z = 2400$$
$$x = 3{,}50 \text{ m} \qquad z = 3{,}00 \text{ m}$$

La résultante du système de forces initial est alors

$$\mathbf{R} = 800 \text{ kN} \downarrow \qquad \text{à } x = 3{,}50 \text{ m et } z = 3{,}00 \text{ m} \quad \blacktriangleleft$$

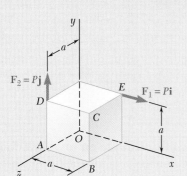

On applique deux forces de même grandeur P sur les coins du cube de côté a, comme illustré à la figure ci-contre. Remplacez ces forces par un torseur équivalent et déterminez :
a) la grandeur et la direction de la résultante $\mathbf{R}$;
b) le pas du torseur ;
c) le point où l'axe du torseur croise le plan yz.

> SOLUTION

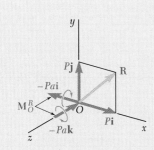

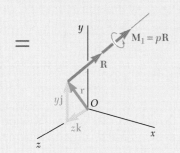

Système force-couple équivalent au point O On détermine d'abord le système force-couple équivalent à l'origine O du système de coordonnées. On observe que les vecteurs position des points d'application E et D des deux forces données sont $\mathbf{r}_E = a\mathbf{i} + a\mathbf{j}$ et $\mathbf{r}_D = a\mathbf{j} + a\mathbf{k}$. La résultante $\mathbf{R}$ des deux forces et leur moment résultant $\mathbf{M}_O^R$ par rapport au point O sont

$$\mathbf{R} = \mathbf{F}_1 + \mathbf{F}_2 = P\mathbf{i} + P\mathbf{j} = P(\mathbf{i} + \mathbf{j}) \tag{1}$$

$$\mathbf{M}_O^R = \mathbf{r}_E \times \mathbf{F}_1 + \mathbf{r}_D \times \mathbf{F}_2 = (a\mathbf{i} + a\mathbf{j}) \times P\mathbf{i} + (a\mathbf{j} + a\mathbf{k}) \times P\mathbf{j}$$
$$= -Pa\mathbf{k} - Pa\mathbf{i} = -Pa(\mathbf{i} + \mathbf{k}) \tag{2}$$

a) Force résultante $\mathbf{R}$ Selon l'équation 1 et le croquis ci-contre, on peut déduire que la grandeur de la résultante $\mathbf{R}$ est $R = P\sqrt{2}$. De plus, $\mathbf{R}$ se trouve dans le plan xy selon un angle de 45° avec les axes x et y, d'où

$$R = P\sqrt{2} \qquad \theta_x = \theta_y = 45° \qquad \theta_z = 90° \quad \blacktriangleleft$$

b) Pas du torseur En se basant sur l'équation 3.62 de la section 3.4.4 et les équations 1 et 2 ci-dessus, on écrit

$$p = \frac{\mathbf{R} \cdot \mathbf{M}_O^R}{R_2} = \frac{P(\mathbf{i}+\mathbf{j}) \cdot (-Pa)(\mathbf{i}+\mathbf{k})}{(P\sqrt{2})^2} = \frac{-P^2(1+0+0)}{2P^2} \qquad p = -\frac{a}{2} \quad \blacktriangleleft$$

c) Axe du torseur Selon l'équation 3.61 et les résultats ci-dessus, le torseur consiste en la force $\mathbf{R}$ de l'équation 1 et le vecteur-couple

$$\mathbf{M}_1 = p\mathbf{R} = -\frac{a}{2}P(\mathbf{i}+\mathbf{j}) = -\frac{Pa}{2}(\mathbf{i}+\mathbf{j}) \tag{3}$$

Pour identifier le point où l'axe du torseur croise le plan yz, on écrit que le moment du torseur par rapport au point O est égal au moment résultant $\mathbf{M}_O^R$ du système initial :

$$\mathbf{M}_1 + \mathbf{r} \times \mathbf{R} = \mathbf{M}_O^R$$

Sachant que $\mathbf{r} = y\mathbf{j} + z\mathbf{k}$ et en substituant les valeurs de $\mathbf{R}$, $\mathbf{M}_O^R$ et $\mathbf{M}_1$ trouvées précédemment aux équations 1, 2 et 3, on a

$$-\frac{Pa}{2}(\mathbf{i}+\mathbf{j}) + (y\mathbf{j} + z\mathbf{k}) \times P(\mathbf{i}+\mathbf{j}) = -Pa(\mathbf{i}+\mathbf{k})$$

$$-\frac{Pa}{2}\mathbf{i} - \frac{Pa}{2}\mathbf{j} - Py\mathbf{k} + Pz\mathbf{j} - Pz\mathbf{i} = -Pa\mathbf{i} - Pa\mathbf{k}$$

En isolant et en égalisant les coefficients de $\mathbf{k}$, puis les coefficients de $\mathbf{j}$, on trouve

$$y = a \qquad z = a/2 \quad \blacktriangleleft$$

Nous avons vu dans cette section diverses méthodes permettant la simplification et la réduction des systèmes de forces. Nous sommes maintenant en mesure d'effectuer les opérations suivantes :

1. **Réduire un système de forces à une force et un couple en un point donné.** La force est la résultante **R** du système ; elle est obtenue par la somme de toutes les forces présentes. Le moment du couple est le moment résultant du système ; il est obtenu par la somme des moments des forces en présence par rapport au point donné *A*. Il en résulte les équations suivantes :

$$\mathbf{R} = \Sigma\mathbf{F} \qquad \mathbf{M}_A^R = \Sigma(\mathbf{r} \times \mathbf{F})$$

où le vecteur position **r** est tracé du point *A* vers n'importe quel autre point situé sur la ligne d'action de **F**.

2. **Déplacer un système force-couple d'un point *A* à un point *B*.** Si l'on désire réduire un système de forces donné en un système force-couple au point *B* après l'avoir réduit en un système force-couple au point *A*, il n'est pas nécessaire de recalculer les moments des forces par rapport au point *B*. En effet, sachant que la résultante **R** demeure inchangée, le nouveau moment résultant $\mathbf{M}_B^R$ est obtenu en additionnant à $\mathbf{M}_A^R$ le moment par rapport au point *B* de la résultante **R** appliquée au point *A* (*voir le problème résolu 3.8*). En identifiant par **s** le vecteur tracé du point *B* au point *A*, on écrit

$$\mathbf{M}_B^R = \mathbf{M}_A^R + \mathbf{s} \times \mathbf{R}$$

3. **Vérifier l'équivalence de deux systèmes de forces.** La première étape consiste à réduire chacun des systèmes de forces à un système force-couple au même point *A*, choisi arbitrairement (comme présenté au paragraphe 1). Les deux systèmes de forces sont équivalents (c'est-à-dire qu'ils ont le même effet sur un corps rigide donné), si les deux systèmes force-couple obtenus sont identiques, c'est-à-dire si

$$\Sigma\mathbf{F} = \Sigma\mathbf{F}' \qquad \text{et} \qquad \Sigma\mathbf{M}_A = \Sigma\mathbf{M}_A'$$

Si la première de ces deux conditions n'est pas satisfaite, les deux systèmes n'ont pas la même résultante **R** ; les deux systèmes ne peuvent donc pas être équivalents et il est alors inutile de vérifier la seconde condition.

4. **Réduire un système de forces à une force unique.** Dans un premier temps, on réduit le système donné en un système force-couple représenté par la résultante **R** et le vecteur-couple $\mathbf{M}_A^R$, calculé à un point *A* quelconque choisi à sa convenance (comme expliqué au paragraphe 1). Rappelons qu'il est possible de réduire davantage le système en une force unique, seulement si la résultante **R** et le vecteur-couple $\mathbf{M}_A^R$ sont perpendiculaires entre eux. Nous trouvons ce type de situation dans le cas de systèmes de forces concourantes, coplanaires ou parallèles. La force unique recherchée est alors obtenue en déplaçant **R** de sorte que son moment

par rapport au point A soit égal à $\mathbf{M}_A^R$ (*voir la section précédente*). On peut conclure que le vecteur position $\mathbf{r}$, tracé du point A à un point quelconque situé sur la ligne d'action de la force unique $\mathbf{R}$, doit satisfaire l'équation

$$\mathbf{r} \times \mathbf{R} = \mathbf{M}_A^R$$

Ce principe a été appliqué aux problèmes résolus 3.8, 3.9 et 3.11.

5. **Réduire un système de forces à un torseur.** Si l'on se trouve devant une situation où les forces en présence ne sont ni concourantes, ni coplanaires, ni parallèles, le système force-couple équivalent au point A consiste en une force $\mathbf{R}$ et un vecteur-couple $\mathbf{M}_A^R$ qui, en général, ne sont pas perpendiculaires entre eux. (Pour vérifier la perpendicularité entre $\mathbf{R}$ et $\mathbf{M}_A^R$, on calcule leur produit scalaire : si celui-ci est égal à zéro, ils sont perpendiculaires ; si tel n'est pas le cas, $\mathbf{R}$ et $\mathbf{M}_A^R$ ne sont pas perpendiculaires.) En cas de non-perpendicularité entre $\mathbf{R}$ et $\mathbf{M}_A^R$, le système force-couple (et donc le système de forces initial) ne pourra pas être réduit à une force unique. Cependant, on pourrait le réduire à un torseur, c'est-à-dire à la combinaison d'une force $\mathbf{R}$ et d'un vecteur-couple $\mathbf{M}_1$, dirigés selon une ligne d'action commune appelée l'*axe du torseur* (*voir la figure 3.47*). Le pas du torseur se calcule par $p = M_1/R$.

Pour réduire un système de forces à un torseur, on suit les étapes suivantes :

a) Réduire le système de forces à un système force-couple équivalent $(\mathbf{R}, \mathbf{M}_O^R)$ à l'origine O.

b) Déterminer le pas du torseur p à l'aide de l'équation

$$p = \frac{M_1}{R} = \frac{\mathbf{R} \cdot \mathbf{M}_O^R}{R^2} \qquad (3.62)$$

et le vecteur-couple $\mathbf{M}_1$ par

$$\mathbf{M}_1 = p\mathbf{R}$$

c) Exprimer la relation entre le moment du torseur par rapport au point O et le moment résultant $\mathbf{M}_O^R$ du système force-couple au point O par

$$\mathbf{M}_1 + \mathbf{r} \times \mathbf{R} = \mathbf{M}_O^R \qquad (3.63)$$

Cette relation permet d'identifier le point où la ligne d'action du torseur croise un plan donné, puisque le vecteur position $\mathbf{r}$ est orienté de O vers ce point.

Ces étapes sont décrites au problème résolu 3.12. Bien que l'identification d'un torseur et du point où son axe croise un plan puisse paraître difficile, la procédure consiste à appliquer plusieurs principes et techniques présentés tout au long de ce chapitre. Il est important de bien visualiser et d'assimiler le principe du torseur pour une parfaite compréhension du chapitre 3.

3.101 Une poutre ayant une longueur de 4 m est soumise à différentes combinaisons de charges.

a) Remplacez chacune des charges par un système force-couple équivalent appliqué à l'extrémité *A* de la poutre.

b) Identifiez les combinaisons de charges équivalentes.

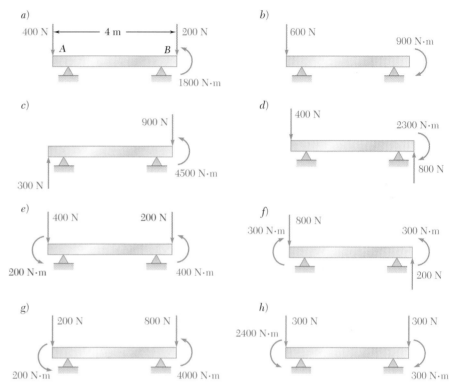

Figure P3.101

3.102 Des charges sont appliquées sur la poutre comme illustré. Identifiez la combinaison du problème 3.101 qui est équivalente à celle-ci.

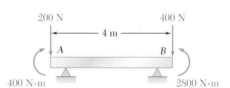

Figure P3.102

3.103 Déterminez la force unique équivalente, ainsi que la distance entre le point *A* et sa ligne d'action, pour les combinaisons suivantes :

a) la poutre de la figure P3.101*b* ;

b) la poutre de la figure P3.101*d* ;

c) la poutre de la figure P3.101*e*.

3.104 Cinq systèmes force-couple différents sont appliqués sur une feuille de métal ayant été pliée comme illustré. Déterminez lequel de ces systèmes est équivalent à une force $\mathbf{F} = (10 \text{ N})\mathbf{i}$ et à un couple dont le moment est $\mathbf{M} = (15 \text{ N} \cdot \text{m})\mathbf{j} + (15 \text{ N} \cdot \text{m})\mathbf{k}$, situés au point d'origine O.

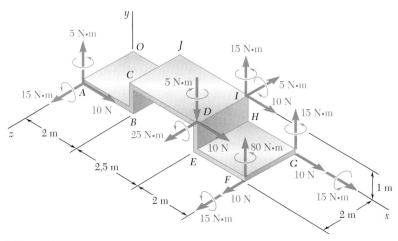

Figure P3.104

3.105 Deux enfants de poids 336 N et 256 N se balancent respectivement aux extrémités A et B d'une balançoire à bascule comme illustré. Déterminez où doit se placer un troisième enfant de sorte que la résultante des poids des trois enfants passe par le point C, si :
a) le troisième enfant pèse 240 N ;
b) le troisième enfant pèse 208 N.

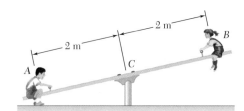

Figure P3.105

3.106 Trois projecteurs de scène sont fixés au plafond à l'aide d'une barre comme illustré. Le poids des projecteurs A et B est de 16,4 N et celui du projecteur C est de 14 N. Déterminez :
a) la distance entre le point D et la ligne d'action de la résultante $\mathbf{R}$ des poids des trois projecteurs, sachant que $d = 0,625$ m ;
b) la valeur que doit avoir d pour que la résultante des poids passe par le milieu de la barre.

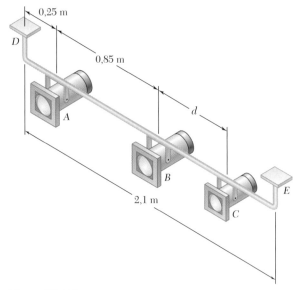

Figure P3.106

3.107 Une poutre supporte trois charges de grandeurs connues et une quatrième charge dont la grandeur est fonction de son positionnement sur la poutre. Sachant que la distance b est de 1,5 m et qu'on souhaite remplacer les charges par une force unique équivalente, déterminez :

a) la valeur de a, de telle sorte que la distance entre l'extrémité A et la ligne d'action de la force équivalente soit maximale ;

b) la grandeur de la force équivalente et son point d'application sur la poutre.

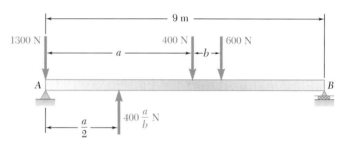

Figure P3.107

3.108 On fixe solidement l'engrenage C au bras AB. On désire réduire les forces et le couple illustrés à une force unique équivalente appliquée au point A. Évaluez la force équivalente et la grandeur du couple **M**.

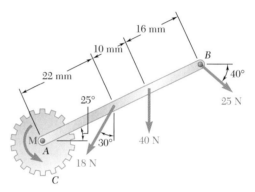

Figure P3.108

3.109 Une mallette de 625 mm × 500 mm est soumise à des tests de résistance, comme illustré. Si $P = 88$ N, déterminez :

a) la résultante de l'ensemble des forces appliquées sur la mallette ;

b) les deux points de croisement de la ligne d'action de la résultante avec le bord de la mallette.

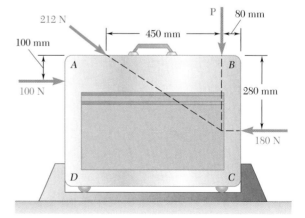

Figure P3.109

3.110 Solutionnez le problème 3.109 avec $P = 138$ N.

3.111 Quatre cordes sont attachées à une caisse, lui appliquant des forces en tension comme illustré. On désire remplacer l'ensemble des forces en présence par une force unique équivalente agissant sur un point de la droite AB. Évaluez :
> **a)** la force équivalente et la distance séparant le point A du point d'application de la force, sachant que $\alpha = 30°$;
> **b)** la valeur de α de telle sorte que la force unique équivalente soit appliquée au point B.

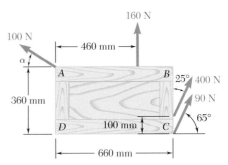

Figure P3.111

3.112 Solutionnez le problème 3.111, sachant que la force de 90 N a été retirée.

3.113 Une structure métallique supporte un ensemble de charges comme illustré. Calculez la force équivalente agissant sur la structure, ainsi que le point d'intersection de sa ligne d'action avec la droite reliant les supports A et G.

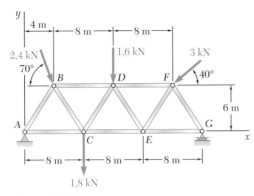

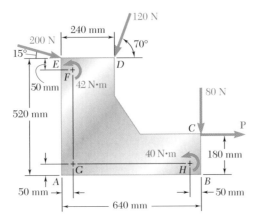

Figure P3.113

3.114 Un élément de machine est sollicité par un ensemble de forces et de couples comme illustré. On désire fixer l'élément à l'aide d'un rivet unique, capable de soutenir une force mais aucun couple. Si $P = 0$, estimez le positionnement du trou de rivet si on veut qu'il soit situé :
> **a)** sur la droite FG ;
> **b)** sur la droite GH.

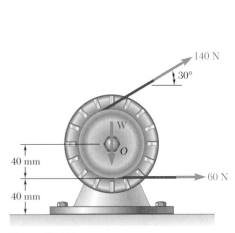

Figure P3.114

3.115 Solutionnez le problème 3.114 avec $P = 60$ N.

3.116 Un petit moteur de 3,26 kg est fixé au plancher. Trouvez la résultante des forces en présence (poids du moteur et tensions dans la courroie) ainsi que le point d'intersection de sa ligne d'action avec le sol.

Figure P3.116

3.117 Les poulies A et B sont installées sur le support *CDEF* (*voir la figure P3.117*). Les tensions dans les courroies sont appliquées comme illustré. Remplacez l'ensemble des forces par une force unique équivalente et indiquez le point d'intersection de sa ligne d'action avec le bord inférieur du support.

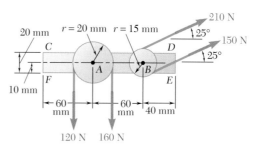

Figure P3.117

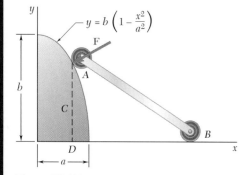

Figure P3.118

3.118 En roulant sur la surface de la pièce C, la tige à rouleaux AB exerce une force constante **F** perpendiculaire à la surface de la pièce.
a) Remplacez **F** par un système force-couple équivalent appliqué au point D, lequel est obtenu en abaissant la perpendiculaire à partir du point de contact jusqu'à l'axe horizontal x.
b) Si $a = 1$ m et $b = 2$ m, déterminez la valeur de x pour que le moment du système force-couple au point D soit maximal.

3.119 Un élément de machine est soumis aux forces illustrées à la figure P3.119, chacune des forces étant parallèle à l'un des axes des coordonnées. Remplacez l'ensemble des forces par un système force-couple équivalent appliqué au point A.

3.120 Deux poulies de 150 mm de diamètre sont montées sur l'arbre AD. Les courroies B et C se situent dans des plans verticaux parallèles au plan yz. Remplacez l'ensemble des forces en présence par un système force-couple équivalent appliqué au point A.

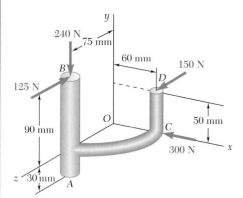

Figure P3.119

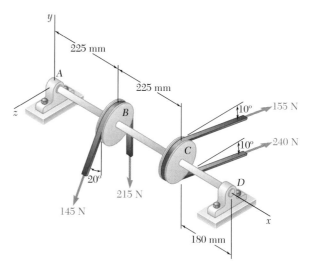

Figure P3.120

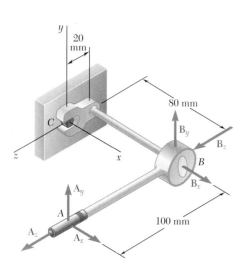

Figure P3.121

3.121 Un mécanicien utilise une clé pour dévisser un boulon situé au point C (*voir la figure P3.121*). Avec ses mains, il applique des forces aux points A et B. Sachant que ces forces sont équivalentes à un système force-couple au point C constitué de la force $\mathbf{C} = -(32 \text{ N})\mathbf{i} + (16 \text{ N})\mathbf{k}$ et du couple $\mathbf{M}_C = (14,4 \text{ N} \cdot \text{m})\mathbf{i}$, évaluez les forces appliquées aux points A et B quand $A_z = 8$ N.

3.122 En aiguisant un crayon, un étudiant applique des forces et un couple comme illustré. Sachant que les forces et le couple appliqués sont équivalents à un système force-couple au point A, constitué de la force $\mathbf{R} = (13\,\text{N})\mathbf{i} + R_y\mathbf{j} - (3,5\,\text{N})\mathbf{k}$ et du couple $\mathbf{M}_A^R = M_x\mathbf{i} + (1,2\,\text{N}\cdot\text{m})\mathbf{j} - (0,864\,\text{N}\cdot\text{m})\mathbf{k}$, calculez :

a) les forces agissant aux points B et C ;

b) les valeurs correspondantes de R_y et M_x.

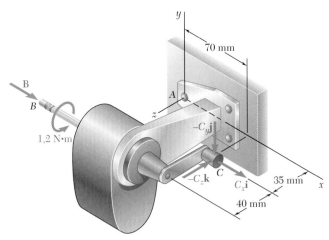

Figure P3.122

3.123 Un mécanicien procède au remplacement d'un système d'échappement. Pour ce faire, il fixe solidement le convertisseur catalytique FG aux supports H et I, et il assemble, avec un certain jeu, le silencieux et le tuyau d'échappement. Pour positionner le tuyau arrière AB, il pousse le tuyau au point A tout en le tirant vers le bas au point B (*voir la figure P3.123 - P3.124*).

a) Remplacez le système actuel de forces par un système force-couple équivalent au point D.

b) Déterminez le sens de rotation (horaire ou antihoraire) du tuyau CD par rapport au silencieux DE, tel que vu par le mécanicien.

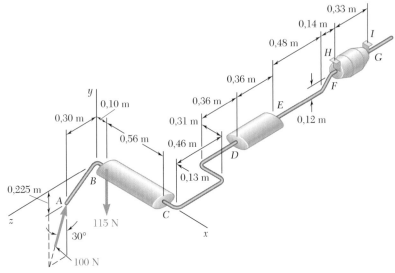

Figure P3.123 - P3.124

3.124 En considérant la situation décrite au problème 3.123 :

a) remplacez le système de forces par un système force-couple équivalent au point F ;

b) déterminez le sens de rotation (horaire ou antihoraire) du tuyau EF, tel que vu par le mécanicien.

3.125 Soit la perceuse à colonne de la figure P3.125. Initialement, la tête était placée de façon telle que le bras *AB* était parallèle à l'axe *z* tandis que la mèche était parallèle à l'axe *y*. Cet assemblage a subi par la suite une rotation de 25° par rapport à l'axe *y* et de 20° par rapport à l'axe horizontal du bras *AB*. L'opératrice procède à l'usinage de la pièce en bois en démarrant le moteur et en tournant le bras de façon à ce que la mèche puisse être en contact avec la pièce. Remplacez la force et le couple exercés par la perceuse par un système force-couple équivalent au centre *O* de la base de la colonne verticale.

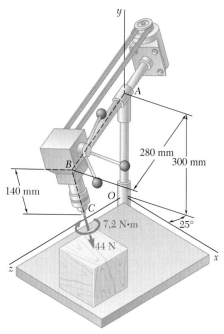

Figure P3.125

3.126 On utilise le tirant ajustable *BC* pour tenir un mur d'aplomb. Remplacez le système force-couple appliqué sur le mur par un système force-couple équivalent au point *A* sachant que $R = 84,8$ N et $M = 15,9$ N · m.

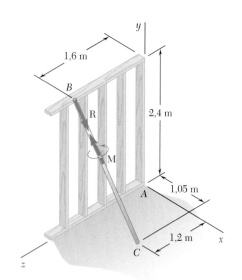

Figure P3.126

3.127 Trois enfants, *A*, *B* et *C*, dont les poids respectifs sont de 375 N, 260 N et 400 N, sont debout sur un radeau de 5 m × 5 m. Évaluez la grandeur et le point d'application de la résultante des forces en présence.

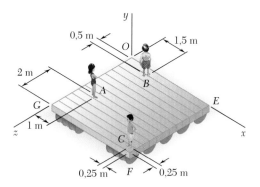

Figure P3.127 - P3.128

3.128 Trois enfants, *A*, *B* et *C*, dont les poids respectifs sont de 375 N, 260 N et 400 N, sont debout sur un radeau de 5 m × 5 m. Un quatrième enfant de 425 N vient de monter sur le radeau. Déterminez l'endroit où il doit se placer si la ligne d'action de la résultante des forces en présence doit passer par le centre du radeau.

3.129 Considérez la structure de signalisation routière de la figure P3.129 - P3.130. Les panneaux supportent des forces éoliennes comme illustré. Sachant que $a = 0,3$ m et $b = 3,6$ m, déterminez la grandeur et le point d'application de la résultante des forces.

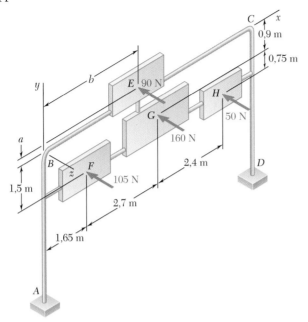

Figure P3.129 - P3.130

3.130 Considérez la structure de signalisation routière de la figure P3.129 - P3.130. Les panneaux supportent des forces éoliennes comme illustré. Déterminez les valeurs de a et b de telle sorte que le point d'application de la résultante des forces soit le point G.

*3.131 Un groupe d'étudiantes procède au chargement de deux boîtes de 0,66 m ✕ 0,66 m ✕ 0,66 m et d'une autre boîte de 0,66 m ✕ 0,66 m ✕ 1,2 m sur une remorque plateau de 2 m ✕ 3,3 m (notez le positionnement des trois boîtes à la figure P3.131 - P3.132). Déterminez le poids minimum et l'emplacement d'une seconde boîte de 0,66 m ✕ 0,66 m ✕ 1,2 m que les étudiantes devront placer, à l'intérieur des limites de la remorque (le poids de chaque boîte étant réparti également), afin que la ligne d'action de la résultante des forces passe par le point d'intersection de l'axe central de la remorque avec l'essieu. (La quatrième boîte peut être placée en position debout ou couchée.)

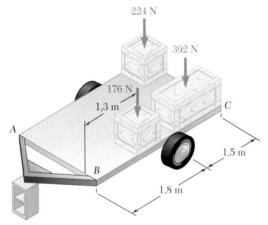

Figure P3.131 - P3.132

*3.132 Solutionnez le problème 3.131, sachant que les étudiantes ont décidé de charger le plus de poids possible dans la quatrième boîte et de la placer de façon qu'au moins un de ses côtés soit aligné sur un côté de la remorque.

*3.133 Une feuille de tôle pliée est soumise à trois forces, comme illustré. Sachant que les trois forces ont la même grandeur P, remplacez-les par un torseur équivalent et déterminez :

a) la grandeur et la direction de la force résultante **R** ;

b) le pas du torseur ;

c) l'axe du torseur.

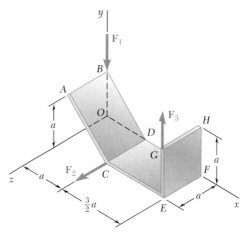

Figure P3.133

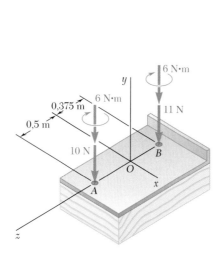

Figure P3.134

*3.134 Trois forces de grandeur P sont appliquées sur un cube d'arête a, comme illustré. Remplacez-les par un torseur équivalent et déterminez :

a) la grandeur et la direction de la force résultante **R** ;

b) le pas du torseur ;

c) l'axe du torseur.

*3.135 et *3.136 Une feuille de métal est fixée à un bloc de bois à l'aide de deux vis comme illustré. Réduisez les forces et les couples en présence à un torseur équivalent et calculez :

a) la force résultante **R** ;

b) le pas du torseur ;

c) le point où l'axe du torseur croise le plan xz.

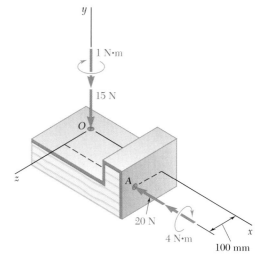

Figure P3.135   **Figure P3.136**

*3.137 et *3.138 Les boulons A et B sont vissés à un bloc à l'aide de forces et de couples comme indiqué. Réduisez les deux torseurs en présence à un torseur unique équivalent et calculez :

a) la force résultante **R** ;

b) le pas du torseur unique équivalent ;

c) le point où l'axe du torseur croise le plan xz.

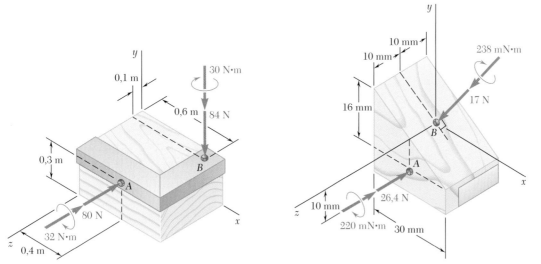

Figure P3.137 **Figure P3.138**

*3.139 Trois haubans servent à soutenir le mât de drapeau OB. Si les tensions dans les trois câbles ont la même grandeur P, remplacez les forces agissant sur le mât par un torseur équivalent et évaluez :

a) la force résultante **R** ;

b) le pas du torseur ;

c) le point où l'axe du torseur croise le plan xz.

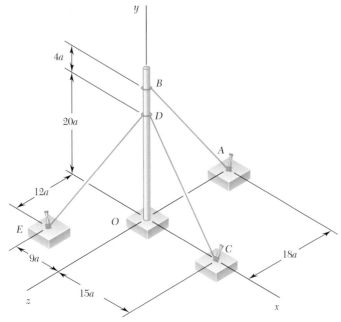

Figure P3.139

*3.140 Deux cordes attachées aux extrémités A et B d'un tronc d'arbre mort sont utilisées pour le déplacer, comme illustré. Remplacez les forces exercées par les cordes par un torseur équivalent et déterminez :
a) la force résultante $\mathbf{R}$;
b) le pas du torseur ;
c) le point où l'axe du torseur croise le plan yz.

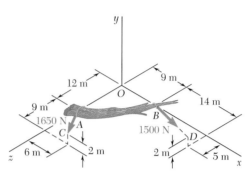

Figure P3.140

*3.141 et *3.142 Explorez la possibilité de réduire le système force-couple à une force unique équivalente $\mathbf{R}$. Si c'est possible, déterminez la valeur de $\mathbf{R}$ et le point d'intersection de sa ligne d'action avec le plan yz. Sinon, remplacez le système donné par un torseur équivalent et déterminez sa force résultante, son pas et le point d'intersection de son axe avec le plan yz.

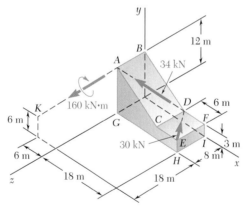

Figure P3.141

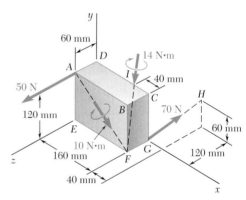

Figure P3.142

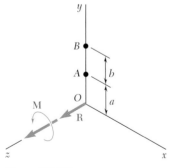

Figure P3.143

*3.143 Remplacez le torseur de la figure P3.143 par un système équivalent de deux forces perpendiculaires à l'axe y et agissant respectivement aux points A et B.

*3.144 Démontrez qu'en général un torseur peut être remplacé par deux forces dont l'une passe par un point donné et l'autre est située sur un plan donné.

*3.145 Démontrez qu'un torseur peut être remplacé par deux forces perpendiculaires dont l'une passe par un point donné.

*3.146 Démontrez qu'un torseur peut être remplacé par deux forces dont l'une a une ligne d'action donnée.

Principe de transmissibilité (ou de glissement)

Nous avons abordé dans ce chapitre l'étude des forces appliquées sur un corps rigide. Nous avons distingué les forces internes et les forces externes (*voir la section 3.1.1*). Nous avons appris que, d'après le principe de transmissibilité (ou de glissement), si une force appliquée sur un corps rigide est glissée le long de sa ligne d'action, l'effet de la force sur le corps rigide demeure identique (*voir la section 3.1.2*). En d'autres mots, si deux forces **F** ou **F′**, de mêmes grandeur, direction et ligne d'action, sont appliquées en deux points différents sur un corps rigide, elles auront le même effet sur le corps (*voir la figure 3.48*). Ces forces sont dites *équivalentes*.

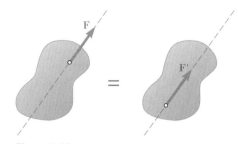

Figure 3.48

Produit vectoriel

Nous avons introduit le concept de produit vectoriel **V** de deux vecteurs **P** et **Q** (*voir la section 3.1.3*), où

$$\mathbf{V} = \mathbf{P} \times \mathbf{Q}$$

Par définition, le vecteur **V** est perpendiculaire au plan contenant les vecteurs **P** et **Q** (*voir la figure 3.49*). Sa grandeur est

$$V = PQ \sin \theta \tag{3.1}$$

et il est orienté de façon qu'une personne placée à l'extrémité de **V** observera un mouvement rotatif dans le sens antihoraire, la rotation se faisant du vecteur **P** au vecteur **Q** selon l'angle θ. Les trois vecteurs **P**, **Q** et **V**, pris selon cet ordre, forment la règle de la main droite. Il en découle la relation des produits vectoriels suivants :

$$\mathbf{Q} \times \mathbf{P} = -(\mathbf{P} \times \mathbf{Q}) \tag{3.4}$$

De même, découleront les relations des produits vectoriels des vecteurs unitaires suivants :

$$\mathbf{i} \times \mathbf{i} = 0 \qquad \mathbf{i} \times \mathbf{j} = \mathbf{k} \qquad \mathbf{j} \times \mathbf{i} = -\mathbf{k}$$

et ainsi de suite. Le signe du produit vectoriel de deux vecteurs unitaires peut être déterminé en plaçant dans un cercle, dans le sens antihoraire, les trois lettres représentant les trois vecteurs unitaires (*voir la figure 3.50*). Le produit vectoriel de deux vecteurs unitaires est :

- positif si les vecteurs se suivent dans le sens antihoraire ;
- négatif si les vecteurs se suivent dans le sens horaire.

a)

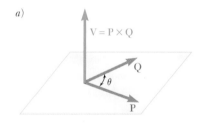

b)

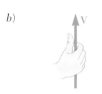

Figure 3.49

Figure 3.50

Composantes rectangulaires d'un produit vectoriel

Les composantes rectangulaires du produit vectoriel $\mathbf{V}$ de deux vecteurs $\mathbf{P}$ et $\mathbf{Q}$ sont représentées (*voir la section 3.1.4*) par

$$
\begin{aligned}
V_x &= P_y Q_z - P_z Q_y \\
V_y &= P_z Q_x - P_x Q_z \\
V_z &= P_x Q_y - P_y Q_x
\end{aligned} \tag{3.9}
$$

En utilisant le déterminant, nous aurons

$$
\mathbf{V} = \begin{vmatrix} \mathbf{i} & \mathbf{j} & \mathbf{k} \\ P_x & P_y & P_z \\ Q_x & Q_y & Q_z \end{vmatrix} \tag{3.10}
$$

Moment d'une force autour d'un point

Le moment d'une force $\mathbf{F}$ par rapport à un point O est défini par le produit vectoriel (*voir la section 3.1.5*)

$$
\mathbf{M}_O = \mathbf{r} \times \mathbf{F} \tag{3.11}
$$

où $\mathbf{r}$ est le vecteur position tracé à partir du point O vers le point d'application A de la force $\mathbf{F}$ (*voir la figure 3.51*). En identifiant par θ l'angle compris entre les lignes d'action de $\mathbf{r}$ et de $\mathbf{F}$, nous déterminons la grandeur du moment $\mathbf{F}$ autour du point O, qui peut être exprimée par

$$
M_O = rF \sin \theta = Fd \tag{3.12}
$$

où d représente la distance perpendiculaire séparant O et la ligne d'action de $\mathbf{F}$.

Composantes rectangulaires d'un moment

Les composantes rectangulaires du moment $\mathbf{M}_O$ d'une force $\mathbf{F}$ sont exprimées par (*voir la section 3.1.6*)

$$
\begin{aligned}
M_x &= yF_z - zF_y \\
M_y &= zF_x - xF_z \\
M_z &= xF_y - yF_x
\end{aligned} \tag{3.18}
$$

où x, y et z sont les composantes du vecteur position $\mathbf{r}$ (*voir la figure 3.52*). En utilisant la forme du déterminant, nous pouvons écrire

$$
\mathbf{M}_O = \begin{vmatrix} \mathbf{i} & \mathbf{j} & \mathbf{k} \\ x & y & z \\ F_x & F_y & F_z \end{vmatrix} \tag{3.19}
$$

D'une façon générale, le moment autour d'un point quelconque B créé par une force $\mathbf{F}$ appliquée à un point A est représenté par le déterminant

$$
\mathbf{M}_B = \begin{vmatrix} \mathbf{i} & \mathbf{j} & \mathbf{k} \\ x_{A/B} & y_{A/B} & z_{A/B} \\ F_x & F_y & F_z \end{vmatrix} \tag{3.21}
$$

où $x_{A/B}$, $y_{A/B}$ et $z_{A/B}$ sont les composantes du vecteur $\mathbf{r}_{A/B}$:

$$
x_{A/B} = x_A - x_B \qquad y_{A/B} = y_A - y_B \qquad z_{A/B} = z_A - z_B
$$

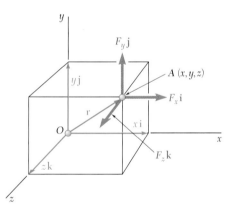

Figure 3.51

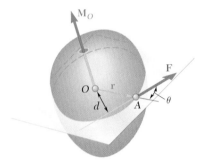

Figure 3.52

Dans le cas des problèmes à deux dimensions (2D), on supposera que la force $\mathbf{F}$ est située dans le plan xy. Son moment $\mathbf{M}_B$ autour du point B sera perpendiculaire au plan xy (*voir la figure 3.53*) et il sera identifié par le produit scalaire

$$M_B = (x_A - x_B)F_y - (y_A - y_B)F_x \qquad (3.23)$$

Plusieurs méthodes ont été présentées pour le calcul du moment d'une force autour d'un point donné (*voir les problèmes résolus 3.1 à 3.4*).

Produit scalaire de deux vecteurs

Le produit scalaire de deux vecteurs $\mathbf{P}$ et $\mathbf{Q}$ (*voir la section 3.2.1*) est noté par $\mathbf{P} \cdot \mathbf{Q}$, et sa valeur scalaire par

$$\mathbf{P} \cdot \mathbf{Q} = PQ \cos \theta \qquad (3.24)$$

où l'angle θ se trouve entre $\mathbf{P}$ et $\mathbf{Q}$ (*voir la figure 3.54*). On peut exprimer le produit scalaire de $\mathbf{P}$ et $\mathbf{Q}$ en fonction des composantes rectangulaires de deux vecteurs

$$\mathbf{P} \cdot \mathbf{Q} = P_x Q_x + P_y Q_y + P_z Q_z \qquad (3.30)$$

Projection d'un vecteur sur un axe

La projection d'un vecteur $\mathbf{P}$ sur un axe OL (*voir la figure 3.55*) est obtenue par le produit scalaire de $\mathbf{P}$ et du vecteur unitaire $\boldsymbol{\lambda}$ par rapport à l'axe OL, d'où

$$P_{OL} = \mathbf{P} \cdot \boldsymbol{\lambda} \qquad (3.36)$$

ou, en utilisant les composantes rectangulaires, par

$$P_{OL} = P_x \cos \theta_x + P_y \cos \theta_y + P_z \cos \theta_z \qquad (3.37)$$

où θ_x, θ_y et θ_z représentent les angles formés entre l'axe OL et les axes des coordonnées x, y et z.

Produit mixte de trois vecteurs

Le produit mixte des trois vecteurs $\mathbf{S}$, $\mathbf{P}$ et $\mathbf{Q}$ est défini par l'expression scalaire

$$\mathbf{S} \cdot (\mathbf{P} \times \mathbf{Q}) \qquad (3.38)$$

obtenue par le produit scalaire de $\mathbf{S}$ et le produit vectoriel de $\mathbf{P}$ et $\mathbf{Q}$ (*voir la section 3.2.2*). On a démontré que

$$\mathbf{S} \cdot (\mathbf{P} \times \mathbf{Q}) = \begin{vmatrix} S_x & S_y & S_z \\ P_x & P_y & P_z \\ Q_x & Q_y & Q_z \end{vmatrix} \qquad (3.41)$$

où les coefficients de la matrice du déterminant représentent les composantes rectangulaires des trois vecteurs.

Moment d'une force autour d'un axe

Le moment d'une force $\mathbf{F}$ par rapport à un axe OL (*voir la section 3.2.3*) a été défini comme la projection OC sur l'axe OL du moment $\mathbf{M}_O$ de la force $\mathbf{F}$ (*voir la figure 3.56*), c'est-à-dire le produit mixte du vecteur unitaire $\boldsymbol{\lambda}$, du vecteur position $\mathbf{r}$ et de la force $\mathbf{F}$:

$$M_{OL} = \boldsymbol{\lambda} \cdot \mathbf{M}_O = \boldsymbol{\lambda} \cdot (\mathbf{r} \times \mathbf{F}) \qquad (3.42)$$

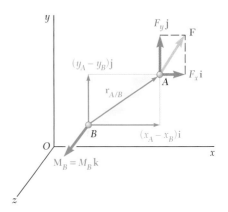

Figure 3.53

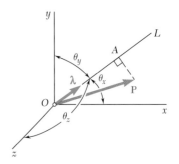

Figure 3.54

Figure 3.55

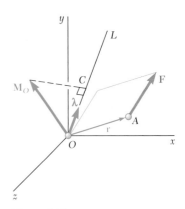

Figure 3.56

La représentation matricielle du déterminant du produit mixte est

$$M_{OL} = \begin{vmatrix} \lambda_x & \lambda_y & \lambda_z \\ x & y & z \\ F_x & F_y & F_z \end{vmatrix} \tag{3.43}$$

où λ_x, λ_y et λ_z = cosinus directionnels de l'axe OL

$\qquad x$, y et z = composantes de $\mathbf{r}$

$\qquad F_x$, F_y et F_z = composantes de $\mathbf{F}$

Le problème résolu 3.5 illustre le calcul du moment d'une force par rapport à un axe oblique (la diagonale).

Couples

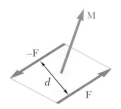

Figure 3.57

Un couple est formé de deux forces $\mathbf{F}$ et $-\mathbf{F}$ d'égale grandeur et agissant en sens opposé selon des lignes d'action parallèles (*voir la section 3.3.1*). Il a été démontré que le moment d'un couple est indépendant du point où il a été calculé ; c'est un vecteur $\mathbf{M}$ perpendiculaire au plan du couple. Sa grandeur est égale au produit de la force F par d, distance séparant $\mathbf{F}$ et $-\mathbf{F}$ (*voir la figure 3.57*).

Deux couples ayant le même moment $\mathbf{M}$ sont dits *équivalents*, c'est-à-dire qu'ils auront le même effet sur le corps rigide sur lequel ils sont appliqués (*voir la section 3.3.2*). La somme de deux couples forme un couple résultant (*voir la section 3.3.3*) ; le moment résultant $\mathbf{M}$ est obtenu par la somme vectorielle des moments initiaux $\mathbf{M}_1$ et $\mathbf{M}_2$ (*voir le problème résolu 3.6*). Donc, un couple peut être représenté par un vecteur appelé le *vecteur-couple*, de mêmes grandeur et direction que le moment $\mathbf{M}$ du couple (*voir la section 3.3.4*). Un vecteur-couple est un vecteur libre : en conséquence, il peut être relié à un point à l'origine O et résolu selon les axes des coordonnées (*voir la figure 3.58*).

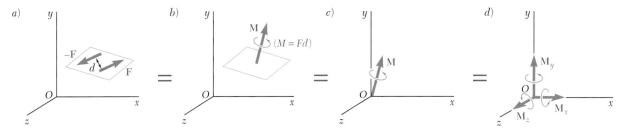

Figure 3.58

Système force-couple

Toute force $\mathbf{F}$ appliquée à un point A d'un corps rigide peut être remplacée par un système force-couple agissant à un point quelconque O. Ce système force-couple est constitué de la force $\mathbf{F}$ appliquée à O et d'un couple de moment $\mathbf{M}_O$ égal au moment autour de O de la force $\mathbf{F}$ à sa position d'origine (*voir la section 3.3.5*). Rappelons que la force $\mathbf{F}$ et le vecteur-couple $\mathbf{M}_O$ sont toujours perpendiculaires l'un à l'autre (*voir la figure 3.59*).

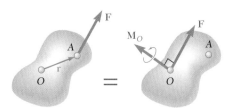

Figure 3.59

Réduction d'un système de forces en un système force-couple

Il en découle que (*voir la section 3.4.1*) tout système de forces peut être réduit à un système force-couple agissant à un point donné O (*voir la figure 3.60*).

Cela se réalise :

a) en remplaçant chacune des forces du système par un système équivalent force-couple agissant au point O ;

b) en additionnant ensuite toutes les forces et tous les couples pour obtenir une force résultante $\mathbf{R}$ et un vecteur-couple résultant $\mathbf{M}_O^R$ (*voir les problèmes résolus 3.8 à 3.11*).

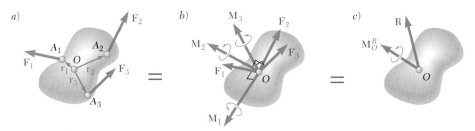

Figure 3.60

Habituellement, la résultante $\mathbf{R}$ et le vecteur-couple résultant $\mathbf{M}_O^R$ ne sont pas perpendiculaires l'un à l'autre.

Système de forces équivalent

Finalement, concernant les corps rigides, on peut conclure (*voir la section 3.4.2*) que deux systèmes de forces $\mathbf{F}_1, \mathbf{F}_2, \mathbf{F}_3, \ldots$, et $\mathbf{F}_1', \mathbf{F}_2', \mathbf{F}_3', \ldots$, sont équivalents si, et seulement si,

$$\Sigma\mathbf{F} = \Sigma\mathbf{F}' \qquad \text{et} \qquad \Sigma\mathbf{M}_O = \Sigma\mathbf{M}_O' \qquad (3.57)$$

Réduction avancée d'un système de forces

Si la force résultante $\mathbf{R}$ et le vecteur-couple résultant $\mathbf{M}_O^R$ sont perpendiculaires, le système force-couple au point O peut être réduit encore plus à une seule force résultante (*voir la section 3.4.3*). Cela est le cas de systèmes constitués :

1. de forces concourantes (chapitre 2) ;
2. de forces coplanaires (*voir les problèmes résolus 3.8 et 3.9*) ;
3. de forces parallèles (*voir le problème résolu 3.11*).

Si la résultante $\mathbf{R}$ et le vecteur-couple $\mathbf{M}_O^R$ ne sont pas perpendiculaires l'un à l'autre, on ne pourra pas réduire le système en une force unique. Néanmoins, on pourra le réduire en une forme spéciale de force-couple appelée *torseur*. Un torseur est formé d'une résultante $\mathbf{R}$ et d'un vecteur-couple $\mathbf{M}_1$ orienté selon $\mathbf{R}$ (*voir la section 3.4.4 et le problème résolu 3.12*).

3.147 et 3.148 La bielle *AB* exerce sur la manivelle *BC* une force de 2,5 kN dirigée vers le bas et vers la gauche selon l'axe *AB*. Calculez le moment de cette force par rapport au point *C*.

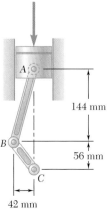

Figure P3.147

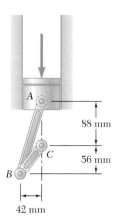

Figure P3.148

3.149 Le câble *AE* est tendu entre les coins *A* et *E* d'une plaque pliée. Sachant que la tension dans le câble est de 435 N, déterminer le moment par rapport à *O* de la force exercée par le câble :
a) au coin *A* ;
b) au coin *E*.

3.150 Sachant que la tension dans le câble *AC* est de 1260 N, évaluez :
a) l'angle formé entre le câble *AC* et le mât *AB* ;
b) la projection sur le mât *AB* de la force appliquée par le câble *AC* au point *A*.

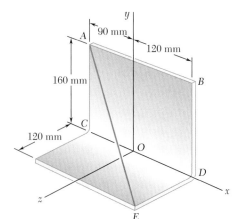

Figure P3.149

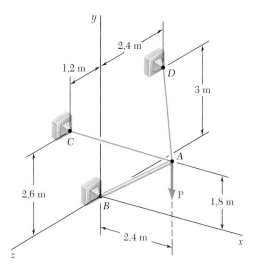

Figure P3.150

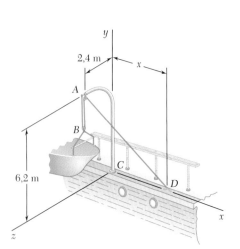

Figure P3.151

3.151 Une chaloupe est amarrée à un navire à l'aide de deux daviers, dont l'un est illustré à la figure P3.151. Le moment par rapport à l'axe *z* de la force résultante **R**$_A$ exercée sur le davier *AC* au point *A* ne doit pas dépasser 1600 N · m en valeur absolue. Déterminez la tension maximale admissible dans l'amarre *ABAD*, sachant que *x* = 4,8 m.

3.152 Le cadre *ACD* est fixé aux articulations *A* et *D*. Il est supporté par un câble enfilé dans l'anneau *B*. Le câble est fixé au mur par des crochets aux points *G* et *H*. La tension dans le câble est de 450 N. Déterminez le moment par rapport à la diagonale *AD* de la force exercée par la section *BH* du câble sur le cadre.

3.153 Quatre chevilles de même diamètre sont fixées sur un panneau comme illustré. On enroule des ficelles autour des chevilles et on les soumet à des tensions. Évaluez le diamètre des chevilles sachant que le couple résultant appliqué sur le cadre doit être de 4,85 N · m orienté dans le sens horaire.

3.154 Une force **P** de 250 N est appliquée à l'extrémité *C* de la tige *AC* de 500 mm de longueur, laquelle est fixée à une cornière en *A* et en *B*. Si $\alpha = 30°$ et $\beta = 60°$, remplacez **P** par :
a) un système force-couple équivalent au point *B* ;
b) un système formé de deux forces parallèles appliquées aux points *A* et *B*.

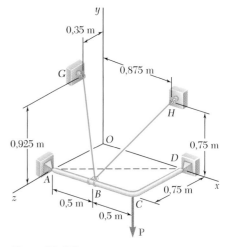

Figure P3.152

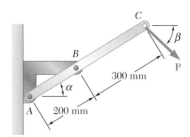

Figure P3.154

3.155 Considérez le montage de la figure P3.155. Remplacez la force de 150 N par un système force-couple équivalent au point *A*.

3.156 Un système constitué d'un couple $M = 540$ N · mm et de trois forces agit sur la cornière de la figure P3.156.
a) Calculez la résultante de ce système de forces.
b) Localisez les points où la ligne d'action de la résultante croise les droites *AB* et *BC*.

3.157 On utilise un tournevis vilebrequin pour serrer une vis au point *A*. Sachant que les forces illustrées sont équivalentes à un système force-couple appliqué en *A* avec $\mathbf{R} = -(30 \text{ N})\mathbf{i} + R_y\mathbf{j} + R_z\mathbf{k}$ et $\mathbf{M}_A^R = -(12 \text{ N} \cdot \text{m})\mathbf{i}$, trouvez :
a) les forces agissant aux points *B* et *C* ;
b) les valeurs de R_y et R_z correspondantes ;
c) l'orientation de la fente de la vis, pour que la lame du tournevis ait le minimum de chances de glisser, le vilebrequin étant dans la position illustrée.

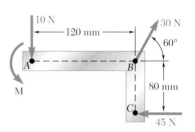

Figure P3.153

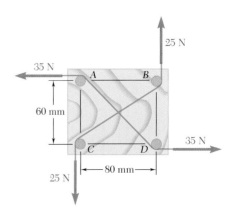

Figure P3.155

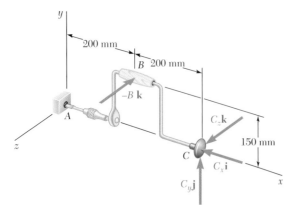

Figure P3.157

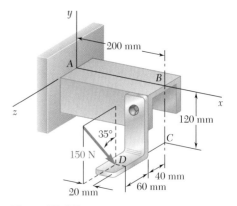

Figure P3.156

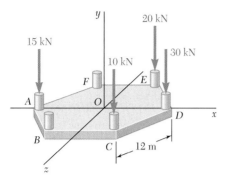

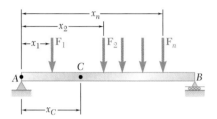

Figure P3.158

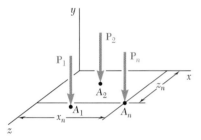

Figure P3.159

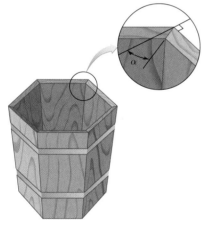

Figure P3.160

Figure P3.161

3.158 Une dalle hexagonale en béton de 12 m de côté supporte six colonnes, comme illustré. Déterminez la grandeur des charges supplémentaires à appliquer en B et en F si la résultante de l'ensemble des charges doit passer par le centre de la dalle.

LES PROBLÈMES SUIVANTS SONT CONÇUS POUR ÊTRE SOLUTIONNÉS NUMÉRIQUEMENT.

3.159 La poutre AB est soumise à plusieurs forces verticales comme illustré. Concevez un programme permettant de calculer la grandeur de la résultante des forces et la distance x_c du point C, où la ligne d'action de la force résultante croise la droite AB. Utilisez ensuite ce programme pour résoudre :
a) le problème résolu 3.8c ;
b) le problème 3.106a.

3.160 Concevez un programme permettant de déterminer la grandeur et le point d'application de la résultante des forces verticales $\mathbf{P}_1$, $\mathbf{P}_2$, ..., $\mathbf{P}_n$ agissant aux points A_1, A_2, ..., A_n situés sur le plan xz. Utilisez ensuite ce programme pour résoudre :
a) le problème résolu 3.11 ;
b) le problème 3.127 ;
c) le problème 3.129.

3.161 Un ami vous demande de l'aider à concevoir des pots de fleurs de différentes formes, ayant 4, 5, 6 ou 8 côtés. Les côtés doivent être inclinés par rapport à l'axe vertical de 10°, 20° ou 30°. Concevez un programme permettant de calculer l'angle α du biseau pour chacun des douze modèles possibles de pot de fleurs. (Suggestion : supposez que l'angle du biseau de chaque planche du pot est égal à la moitié de l'angle formé entre les droites normales à deux côtés adjacents.)

3.162 Le fabricant de bobines pour tuyau d'arrosage souhaite connaître le moment de la force $\mathbf{F}$ par rapport à l'axe AA'. La grandeur de cette force (en newtons) est exprimée par la relation $F = 300(1 - x/L)$, où x est la longueur du tuyau enroulé autour du moyeu central de la bobine dont le diamètre est de 0,60 m, et L est la longueur totale du tuyau. Concevez un programme pouvant calculer le moment voulu pour un tuyau ayant une longueur de 30 m et un diamètre de 50 mm. Commencez par $x = 0$ et calculez le moment après chaque tour complet de la bobine, jusqu'à l'enroulement total du tuyau.

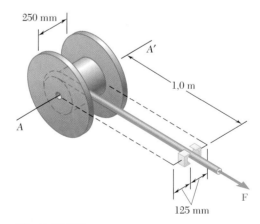

Figure P3.162

3.163 Un corps rigide est soumis à un système de N forces. Concevez un programme pouvant être utilisé pour calculer le système force-couple équivalent appliqué au point d'origine des axes des coordonnées et pour déterminer, dans le cas où la force équivalente et le couple équivalent sont orthogonaux, la grandeur de la résultante du système de forces initial et son point d'application dans le plan xz.

Utilisez ensuite ce programme pour résoudre les problèmes :

a) 3.113 ;

b) 3.120 ;

c) 3.127.

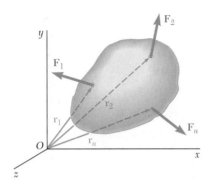

Figure P3.163

3.164 Deux conduits cylindriques, *AB* et *CD*, sont situés dans les murs d'une chambre comme illustré. Les axes des conduits sont mutuellement parallèles, mais ne sont pas perpendiculaires aux murs. Les conduits seront connectés à l'aide de deux coudes flexibles et d'un tuyau central rectiligne. Concevez un programme permettant de déterminer les longueurs de *AB* et *CD* qui minimiseront la distance entre l'axe de la section rectiligne de la connexion et un thermomètre placé au mur au point *E*. Vous supposerez que les coudes ont une longueur négligeable, que les axes de *AB* et *CD* sont définis par $\boldsymbol{\lambda}_{AB} = (7\mathbf{i} - 4\mathbf{j} + 4\mathbf{k})/9$ et $\boldsymbol{\lambda}_{CD} = (-7\mathbf{i} + 4\mathbf{j} - 4\mathbf{k})/9$ respectivement et que leurs longueurs varient entre 0,225 m et 0,9 m.

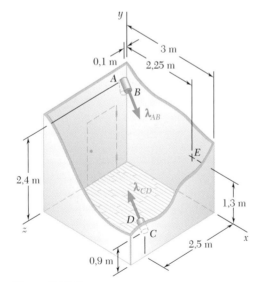

Figure P3.164

CHAPITRE

4 ÉQUILIBRE DES CORPS RIGIDES

La tour Spinnaker, construite dans le port de Portsmouth au Royaume-Uni, est calquée sur la forme d'une voile. Elle est conçue pour rester en équilibre sous les actions conjointes des forces de gravité (verticales) et des forces éoliennes (latérales).

SOMMAIRE

Une benne de chargement de 5500 N est au repos sur des rails selon un angle de 25° avec la verticale. Son centre de gravité est à 0,6 m des rails, à mi-distance des deux essieux. La benne est retenue par un câble attaché à 0,48 m des rails. Calculez la tension dans le câble et la réaction à chacun des essieux montés.

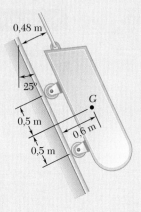

Diagramme du corps libre On trace d'abord le diagramme du corps libre. La réaction à chacune des roues est perpendiculaire aux rails tandis que la force de traction **T** est parallèle aux rails. Pour cette raison, on identifie l'axe des x parallèle aux rails et l'axe des y perpendiculaire aux rails. On décompose le poids de la benne de 5500 N selon ses composantes x et y.

$$W_x = +(5500 \text{ N}) \cos 25° = +4980 \text{ N}$$

$$W_y = -(5500 \text{ N}) \sin 25° = -2320 \text{ N}$$

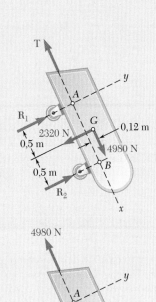

Équations d'équilibre On prend les moments par rapport au point A afin d'éliminer **T** et **R**$_1$.

$$+\gamma\Sigma M_A = 0: \quad -(2320 \text{ N})(0,5 \text{ m}) - (4980 \text{ N})(0,12 \text{ m}) + R_2(1 \text{ m}) = 0$$

$$R_2 = +1758 \text{ N} \qquad\qquad \mathbf{R_2} = 1758 \text{ N} \nearrow \quad \blacktriangleleft$$

Ensuite, en prenant les moments par rapport au point B pour éliminer **T** et **R**$_2$, on écrit

$$+\gamma\Sigma M_B = 0: \quad (2320 \text{ N})(0,5 \text{ m}) - (4980 \text{ N})(0,12 \text{ m}) - R_1(1 \text{ m}) = 0$$

$$R_1 = +562 \text{ N} \qquad\qquad \mathbf{R_1} = +562 \text{ N} \nearrow \quad \blacktriangleleft$$

On obtient la valeur de T en solutionnant

$$\searrow+\Sigma F_x = 0: \quad +4980 \text{ N} - T = 0$$

$$T = +4980 \text{ N} \qquad\qquad \mathbf{T} = 4980 \text{ N} \nwarrow \quad \blacktriangleleft$$

Le schéma ci-contre illustre les valeurs des différentes réactions.

Vérification On peut vérifier les résultats à l'aide de l'équation d'équilibre suivante:

$$\nearrow+\Sigma F_y = +562 \text{ N} + 1758 \text{ N} - 2320 \text{ N} = 0$$

On aurait pu aussi vérifier la solution en calculant les moments par rapport à un point autre que A ou B.

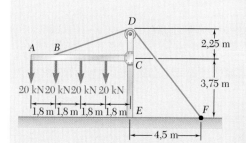

Une structure supporte une section du toit d'un petit édifice, comme illustré ci-contre. Sachant que la tension dans le câble *BDF* est de 150 kN, déterminez la réaction à l'encastrement *E*.

> **SOLUTION**

Diagramme du corps libre On trace le diagramme du corps libre de la structure et du câble *BDF*. On représente la réaction au point *E* par les composantes $\mathbf{E}_x$, $\mathbf{E}_y$ et le couple $\mathbf{M}_E$. Les autres forces en présence agissant sur le corps libre sont les quatre charges de 20 kN et la tension appliquée à l'extrémité du câble au point *F*.

Équations d'équilibre Sachant que $DF = \sqrt{(4,5 \text{ m})^2 + (6 \text{ m})^2} = 7,5 \text{ m}$, on écrit

$$\xrightarrow{+} \Sigma F_x = 0: \qquad E_x + \frac{4,5}{7,5}(150 \text{ kN}) = 0$$

$$E_x = -90,0 \text{ kN} \qquad \mathbf{E}_x = 90,0 \text{ kN} \leftarrow \blacktriangleleft$$

$$+\uparrow \Sigma F_y = 0: \qquad E_y - 4(20 \text{ kN}) - \frac{6}{7,5}(150 \text{ kN}) = 0$$

$$E_y = +200 \text{ kN} \qquad \mathbf{E}_y = 200 \text{ kN} \uparrow \blacktriangleleft$$

$$+\!\!\!\curvearrowleft \Sigma M_E = 0: \qquad (20 \text{ kN})(7,2 \text{ m}) + (20 \text{ kN})(5,4 \text{ m}) + (20 \text{ kN})(3,6 \text{ m})$$

$$+ (20 \text{ kN})(1,8 \text{ m}) - \frac{6}{7,5}(150 \text{ kN})(4,5 \text{ m}) + M_E = 0$$

$$M_E = +180,0 \text{ kN} \cdot \text{m} \qquad \mathbf{M}_E = 180,0 \text{ kN} \cdot \text{m} \curvearrowleft \blacktriangleleft$$

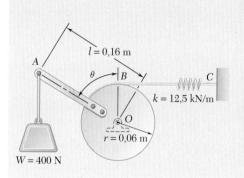

Un poids de 400 N est attaché à l'extrémité *A* du levier *OA*. La constante élastique du ressort *BC* est de $k = 12,5$ kN/m. Le ressort est au repos quand $\theta = 0$. Déterminez la position d'équilibre.

> **SOLUTION**

Diagramme du corps libre (DCL) On trace le DCL du système composé du levier et du cylindre. En identifiant par *s* l'allongement du ressort par rapport à sa position au repos, on a: $s = r\theta$ et $F = ks = kr\theta$.

Équation d'équilibre Si l'on additionne les moments de **W** et **F** par rapport au point *O*, on a

$$+\!\!\!\curvearrowleft \Sigma M_O = 0: \qquad Wl \sin \theta - r(kr\theta) = 0 \qquad \sin \theta = \frac{kr^2}{Wl}\theta$$

En substituant les valeurs données, on obtient

$$\sin \theta = \frac{(12,5 \text{ kN/m})(0,06 \text{ m})^2}{(400 \text{ N})(0,16 \text{ m})}\theta \qquad \sin \theta = 0,703\theta$$

Une solution par essais et erreurs donne $\qquad \theta = 0 \text{ ou } \theta = 80,3° \blacktriangleleft$

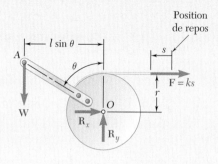

Nous avons vu que les forces externes agissant sur un corps rigide en équilibre forment un système équivalent à zéro. Pour résoudre un problème d'équilibre, il faut commencer par tracer un diagramme du corps libre clair et suffisamment grand, où toutes les forces externes, connues et inconnues, sont représentées.

Dans le cas d'un corps rigide bidimensionnel, les réactions aux points d'appui peuvent introduire une, deux ou trois inconnues, selon le type d'appui (*voir la figure 4.1*). Le tracé d'un bon diagramme du corps libre (DCL) est une condition essentielle à la résolution de ce type de problème. Il ne faut jamais procéder à l'étude d'un problème d'équilibre sans avoir préalablement tracé de façon méthodique le DCL représentant l'ensemble des forces en présence, soit les charges, les réactions et le poids du corps, si applicable.

1. **Écrire les trois équations d'équilibre** et les résoudre par rapport aux trois inconnues. Par exemple, les trois équations peuvent être

$$\Sigma F_x = 0 \qquad \Sigma F_y = 0 \qquad \Sigma M_O = 0$$

Cependant, on peut aussi utiliser d'autres combinaisons d'équations, telles que

$$\Sigma F_x = 0 \qquad \Sigma M_A = 0 \qquad \Sigma M_B = 0$$

où le point B a été choisi de sorte que la droite AB ne soit pas parallèle à l'axe des y.

Quand les points A, B et C ne sont pas alignés, on peut utiliser les équations suivantes :

$$\Sigma M_A = 0 \qquad \Sigma M_B = 0 \qquad \Sigma M_C = 0$$

2. **Pour simplifier la résolution d'un problème,** il est suggéré d'adopter l'une des approches suivantes :
   a) **Additionner les moments autour du point d'intersection** des lignes d'action de deux forces inconnues ; on obtient ainsi une équation à une seule inconnue.

   b) **Additionner les composantes selon une direction perpendiculaire à deux forces parallèles inconnues** afin d'obtenir également une équation à une seule inconnue.

3. **Après le traçage du diagramme du corps libre (DCL),** on peut se trouver devant l'une de ces situations particulières :
   a) **Corps en liaison incomplète :** Quand les réactions impliquent moins de trois inconnues, le mouvement du corps est possible.
   b) **Réactions statiquement indéterminées ou hyperstatiques :** Quand les réactions impliquent plus de trois inconnues, elles sont dites statiquement indéterminées ou redondantes. Même s'il est possible de calculer quelques réactions, on ne peut pas déterminer l'ensemble des réactions.
   c) **Corps en liaisons incorrectes :** Le corps sera en mouvement quand il sera soumis à des charges générales. On assiste à ce type de situation quand les réactions passent par un même point unique ou quand elles sont parallèles.

Note : dans les problèmes du chapitre 4, si le poids d'un objet n'est pas mentionné, ce poids est considéré comme négligeable.

4.1 Deux caisses, chacune ayant une masse de 350 kg, sont placées sur la benne d'une camionnette de 1400 kg. Calculez :
a) la réaction à chacune des deux roues arrière A ;
b) la réaction à chacune des deux roues avant B.

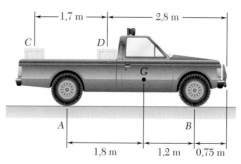

Figure P4.1

4.2 Résolvez le problème 4.1, sachant que la caisse D a été enlevée et que la caisse C n'a pas été dé placée.

4.3 À l'aide d'un tracteur de 856 kg, on transporte 367 kg de gravier. Calculez :
a) les réactions à chacune des deux roues arrière A ;
b) les réactions à chacune des deux roues avant B.

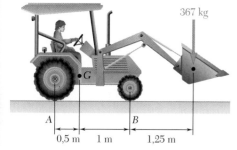

Figure P4.3

4.4 En vous référant à la figure P4.4, calculez :
a) les réactions au point A ;
b) la tension dans le câble BC.

4.5 On applique quatre charges sur un support en forme de T. Déterminez les réactions aux points A et B, si :
a) $a = 100$ mm ;
b) $a = 70$ mm.

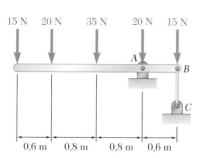

Figure P4.4

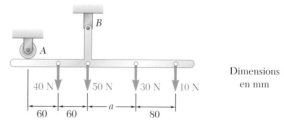

Dimensions en mm

Figure P4.5

4.6 En vous référant au problème 4.5, déterminez la distance a minimale nécessaire pour garder le support immobile.

4.7 On utilise un diable pour transporter deux tonneaux de 40 kg chacun. En supposant que le poids du diable est négligeable, calculez :
a) la force verticale P à appliquer au point A pour maintenir l'ensemble en équilibre lorsque $\alpha = 35°$;
b) la réaction à chacune des deux roues du diable.

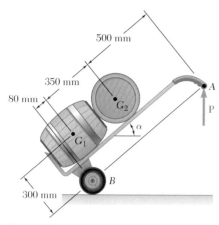

Figure P4.7

4.8 Résolvez le problème 4.7 si $\alpha = 40°$.

4.9 Trois charges sont appliquées, comme illustré, sur une poutre supportée par des câbles attachés aux points B et D. En négligeant le poids de la poutre, déterminez le domaine de valeurs de Q pour lesquelles aucun câble ne devient détendu quand $P = 0$.

4.10 Trois charges sont appliquées, comme illustré, sur une poutre supportée par des câbles attachés aux points B et D. En négligeant le poids de la poutre et sachant que la tension maximale dans chaque câble est 12 kN, déterminez le domaine de valeurs de Q pour lesquelles aucun câble ne se rompt quand $P = 0$.

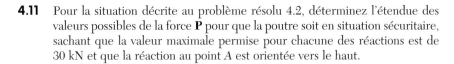

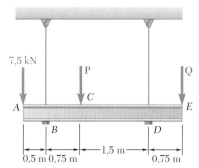

Figure P4.9 - P4.10

4.11 Pour la situation décrite au problème résolu 4.2, déterminez l'étendue des valeurs possibles de la force **P** pour que la poutre soit en situation sécuritaire, sachant que la valeur maximale permise pour chacune des réactions est de 30 kN et que la réaction au point A est orientée vers le haut.

4.12 En vous référant au levier de la figure P4.12, déterminez l'étendue des valeurs possibles de la distance a pour que la réaction d'appui au point B ne dépasse pas 100 N dirigée vers le bas ou 200 N dirigée vers le haut.

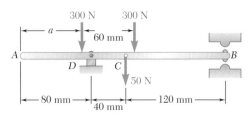

Figure P4.12

4.13 En vous référant à la figure P4.13, déterminez l'étendue des valeurs possibles de la distance d pour que la poutre soit en état sécuritaire, sachant que la valeur maximale admissible de chacune des réactions est de 180 N et que le poids de la poutre est négligeable.

4.14 Résolvez le problème 4.13 en remplaçant la charge de 50 N par une autre de 80 N.

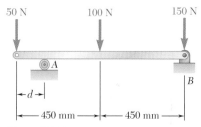

Figure P4.13

4.15 Le levier BCD est fixé à un câble en B et pivote au point C. En appliquant les charges comme illustré, calculez :
a) la tension dans le câble AB ;
b) la réaction au pivot C.

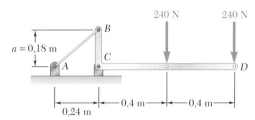

Figure P4.15

4.16 Résolvez le problème 4.15, sachant que $a = 0,32$ m.

4.17 Sachant que la tension dans le câble AB est maintenue à 200 N, calculez :
a) la force verticale **P** à appliquer sur la pédale ;
b) la valeur de la réaction correspondant au point C.

4.18 Déterminez la tension maximale applicable au câble AB si la valeur de la réaction maximale admissible au point C est de 250 N.

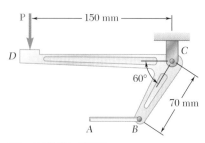

Figure P4.17 - P4.18

4.19 Deux tiges AB et DE sont attachées à un levier, comme illustré. Sachant que la tension dans la tige AB est 720 N, déterminez :
a) la tension dans la tige DE ;
b) la réaction au point C.

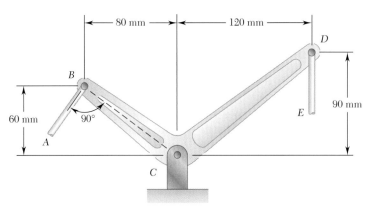

Figure P4.19 - P4.20

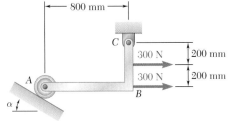

Figure P4.21

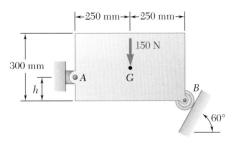

Figure P4.22

4.20 Deux tiges AB et DE sont attachées à un levier, comme illustré. Déterminez la force maximale que peut en toute sécurité exercer la tige AB, si la grandeur maximale de la réaction au point C est de de 1600 N.

4.21 En vous référant à la figure, évaluez les réactions aux points A et C, si :
a) $\alpha = 0°$;
b) $\alpha = 30°$.

4.22 En vous référant à la figure, évaluez les réactions aux points A et B, si :
a) $h = 0$ mm ;
b) $h = 200$ mm.

4.23 et 4.24 Pour chacune des plaques illustrées, évaluez les réactions d'appui aux points A et B.

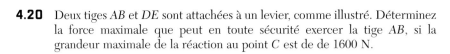

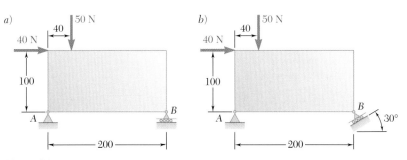

Figure P4.23

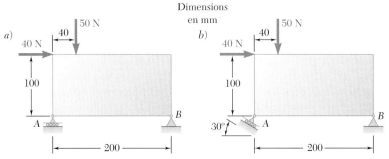

Figure P4.24

4.25 La tige AB est fixée à un pivot en A et au câble BD en B. La tige supporte deux charges, comme illustré. Sachant que $d = 200$ mm, calculez :
a) la tension dans le câble BD ;
b) la réaction au point A.

4.26 La tige AB est fixée à un pivot en A et au câble BD en B. Si $d = 150$ mm, calculez :
a) la tension dans le câble BD ;
b) la réaction au point A.

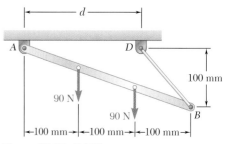

Figure P4.25 - P4.26

4.27 Un levier AB pivote au point C et est attaché à un câble en A. Si on applique une force horizontale de 500 N au point B, déterminez :
a) la tension dans le câble ;
b) la réaction au point C

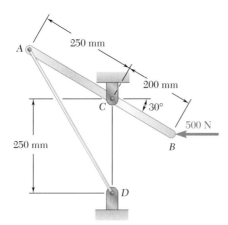

Figure P4.27

4.28 En vous référant à la structure de la figure, déterminez les réactions aux points A et E, si :
a) $\alpha = 30°$;
b) $\alpha = 45°$.

4.29 En vous référant à la figure et en négligeant le frottement, calculez :
a) la tension dans le câble ;
b) la réaction au support C.

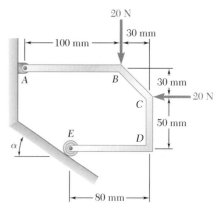

Figure P4.28

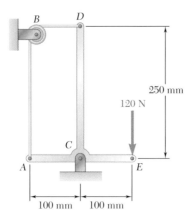

Figure P4.29

4.30 En vous référant à la figure et en négligeant le frottement ainsi que le rayon de la poulie, calculez :
a) la tension dans le câble ADB ;
b) la réaction au point C.

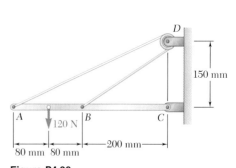

Figure P4.30

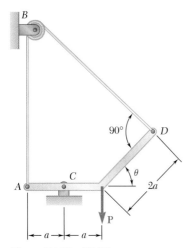

Figure P4.31 - P4.32

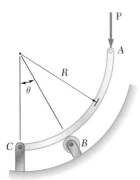

Figure P4.33 - P4.34

4.31 En vous référant à la figure et en négligeant le frottement, calculez la tension dans le câble *ABD* et la réaction au point *C* lorsque $\theta = 60°$.

4.32 En vous référant à la figure et en négligeant le frottement, calculez la tension dans le câble *ABD* et la réaction au point *C* lorsque $\theta = 45°$.

4.33 La tige *AC* en forme d'arc de cercle de rayon *R* est appuyée sur un rouleau *B*. Sachant que $\theta = 30°$, évaluez la réaction:
a) au point *B*;
b) au point *C*.

4.34 La tige *AC* en forme d'arc de cercle de rayon *R* est appuyée sur un rouleau au point *B*. Sachant que $\theta = 60°$, évaluez la réaction:
a) au point *B*;
b) au point *C*.

4.35 En vous référant à la figure, calculez la tension dans chaque câble et la réaction au rouleau *D*.

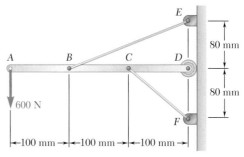

Figure P4.35

4.36 Deux charges de 400 N sont appliquées sur la barre de métal *AC*, comme illustré. Les rouleaux *A* et *C* sont appuyés sur des surfaces sans frottement et la barre est tenue en équilibre par le câble *BD*. Évaluez:
a) la tension dans le câble *BD*;
b) la réaction au point *A*;
c) la réaction au point *C*.

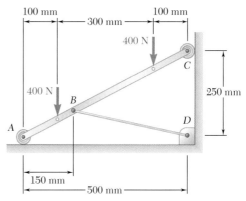

Figure P4.36

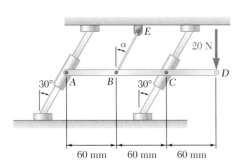

Figure P4.37

4.37 La barre *AD* est fixée aux points *A* et *C* à des manchons sans frottement, comme illustré. Si le câble *BE* est en position verticale ($\alpha = 0$), calculez la tension dans le câble et les réactions aux points *A* et *C*.

4.38 Résolvez le problème 4.37, sachant que le câble *BE* est parallèle aux deux tiges ($\alpha = 30°$).

4.39 Une console est tenue au repos par un câble fixé au point E et par les rouleaux sans frottement A, B, C et D. La largeur de la tringle FG est légèrement inférieure à la distance séparant les rouleaux. Évaluez la force qu'applique chaque rouleau sur le montant, sachant que $\alpha = 20°$.

4.40 Résolvez le problème 4.39, sachant que $\alpha = 30°$.

4.41 Une console est tenue par des chevilles placées aux points A et B. Sachant que le frottement entre les chevilles et les rainures est nul et que $P = 15$ N, calculez :
a) la force exercée par chacune des chevilles sur la plaque ;
b) la réaction d'appui au point F.

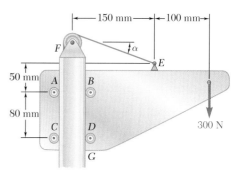

Figure P4.39

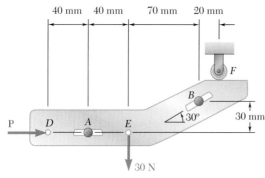

Figure P4.41

4.42 En se référant à la plaque du problème 4.41, on souhaite que la réaction maximale au point F soit de 20 N et orientée vers le bas. En négligeant le frottement aux chevilles, déterminez l'étendue des valeurs possibles de P.

4.43 Une masse de 8 kg peut être supportée de trois façons différentes, comme illustré. Sachant que le rayon de la poulie B est de 100 mm, déterminez la réaction au point A pour chacune des situations présentées.

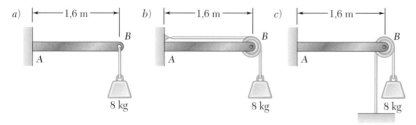

Figure P4.43

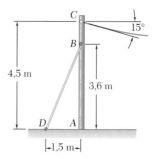

Figure P4.44

4.44 Un poteau de 175 kg soutient à son extrémité C un fil électrique. La tension dans le fil est de 600 N et celui-ci forme au point C un angle de 15° avec l'horizontale. Déterminez les tensions maximale et minimale permises dans le hauban BD si la grandeur du couple en A ne peut dépasser 500 N · m.

4.45 Une tension constante de 5 N est maintenue sur un ruban magnétique passant par deux poulies, A et B, comme illustré. Sachant que chaque poulie a un rayon de 4 mm, déterminez la réaction d'appui au point C.

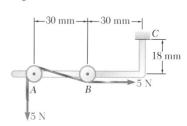

Figure P4.45

4.46 Résolvez le problème 4.45 si les rayons des poulies sont de 6 mm.

4.47 Sachant que la tension dans le câble *BD* est de 1300 N, calculez la réaction de l'encastrement au point *C* de la structure illustrée.

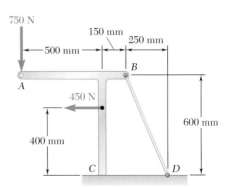

Figure P4.47 - P4.48

4.48 Déterminez l'étendue des valeurs possibles de la tension dans le câble *BD* si la grandeur du couple à l'encastrement *C* ne doit pas dépasser 100 N · m.

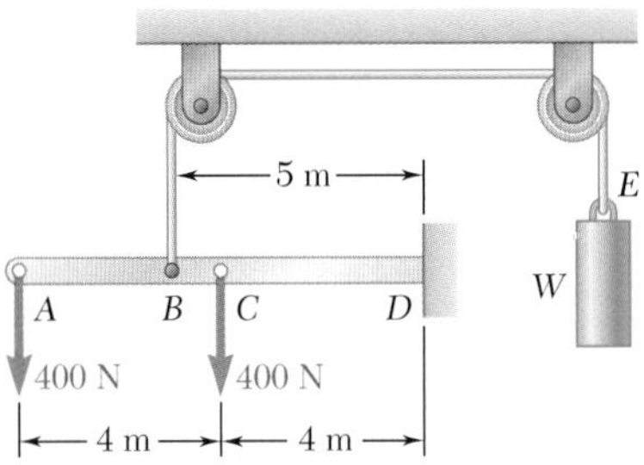

4.49 La poutre *AD* supporte deux charges de 400 N, comme illustré. La poutre est encastrée au point *D* et reliée au câble *BE*, qui est attaché à un contrepoids *W*. Évaluez la réaction en *D* quand:
a) *W* = 1 kN;
b) *W* = 900 N.

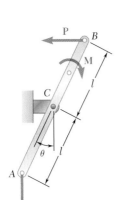

Figure P4.49 - P4.50

4.50 Pour la situation décrite au problème 4.49, déterminez l'étendue des valeurs possibles de *W*, sachant que la grandeur du couple au point *D* ne doit pas dépasser 400 N · m.

4.51 Une tige mince *AB* de poids *W* est fixée aux blocs *A* et *B* pouvant glisser librement dans les guides, comme illustré. Une corde élastique *AB*, passant par la poulie *C*, relie les deux blocs.
a) Exprimez la tension dans la corde en fonction de *W* et de *θ*.
b) Évaluez la valeur de *θ* pour laquelle la tension dans la corde est égale à 3*W*.

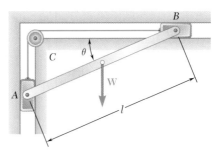

Figure P4.51

4.52 Un couple **M** et deux forces de grandeur *P* agissent sur la barre *AB*.
a) Dérivez une équation exprimant l'équilibre de la barre en fonction de *θ*, *P*, *M* et *l*.
b) Si *M* = 150 N · m, *P* = 200 N et *l* = 600 mm, déterminez la valeur de *θ* nécessaire pour maintenir l'ensemble en équilibre.

Figure P4.52

4.53 Une tension Q est maintenue dans une corde passant par les poulies B et C de diamètre d.

   a) En négligeant le poids de la barre AD et celui des poulies, exprimez la grandeur de la force $\mathbf{P}$ en fonction de Q, a, d et θ en situation d'équilibre.

   b) Calculez P, sachant que $Q = 10$ N, $a = 50$ mm, $d = 8$ mm et $\theta = 30°$.

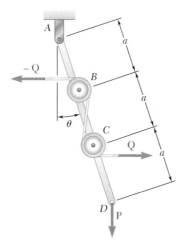

Figure P4.53

4.54 La barre AB, fixée au manchon A, repose sur le rouleau C.

   a) En négligeant le poids de la barre, dérivez une équation exprimant la situation d'équilibre en fonction de P, Q, a, l et θ.

   b) Sachant que $P = 16$ N, $Q = 12$ N, $l = 200$ mm et $a = 50$ mm, déterminez θ.

4.55 On applique une charge verticale $\mathbf{P}$ à l'extrémité B de la barre BC. Sachant que la constante du ressort est k, que le ressort est au repos quand $\theta = 60°$, et que le poids de la barre est négligeable, déterminez :

   a) l'angle θ en fonction de P, k et l en situation d'équilibre ;

   b) la valeur de θ en situation d'équilibre quand $P = \frac{1}{4}kl$.

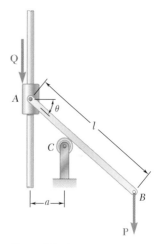

Figure P4.54

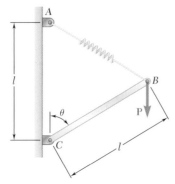

Figure P4.55

4.56 Le manchon B de poids W glisse librement sur la tige verticale. La constante du ressort est k et celui-ci est au repos quand $\theta = 0°$.

   a) Exprimez l'équation d'équilibre du manchon en fonction de θ, W, k et l.

   b) Sachant que $W = 300$ N, $l = 500$ mm et $k = 800$ N/m, calculez la valeur de θ en situation d'équilibre.

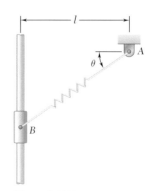

Figure P4.56

4.57 En vous référant au problème résolu 4.5, résolvez le problème en supposant que le ressort est au repos quand $\theta = 90°$.

4.58 Une tige légère AB de poids W est fixée aux blocs A et B pouvant glisser librement dans les guides indiqués (type : pivot et glissière sans frottement). La constante du ressort est représentée par k et celui-ci est au repos quand $\theta = 0°$.

a) En négligeant le poids des blocs, établissez une équation décrivant la situation d'équilibre en fonction de W, k, l et θ.

b) Calculez la valeur de θ si $W = 300$ N, $l = 0,75$ m et $k = 480$ N/m.

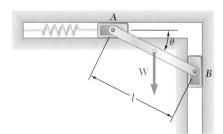

Figure P4.58

4.59 Huit plaques rectangulaires identiques de 500 mm × 750 mm et de masse $m = 40$ kg sont maintenues en position verticale, comme illustré. Toutes les liaisons sont de type articulation sans frottement, appui à rouleau ou barre articulée. Pour chacun des cas, identifiez :

a) le type de liaison (complète, incomplète ou incorrecte) ;

b) si les réactions sont isostatiques ou hyperstatiques ;

c) si la plaque est en équilibre.

Lorsque c'est possible, calculez les réactions aux appuis.

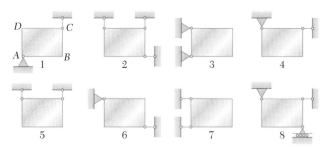

Figure P4.59

4.60 La cornière métallique ABC peut être supportée de huit manières différentes, comme illustré. Toutes les liaisons sont considérées sans frottement et de type articulation, appui à rouleau ou barre articulée. Pour chacun des cas, répondez aux questions du problème 4.59. Lorsque c'est possible, calculez les réactions aux appuis sachant que $P = 100$ N.

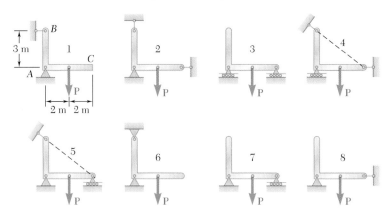

Figure P4.60

4.2 DEUX CAS PARTICULIERS

4.2.1 ÉQUILIBRE D'UN CORPS SOUMIS À DEUX FORCES

Examinons le cas particulier où seulement deux forces s'appliquent à un corps rigide en équilibre. Nous prouverons que, **lorsqu'un corps soumis à deux forces est en équilibre, les deux forces doivent être de même grandeur mais de sens opposé, et avoir la même ligne d'action**.

Considérons une cornière soumise à deux forces, $\mathbf{F}_1$ et $\mathbf{F}_2$, appliquées respectivement en A et B (*voir la figure 4.8a*). Si la cornière est en équilibre, la somme des moments de $\mathbf{F}_1$ et $\mathbf{F}_2$ par rapport à un axe quelconque doit être nulle. Additionnons d'abord les moments par rapport à A : le moment de $\mathbf{F}_1$ étant égal à zéro, le moment de $\mathbf{F}_2$ doit aussi être nul ; la ligne d'action de $\mathbf{F}_2$ passe alors par A (*voir la figure 4.8b*). En suivant le même raisonnement pour la somme des moments par rapport à B, on déduit que la ligne d'action de $\mathbf{F}_1$ passe par B (*voir la figure 4.8c*). Les deux forces s'appliquent donc sur la même ligne d'action, soit la ligne AB. Les équations $\Sigma F_x = 0$ et $\Sigma F_y = 0$ exigent que les deux forces soient aussi de même grandeur et de sens opposé.

Lorsque plusieurs forces agissent en deux points A et B, on remplace les forces en A par leur résultante $\mathbf{F}_1$ et celles agissant en B par leur résultante $\mathbf{F}_2$. Ainsi, de façon plus générale, on peut considérer comme un corps soumis à deux forces **un corps rigide assujetti à des forces agissant en deux points seulement**. Les résultantes $\mathbf{F}_1$ et $\mathbf{F}_2$ sont alors de même grandeur et de sens opposé, et elles ont la même ligne d'action (*voir la figure 4.8*). L'étude des structures, des charpentes et des machines se simplifie beaucoup lorsqu'on peut ramener la situation à celle d'un corps soumis à deux forces.

4.2.2 ÉQUILIBRE D'UN CORPS SOUMIS À TROIS FORCES

Étudions maintenant l'équilibre d'un corps soumis à trois forces ou, plus généralement, **d'un corps rigide soumis à des forces agissant en trois points seulement**. Considérons un corps rigide assujetti à un système de forces qui se réduisent aux trois forces $\mathbf{F}_1$, $\mathbf{F}_2$ et $\mathbf{F}_3$ agissant respectivement en A, B et C (*voir la figure 4.9a*). On peut démontrer que, si le corps est en équilibre, **les lignes d'action des trois forces doivent être concourantes ou parallèles**.

Puisque le corps est en équilibre, la résultante des moments de $\mathbf{F}_1$, $\mathbf{F}_2$ et $\mathbf{F}_3$ par rapport à un axe quelconque est égale à zéro. Supposons que les lignes d'action de $\mathbf{F}_1$ et $\mathbf{F}_2$ se croisent au point d'intersection D et examinons la somme des moments par rapport à ce point (*voir la figure 4.9b*). Puisque les moments de $\mathbf{F}_1$ et $\mathbf{F}_2$ par rapport à D sont nuls, le moment de $\mathbf{F}_3$ par rapport au même point est également nul, et la ligne d'action de $\mathbf{F}_3$ passe par D (*voir la figure 4.9c*). Les trois lignes d'action sont donc concourantes. La seule exception survient lorsque les lignes d'action ne se croisent jamais, c'est-à-dire lorsqu'elles sont parallèles.

Il devient souvent plus simple d'utiliser cette propriété pour traiter les corps rigides soumis à trois forces plutôt que de recourir aux méthodes générales vues précédemment (*voir les sections 4.1.1 à 4.1.3*). On trouve alors une solution graphique ou encore une solution mathématique faisant appel à la géométrie ou à la trigonométrie.

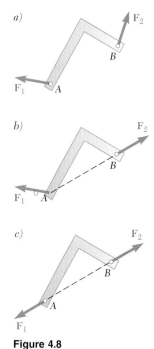

Figure 4.8

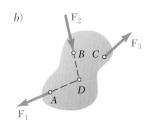

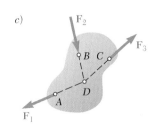

Figure 4.9

Une personne soulève une poutrelle de 10 kg à l'aide d'une corde. Si la poutrelle mesure 4 m, calculez la tension T dans la corde et la réaction d'appui au point A.

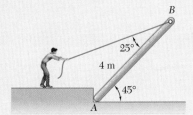

> **SOLUTION**

Diagramme du corps libre On trace d'abord le diagramme du corps libre. La poutrelle est sollicitée par trois forces: son poids **W**, la tension dans la corde **T** et la réaction du sol **R** au point A. Son poids est

$$W = mg = (10 \text{ kg})(9,81 \text{ m/s}^2) = 98,1 \text{ N}$$

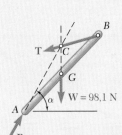

Corps soumis à trois forces Étant donné que la poutrelle est un corps soumis à trois forces, les trois forces doivent être concourantes. Comme les lignes d'action de **T** et de **W** se coupent au point C, la ligne d'action de **R** sera orientée selon la droite AC. On utilisera cette propriété pour évaluer l'angle α formé par la ligne d'action de **R** avec l'horizontale.

En traçant la droite verticale BF passant par B et la droite horizontale CD passant par C, on peut écrire

$$AF = BF = (AB)\cos 45° = (4 \text{ m})\cos 45° = 2,828 \text{ m}$$
$$CD = EF = AE = \tfrac{1}{2}(AF) = 1,414 \text{ m}$$
$$BD = (CD)\cot(45° + 25°) = (1,414 \text{ m})\tan 20° = 0,515 \text{ m}$$
$$CE = DF = BF - BD = 2,828 \text{ m} - 0,515 \text{ m} = 2,313 \text{ m}$$

et

$$\tan\alpha = \frac{CE}{AE} = \frac{2,313 \text{ m}}{1,414 \text{ m}} = 1,636$$

$$\alpha = 58,6° \quad \blacktriangleleft$$

On connaît maintenant la direction de toutes les forces agissant sur la poutrelle.

Triangle des forces À l'aide d'un triangle des forces, on déduit facilement les angles internes à partir de la direction des forces. En utilisant la loi des sinus, on écrit

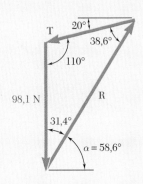

$$\frac{T}{\sin 31,4°} = \frac{R}{\sin 110°} = \frac{98,1 \text{ N}}{\sin 38,6°}$$

$$T = 81,9 \text{ N} \quad \blacktriangleleft$$

$$\mathbf{R} = 147,8 \text{ N} \measuredangle 58,6° \quad \blacktriangleleft$$

Une solution graphique peut être obtenue en traçant à une échelle convenable (verticale) le poids **W**. On complètera par la suite le triangle des trois forces en traçant **R** et **T** selon leurs directions respectives. On mesure la grandeur de **T** sur le triangle. On obtient aussi la grandeur et le sens de **R** (*voir la figure ci-contre*).

Dans cette section, nous avons présenté deux cas particuliers d'équilibre d'un corps rigide.

1. **Corps soumis à deux forces : corps soumis à des forces appliquées en deux points seulement**. Dans une telle situation, les résultantes des forces agissant sur chacun des deux points doivent être de même grandeur, de sens opposé et avoir la même ligne d'action. Cette caractéristique nous permet de simplifier la solution de certains problèmes en remplaçant les deux composantes inconnues d'une réaction par une résultante de grandeur inconnue mais de direction connue.

2. **Corps soumis à trois forces**. C'est le cas d'un corps rigide sous l'action d'un système de forces réduites à trois résultantes appliquées en trois points. Pour que le corps soit en équilibre, ces résultantes doivent être soit concourantes, soit parallèles. Pour résoudre un problème impliquant un corps soumis à trois forces concourantes, on trace le diagramme du corps libre représentant les trois forces en montrant bien qu'elles passent par le même point. Ensuite, on utilise un triangle de forces pour résoudre le problème à l'aide de simples principes de géométrie (*voir le problème résolu 4.6*).

Bien que les principes théoriques pour la résolution d'un problème impliquant un corps soumis à trois forces soient simples, la difficulté réside dans le traçage du graphique représentant correctement la situation. Nous suggérons de tracer un diagramme du corps libre relativement grand et de chercher une relation entre les données connues ou facilement calculables, et une dimension relative à une inconnue. C'est la procédure que nous avons employée au problème résolu 4.6, où les valeurs facilement calculables telles que AE et CE étaient utilisées pour déterminer l'angle α.

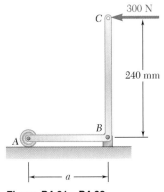

Figure P4.61 - P4.62

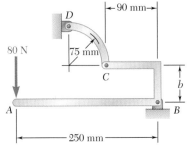

Figure P4.65 - P4.66

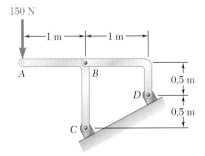

Figure P4.68

4.61 Calculez les réactions aux points A et B, sachant que $a = 180$ mm.

4.62 En considérant la console et la force en présence, déterminez l'étendue des valeurs possibles de la distance a, sachant que la grandeur de la réaction au point B ne doit pas dépasser 600 N.

4.63 Résolvez le problème 4.17 en utilisant la méthode de la section 4.2.2.

4.64 Résolvez le problème 4.18 en utilisant la méthode de la section 4.2.2.

4.65 En vous référant à la figure, évaluez les réactions aux points d'appui B et D, sachant que $b = 60$ mm.

4.66 En vous référant à la figure, évaluez les réactions aux points d'appui B et D, sachant que $b = 120$ mm.

4.67 En vous référant à la structure illustrée, évaluez les réactions aux points d'appui A et C.

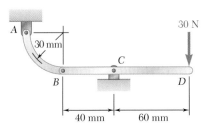

Figure P4.67

4.68 En vous référant à la structure illustrée, évaluez les réactions aux points d'appui C et D.

4.69 Une force de 300 N est appliquée à une structure en forme de T, comme illustré. Évaluez les réactions aux points A et C, sachant que $\alpha = 45°$.

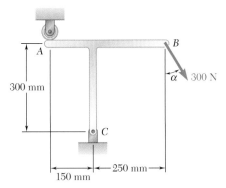

Figure P4.69 - P4.70

4.70 Une force de 300 N est appliquée à une structure en forme de T, comme illustré. Évaluez les réactions aux points A et C, sachant que $\alpha = 60°$.

4.71 En vous référant à la barre illustrée, déterminez:
  a) la tension dans la corde *BD*;
  b) la réaction au point *C*.

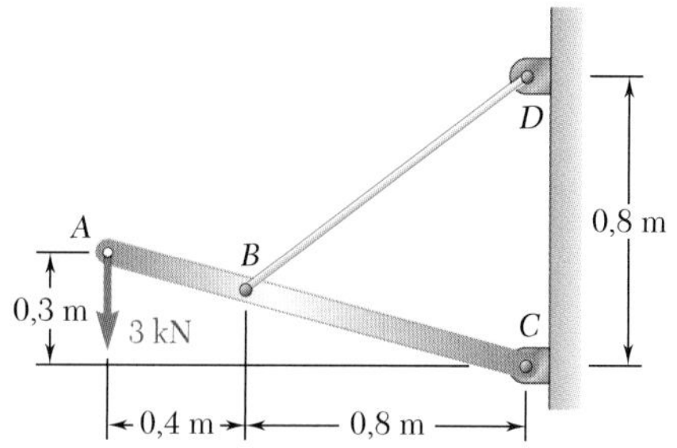

4.72 Une caisse de 50 kg est attachée à la poutre, comme illustré. Sachant que *a* = 1,5 m, déterminez:
  a) la tension dans le câble *CD*;
  b) la réaction au point *B*.

4.73 Résolvez le problème 4.72 avec *a* = 3 m.

4.74 En vous référant à la figure, évaluez les réactions aux points *A* et *B*, sachant que $\beta = 50°$.

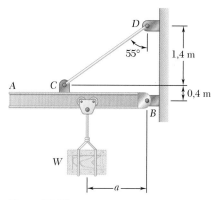

Figure P4.71

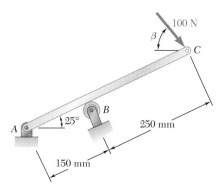

Figure P4.74 - P4.75

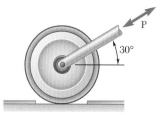

Figure P4.72

4.75 En vous référant à la figure, évaluez les réactions aux points *A* et *B*, sachant que $\beta = 80°$.

4.76 Une roulette de 4,1 kg, ayant un diamètre de 200 mm, est au repos entre deux tuiles d'un plancher, comme illustré. Sachant que l'épaisseur des tuiles est de 7,5 mm, évaluez la force **P** nécessaire pour placer la roulette sur les tuiles, si:
  a) la roulette est poussée vers la gauche;
  b) la roulette est tirée vers la droite.

4.77 et 4.78 La barre *ABC* est supportée par un pivot en *B* et par une corde inextensible fixée en *A* et en *C*, et passant par la poulie sans frottement *D*. En supposant que la tension est la même dans les sections *AD* et *CD* de la corde, et en négligeant le diamètre de la poulie, déterminez la tension dans la corde et la réaction d'appui au point *B*.

Figure P4.76

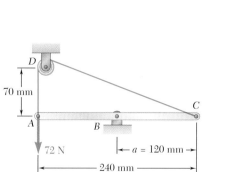

Figure P4.77

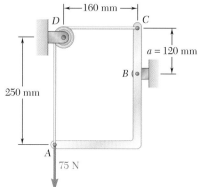

Figure P4.78

4.79 Solutionnez le problème 4.22 en utilisant la méthode de la section 4.2.2.

4.80 Solutionnez le problème 4.27 en utilisant la méthode de la section 4.2.2.

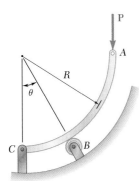

Figure P4.81 - P4.82

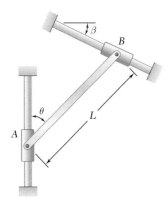

Figure P4.83 - P4.84

4.81 En vous référant à la figure et sachant que $\theta = 30°$, évaluez les réactions :
a) au point B ;
b) au point C.

4.82 En vous référant à la figure et sachant que $\theta = 60°$, évaluez les réactions :
a) au point B ;
b) au point C.

4.83 Une tige mince de longueur L et de poids W est reliée aux manchons A et B, pouvant glisser librement sur leurs guides respectifs. Sachant que la tige est en équilibre, écrivez une équation exprimant l'angle θ en fonction de l'angle β.

4.84 Une tige mince de longueur L pèse 8 kg. Elle est reliée aux manchons A et B, pouvant glisser librement sur leurs guides respectifs. Sachant que la tige est en équilibre et que $\beta = 30°$, calculez :
a) l'angle θ formé entre la tige et la verticale ;
b) les réactions aux points A et B.

4.85 Une tige mince de longueur L et de poids W est tenue en équilibre. Une de ses extrémités est appuyée contre un mur vertical sans frottement, tandis que l'autre est attachée à une corde de longueur S fixée au point C. Dérivez une équation exprimant h en fonction de L et S. Démontrez qu'il ne peut pas y avoir équilibre si $S > 2L$.

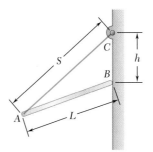

Figure P4.85 - P4.86

4.86 Une tige mince de longueur $L = 200$ mm est tenue en équilibre. Une de ses extrémités est appuyée contre un mur vertical sans frottement, tandis que l'autre est attachée à une corde de longueur $S = 300$ mm fixée au point C. Sachant que le poids de la tige est de 10 N, calculez :
a) la distance h ;
b) la tension dans la corde ;
c) la réaction au point B.

4.87 La tige de métal AB en forme d'arc de cercle est insérée entre deux chevilles, D et E. Elle supporte une charge **P** à son extrémité B. En négligeant le poids de la tige et le frottement, et sachant que $a = 20$ mm et que $R = 100$ mm, déterminez la distance c de façon que la structure soit en équilibre.

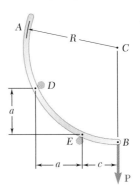

Figure P4.87

4.88 Une tige uniforme *AB* de longueur 2*R* et de poids *W* repose à l'intérieur d'une cuve hémisphérique de rayon *R*. En négligeant le frottement, calculez l'angle θ nécessaire pour que la tige soit en équilibre.

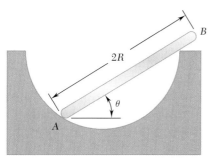

Figure P4.88

4.89 Une tige mince de longueur *L* et de poids *W* est reliée à un manchon *A* et à une roulette *B*. La roulette se déplace librement à l'intérieur d'une surface cylindrique de rayon *R*. En négligeant le frottement, dérivez une équation incluant θ, *L* et *R*, et qui doit être satisfaite pour que la tige soit en équilibre.

4.90 En vous référant au problème 4.89, si *L* = 0,3 m, *R* = 0,4 m et *W* = 40 N, calculez :
a) l'angle θ correspondant à une situation d'équilibre pour la tige ;
b) les réactions aux points *A* et *B*.

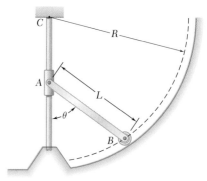

Figure P4.89 - P4.90

4.3 ÉQUILIBRE DANS UN ESPACE TRIDIMENSIONNEL

4.3.1 ÉQUILIBRE D'UN CORPS RIGIDE EN TROIS DIMENSIONS

Les conditions d'équilibre d'un corps rigide dans un espace tridimensionnel se traduisent généralement par six équations scalaires dont nous avons parlé dans l'introduction du chapitre.

$$\Sigma F_x = 0 \qquad \Sigma F_y = 0 \qquad \Sigma F_z = 0 \qquad (4.2)$$

$$\Sigma M_x = 0 \qquad \Sigma M_y = 0 \qquad \Sigma M_z = 0 \qquad (4.3)$$

Ces équations donnent une solution pour un maximum de six inconnues, le plus souvent issues des réactions produites aux appuis ou aux liaisons.

Dans la majorité des cas, on obtient plus facilement les équations scalaires 4.2 et 4.3 en écrivant d'abord les conditions d'équilibre sous leur forme vectorielle, soit

$$\Sigma \mathbf{F} = 0 \qquad \Sigma \mathbf{M}_O = \Sigma (\mathbf{r} \times \mathbf{F}) = 0 \qquad (4.1)$$

et en exprimant les forces **F** et les vecteurs position **r** en fonction des composantes scalaires et des vecteurs unitaires. On calcule ensuite tous les produits vectoriels, directement ou à l'aide des déterminants (*voir la section 3.1.6*). On peut éliminer jusqu'à trois composantes des réactions inconnues en choisissant judicieusement le point *O*. Les coefficients des vecteurs unitaires des deux relations 4.1, tous égaux à zéro, donnent les équations scalaires cherchées[4].

4.3.2 RÉACTIONS D'APPUI ET DE LIAISON DANS L'ESPACE

Les joints universels comme celui-ci servent à transmettre un mouvement rotatif entre deux arbres non linéaires. Ils sont souvent utilisés dans les véhicules à propulsion.

Ce palier à poussée axiale et à charge radiale est utilisé pour supporter l'arbre de transmission d'un montage industriel.

Pour une structure tridimensionnelle, les réactions varient d'une simple force de direction connue, exercée par une surface sans frottement (une seule inconnue), à un système force-couple produit par un encastrement (six inconnues). La figure 4.10 montre divers types d'appuis et de liaisons ainsi que les réactions qu'ils engendrent. Dans une situation donnée, on reconnaît facilement le type de réaction et on trouve le nombre d'inconnues correspondant en identifiant les mouvements de base possibles (translations selon x, y et z, et rotations autour des mêmes axes) et ceux qui sont contraints.

Par exemple, les appuis à bille, les surfaces sans frottement et les câbles bloquent la translation dans une seule direction ; ils exercent ainsi une force unique dont la ligne d'action est connue, introduisant une seule inconnue dans les équations, soit la grandeur de la réaction. Dans le cas des rouleaux sur une surface rugueuse et des rouleaux sur rail, les mouvements de translation sont bloqués dans deux directions ; les réactions correspondantes donnent deux composantes de force inconnues. Par ailleurs, les surfaces rugueuses en contact direct avec le corps et les appuis à rotule empêchent toute translation de sorte que les trois composantes de la force sont inconnues.

Certains supports empêchent aussi bien la rotation que la translation des corps ; les réactions comprennent alors des couples en plus des forces. Par exemple, un encastrement empêche à la fois les mouvements de rotation et de translation ; la réaction donne six inconnues dont trois forces et trois couples. Un joint universel permet la rotation selon deux axes ; la réaction suscitée produit quatre inconnues, dont trois composantes de force et un couple.

Certaines liaisons servent d'abord et avant tout à empêcher la translation ; il arrive cependant que leur forme bloque aussi les rotations. La réaction s'exprime alors principalement en fonction des forces mais elle peut également impliquer des couples. C'est le cas des charnières et des paliers à charge radiale (par exemple, les paliers à coussinet et les roulements) dont la réaction comprend deux composantes de force et peut inclure deux couples. Par ailleurs, les chevilles, les charnières et les paliers à butée axiale et charge radiale (par exemple, les roulements à billes) génèrent trois composantes de force et la possibilité de deux couples. Ces derniers, plutôt faibles dans des conditions d'utilisation normales des liaisons correspondantes, sont souvent laissés de côté dans les calculs. Nous considérons donc uniquement les composantes de force dans l'analyse de ces réactions sauf si les couples participent au maintien de l'équilibre du corps rigide, ou encore si l'appui a été spécialement conçu pour exercer un couple (*voir les problèmes 4.119 à 4.122*).

Si les réactions produisent plus de six inconnues, leur nombre dépasse le nombre d'équations et certaines réactions demeurent statiquement indéterminées (ou hyperstatiques). À l'inverse, si les réactions impliquent moins de six inconnues, il y a plus d'équations que d'inconnues ; si certaines équations d'équilibre ne sont pas satisfaites dans la plupart des conditions de charges, le corps rigide devient partiellement lié (liaisons incomplètes). Lorsqu'une condition de charges particulière s'applique à une situation donnée, les équations additionnelles donnent souvent des équations triviales, telles que $0 = 0$, sans intérêt véritable ; le corps rigide reste en équilibre

---

4. Dans certaines situations, il est utile d'éliminer les réactions à deux points A et B de la solution en écrivant l'équation d'équilibre $\Sigma M_{AB} = 0$, qui implique la détermination des moments des forces par rapport à l'axe AB reliant les points A et B (*voir le problème résolu 4.10*).

même s'il est partiellement lié (*voir les problèmes résolus 4.7 et 4.8*). Dans un cas à six inconnues ou plus, il arrive aussi que des équations d'équilibre ne soient pas satisfaites, par exemple lorsque les réactions sont parallèles ou lorsqu'elles coupent la même droite ; le corps rigide est alors incorrectement lié.

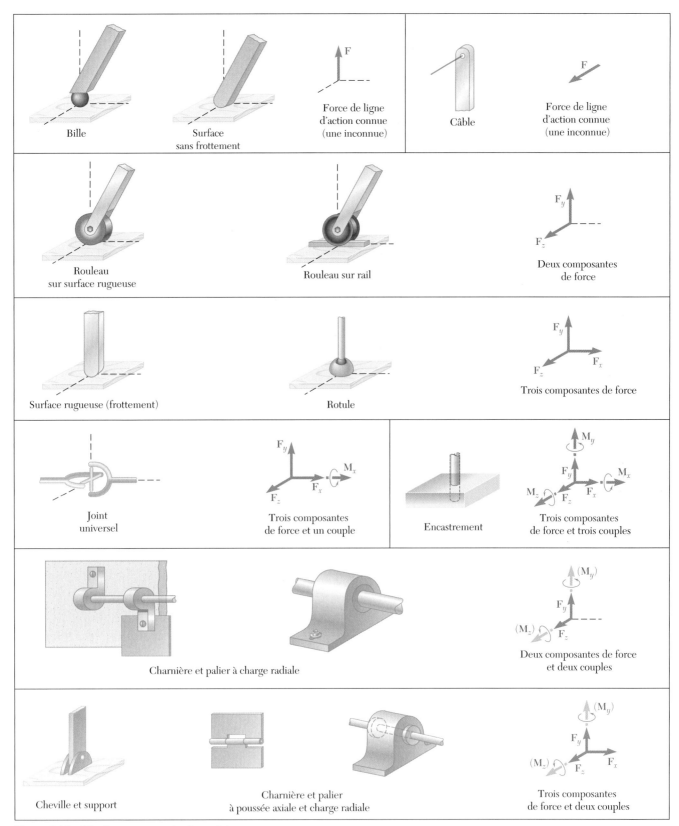

Figure 4.10 Réactions aux appuis et aux liaisons

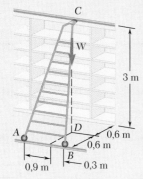

Une échelle de 20 kg est utilisée pour desservir les étagères supérieures d'un entrepôt. Elle est appuyée par sa partie inférieure sur deux roues à brides A et B, roulant sur un rail guide, et par sa partie supérieure sur une roue C, simplement appuyée sur un mur de frottement négligeable. Une personne de 80 kg, debout sur l'échelle, se penche vers la droite. La ligne d'action de $\mathbf{W}$, le poids combiné de la personne et de l'échelle, croise le plancher au point D. Calculez les réactions aux appuis A, B et C.

> SOLUTION

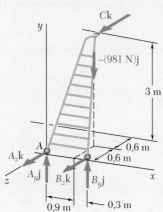

Diagramme du corps libre On trace d'abord le diagramme du corps libre de l'échelle. Les forces impliquées sont le poids combiné de l'homme et de l'échelle :

$$\mathbf{W} = -mg\mathbf{j} = -(80 \text{ kg} + 20 \text{ kg})(9,81 \text{ m/s}^2)\mathbf{j} = -(981 \text{ N})\mathbf{j}$$

On identifie cinq composantes de réaction inconnues, deux pour chaque roue inférieure à bride et une pour la roue supérieure. L'échelle est donc en liaisons incomplètes ; elle peut rouler le long des rails. Néanmoins, elle est en équilibre sous l'action des forces en présence, puisque l'équation $\Sigma F_x = 0$ est satisfaite.

Équations d'équilibre On exprime le fait que les forces et les moments agissant sur l'échelle forment un système équivalent à zéro :

$\Sigma \mathbf{F} = 0 :$ $\qquad A_y\mathbf{j} + A_z\mathbf{k} + B_y\mathbf{j} + B_z\mathbf{k} - (981 \text{ N})\mathbf{j} + C\mathbf{k} = 0$

$\qquad\qquad\qquad (A_y + B_y - 981 \text{ N})\mathbf{j} + (A_z + B_z + C)\mathbf{k} = 0 \qquad (1)$

$\Sigma \mathbf{M}_A = \Sigma(\mathbf{r} \times \mathbf{F}) = 0 :$ $\quad 1,2\mathbf{i} \times (B_y\mathbf{j} + B_z\mathbf{k}) + (0,9\mathbf{i} - 0,6\mathbf{k}) \times (-981\mathbf{j})$

$\qquad\qquad\qquad\qquad\qquad + (0,6\mathbf{i} + 3\mathbf{j} - 1,2\mathbf{k}) \times C\mathbf{k} = 0$

En calculant les produits vectoriels, on a[5]

$1,2B_y\mathbf{k} - 1,2B_z\mathbf{j} - 882,9\mathbf{k} - 588,6\mathbf{i} - 0,6C\mathbf{j} + 3C\mathbf{i} = 0$

$(3C - 588,6)\mathbf{i} - (1,2B_z + 0,6C)\mathbf{j} + (1,2B_y - 882,9)\mathbf{k} = 0 \qquad (2)$

En fixant à zéro les coefficients de $\mathbf{i}$, $\mathbf{j}$ et $\mathbf{k}$ des équations 2, on obtient trois équations scalaires exprimant que la somme des moments autour de chacun des axes de coordonnées doit être nulle :

$\qquad\qquad 3C - 588,6 = 0 \qquad\quad C = +196,2 \text{ N}$

$\qquad\qquad 1,2B_z + 0,6C = 0 \qquad B_z = -98,1 \text{ N}$

$\qquad\qquad 1,2B_y - 882,9 = 0 \qquad B_y = +736 \text{ N}$

Les réactions aux appuis B et C sont donc

$\qquad\qquad \mathbf{B} = +(736 \text{ N})\mathbf{j} - (98,1 \text{ N})\mathbf{k} \qquad \mathbf{C} = +(196,2 \text{ N})\mathbf{k} \blacktriangleleft$

D'autre part, en fixant à zéro les coefficients de $\mathbf{j}$ et $\mathbf{k}$ des équations 1, on obtient deux équations scalaires exprimant que les sommes des composantes selon les axes y et z sont nulles. En substituant les résultats obtenus de B_x, B_y et C, on a

$A_y + B_y - 981 = 0 \qquad A_y + 736 - 981 = 0 \qquad A_y = +245 \text{ N}$

$A_z + B_z + C = 0 \qquad A_z - 98,1 + 196,2 = 0 \qquad A_z = -98,1 \text{ N}$

Donc, la réaction d'appui au point A est $\qquad \mathbf{A} = +(245 \text{ N})\mathbf{j} - (98,1 \text{ N})\mathbf{k} \blacktriangleleft$

5. On aurait pu exprimer les moments de ce problème, ainsi que ceux des problèmes résolus 4.8 et 4.9, sous forme de déterminants (*voir le problème résolu 3.10*).

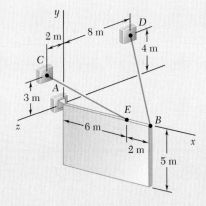

Une enseigne de 5 m × 8 m de densité uniforme a un poids de 12 kN. Elle est soutenue par deux câbles et un joint à rotule, fixé au mur au point A. Déterminez la tension dans chaque câble ainsi que la réaction au point A.

> **SOLUTION**

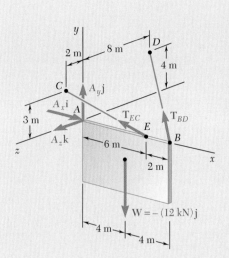

Diagramme du corps libre On trace le diagramme du corps libre ; les forces en présence sont le poids de l'enseigne, $\mathbf{W} = -(12\text{ kN})\mathbf{j}$, et les réactions d'appui aux points A, B et E. La réaction au point A est une force de direction inconnue, représentée par trois composantes inconnues. Étant donné que l'on connaît la direction des forces exercées par les câbles, chacune de ces forces introduit une seule inconnue, sa grandeur, que l'on représentera par T_{BD} et T_{EC}, respectivement. Étant donné qu'il n'y a que cinq inconnues, l'enseigne est en condition de liaisons incomplètes : en effet, elle peut basculer librement autour de l'axe des x. Cependant, elle est en équilibre dans la condition de charges donnée, car l'expression $\Sigma M_x = 0$ est satisfaite.

On exprime les composantes des forces $\mathbf{T}_{BD}$ et $\mathbf{T}_{EC}$ en fonction des grandeurs inconnues T_{BD} et T_{EC}, d'où

$$\overrightarrow{BD} = -(8\text{ m})\mathbf{i} + (4\text{ m})\mathbf{j} - (8\text{ m})\mathbf{k} \qquad BD = 12\text{ m}$$
$$\overrightarrow{EC} = -(6\text{ m})\mathbf{i} + (3\text{ m})\mathbf{j} + (2\text{ m})\mathbf{k} \qquad EC = 7\text{ m}$$

$$\mathbf{T}_{BD} = T_{BD}\left(\frac{\overrightarrow{BD}}{BD}\right) = T_{BD}\left(-\tfrac{2}{3}\mathbf{i} + \tfrac{1}{3}\mathbf{j} - \tfrac{2}{3}\mathbf{k}\right)$$

$$\mathbf{T}_{EC} = T_{EC}\left(\frac{\overrightarrow{EC}}{EC}\right) = T_{EC}\left(-\tfrac{6}{7}\mathbf{i} + \tfrac{3}{7}\mathbf{j} - \tfrac{2}{7}\mathbf{k}\right)$$

Équations d'équilibre On sait que les forces agissant sur l'enseigne forment un système d'équations nul.

$\Sigma\mathbf{F} = 0$: $A_x\mathbf{i} + A_y\mathbf{j} + A_z\mathbf{k} + \mathbf{T}_{BD} + \mathbf{T}_{EC} - (12\text{ kN})\mathbf{j} = 0$

$$(A_x - \tfrac{2}{3}T_{BD} - \tfrac{6}{7}T_{EC})\mathbf{i} + (A_y + \tfrac{1}{3}T_{BD} + \tfrac{3}{7}T_{EC} - 12\text{ kN})\mathbf{j}$$
$$+ (A_z - \tfrac{2}{3}T_{BD} + \tfrac{2}{7}T_{EC})\mathbf{k} = 0 \qquad (1)$$

$\Sigma\mathbf{M}_A = \Sigma(\mathbf{r} \times \mathbf{F}) = 0$:

$(8\text{ m})\mathbf{i} \times T_{BD}(-\tfrac{2}{3}\mathbf{i} + \tfrac{1}{3}\mathbf{j} - \tfrac{2}{3}\mathbf{k}) + (6\text{ m})\mathbf{i} \times T_{EC}(-\tfrac{6}{7}\mathbf{i} + \tfrac{3}{7}\mathbf{j} + \tfrac{2}{7}\mathbf{k})$

$$+ (4\text{ m})\mathbf{i} \times (-12\text{ kN})\mathbf{j} = 0$$
$$(2{,}667T_{BD} + 2{,}571T_{EC} - 48\text{ kN})\mathbf{k} + (5{,}333T_{BD} - 1{,}714T_{EC})\mathbf{j} = 0 \qquad (2)$$

En fixant à zéro les coefficients de $\mathbf{j}$ et $\mathbf{k}$ des équations 2, on obtient deux équations scalaires. En résolvant ces équations par rapport à T_{BD} et T_{EC}, on obtient

$$T_{BD} = 4{,}5\text{ kN} \qquad T_{EC} = 14\text{ kN} \quad \blacktriangleleft$$

En fixant à zéro les coefficients de $\mathbf{i}$, $\mathbf{j}$ et $\mathbf{k}$ des équations 1, on obtient trois autres équations, desquelles on peut déduire les composantes de $\mathbf{A}$:

$$\mathbf{A} = +(15\text{ kN})\mathbf{i} + (4{,}5\text{ kN})\mathbf{j} - (1\text{ kN})\mathbf{k} \quad \blacktriangleleft$$

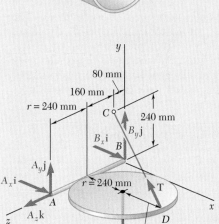

Un couvre-tuyau de rayon $r = 240$ mm et de 30 kg est maintenu en position d'ouverture horizontale par le câble CD. En supposant que le palier B ne supporte pas de poussée axiale, calculez la tension dans le câble ainsi que les composantes des réactions aux points A et B.

> SOLUTION

Diagramme du corps libre On trace le diagramme du corps libre du couvercle en utilisant les axes x, y et z, comme illustré. Les forces agissant sur le corps sont le poids du couvre-tube,

$$\mathbf{W} = -mg\mathbf{j} = -(30 \text{ kg})(9{,}81 \text{ m/s}^2)\mathbf{j} = -(294 \text{ N})\mathbf{j}$$

et les réactions d'appui introduisant six inconnues, soit : la grandeur de la tension $\mathbf{T}$ dans le câble, trois composantes de la réaction à la charnière A et deux composantes de la réaction à la charnière B. Les composantes de $\mathbf{T}$ sont exprimées en fonction de la grandeur inconnue T, en décomposant le vecteur $\overline{DC}$ selon ses composantes rectangulaires, d'où

$$\overrightarrow{DC} = -(480 \text{ mm})\mathbf{i} + (240 \text{ mm})\mathbf{j} - (160 \text{ mm})\mathbf{k} \qquad DC = 560 \text{ mm}$$
$$\mathbf{T} = T\frac{\overrightarrow{DC}}{DC} = -\tfrac{6}{7}T\mathbf{i} + \tfrac{3}{7}T\mathbf{j} - \tfrac{2}{7}T\mathbf{k}$$

Équations d'équilibre On sait qu'en état d'équilibre, les forces agissant sur le couvre-tube forment un système équivalent à zéro.

$\Sigma\mathbf{F} = 0:$ $\qquad A_x\mathbf{i} + A_y\mathbf{j} + A_z\mathbf{k} + B_x\mathbf{i} + B_y\mathbf{j} + \mathbf{T} - (294 \text{ N})\mathbf{j} = 0$

$$(A_x + B_x - \tfrac{6}{7}T)\mathbf{i} + (A_y + B_y + \tfrac{3}{7}T - 294 \text{ N})\mathbf{j} + (A_z - \tfrac{2}{7}T)\mathbf{k} = 0 \qquad (1)$$

$\Sigma\mathbf{M}_B = \Sigma(\mathbf{r} \times \mathbf{F}) = 0:$

$2r\mathbf{k} \times (A_x\mathbf{i} + A_y\mathbf{j} + A_z\mathbf{k}) + (2r\mathbf{i} + r\mathbf{k}) \times (-\tfrac{6}{7}T\mathbf{i} + \tfrac{3}{7}T\mathbf{j} - \tfrac{2}{7}T\mathbf{k})$
$$+ (r\mathbf{i} + r\mathbf{k}) \times (-294 \text{ N})\mathbf{j} = 0$$

$$(-2A_y - \tfrac{3}{7}T + 294 \text{ N})r\mathbf{i} + (2A_x - \tfrac{2}{7}T)r\mathbf{j} + (\tfrac{6}{7}T - 294 \text{ N})r\mathbf{k} = 0 \qquad (2)$$

En fixant à zéro les coefficients des vecteurs unitaires des équations 2, on a trois équations scalaires, et on obtient

$$A_x = +49{,}0 \text{ N} \qquad A_y = +73{,}5 \text{ N} \qquad T = 343 \text{ N} \blacktriangleleft$$

En fixant à zéro les coefficients des vecteurs unitaires des équations 1, on obtient trois autres équations scalaires. En substituant dans ces équations les valeurs de T, A_x et A_y obtenues, on a

$$A_z = +98{,}0 \text{ N} \qquad B_x = +245 \text{ N} \qquad B_y = +73{,}5 \text{ N}$$

Les réactions aux appuis A et B sont donc

$$\mathbf{A} = +(49{,}0 \text{ N})\mathbf{i} + (73{,}5 \text{ N})\mathbf{j} + (98{,}0 \text{ N})\mathbf{k} \blacktriangleleft$$

$$\mathbf{B} = +(245 \text{ N})\mathbf{i} + (73{,}5 \text{ N})\mathbf{j} \blacktriangleleft$$

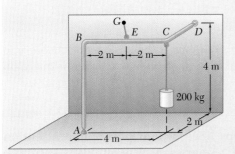

Une masse de 200 kg est suspendue au point C du tuyau $ABCD$, comme illustré. Le tuyau est soutenu par deux rotules en A et D, fixées respectivement au plancher et au mur vertical, et par un câble, fixé au milieu E de la section BC du tuyau et au point G sur le mur. Déterminez:

a) la position de G, de façon que la tension dans le câble soit minimale;

b) la valeur correspondante de la tension dans le câble.

> SOLUTION

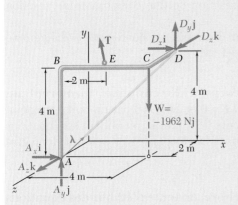

Diagramme du corps libre On trace le diagramme du corps libre en incluant la charge $\mathbf{W} = (-1962 \text{ N})\mathbf{j}$, les réactions en A et D, et la tension $\mathbf{T}$ dans le câble. Pour faciliter les calculs, on élimine les réactions en A et D, en posant que la somme des moments des forces par rapport à l'axe AD est nulle. On définit $\boldsymbol{\lambda}$, le vecteur unitaire selon l'axe AD, d'où

$$\Sigma M_{AD} = 0: \qquad \boldsymbol{\lambda} \cdot (\overrightarrow{AE} \times \mathbf{T}) + \boldsymbol{\lambda} \cdot (\overrightarrow{AC} \times \mathbf{W}) = 0 \qquad (1)$$

Le deuxième terme de l'équation 1 peut être calculé comme suit:

$$\overrightarrow{AC} \times \mathbf{W} = (4\mathbf{i} + 4\mathbf{j}) \times (-1962\mathbf{j}) = -7848\mathbf{k}$$

$$\boldsymbol{\lambda} = \frac{\overrightarrow{AD}}{AD} = \frac{4\mathbf{i} + 4\mathbf{j} - 2\mathbf{k}}{6} = \tfrac{2}{3}\mathbf{i} + \tfrac{2}{3}\mathbf{j} - \tfrac{1}{3}\mathbf{k}$$

$$\boldsymbol{\lambda} \cdot (\overrightarrow{AC} \times \mathbf{W}) = (\tfrac{2}{3}\mathbf{i} + \tfrac{2}{3}\mathbf{j} - \tfrac{1}{3}\mathbf{k}) \cdot (-7848\mathbf{k}) = +2616$$

En substituant ce résultat dans l'équation 1, on a

$$\boldsymbol{\lambda} \cdot (\overrightarrow{AE} \times \mathbf{T}) = -2616 \text{ N} \cdot \text{m} \qquad (2)$$

a) Tension minimale En utilisant la propriété de commutativité du produit mixte, on réécrit l'équation 2 sous la forme

$$\mathbf{T} \cdot (\boldsymbol{\lambda} \times \overrightarrow{AE}) = -2616 \text{ N} \cdot \text{m} \qquad (3)$$

ce qui démontre que la projection de $\mathbf{T}$ sur le vecteur $\boldsymbol{\lambda} \times \overrightarrow{AE}$ est une constante. Il en découle que $\mathbf{T}$ est minimale quand elle est parallèle au vecteur

$$\boldsymbol{\lambda} \times \overrightarrow{AE} = (\tfrac{2}{3}\mathbf{i} + \tfrac{2}{3}\mathbf{j} - \tfrac{1}{3}\mathbf{k}) \times (2\mathbf{i} + 4\mathbf{j}) = \tfrac{4}{3}\mathbf{i} - \tfrac{2}{3}\mathbf{j} + \tfrac{4}{3}\mathbf{k}$$

Puisque le vecteur unitaire correspondant est $\tfrac{2}{3}\mathbf{i} - \tfrac{1}{3}\mathbf{j} + \tfrac{2}{3}\mathbf{k}$, on écrit

$$\mathbf{T}_{\min} = T(\tfrac{2}{3}\mathbf{i} - \tfrac{1}{3}\mathbf{j} + \tfrac{2}{3}\mathbf{k}) \qquad (4)$$

En substituant $\mathbf{T}$ et $\boldsymbol{\lambda} \times \overrightarrow{AE}$ dans l'équation 3 et en calculant les produits scalaires, on obtient $2T = -2616$, donc $T = -1308$. On substitue cette valeur dans l'équation 4, on a donc

$$\mathbf{T}_{\min} = -872\mathbf{i} + 436\mathbf{j} - 872\mathbf{k} \qquad T_{\min} = 1308 \text{ N} \quad \blacktriangleleft$$

b) Position de G Étant donné que le vecteur $\overrightarrow{EG}$ et la force $\mathbf{T}_{\min}$ ont la même direction, leurs composantes sont nécessairement proportionnelles. En identifiant les coordonnées de G par x, y et 0, on déduit

$$\frac{x-2}{-872} = \frac{y-4}{+436} = \frac{0-2}{-872} \qquad x = 0 \qquad y = 5 \text{ m} \quad \blacktriangleleft$$

Nous venons d'étudier les corps rigides en équilibre tridimensionnel. Encore une fois, la première étape de résolution de ce type de problème consiste à tracer un diagramme du corps libre complet.

1. **Lors du traçage du diagramme du corps libre, il faut porter une attention toute particulière aux réactions d'appui**, lesquelles peuvent introduire entre une et six inconnues (*voir la figure 4.10*). Pour déterminer le nombre de réactions et de composantes de réaction inconnues à un appui, on doit se demander si le support empêche le mouvement du corps dans chaque direction (en translation) et par rapport à chacun des axes (en rotation).

   a) **Si l'appui empêche le mouvement dans une certaine direction**, on inclut dans le diagramme du corps libre une réaction ou une composante de réaction agissant dans cette direction.

   b) **Si l'appui empêche la rotation autour d'un axe**, on ajoute dans le diagramme du corps libre un couple qui agit selon cet axe.

2. **Les forces externes agissant sur un corps tridimensionnel formeront un système équivalent à zéro.** En écrivant $\Sigma \mathbf{F} = 0$ et $\Sigma \mathbf{M}_A = 0$ par rapport à un point approprié A; et en fixant à zéro les coefficients de $\mathbf{i}$, $\mathbf{j}$, et $\mathbf{k}$, on obtient six équations scalaires. Ces équations contiennent en général six inconnues et peuvent donc être résolues.

3. **Après avoir tracé le diagramme du corps libre, on tente d'établir des équations contenant le moins d'inconnues possible.**

   Pour ce faire, on utilise, lorsque c'est possible, l'une des stratégies suivantes :

   a) En additionnant les moments autour d'un appui à rotule ou d'une charnière, on obtient des équations avec trois composantes de réaction en moins (*voir les problèmes résolus 4.8 et 4.9*).

   b) On trace un axe passant par les points d'application de toutes les réactions inconnues sauf une. Ainsi, en additionnant les moments par rapport à cet axe, on obtient une équation à une seule inconnue (*voir le problème résolu 4.10*).

4. **Après avoir tracé le diagramme du corps libre, on peut se trouver devant l'une de ces situations :**

   a) **Les réactions aux appuis entraînent moins de six inconnues**; le corps est partiellement lié et le mouvement du corps est alors possible. Néanmoins, il est possible de déterminer les réactions dans certaines conditions de charge (*voir le problème résolu 4.6*).

   b) **Les réactions aux appuis entraînent plus de six inconnues**; les réactions sont alors statiquement indéterminées ou hyperstatiques. Même si on peut calculer une ou deux réactions, on ne peut pas toutes les évaluer (*voir le problème résolu 4.10*).

   c) **Les réactions sont parallèles ou croisent une même droite**; le corps est en liaisons incorrectes, et il sera en mouvement dans la plupart des situations de charges.

4.91 Deux bobines de ruban sont fixées à un arbre supporté par deux paliers à ses extrémités *A* et *D* (*voir la figure P4.91*). Les rayons des bobines *B* et *C* sont de 30 mm et 40 mm respectivement. Sachant que $T_B = 80$ N et que le système tourne à une vitesse constante, calculez les réactions aux paliers *A* et *D*. On suppose que le poids du système est négligeable et que le palier *A* n'exerce aucune poussée axiale.

4.92 Résolvez le problème 4.91 en remplaçant la bobine au point *C* par une autre de 50 mm de rayon.

4.93 Deux courroies de transmission passent par deux roues soudées à un arbre, lequel est supporté par deux paliers aux points *B* et *D*. La roue *A* a un rayon de 50 mm et la roue *C*, un rayon de 40 mm. Sachant que le système tourne à une vitesse constante, calculez :
a) la tension *T* ;
b) les réactions aux paliers *B* et *D*.
On suppose que le poids du système est négligeable et que le palier *D* n'exerce aucune poussée axiale.

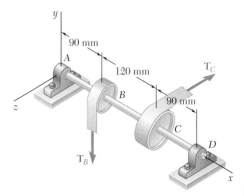

Figure P4.91

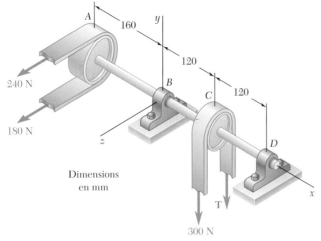

Figure P4.93

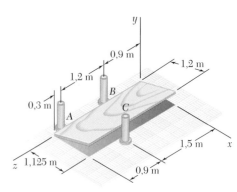

Figure P4.94

4.94 Une feuille de contreplaqué de 1,2 m × 2,4 m et de 17 kg est déposée temporairement sur les supports *A*, *B* et *C*. La partie inférieure de la feuille repose sur des colliers situés aux points *A* et *B*, tandis que sa partie supérieure est appuyée sur le collier *C*. En négligeant le frottement, déterminez les réactions d'appui aux points *A*, *B* et *C*.

4.95 Une plaque de 12 kg et de 250 mm × 400 mm, et une poulie de 300 mm de diamètre sont soudées à l'axe *AC*, lequel est supporté par les paliers *A* et *B*. Aucune force axiale n'est appliquée au palier *B*. Si $\beta = 30°$, évaluez :
a) la tension dans le câble ;
b) les réactions d'appui aux points *A* et *B*.

4.96 Solutionnez le problème 4.95, sachant que $\beta = 60°$.

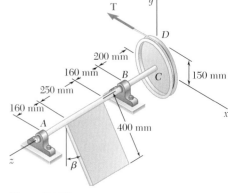

Figure P4.95

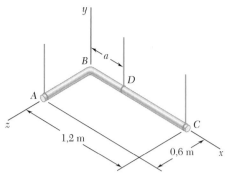

Figure P4.97

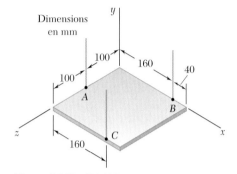

Figure P4.99 - P4.100

4.97 Deux tuyaux d'acier, *AB* et *BC*, ayant une densité linéaire de 8 kg/m, sont soudés ensemble au point *B* et supportés par trois fils de fer aux points *A*, *D* et *C*. Sachant que *a* = 0,4 m, déterminez la tension dans chacun des fils.

4.98 En vous référant à la situation décrite au problème 4.97, déterminez :
a) la valeur maximale de la distance *a* de façon que le montage ne bascule pas ;
b) la tension correspondante dans chaque fil.

4.99 Une plaque métallique de 25 kg et de 200 mm × 200 mm est supportée par trois fils de fer verticaux, comme illustré. Déterminez la tension dans chaque fil.

4.100 Une plaque métallique de 25 kg et de 200 mm × 200 mm est supportée par trois fils de fer verticaux, comme illustré. Déterminez le poids et la position d'un bloc, le plus léger possible, que l'on placerait sur la plaque de sorte que la tension soit la même dans les trois fils.

4.101 Une table ayant une masse de 15,3 kg et un diamètre de 1200 mm est supportée par trois pieds équidistants et situés aux extrémités de la table. Une charge verticale **P** de 500 N est appliquée sur la table au point *D*. Déterminez la valeur maximale de *a*, de façon que la table ne bascule pas. À l'aide d'un schéma, marquez la zone de la table où la charge **P** peut être appliquée sans la faire basculer.

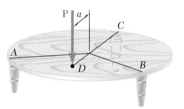

Figure P4.101

4.102 La trappe d'accès d'une cave a une masse de 18 kg et mesure 1 m × 1,2 m. Elle pivote sur deux charnières situées aux points *A* et *B*. Un bloc de bois *C* est placé en dessous de la trappe pour la garder partiellement ouverte. Déterminez la composante verticale de la réaction :
a) au point *A* ;
b) au point *B* ;
c) au point *C*.

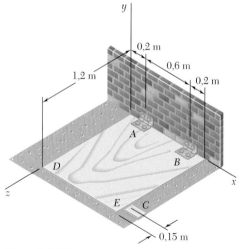

Figure P4.102

4.103 Résolvez le problème 4.102 en supposant que le bloc *C* est déplacé sous le bord *DE* de la trappe, à 0,15 m du coin *E*.

4.104 Une plaque carrée de 120 N est supportée par trois fils de fer verticaux, comme illustré. Calculez :
a) la tension dans chaque fil, sachant que $a = 100$ mm ;
b) la valeur de a pour laquelle la tension dans chacun des fils est de 40 N.

4.105 Une force de 4 kN est appliquée sur une perche d'une longueur de 3 m. Déterminez la tension dans chacun des câbles illustrés et la réaction au joint à rotule situé en A.

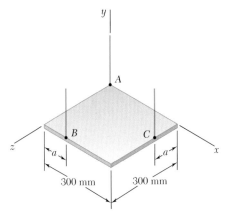

Figure P4.104

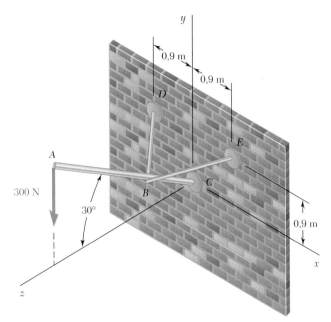

Figure P4.105

4.106 Une hampe AC mesure 3 m et forme un angle de 30° avec l'axe des z. Elle est appuyée sur un joint à rotule en C et est soutenue par les deux attaches BD et BE. Sachant que la distance BC est de 0,9 m, déterminez la tension dans chacune des attaches, ainsi que la réaction en C.

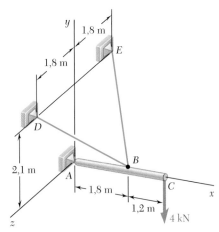

Figure P4.106

4.107 Une hampe AC mesurant 2,4 m est appuyée sur une rotule au point C et est retenue par deux câbles, AD et AE. Déterminez la tension dans chaque câble ainsi que la réaction au point C.

4.108 Solutionnez le problème 4.107 en considérant que la charge de 3,6 kN est appliquée au point A.

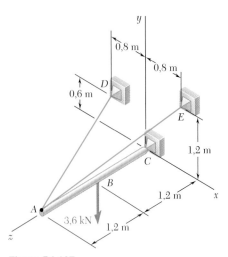

Figure P4.107

4.109 Une force de 455 N est appliquée à l'extrémité C du mât ABC. Le mât, mesurant 6 m, repose sur une rotule au point A et est soutenu par deux câbles, BD et BE. Si $a = 3$ m, calculez la tension dans chacun des câbles ainsi que la réaction en A.

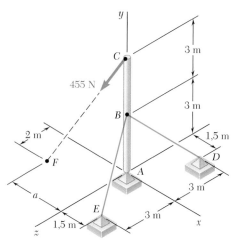

Figure P4.109

4.110 Résolvez le problème 4.109, sachant que $a = 1,5$ m.

4.111 Une hampe de 960 mm de long est retenue par une rotule en C et par deux câbles, BF et DAE. Le câble DAE passe par une poulie sans frottement fixée à l'extrémité A. Une charge de 1280 N est appliquée au point B. Évaluez la tension dans chaque câble et la réaction en C.

4.112 Résolvez le problème 4.111, sachant que la charge de 1280 N est déplacée au point A.

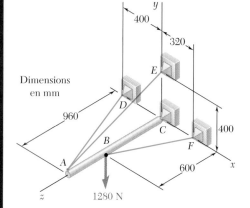

Figure P4.111

4.113 La barre de métal $ABEF$ est soutenue par les paliers C et D, et par un câble AH. La section AB de la barre mesure 250 mm. Une charge de 400 N agit au point F. En supposant que le palier D n'exerce aucune poussée axiale, calculez:
a) la tension dans le câble AH;
b) les réactions aux points C et D.

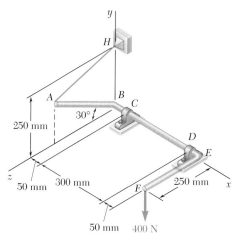

Figure P4.113

4.114 Une contre-fenêtre de 10 kg, mesurant 900 mm × 1500 mm, pivote sur deux charnières A et B. Dans la position illustrée, elle est maintenue par la barre CD, longue de 600 mm. En supposant que la charnière A n'exerce aucune poussée axiale, évaluez :

a) la grandeur de la force exercée par la barre ;

b) les réactions aux points A et B.

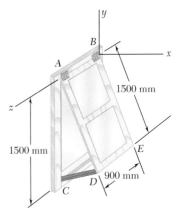

Figure P4.114

4.115 Une plaque rectangulaire de 300 N fixée aux charnières A et B est maintenue en position par un câble EF. En supposant que la charnière B n'exerce aucune poussée axiale, évaluez :

a) la tension dans le câble ;

b) les réactions aux points A et B.

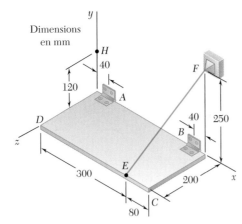

Figure P4.115

4.116 Résolvez le problème 4.115 en remplaçant le câble EF par un câble reliant les points E et H.

4.117 Une plaque rectangulaire de 100 kg et de densité uniforme est supportée par les charnières A et B et par le câble DCE, passant par un crochet en C. En supposant que la tension est la même dans chacune des deux sections du câble et que la charnière B n'exerce aucune poussée axiale, déterminez :

a) la tension dans le câble ;

b) les réactions aux charnières A et B.

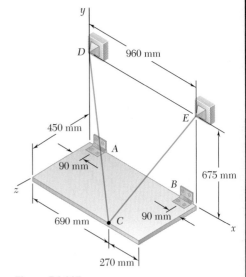

Figure P4.117

4.118 Résolvez le problème 4.117 en remplaçant le câble DCE par un câble reliant le point E et le crochet C.

4.119 Solutionnez le problème 4.113 en retirant le palier D et en considérant que le palier C peut appliquer des couples autour d'axes parallèles aux axes y et z.

4.120 Résolvez le problème 4.115 en retirant la charnière B et en considérant que la charnière A peut appliquer des couples autour d'axes parallèles aux axes y et z.

4.121 Considérez le montage illustré, conçu pour contrôler la tension T d'un ruban passant par une poulie E sans frottement. Le manchon C, soudé aux barres ABC et CDE, peut pivoter autour de l'arbre FG. Une rondelle S l'empêche de glisser le long de FG. Si une charge de 30 N est appliquée au point A, déterminez :

a) la tension T dans le ruban ;

b) la réaction au point C.

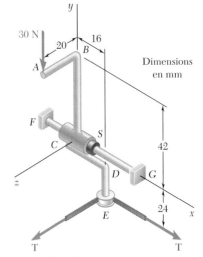

Figure P4.121

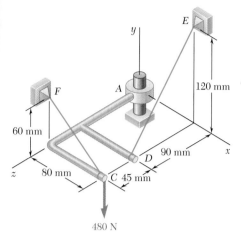

Figure P4.122

4.122 Considérez le montage illustré, où la bague *A* pivote librement autour d'une cheville verticale. La cheville peut appliquer des couples par rapport aux axes *x* et *z*, mais ne peut empêcher une translation ou une rotation par rapport à l'axe des *y*. Le montage est sollicité par une charge de 480 N au point *C*. Déterminez la tension dans chacun des câbles et la réaction au point *A*.

4.123 Le châssis *ABCD* est supporté par une rotule au point *A* et par trois câbles. Sachant que *a* = 150 mm, évaluez la tension dans chacun des câbles et la réaction au point *A*.

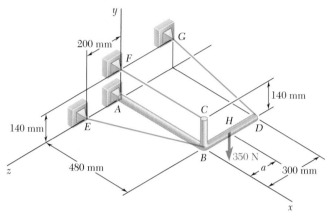

Figure P4.123 - P4.124

4.124 Le châssis *ABCD* est supporté par une rotule au point *A* et par trois câbles. Si la charge de 350 N est déplacée au point *D* (*a* = 300 mm), évaluez la tension dans chacun des câbles et la réaction au point *A*.

4.125 Une barre en acier *ABF* en forme de L est soutenue par une rotule au point *A* et par trois câbles. Évaluez la tension dans chacun des câbles et la réaction au point *A* créées par les deux charges.

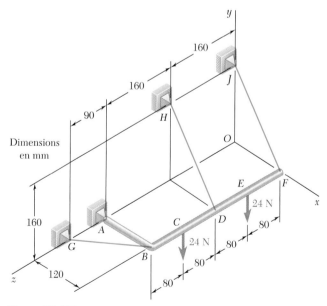

Figure P4.125

4.126 Résolvez le problème 4.125 en éliminant la charge appliquée au point *C*.

4.127 Un plombier s'affaire à déboucher le tuyau *AE*. Pour ce faire, il introduit à l'extrémité *A* un furet dont la tête est connectée à un moteur électrique tournant à vitesse constante. Les forces appliquées par le plombier et le moteur sont représentées par le torseur **F** = −(48 N)**k**, **M** = −(90 N · m)**k**. Déterminez les réactions d'appui aux points *B*, *C* et *D* dues à l'opération de nettoyage, en supposant que la réaction à chaque appui est représentée par deux composantes de force perpendiculaires au tuyau.

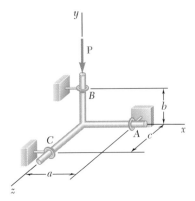

Figure P4.127

4.128 Résolvez le problème 4.127, sachant que la force appliquée par le plombier est **F** = −(48 N)**k** et que le moteur a été éteint (**M** = 0).

4.129 Le montage de la figure P4.129 est formé de trois barres soudées ensemble et supportées par des boulons à œillet. En négligeant le frottement, déterminez les réactions aux points *A*, *B* et *C*, sachant que *P* = 240 N, *a* = 120 mm, *b* = 80 mm et *c* = 100 mm.

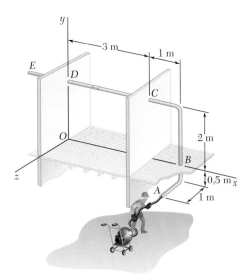

Figure P4.129

4.130 Résolvez le problème 4.129 en remplaçant la charge **P** par un couple **M** = + (6 N · m)**j** agissant au point *B*.

4.131 Une barre de métal de 10 kg et de densité uniforme est soutenue par une rotule au point *A* et par la corde *CG*, attachée au milieu de la barre au point *G*. La barre est appuyée au mur vertical sans frottement au point *B*. Calculez :
  a) la tension dans la corde ;
  b) les réactions aux points *A* et *B*.

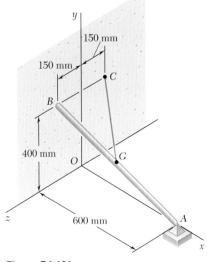

Figure P4.131

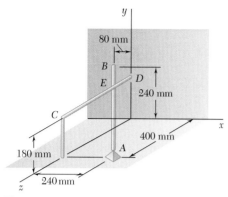

Figure P4.132

4.132 Une barre de métal de 5 kg et de densité uniforme est soutenue par une rotule au point A et est appuyée à la fois sur la barre CD et sur un mur vertical. En négligeant le frottement, déterminez:
a) la force exercée par la barre CD sur la barre AB;
b) les réactions aux points A et B.

(Suggestion: la force appliquée par la barre CD sur la barre AB doit être perpendiculaire aux deux barres.)

4.133 Une trappe de 50 kg et de densité uniforme est supportée par deux charnières sur son côté AB et par un câble CE. Déterminez la tension dans le câble.

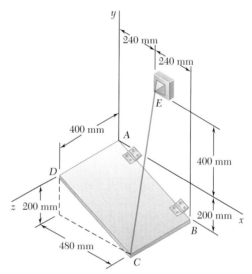

Figure P4.133

4.134 Résolvez le problème 4.133 en remplaçant le câble CE par un câble reliant les points D et E.

4.135 Une barre de métal $ABDE$ est soutenue par deux joints à rotule en A et E et par le câble DF. Si la barre est sollicitée par une charge de 600 N au point C, évaluez la tension dans le câble.

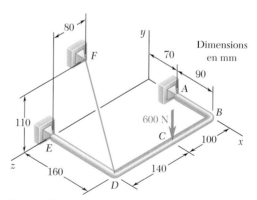

Figure P4.135

4.136 Résolvez le problème 4.135 en remplaçant le câble DF par un câble reliant les points B et F.

4.137 Deux plaques rectangulaires sont soudées ensemble, comme illustré. Le montage est supporté aux points B et D par des rotules et appuyé au point C sur une bille déposée sur une surface horizontale. Calculez la réaction d'appui au point C, sachant qu'une force de 80 N est appliquée au point A.

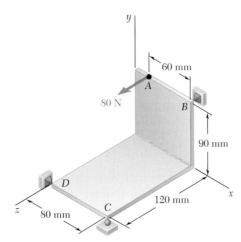

Figure P4.137

4.138 Le tuyau $ACDE$ est soutenu par deux rotules aux points A et E et par le câble DF. Une charge de 640 N est appliquée au point B. Évaluez la tension dans le câble.

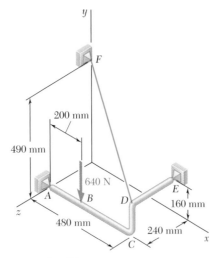

Figure P4.138

4.139 Résolvez le problème 4.138 en remplaçant le câble DF par un câble reliant les points C et F.

4.140 Deux panneaux de contreplaqué de 1 m × 2 m et pesant 60 N chacun sont cloués ensemble comme illustré. L'ensemble est soutenu par deux rotules aux points A et F et par le câble BH. Déterminez :
a) la position de H dans le plan xy si l'on désire minimiser la tension dans le câble ;
b) la valeur de cette tension.

4.141 Résolvez le problème 4.140 avec la restriction que le point H doit se situer sur l'axe des y.

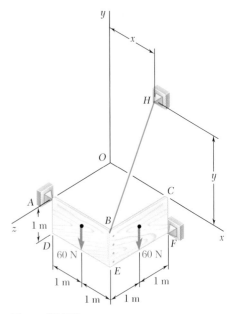

Figure P4.140

Équations d'équilibre

Ce chapitre a été consacré à l'étude de l'équilibre des corps rigides, qui se produit lorsque les forces externes agissant sur un corps rigide forment un système équivalent à zéro (*voir l'introduction du chapitre*).

$$\Sigma\mathbf{F} = 0 \qquad \Sigma\mathbf{M}_O = \Sigma(\mathbf{r} \times \mathbf{F}) = 0 \tag{4.1}$$

En décomposant les forces et les moments agissant sur un corps en composantes rectangulaires, on obtient un système de six équations scalaires qui décrivent les conditions nécessaires et suffisantes à l'équilibre d'un corps rigide :

$$\Sigma F_x = 0 \qquad \Sigma F_y = 0 \qquad \Sigma F_z = 0 \tag{4.2}$$

$$\Sigma M_x = 0 \qquad \Sigma M_y = 0 \qquad \Sigma M_z = 0 \tag{4.3}$$

Ces équations peuvent être utilisées pour déterminer les forces inconnues appliquées au corps rigide ou les réactions inconnues de ses appuis.

Diagramme du corps libre

Dans la résolution d'un problème d'équilibre d'un corps rigide, il est essentiel de considérer toutes les forces agissant sur le corps. On commence toujours la résolution du problème en traçant le diagramme du corps libre (DCL) illustrant le corps rigide ainsi que toutes les forces connues et inconnues appliquées sur le corps.

Équilibre d'une structure bidimensionnelle

Dans la première partie du chapitre, nous avons étudié l'équilibre d'une structure bidimensionnelle, c'est-à-dire que le corps analysé ainsi que les forces qui y sont appliquées sont situés dans un même plan. Nous avons vu que chacune des réactions d'appui de la structure introduit de une à trois inconnues, selon le type de support (*voir la section 4.1.1*).

Dans le cas d'une structure bidimensionnelle, les équations 4.1 ou les équations 4.2 et 4.3 se réduisent à trois équations d'équilibre, soit

$$\Sigma F_x = 0 \qquad \Sigma F_y = 0 \qquad \Sigma M_A = 0 \tag{4.5}$$

où le point A est choisi arbitrairement dans le plan de la structure (*voir la section 4.1.2*). On peut utiliser ces équations pour résoudre une situation d'équilibre à trois inconnues. Bien que les équations 4.5 ne puissent pas être complémentées avec des équations supplémentaires, chacune d'elles peut être substituée par une autre équation. Ainsi, on peut remplacer le système d'équations d'équilibre par

$$\Sigma F_x = 0 \qquad \Sigma M_A = 0 \qquad \Sigma M_B = 0 \tag{4.6}$$

où le point B est choisi de façon que la droite AB ne soit pas parallèle à l'axe des y, ou encore par

$$\Sigma M_A = 0 \qquad \Sigma M_B = 0 \qquad \Sigma M_C = 0 \tag{4.7}$$

où les points A, B et C ne sont pas situés sur une même droite.

Réactions statiquement indéterminées

Puisqu'un système d'équations d'équilibre ne peut être résolu que pour trois inconnues, les réactions aux appuis d'une structure rigide bidimensionnelle ne peuvent être déterminées complètement si elles introduisent plus de trois inconnues ; dans de tels cas, on dit que les réactions sont statiquement indéterminées (*voir la section 4.1.3*). D'autre part, si les réactions introduisent moins de trois inconnues, la condition d'équilibre ne peut être maintenue dans la plupart des situations de charges et la structure est dite partiellement liée. Si les réactions impliquent exactement trois inconnues, il n'est pas certain que les équations d'équilibre pourront être solutionnées pour les trois inconnues. En effet, si les appuis sont disposés de façon que les réactions soient concourantes ou parallèles, les réactions sont statiquement indéterminées et la structure est incorrectement liée.

Corps soumis à deux forces et corps soumis à trois forces

Nous avons souligné deux cas particuliers de situations d'équilibre d'un corps rigide. Un corps soumis à deux forces (*voir la section 4.2.1*) est un corps rigide soumis à des forces appliquées en deux points seulement. Nous avons démontré une propriété qui sera utile pour résoudre certains problèmes d'équilibre de ce type dans les chapitres qui suivent : les deux forces résultantes $\mathbf{F}_1$ et $\mathbf{F}_2$ ont la même grandeur, la même ligne d'action et sont de sens opposé (*voir la figure 4.11*).

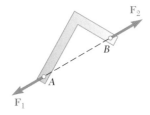

Figure 4.11

Un corps soumis à trois forces (*voir la section 4.2.2*) est un corps rigide soumis à des forces agissant en trois points seulement. Nous avons démontré que les forces résultantes $\mathbf{F}_1$, $\mathbf{F}_2$ et $\mathbf{F}_3$ sont concourantes (*voir la figure 4.12*) ou parallèles. Cette propriété apporte une solution de rechange pour la résolution des problèmes impliquant un corps soumis à trois forces (*voir le problème résolu 4.6*).

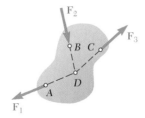

Figure 4.12

Équilibre d'un corps tridimensionnel

Dans la deuxième partie du chapitre, nous avons procédé à l'analyse de l'équilibre des corps tridimensionnels. Nous avons vu que les réactions appliquées aux appuis introduisent entre une et six inconnues, selon le type de support (*voir la section 4.3.1*).

En général, nous pouvons analyser l'équilibre d'un corps tridimensionnel à l'aide des six équations scalaires 4.2 et 4.3 présentées précédemment et qui peuvent être résolues pour six inconnues (*voir la section 4.3.2*). Cependant, dans la plupart des problèmes à trois dimensions, il sera plus facile d'obtenir ces équations en écrivant d'abord

$$\Sigma\mathbf{F} = 0 \qquad \Sigma\mathbf{M}_O = \Sigma(\mathbf{r} \times \mathbf{F}) = 0 \tag{4.1}$$

puis en exprimant les forces $\mathbf{F}$ et les vecteurs position $\mathbf{r}$ en fonction de leurs composantes scalaires et des vecteurs unitaires. Les produits vectoriels peuvent ensuite être calculés directement ou en utilisant les déterminants. On obtient alors les équations scalaires désirées en égalisant à zéro les coefficients des vecteurs unitaires (*voir les problèmes résolus 4.7 à 4.9*).

Lors du calcul de $\Sigma\mathbf{M}_O$ (*voir les équations 4.1*), un choix judicieux du point O permet d'éliminer jusqu'à trois composantes de réaction inconnues. De plus, dans certains cas, on peut éliminer les réactions aux points A et B en solutionnant $\Sigma M_{AB} = 0$, qui implique le calcul des moments des forces par rapport à l'axe AB joignant les points A et B (*voir le problème résolu 4.10*).

Concluons en affirmant que :

- Si les réactions introduisent plus de six inconnues, alors certaines des réactions sont statiquement indéterminées.
- Si les réactions impliquent moins de six inconnues, le corps est partiellement lié.
- Même avec six inconnues ou plus, le corps rigide est incorrectement lié si les réactions concernées sont parallèles ou si elles croisent la même droite.

4.142 Une barre semi-circulaire est maintenue en équilibre à l'aide d'une petite roue au point D et de deux rouleaux aux points B et C. Sachant que $\alpha = 45°$, calculez les réactions aux points B, C et D.

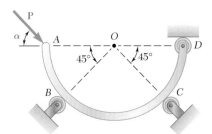

Figure P4.142 - P4.143

4.143 Déterminez l'étendue des valeurs possibles de l'angle α pour lesquelles la barre semi-circulaire peut être maintenue en équilibre par la roue au point D et les rouleaux aux points B et C.

4.144 Une force **P** de 280 N est appliquée à la charpente $ABCD$. Elle est supportée par une goupille sans frottement au point A et par le câble CED. La tension est la même dans chaque section du câble (CE et ED), puisque le câble passe par une poulie de rayon négligeable au point E. Si $a = 60$ mm, déterminez :
a) la tension dans le câble ;
b) la réaction au point A.

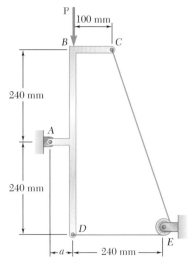

Figure P4.144

4.145 Une console en forme de T est montée sur une petite roue au point E et sur deux chevilles aux points C et D. Sachant que le frottement est nul, déterminez les valeurs des réactions d'appui aux points C, D et E lorsque $\theta = 30°$.

4.146 Une console en forme de T est montée sur une petite roue au point E et sur deux chevilles aux points C et D. Sachant que le coefficient de frottement est nul, déterminez :
a) la valeur minimale de l'angle θ pour maintenir le montage en équilibre ;
b) les valeurs correspondantes des réactions aux points C, D et E.

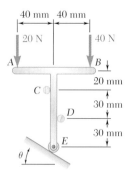

Figure P4.145 - P4.146

4.147 Une perche ayant une longueur de 3 m est soutenue par une rotule en A et par les câbles CD et CE. Si une force verticale vers le bas ($\phi = 0°$) de 5 kN est appliquée, calculez :
a) la tension dans les câbles CD et CE ;
b) la réaction au point A.

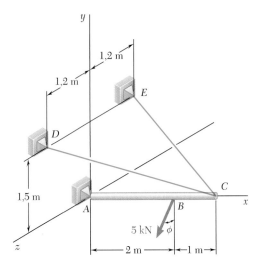

Figure P4.147 - P4.148

4.148 Une perche ayant une longueur de 3 m est soutenue par une rotule en A et par les câbles CD et CE. Si une force de 5 kN est appliquée à un angle de $\phi = 30°$ par rapport au plan vertical xy, calculez :
a) la tension dans les câbles CD et CE ;
b) la réaction au point A.

4.149 Considérez l'assemblage illustré. Le tube AF, d'une longueur de 80 mm, est soudé à une croix dont les bras mesurent 200 mm. L'assemblage est supporté par une rotule au point F et par trois barres formant un angle de 45° avec la verticale. Sachant qu'une charge **P** est appliquée en E, déterminez :
a) la tension dans chacune des barres ;
b) la réaction au point F.

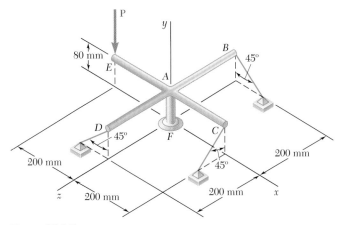

Figure P4.149

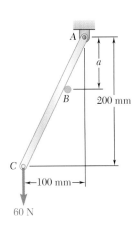

Figure P4.150

4.150 La barre AC est attachée à un pivot au point A et repose sur une cheville au point B. En négligeant le frottement, déterminez :
a) les réactions aux points A et B si $a = 80$ mm ;
b) la distance a de façon que la réaction en A soit horizontale et les grandeurs correspondantes des réactions aux points A et B.

4.151 Un levier de 200 mm et une poulie de 240 mm de diamètre sont soudés à l'axe *BE*, qui est supporté par les paliers *C* et *D*. Le palier *D* n'exerce aucune poussée axiale. Si une force verticale de 720 N est appliquée au point *A* quand le levier est horizontal, déterminez :

a) la tension dans la corde ;
b) les réactions aux points *C* et *D*.

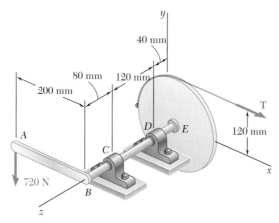

Figure P4.151

4.152 Une force **P** est appliquée à la barre *ABC*, laquelle peut être soutenue de quatre façons différentes, comme illustré. Pour chaque cas, évaluez si possible les réactions aux appuis.

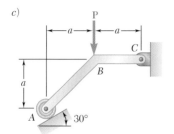

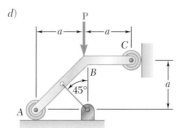

Figure P4.152

4.153 Dans les problèmes énumérés ci-dessous, les corps rigides sont complètement liés, et les réactions aux appuis statiquement déterminées ou isostatiques. Or, pour chacun des corps rigides concernés, il est possible de créer une situation de liaisons incorrectes en modifiant soit une dimension du corps, soit la direction d'une réaction. Pour chacun des problèmes suivants, évaluez la valeur de *a* ou de *α* conduisant à une situation de liaisons incorrectes :

a) problème 4.77 ;
b) problème 4.78 ;
c) problème 4.144 ;
d) problème 4.152*b*.

4.154 La position de la barre en forme de L illustrée est contrôlée à l'aide d'un câble attaché au point *B*. Une charge **P** de 50 N est appliquée à l'extrémité *D*. Concevez un programme informatique permettant de calculer la tension *T* dans le câble pour différentes valeurs de l'angle *θ* variant de 0° à 120°, et ce, par incréments de 10°. En utilisant des incréments plus petits et plus appropriés, évaluez la tension maximale *T* et l'angle *θ* correspondant.

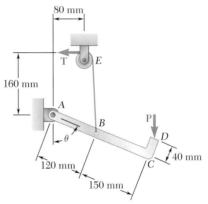

Figure P4.154

4.155 La position de la barre *AB* de 10 kg est contrôlée par un bloc se déplaçant lentement vers la gauche sous l'effet de la force **P**. En négligeant le frottement, concevez un programme informatique permettant de calculer la grandeur de **P** pour des valeurs de la distance *x* variant de 750 mm à 0 mm par décréments de 50 mm. En utilisant des décréments plus petits et plus appropriés, évaluez la grandeur de la force maximale **P** et la distance *x* correspondante.

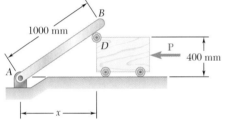

Figure P4.155

4.156 et 4.157 Le ressort *AB* a une constante de *k* = 2,5 kN/m et il est au repos quand *θ* = 0. Sachant que *R* = 100 mm et que *a* = 200 mm, concevez un programme informatique permettant de calculer le poids *W* correspondant à l'équilibre pour différentes valeurs de l'angle *θ* variant de 0° à 90° par incréments de 10°. En utilisant des incréments plus petits et plus appropriés, évaluez la valeur de *θ* correspondant à la position d'équilibre quand *W* = 25 N.

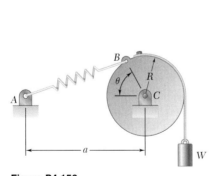

Figure P4.156

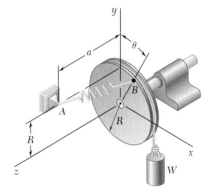

Figure P4.157

4.158 Un panneau de 200 mm × 250 mm et de 20 kg est soutenu par deux charnières le long de l'arête *AB*. Le câble *CDE* est attaché au panneau en *C*, passe par une poulie en *D* et supporte un cylindre de masse *m*. En négligeant le frottement, concevez un programme informatique pouvant calculer la masse du cylindre correspondant à l'équilibre pour des angles θ variant de 0° à 90° par incréments de 10°. En utilisant des incréments plus petits et plus appropriés, évaluez la valeur de θ correspondant à $m = 10$ kg.

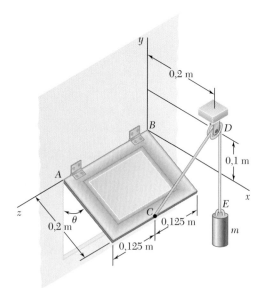

Figure P4.158

4.159 Un mât de charge supporte une caisse de 2000 kg. Il est soutenu par une rotule au point *A* et par deux câbles attachés aux points *D* et *E*. Le mât de charge se situe dans un plan vertical formant un angle ϕ avec le plan *xy*. Concevez un programme informatique permettant de calculer la tension dans chaque câble pour des valeurs de ϕ variant de 0° à 60° par incréments de 5°. En utilisant des incréments plus petits et plus appropriés, évaluez la valeur de ϕ pour laquelle la tension dans le câble *BE* est maximale.

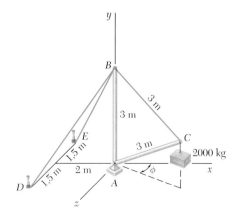

Figure P4.159

CHAPITRE

5 FORCES RÉPARTIES : CENTRES GÉOMÉTRIQUES ET CENTRES DE GRAVITÉ

Le barrage hydroélectrique d'Hydro-Québec illustré ci-contre est soumis à trois forces réparties : le poids des éléments qui le constituent, les forces exercées par l'eau et les forces de pression exercées par le sol sur sa base.

SOMMAIRE

OBJECTIFS

- **Décrire** les centres de gravité de corps plans et tridimensionnels.

- **Définir** les centres géométriques de courbes, surfaces et volumes.

- **Étudier** les moments statiques des courbes et des surfaces, et faire l'examen de leurs propriétés.

- **Déterminer** les centres géométriques de figures composées (courbes, surfaces et volumes) par addition.

- **Déterminer** les centres géométriques de figures composées (courbes, surfaces et volumes) par intégration.

- **Appliquer** le théorème de Pappus-Guldinus pour analyser les surfaces et les solides de révolution.

- **Analyser** les charges réparties sur des poutres et les forces hydrostatiques sur les surfaces.

à l'abscisse $\overline{X}$ multipliée par l'aire totale et à la somme des moments statiques des surfaces élémentaires par rapport à l'axe des y (*voir la figure 5.10*). On trouve l'ordonnée $\overline{Y}$ du centre géométrique en appliquant un raisonnement semblable au moment statique Q_x de la surface composée. On a

$$Q_y = \overline{X}(A_1 + A_2 + \cdots + A_n) = \overline{x}_1 A_1 + \overline{x}_2 A_2 + \cdots + \overline{x}_n A_n$$

$$Q_x = \overline{Y}(A_1 + A_2 + \cdots + A_n) = \overline{y}_1 A_1 + \overline{y}_2 A_2 + \cdots + \overline{y}_n A_n$$

ou, sous une forme plus compacte,

$$Q_y = \overline{X}\Sigma A = \Sigma \overline{x}A \qquad Q_x = \overline{Y}\Sigma A = \Sigma \overline{y}A \tag{5.8}$$

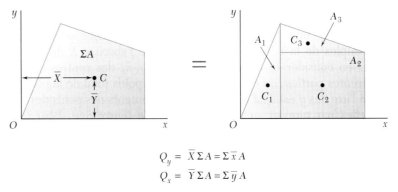

$$Q_y = \overline{X}\Sigma A = \Sigma \overline{x}A$$
$$Q_x = \overline{Y}\Sigma A = \Sigma \overline{y}A$$

Figure 5.10 Centre géométrique d'une surface composée

Ces équations donnent les moments statiques d'une surface composée ; on les utilise également pour déterminer les coordonnées $\overline{X}$ et $\overline{Y}$ du centre géométrique.

Il faut porter une attention particulière au signe du moment de chaque élément d'aire. Tout comme les moments de force, les moments statiques des surfaces peuvent être positifs ou négatifs. Par exemple, si le centre géométrique d'une surface se trouve à gauche de l'axe des y, le moment statique de cette surface par rapport à l'axe des y aura une valeur négative. On attribue aussi le signe négatif à une ouverture dans une surface (*voir la figure 5.11*).

Dans bien des cas, on peut également déterminer le centre de gravité d'un fil composé ou le centre géométrique d'une courbe composée en divisant le fil ou la courbe en segments plus simples (*voir le problème résolu 5.2*).

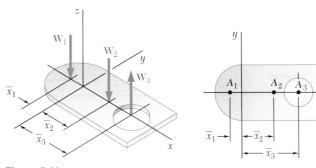

	$\overline{x}$	A	$\overline{x}A$
A_1 Demi-cercle	–	+	–
A_2 Rectangle plein	+	+	+
A_3 Ouverture circulaire	+	–	–

Figure 5.11

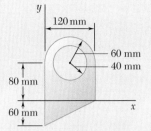

Soit la plaque homogène d'épaisseur uniforme illustrée ci-contre. Déterminez :
a) les moments statiques par rapport aux axes x et y ;
b) la position du centre géométrique.

> **SOLUTION**

Composantes de la surface   Puisque l'épaisseur de la plaque est uniforme, son centre de gravité coïncide avec le centre géométrique de la surface qui la compose. On obtient la surface de la plaque en additionnant un rectangle, un triangle et un demi-cercle et en soustrayant un cercle. Pour les axes de coordonnées utilisés comme illustré, l'aire et les coordonnées du centre géométrique de chaque composante sont calculées et indiquées au tableau ci-dessous. L'aire du cercle est considérée comme négative puisqu'elle doit être soustraite de l'ensemble. La coordonnée $\bar{y}$ du centre géométrique du triangle est notée négative par rapport aux axes de référence établis. Les moments statiques des aires des composantes du corps étudié en fonction des axes de coordonnées sont calculés et intégrés au tableau.

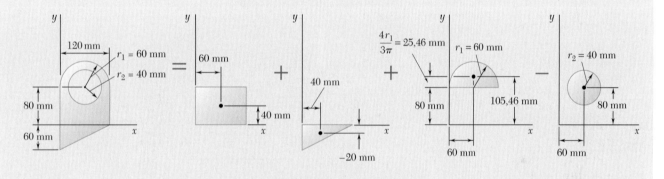

Surface composante	A, mm²	$\bar{x}$, mm	$\bar{y}$, mm	$\bar{x}A$, mm³	$\bar{y}A$, mm³
Rectangle	$(120)(80) = 9,6 \times 10^3$	60	40	$+576 \times 10^3$	$+384 \times 10^3$
Triangle	$\frac{1}{2}(120)(60) = 3,6 \times 10^3$	40	-20	$+144 \times 10^3$	-72×10^3
Demi-cercle	$\frac{1}{2}\pi(60)^2 = 5,655 \times 10^3$	60	105,46	$+339,3 \times 10^3$	$+596,4 \times 10^3$
Cercle	$-\pi(40)^2 = -5,027 \times 10^3$	60	80	$-301,6 \times 10^3$	$-402,2 \times 10^3$
	$\Sigma A = 13,828 \times 10^3$			$\Sigma \bar{x}A = +757,7 \times 10^3$	$\Sigma \bar{y}A = +506,2 \times 10^3$

a) Calcul des moments statiques   À l'aide des équations 5.8, on écrit

$$Q_x = \Sigma \bar{y}A = 506,2 \times 10^3 \text{ mm}^3 \qquad Q_x = 506 \times 10^3 \text{ mm}^3 \blacktriangleleft$$

$$Q_y = \Sigma \bar{x}A = 757,7 \times 10^3 \text{ mm}^3 \qquad Q_y = 758 \times 10^3 \text{ mm}^3 \blacktriangleleft$$

b) Position du centre géométrique   En substituant les valeurs tirées du tableau dans les équations définissant le centre géométrique de la surface composée, on obtient

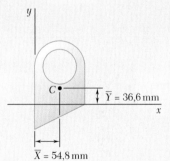

$$\bar{X}\Sigma A = \Sigma \bar{x}A : \qquad \bar{X}(13,828 \times 10^3 \text{ mm}^2) = 757,7 \times 10^3 \text{ mm}^3$$

$$\bar{X} = 54,8 \text{ mm} \blacktriangleleft$$

$$\bar{Y}\Sigma A = \Sigma \bar{y}A : \qquad \bar{Y}(13,828 \times 10^3 \text{ mm}^2) = 506,2 \times 10^3 \text{ mm}^3$$

$$\bar{Y} = 36,6 \text{ mm} \blacktriangleleft$$

Calculez la position du centre de gravité de la pièce triangulaire illustrée, fabriquée en fil métallique homogène et de section constante. Bien que la pièce soit formée du même fil de fer, elle peut être décomposée en trois segments : *AB*, *BC* et *CA*.

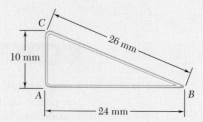

> SOLUTION

Le centre de gravité de la pièce coïncide avec le centre de gravité (centre géométrique) de son périmètre. On procède donc comme suit : on fixe l'origine des axes de coordonnées au point *A*, comme illustré, on détermine les coordonnées du centre géométrique de chaque segment et on calcule les moments statiques par rapport à chacun des axes.

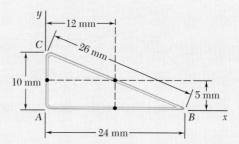

Segment	L, mm	$\bar{x}$, mm	$\bar{y}$, mm	$\bar{x}L$, mm²	$\bar{y}L$, mm²
AB	24	12	0	288	0
BC	26	12	5	312	130
CA	10	0	5	0	50
	$\Sigma L = 60$			$\Sigma \bar{x}L = 600$	$\Sigma \bar{y}L = 180$

En substituant les valeurs tirées du tableau dans les équations définissant le centre géométrique d'une courbe composée, on obtient

$$\bar{X}\Sigma L = \Sigma \bar{x}L : \qquad \bar{X}(60 \text{ mm}) = 600 \text{ mm}^2$$

$$\bar{X} = 10 \text{ mm} \quad \blacktriangleleft$$

$$\bar{Y}\Sigma L = \Sigma \bar{y}L : \qquad \bar{Y}(60 \text{ mm}) = 180 \text{ mm}^2$$

$$\bar{Y} = 3 \text{ mm} \quad \blacktriangleleft$$

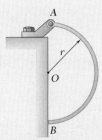

Une tige semi-circulaire uniforme de poids W et de rayon r est attachée à une rotule au point A et s'appuie sur une surface lisse au point B. Déterminez les réactions d'appui aux points A et B.

> SOLUTION

Diagramme du corps libre On trace d'abord le diagramme du corps libre pour la tige AB. Les forces agissant sur la pièce sont : son poids $\mathbf{W}$, appliqué au centre de gravité G, dont le positionnement est obtenu à l'aide de la figure 5.8 ; la réaction d'appui au point A, représentée par ses composantes $\mathbf{A}_x$ et $\mathbf{A}_y$; et la réaction horizontale au point B.

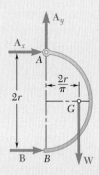

Équations d'équilibre

$$+\circlearrowleft \Sigma M_A = 0: \qquad B(2r) - W\left(\frac{2r}{\pi}\right) = 0$$

$$B = +\frac{W}{\pi} \qquad\qquad \mathbf{B} = \frac{W}{\pi}\rightarrow \quad \blacktriangleleft$$

$$\xrightarrow{+} \Sigma F_x = 0: \qquad A_x + B = 0$$

$$A_x = -B = -\frac{W}{\pi} \qquad \mathbf{A}_x = \frac{W}{\pi}\leftarrow$$

$$+\uparrow \Sigma F_y = 0: \qquad A_y - W = 0 \qquad \mathbf{A}_y = W\uparrow$$

En additionnant les deux composantes de la réaction en A :

$$A = \left[W^2 + \left(\frac{W}{\pi}\right)^2\right]^{1/2} \qquad\qquad A = W\left(1 + \frac{1}{\pi^2}\right)^{1/2} \quad \blacktriangleleft$$

$$\tan\alpha = \frac{W}{W/\pi} = \pi \qquad\qquad \alpha = \tan^{-1}\pi \quad \blacktriangleleft$$

Ces réponses peuvent aussi s'exprimer comme suit :

$$\mathbf{A} = 1{,}049W \,\diagdown\, 72{,}3° \qquad \mathbf{B} = 0{,}318W\rightarrow \quad \blacktriangleleft$$

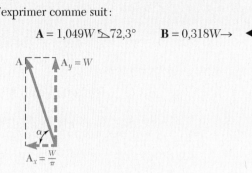

Dans cette section, nous avons développé les équations générales permettant de positionner le centre de gravité de corps bidimensionnels et de fils (équations 5.2) ainsi que le centre géométrique de surfaces planes (équations 5.3) et de courbes ou lignes (équations 5.4). Dans les problèmes qui suivront, vous aurez à :

1. positionner le centre géométrique de surfaces et de courbes composées ;
2. déterminer les moments statiques de la surface de plaques composées (équations 5.8) ;
3. positionner le centre de gravité de surfaces et de courbes composées.

1. **Localisation du centre géométrique de surfaces et de courbes composées.** Aux problèmes résolus 5.1 et 5.2, nous avons présenté les étapes à suivre pour résoudre ce type de problème. Néanmoins, nous insistons sur les points suivants :

   a) La première étape de la résolution consiste à décider de la façon de décomposer le corps étudié selon les formes géométriques simples présentées à la figure 5.8. Il y a souvent plusieurs façons de décomposer une surface plane, et on peut tout aussi bien soustraire qu'additionner des surfaces de base pour obtenir la forme désirée. Ensuite, on trace séparément les différentes composantes (*voir le problème résolu 5.1*) pour faciliter le calcul des centres géométriques et des aires ou longueurs.

   b) Pour chaque corps étudié, on construit un tableau regroupant la surface ou la longueur ainsi que les coordonnées du centre géométrique de chaque composante du corps étudié. Les surfaces à retirer, telles que les ouvertures, portent un signe négatif, de même que les coordonnées négatives, d'où l'importance de bien identifier l'origine du système de coordonnées.

   c) Dans la mesure du possible, on utilise la symétrie pour simplifier le calcul de la position d'un centre géométrique (*voir la section 5.1.3*).

   d) L'angle α du secteur circulaire et de l'arc de cercle de la figure 5.8 doit toujours être exprimé en radians.

2. **Calcul des moments statiques d'une surface.** Les étapes à suivre pour calculer les moments statiques d'une surface sont les mêmes que celles utilisées pour déterminer la position de son centre géométrique ; cependant, pour les moments statiques, il n'est pas nécessaire de calculer l'aire totale de la surface. Rappelons que le moment statique d'une surface par rapport à un axe central est nul (*voir la section 5.1.3*).

3. **Calcul du centre de gravité.** Dans les problèmes qui suivent, les corps sont homogènes ; donc, leur centre de gravité coïncide avec leur centre géométrique. De plus, lorsqu'un corps suspendu à un seul pivot est en équilibre, le pivot et le centre de gravité du corps sont situés sur la même droite verticale.

Bien que les problèmes présentés dans cette section ne semblent pas pertinents à l'étude de la mécanique, la localisation du centre géométrique de figures composées constituera un outil essentiel dans plusieurs situations rencontrées plus loin.

5.1 à 5.9 Situez le centre géométrique des surfaces planes illustrées.

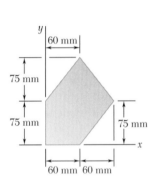

Figure P5.1

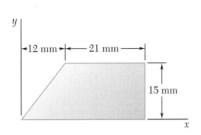

Figure P5.2

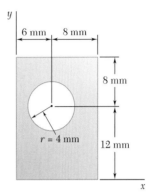

Figure P5.3

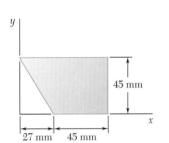

Figure P5.4

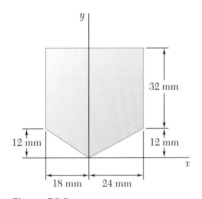

Figure P5.5

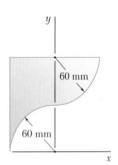

Figure P5.6

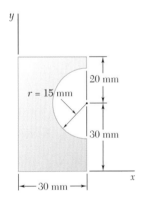

Figure P5.7

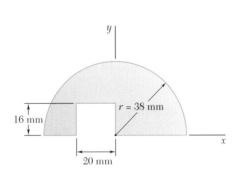

Figure P5.8

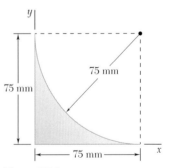

Figure P5.9

5.10 à 5.16 Situez le centre géométrique des surfaces planes illustrées.

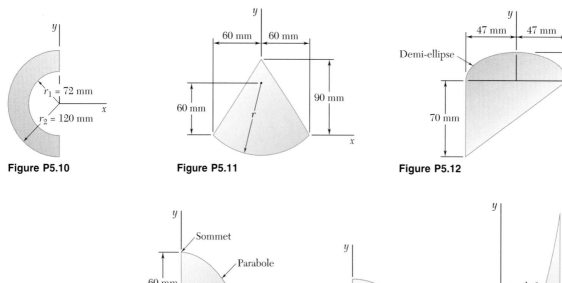

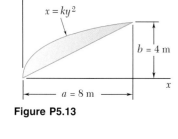

Figure P5.10

Figure P5.11

Figure P5.12

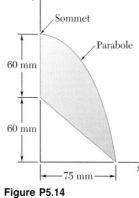

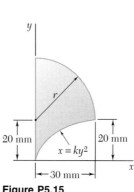

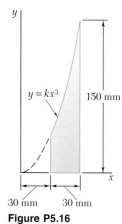

Figure P5.13

Figure P5.14

Figure P5.15

Figure P5.16

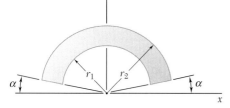

Figure P5.17 - P5.18

5.17 Déterminez l'ordonnée du centre géométrique de la surface ombragée en fonction de r_1, r_2 et α.

5.18 Prouvez que si r_1 tend vers r_2, la position du centre géométrique tend vers celle du centre géométrique d'un arc de cercle de rayon $(r_1 + r_2)/2$.

5.19 Déterminez l'ordonnée du centre géométrique du trapèze illustré en fonction de b_1, b_2 et h.

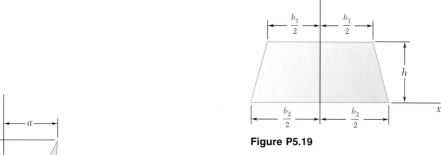

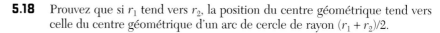

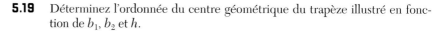

Figure P5.19

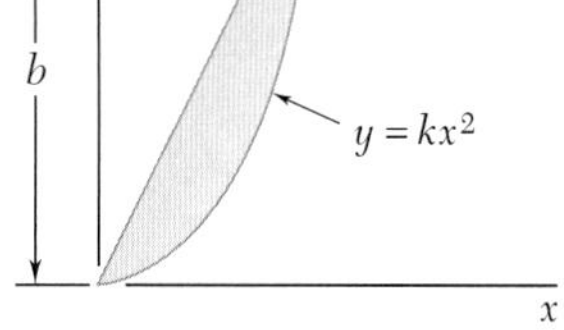

5.20 En vous rapportant à la figure P5.10, déterminez le rapport r_2/r_1, de sorte que $\overline{y} = 3r_1/4$.

5.21 Pour la surface illustrée à la figure P5.21, évaluez a/b, de sorte que $\overline{x} = \overline{y}$.

5.22 En vous rapportant à la figure P5.17, déterminez le rapport r_2/r_1, de sorte que $\overline{y} = r_1$ lorsque $\alpha = 60°$.

Figure P5.21

5.23 Une poutre composite, soumise à une charge verticale, est fabriquée par boulonnage de quatre plaques métalliques avec quatre cornières de 60 mm × 60 mm × 12 mm, comme illustré. Les boulons sont répartis également le long de la poutre. Comme admis en résistance des matériaux, les forces de cisaillement appliquées aux boulons A et B sont proportionnelles aux moments statiques par rapport à l'axe des x de la surface ombragée en rose aux figures P5.23a et b, respectivement. Sachant que la force appliquée au boulon A est de 280 N, déterminez la force appliquée au boulon B.

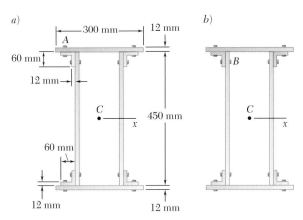

Figure P5.23

5.24 et 5.25 L'axe des x passe par le centre géométrique C des surfaces illustrées et sépare les surfaces en deux parties A_1 et A_2. Évaluez le moment statique de chaque surface par rapport à l'axe des x et commentez les résultats obtenus.

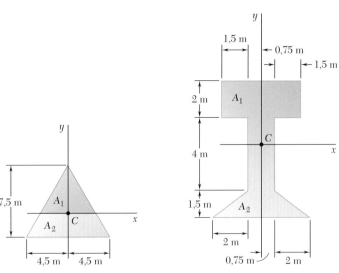

Figure P5.24   **Figure P5.25**

5.26 On identifie par Q_x le moment statique par rapport à l'axe des x de la surface ombragée.
   a) Exprimez Q_x en fonction de r et θ.
   b) Déterminez la valeur de θ pour laquelle Q_x est maximale et calculez cette valeur.

5.27 à 5.30 Un fil métallique homogène est plié pour former le périmètre des figures géométriques indiquées ci-dessous. Déterminez le centre de gravité de chaque pièce ainsi formée.
   5.27 Figure P5.1.
   5.28 Figure P5.2.
   5.29 Figure P5.4.
   5.30 Figure P5.8.

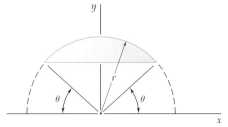

Figure P5.26

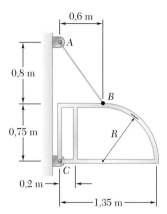

Figure P5.31

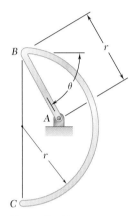

Figure P5.32

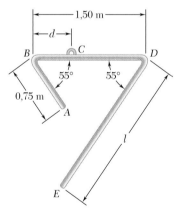

Figure P5.33 - P5.34

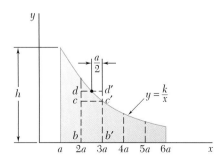

Figure P5.39

5.31 Le cadre d'une enseigne est fabriqué à partir d'une mince barre d'acier plate ayant une densité linéaire de 4,73 kg/m. Le cadre, soutenu par le câble AB, s'appuie sur un pivot au point C. Calculez:
a) la tension dans le câble;
b) la réaction d'appui au point C.

5.32 Le fil métallique homogène ABC est plié de façon à former un demi-cercle et une droite. Le fil est soutenu par une charnière au point A. En vous référant à la figure, déterminez l'angle θ pour lequel le fil est en équilibre.

5.33 L'élément structurel $ABCDE$ est formé à partir d'un tube d'aluminium. Sachant qu'il est soutenu au point C et que $l = 2$ m, évaluez la distance d de sorte que la section BCD soit en position horizontale.

5.34 L'élément structurel $ABCDE$ est formé à partir d'un tube d'aluminium. Sachant qu'il est soutenu au point C et que $d = 0,50$ m, évaluez la longueur l de la section DE de sorte que celle-ci soit en position horizontale.

5.35 Déterminez la distance h pour laquelle le centre géométrique de la surface ombragée est le plus éloigné possible de la droite BB' quand:
a) $k = 0,10$;
b) $k = 0,80$.

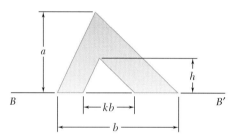

Figure P5.35 - P5.36

5.36 Sachant que l'on désire varier la distance h pour maximiser la distance $\bar{y}$ entre la droite BB' et le centre géométrique de la surface ombragée, démontrez que $\bar{y} = 2h/3$.

5.37 Déterminez par approximation l'abscisse x du centre géométrique de l'aire illustrée.

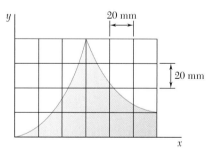

Figure P5.37 - P5.38

5.38 Déterminez par approximation l'ordonnée y du centre géométrique de l'aire illustrée.

5.39 Décomposez la surface suivante en cinq sections verticales. Déterminez ensuite par approximation l'abscisse x de son centre géométrique; évaluez l'aire en utilisant des rectangles de la forme $bcc'b'$. Quelle est l'erreur commise en pourcentage? (La réponse exacte est $5a/\ln 6$.)

5.40 Solutionnez le problème 5.39 en utilisant des rectangles de la forme $bdd'b'$.

CONSIDÉRATIONS SUPPLÉMENTAIRES SUR LES CENTRES GÉOMÉTRIQUES

5.2.1 DÉTERMINATION DES CENTRES GÉOMÉTRIQUES PAR INTÉGRATION

On trouve habituellement le centre géométrique d'une aire délimitée par des courbes géométriques (courbes définies par des équations algébriques) en évaluant les intégrales des équations 5.3 de la section 5.1.2, soit

$$\bar{x}A = \int x\, dA \qquad \bar{y}A = \int y\, dA \qquad (5.3)$$

Si l'élément de surface dA est un petit rectangle de côtés dx et dy, l'évaluation de chacune de ces intégrales exige une double intégration selon x et y. Exprimé en coordonnées polaires, dA est un petit élément de côtés dr et $r\, d\theta$; une double intégration est également nécessaire dans ce système.

Toutefois, dans la majorité des cas, une intégrale simple suffit pour déterminer le centre géométrique d'une surface. On choisit un élément dA ayant la forme d'un petit rectangle (ou bande étroite), ou d'un mince secteur circulaire (ou section en pointe de tarte) (*voir la figure 5.12*); le centre géométrique du rectangle correspond à son centre, et celui du secteur circulaire se trouve à la distance $\frac{2}{3}r$ du sommet (comme celui d'un triangle). On obtient les coordonnées du centre géométrique de la surface concernée en considérant que le moment statique de la surface totale par rapport à chacun des axes de coordonnées est égal à la somme (ou l'intégrale) des moments correspondants des éléments de surface. Si l'on note $\bar{x}_{el}$ et $\bar{y}_{el}$ les coordonnées du centre géométrique de l'élément dA, on a

$$Q_y = \bar{x}A = \int \bar{x}_{el}\, dA$$
$$Q_x = \bar{y}A = \int \bar{y}_{el}\, dA \qquad (5.9)$$

Si l'aire de la surface A n'est pas déjà connue, on peut la calculer à l'aide de ces éléments de surface.

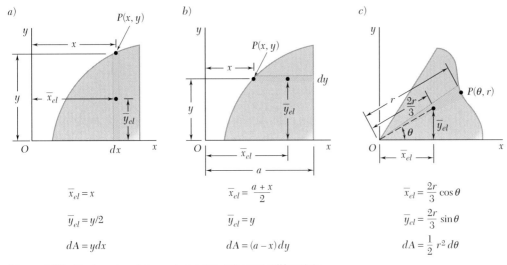

Figure 5.12 Centre géométrique et aire des éléments différentiels

On exprime les coordonnées $\bar{x}_{el}$ et $\bar{y}_{el}$ du centre géométrique de l'élément de surface dA en fonction des coordonnées d'un point P situé sur la courbe qui délimite la surface. On définit aussi l'élément dA en fonction de ces coordonnées et des différentielles appropriées, comme nous l'avons fait à la figure 5.12 pour trois formes d'éléments ; on utilise la pointe de tarte illustrée en c lorsque l'équation de la courbe délimitant la surface est en coordonnées polaires. On substitue les formules appropriées dans les relations 5.9 et on utilise l'équation de la courbe pour écrire l'une des coordonnées en fonction de l'autre. Il reste alors une intégrale simple à résoudre. Une fois l'aire calculée et après avoir évalué les intégrales 5.9, la résolution des équations donne les coordonnées $\bar{x}$ et $\bar{y}$ du centre géométrique de l'aire.

Lorsqu'une courbe a une forme définie par une équation algébrique, on détermine son centre géométrique en évaluant les intégrales 5.4 de la section 5.1.2 :

$$\bar{x}L = \int x\, dL \qquad \bar{y}L = \int y\, dL \qquad (5.4)$$

On remplace l'élément de longueur dL par l'une des expressions suivantes, choisie selon la variable indépendante, x, y ou θ, utilisée dans l'équation qui définit la courbe (on dérive ces relations à l'aide du théorème de Pythagore) :

$$dL = \sqrt{1+\left(\frac{dy}{dx}\right)^2}\, dx \qquad dL = \sqrt{1+\left(\frac{dx}{dy}\right)^2}\, dy$$

$$dL = \sqrt{r^2+\left(\frac{dr}{d\theta}\right)^2}\, d\theta$$

Après avoir utilisé l'équation de la courbe pour écrire l'une des coordonnées en fonction de l'autre, on procède à l'intégration ; finalement, la résolution des équations 5.4 donne les coordonnées $\bar{x}$ et $\bar{y}$ du centre géométrique de la courbe.

5.2.2 THÉORÈMES DE PAPPUS-GULDINUS

Ces théorèmes concernant les surfaces et les volumes de révolution ont été formulés pour la première fois au troisième siècle apr. J.-C. par le géomètre grec Pappus, et énoncés de nouveau plusieurs siècles plus tard par le mathématicien suisse Guldinus, ou Guldin (1577-1643).

Une surface de révolution est une surface engendrée par la rotation d'une courbe plane autour d'un axe fixe. Par exemple, on obtient la surface d'une sphère en faisant tourner l'arc semi-circulaire ABC de la figure 5.13 autour de son diamètre AC. De même, la surface d'un cône est produite par la rotation du segment de droite AB autour de l'axe AC, et la surface d'un tore ou d'un anneau résulte de la rotation de la circonférence d'un cercle autour d'un axe qui ne coupe pas le cercle. Un solide de révolution ou volume de révolution est un solide issu de la rotation d'une surface plane autour d'un axe fixe. On obtient une sphère, un cône ou un tore en faisant tourner les surfaces appropriées autour d'un axe, comme indiqué à la figure 5.14.

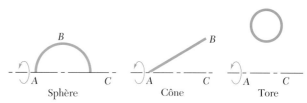

Figure 5.13

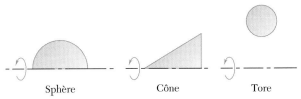
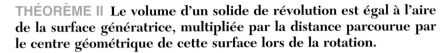

Sphère   Cône   Tore

Figure 5.14

THÉORÈME I **L'aire d'une surface de révolution est égale à la longueur de la courbe qui l'engendre, multipliée par la distance parcourue par le centre géométrique de la courbe lors de la rotation.**

Démonstration Considérons un élément dL de la courbe L (*voir la figure 5.15*), que l'on fait tourner autour de l'axe des x. L'aire dA engendrée par l'élément dL est égale à $2\pi y\, dL$. On obtient l'aire totale A produite par la rotation de L en intégrant $A = \int 2\pi y\, dL$. Or, nous avons vu à la section 5.1.2 que l'intégrale $\int y\, dL$ est égale à $\overline{y}L$; on a donc

$$A = 2\pi\overline{y}L \tag{5.10}$$

où $2\pi\overline{y}$ correspond à la distance parcourue par le centre géométrique de L (*voir la figure 5.15*). Il est important que la courbe ne croise pas l'axe de rotation. Si c'était le cas, les sections situées de part et d'autre de l'axe engendreraient des aires de signe contraire et le théorème ne s'appliquerait pas.

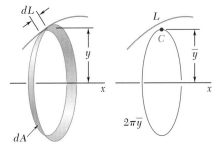

Figure 5.15

THÉORÈME II **Le volume d'un solide de révolution est égal à l'aire de la surface génératrice, multipliée par la distance parcourue par le centre géométrique de cette surface lors de la rotation.**

Démonstration Considérons un élément dA de la surface A que l'on fait tourner autour de l'axe des x (*voir la figure 5.16*). Le volume dV produit par l'élément dA est égal à $2\pi y\, dA$. Le volume total engendré par A correspond alors à $V = \int 2\pi y\, dA$. Sachant que l'intégrale $\int y\, dA$ est égale à $\overline{y}A$ (*voir la section 5.1.2*), on a

$$V = 2\pi\overline{y}A \tag{5.11}$$

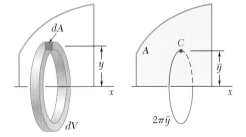

Figure 5.16

où $2\pi\overline{y}$ représente la distance parcourue par le centre géométrique de A. Cette fois encore, le théorème s'applique à la condition que l'axe de rotation ne coupe pas la surface génératrice.

Les théorèmes de Pappus-Guldinus permettent de calculer facilement l'aire d'une surface de révolution et le volume d'un solide de révolution. Inversement, on peut employer ces théorèmes pour déterminer le centre géométrique d'une courbe plane si on connaît l'aire de la surface de révolution qu'elle engendre ou pour trouver le centre géométrique d'une surface plane si on a le volume produit par sa révolution (*voir le problème résolu 5.8*).

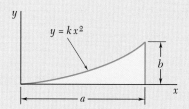

Déterminez par intégration la position du centre géométrique de la surface plane ci-contre.

SOLUTION

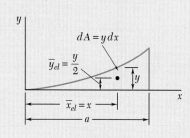

Calcul de la constante k La valeur de k est établie en substituant $x = a$ et $y = b$ dans l'équation de la courbe. On obtient $b = ka^2$ et $k = b/a^2$. L'équation de la courbe est donc

$$y = \frac{b}{a^2}x^2 \qquad \text{ou} \qquad x = \frac{a}{b^{1/2}}y^{1/2}$$

Intégration suivant l'axe des x: élément dA vertical En choisissant l'élément différentiel comme illustré, on trouve l'aire totale de la figure.

$$A = \int dA = \int y\, dx = \int_0^a \frac{b}{a^2}x^2\, dx = \left[\frac{b}{a^2}\frac{x^3}{3}\right]_0^a = \frac{ab}{3}$$

Le moment statique de l'élément différentiel par rapport à l'axe des y est $\bar{x}_{el}\, dA$; le moment statique de la surface totale par rapport à cet axe est

$$Q_y = \int \bar{x}_{el}\, dA = \int xy\, dx = \int_0^a x\left(\frac{b}{a^2}x^2\right)dx = \left[\frac{bx^4}{a^2 4}\right]_0^a = \frac{a^2 b}{4}$$

Puisque $Q_y = \bar{x}A$, on a

$$\bar{x}A = \int \bar{x}_{el}\, dA \qquad \bar{x}\frac{ab}{3} = \frac{a^2 b}{4} \qquad\qquad \bar{x} = \tfrac{3}{4}a \quad \blacktriangleleft$$

De la même façon, le moment statique de l'élément différentiel par rapport à l'axe des x est $\bar{y}_{el}\, dA$, et le moment statique de la surface totale par rapport à cet axe est

$$Q_x = \int \bar{y}_{el}\, dA = \int \frac{y}{2} y\, dx = \int_0^a \frac{1}{2}\left(\frac{b}{a^2}x^2\right)^2 dx = \left[\frac{b^2}{2a^4}\frac{x^5}{5}\right]_0^a = \frac{ab^2}{10}$$

Puisque $Q_x = \bar{y}A$, on a

$$\bar{y}A = \int \bar{y}_{el}\, dA \qquad \bar{y}\frac{ab}{3} = \frac{ab^2}{10} \qquad\qquad \bar{y} = \tfrac{3}{10}b \quad \blacktriangleleft$$

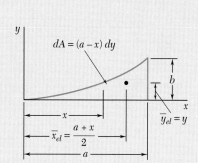

Intégration suivant l'axe des y: élément dA horizontal Les mêmes résultats peuvent être obtenus en considérant une surface différentielle horizontale. Les moments statiques des surfaces sont

$$Q_y = \int \bar{x}_{el}\, dA = \int \frac{a+x}{2}(a-x)\, dy = \int_0^b \frac{a^2 - x^2}{2}\, dy$$

$$= \frac{1}{2}\int_0^b \left(a^2 - \frac{a^2}{b}y\right)dy = \frac{a^2 b}{4}$$

$$Q_x = \int \bar{y}_{el}\, dA = \int y(a-x)\, dy = \int y\left(a - \frac{a}{b^{1/2}}y^{1/2}\right)dy$$

$$= \int_0^b \left(ay - \frac{a}{b^{1/2}}y^{3/2}\right)dy = \frac{ab^2}{10}$$

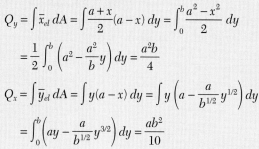

Pour obtenir $\bar{x}$ et $\bar{y}$, on substitue ces moments dans les équations définissant les coordonnées du centre de gravité (centre géométrique) de la surface.

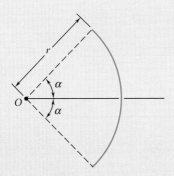

Localisez le centre géométrique de l'arc de cercle ci-contre.

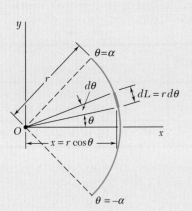

Puisque l'arc de cercle est symétrique par rapport à l'axe des x, $\bar{y} = 0$. On choisit comme élément différentiel un secteur circulaire, comme illustré, et on obtient la longueur de l'arc de cercle par intégration.

$$L = \int dL = \int_{-\alpha}^{\alpha} r\,d\theta = r \int_{-\alpha}^{\alpha} d\theta = 2r\alpha$$

Le moment statique de l'arc par rapport à l'axe des y est

$$Q_y = \int x\,dL = \int_{-\alpha}^{\alpha} (r\cos\theta)(r\,d\theta) = r^2 \int_{-\alpha}^{\alpha} \cos\theta\,d\theta$$

$$= r^2 [\sin\theta]_{-\alpha}^{\alpha} = 2r^2 \sin\alpha$$

Puisque $Q_y = \bar{x}L$, alors

$$\bar{x}(2r\alpha) = 2r^2 \sin\alpha \qquad\qquad \bar{x} = \frac{r\sin\alpha}{\alpha} \quad \blacktriangleleft$$

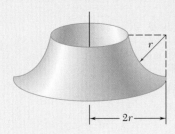

Calculez l'aire de la surface de révolution ci-contre, obtenue en faisant tourner un arc de quart de cercle autour d'un axe vertical.

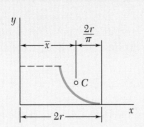

Selon le théorème I de Pappus-Guldinus, l'aire engendrée est égale à la longueur de l'arc multipliée par la distance parcourue par son centre géométrique lors de la rotation. Selon les relations de la figure 5.8, on a

$$\bar{x} = 2r - \frac{2r}{\pi} = 2r\left(1 - \frac{1}{\pi}\right)$$

$$A = 2\pi\bar{x}L = 2\pi\left[2r\left(1 - \frac{1}{\pi}\right)\right]\left(\frac{\pi r}{2}\right)$$

$$A = 2\pi r^2(\pi - 1) \quad \blacktriangleleft$$

Forces réparties : centres géométriques et centres de gravité **225**

Le diamètre extérieur d'une poulie est de 0,8 m; les dimensions de sa section sont indiquées ci-contre. Sachant que la poulie est en acier et que l'acier possède une masse volumique de $\rho = 7{,}85 \times 10^3$ kg/m³, déterminez la masse et le poids de la jante de la poulie.

> **SOLUTION**

Selon le théorème II de Pappus-Guldinus, le volume est égal à l'aire de la section donnée multipliée par la distance parcourue par son centre géométrique lors d'une rotation complète. Cependant, on peut simplifier les calculs en décomposant la section de la poulie en deux figures: le rectangle I, dont l'aire est positive, et le rectangle II, ayant une aire négative.

	Aire, mm²	$\bar{y}$, mm	Distance parcourue par C, mm	Volume, mm³
I	+5000	375	$2\pi(375) = 2356$	$(5000)(2356) = 11{,}78 \times 10^6$
II	−1800	365	$2\pi(365) = 2293$	$(-1800)(2293) = -4{,}13 \times 10^6$
				Volume de la jante = $7{,}65 \times 10^6$

Puisque 1 mm = 10^{-3} m, alors 1 mm³ = $(10^{-3}$ m$)^3 = 10^{-9}$ m³, et on obtient $V = 7{,}65 \times 10^6$ mm³ = $(7{,}65 \times 10^6)(10^{-9}$ m³$) = 7{,}65 \times 10^{-3}$ m³.

$$m = \rho V = (7{,}85 \times 10^3 \text{ kg/m}^3)(7{,}65 \times 10^{-3} \text{ m}^3) \qquad m = 60{,}0 \text{ kg} \quad \blacktriangleleft$$

$$W = mg = (60{,}0 \text{ kg})(9{,}81 \text{ m/s}^2) = 589 \text{ kg} \cdot \text{m/s}^2 \qquad W = 589 \text{ N} \quad \blacktriangleleft$$

À l'aide des théorèmes de Pappus-Guldinus, déterminez:
a) le centre géométrique d'une surface semi-circulaire;
b) le centre géométrique d'un arc de demi-cercle.

Souvenez-vous que le volume d'une sphère est donné par $\frac{4}{3}\pi r^3$, et sa surface par $4\pi r^2$.

> **SOLUTION**

Le volume d'une sphère est égal au produit de l'aire d'un demi-cercle par la distance parcourue par le centre géométrique du demi-cercle dans une rotation complète autour de l'axe des x.

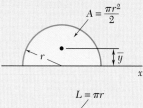

$$V = 2\pi\bar{y}A \qquad \frac{4}{3}\pi r^3 = 2\pi\bar{y}(\tfrac{1}{2}\pi r^2) \qquad\qquad \bar{y} = \frac{4r}{3\pi} \quad \blacktriangleleft$$

La surface d'une sphère est égale au produit de la longueur du demi-cercle générateur par la distance parcourue par son centre géométrique lors d'une rotation autour de l'axe des x.

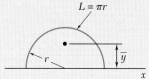

$$A = 2\pi\bar{y}L \qquad 4\pi r^2 = 2\pi\bar{y}(\pi r) \qquad\qquad \bar{y} = \frac{2r}{\pi} \quad \blacktriangleleft$$

Dans cette section, nous avons vu comment localiser le centre géométrique de surfaces planes et de courbes à l'aide des équations suivantes :

$$\bar{x}A = \int x\, dA \qquad \bar{y}A = \int y\, dA \qquad (5.3)$$

$$\bar{x}L = \int x\, dL \qquad \bar{y}L = \int y\, dL \qquad (5.4)$$

De plus, nous avons appliqué les théorèmes de Pappus-Guldinus pour déterminer l'aire de surfaces de révolution et le volume de solides de révolution.

1. **Calcul du centre géométrique de surfaces et de courbes par intégration directe.** Pour résoudre ce type de problème, nous suggérons de suivre les étapes présentées aux problèmes résolus 5.4 et 5.5 :
   - calculer A (aire totale) ou L (longueur de la courbe) ;
   - déterminer les moments statiques de la surface ou de la courbe ;
   - résoudre les équations 5.3 et 5.4 pour obtenir les coordonnées du centre géométrique.

   De plus, une attention toute particulière devrait être portée aux points suivants :

   a) On commence toujours par définir rigoureusement tous les termes dans les intégrales à résoudre. On identifie clairement sur le schéma de la surface ou de la courbe le choix de l'élément dA ou dL ainsi que les distances par rapport au centre géométrique.

   b) Les valeurs de x et y dans les équations 5.3 et 5.4 représentent les coordonnées du centre géométrique des éléments différentiels dA et dL (*voir la section 5.2.1*). Il est important de savoir que les coordonnées du centre géométrique de dA ne sont pas égales aux coordonnées d'un point situé sur la courbe délimitant la surface analysée. Nous vous encourageons à bien étudier la figure 5.12 afin de bien saisir cette notion.

   c) Par souci de simplification des calculs, on examine toujours la forme de la surface ou de la courbe à étudier avant de définir l'élément différentiel. Par exemple, dans certains cas, il sera plus simple d'utiliser des éléments rectangulaires horizontaux plutôt que verticaux. De plus, en présence d'une surface ou d'une courbe ayant une symétrie circulaire, il sera plus avantageux d'utiliser des coordonnées polaires.

   d) Bien que la majorité des intégrales utilisées dans cette section soient relativement simples, il peut arriver que l'on doive recourir à des techniques plus complexes, comme des substitutions trigonométriques ou des intégrations par partie. L'utilisation d'une table d'intégrales s'avère la méthode la plus rapide pour évaluer les intégrales difficiles.

2. **Application des théorèmes de Pappus-Guldinus.** Comme nous l'avons vu aux problèmes résolus 5.6 à 5.8, ces théorèmes sont simples mais d'une grande utilité pour le calcul des aires et des volumes. Bien que ces théorèmes réfèrent à la distance parcourue par le centre géométrique et à la longueur de la courbe génératrice ou à l'aire de la surface génératrice, les équations qui en résultent (équations 5.10 et 5.11) contiennent les produits de ces quantités, lesquels représentent simplement les moments statiques d'une courbe ($\bar{y}L$) et d'une surface ($\bar{y}A$). Donc, lorsque la courbe ou la surface génératrices sont composées de plus d'une forme commune, on n'a qu'à calculer $\bar{y}L$ ou $\bar{y}A$. Il n'est pas nécessaire de calculer la longueur de la courbe ou l'aire de la surface.

5.41 à 5.43 Déterminez par intégration directe le centre géométrique des surfaces illustrées. Présentez vos réponses en fonction de a et h.

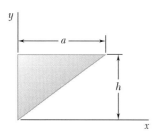

Figure P5.41

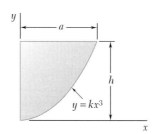

Figure P5.42

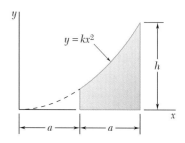

Figure P5.43

5.44 à 5.46 Déterminez par intégration directe le centre géométrique des surfaces illustrées.

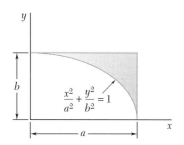

Figure P5.44

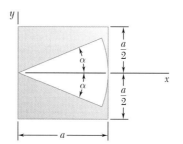

Figure P5.45

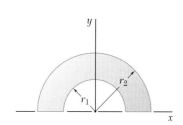

Figure P5.46

5.47 et 5.48 Déterminez par intégration directe le centre géométrique des surfaces illustrées. Présentez vos réponses en fonction de a et b.

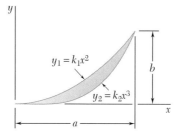

Figure P5.47

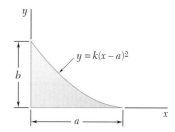

Figure P5.48

5.49 et 5.50 Déterminez par intégration directe le centre géométrique des surfaces illustrées. Présentez vos réponses en fonction de a et b.

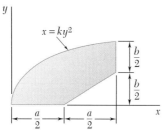

Figure P5.49

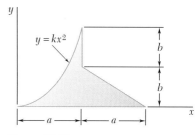

Figure P5.50

5.51 Déterminez par intégration directe le centre géométrique de la surface illustrée.

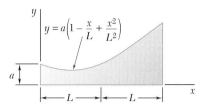

Figure P5.51

5.52 et 5.53 Un fil de fer homogène est courbé pour prendre la forme illustrée. Déterminez par intégration la coordonnée x de son centre géométrique.

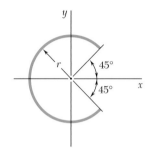

Figure P5.52

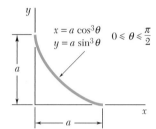

Figure P5.53

*5.54 Un fil de fer homogène a la forme illustrée. Déterminez par intégration la coordonnée x de son centre géométrique. Présentez vos réponses en fonction de a.

*5.55 et *5.56 Déterminez par intégration directe le centre géométrique des surfaces illustrées.

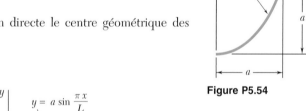

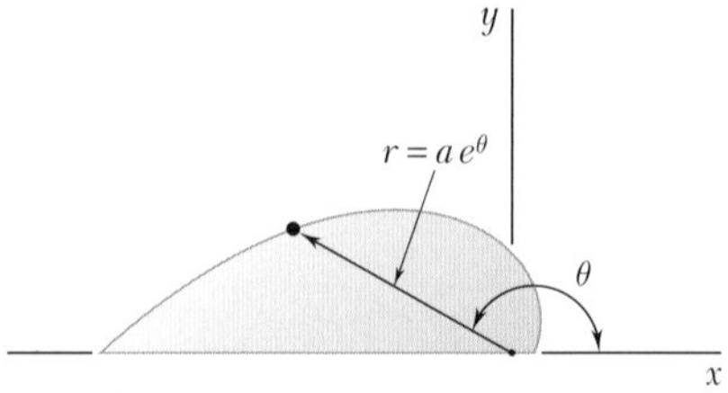

Figure P5.55 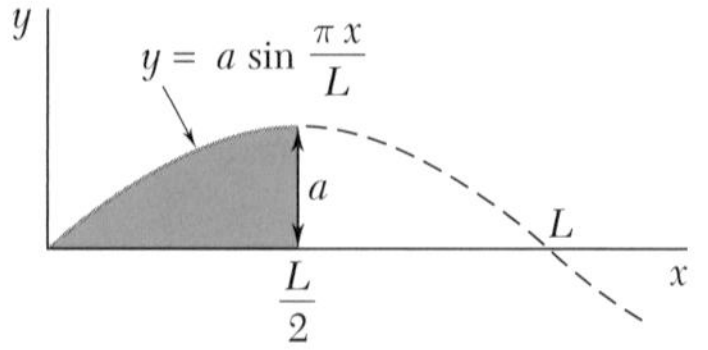   **Figure P5.56**

Figure P5.54

5.57 Déterminez le centre géométrique de la surface illustrée lorsque $a = 2$ m.

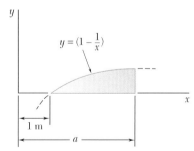

Figure P5.57 - P5.58

5.58 Évaluez la valeur de a pour laquelle $\bar{x}/\bar{y} = 9$.

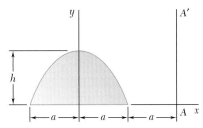

Figure P5.62

5.59 Évaluez le volume et l'aire de la surface du solide obtenu par la rotation de la surface du problème 5.1 :
a) par rapport à l'axe des x ;
b) par rapport à la droite $x = 72$ mm.

5.60 Évaluez le volume et l'aire de la surface du solide obtenu par la rotation de la surface du problème 5.5 :
a) par rapport à la droite $y = 44$ mm ;
b) par rapport à la droite $x = 24$ mm.

5.61 Évaluez le volume et l'aire de la surface du solide obtenu par la rotation de la surface du problème 5.7 :
a) par rapport à l'axe des x ;
b) par rapport à l'axe des y.

5.62 En considérant la figure P5.62, évaluez le volume du solide obtenu par la rotation de la surface parabolique :
a) par rapport à l'axe des x ;
b) par rapport à l'axe AA'.

5.63 Le maillon d'une chaîne est fabriqué à partir d'une barre de métal de 6 mm de diamètre. Calculez son volume et l'aire de sa surface si $R = 10$ mm et $L = 30$ mm.

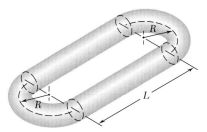

Figure P5.63

5.64 Validez les expressions mathématiques des volumes des quatre premières formes de la figure 5.21 de la page 244.

5.65 On perce un trou de 15 mm de diamètre dans une plaque d'acier de 20 mm d'épaisseur ; le trou est ensuite fraisé comme illustré. Estimez le volume d'acier retiré durant le fraisage.

5.66 On désire comparer trois différents profils de courroies de transmission. Sachant qu'à tout instant chaque courroie est en contact avec la moitié de la circonférence de sa poulie, évaluez la surface de contact entre la courroie et sa poulie pour chacun des trois modèles illustrés.

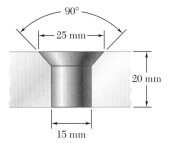

Figure P5.65

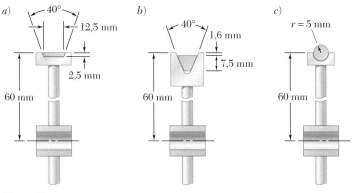

Figure P5.66

Figure P5.67

5.67 Calculez la capacité en litres du bol à punch illustré si $R = 250$ mm.

5.68 L'abat-jour en aluminium d'une petite lampe de haute intensité a une épaisseur uniforme de 1 mm. Déterminez la masse de l'abat-jour, sachant que la masse volumique de l'aluminium est de 2800 kg/m³.

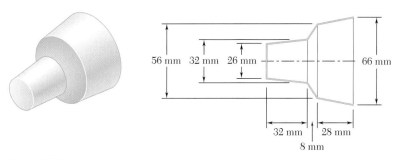

Figure P5.68

5.69 Un manufacturier désire fabriquer 20 000 chevilles en bois selon les dimensions indiquées. Sachant que chaque cheville doit être recouverte de deux couches de peinture, déterminez le nombre de litres de peinture nécessaire si un litre peut couvrir 10 m².

5.70 La cheville illustrée a été tournée à partir d'une goupille de 20 mm de diamètre et d'une longueur de 80 mm. Calculez le pourcentage du volume initial de la goupille ayant été enlevé.

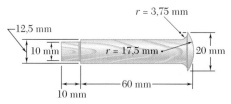

Figure P5.69 - P5.70

5.71 Déterminez le volume et l'aire totale de la surface de la bague illustrée.

*5.72 L'abat-jour d'une applique murale est fabriqué à partir d'une mince feuille de plastique translucide. Déterminez l'aire de la surface externe de l'abat-jour, sachant que sa section a la forme parabolique indiquée.

5.73 Évaluez l'épaisseur moyenne de la paroi d'une petite bouteille de plastique de $9{,}17 \times 10^{-3}$ kg dont la section est illustrée à la figure P5.73, sachant que la masse volumique du plastique est de 938 kg/m³.

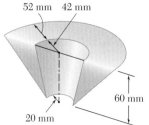

Figure P5.71

5.74 Un fabricant de jeux d'échecs veut mouler un jeu en étain. Si la masse volumique de l'étain est de 7310 kg/m³, déterminez la masse du pion illustré à figure P5.74.

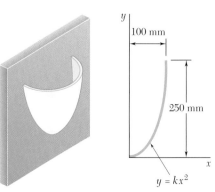

Figure P5.72

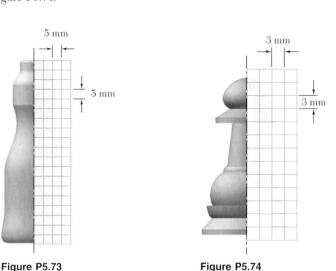

Figure P5.73   **Figure P5.74**

5.3 AUTRES APPLICATIONS DES CENTRES GÉOMÉTRIQUES

*5.3.1 CHARGES RÉPARTIES SUR DES POUTRES

Le concept de centre géométrique d'une surface ne sert pas uniquement à résoudre des problèmes relatifs au poids d'une plaque. Considérons, par exemple, une poutre qui supporte une charge répartie, telle que le poids d'objets soutenus directement ou indirectement par la poutre, ou encore une charge produite par le vent ou par la pression hydrostatique. On représente la charge répartie en traçant la courbe de la charge soutenue par unité de longueur, w, le long de la poutre (*voir la figure 5.17*); on exprime cette charge en N/m. La grandeur de la orce exercée sur un élément de poutre de longueur dx s'écrit $dW = w\, dx$, et la charge totale supportée par la poutre devient

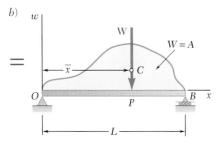

$$W = \int_0^L w\, dx$$

On observe que le produit $w\, dx$ correspond en grandeur à l'élément d'aire dA représenté à la figure 5.17a. La grandeur de la charge W est alors égale à l'aire totale A sous la courbe de la charge :

$$W = \int dA = A$$

Figure 5.17

Prenons maintenant une charge concentrée ponctuelle **W**, de grandeur W, égale à la charge totale répartie, et déterminons l'endroit où l'appliquer pour qu'elle produise les mêmes réactions aux appuis (*voir la figure 5.17b*). Cette charge concentrée **W**, qui représente la résultante de la charge répartie donnée, ne peut être équivalente que si l'on considère le diagramme du corps libre de la poutre entière. On détermine le point d'application P de la charge équivalente concentrée **W** en considérant que le moment de **W** par rapport à O est égal à la somme des moments des éléments de charge d**W** par rapport à ce point :

$$(OP)W = \int x\, dW$$

ou, étant donné que $dW = w\, dx = dA$ et $W = A$,

$$(OP)A = \int_0^L x\, dA \tag{5.12}$$

Puisque l'intégrale représente le moment statique par rapport à l'axe w de la surface sous la courbe de la charge, on peut la remplacer par le produit $\bar{x}A$. On a alors $OP = \bar{x}$, où $\bar{x}$ correspond à la distance entre l'axe w et le centre géométrique C de la surface A (et non pas le centre géométrique de la poutre).

Une charge répartie sur une poutre équivaut donc à une charge concentrée ponctuelle dont la grandeur est égale à la surface sous la courbe de la charge et dont la ligne d'action passe par le centre géométrique de cette surface.

On observe cependant que la charge concentrée est équivalente à la charge donnée seulement s'il est question des forces externes. On peut utiliser **W** pour évaluer les réactions mais pas pour déterminer les forces internes ou les déviations de la poutre.

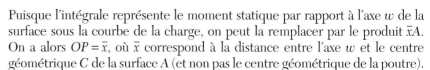

Les toits illustrés doivent supporter le poids de la neige, lequel est distribué inégalement.

*5.3.2 FORCES HYDROSTATIQUES SUR DES SURFACES

On reprend l'approche de la section précédente pour déterminer la résultante des forces de pression hydrostatique exercées sur une surface rectangulaire immergée dans un liquide. Considérons la plaque rectangulaire de la figure 5.18, de longueur L et de largeur b, où b est mesurée perpendiculairement au plan de la figure. Comme nous l'avons vu à la section 5.3.1, la charge exercée sur un élément de plaque de longueur dx correspond à $w\,dx$, où w est la charge par unité de longueur. On peut aussi exprimer cette charge en considérant la relation $p\,dA = pb\,dx$, où p représente la pression manométrique mesurée dans le liquide[1], et b la largeur de la plaque; ainsi, $w = bp$. Par ailleurs, la pression manométrique d'un liquide est donnée par $p = \rho g h$, où ρ indique la masse volumique du liquide h, et la distance verticale jusqu'à la surface libre; il s'ensuit que

$$w = bp = b\rho g h$$

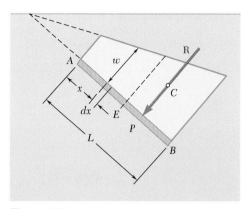

Figure 5.18

Cette équation montre que la charge par unité de longueur w est proportionnelle à h; par conséquent, elle varie linéairement en fonction de x.

En référant aux résultats de la section 5.3.1, on observe que la résultante **R** des forces hydrostatiques exercées sur un côté de la plaque est de grandeur égale à l'aire du trapèze sous la courbe de la charge, et que sa ligne d'action passe par le centre géométrique C de cette surface ou de ce trapèze. On appelle *centre de pression*[2] le point P de la plaque où s'applique la résultante **R**.

Examinons maintenant les forces exercées par un liquide sur une surface courbée de largeur constante (*voir la figure 5.19a*). Pour déterminer la résultante **R** de ces forces, il serait difficile de procéder par intégration directe. On considère donc le corps libre obtenu en détachant le volume de liquide ABD délimité par la surface courbée AB et par les deux surfaces planes AD et DB (*voir la figure 5.19b*). Les forces agissant sur le corps libre ABD sont le poids **W** du volume de liquide, la résultante **R**$_1$ des forces exercées sur AD, la résultante **R**$_2$ des forces exercées sur BD, et la résultante **−R** des forces exercées par la surface courbée sur le liquide. Notons que **−R** est égale et opposée à **R**, la résultante des forces exercées par le liquide sur la surface courbée, et que ces deux vecteurs ont la même ligne d'action. On détermine les forces **W**, **R**$_1$ et **R**$_2$ en procédant selon les méthodes habituelles. Une fois ces valeurs connues, on trouve **−R** en résolvant les équations d'équilibre du corps libre de la figure 5.19b. Finalement, on obtient la résultante **R** des forces hydrostatiques exercées sur la surface courbée en inversant le sens de **−R**.

On peut utiliser les méthodes élaborées dans cette section pour trouver la résultante des forces hydrostatiques exercées sur les surfaces submergées des barrages ou sur les portes d'écluses et les vannes rectangulaires. Nous apprendrons au chapitre 9 à calculer les résultantes dans le cas des surfaces submergées de largeur inégale.

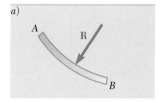

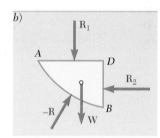

Figure 5.19

---

1. La pression p décrit une charge par unité de surface et s'exprime en N/m². L'unité dérivée SI correspondante est le pascal (Pa).

2. La surface sous la courbe de la charge est égale à $w_E L$, où w_E représente la charge par unité de longueur au centre E de la plaque; l'équation 5.13 permet d'écrire

$$R = w_E L = (bp_E)L = p_E(bL) = p_E A$$

où A indique l'aire de la plaque. Ainsi, on obtient la grandeur de **R** en multipliant l'aire de la plaque par la pression à son centre E. Toutefois, la résultante **R** s'applique au point P et non pas au point E.

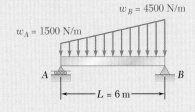

Une poutre est soumise à une charge répartie, comme illustré. Évaluez :

a) la charge unique concentrée équivalente ;

b) les réactions aux appuis.

SOLUTION

a) Charge concentrée équivalente La grandeur de la résultante de la charge répartie est égale à l'aire sous la courbe de la charge. La ligne d'action de cette résultante passe par le centre géométrique de cette surface. On décompose la surface en deux triangles et on crée un tableau comme celui ci-dessous. Pour faciliter les calculs, les charges données ont été converties en kN/m.

Composante	A, kN	$\overline{x}$, m	$\overline{x}A$, kN·m
Triangle I	4,5	2	9
Triangle II	13,5	4	54
	$\Sigma A = 18{,}0$		$\Sigma \overline{x}A = 63$

Ainsi, $\overline{X}\Sigma A = \Sigma \overline{x}A$: $\qquad \overline{X}(18\text{ kN}) = 63\text{ kN·m} \qquad \overline{X} = 3{,}5\text{ m}$

La charge concentrée équivalente est

$$\mathbf{W} = 18\text{ kN } \downarrow \quad \blacktriangleleft$$

et sa ligne d'action est située à une distance

$$\overline{X} = 3{,}5\text{ m à la droite du point } A \quad \blacktriangleleft$$

b) Réactions aux appuis La réaction au point A est verticale et on la représente par $\mathbf{A}$; la réaction au point B est décomposée en $\mathbf{B}_x$ et $\mathbf{B}_y$. La charge répartie peut être considérée comme la somme de deux charges triangulaires, comme illustré. La résultante de chaque charge triangulaire est égale à l'aire du triangle, et sa ligne d'action passe par son centre géométrique. Le diagramme du corps libre (DCL) de la poutre donne

$\xrightarrow{+} \Sigma F_x = 0 :$ $\qquad\qquad\qquad\qquad\qquad\qquad \mathbf{B}_x = 0 \quad \blacktriangleleft$

$+\!\!\uparrow \Sigma M_A = 0 : \qquad -(4{,}5\text{ kN})(2\text{ m}) - (13{,}5\text{ kN})(4\text{ m}) + B_y(6\text{ m}) = 0$

$$\mathbf{B}_y = 10{,}5\text{ kN } \uparrow \quad \blacktriangleleft$$

$+\!\!\uparrow \Sigma M_B = 0 : \qquad +(4{,}5\text{ kN})(4\text{ m}) + (13{,}5\text{ kN})(2\text{ m}) - A(6\text{ m}) = 0$

$$\mathbf{A} = 7{,}5\text{ kN } \uparrow \quad \blacktriangleleft$$

Autre solution La charge répartie peut être remplacée par la résultante trouvée en *a*. Les réactions peuvent s'établir à partir des équations d'équilibre $\Sigma F_x = 0$, $\Sigma M_A = 0$, et $\Sigma M_B = 0$. D'où

$$\mathbf{B}_x = 0 \qquad \mathbf{B}_y = 10{,}5\text{ kN } \uparrow \qquad \mathbf{A} = 7{,}5\text{ kN } \uparrow \quad \blacktriangleleft$$

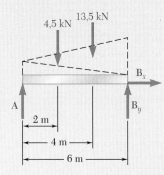

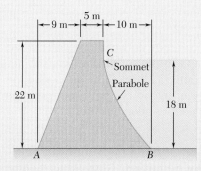

Analysez le barrage en béton dont la section est illustrée ci-contre, en considérant une section de 1 m de largeur. Sachant que la masse volumique du béton est de 2400 kg/m³, et celle de l'eau de 1000 kg/m³, déterminez :

a) la résultante des forces de réaction exercées par le sol sur la base *AB* du barrage ;

b) la résultante des forces de pression de l'eau (forces hydrostatiques) sur la face *BC*.

> **SOLUTION**

a) Réaction du sol On choisit comme corps libre la section *AEFCDB* de 1 m d'épaisseur de l'ensemble constitué du barrage et de l'eau, et on trace le diagramme du corps libre. Les forces de réaction exercées par le sol sur la base *AB* sont représentées par un système force-couple équivalent au point *A*. Les autres forces appliquées sur le barrage sont : le poids du barrage, représenté par ses composantes W_1, W_2 et W_3 ; le poids de l'eau W_4 ; et la résultante **P** des forces de pression exercées sur la section *BD* par l'eau se trouvant à la droite de cette section. On a

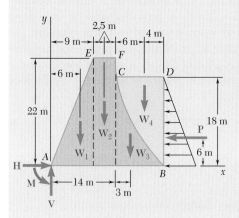

$$W_1 = \tfrac{1}{2}(9 \text{ m})(22 \text{ m})(1 \text{ m})(2400 \text{ kg/m}^3) \times (9{,}81 \text{ m/s}^2) = 2{,}33 \text{ MN}$$

$$W_2 = (5 \text{ m})(22 \text{ m})(1 \text{ m})(2400 \text{ kg/m}^3) \times (9{,}81 \text{ m/s}^2) = 2{,}59 \text{ MN}$$

$$W_3 = \tfrac{1}{3}(10 \text{ m})(18 \text{ m})(1 \text{ m})(2400 \text{ kg/m}^3) \times (9{,}81 \text{ m/s}^2) = 1{,}41 \text{ MN}$$

$$W_4 = \tfrac{2}{3}(10 \text{ m})(18 \text{ m})(1 \text{ m})(1000 \text{ kg/m}^3) \times (9{,}81 \text{ m/s}^2) = 1{,}18 \text{ MN}$$

$$P = \tfrac{1}{2}(18 \text{ m})(1 \text{ m})(18 \text{ m})(1000 \text{ kg/m}^3) \times (9{,}81 \text{ m/s}^2) = 1{,}59 \text{ MN}$$

Équations d'équilibre

$\xrightarrow{+} \Sigma F_x = 0 :$ $\quad H - 1{,}59 \text{ MN} = 0$ $\quad\quad\quad$ **H** $= 1{,}59 \text{ MN} \rightarrow$ ◄

$+ \uparrow \Sigma F_y = 0 :$ $\quad V - 2{,}33 \text{ MN} - 2{,}59 \text{ MN} - 1{,}41 \text{ MN} - 1{,}18 \text{ MN} = 0$

$\quad\quad\quad\quad\quad\quad\quad\quad\quad\quad\quad\quad\quad\quad\quad\quad\quad$ **V** $= 7{,}51 \text{ MN} \uparrow$ ◄

$+\curvearrowleft \Sigma M_A = 0 :$ $\quad -(2{,}33 \text{ MN})(6 \text{ m}) - (2{,}59 \text{ MN})(11{,}5 \text{ m}) - (1{,}41 \text{ MN})(17 \text{ m})$

$\quad\quad\quad\quad\quad\quad\quad\quad\quad - (1{,}18 \text{ MN})(20 \text{ m}) + (1{,}59 \text{ MN})(6 \text{ m}) + M = 0$

$\quad\quad\quad\quad\quad\quad\quad\quad\quad\quad\quad\quad\quad\quad\quad\quad$ **M** $= 81{,}8 \text{ MN} \cdot \text{m} \curvearrowleft$ ◄

On peut remplacer le système force-couple obtenu par une force unique agissant à une distance *d* à droite du point *A*, où

$$d = \frac{81{,}8 \text{ MN} \cdot \text{m}}{7{,}51 \text{ MN}} = 10{,}89 \text{ m}$$

b) Résultante R des forces hydrostatiques On prend la section parabolique *BCD* du volume d'eau pour tracer le diagramme du corps libre (DCL). Les forces en présence sont : la résultante −**R** des forces appliquées par le barrage sur l'eau, le poids W_4 et la force **P**. Puisque ces forces doivent être concourantes, la ligne d'action de −**R** passe par le point d'intersection *G* de W_4 et **P**. On trace le triangle des forces pour déterminer la grandeur et la direction de −**R**. La résultante **R** des forces hydrostatiques sur la surface *BC* sera égale mais opposée :

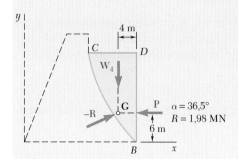

$$\mathbf{R} = 1{,}98 \text{ MN} \nearrow 36{,}5° \quad ◄$$

Dans cette partie, nous avons vu deux types courants de situations de charges: des charges réparties sur des poutres, et des forces agissant sur des surfaces submergées d'épaisseur constante. Comme indiqué aux sections 5.3.1 et 5.3.2 et développé aux problèmes résolus 5.9 et 5.10, le calcul de la force unique équivalente à ces types de charges nécessite une connaissance préalable des centres géométriques.

1. **Étude des poutres soumises à des charges réparties.** Nous avons montré à la section 5.3.1 qu'une charge répartie appliquée à une poutre peut être remplacée par une force unique équivalente. La grandeur de cette force est égale à l'aire de la surface sous la courbe de la charge et sa ligne d'action passe par le centre géométrique de cette surface. Donc, pour solutionner ce type de problème, on commence toujours par remplacer les charges réparties sur une poutre donnée par leur force unique résultante respective. Les réactions aux appuis de la poutre seront ensuite calculées en utilisant les méthodes présentées au chapitre 4.

   En présence d'une situation complexe de charges réparties, nous suggérons, si possible, de:

   a) décomposer ces charges selon les surfaces simples présentées à la figure 5.8 (*voir le problème résolu 5.9*);

   b) remplacer chacune de ces surfaces par une charge unique équivalente;

   c) si nécessaire, réduire ces charges équivalentes à une charge unique équivalente.

   Comme nous l'avons vu au problème résolu 5.9, l'analogie entre les notions de force et de surface ainsi que les méthodes pour positionner le centre géométrique d'une surface composée s'avèrent très importantes pour l'analyse d'une poutre soumise à une charge répartie.

2. **Résolution de problèmes impliquant les forces appliquées à des corps submergés.** Pour ce type de problème, rappelons les points suivants:

   a) À une profondeur h de la surface du liquide, la pression hydrostatique p est $p = \rho g h$ où ρ est la masse volumique du liquide. La charge par unité de longueur w agissant sur une surface immergée de largeur constante b est

   $$w = b p = b \rho g h$$

   b) La ligne d'action de la force résultante **R** appliquée à une surface plane submergée lui est perpendiculaire.

   c) Pour une surface rectangulaire plane de largeur b, immergée selon un plan vertical ou incliné, la charge appliquée peut être représentée par une charge distribuée linéairement selon une configuration trapézoïdale (*voir la figure 5.18*). La résultante **R** est donnée par

   $$R = \rho g \, h_E A$$

   où h_E est la distance verticale du centre de la surface, et A, l'aire de la surface.

d) Étant donné que la pression du liquide est nulle à sa surface, la courbe de la charge est de forme triangulaire plutôt que trapézoïdale lorsque l'arête supérieure d'une surface plane rectangulaire coïncide avec la surface du liquide. Dans ce cas, la ligne d'action de **R** est facilement identifiable puisqu'elle passe par le centre géométrique d'une charge répartie triangulaire.

e) En général, nous suggérons d'adopter l'approche présentée à la partie *b* du problème résolu 5.9 plutôt que d'analyser directement une charge répartie de forme trapézoïdale. D'abord, on décompose la charge répartie de forme trapézoïdale en deux triangles et on calcule ensuite la grandeur de la résultante de chacune de ces charges ; cette valeur est égale à l'aire du triangle multipliée par la largeur de la plaque. Rappelons que la ligne d'action de chaque résultante passe par le centre géométrique du triangle correspondant et que la somme de ces forces est équivalente à **R**. Alors, au lieu d'utiliser **R**, il sera plus aisé d'utiliser ces deux forces équivalentes dont les points d'application sont plus facilement calculables. Cependant, quand nous avons besoin de connaître la grandeur de **R**, nous utilisons l'équation de *R* présentée au paragraphe *c*.

f) En présence d'une surface courbée de largeur constante, submergée dans un liquide, la force résultante agissant sur la surface est obtenue par l'étude de l'équilibre du volume de liquide délimité par la surface courbée et par des plans horizontal et vertical (*voir la figure 5.19*). La force $\mathbf{R}_1$ de la figure 5.19 est égale au poids du liquide se situant au-dessus du plan *AD*. La partie *b* du problème résolu 5.10 illustre l'approche à adopter pour résoudre ce type de problème.

Les notions présentées dans ce chapitre seront utilisées abondamment dans d'autres cours de mécanique, notamment en résistance des matériaux et en mécanique des fluides.

5.75 et 5.76 Pour les poutres et les charges montrées, déterminez :
  a) la grandeur et le point d'application de la résultante de la charge répartie ;
  b) les réactions aux appuis.

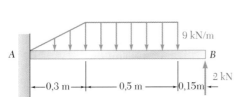

Figure P5.75

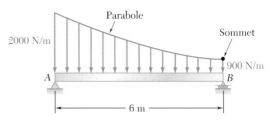

Figure P5.76

5.77 à 5.82 Calculez les réactions aux appuis des poutres soumises aux charges indiquées.

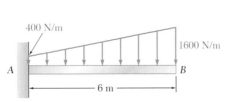

Figure P5.77

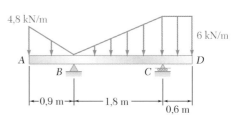

Figure P5.78

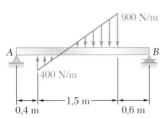

Figure P5.79

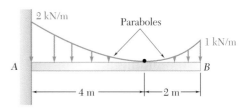

Figure P5.80

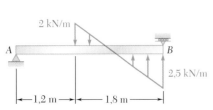

Figure P5.81

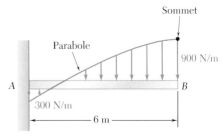

Figure P5.82

5.83 Sachant que $w_0 = 1{,}5$ kN/m, évaluez les réactions aux appuis de la poutre soumise aux charges illustrées.

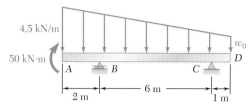

Figure P5.83 - P5.84

5.84 Pour la poutre $ABCD$, déterminez :
- **a)** la valeur de la charge répartie w_0 à l'extrémité D pour laquelle la réaction au point B est nulle ;
- **b)** la réaction d'appui correspondante au point C.

5.85 En vous référant à la figure P5.85 - P5.86, déterminez :
- **a)** la distance a, de sorte que les réactions verticales aux points A et B soient égales ;
- **b)** les réactions d'appui correspondantes.

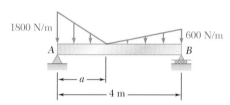

Figure P5.85 - P5.86

5.86 En vous référant à la figure P5.85 - P5.86, déterminez :
- **a)** la distance a, de sorte que la réaction au point B soit minimale ;
- **b)** les réactions d'appui correspondantes.

5.87 Une poutre est soumise à une charge verticale orientée vers le bas et répartie linéairement. Elle repose sur deux supports larges BC et DE qui exercent sur la poutre des forces orientées vers le haut et réparties uniformément. Sachant que $w_A = 600$ N/m, déterminez les valeurs de w_{BC} et w_{DE} afin que la poutre soit en équilibre.

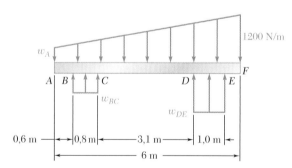

Figure P5.87 - P5.88

5.88 Une poutre est soumise à une charge orientée vers le bas et répartie linéairement. Elle repose sur deux supports larges BC et DE qui exercent sur la poutre des forces orientées vers le haut et réparties uniformément. Déterminez :
- **a)** la valeur de w_A, de sorte que $w_{BC} = w_{DE}$;
- **b)** les valeurs correspondantes de w_{BC} et w_{DE}.

Note : dans les problèmes qui suivent, utilisez les valeurs suivantes : masse volumique de l'eau, $\rho = 10^3$ kg/m³ ; masse volumique du béton, $\rho_b = 2,40 \times 10^3$ kg/m³.

5.89 et 5.90 Considérez les sections de digue de béton illustrées aux figures P5.89 et P5.90. Pour une section d'un mètre de largeur, évaluez :

  a) la résultante des forces de réaction exercées par le sol sur la base *AB* ;
  b) le point d'application de la résultante trouvée en *a* ;
  c) la résultante des forces de pression exercées par l'eau sur la face *BC*.

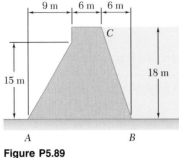

Figure P5.89

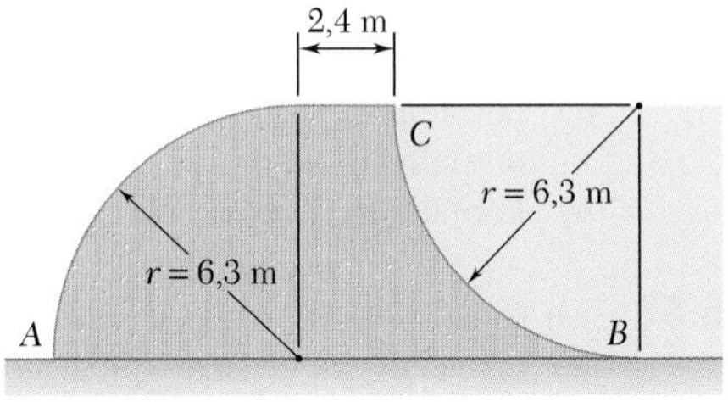

Figure P5.90

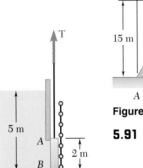

Figure P5.91

5.91 La force de frottement entre une porte d'écluse carrée *AB* de 2 m × 2 m et ses guides est égale à 10 % de la résultante des forces de pression exercées par l'eau sur la surface de la porte. Sachant que la masse de la porte est de 500 kg, déterminez la force initiale nécessaire pour lever la porte.

5.92 Une mince tige de métal *BC* retient le côté *AB* de 3 m × 4 m d'un réservoir, pivotant sur une charnière à l'extrémité *A*. La tige peut supporter une tension maximale de 200 kN et, à des fins de sécurité, les spécifications recommandent de ne pas dépasser 20 % de cette valeur. Si l'on remplit doucement le réservoir d'eau, déterminez la profondeur maximale d'eau *d* permise dans le réservoir.

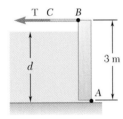

Figure P5.92 - P5.93

5.93 Une mince tige de métal *BC* retient le côté *AB* de 3 m × 4 m d'un réservoir de poids négligeable, pivotant sur une charnière à l'extrémité *A*. Si le réservoir est rempli de glycérine, de masse volumique 1263 kg/m³, jusqu'à une profondeur de *d* = 2,9 m, calculez la force **T** dans la tige *BC* et les réactions à la charnière *A*.

Figure P5.94 - P5.95

5.94 Une digue a été conçue pour supporter les forces supplémentaires créées par la vase accumulée au fond d'un lac. Sachant que la vase est équivalente à un liquide de masse volumique $\rho_v = 1,76 \times 10^3$ kg/m³ et en considérant une section de 1 m de la digue, évaluez le pourcentage d'augmentation de la force exercée sur la surface de la digue par une accumulation de 2 m de vase.

5.95 La base d'un barrage a été conçue pour soutenir jusqu'à 120 % de la force horizontale de l'eau. Après la construction du barrage, on a observé que la vase, qui est équivalente à un liquide de masse volumique $\rho_v = 1,76 \times 10^3$ kg/m³, se dépose au fond du lac à un taux de 12 mm/an. En considérant une section de 1 m du barrage, évaluez après combien d'années le barrage ne sera plus sécuritaire.

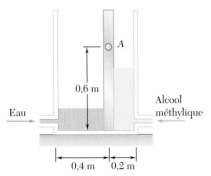

Figure P5.96

5.96 Un réservoir est séparé en deux sections par une porte carrée de 1 m × 1 m, pivotant au point *A*. On a besoin d'un couple de 490 N · m pour faire pivoter la porte. D'un côté du réservoir, on procède au remplissage d'eau à un taux de 0,1 m³/min. Simultanément, l'autre côté est rempli d'alcool méthylique (masse volumique $\rho_{am} = 789$ kg/m³) à un taux de 0,2 m³/min. Déterminez après combien de temps et dans quelle direction la vanne pivotera.

5.97 La vanne *AB*, de poids négligeable, de 0,5 m × 0,8 m est située sur la partie inférieure d'un réservoir rempli d'eau. La vanne pivote autour de la charnière au point *A* et repose sur une butée sans frottement en *B*. Calculez les réactions d'appui aux points *A* et *B* lorsque la tension **T** dans le câble est nulle.

5.98 La vanne *AB*, de poids négligeable, de 0,5 m × 0,8 m est située sur la partie inférieure d'un réservoir rempli d'eau. La vanne pivote autour de la charnière au point *A* et repose sur une butée sans frottement en *B*. Calculez la tension minimale nécessaire dans le câble *BCD* pour ouvrir la vanne.

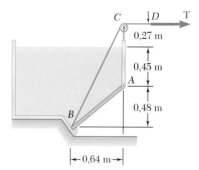

Figure P5.97 - P5.98

5.99 La barre *CD*, de poids négligeable, sert à retenir une porte *AB* de 2 m × 1 m pouvant pivoter autour de la charnière en *A*. Un ressort de constante 12 kN/m agit sur la barre en *D*. Le ressort est au repos quand la porte est en position verticale. En considérant que la force exercée par la barre sur la porte est horizontale, déterminez la profondeur minimale d'eau *d* pour laquelle la porte pivoterait vers la droite jusqu'à l'extrémité de la partie cylindrique du sol.

5.100 Résolvez le problème 5.99, sachant que la porte a une masse de 500 kg.

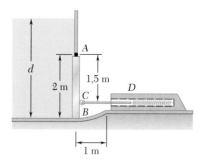

Figure P5.99

5.101 Une vanne de la forme d'un prisme triangulaire retient l'eau d'un canal. Elle est supportée par un pivot en *A*, situé à une distance *h* = 0,10 m sous le centre de gravité *C* de la vanne, et repose sans frottement au point *B*. Déterminez le niveau d'eau *d* pour lequel la vanne basculerait.

5.102 Une vanne de la forme d'un prisme triangulaire retient l'eau d'un canal. Elle est supportée par un pivot en *A*, situé à une distance *h* sous le centre de gravité *C* de la vanne, et repose sans frottement au point *B*. Si l'on désire que la vanne s'ouvre lorsque *d* = 0,75 m, déterminez la valeur de *h*.

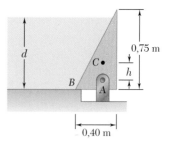

Figure P5.101 - P5.102

5.103 Un tonneau de 0,6 m de diamètre sert de barrage dans un canal d'eau douce d'une largeur de 0,75 m. Sachant que le tonneau est fixé aux parois du canal, calculez la résultante des forces de pression exercées sur le tonneau.

5.104 Un long abreuvoir est fixé par une charnière continue le long de son bord inférieur, et par une série de câbles horizontaux sur son bord supérieur. Déterminez la tension dans chacun des câbles quand l'abreuvoir est complètement rempli d'eau.

Figure P5.103

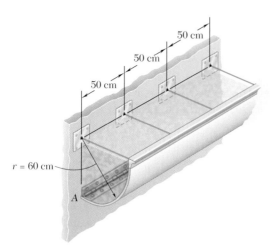

Figure P5.104

5.4 VOLUMES

5.4.1 CENTRE DE GRAVITÉ D'UN SOLIDE – CENTRE GÉOMÉTRIQUE D'UN VOLUME

On détermine le centre de gravité G d'un corps tridimensionnel en le divisant d'abord en petits éléments ; on considère ensuite que le poids **W** du corps agissant au point G est équivalent au système de forces réparties Δ**W** qui représentent le poids des éléments. Supposons que l'axe des y corresponde à la verticale, le sens positif vers le haut (*voir la figure 5.20*), et identifions par $\bar{\mathbf{r}}$ le vecteur position de G ; **W** est égal à la somme des poids élémentaires Δ**W**, et son moment par rapport à O est égal à la somme des moments des poids élémentaires par rapport au même point :

Σ**F** :
$$-W\mathbf{j} = \Sigma(-\Delta W\mathbf{j}) \tag{5.13}$$

Σ**M**$_O$:
$$\bar{\mathbf{r}} \times (-W\mathbf{j}) = \Sigma[\mathbf{r} \times (-\Delta W\mathbf{j})]$$

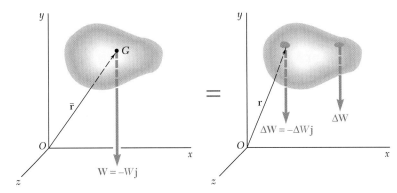

Figure 5.20

En reformulant la dernière équation comme suit :

$$\bar{\mathbf{r}}W \times (-\mathbf{j}) = (\Sigma\mathbf{r}\,\Delta W) \times (-\mathbf{j}) \tag{5.14}$$

on voit que le poids **W** du corps est équivalent au système formé des poids élémentaires Δ**W** lorsque les conditions suivantes sont satisfaites :

$$W = \Sigma\,\Delta W \qquad \bar{\mathbf{r}}W = \Sigma\mathbf{r}\,\Delta W$$

Si on subdivise le volume en éléments plus petits et plus nombreux, on obtient, à la limite,

$$W = \int dW \qquad \bar{\mathbf{r}}W = \int \mathbf{r}\,dW \tag{5.15}$$

On remarque que ces équations sont indépendantes de l'orientation du corps. Par exemple, si on tournait le corps et le système de coordonnées de sorte que l'axe des z pointe vers le haut, le vecteur unitaire $-\mathbf{k}$ remplacerait $-\mathbf{j}$ dans les équations 5.13 et 5.14 mais les relations 5.15 ne seraient pas modifiées. En exprimant les vecteurs $\bar{\mathbf{r}}$ et $\mathbf{r}$ en composantes rectangulaires, on constate que la seconde relation 5.15 est équivalente aux trois équations scalaires suivantes :

$$\bar{x}W = \int x\,dW \qquad \bar{y}W = \int y\,dW \qquad \bar{z}W = \int z\,dW \tag{5.16}$$

Si le corps est constitué d'un matériau homogène de masse volumique ρ, la grandeur dW du poids d'un élément infinitésimal s'exprime en fonction du volume dV de l'élément, et la grandeur W du poids total s'écrit en fonction du volume total V.

Pour déterminer le comportement en vol du transporteur de la navette spatiale, on doit connaître le centre de gravité de chaque appareil.

On a

$$dW = \rho g \, dV \qquad W = \rho g V$$

En substituant ces expressions dans la seconde relation 5.15, on obtient

$$\bar{\mathbf{r}} V = \int \mathbf{r} \, dV \qquad (5.17)$$

ou, sous sa forme scalaire,

$$\bar{x} V = \int x \, dV \qquad \bar{y} V = \int y \, dV \qquad \bar{z} V = \int z \, dV \qquad (5.18)$$

On nomme *centre géométrique* C *du volume* V du corps le point ayant les coordonnées $\bar{x}$, $\bar{y}$, $\bar{z}$. Si le corps n'est pas homogène, on ne peut utiliser les équations 5.18 pour trouver son centre de gravité, même si ces équations définissent toujours le centre géométrique du volume.

L'intégrale $\int x \, dV$ correspond au moment statique du volume par rapport au plan yz. De même, les intégrales $\int y \, dV$ et $\int z \, dV$ définissent les moments statiques du volume par rapport aux plans zx et xy respectivement. Les équations 5.18 montrent que si le centre géométrique d'un volume se trouve dans l'un des plans du système de coordonnées le moment statique du volume par rapport à ce plan est nul.

Un volume est dit symétrique par rapport à un plan donné si à chaque point P du volume correspond un point P' du même volume, de sorte que le segment PP' soit perpendiculaire au plan donné, et que ce plan coupe PP' en deux parties égales. On parle alors d'un plan de symétrie du volume considéré. Lorsqu'un volume V possède un plan de symétrie, le moment statique de V est nul par rapport à ce plan et le centre géométrique du volume se trouve dans le plan de symétrie. Si un volume possède deux plans de symétrie, le centre géométrique du volume se situe sur la ligne d'intersection de ces deux plans. Finalement, si un volume a trois plans de symétrie qui se coupent en un point unique (ils n'ont pas de ligne commune), le point d'intersection des trois plans correspond au centre géométrique du volume. Cette propriété permet de localiser facilement le centre géométrique de formes symétriques tels les sphères, les ellipsoïdes, les cubes et les parallélépipèdes rectangles.

On procède par intégration pour déterminer le centre géométrique des volumes sans symétrie ou ceux qui possèdent seulement un ou deux plans de symétrie (*voir la section 5.4.3*). La figure 5.21 montre le centre géométrique de quelques volumes fréquemment rencontrés. On y observe que le centre géométrique d'un volume de révolution ne coïncide généralement pas avec le centre géométrique de sa section transversale. Ainsi, le centre géométrique d'un hémisphère ne correspond pas à celui d'une aire semi-circulaire et le centre géométrique d'un cône diffère de celui d'un triangle.

5.4.2 SOLIDES COMPOSÉS

Si l'on peut diviser un corps en parties dont les formes correspondent à celles de la figure 5.21, à la page suivante, on détermine son centre de gravité G en considérant que le moment par rapport à un point O de son poids total est égal à la somme des moments par rapport au même point O du poids de ses parties constituantes. En procédant comme à la section 5.4.1, on obtient les équations qui définissent les coordonnées $\bar{X}$, $\bar{Y}$, $\bar{Z}$ du centre de gravité G.

$$\bar{X} \Sigma W = \Sigma \bar{x} W \qquad \bar{Y} \Sigma W = \Sigma \bar{y} W \qquad \bar{Z} \Sigma W = \Sigma \bar{z} W \qquad (5.19)$$

Forme		$\overline{x}$	Volume
Hémisphère	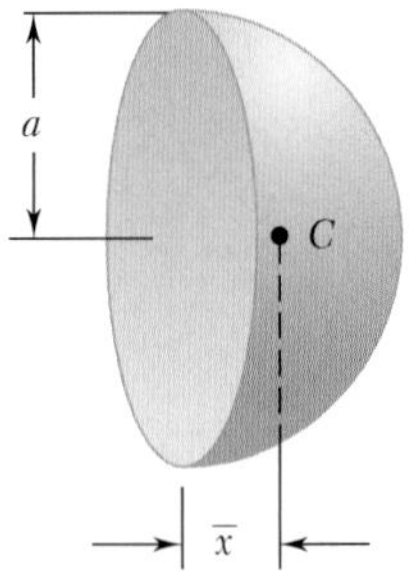	$\dfrac{3a}{8}$	$\dfrac{2}{3}\pi a^3$
Demi-ellipsoïde de révolution	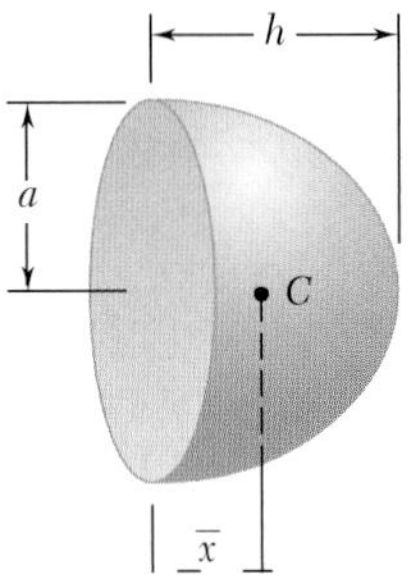	$\dfrac{3h}{8}$	$\dfrac{2}{3}\pi a^2 h$
Paraboloïde de révolution	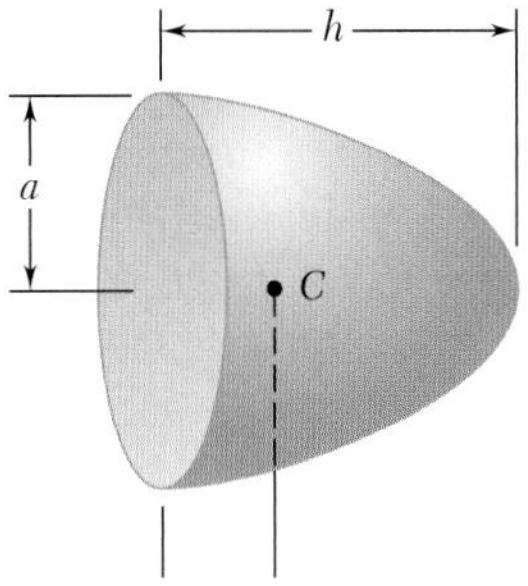	$\dfrac{3h}{8}$	$\dfrac{1}{2}\pi a^2 h$
Cône	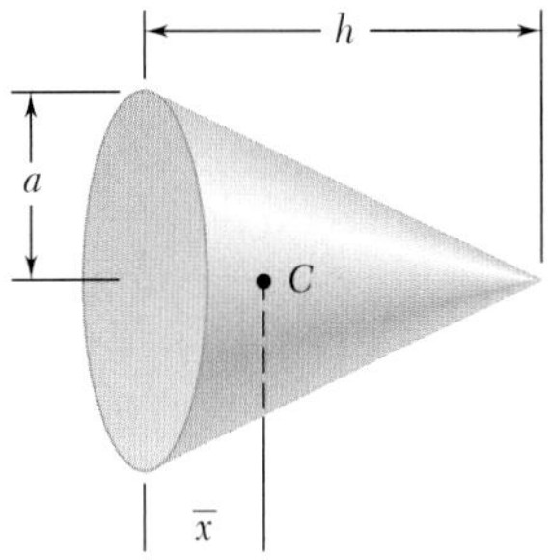	$\dfrac{h}{4}$	$\dfrac{1}{3}\pi a^2 h$
Pyramide	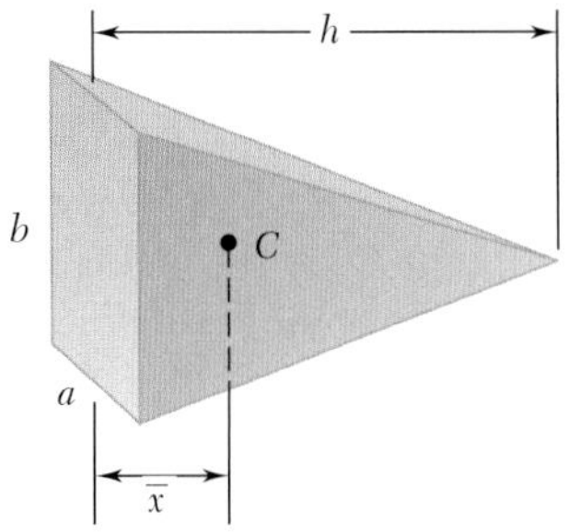	$\dfrac{h}{4}$	$\dfrac{1}{3}abh$

Figure 5.21 Centre géométrique des volumes courants (formes usuelles)

Si le corps se compose d'un matériau homogène, son centre de gravité coïncide avec le centre géométrique de son volume et l'on obtient

$$\overline{X}\Sigma V = \Sigma \overline{x}\,V \qquad \overline{Y}\Sigma V = \Sigma \overline{y}\,V \qquad \overline{Z}\Sigma V = \Sigma \overline{z}\,V \qquad (5.20)$$

5.4.3 DÉTERMINATION DU CENTRE GÉOMÉTRIQUE D'UN VOLUME PAR INTÉGRATION

On peut déterminer le centre géométrique d'un volume délimité par des surfaces analytiques en évaluant les intégrales vues à la section 5.4.1 :

$$\overline{x}\,V = \int x\,dV \qquad \overline{y}\,V = \int y\,dV \qquad \overline{z}\,V = \int z\,dV \qquad (5.21)$$

Si l'on choisit un élément de volume dV ayant la forme d'un petit cube de côtés dx, dy et dz, chacune des intégrales devient une intégrale triple. Cependant, en choisissant des éléments de la forme d'un mince filament de volume dV, une double intégration suffit pour obtenir les coordonnées du centre géométrique de la plupart des volumes (*voir la figure 5.22*). On récrit alors les équations 5.21 sous la forme suivante :

$$\overline{x}\,V = \int \overline{x}_{el}\,dV \qquad \overline{y}\,V = \int \overline{y}_{el}\,dV \qquad \overline{z}\,V = \int \overline{z}_{el}\,dV \qquad (5.22)$$

On détermine ensuite les coordonnées du centre géométrique en substituant les expressions du volume dV et de $\overline{x}_{el}, \overline{y}_{el}, \overline{z}_{el}$ (*voir la figure 5.22*). L'équation de la surface permet d'exprimer z en fonction de x et y, et l'intégrale se réduit alors à une intégrale double selon x et y.

Si le volume étudié possède deux plans de symétrie, son centre géométrique se trouve sur la ligne d'intersection des deux plans. En faisant correspondre l'axe des x à cette ligne, on obtient

$$\overline{y} = \overline{z} = 0$$

et $\overline{x}$ reste la seule coordonnée à déterminer. Une seule intégration suffit alors si l'on divise le volume donné en tranches minces parallèles au plan yz et si l'on exprime dV en fonction de x et dx dans l'équation suivante :

$$\overline{x}\,V = \int \overline{x}_{el}\,dV \qquad (5.23)$$

Un solide de révolution se divise habituellement en tranches circulaires dont le volume est indiqué à la figure 5.23.

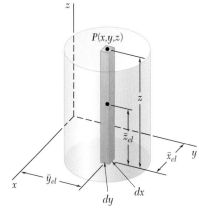

$\overline{x}_{el} = x,\ \overline{y}_{el} = y,\ \overline{z}_{el} = \frac{z}{2}$
$dV = z\,dx\,dy$

Figure 5.22 Détermination du centre géométrique d'un volume par double intégration

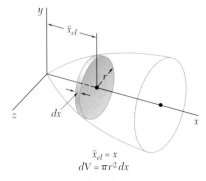

$\overline{x}_{el} = x$
$dV = \pi r^2\,dx$

Figure 5.23 Détermination du centre géométrique d'un solide de révolution

Calculez les coordonnées du centre de gravité du corps en révolution homogène ci-dessous, formé d'un hémisphère et d'un cylindre dont on a enlevé un cône.

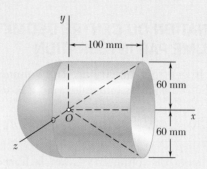

> **SOLUTION**

Par symétrie, le centre de gravité se trouve sur l'axe x. Le corps peut être décomposé en un hémisphère et un cylindre desquels on retranche un cône. Le volume et l'abscisse du centre géométrique de ces volumes sont obtenus à la figure 5.21 et inscrits dans le tableau ci-dessous. Le volume total du corps et le moment statique de son volume par rapport au plan yz sont ensuite calculés.

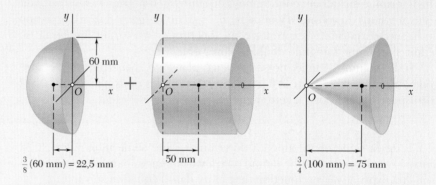

Composante	Volume, mm³	$\bar{x}$, mm	$\bar{x}V$, mm⁴
Hémisphère	$\dfrac{1}{2}\dfrac{4\pi}{3}(60)^3 = \quad 0{,}4524 \times 10^6$	$-22{,}5$	$-10{,}18 \times 10^6$
Cylindre	$\pi(60)^2(100) = \quad 1{,}1310 \times 10^6$	$+50$	$+56{,}55 \times 10^6$
Cône	$-\dfrac{\pi}{3}(60)^2(100) = -0{,}3770 \times 10^6$	$+75$	$-28{,}28 \times 10^6$
	$\Sigma V = \quad 1{,}206 \times 10^6$		$\Sigma\bar{x}V = +18{,}09 \times 10^6$

Donc,

$\overline{X}\Sigma V = \Sigma\bar{x}V :$ $\overline{X}(1{,}206 \times 10^6 \text{ mm}^3) = 18{,}09 \times 10^6 \text{ mm}^4$

$\overline{X} = 15 \text{ mm}$ ◄

Déterminez la position du centre de gravité de l'élément de machine en acier illustré ci-dessous. Le diamètre de chaque trou est de 10 mm.

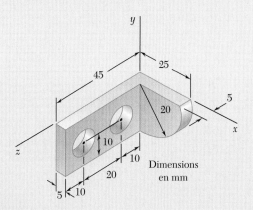

Dimensions en mm

> **SOLUTION**

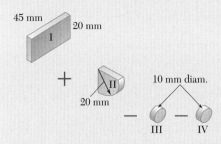

On considère que l'élément de machine est composé d'un parallélépipède rectangle (I), duquel on retranche deux cylindres de 10 mm de diamètre (III et IV), et d'un quart de cylindre (II). Le volume et les coordonnées du centre géométrique de chaque composante sont indiqués dans le tableau ci-dessous. On calcule ensuite le volume total et les moments statiques du volume par rapport à chacun des plans constitués des axes de coordonnées.

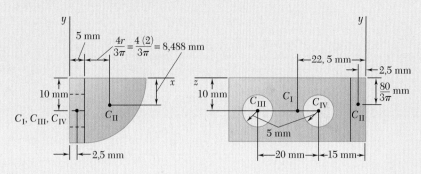

	V, mm³	$\bar{x}$, mm	$\bar{y}$, mm	$\bar{z}$, mm	$\bar{x}V$, mm⁴	$\bar{y}V$, mm⁴	$\bar{z}V$, mm⁴
I	$(45)(20)(5) = 4500$	2,5	−10	22,5	11 250	−45 000	101 250
II	$\frac{1}{4}\pi(20)^2(5) = 1571$	13,49	−8,488	2,5	21 190	−13 330	3 930
III	$-\pi(5)^2(5) = -392,7$	2,5	−10	35	−980	3 930	−13 740
IV	$-\pi(5)^2(5) = -392,7$	2,5	−10	15	−980	3 930	−5 890
	$\Sigma V = 5286$				$\Sigma \bar{x}V = 30\ 480$	$\Sigma \bar{y}V = -50\ 470$	$\Sigma \bar{z}V = 85\ 550$

Donc,

$$\bar{X}\Sigma V = \Sigma \bar{x}V: \qquad \bar{X}(5\ 286 \text{ mm}^3) = 30\ 480 \text{ mm}^4 \qquad \bar{X} = 5,77 \text{ mm} \blacktriangleleft$$

$$\bar{Y}\Sigma V = \Sigma \bar{y}V: \qquad \bar{Y}(5\ 286 \text{ mm}^3) = -50\ 470 \text{ mm}^4 \qquad \bar{Y} = -9,55 \text{ mm} \blacktriangleleft$$

$$\bar{Z}\Sigma V = \Sigma \bar{z}V: \qquad \bar{Z}(5\ 286 \text{ mm}^3) = 85\ 550 \text{ mm}^4 \qquad \bar{Z} = 16,18 \text{ mm} \blacktriangleleft$$

Calculez les coordonnées du centre géométrique du demi-cône illustré ci-dessous.

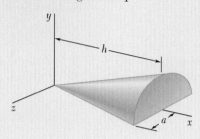

> **SOLUTION**

Puisque le plan xy est un plan de symétrie, le centre géométrique se situe dans ce plan et $\bar{z} = 0$. On choisit comme élément différentiel une tranche d'épaisseur dx. Le volume de cet élément est donné par

$$dV = \tfrac{1}{2}\pi r^2 \, dx$$

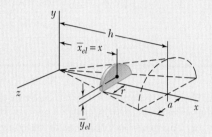

Les coordonnées $\bar{x}_{el}$ et $\bar{y}_{el}$ du centre géométrique de l'élément s'obtiennent directement de la figure 5.8 (demi-cercle).

$$\bar{x}_{el} = x \qquad \bar{y}_{el} = \frac{4r}{3\pi}$$

Étant donné que r est proportionnel à x, on peut écrire

$$\frac{r}{x} = \frac{a}{h} \qquad r = \frac{a}{h}x$$

Le volume total V du corps est alors

$$V = \int dV = \int_0^h \tfrac{1}{2}\pi r^2 \, dx = \int_0^h \tfrac{1}{2}\pi \left(\frac{a}{h}x\right)^2 dx = \frac{\pi a^2 h}{6}$$

Le moment de l'élément différentiel dV par rapport au plan yz est $\bar{x}_{el}\, dV$; le moment du volume total V par rapport à ce plan s'écrit alors

$$\int \bar{x}_{el}\, dV = \int_0^h x(\tfrac{1}{2}\pi r^2)\, dx = \int_0^h x(\tfrac{1}{2}\pi)\left(\frac{a}{h}x\right)^2 dx = \frac{\pi a^2 h^2}{8}$$

d'où

$$\bar{x}V = \int \bar{x}_{el}\, dV \qquad \bar{x}\frac{\pi a^2 h}{6} = \frac{\pi a^2 h^2}{8} \qquad\qquad \bar{x} = \tfrac{3}{4}h \;\blacktriangleleft$$

de la même façon, le moment du volume élémentaire dV par rapport au plan zx est $\bar{y}_{el}\, dV$; le moment du volume total V est

$$\int \bar{y}_{el}\, dV = \int_0^h \frac{4r}{3\pi}(\tfrac{1}{2}\pi r^2)\, dx = \frac{2}{3}\int_0^h \left(\frac{a}{h}x\right)^3 dx = \frac{a^3 h}{6}$$

d'où

$$\bar{y}V = \int \bar{y}_{el}\, dV \qquad \bar{y}\frac{\pi a^2 h}{6} = \frac{a^3 h}{6} \qquad\qquad \bar{y} = \frac{a}{\pi} \;\blacktriangleleft$$

Dans cette section, nous avons présenté les méthodes pour calculer le centre de gravité et le centre géométrique des volumes de corps tridimensionnels. Nous avons vu que les techniques utilisées dans l'étude des corps bidimensionnels – utilisation de la symétrie, décomposition du corps en formes géométriques plus simples, choix efficace de l'élément différentiel – s'appliquent aussi pour l'étude des corps tridimensionnels.

1. **Calcul de la position du centre de gravité de corps composés.** D'une façon générale, on utilise les équations 5.19 :

$$\overline{X}\Sigma W = \Sigma \overline{x}W \qquad \overline{Y}\Sigma W = \Sigma \overline{y}W \qquad \overline{Z}\Sigma W = \Sigma \overline{z}W \tag{5.19}$$

Cependant, pour un corps homogène, le centre de gravité coïncide avec le centre géométrique de son volume. Dans ce cas, le centre de gravité du corps peut aussi être calculé en utilisant les équations 5.20 :

$$\overline{X}\Sigma V = \Sigma \overline{x}V \qquad \overline{Y}\Sigma V = \Sigma \overline{y}V \qquad \overline{Z}\Sigma V = \Sigma \overline{z}V \tag{5.20}$$

Notons que ces équations ne sont que l'extension des équations utilisées plus tôt dans ce chapitre, pour les problèmes à deux dimensions.

Or, nous avons vu dans les problèmes résolus 5.11 et 5.12 que l'approche de résolution des problèmes à deux et à trois dimensions est identique. Donc, la réalisation de diagrammes et de tableaux est toujours appropriée lors de l'analyse de corps composés. Au problème résolu 5.12, nous avons vu comment les coordonnées x et y du centre géométrique d'un quart de cylindre ont été obtenues grâce aux équations du centre géométrique d'un quart de cercle.

Deux cas spéciaux apparaissent quand le corps étudié est constitué de fils ou de plaques uniformes et homogènes.

a) Pour un corps constitué de plusieurs fils de section identique et uniforme, l'aire A de la section transversale du fil s'annule de chaque côté des équations 5.20 en remplaçant V par AL, où L est la longueur de l'élément. Dans ce cas, les équations 5.20 se réduisent à

$$\overline{X}\Sigma L = \Sigma \overline{x}L \qquad \overline{Y}\Sigma L = \Sigma \overline{y}L \qquad \overline{Z}\Sigma L = \Sigma \overline{z}L$$

b) De même, pour un corps constitué de plusieurs plaques de même épaisseur uniforme, l'épaisseur t des plaques s'annule de chaque côté des équations 5.20 en remplaçant V par tA, où A est l'aire d'une plaque. Les équations 5.20 se réduisent alors à

$$\overline{X}\Sigma A = \Sigma \overline{x}A \qquad \overline{Y}\Sigma A = \Sigma \overline{y}A \qquad \overline{Z}\Sigma A = \Sigma \overline{z}A$$

2. **Calcul de la position du centre géométrique de volumes par intégration directe.** Nous avons vu à la section 5.4.2 que l'intégration des équations 5.21 est simplifiée par le bon choix de l'élément différentiel de volume dV, qui peut être un mince filament (*voir la figure 5.22*) ou une fine tranche (*voir la figure 5.23*). On doit donc toujours commencer par bien choisir l'élément de volume dV qui fournira, si possible, l'intégrale simple ou double la plus facile à calculer. Pour les solides de révolution, on choisira une fine tranche (*voir le problème résolu 5.13*) ou une mince coquille cylindrique. Rappelons que la relation que l'on établit entre les différentes variables (telle que la relation entre r et x dans le problème résolu 5.13) influence directement la complexité de l'intégrale à résoudre. Concluons en rappelant que $\overline{x}_{el}$, $\overline{y}_{el}$ et $\overline{z}_{el}$ des équations 5.22 représentent les coordonnées du centre géométrique de dV.

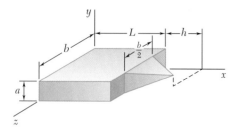

Figure P5.105

5.105 En vous référant au corps composé illustré à la figure P5.105, déterminez:
  a) la valeur de $\bar{x}$, sachant que $h = L/2$;
  b) le rapport h/L pour lequel $\bar{x} = L$.

5.106 Un corps composé est formé en retranchant d'un hémisphère de rayon a un demi-ellipsoïde de révolution dont l'axe semi-majeur est h et l'axe semi-mineur est $a/2$. Déterminez:
  a) la coordonnée y du centre géométrique lorsque $h = a/2$;
  b) le quotient h/a pour lequel $\bar{y} = -0{,}4a$.

5.107 Déterminez la coordonnée y du centre géométrique du corps illustré.

5.108 Déterminez la coordonnée z du centre géométrique du corps illustré.

5.109 On utilise le moule de sable illustré pour mouler des cames. Localisez le centre de gravité du moule, sachant que la profondeur de l'empreinte est de 7,5 mm et que le profil de la came a été obtenu en joignant un demi-cercle et une demi-ellipse.

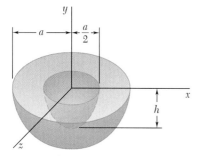

Figure P5.106

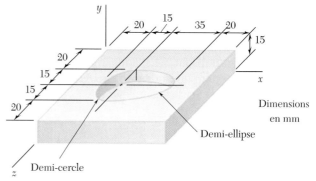

Dimensions en mm

Demi-ellipse

Demi-cercle

Figure P5.109

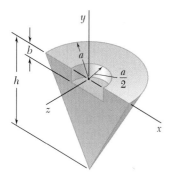

Figure P5.107 - P5.108

5.110 En vous référant à l'élément de machine illustré, localisez la coordonnée x de son centre de gravité.

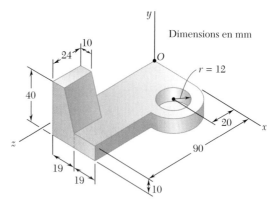

Dimensions en mm

$r = 12$

Figure P5.110 - P5.111

5.111 En vous référant à l'élément de machine illustré, localisez la coordonnée z de son centre de gravité.

5.112 et 5.113 En vous référant à l'élément de machine illustré, localisez la coordonnée *x* de son centre de gravité.

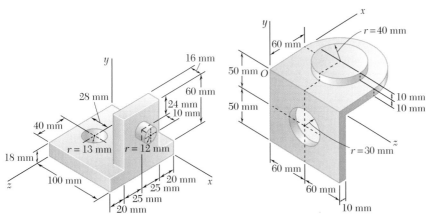

Figure P5.112 et P5.115

Figure P5.113 - P5.114

5.114 et 5.115 En vous référant à l'élément de machine illustré, localisez la coordonnée *y* de son centre de gravité.

5.116 et 5.117 En vous référant à la feuille de métal illustrée, localisez son centre de gravité.

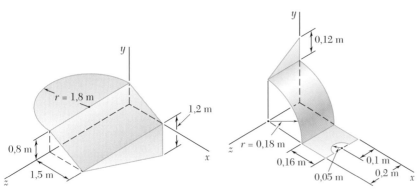

Figure P5.116

Figure P5.117

5.118 La marquise d'une fenêtre est formée de métal en feuille d'épaisseur uniforme. Localisez son centre de gravité.

5.119 Une plaque de fixation pour composants électroniques est fabriquée en tôle d'épaisseur constante. Localisez son centre de gravité.

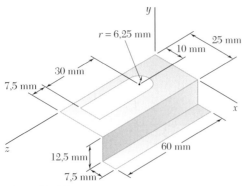

Figure P5.119

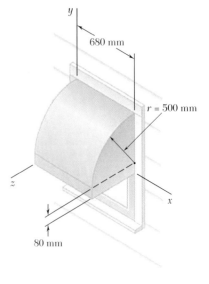

Figure P5.118

5.120 Une feuille mince en plastique d'épaisseur uniforme a été courbée pour former un range-tout pour le bureau. Situez son centre de gravité.

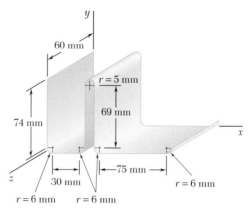

Figure P5.120

5.121 Le coude d'un conduit de système d'aération est formé de métal d'épaisseur constante. Situez son centre de gravité.

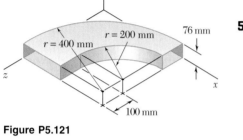

Figure P5.121

5.122 Un conduit d'aération cylindrique de 80 mm de diamètre doit être raccordé avec un autre de forme rectangulaire de 40 mm × 80 mm. Sachant que les deux pièces sont fabriquées avec la même tôle d'épaisseur uniforme, localisez le centre de gravité de cet assemblage.

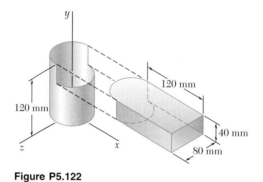

Figure P5.122

*5.123 Le couvercle protecteur de la courroie de transmission d'une scie à ruban est fabriqué en tôle d'épaisseur constante. Situez son centre de gravité.

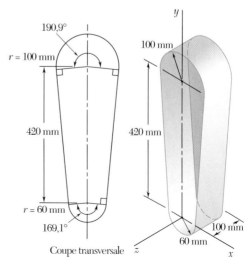

Figure P5.123

5.124 et 5.125 La structure illustrée est formée de minces tiges de laiton de section uniforme. Localisez son centre de gravité.

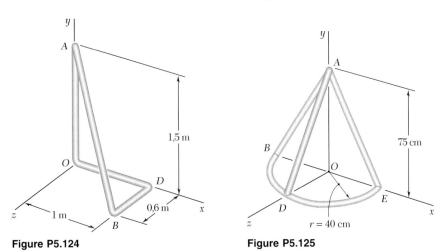

Figure P5.124

Figure P5.125

5.126 La structure métallique d'une serre est formée à partir d'un profilé d'aluminium. Situez le centre de gravité de la partie illustrée de la structure.

*5.127 Le châssis d'une chaise berçante est formé de tubulure d'aluminium de section uniforme. En position de repos, déterminez l'angle formé par le dossier de la chaise et l'axe vertical.

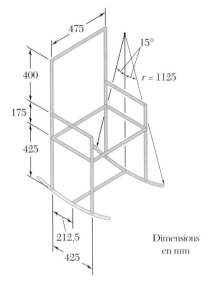

Dimensions en mm

Figure P5.127

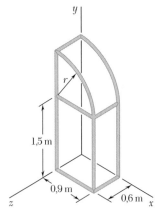

Figure P5.126

5.128 Un coussinet en bronze est monté dans une bride d'acier. Sachant que la masse volumique du bronze est de 8800 kg/m³ et que celle de l'acier est de 7860 kg/m³, localisez le centre de gravité de l'assemblage.

5.129 Localisez le centre de gravité de la pointe à tracer ci-dessous dont le manche est en plastique (ρ_p = 1030 kg/m³) et la pointe en acier (ρ_a = 7860 kg/m³).

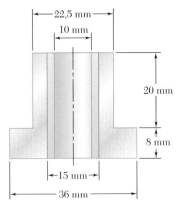

Figure P5.128

Figure P5.129

Figure P5.130

5.130 Localisez le centre de gravité de la table illustrée, sachant: que les pattes sont en tube d'acier ($\rho_a = 7860$ kg/m³) de 24 mm de diamètre extérieur et dont la section a une aire de 150 mm²; que les pattes sont équidistantes entre elles; et que le plateau de la table est en verre ($\rho_v = 2190$ kg/m³), a un diamètre de 600 mm et une épaisseur de 10 mm.

*5.131 Un banc public est fabriqué en béton ($\rho_b = 2320$ kg/m³) et en bois ($\rho_{bs} = 470$ kg/m³), comme illustré. Les planches de bois mesurent 36 mm × 120 mm × 1152 mm. Déterminez les coordonnées x et y du centre de gravité du banc.

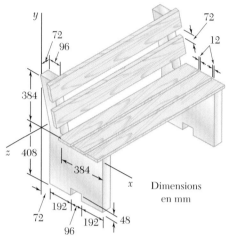

Figure P5.131

5.132 à 5.134 Déterminez par intégration directe les valeurs de $\bar{x}$ des deux volumes obtenus en passant un plan vertical à travers les trois premières formes de la figure 5.21. Le plan est parallèle à la base du solide étudié et le divise en deux volumes de même hauteur.

5.132 Un hémisphère.

5.133 Un demi-ellipsoïde de révolution.

5.134 Un paraboloïde de révolution.

5.135 et 5.136 Localisez le centre géométrique du volume obtenu par la rotation de la surface ombragée autour de l'axe des x.

5.137 Localisez le centre géométrique du volume obtenu par la rotation de la surface ombragée autour de la droite $x = h$.

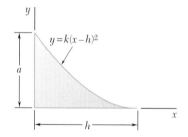

Figure P5.135

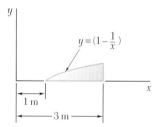

Figure P5.136

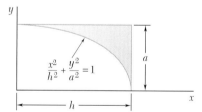

Figure P5.137

*5.138 Localisez le centre géométrique du volume obtenu par la rotation autour de l'axe des x de la partie illustrée d'une courbe sinusoïdale.

*5.139 Localisez le centre géométrique du volume obtenu par la rotation autour de l'axe des y de la partie illustrée d'une courbe sinusoïdale. (Suggestion: utilisez une coquille cylindrique mince de rayon r et d'épaisseur dr comme élément de volume.)

*5.140 Prouvez que le centre géométrique du volume d'une pyramide régulière de hauteur h et de n côtés ($n = 3, 4, \ldots$) est situé à une distance $h/4$ de la base.

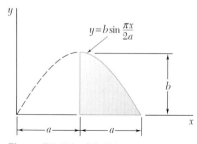

Figure P5.138 - P5.139

5.141 Déduisez par intégration directe la position du centre géométrique de la moitié d'une coquille mince hémisphérique uniforme de rayon R.

5.142 Les côtés et la base d'un bol à punch ont une épaisseur uniforme t. Si $t \ll R$ et $R = 250$ mm, situez le centre de gravité :
a) du bol;
b) du punch.

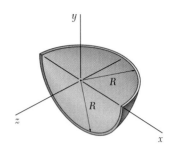

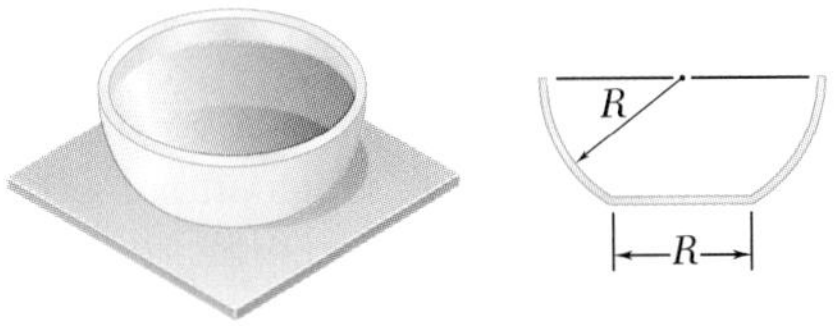

Figure P5.141

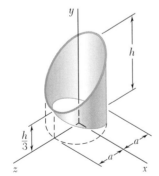

Figure P5.142

5.143 Un entrepreneur en construction place quatre pieux pour délimiter les fondations d'une maison. Pour solidifier et mettre à niveau le sol, il a déposé une épaisseur variable de gravier d'un minimum de 60 mm et d'un maximum de 160 mm sur toute la surface. Déterminez le volume de gravier nécessaire et la coordonnée x de son centre géométrique. (Suggestion : supposez que le gravier repose sur un plan oblique décrit par l'équation $y = a + bx + cz$.)

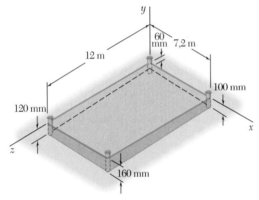

Figure P5.143

5.144 Localisez par intégration directe le centre géométrique du volume compris entre le plan xz et la partie illustrée de la surface définie par l'équation $y = 16h(ax - x^2)(bz - z^2)/a^2b^2$.

5.145 Localisez le centre géométrique de la section illustrée, coupée à partir d'un tuyau circulaire mince par deux plans obliques.

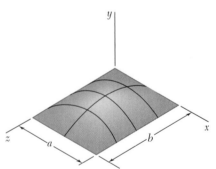

Figure P5.144

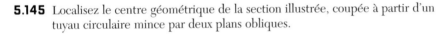

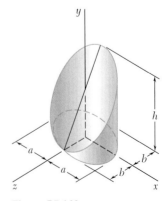

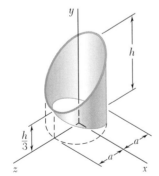

Figure P5.145

*5.146 Localisez le centre géométrique du volume illustré, coupé à partir d'un cylindre elliptique par un plan oblique.

Figure P5.146

Ce chapitre a été consacré principalement à l'étude du centre de gravité d'un corps rigide, c'est-à-dire le point d'emplacement G d'une force unique $\mathbf{W}$, appelée le *poids* du corps, qui représente l'effet de l'attraction terrestre sur le corps.

Centre de gravité d'un corps bidimensionnel

Dans la première partie du chapitre, nous avons procédé à l'étude du centre géométrique des corps bidimensionnels, tels que des plaques et des fils situés dans le plan xy. Par la sommation des composantes de forces selon l'axe vertical z et des moments selon les axes horizontaux x et y (*voir la section 5.1.1*), nous avons obtenu les relations suivantes :

$$W = \int dW \qquad \bar{x}W = \int x\, dW \qquad \bar{y}W = \int y\, dW \qquad (5.2)$$

qui définissent le poids du corps et les coordonnées $\bar{x}$ et $\bar{y}$ de son centre de gravité.

Centre géométrique d'une surface ou d'une courbe

Dans le cas d'une plaque homogène d'épaisseur uniforme (*voir la section 5.1.2*), le centre de gravité G de la plaque coïncide avec le centre géométrique C de la surface A de la plaque, dont les coordonnées sont déterminées par

$$\bar{x}A = \int x\, dA \qquad \bar{y}A = \int y\, dA \qquad (5.3)$$

De la même manière, le calcul du centre de gravité d'un fil homogène de section uniforme situé dans un plan se réduit au calcul du centre géométrique C de la courbe L représentant le fil. Nous avons alors les relations suivantes :

$$\bar{x}L = \int x\, dL \qquad \bar{y}L = \int y\, dL \qquad (5.4)$$

Moments statiques

Les intégrales 5.3 correspondent aux moments statiques de la surface A par rapport aux axes y et x, notés Q_y et Q_x, respectivement (*voir la section 5.1.3*). On a

$$Q_y = \bar{x}A \qquad Q_x = \bar{y}A \qquad (5.6)$$

Les moments statiques d'une courbe peuvent s'exprimer de la même façon.

Propriétés de symétrie

L'évaluation du centre géométrique C d'une surface ou d'une courbe est simplifiée si la surface ou la courbe possède certaines propriétés de symétrie :

a) si la surface ou la courbe est symétrique par rapport à un axe, le centre géométrique C se situera sur cet axe ;

b) si le corps est symétrique par rapport à deux axes, C se trouvera à l'intersection des deux axes ;

c) si le corps possède un centre de symétrie O, C coïncidera avec O.

Centre de gravité d'un corps composé

L'aire et les coordonnées du centre géométrique des formes géométriques les plus communes sont présentées à la figure 5.8. Quand une plaque peut être divisée en plusieurs de ces formes géométriques, les coordonnées $\overline{X}$ et $\overline{Y}$ de son centre de gravité G sont déterminées à partir des coordonnées $\overline{x}_1, \overline{x}_2, \ldots$ et $\overline{y}_1, \overline{y}_2, \ldots$ des centres de gravité $G_1, G_2, \ldots$ de ses différentes composantes (*voir la section 5.1.4*). En égalisant les moments par rapport aux axes y et x, respectivement (*voir la figure 5.24*), on a

$$\overline{X}\Sigma W = \Sigma \overline{x} W \qquad \overline{Y}\Sigma W = \Sigma \overline{y} W \qquad (5.7)$$

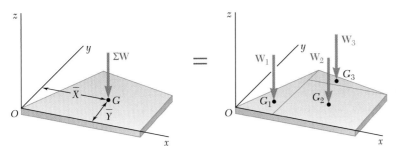

Figure 5.24

Si la plaque est homogène et d'épaisseur uniforme, son centre de gravité coïncidera avec le centre géométrique C de la surface de la plaque et les équations 5.7 se réduiront alors à

$$Q_y = \overline{X}\Sigma A = \Sigma \overline{x} A \qquad Q_x = \overline{Y}\Sigma A = \Sigma \overline{y} A \qquad (5.8)$$

Ces équations donnent les moments statiques de la surface composée. Elles peuvent aussi être solutionnées par rapport aux coordonnées $\overline{X}$ et $\overline{Y}$ de son centre géométrique (*voir le problème résolu 5.1*). Le centre de gravité d'un fil composé peut être calculé de la même manière (*voir le problème résolu 5.2*).

Calcul du centre géométrique par intégration

Quand une surface est délimitée par des courbes géométriques, on peut déterminer les coordonnées de son centre géométrique par intégration (*voir la section 5.2.1*). Cela peut se faire en évaluant soit les intégrales doubles des équations 5.3, soit une intégrale simple impliquant des rectangles ou des secteurs circulaires comme éléments infinitésimaux (*voir la figure 5.12*). On note par $\overline{x}_{el}$ et $\overline{y}_{el}$ les coordonnées du centre géométrique de l'élément dA. On a alors

$$Q_y = \overline{x}A = \int \overline{x}_{el}\, dA \qquad Q_x = \overline{y}A = \int \overline{y}_{el}\, dA \qquad (5.9)$$

Il est suggéré d'utiliser le même élément de surface pour calculer les moments statiques Q_y et Q_x; ce même élément peut aussi être utilisé pour calculer l'aire A (*voir le problème résolu 5.4*).

Théorèmes de Pappus-Guldinus

Les théorèmes de Pappus-Guldinus proposent le calcul de l'aire d'une surface de révolution et le volume d'un solide de révolution pour déterminer le centre géométrique de la courbe ou de la surface génératrice (*voir la section 5.2.2*).

L'aire A d'une surface générée par la rotation d'une courbe de longueur L autour d'un axe fixe (*voir la figure 5.25a*) est

$$A = 2\pi \overline{y} L \qquad (5.10)$$

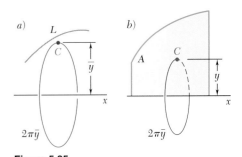

Figure 5.25

où $\overline{y}$ représente la distance entre le centre géométrique C de la courbe et l'axe. De même, le volume V d'un corps généré par la rotation d'une surface d'aire A autour d'un axe fixe (*voir la figure 5.25b*) est

$$V = 2\pi \overline{y} A \qquad (5.11)$$

où $\overline{y}$ représente la distance entre le centre géométrique C de la surface et l'axe.

Charges réparties

La notion de centre géométrique d'une surface peut aussi être utilisée pour résoudre d'autres problèmes que ceux concernant le poids des plaques. Par exemple, pour déterminer les réactions aux appuis d'une poutre (*voir la section 5.3.1*), on peut remplacer une charge répartie w par une charge concentrée $\mathbf{W}$ de grandeur égale à l'aire A sous la courbe de la charge et dont la ligne d'action passe par le centre géométrique C de cette surface (*voir la figure 5.26*). La même approche peut être utilisée pour déterminer la résultante de forces hydrostatiques appliquées à une plaque rectangulaire submergée dans un liquide (*voir la section 5.3.2*).

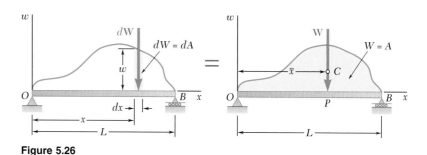

Figure 5.26

Centre de gravité d'un corps tridimensionnel

La dernière partie du chapitre 5 a été consacrée au positionnement du centre de gravité G d'un corps tridimensionnel. Les coordonnées $\overline{x}$, $\overline{y}$, $\overline{z}$ de G sont définies par

$$\overline{x}W = \int x\, dW \qquad \overline{y}W = \int y\, dW \qquad \overline{z}W = \int z\, dW \qquad (5.16)$$

Centre géométrique d'un volume

Dans le cas de corps homogènes, le centre de gravité G coïncide avec le centre géométrique C du volume V du corps, dont les coordonnées sont définies par

$$\overline{x}V = \int x\, dV \qquad \overline{y}V = \int y\, dV \qquad \overline{z}V = \int z\, dV \qquad (5.18)$$

a) Si le volume possède un plan de symétrie, son centre géométrique C sera situé dans ce plan ;

b) s'il possède deux plans de symétrie, C sera situé sur la ligne d'intersection des deux plans ;

c) s'il possède trois plans de symétrie se croisant à un point unique, C coïncidera avec ce point (*voir la section 5.4.1*).

Centre de gravité d'un corps composé

Le volume et les coordonnées du centre géométrique des formes tridimensionnelles les plus communes sont présentés à la figure 5.21. Quand un corps peut être divisé en plusieurs de ces volumes simples, les coordonnées $\overline{X}$, $\overline{Y}$, $\overline{Z}$ de son centre de gravité G sont déterminées à partir des coordonnées correspondantes des centres de gravité de ses différentes parties (*voir la section 5.4.2*). On a

$$\overline{X}\Sigma W = \Sigma\overline{x}\,W \qquad \overline{Y}\Sigma W = \Sigma\overline{y}\,W \qquad \overline{Z}\Sigma W = \Sigma\overline{z}\,W \qquad (5.19)$$

Si le corps est fait d'un matériau homogène, son centre de gravité G coïncidera avec le centre géométrique C de son volume, d'où (*voir les problèmes résolus 5.11 et 5.12*)

$$\overline{X}\Sigma V = \Sigma\overline{x}\,V \qquad \overline{Y}\Sigma V = \Sigma\overline{y}\,V \qquad \overline{Z}\Sigma V = \Sigma\overline{z}\,V \qquad (5.20)$$

Calcul du centre géométrique par intégration

Quand un volume est délimité par des surfaces analytiques, on peut déterminer les coordonnées de son centre géométrique par intégration (*voir la section 5.4.3*). Pour éviter la triple intégration des équations 5.18, on utilise des éléments de volume de la forme d'un mince filament, comme illustré à la figure 5.27. En identifiant par $\overline{x}_{el}$, $\overline{y}_{el}$ et $\overline{z}_{el}$ les coordonnées du centre géométrique de l'élément dV, on peut remplacer les équations 5.18 par

$$\overline{x}V = \int \overline{x}_{el}\,dV \qquad \overline{y}V = \int \overline{y}_{el}\,dV \qquad \overline{z}V = \int \overline{z}_{el}\,dV \qquad (5.22)$$

lesquelles n'impliquent que des intégrales doubles. Si le volume possède deux plans de symétrie, son centre géométrique C sera situé sur leur ligne d'intersection. En faisant correspondre l'axe des x avec cette droite et en divisant le volume en tranches minces parallèles au plan yz, on détermine C à l'aide de l'intégration simple de l'équation (*voir le problème résolu 5.13*)

$$\overline{x}V = \int \overline{x}_{el}\,dV \qquad (5.23)$$

Pour un solide de révolution, ces tranches sont circulaires et leur volume est donné à la figure 5.28.

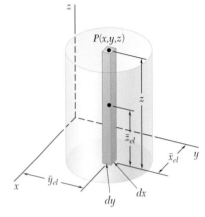

$$\overline{x}_{el} = x, \ \overline{y}_{el} = y, \ \overline{z}_{el} = \tfrac{z}{2}$$
$$dV = z\,dx\,dy$$

Figure 5.27

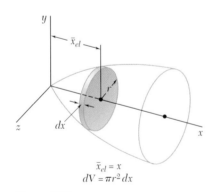

$$\overline{x}_{el} = x$$
$$dV = \pi r^2\,dx$$

Figure 5.28

5.147 et 5.148 Localisez le centre géométrique de la surface plane illustrée.

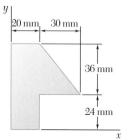

Figure P5.147	**Figure P5.148**

5.149 Une tige de section circulaire uniforme, dont le poids est 8 N et le rayon de 25 cm, est fixée par une rotule au point C et par le câble AB. Déterminez:
a) la tension dans le câble;
b) la réaction au point C.

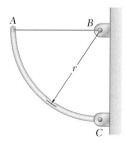

Figure P5.149

5.150 Déterminez par intégration directe le centre géométrique de la surface illustrée.

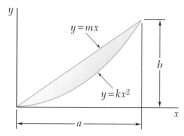

Figure P5.150

5.151 Déterminez par intégration directe l'ordonnée du centre géométrique de la surface illustrée.

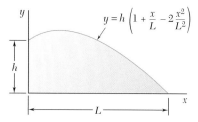

Figure P5.151

5.152 Deux calottes égales ont été retranchées d'une sphère en bois de 100 mm de diamètre comme illustré. Calculez l'aire totale de la surface de la partie restante.

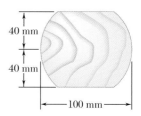

Figure P5.152

5.153 Calculez les réactions sur la poutre de poids négligeable, soumise aux charges indiquées.

5.154 La poutre *AB*, de poids négligeable, supporte deux charges concentrées. Le sol applique sur la poutre une charge verticale répartie linéairement et orientée vers le haut. Déterminez:
a) la distance *a* pour laquelle $w_A = 20$ kN/m ;
b) la valeur correspondante de w_B.

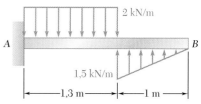

Figure P5.153

5.155 Situez la coordonnée *z* du centre de gravité de l'élément de machine illustré.

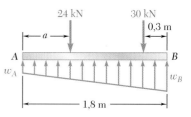

Figure P5.154

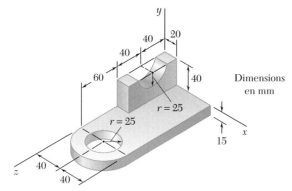

Figure P5.155

5.156 Situez le centre de gravité de la pièce en tôle illustrée.

5.157 Localisez le centre géométrique du volume obtenu par la rotation de la surface ombragée autour de l'axe des *x*.

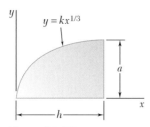

Figure P5.157

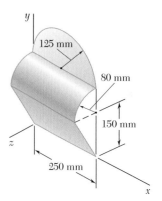

Figure P5.156

5.158 La porte carrée *AB* à bascule, de poids négligeable, est soutenue par des charnières le long du côté supérieur *A* et par une cheville de cisaillement au point *B*. Si la hauteur de l'eau retenue à gauche est $d = 3,5$ m, calculez la force de retenue exercée sur la porte par la cheville.

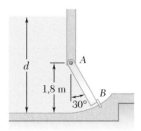

Figure P5.158

LES PROBLÈMES SUIVANTS SONT CONÇUS POUR ÊTRE SOLUTIONNÉS NUMÉRIQUEMENT.

5.159 Une poutre doit être capable de supporter des charges réparties uniformes et des charges réparties qui varient linéairement, comme illustré à la figure P5.159*a*. En vous inspirant du problème résolu 5.9, décomposez la surface sous chaque partie de la courbe de la charge en deux triangles ou en un rectangle et un triangle. Concevez ensuite un programme informatique permettant le calcul des réactions d'appui aux points A et B. Utilisez ce programme pour calculer les réactions aux appuis pour les poutres illustrées en *b* et *c*.

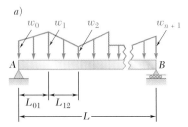

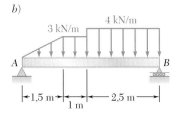

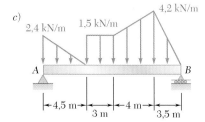

Figure P5.159

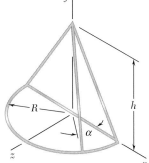

Figure P5.160

5.160 La structure métallique illustrée est composée de cinq fines barres d'acier de même diamètre. Concevez un programme informatique pouvant calculer les coordonnées de son centre de gravité. Utilisez ce programme pour localiser le centre de gravité lorsque :
a) $h = 12$ m, $R = 5$ m, $\alpha = 90°$;
b) $h = 570$ mm, $R = 760$ mm, $\alpha = 30°$;
c) $h = 21$ m, $R = 20$ m, $\alpha = 135°$.

5.161 Un réservoir doit être rempli d'eau doucement (masse volumique de l'eau $= 10^3$ kg/m^3). Concevez un programme informatique permettant de déterminer la résultante des forces de pression exercées par l'eau sur une largeur de 1 m du côté ABC du réservoir. Calculez la résultante des forces de pression pour des valeurs de d variant de 0 à 3 m par incréments de 0,25 m.

5.162 Remplacez approximativement la courbe illustrée en utilisant dix segments de droite équidistants. Concevez ensuite un programme informatique vous permettant de positionner le centre géométrique de la courbe. Utilisez ce programme pour localiser le centre géométrique lorsque :
a) $a = 20$ mm, $L = 220$ mm, $h = 40$ mm ;
b) $a = 40$ mm, $L = 340$ mm, $h = 80$ mm ;
c) $a = 100$ mm, $L = 240$ mm, $h = 20$ mm.

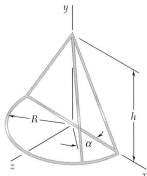

Figure P5.161

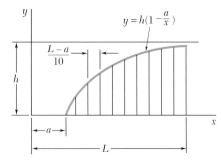

Figure P5.162

5.163 En vous référant à la figure P5.163, remplacez approximativement la surface illustrée en utilisant n rectangles de forme $bcc'b'$ et de largeur Δa. Concevez un programme informatique pouvant calculer les coordonnées du centre géométrique de sa surface. Utilisez ce programme pour localiser le centre géométrique lorsque :

a) $m = 2$, $a = 80$ mm, $h = 80$ mm ;

b) $m = 2$, $a = 80$ mm, $h = 500$ mm ;

c) $m = 5$, $a = 80$ mm, $h = 80$ mm ;

d) $m = 5$, $a = 80$ mm, $h = 500$ mm.

Comparez les résultats obtenus aux valeurs exactes de $\bar{x}$ et $\bar{y}$ calculées à partir des formules présentées à la figure 5.8 et estimez le pourcentage d'erreur.

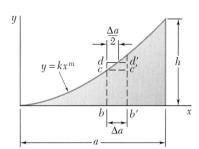

Figure P5.163

5.164 Solutionnez le problème 5.163 en utilisant des rectangles de forme $bdd'b'$ et commentez les résultats.

5.165 Un agriculteur demande à un groupe d'étudiants en génie de l'aider à mesurer le volume d'eau contenu dans un étang. À l'aide de cordes, les étudiants quadrillent l'étang par section de 1 m × 1 m et mesurent la profondeur de l'eau en mètres à chaque point d'intersection de la grille (tableau ci-dessous). Concevez un programme informatique permettant de calculer :

a) le volume d'eau contenu dans l'étang ;

b) la position du centre de gravité de l'eau.

Estimez la profondeur de chaque élément de 1 m × 1 m d'eau en utilisant la profondeur moyenne de l'eau aux quatre coins de l'élément.

		Corde									
		1	2	3	4	5	6	7	8	9	10
Corde	1	···	···	···	···	0	0	0	···	···	···
	2	···	···	0	0	0	1	0	0	0	···
	3	···	0	0	1	3	3	3	1	0	0
	4	0	0	1	3	6	6	6	3	1	0
	5	0	1	3	6	8	8	6	3	1	0
	6	0	1	3	6	8	7	7	3	0	0
	7	0	3	4	6	6	6	4	1	0	···
	8	0	3	3	3	3	3	1	0	0	···
	9	0	0	0	1	1	0	0	0	···	···
	10	···	···	0	0	0	0	···	···	···	

CHAPITRE

6 ÉTUDE DES STRUCTURES

Pour des raisons à la fois pratiques et économiques, les ingénieurs construisent souvent des structures en treillis, comme celle du pont Laviolette, qui relie la ville de Trois-Rivières à Bécancour sur la rive sud du fleuve Saint-Laurent.

SOMMAIRE

OBJECTIFS

- **Définir** le treillis idéal, et considérer les propriétés des treillis simples.

- **Analyser** les treillis bidimensionnels et tridimensionnels par la méthode des nœuds.

- **Simplifier** certaines analyses de treillis par la reconnaissance de conditions particulières de charges ou de géométrie.

- **Analyser** les treillis par la méthode des sections.

- **Considérer** les caractéristiques des treillis composés.

- **Analyser** les structures comportant des membres à effort multiple, comme les charpentes et les mécanismes.

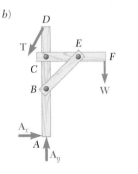

a)

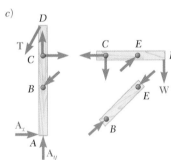

b)

c)

Figure 6.1

Dans les chapitres précédents, nous avons étudié l'équilibre de corps rigides simples, soumis uniquement à des forces externes. Nous allons maintenant examiner des structures comprenant plusieurs éléments, qui subissent à la fois des forces externes agissant sur l'ensemble et des forces internes, c'est-à-dire des forces que les divers éléments exercent les uns sur les autres et qui assurent la cohésion de la structure.

Prenons par exemple la potence illustrée à la figure 6.1*a*, qui supporte une charge W. Elle est constituée de trois éléments, ou membres, AD, CF et BE, assemblés à l'aide de chevilles ou de rivets sans frottement. La structure est fixée à un pivot au point A et maintenue en place au moyen du câble DG. Le diagramme du corps libre (DCL) de la potence (*voir la figure 6.1b*) montre les forces externes, incluant le poids **W**, les composantes **A**$_x$ et **A**$_y$ de la réaction en A, ainsi que la tension **T** exercée par le câble au point D. Les forces internes qui retiennent ensemble les pièces de la potence ne sont pas représentées. Cependant, si l'on décompose la structure et que l'on trace un DCL pour chacune de ses parties constituantes, les forces qui s'exercent entre les trois membres devront figurer sur les diagrammes car elles agissent extérieurement à chaque partie isolée (*voir la figure 6.1c*).

Il est à noter que la force exercée en B par la poutre BE sur l'élément AD est égale et opposée à la force produite au même point par AD sur BE. De même, la force exercée en E par BE sur CF est égale et opposée à la force développée par CF sur BE. Finalement, les composantes de la force exercée en C par CF sur AD sont égales et opposées aux composantes produites par AD sur CF. Ces considérations expriment la troisième loi de Newton, qui stipule que **les forces d'action et de réaction entre des corps qui se touchent sont de même grandeur, de sens opposé, et ont la même ligne d'action.** Cette loi empirique fait partie des six principes fondamentaux de la mécanique énoncés au chapitre 1, et il est essentiel d'y référer pour résoudre les problèmes traitant des corps liés.

Dans ce chapitre, nous analyserons trois grandes catégories de structures :

1. Les **treillis**, également appelés *fermes* ou *poutres triangulées*, conçus pour soutenir des charges, sont habituellement stationnaires et complètement liés. Ils sont constitués exclusivement de poutres droites jointes par leurs extrémités. En conséquence, la structure se compose uniquement de membres biforces, c'est-à-dire soumis à deux forces égales et opposées orientées selon l'axe de l'élément considéré.

2. Les **charpentes**, également conçues pour supporter des charges, sont elles aussi habituellement stationnaires et complètement liées. Cependant, tout comme la potence de la figure 6.1, les charpentes contiennent toujours au moins un membre multiforce, c'est-à-dire soumis à trois forces ou plus, souvent orientées selon une direction différente de l'axe de l'élément.

a) Un pont en treillis

b) Une charpente de bicyclette

c) Un bras de machine hydraulique

Les structures présentes autour de nous qui supportent des charges ou transmettent des forces sont généralement des treillis, des charpentes ou des mécanismes.

3. Les mécanismes, conçus pour transmettre des forces et les modifier, incluent des pièces mobiles. Tout comme les charpentes, ils comprennent au moins un élément multiforce.

6.1 ANALYSE DES TREILLIS

Le treillis demeure l'une des principales structures employées en ingénierie, car il représente une solution à la fois pratique et économique à bon nombre de situations.

6.1.1 TREILLIS SIMPLES

Le treillis est particulièrement utile dans la conception des ponts et dans la construction d'édifices. Un treillis est constitué de poutrelles droites assemblées par leurs extrémités; ainsi, aucun des éléments ne se prolonge au-delà des points de liaison, également appelés *joints* ou *nœuds*. La figure 6.2*a* schématise un modèle courant de ce type de structure dont la portion *AB* comporte deux membres distincts, *AD* et *DB*. La plupart des structures réelles incluent plusieurs treillis assemblés dans un réseau tridimensionnel, chacun supportant toutefois les charges appliquées dans le même plan que lui; on peut donc analyser individuellement les treillis comme des structures planes.

Un nœud de jonction placé sur la travée d'approche du pont Bay Bridge reliant San Francisco et Oakland

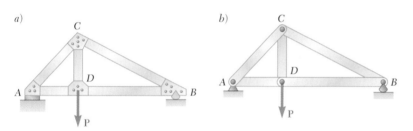

Figure 6.2

Généralement minces, les membres des structures en treillis supportent mal les forces latérales; pour cette raison, les charges doivent s'appliquer sur les nœuds, et non pas sur l'élément lui-même. Si une charge importante agit entre deux joints ou si, dans le cas d'un pont par exemple, le treillis doit soutenir une charge répartie, on installe un système de tablier qui transmet la charge aux nœuds par l'intermédiaire de poutres transversales et longitudinales (*voir la figure 6.3*).

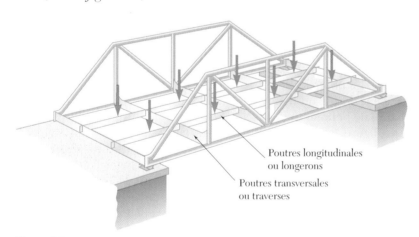

Poutres longitudinales ou longerons

Poutres transversales ou traverses

Figure 6.3

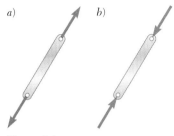

a)   *b)*

Figure 6.4

On suppose également que le poids des membres du treillis s'exerce à l'emplacement des nœuds, la moitié du poids d'une poutrelle étant appliquée à chacune de ses extrémités. Les éléments d'un treillis sont habituellement rivés, boulonnés ou soudés entre eux mais, pour les besoins de l'analyse, on suppose qu'il s'agit de joints articulés, de sorte que les forces agissant à chaque extrémité d'un membre se réduisent à une seule force, sans couple. On a donc affaire à des éléments à deux forces axiales, et on peut considérer l'ensemble de la structure comme un assemblage de membres à deux forces articulés aux nœuds (*voir la figure 6.2b*). Chaque poutrelle subit une tension lorsque les forces tirent sur ses extrémités (*voir la figure 6.4a*), ou une compression si les forces exercent une poussée (*voir la figure 6.4b*). La figure 6.5 montre les types de treillis les plus courants.

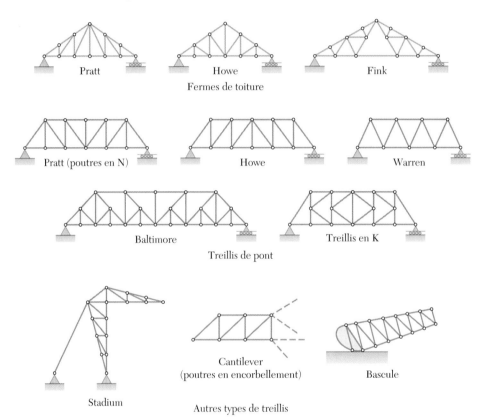

Pratt   Howe   Fink

Fermes de toiture

Pratt (poutres en N)   Howe   Warren

Baltimore   Treillis en K

Treillis de pont

Stadium

Cantilever
(poutres en encorbellement)

Bascule

Autres types de treillis

Figure 6.5

Considérons la ferme de la figure 6.6*a*, composée de quatre membres assemblés aux nœuds *A*, *B*, *C* et *D*. Si on lui applique une charge au point *B*, elle se déformera beaucoup et perdra sa forme initiale. À l'inverse, la structure de la figure 6.6*b*, constituée de trois membres joints aux nœuds *A*, *B* et *C*, se déformera peu sous l'application d'une charge en *B*. En effet, seule la longueur des poutres peut être affectée dans cette configuration. On parle alors d'une ferme ou d'un treillis rigide, le terme *rigide* signifiant que la structure ne s'effondrera pas sous la charge.

La figure 6.6*c* illustre la façon de construire un treillis rigide plus grand à partir du triangle de base représenté en *b*. Il suffit d'ajouter deux membres, *BD* et *CD*, au triangle de base et de répéter l'opération autant de fois que l'on veut. Le treillis résultant restera rigide à condition d'ajouter les membres deux à deux, de les fixer à des points d'attache existants et de les raccorder entre eux en formant un nouveau nœud (les trois nœuds ne peuvent être alignés). La structure résultante porte le nom de *treillis simple*.

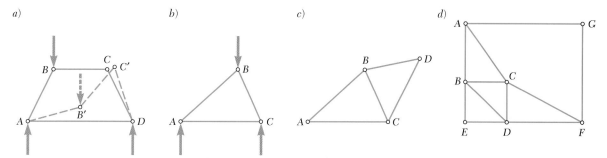

Figure 6.6

Un treillis simple ne comporte pas que des triangles. À titre d'exemple, la figure 6.6*d* montre une structure élaborée à partir du triangle *ABC*, auquel on a ajouté successivement les nœuds *D*, *E*, *F* et *G*. Par ailleurs, les treillis rigides ne sont pas toujours des fermes simples, bien qu'ils paraissent constitués de triangles. Par exemple, les structures Fink et Baltimore (*voir la figure 6.5*) ne sont pas des fermes simples puisqu'on ne peut les construire à partir d'un triangle selon la méthode décrite précédemment. On peut facilement vérifier que tous les autres treillis représentés à la figure 6.5 sont des treillis simples. (Pour les treillis en K, on doit choisir l'un des triangles du centre comme point de départ.)

Revenons maintenant à la figure 6.6 : en *b*, on voit le triangle de base, constitué de trois membres et de trois nœuds ; en *c*, la structure comprend deux nouvelles barres, ce qui donne cinq membres et quatre nœuds au total. Sachant que l'ajout de deux éléments introduit chaque fois un nouveau nœud, on en déduit qu'un treillis simple contient un nombre de membres $m = 2n - 3$, où n correspond au nombre total de nœuds.

6.1.2 ANALYSE D'UN TREILLIS PAR LA MÉTHODE DES NŒUDS

Nous avons vu à la section 6.1.1 que l'on peut considérer un treillis comme un assemblage de membres à deux forces et de nœuds. On peut donc démembrer le treillis de la figure 6.2, dont le diagramme du corps libre (DCL) est illustré à la figure 6.7*a*, et tracer ensuite le DCL de chaque membre et de chaque nœud pris séparément (*voir la figure 6.7b*). Chaque poutrelle est soumise à deux forces de même grandeur, de sens opposé et de même ligne d'action (*voir la section 4.2.1*), exercées à ses extrémités. De plus, conformément à la troisième loi de Newton, les forces d'action et de réaction développées entre une poutrelle et un point d'attache sont égales et opposées. Ainsi, les forces exercées par un membre sur les deux joints qui le relient à la structure doivent être orientées selon son axe, de grandeur égale et de sens opposé. On

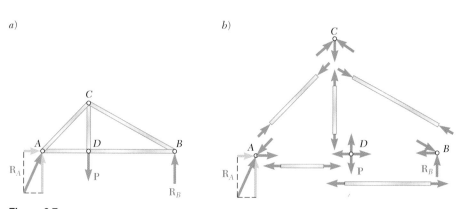

Figure 6.7

Les treillis, utilisés dans la construction des toitures et supportés seulement à leurs extrémités, permettent la construction d'édifices avec un minimum de colonnes de support ou de murs de soutien, tels que d'immenses hangars pour l'industrie aérospatiale, des entrepôts et des arénas.

parle souvent de la force interne du membre pour référer à la grandeur de ces deux forces opposées, bien qu'il s'agisse d'une quantité scalaire. Les lignes d'action des forces internes d'un treillis étant connues, il suffit de calculer ces forces en considérant les membres séparément et en précisant chaque fois si l'élément se trouve en tension ou en compression.

L'ensemble de la structure étant en équilibre, chaque nœud doit également répondre aux conditions d'équilibre, que l'on exprime en traçant son DCL et en écrivant les deux équations d'équilibre correspondantes (*voir la section 2.3.1*). Un treillis comportant n nœuds donnera ainsi $2n$ équations pour $2n$ inconnues. Dans le cas d'une ferme simple, $m = 2n - 3$, ou encore $2n = m + 3$; on peut ainsi trouver $m + 3$ inconnues en considérant l'équilibre des nœuds. En analysant les DCL correspondants, on détermine les forces internes dans tous les membres de la structure, les deux composantes de la réaction $\mathbf{R}_A$ et celles de la réaction $\mathbf{R}_B$.

Le treillis complet (*voir la figure 6.7a*) constituant un corps rigide en équilibre, on obtient trois équations supplémentaires en utilisant les forces qui figurent sur son DCL. Ces équations n'apportent aucune nouvelle donnée: elles ne sont donc pas indépendantes des équations obtenues pour les nœuds. Par contre, elles permettent de déterminer les composantes des réactions aux appuis. La configuration des membres et des nœuds d'un treillis simple est telle qu'il est toujours possible de trouver un nœud où s'exercent seulement deux forces inconnues. On calcule d'abord ces forces en appliquant les méthodes vues à la section 2.3.3; on transfère les valeurs obtenues aux nœuds adjacents, on les utilise pour déterminer d'autres forces et on poursuit de la même façon jusqu'à ce qu'il ne reste plus d'inconnues.

À titre d'exemple, analysons le treillis de la figure 6.7, à la page précédente. Examinons l'équilibre à chacun des nœuds, en commençant par un point où se trouvent seulement deux forces inconnues. Dans le cas considéré, au moins trois forces s'appliquent à chacun des nœuds. Il faut donc d'abord déterminer les réactions aux appuis en examinant le corps rigide formé par l'ensemble du treillis. Les équations d'équilibre indiquent que la réaction $\mathbf{R}_A$ est verticale et elles permettent de calculer les grandeurs R_A et R_B.

Après cette étape, il ne reste que deux inconnues au nœud A, que l'on détermine en considérant l'équilibre à ce point. La réaction $\mathbf{R}_A$ et les forces $\mathbf{F}_{AC}$ et $\mathbf{F}_{AD}$, exercées en A par les éléments AC et AD, doivent former un triangle de forces. On trace d'abord $\mathbf{R}_A$ (*voir la figure 6.8*); sachant que $\mathbf{F}_{AC}$ et $\mathbf{F}_{AD}$ sont orientées respectivement le long de AC et AD, on complète le triangle pour déterminer ensuite la grandeur et le sens de $\mathbf{F}_{AC}$ et $\mathbf{F}_{AD}$. Les grandeurs F_{AC} et F_{AD} correspondent aux forces internes des membres AC et AD. La force $\mathbf{F}_{AC}$ étant dirigée vers le bas et vers la gauche, c'est-à-dire vers le nœud A, le membre AC pousse sur l'articulation A et se trouve en compression. À l'inverse, le membre AD tire sur le nœud A de sorte qu'il est en tension.

On passe ensuite au nœud D où il n'y a plus que deux forces inconnues, soit $\mathbf{F}_{DC}$ et $\mathbf{F}_{DB}$. On connaît le poids $\mathbf{P}$ et on sait que la force $\mathbf{F}_{DA}$, exercée sur l'articulation par la barre AD, est égale et opposée à la force $\mathbf{F}_{AD}$ exercée sur le nœud A. On trace le polygone des forces correspondant au point D (*voir la figure 6.8*) et on peut ensuite déterminer graphiquement $\mathbf{F}_{DC}$ et $\mathbf{F}_{DB}$. Cependant, lorsque plus de trois forces sont en cause, il est souvent plus facile de résoudre les équations d'équilibre $\Sigma F_x = 0$ et $\Sigma F_y = 0$ pour trouver les deux inconnues. L'orientation des forces au nœud D montre que les barres DC et DB tirent sur le joint et sont en tension.

Analysons maintenant le nœud C dont le DCL est illustré à la figure 6.8. On observe que seule $\mathbf{F}_{CB}$ est inconnue, les forces $\mathbf{F}_{CD}$ et $\mathbf{F}_{CA}$ ayant été

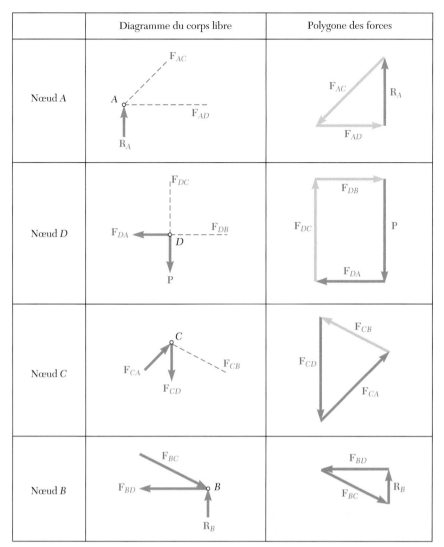

	Diagramme du corps libre	Polygone des forces
Nœud A		
Nœud D		
Nœud C		
Nœud B		

Figure 6.8

déterminées précédemment. Sachant que l'équilibre à chaque nœud permet de trouver deux inconnues, on pourra ici valider notre analyse. On trace le triangle des forces afin de déterminer la grandeur et l'orientation de $\mathbf{F}_{CB}$. Puisque $\mathbf{F}_{CB}$ pointe en direction de C, le membre CB pousse sur le joint C et est ainsi en compression. On valide l'analyse en vérifiant que la force $\mathbf{F}_{CB}$ est parallèle à l'élément CB comme il se doit.

Toutes les forces figurant au nœud B sont connues. Ce point étant en équilibre, les vecteurs devraient former un triangle fermé, ce qui permet de vérifier une fois encore les résultats obtenus jusqu'à présent.

Il est à noter que les polygones de forces de la figure 6.8 ne sont pas uniques. Chacun d'eux aurait pu avoir une autre configuration. Par exemple, on pourrait remplacer le triangle des forces du nœud A par celui de la figure 6.9. On avait obtenu le premier (*voir la figure 6.8*) en plaçant bout à bout les vecteurs $\mathbf{R}_A$, $\mathbf{F}_{AC}$ et $\mathbf{F}_{AD}$ selon l'ordre dans lequel ils se présentent pour une rotation dans le sens horaire autour du nœud A. Les polygones de forces de la figure 6.8, tous tracés de la même manière, peuvent être regroupés en un seul diagramme (*voir la figure 6.10*). Ce schéma, appelé *diagramme de Maxwell*, facilite l'analyse graphique des problèmes sur les treillis.

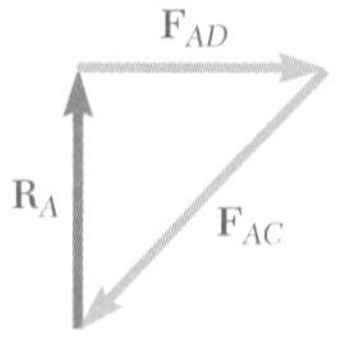

Figure 6.9

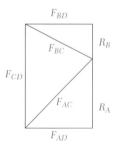

Figure 6.10

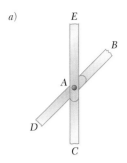

a)

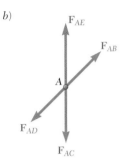

b)

c)

Figure 6.11

a)

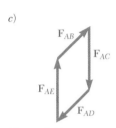

b)

Figure 6.12

a)

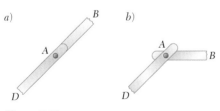

b)

Figure 6.13

*6.1.3 NŒUDS SOUS CONDITIONS PARTICULIÈRES DE CHARGES

À la figure 6.11a, le nœud se situe à l'intersection de quatre barres formant deux lignes droites. Le DCL représenté à la figure 6.11b montre que deux paires de forces opposées s'exercent au point A. Dans ces conditions, le polygone des forces devient un parallélogramme (*voir la figure 6.11c*) et **les forces internes des membres opposés doivent être identiques**.

À la figure 6.12a, un joint relie trois membres et supporte une charge **P**. Deux des barres sont alignées et la charge **P** agit dans la direction de la troisième. Les figures 6.11b et c montrent le diagramme du corps libre du nœud A, aussi appelé *diagramme du nœud libre* (DNL), et le polygone des forces correspondant, où la charge **P** remplace **F**$_{AE}$. Dans ce cas, **les forces internes des deux membres opposés sont égales entre elles, et la force interne du troisième membre correspond à *P***. La figure 6.12b présente un cas particulièrement intéressant. Puisque aucune charge extérieure ne s'applique au point de jonction, on a *P* = 0 et la force interne de l'élément *AC* est nulle. On dit alors que *AC* est un membre à effort nul ou membrure zéro.

Considérons maintenant un nœud reliant seulement deux éléments. Nous avons vu à la section 2.3.1 qu'une particule soumise à deux forces sera en équilibre à condition que les forces soient de même grandeur, de sens opposé, et qu'elles aient la même ligne d'action. À la figure 6.13a, le nœud relie deux membres alignés, *AB* et *AD*; il s'ensuit que les forces internes des deux membres doivent être égales pour respecter les conditions d'équilibre au point A. Par contre, à la figure 6.13b, le nœud A ne peut être en équilibre que si la force est nulle de part et d'autre. Une jonction de ce type doit donc absolument assembler des membres à effort nul (membrures zéro).

On simplifie l'analyse d'une ferme ou d'un treillis en identifiant dès le départ les nœuds soumis aux conditions particulières que nous venons de voir. Considérons par exemple la ferme Howe soumise à un système de charges comme illustré à la figure 6.14. Nous verrons que les barres vertes représentent des membres à effort nul. Le nœud C relie trois éléments dont deux se trouvent alignés. Aucune charge externe ne s'applique en ce point; le membre *BC* est donc à effort nul. En appliquant le même raisonnement au nœud K, on déduit que *JK* est aussi à effort nul. Le nœud *J* se trouve alors dans la même situation que les nœuds C et K, et il s'ensuit que le membre *IJ* est également à effort nul. L'examen des nœuds C, *J* et K montre aussi que les forces internes des membres *AC* et *CE* sont égales, de même que celles des éléments *HJ* et *JL* et celles de *IK* et *KL*. Portons maintenant notre attention au nœud *I*, où une charge de 20 kN est colinéaire à *HI*. La force interne de *HI* s'élève donc à 20 kN (tension) et on note que la force interne de *GI* est égale à celle de *IK*. Ainsi, la force interne est la même dans les éléments *GI*, *IK* et *KL*.

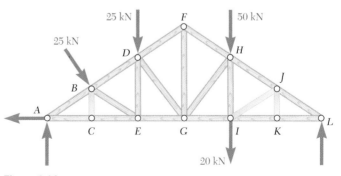

Figure 6.14

Les conditions décrites précédemment ne s'appliquent pas aux nœuds B et D de la figure 6.14. Il serait erroné de supposer que la force interne est de 25 kN pour DE ou que les forces internes de AB et BD sont égales. On détermine les forces internes dans ces membres et les inconnues qui restent en appliquant la méthode habituelle aux nœuds A, B, D, E, F, G, H et L. Pour le moment, il est préférable de tracer le DCL de chaque nœud et d'écrire les équations d'équilibre (ou de tracer les polygones des forces) même pour les nœuds correspondant aux cas particuliers préalablement décrits.

Il est à noter que les membres à effort nul ne sont pas inutiles. Par exemple, ceux de la figure 6.14 ne supportent aucune charge dans les conditions illustrées, mais ils risquent de jouer un rôle si les conditions de charge changent. De plus, même dans la situation illustrée, leur présence contribue à supporter le poids de la ferme et à en conserver la forme surtout durant le montage.

*6.1.4 TREILLIS TRIDIMENSIONNELS (TRIANGULATION SPATIALE)

Des poutres reliées par leurs extrémités dans une configuration tridimensionnelle forment un treillis spatial, également appelé *structure tridimensionnelle*.

Nous avons vu à la section 6.1.1 que le plus simple treillis plan rigide était constitué de trois membres joints par leurs extrémités pour former un triangle ; pour agrandir cette configuration de base, on lui ajoutait des membres par paires, créant un nouveau nœud à chaque addition, et on obtenait ainsi une plus grande structure rigide, appelée *treillis simple*. Il en va de même pour le treillis spatial élémentaire, construit à partir de six membres reliés par leurs extrémités pour former les six côtés d'un tétraèdre $ABCD$ (*voir la figure 6.15a*). On bâtit une structure rigide plus grande, appelée *treillis spatial simple*, en ajoutant trois membres au tétraèdre de base, tels que AE, BE et CE, que l'on fixe à trois nœuds existants et que l'on relie ensemble à un nouveau nœud (*voir la figure 6.15b[1]*). On répète l'opération pour agrandir davantage la structure. Sachant que le tétraèdre de base comprend six membres et quatre nœuds, et que l'on ajoute chaque fois trois membres et un nœud, il s'ensuit qu'un treillis spatial simple comporte un nombre total de membres $m = 3n - 6$, où n est le nombre total de nœuds.

Si un treillis spatial doit être complètement lié et s'il est requis que les réactions aux appuis soient statiquement déterminées, les appuis devraient comprendre des billes, des rouleaux et des rotules agencés pour donner six réactions inconnues (*voir la section 4.3.2*). On trouve alors facilement ces inconnues en résolvant les six équations d'équilibre du treillis tridimensionnel.

Bien que les éléments d'un treillis spatial soient généralement boulonnés ou soudés entre eux, on suppose que les joints sont des rotules, de sorte qu'aucun couple ne s'applique aux membres de la structure et que l'on puisse les considérer comme des barres à deux forces. L'équilibre de chaque nœud s'exprime alors à l'aide des trois équations $\Sigma F_x = 0$, $\Sigma F_y = 0$ et $\Sigma F_z = 0$. Pour un treillis spatial simple à n nœuds, on obtient ainsi $3n$ équations. Puisque $m = 3n - 6$, ces équations déterminent toutes les inconnues (les forces dans les m membres et les six réactions aux appuis). Toutefois, pour éviter d'avoir à résoudre simultanément plusieurs équations, il faut choisir soigneusement l'ordre d'analyse des nœuds de façon à traiter un maximum de trois inconnues à chaque étape.

Les treillis tridimensionnels ou spatiaux sont très utilisés pour la construction des pylônes à haute tension ou pour les antennes de télécommunication.

a)

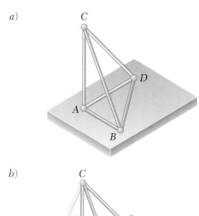

b)

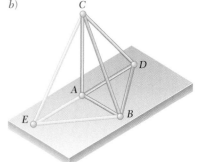

Figure 6.15

---

1. Les quatre nœuds ne se situent pas dans le même plan.

En utilisant la méthode des nœuds, déterminez la force interne dans les éléments du treillis illustré.

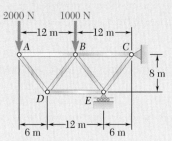

> SOLUTION

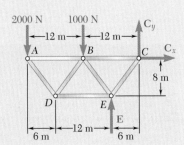

Diagramme du corps libre de l'ensemble du treillis On trace d'abord le DCL de l'ensemble du treillis ; les forces externes qui agissent sur la structure sont les deux charges et les réactions aux points d'appui C et E. Il en résulte les équations d'équilibre suivantes :

$$+\circlearrowleft \Sigma M_C = 0 : \quad (2000 \text{ N})(24 \text{ m}) + (1000 \text{ N})(12 \text{ m}) - E(6 \text{ m}) = 0$$

$$E = +10\,000 \text{ N} \qquad\qquad \mathbf{E} = 10\,000 \text{ N}\uparrow$$

$$\xrightarrow{+} \Sigma F_x = 0 : \qquad\qquad\qquad \mathbf{C}_x = 0$$

$$+\uparrow \Sigma F_y = 0 : \quad -2000 \text{ N} - 1000 \text{ N} + 10\,000 \text{ N} + C_y = 0$$

$$C_y = -7000 \text{ N} \qquad\qquad \mathbf{C}_y = 7000 \text{ N}\downarrow$$

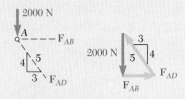

Diagramme du nœud libre A Ce nœud est soumis à deux forces inconnues appliquées par les membres AB et AD. On trace un triangle des forces pour calculer $\mathbf{F}_{AB}$ et $\mathbf{F}_{AD}$. On observe que la barre AB tire sur le nœud ; cette barre est donc sous tension (elle est en traction). D'autre part, la barre AD pousse sur le nœud et se trouve ainsi en compression. Les grandeurs de ces deux forces sont obtenues par la relation suivante :

$$\frac{2000 \text{ N}}{4} = \frac{F_{AB}}{3} = \frac{F_{AD}}{5}$$

$$F_{AB} = 1500 \text{ N } T \quad \blacktriangleleft$$

$$F_{AD} = 2500 \text{ N } C \quad \blacktriangleleft$$

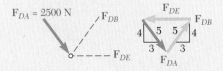

Diagramme du nœud libre D Puisque la force appliquée par l'élément AD est connue, il ne reste que deux inconnues dans le diagramme du nœud libre (DNL) D. Encore une fois, on trace un triangle des forces pour calculer les efforts aux barres ou éléments structurels DB et DE.

$$F_{DB} = F_{DA} \qquad\qquad F_{DB} = 2500 \text{ N } T \quad \blacktriangleleft$$

$$F_{DE} = 2(\tfrac{3}{5})F_{DA} \qquad\qquad F_{DE} = 3000 \text{ N } C \quad \blacktriangleleft$$

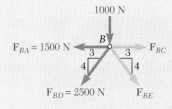

Diagramme du nœud libre B Étant donné que plus de trois forces agissent à ce nœud, on détermine les deux forces inconnues $\mathbf{F}_{BC}$ et $\mathbf{F}_{BE}$ à l'aide des équations d'équilibre $\Sigma F_x = 0$ et $\Sigma F_y = 0$. On suppose que ces deux forces tirent sur le nœud, c'est-à-dire que les membres sont en tension. Un résultat positif obtenu pour la grandeur d'une force indique que l'hypothèse est vérifiée et que l'élément est en tension; une valeur négative indique que l'hypothèse de départ est fausse et que l'élément est en compression.

Les résultats obtenus ci-dessus nous incitent à conclure que

$$+\uparrow\Sigma F_y = 0: \qquad -1000 - \tfrac{4}{5}(2500) - \tfrac{4}{5}F_{BE} = 0$$

$$F_{BE} = -3750 \text{ N}$$

$$F_{BE} = 3750 \text{ N } C \quad \blacktriangleleft$$

$$\xrightarrow{\pm}\Sigma F_x = 0: \qquad F_{BC} - 1500 - \tfrac{3}{5}(2500) - \tfrac{3}{5}(3750) = 0$$

$$F_{BC} = +5250 \text{ N}$$

$$F_{BC} = 5250 \text{ N } T \quad \blacktriangleleft$$

F_{BC} étant positive, l'hypothèse est vérifiée et la barre BC est en tension;
F_{BE} étant négative, l'hypothèse est incorrecte et la barre BE est en compression.

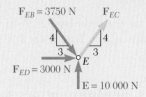

Diagramme du nœud libre E On suppose que la force inconnue $\mathbf{F}_{EC}$ tire sur le nœud. En situation d'équilibre, les composantes en x s'annulent entre elles. On a donc

$$\xrightarrow{\pm}\Sigma F_x = 0: \qquad \tfrac{3}{5}F_{EC} + 3000 + \tfrac{3}{5}(3750) = 0$$

$$F_{EC} = -8750 \text{ N} \qquad F_{EC} = 8750 \text{ N } C \quad \blacktriangleleft$$

On peut vérifier les calculs en additionnant les composantes en y:

$$+\uparrow\Sigma F_y = 10\,000 - \tfrac{4}{5}(3750) - \tfrac{4}{5}(8750)$$
$$= 10\,000 - 3000 - 7000$$
$$= 0 \qquad \qquad \text{(Vérifié)}$$

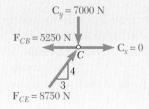

Diagramme du nœud libre C En utilisant les valeurs obtenues de FCB et FCE, on peut calculer les réactions $\mathbf{C}_x$ et $\mathbf{C}_y$ en considérant l'équilibre au nœud C. Puisque les réactions ont déjà été déterminées à partir des équations d'équilibre de l'ensemble du treillis, on dispose de deux équations de vérification supplémentaires. On peut aussi tout simplement additionner toutes les forces agissant sur le nœud (les forces internes des éléments et les réactions) et vérifier si le treillis est en équilibre.

$$\xrightarrow{\pm}\Sigma F_x = -5250 + \tfrac{3}{5}(8750) = -5250 + 5250 = 0 \qquad \text{(Vérifié)}$$

$$+\uparrow\Sigma F_y = -7000 + \tfrac{4}{5}(8750) = -7000 + 7000 = 0 \qquad \text{(Vérifié)}$$

Dans cette section, nous avons présenté la méthode des nœuds pour déterminer les forces internes dans les éléments d'un treillis simple. On peut construire un treillis simple à partir d'un treillis triangulaire de base en ajoutant à ce dernier deux éléments à la fois assemblés à un nouveau nœud.

Pour calculer les forces appliquées sur les treillis, nous avons suivi ces étapes :

1. **Tracer le diagramme du corps libre (DCL) de la structure entière.** On commence toujours par tracer le DCL de l'ensemble de la structure afin de déterminer les réactions aux appuis.

2. **Identifier un nœud joignant seulement deux membres et tracer son DNL.** En traçant le diagramme du nœud libre, on peut déterminer la force interne inconnue de chacun des deux éléments. Deux situations peuvent se présenter :

   a) Trois forces (deux inconnues et une connue). Il est plus simple d'utiliser le triangle des forces correspondant.

   b) Plus de trois forces. Dans ce cas, on résout les équations d'équilibre du nœud, $\Sigma F_x = 0$ et $\Sigma F_y = 0$, en supposant que les membres sont en tension. Une solution positive implique que l'élément est effectivement en tension ; une solution négative signifie que l'élément est en compression.

Après avoir calculé les forces, on les inscrit sur un tracé du treillis et on indique si elles sont en tension ou en compression en utilisant les lettres T et C ou les symboles + et − respectivement.

3. **Identifier un nœud où seulement deux membres ont des forces internes inconnues.** On trace le diagramme du nœud libre pour déterminer les forces inconnues en appliquant la procédure suivie à l'étape 2.

4. **Répéter l'étape 3 jusqu'à ce que les forces de tous les éléments soient connues.** Puisqu'on a utilisé les trois équations d'équilibre de l'ensemble du treillis pour calculer les réactions aux appuis, on a trois équations supplémentaires pour vérifier les calculs.

5. **Le choix du premier nœud peut varier.** Une fois que les réactions aux appuis sont déterminées, on peut choisir arbitrairement entre deux nœuds le point de départ de l'analyse de la structure. Ainsi, au problème résolu 6.1, nous avons débuté au nœud A, pour poursuivre avec les nœuds D, B, E et C. Nous aurions pu commencer par le nœud C et poursuivre avec les nœuds E, B, D et A. Cependant, dans certaines situations, après avoir choisi un nœud de départ, il se peut que l'on soit bloqué au cours de l'analyse (*voir les problèmes 6.23 à 6.25*). On identifie alors un autre nœud pour compléter la résolution du problème.

   Concluons que l'analyse d'un treillis simple :

   a) peut toujours être réalisée par la méthode des nœuds ;

   b) est grandement simplifiée par la réalisation d'une ébauche des étapes de résolution avant le début des calculs.

PROBLÈMES

Note : dans les problèmes du chapitre 6, si le poids d'une membrure n'est pas mentionné, ce poids est considéré comme négligeable.

6.1 à 6.8 Utilisez la méthode des nœuds pour déterminer la force interne de chacun des membres du treillis illustré.

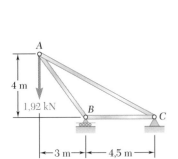

Figure P6.1

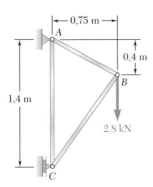

Figure P6.2

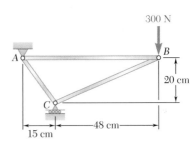

Figure P6.3

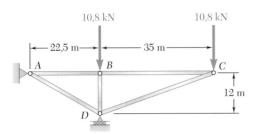

Figure P6.4

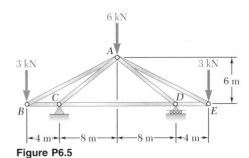

Figure P6.5

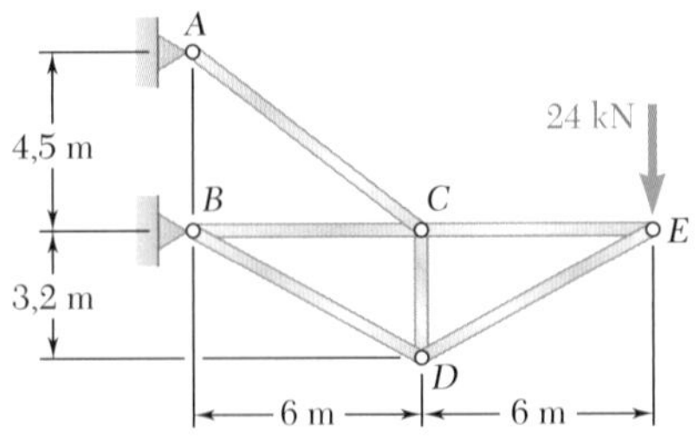

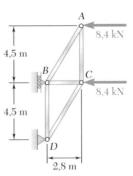

Figure P6.6

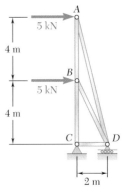

Figure P6.7

Figure P6.8

6.9 Pour chaque élément de la ferme de toiture Howe illustrée, évaluez la force interne et indiquez si l'élément est en tension ou en compression.

6.10 Pour chaque élément de la ferme Gambrel illustrée, calculez la force interne et précisez si l'élément est en tension ou en compression.

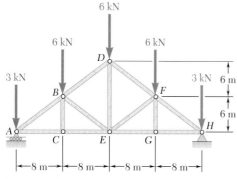

Figure P6.9

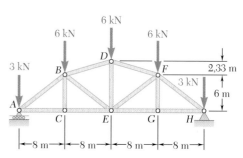

Figure P6.10

6.11 Pour chaque élément de la ferme Fink illustrée, évaluez la force interne et indiquez si l'élément est en tension ou en compression.

6.12 Pour chaque élément du treillis illustré, évaluez la force interne et précisez si l'élément est en tension ou en compression.

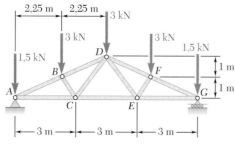

Figure P6.11

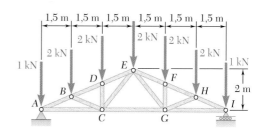

Figure P6.12

6.13 Pour chaque élément du treillis illustré, évaluez la force interne et spécifiez si l'élément est en tension ou en compression.

6.14 Pour chaque élément du treillis à pente double illustré, déterminez la force interne et indiquez si l'élément est en tension ou en compression.

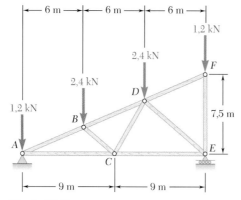

Figure P6.13

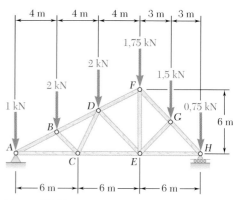

Figure P6.14

6.15 Pour chaque élément du treillis de pont Pratt illustré, évaluez la force interne et précisez si l'élément est en tension ou en compression.

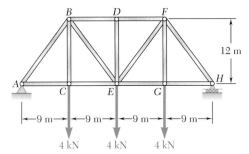

Figure P6.15

6.16 Solutionnez le problème 6.15 en retirant la charge appliquée au point *G*.

6.17 En vous référant au treillis Howe inversé illustré, déterminez la force dans le membre *DE* et dans tous les membres situés à sa gauche. Indiquez si le membre considéré est en tension ou en compression.

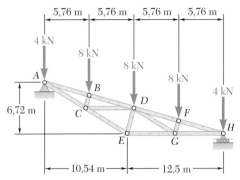

Figure P6.17 - P6.18

6.18 En vous référant au treillis Howe inversé illustré, déterminez la force dans chaque élément situé à droite de la poutrelle *DE* en précisant si l'élément considéré est en tension ou en compression.

6.19 En vous référant à la ferme à écharpes illustrée, déterminez la force dans les poutrelles situées à gauche du membre *FG* et précisez si la poutrelle considérée est en tension ou en compression.

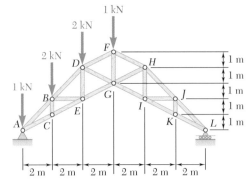

Figure P6.19 - P6.20

6.20 En vous référant à la ferme à écharpes illustrée, déterminez la force dans l'élément *FG* et dans chaque poutrelle située à sa droite. Indiquez si l'élément considéré est en tension ou en compression.

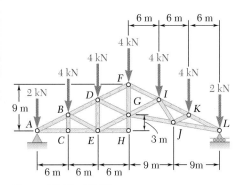

Figure P6.21 - P6.22

6.21 En vous référant au treillis illustré, déterminez la force dans chaque membre situé à gauche de la droite *FGH*. Indiquez si le membre considéré est en tension ou en compression.

6.22 En vous référant au treillis illustré, déterminez la force agissant sur la poutrelle *FG* et sur celles situées à sa droite, et précisez si la poutrelle considérée est en tension ou en compression.

6.23 Considérez la section de l'armature d'un pylône de ligne de transport d'électricité soumise aux charges illustrées. Pour chaque élément situé au-dessus de la barre *HJ*, déterminez la force interne et indiquez si l'élément est en tension ou en compression.

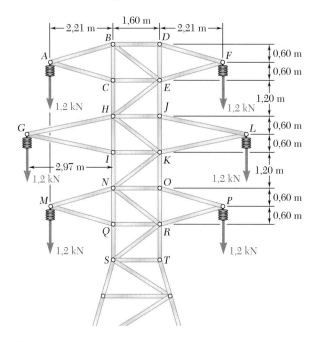

Figure P6.23

6.24 En vous référant au pylône du problème 6.23 et sachant que $F_{CH} = F_{EJ} = 1,2$ kN (en compression) et $F_{EH} = 0$, évaluez la force dans l'élément *HJ* et dans ceux situés entre *HJ* et *NO* en précisant chaque fois si l'élément est en tension ou en compression.

6.25 Solutionnez le problème 6.23 en supposant que les trois câbles situés à droite du pylône sont tombés.

6.26 Pour chacun des éléments reliés aux nœuds *A* à *F* du treillis voûté illustré, calculez la force interne et précisez si l'élément est en tension ou en compression.

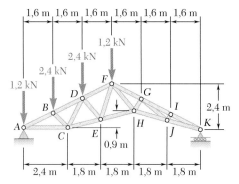

Figure P6.26

6.27 et 6.28 Pour chaque élément du treillis illustré, déterminez la force interne et indiquez si l'élément est en tension ou en compression.

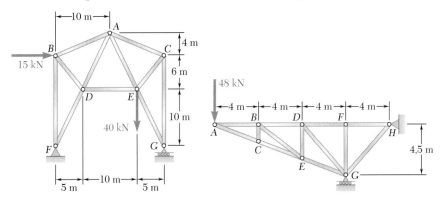

Figure P6.27

Figure P6.28

6.29 Parmi les treillis des problèmes 6.31*a*, 6.32*a* et 6.33*a*, identifiez ceux qui sont des treillis simples.

6.30 Parmi les treillis des problèmes 6.31*b*, 6.32*b* et 6.33*b*, identifiez ceux qui sont des treillis simples.

6.31 Pour chacun des deux treillis soumis aux charges illustrées, identifiez les membres à effort nul.

6.32 Pour chacun des deux treillis soumis aux charges illustrées, identifiez les membres à effort nul (membrures zéro).

a)

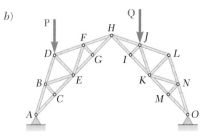

b)

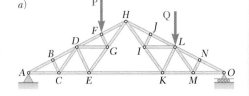

a)

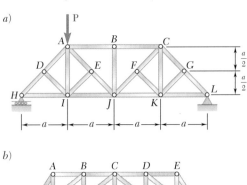

b)

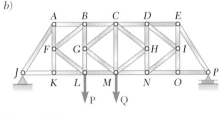

Figure P6.32

a)

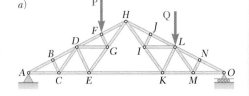

b)

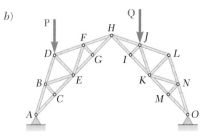

Figure P6.31

6.33 Pour chacun des deux treillis soumis aux charges illustrées, identifiez les membres à effort nul (membrures zéro).

a)

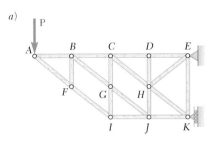

b)

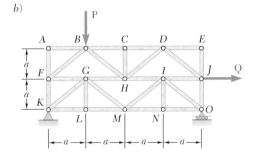

Figure P6.33

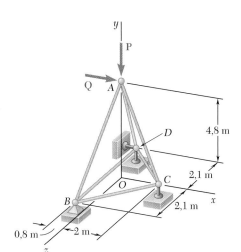

Figure P6.35 - P6.36

6.34 Identifiez les membres à effort nul pour les treillis des problèmes suivants :
a) 6.26 ;
b) 6.28.

*6.35 Un treillis est constitué de six éléments. Il est supporté par une rotule au point B, par une barre articulée en C et par deux barres articulées au nœud D. Sachant que $\mathbf{P} = (-2184 \text{ N})\mathbf{j}$ et $\mathbf{Q} = 0$, déterminez la force interne dans chaque membre.

*6.36 Un treillis est constitué de six éléments. Il est supporté par une rotule au point B, par une barre articulée en C et par deux barres articulées au point D. Sachant que $\mathbf{P} = 0$ et $\mathbf{Q} = (2968 \text{ N})\mathbf{i}$, déterminez la force dans chaque membre.

*6.37 Un treillis est constitué de six éléments. Il est supporté par une barre articulée en A, par deux barres articulées en B et par une rotule au point D. Le treillis étant soumis à la charge illustrée, déterminez la force dans chaque membre de l'armature.

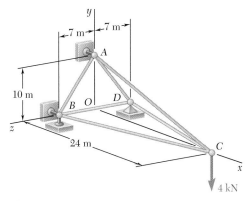

Figure P6.37

*6.38 Un treillis est constitué de neuf éléments. Il est supporté par une rotule au point A, par deux barres articulées en B et par une barre articulée au point C. Le treillis étant soumis à la charge illustrée, déterminez la force dans chaque membre de l'armature.

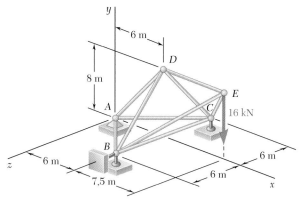

Figure P6.38

*6.39 Un treillis est constitué de neuf éléments. Il est supporté par une rotule au point B, par deux barres articulées en D et par une barre articulée au point C.
a) Vérifiez si le treillis est de type simple, s'il est isostatique et si les réactions aux appuis sont complètes.
b) Sachant que $\mathbf{P} = (-1200 \text{ N})\mathbf{j}$ et $\mathbf{Q} = 0$, déterminez la force dans chaque membre de l'armature.

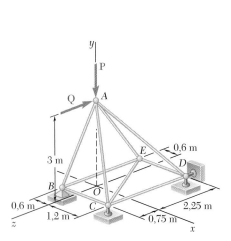

Figure P6.39

*6.40 Solutionnez le problème 6.39, sachant que **P** = 0 et **Q** = (−900 N)**k**.

*6.41 Un treillis est constitué de 18 éléments. Il est supporté par une rotule au point A, par deux barres articulées en B et par une barre articulée au point G.
a) Vérifiez si le treillis est de type simple, s'il est isostatique (statiquement déterminé) et si les réactions à ses appuis sont statiquement déterminées.
b) Pour la situation indiquée, déterminez la force dans chacun des six éléments joints au nœud E.

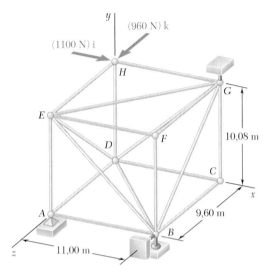

Figure P6.41 - P6.42

*6.42 Un treillis est constitué de 18 éléments. Il est supporté par une rotule au point A, par deux barres articulées en B et par une barre articulée au point G.
a) Vérifiez si le treillis est de type simple, s'il est isostatique (statiquement déterminé) et si les réactions à ses points d'appui sont complètes.
b) Pour la situation illustrée, déterminez la force dans chacun des six éléments joints au nœud G.

6.2 AUTRES ANALYSES DE TREILLIS

La méthode des nœuds s'avère la plus efficace si l'on veut connaître les forces dans tous les membres d'une ferme. Cependant, si l'on s'intéresse à la force dans un élément en particulier ou dans quelques poutres seulement, la méthode des sections se révèle plus utile.

6.2.1 MÉTHODE DES SECTIONS

Supposons, par exemple, que l'on veuille connaître la force interne du membre BD de la ferme de la figure 6.16a. Pour la trouver, on doit déterminer la force avec laquelle l'élément BD agit sur l'un de ses nœuds, B ou D. Par la méthode des nœuds, on considérerait le joint B ou D comme corps libre. Cependant, on peut aussi prendre pour corps libre une portion du treillis comprenant plusieurs membres et plusieurs nœuds, à condition que la force cherchée corresponde à l'une des forces externes agissant sur elle. Si, de surcroît, la portion choisie est soumise à seulement trois forces inconnues, on obtient facilement la force cherchée en résolvant les équations d'équilibre de cette portion de la ferme. En pratique, on isole une partie de la structure en sectionnant trois membres du treillis, dont l'un est celui qui nous intéresse. On trace donc une ligne de section qui divise le treillis en deux parties distinctes, sans couper plus de trois membres. On élimine

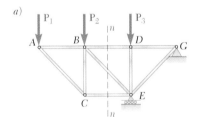

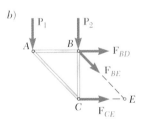

Figure 6.16

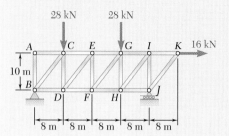

Déterminez la force dans les éléments *EF* et *GI* de la structure illustrée.

> **SOLUTION**

Diagramme du corps libre du treillis On trace le diagramme du corps libre de l'ensemble de la structure ; les forces externes agissant sur elle sont les deux charges appliquées aux points *C* et *G*, la force de tension au nœud *K* et les réactions d'appui aux points *B* et *J*. Les équations d'équilibre sont

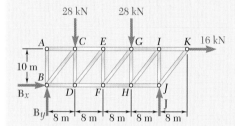

$+\circlearrowleft\Sigma M_B = 0$:
$$-(28 \text{ kN})(8 \text{ m}) - (28 \text{ kN})(24 \text{ m}) - (16 \text{ kN})(10 \text{ m}) + J(32 \text{ m}) = 0$$

$$J = +33 \text{ kN} \qquad \mathbf{J} = 33 \text{ kN} \uparrow$$

$\xrightarrow{+}\Sigma F_x = 0$: $\qquad B_x + 16 \text{ kN} = 0$

$$B_x = -16 \text{ kN} \qquad \mathbf{B}_x = 16 \text{ kN} \leftarrow$$

$+\circlearrowleft\Sigma M_J = 0$:
$$(28 \text{ kN})(24 \text{ m}) + (28 \text{ kN})(8 \text{ m}) - (16 \text{ kN})(10 \text{ m}) - B_y(32 \text{ m}) = 0$$

$$B_y = +23 \text{ kN} \qquad \mathbf{B}_y = 23 \text{ kN} \uparrow$$

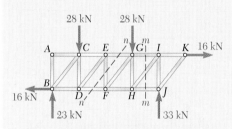

Force dans l'élément *EF* On fait passer la section *nn* à travers le treillis afin de couper la barre *EF* et au plus deux autres éléments de la structure. En retirant les barres sectionnées (*EG*, *EF* et *DF*), on considère la partie de gauche du treillis initial comme corps libre. On observe sur le DCL qu'il y a trois inconnues. Pour éliminer les deux forces horizontales, on écrit

$+\uparrow\Sigma F_y = 0$: $\qquad +23 \text{ kN} - 28 \text{ kN} - F_{EF} = 0$

$$F_{EF} = -5 \text{ kN}$$

Le sens de $\mathbf{F}_{EF}$ a été choisi en supposant que le membre *EF* était en tension ; le signe négatif obtenu indique que *EF* est en compression.

$$F_{EF} = 5 \text{ kN } C \qquad \blacktriangleleft$$

Force interne de l'élément *GI* On trace la section *mm* à travers le treillis afin de couper la barre *GI* et deux autres éléments de la structure. En retirant les barres sectionnées (*GI*, *HI* et *HJ*), on considère la portion de droite du treillis comme corps libre. On identifie trois inconnues ; pour éliminer les deux forces passant par le nœud *H*, on écrit

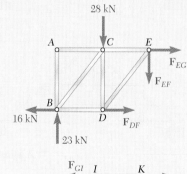

$+\circlearrowleft\Sigma M_H = 0$: $\qquad (33 \text{ kN})(8 \text{ m}) - (16 \text{ kN})(10 \text{ m}) + F_{GI}(10 \text{ m}) = 0$

$$F_{GI} = -10,4 \text{ kN}$$

$$F_{GI} = 10,4 \text{ kN } C \qquad \blacktriangleleft$$

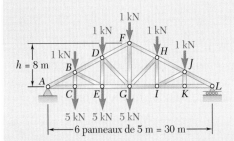

Déterminez les efforts dans les barres *FH*, *GH* et *GI* du treillis ci-contre.

Diagramme du corps libre du treillis À partir du tracé du DCL de l'ensemble du treillis, on obtient les réactions aux points A et L :

$$\mathbf{A} = 12{,}50 \text{ kN} \uparrow \qquad \mathbf{L} = 7{,}50 \text{ kN} \uparrow$$

On observe que

$$\tan \alpha = \frac{FG}{GL} = \frac{8 \text{ m}}{15 \text{ m}} = 0{,}5333 \qquad \alpha = 28{,}07°$$

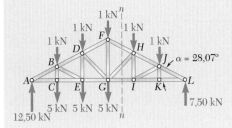

Force interne de l'élément *GI* On fait passer la section nn à travers le treillis comme illustré. En considérant la portion HLI de la structure comme corps libre, on obtient la valeur de F_{GI} en écrivant

$$+\curvearrowleft\Sigma M_H = 0: \qquad (7{,}50 \text{ kN})(10 \text{ m}) - (1 \text{ kN})(5 \text{ m}) - F_{GI}(5{,}33 \text{ m}) = 0$$

$$F_{GI} = +13{,}13 \text{ kN}$$

$$F_{GI} = 13{,}13 \text{ kN } T \quad \blacktriangleleft$$

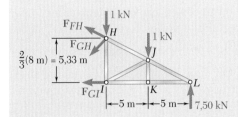

Force interne de l'élément *FH* La valeur de F_{FH} est obtenue à partir de l'équation $\Sigma M_G = 0$. On déplace $\mathbf{F}_{FH}$ le long de sa ligne d'action jusqu'à ce qu'elle agisse au point F, où on la décompose selon les axes x et y. Le moment de $\mathbf{F}_{FH}$ par rapport au point G est maintenant égal à $(F_{FH} \cos \alpha)(8 \text{ m})$.

$$+\curvearrowleft\Sigma M_G = 0:$$
$$(7{,}50 \text{ kN})(15 \text{ m}) - (1 \text{ kN})(10 \text{ m}) - (1 \text{ kN})(5 \text{ m}) + (F_{FH} \cos \alpha)(8 \text{ m}) = 0$$

$$F_{FH} = -13{,}81 \text{ kN}$$

$$F_{FH} = 13{,}81 \text{ kN } C \quad \blacktriangleleft$$

Force interne de l'élément *GH* On note que

$$\tan \beta = \frac{GI}{HI} = \frac{5 \text{ m}}{\frac{2}{3}(8 \text{ m})} = 0{,}9375 \qquad \beta = 43{,}15°$$

On trouve la valeur de F_{GH} en décomposant la force $\mathbf{F}_{GH}$ selon les axes x et y au point G et en résolvant ensuite l'équation $\Sigma M_L = 0$.

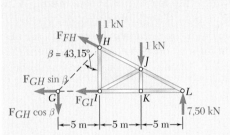

$$+\curvearrowleft\Sigma M_L = 0: \qquad (1 \text{ kN})(10 \text{ m}) + (1 \text{ kN})(5 \text{ m}) + (F_{GH} \cos \beta)(15 \text{ m}) = 0$$

$$F_{GH} = -1{,}371 \text{ kN}$$

$$F_{GH} = 1{,}371 \text{ kN } C \quad \blacktriangleleft$$

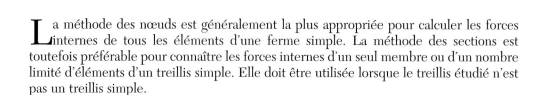
La méthode des nœuds est généralement la plus appropriée pour calculer les forces internes de tous les éléments d'une ferme simple. La méthode des sections est toutefois préférable pour connaître les forces internes d'un seul membre ou d'un nombre limité d'éléments d'un treillis simple. Elle doit être utilisée lorsque le treillis étudié n'est pas un treillis simple.

A. Pour déterminer la force interne d'un membre donné d'un treillis par la méthode des sections, on suit les étapes suivantes :

1. **On trace le diagramme du corps libre du treillis.** Comme toujours, on commence l'analyse du corps libre en traçant son DCL en entier. On utilise ensuite ce diagramme pour calculer les réactions aux appuis.

2. **On trace une droite sectionnant trois membres du treillis.** On trace une droite *nn* à travers trois membres (au maximum) du treillis, dont celui que l'on désire étudier. On retire ces membres ; il en résulte deux sections du treillis initial.

3. **On trace le diagramme du corps libre d'une portion du treillis.** On choisit une des deux portions de la structure et on trace son DCL en incluant les forces externes appliquées sur la partie choisie, ainsi que les forces exercées par les membres sectionnés.

4. **On écrit les équations d'équilibre.** On écrit les équations d'équilibre de la portion du treillis et on les résout pour trouver les forces internes des membres sectionnés.

5. **Solution alternative.** Une autre façon de procéder consiste à écrire une seule équation que l'on peut résoudre pour la force interne du membre sectionné. Pour ce faire, on observe d'abord si les deux autres membres sectionnés à l'étape 2 exercent sur le corps libre des forces dont les lignes d'action sont parallèles ou se croisent.

   a) **Forces parallèles.** Dans ce cas, elles peuvent être éliminées en écrivant une équation d'équilibre incluant des composantes perpendiculaires à ces deux forces.

   b) **Lignes d'action croisées.** Si les lignes d'action des deux forces se croisent à un point *H*, ces forces peuvent être éliminées en établissant une équation d'équilibre incluant les moments par rapport au point *H*.

6. **Vérification des sections.** On doit s'assurer que la droite de section utilisée ne coupe pas plus de trois membres, car les équations d'équilibre de l'étape 4 peuvent être solutionnées pour trois inconnues seulement. Cependant, on peut passer une droite de section à travers plus de trois membres pour trouver la force interne de l'un de ces membres si l'on est en mesure d'écrire une équation d'équilibre n'ayant que cette force comme inconnue. Des exemples de telles situations sont présentés aux problèmes 6.61 à 6.64.

B. Treillis complètement liés et statiquement déterminés

1. Contrainte
Tout treillis simple qui est soutenu par un appui à rouleaux et une rotule est complètement lié et statiquement déterminé.

2. Vérification
Pour vérifier si un treillis est complètement lié et statiquement déterminé :

a) On compte le nombre m de membres, le nombre n de nœuds et le nombre r de composantes de réaction aux appuis.

b) On compare ensuite la somme $m + r$, représentant le nombre d'inconnues, avec $2n$, le nombre d'équations d'équilibre indépendantes disponibles.

i) **Si $m + r < 2n$**, il y a moins d'inconnues que d'équations. Les équations ne peuvent donc pas toutes être satisfaites ; le treillis est alors partiellement lié.

ii) **Si $m + r > 2n$**, il y a plus d'inconnues que d'équations. Certaines inconnues ne peuvent pas être déterminées ; le treillis est alors statiquement indéterminé.

iii) **Si $m + r = 2n$**, le nombre d'inconnues égale le nombre d'équations. Néanmoins, ce fait n'assure pas que toutes les inconnues peuvent être déterminées et que toutes les équations peuvent être satisfaites. Pour déterminer si le treillis est complètement ou incorrectement lié, on doit tenter de calculer les réactions aux appuis et les forces internes de ses membres. Si tous ces paramètres peuvent être déterminés, le treillis est complètement lié et statiquement déterminé.

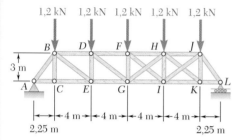

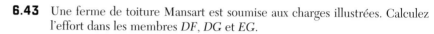

Figure P6.43 - P6.44

6.43 Une ferme de toiture Mansart est soumise aux charges illustrées. Calculez l'effort dans les membres *DF*, *DG* et *EG*.

6.44 Une ferme de toiture Mansart est soumise aux charges illustrées. Calculez l'effort dans les barres *GI*, *HI* et *HJ*.

6.45 Un treillis de pont Warren est soumis aux charges illustrées. Calculez l'effort dans les membres *CE*, *DE* et *DF*.

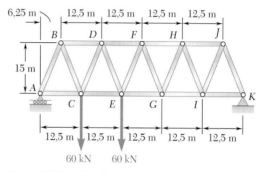

Figure P6.45 - P6.46

6.46 Un treillis de pont Warren est soumis aux charges illustrées. Calculez l'effort dans les barres *EG*, *FG* et *FH*.

6.47 Le treillis d'une passerelle est soumis aux charges illustrées. Calculez la force dans les barres *CD* et *DF*.

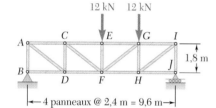

Figure P6.47 - P6.48

6.48 Le treillis d'une passerelle est soumis aux charges illustrées. Calculez la force dans les barres *FG* et *FH*.

6.49 Une ferme à écharpes Howe est soumise aux charges illustrées. Déterminez la force dans les éléments *DF*, *DG* et *EG*.

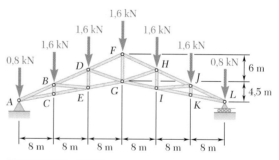

Figure P6.49 - P6.50

6.50 Une ferme Howe est soumise aux charges illustrées. Déterminez la force dans les éléments *GI*, *HI* et *HJ*.

6.51 Une ferme de toit supporte des charges, comme illustré. Calculez l'effort dans les membres *CE*, *DE* et *DF*.

6.52 Une ferme de toit supporte des charges, comme illustré. Calculez l'effort dans les membres *EG*, *GH* et *HJ*.

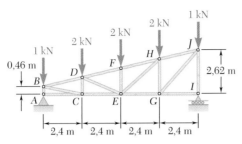

Figure P6.51 - P6.52

6.53 Le treillis illustré a été conçu pour supporter le toit d'un magasin à grande surface. Évaluez la force dans les barres *FG*, *EG* et *EH* de la structure quand le treillis est soumis aux forces illustrées.

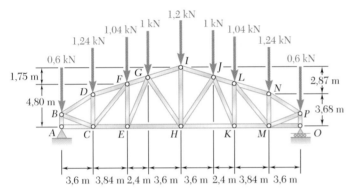

Figure P6.53 - P6.54

6.54 Le treillis illustré a été conçu pour supporter le toit d'un magasin à grande surface. Évaluez la force dans les barres *KM*, *LM* et *LN* quand le treillis est soumis aux forces illustrées.

6.55 Le treillis de toit d'un stade supporte des charges, comme illustré. Calculez l'effort dans les barres *AB*, *AG* et *FG*.

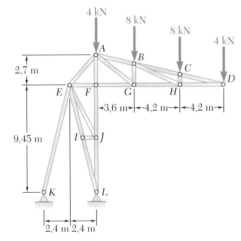

Figure P6.55 - P6.56

6.56 Le treillis de toit d'un stade supporte des charges, comme illustré. Calculez l'effort dans les barres *AE*, *EF* et *FJ*.

6.57 Le treillis d'une toiture en voûte est soumis aux charges indiquées. Calculez la force dans les membres *FG*, *GH* et *HJ*.

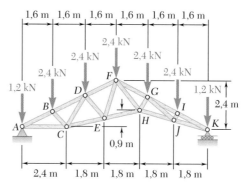

Figure P6.57

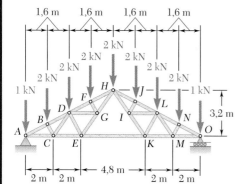

Figure P6.58

6.58 Une ferme de toit Fink est soumise aux charges illustrées. Calculez l'effort dans les barres *DF*, *DG* et *EG*. (Suggestion : commencez par déterminer la force dans le membre *EK*.)

6.59 Une ferme de toit polynésien, aussi appelée *à double pente*, est soumise aux charges illustrées. Évaluez la force dans les membres *DF*, *EF* et *EG*.

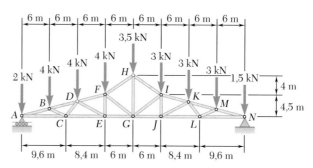

Figure P6.59 - P6.60

6.60 Une ferme de toit polynésien, ou à double pente, est soumise aux charges illustrées. Évaluez la force dans les membres *HI*, *GI* et *GJ*.

6.61 Déterminez la force dans les éléments *AF* et *EJ* du treillis illustré, sachant que *P* = *Q* = 1,2 kN. (Suggestion : utilisez la ligne *aa* pour sectionner le treillis.)

6.62 Calculez la force dans les éléments *AF* et *EJ* du treillis illustré, sachant que *P* = 1,2 kN et *Q* = 0. (Suggestion : utilisez la ligne *aa* pour sectionner le treillis.)

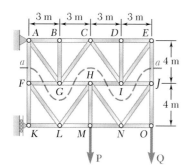

Figure P6.61 - P6.62

6.63 Déterminez la force dans les barres *CD* et *JK* du treillis illustré. (Suggestion : utilisez la ligne *aa* pour sectionner le treillis.)

6.64 Déterminez la force dans les barres *DE* et *KL* du treillis illustré. (Suggestion : utilisez la ligne *bb* pour sectionner le treillis.)

6.65 Les membrures diagonales du tronçon central du pylône d'une ligne de haute tension sont très minces et ne peuvent être sollicitées qu'en tension ; on les appelle *contreventements* (en anglais, *counters* ou *bracing*). Le pylône étant soumis aux charges illustrées,
a) indiquez laquelle des barres *CJ* ou *HE* est sollicitée ;
b) déterminez la force dans cette barre.

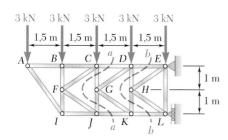

Figure P6.63 - P6.64

6.66 Les membres diagonaux du tronçon central du pylône d'une ligne de haute tension sont très minces et ne peuvent être sollicités qu'en tension. Le pylône étant soumis aux charges illustrées,
a) indiquez laquelle des barres *IO* ou *KN* est sollicitée;
b) déterminez la force dans cette barre.

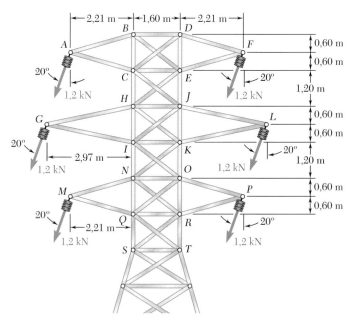

Figure P6.65 - P6.66

6.67 et 6.68 Les membres diagonaux du panneau central du treillis illustré sont très minces et ne peuvent être sollicités qu'en tension. La structure étant soumise aux charges illustrées, calculez les forces dans les contreventements sollicités.

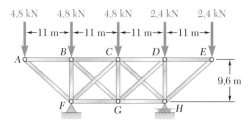

Figure P6.67

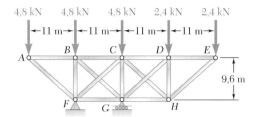

Figure P6.68

6.69 Pour chacune des structures illustrées, précisez si la structure est complètement, partiellement ou incorrectement liée. Si elle est complètement liée, indiquez si elle est isostatique ou hyperstatique (statiquement déterminée ou indéterminée). Tous les membres peuvent être sollicités en tension et en compression.

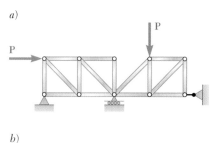

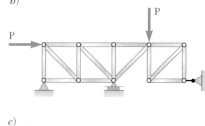

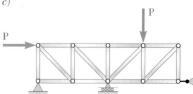

Figure P6.69

6.70 à 6.74 Pour chacune des structures illustrées, dites si la structure est complètement, partiellement ou incorrectement liée. Si elle est complètement liée, indiquez si elle est isostatique ou hyperstatique (statiquement déterminée ou indéterminée). Tous les membres peuvent être sollicités en tension et en compression.

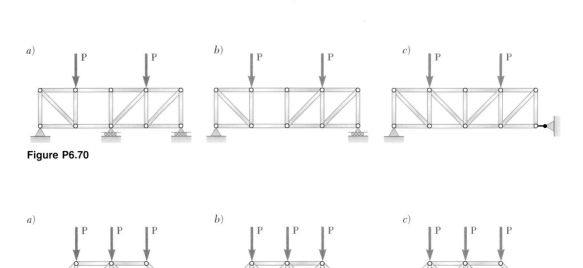

Figure P6.70

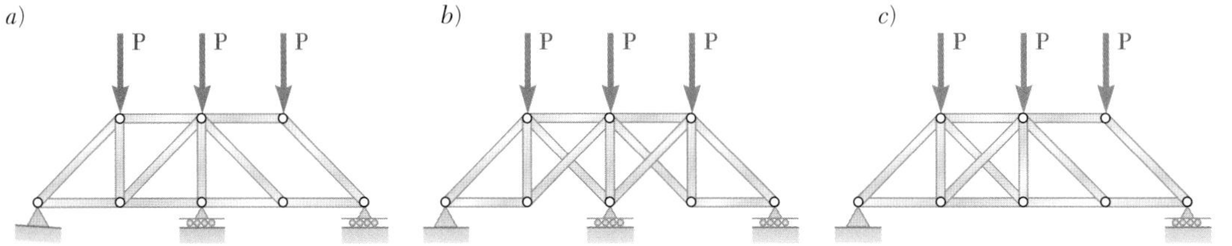

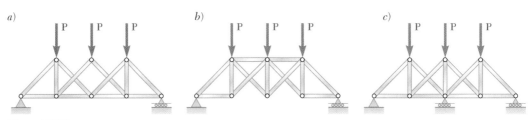

Figure P6.71

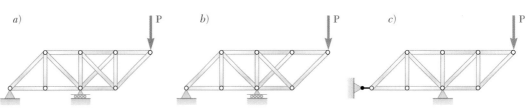

Figure P6.72

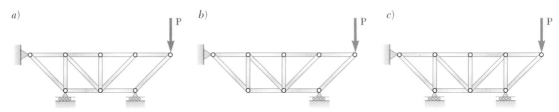

Figure P6.73

Figure P6.74

Dans l'étude des treillis, nous avons considéré uniquement des structures constituées de barres à effort axial (deux forces) et de nœuds. Les forces étaient chaque fois dirigées dans l'axe des barres. Nous allons maintenant examiner des structures contenant au moins un élément à effort multiple (multiforce), c'est-à-dire un membre soumis à un minimum de trois forces. L'orientation de ces forces ne correspond généralement pas à l'axe de l'élément auquel elles s'appliquent ; leur direction étant inconnue, on représente chaque force par deux composantes inconnues.

Les charpentes contiennent des membres à effort multiple. Elles sont conçues pour supporter des charges et elles forment généralement des structures stationnaires, complètement liées.

Les charpentes et les mécanismes contiennent des membres à effort multiple. Les charpentes sont des structures complètement liées, tandis que les mécanismes comme cette main prosthétique sont mobiles et conçus pour transmettre ou modifier des forces.

6.3.1 ANALYSE DES STRUCTURES

Comme premier exemple de charpente, considérons à nouveau la potence de la figure 6.1, soumise à une charge W (*voir la figure 6.20a*), et son diagramme du corps libre (*voir la figure 6.20b*). On peut utiliser ce diagramme pour déterminer les forces externes agissant sur la charpente. En additionnant les moments par rapport à A, on trouve d'abord la force **T** exercée par le câble. La sommation des composantes en x et en y nous donne les composantes $\mathbf{A}_x$ et $\mathbf{A}_y$ de la réaction au point A. Pour connaître les forces internes qui assurent la cohésion de l'ensemble, on démembre la charpente et on dessine le DCL de chacune de ses composantes (*voir la figure 6.20c*). On analyse d'abord les membres à effort axial ; BE est le seul qui réponde ici à ce critère. Les forces agissant à chaque extrémité de BE doivent être de même grandeur, de sens opposé et avoir la même ligne d'action (*voir la section 4.2.1*). Elles sont orientées dans l'axe de BE, et on les note $\mathbf{F}_{BE}$ et $-\mathbf{F}_{BE}$. On leur donne un sens arbitraire (*voir la figure 6.20c*) et le signe obtenu plus loin pour la grandeur F_{BE}, commune aux deux forces, déterminera si le sens supposé est le bon ou s'il faut l'inverser.

On considère ensuite les membres à effort multiple (multiforces), c'est-à-dire soumis à trois forces ou plus. Conformément à la troisième loi de Newton, la force exercée en B par le segment BE sur la barre AD doit être égale et opposée à la force $\mathbf{F}_{BE}$ appliquée par AD sur BE. De même, la force exercée en E par le membre BE sur l'élément CF doit être égale et opposée à la force $-\mathbf{F}_{BE}$ produite par CF sur BE. Ainsi, les forces exercées par le membre à effort axial BE sur AD et CF sont respectivement égales à $-\mathbf{F}_{BE}$ et $\mathbf{F}_{BE}$; elles sont de même grandeur F_{BE}, de sens opposé, et elles devraient être dirigées comme illustré à la figure 6.20c.

Le nœud C relie deux membres à effort multiple ; puisqu'on ne connaît ni la direction ni la grandeur des forces en cause, on les représente à l'aide de leurs composantes en x et en y. Les composantes $\mathbf{C}_x$ et $\mathbf{C}_y$ de la force agissant sur l'élément AD sont dirigées arbitrairement vers la droite et vers le haut. La troisième loi de Newton voulant que les forces exercées

a) 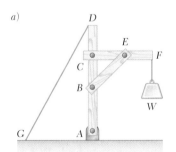 *b)* *c)*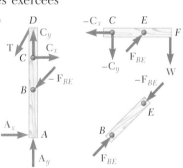

Figure P6.20

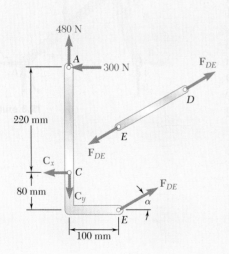

Dans la structure ci-contre, les membres ACE et BCD sont reliés par une cheville au point C et par la barre articulée DE. La structure étant soumise à une charge de 480 N, évaluez la force dans la barre DE ainsi que les composantes de la force exercée au point C sur l'élément BCD.

> SOLUTION

Diagramme du corps libre de la structure complète Puisque seulement trois inconnues représentent les réactions externes, on calcule les réactions en considérant le DCL de la structure dans son ensemble.

$+\uparrow\Sigma F_y = 0:$ $A_y - 480\text{ N} = 0$ $A_y = +480\text{ N}$ $\mathbf{A}_y = 480\text{ N}\uparrow$

$+\gamma\Sigma M_A = 0:$ $-(480\text{ N})(100\text{ mm}) + B(160\text{ mm}) = 0$

$B = +300\text{ N}$ $\mathbf{B} = 300\text{ N}\rightarrow$

$\pm\Sigma F_x = 0:$ $B + A_x = 0$

$300\text{ N} + A_x = 0$ $A_x = -300\text{ N}$ $\mathbf{A}_x = 300\text{ N}\leftarrow$

Membres On démembre la structure; puisque seulement deux éléments sont reliés en C, les composantes des forces inconnues agissant sur ACE et BCD sont égales et opposées, comme illustré. On suppose que la barre DE est en tension et qu'elle applique des forces égales et opposées en D et E, comme illustré.

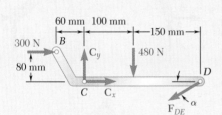

$\alpha = \tan^{-1}\dfrac{80}{150} = 28{,}07°$

Diagramme du corps libre : membre BCD On trace le DCL de l'élément BCD, et on écrit

$+\downarrow\Sigma M_C = 0:$

$(F_{DE}\sin\alpha)(250\text{ mm}) + (300\text{ N})(60\text{ mm}) + (480\text{ N})(100\text{ mm}) = 0$

$F_{DE} = -561\text{ N}$

$F_{DE} = 561\text{ N } C$ ◄

$\pm\Sigma F_x = 0:$ $C_x - F_{DE}\cos\alpha + 300\text{ N} = 0$

$C_x - (-561\text{ N})\cos 28{,}07° + 300\text{ N} = 0$ $C_x = -795\text{ N}$

$+\uparrow\Sigma F_y = 0:$ $C_y - F_{DE}\sin\alpha - 480\text{ N} = 0$

$C_y - (-561\text{ N})\sin 28{,}07° - 480\text{ N} = 0$ $C_y = +216\text{ N}$

En observant le signe des valeurs obtenues pour C_x et C_y, on conclut que les composantes $\mathbf{C}_x$ et $\mathbf{C}_y$ appliquées sur l'élément BCD sont dirigées vers la gauche et vers le haut. D'où

$\mathbf{C}_x = 795\text{ N}\leftarrow, \mathbf{C}_y = 216\text{ N }\uparrow$ ◄

Diagramme du corps libre : membre ACE (vérification) On peut vérifier les résultats obtenus en analysant le DCL du membre ACE. Par exemple,

$+\gamma\Sigma M_A = (F_{DE}\cos\alpha)(300\text{ mm}) + (F_{DE}\sin\alpha)(100\text{ mm}) - C_x(220\text{ mm})$

$= (-561\cos\alpha)(300) + (-561\sin\alpha)(100) - (-795)(220) = 0$

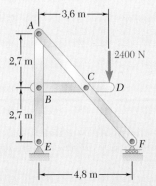

Déterminez les composantes des forces agissant sur chacun des membres de la charpente illustrée.

> SOLUTION

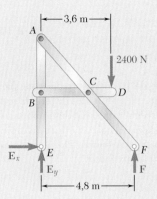

Diagramme du corps libre de la structure complète   Puisque les réactions externes introduisent seulement trois inconnues, on calcule les réactions en considérant le DCL de la structure dans son ensemble.

$+\curvearrowleft \Sigma M_E = 0:$ $-(2400 \text{ N})(3,6 \text{ m}) + F(4,8 \text{ m}) = 0$

$\qquad\qquad\qquad F = +1800 \text{ N}$ $\mathbf{F} = 1800 \text{ N} \uparrow$ ◄

$+ \uparrow \Sigma F_y = 0:$ $-2400 \text{ N} + 1800 \text{ N} + E_y = 0$

$\qquad\qquad\qquad E_y = +600 \text{ N}$ $\mathbf{E}_y = 600 \text{ N} \uparrow$ ◄

$\xrightarrow{+} \Sigma F_x = 0:$ $\mathbf{E}_x = 0$ ◄

Membres   On démembre ensuite la charpente ; puisque seulement deux éléments sont reliés à chaque nœud, on indique des composantes égales et opposées à chacun des membres reliés à un joint donné.

Diagramme du corps libre : membre BCD

$+\curvearrowleft \Sigma M_B = 0:$ $-(2400 \text{ N})(3,6 \text{ m}) + C_y(2,4 \text{ m}) = 0$ $C_y = +3600 \text{ N}$ ◄

$+\curvearrowleft \Sigma M_C = 0:$ $-(2400 \text{ N})(1,2 \text{ m}) + B_y(2,4 \text{ m}) = 0$ $B_y = +1200 \text{ N}$ ◄

$\xrightarrow{+} \Sigma F_x = 0:$ $-B_x + C_x = 0$

On note que les valeurs de B_x et de C_x ne peuvent être calculées par la seule analyse du membre BCD. Le signe positif des composantes B_y et C_y indique que l'hypothèse de départ est valide.

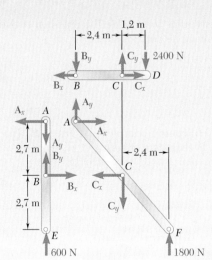

Diagramme du corps libre : membre ABE

$+\curvearrowleft \Sigma M_A = 0:$ $B_x(2,7 \text{ m}) = 0$ $B_x = 0$ ◄

$\xrightarrow{+} \Sigma F_x = 0:$ $+B_x - A_x = 0$ $A_x = 0$ ◄

$+ \uparrow \Sigma F_y = 0:$ $-A_y + B_y + 600 \text{ N} = 0$

$\qquad\qquad\qquad -A_y + 1200 \text{ N} + 600 \text{ N} = 0$ $A_y = +1800 \text{ N}$ ◄

Diagramme du corps libre : membre BCD   En revenant sur l'élément BCD, on peut maintenant écrire

$\xrightarrow{+} \Sigma F_x = 0:$ $-B_x + C_x = 0$ $0 + C_x = 0$ $C_x = 0$ ◄

Diagramme du corps libre : membre ACF (vérification)   À ce stade, toutes les composantes inconnues sont déterminées. On peut vérifier les résultats en s'assurant que le membre ACF est en équilibre.

$+\curvearrowleft \Sigma M_C = (1800 \text{ N})(2,4 \text{ m}) - A_y(2,4 \text{ m}) - A_x(2,7 \text{ m})$

$\qquad\qquad = (1800 \text{ N})(2,4 \text{ m}) - (1800 \text{ N})(2,4 \text{ m}) - 0 = 0$ (Vérifié)

Une force horizontale de 600 N est appliquée sur la rotule A de la charpente illustrée ci-contre. Évaluez les forces agissant sur les deux éléments verticaux de la structure.

> SOLUTION

Diagramme du corps libre de la 1re charpente complète On trace le DCL de la charpente dans son ensemble. Bien que les réactions introduisent quatre inconnues, $\mathbf{E}_y$ et $\mathbf{F}_y$ peuvent être déterminées par

$$+\!\!\curvearrowleft\Sigma M_E = 0: \qquad -(600 \text{ N})(10 \text{ m}) + F_y(6 \text{ m}) = 0$$
$$F_y = +1000 \text{ N} \qquad\qquad \mathbf{F}_y = 1000 \text{ N}\uparrow \quad \blacktriangleleft$$
$$+\!\uparrow\Sigma F_y = 0: \qquad E_y + F_y = 0$$
$$E_y = -1000 \text{ N} \qquad\qquad \mathbf{E}_y = 1000 \text{ N}\downarrow \quad \blacktriangleleft$$

Membres Les équations d'équilibre de la charpente ne sont pas suffisantes pour évaluer $\mathbf{E}_x$ et $\mathbf{F}_x$. Il faut alors analyser les DCL des différents membres de la charpente pour calculer les paramètres recherchés. En démembrant la structure, on suppose que la rotule A demeure reliée à la barre à effort multiple ACE, donc que la force de 600 N est appliquée sur cette barre. De plus, on note que AB et CD sont deux membres à effort axial (deux forces).

Diagramme du corps libre : membre ACE

$$+\!\uparrow\Sigma F_y = 0: \qquad -\tfrac{5}{13}F_{AB} + \tfrac{5}{13}F_{CD} - 1000 \text{ N} = 0$$
$$+\!\!\curvearrowleft\Sigma M_E = 0: \qquad -(600 \text{ N})(10 \text{ m}) - (\tfrac{12}{13}F_{AB})(10 \text{ m}) - (\tfrac{12}{13}F_{CD})(2,5 \text{ m}) = 0$$

En résolvant simultanément ces deux équations, on trouve

$$F_{AB} = -1040 \text{ N} \qquad F_{CD} = +1560 \text{ N} \quad \blacktriangleleft$$

Les signes obtenus indiquent que le sens initial supposé de F_{CD} était bon et que celui de F_{AB} était incorrect. En additionnant les composantes en x, on a

$$\xrightarrow{\pm}\Sigma F_x = 0: \qquad 600 \text{ N} + \tfrac{12}{13}(-1040 \text{ N}) + \tfrac{12}{13}(+1560 \text{ N}) + E_x = 0$$
$$E_x = -1080 \text{ N} \qquad\qquad \mathbf{E}_x = 1080 \text{ N}\leftarrow \quad \blacktriangleleft$$

Diagramme du corps libre de la 2e charpente complète Puisque $\mathbf{E}_x$ a été trouvée, on peut retourner au DCL de la charpente et écrire

$$\xrightarrow{\pm}\Sigma F_x = 0: \qquad 600 \text{ N} - 1080 \text{ N} + F_x = 0$$
$$F_x = +480 \text{ N} \qquad\qquad \mathbf{F}_x = 480 \text{ N}\rightarrow \quad \blacktriangleleft$$

Diagramme du corps libre : membre BDF (vérification) On peut vérifier l'exactitude des résultats en s'assurant que l'équation $\Sigma M_B = 0$ est satisfaite par les forces agissant sur le membre BDF.

$$+\!\!\curvearrowleft\Sigma M_B = -(\tfrac{12}{13}F_{CD})(2,5 \text{ m}) + (F_x)(7,5 \text{ m})$$
$$= -\tfrac{12}{13}(1560 \text{ N})(2,5 \text{ m}) + (480 \text{ N})(7,5 \text{ m})$$
$$= -3600 \text{ N} \cdot \text{m} + 3600 \text{ N} \cdot \text{m} = 0 \qquad\qquad \text{(Vérifié)}$$

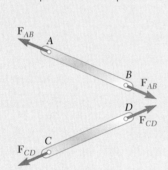

Nous venons d'étudier les charpentes (appelées aussi *structures* ou *ossatures*) constituées d'un ou de plusieurs membres à effort multiple. Nous sommes donc en mesure de calculer :

- les réactions externes appliquées sur la structure ;
- les forces internes qui assurent l'intégrité du système.

Lors de l'analyse de charpentes à un ou plusieurs membres à effort multiple, nous suggérons la procédure de résolution suivante :

1. **Tracer le diagramme du corps libre de la charpente.** Le tracé du DCL permettra de calculer certaines réactions aux appuis (au problème résolu 6.6, ce principe nous a permis d'évaluer deux des quatre composantes de réaction).

2. **Décomposer la charpente.** Le démembrement de la structure permet de tracer le DCL de chaque membre de la charpente.

3. **Considérer les membres à effort axial.** On commence l'analyse en considérant les membres à effort axial. Puis on identifie, aux points de connexion avec un autre élément, des forces égales et opposées. Si le membre considéré est rectiligne, les deux forces seront orientées selon son axe. À ce stade, s'il est impossible de savoir si le membre est en tension ou en compression, on supposera qu'il est en tension et on orientera les deux forces vers l'extérieur. Pour simplifier les choses, puisque ces forces ont la même grandeur inconnue, on les désignera par le même symbole et, pour éviter la confusion à une étape postérieure de la résolution, on n'ajoutera pas de signe plus ou moins.

4. **Considérer les membres à effort multiple.** Une fois qu'on a analysé les éléments à effort axial (deux forces), on procède avec les membres à effort multiple. On identifie les charges appliquées, les réactions et les forces internes aux différents nœuds, ainsi que les grandeurs et les directions des réactions et des composantes de réaction déterminées dans le DCL de la charpente complète.

   a) **Liaison d'un membre à effort multiple avec un membre à effort axial.** Si le nœud étudié relie un élément à effort multiple avec un élément à effort axial, on applique sur la barre à effort multiple une force égale et opposée à la force présente sur le DCL de la barre à effort axial en la désignant par le même symbole.

   b) **Liaison d'un membre à effort multiple avec un autre membre à effort multiple.** Si le nœud étudié relie deux éléments à effort multiple, puisque l'on ne connaît pas la grandeur ni la direction des forces internes agissant au nœud, on les représente par leurs composantes horizontale et verticale. La direction de chacune des deux composantes de force sur le premier membre à effort multiple est arbitraire. Cependant, on doit indiquer des composantes de force égales et opposées sur l'autre membre à effort multiple et les identifier par les mêmes symboles. Encore une fois, on ne doit pas ajouter de signe plus ou moins.

5. **Évaluer les forces internes.** On peut maintenant déterminer les forces internes de la charpente ainsi que les réactions qui n'ont pas encore été calculées.

   a) **Diagramme du corps libre.** Le diagramme du corps libre de chaque membre à effort multiple donne trois équations d'équilibre.

   b) **Simplification de la solution.** Tout au long de cette procédure, il est important de simplifier le plus possible la résolution des équations en tentant d'écrire des équations à une seule inconnue. Pour cela, on cherche un nœud où toutes les composantes de force inconnues se croisent, sauf une. En additionnant les moments à ce nœud, on obtiendra une équation à une seule inconnue. Si toutes les forces inconnues, sauf une, sont parallèles, on obtiendra une équation à une inconnue en additionnant les composantes de force dans une direction perpendiculaire aux forces parallèles.

6. **Rechercher l'efficacité.** Lors de l'écriture et de la résolution des équations, il faut tenter d'être le plus efficace possible. Nous suggérons d'adopter les règles suivantes :

   a) **Existence d'une équation à une inconnue.** Idéalement, on cherche une équation à une seule inconnue. Une fois cette inconnue calculée, on remplace sa valeur dans les DCL où elle apparaît. On répète ensuite cette démarche en cherchant des équations d'équilibre à une inconnue, jusqu'à ce qu'on ait trouvé toutes les forces internes et les réactions inconnues.

   b) **Absence d'équation à une inconnue.** Si aucune équation à une seule inconnue ne peut être trouvée, on doit résoudre simultanément une paire d'équations. Mais avant de procéder, on doit vérifier que toutes les valeurs des réactions obtenues à partir du DCL de la charpente ont été indiquées.

   c) **Vérification.** Le nombre total des équations d'équilibre de la charpente et des membres la composant est plus grand que le nombre de forces et de réactions inconnues. On se sert des équations inutilisées pour vérifier les calculs.

6.75 Déterminez la force dans le membre *BD* et la réaction au point *C*.

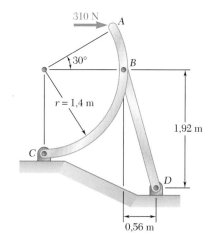

Figure P6.75

6.76 En considérant la structure et la charge illustrées, déterminez la force agissant sur le membre *ABC* :
a) au point *B* ;
b) au point *C*.

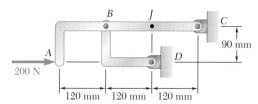

Figure P6.76

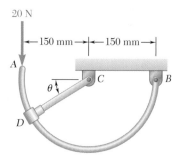

Figure P6.77

6.77 La barre *CD* glisse à l'aide du manchon *D* sur l'élément *AB* en forme d'arc de cercle. Si $\theta = 30°$, calculez :
a) la force dans la barre *CD* ;
b) la réaction d'appui au point *B*.

6.78 Solutionnez le problème 6.77, sachant que $\theta = 150°$.

6.79 En considérant la charpente illustrée, évaluez les composantes de toutes les forces agissant sur le membre *ABC*.

6.80 Solutionnez le problème 6.79 en remplaçant la force de 18 kN par un couple de 72 kN · m appliqué sur le membre *CDEF* au point *D* et agissant dans le sens horaire.

6.81 En considérant la charpente illustrée, évaluez les composantes de toutes les forces agissant sur le membre *ABC*.

6.82 Solutionnez le problème 6.81 en remplaçant la force de 20 kN par un couple de 100 kN · m appliqué sur le membre *EDC* au point *D* et agissant dans le sens horaire.

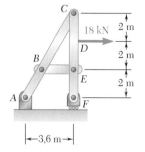

Figure P6.79

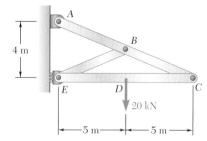

Figure P6.81

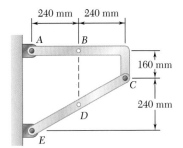

Figure P6.83 et P6.85

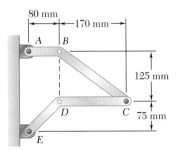

Figure P6.84 et P6.86

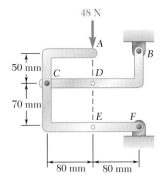

Figure P6.88 - P6.89

6.83 et 6.84 Calculez les composantes des réactions aux points A et E si une force verticale de 750 N orientée vers le bas est appliquée :
a) au point B;
b) au point D.

6.85 et 6.86 Calculez les composantes des réactions aux points A et E si la charpente est soumise à un couple de 36 N · m agissant dans le sens horaire et appliqué :
a) au point B;
b) au point D.

6.87 Déterminez la force dans le membre BD et la réaction au point C.

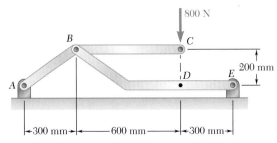

Figure P6.87

6.88 Considérez la charpente illustrée. La force de 48 N peut être déplacée sur sa ligne d'action. Évaluez les composantes des réactions aux chevilles B et F si la charge est appliquée :
a) au point A;
b) au point D;
c) au point E.

6.89 Considérez la charpente illustrée. La force de 48 N est remplacée par un couple de 2,88 N · m agissant dans le sens horaire et appliqué successivement aux points A, D et E. Évaluez les composantes des réactions aux chevilles B et F si le couple est appliqué :
a) au point A;
b) au point D;
c) au point E.

6.90 Démontrez que :
a) si la potence illustrée soutient une poulie au point A, on peut obtenir une situation de charge équivalente pour la structure et chacun de ses membres en remplaçant la poulie par deux forces appliquées au point A, qui sont égales et parallèles aux forces exercées par le câble sur la poulie ;
b) si une des extrémités du câble est attachée au point B de la potence, une force de valeur égale à la tension dans le câble doit aussi être appliquée au point B.

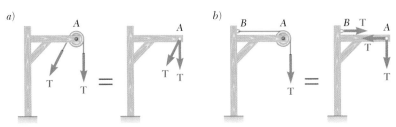

Figure P6.90

6.91 Évaluez les composantes des réactions aux points D et E, sachant que la poulie a un rayon de 250 mm.

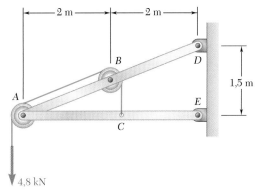

Figure P6.91

6.92 Évaluez les composantes des réactions aux points A et B, sachant que la poulie a un rayon de 75 mm.

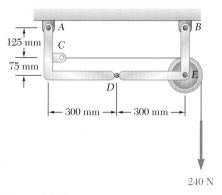

Figure P6.92

6.93 Deux tuyaux (tuyau 1 et tuyau 2) de 180 mm de diamètre sont supportés tous les 1,8 m par une structure comme celle illustrée. Sachant que le poids total de chaque tuyau et de son contenu est de 500 N/m, calculez les composantes des réactions aux chevilles A et G (aucun frottement n'est considéré).

6.94 Solutionnez le problème 6.93 en retirant le tuyau 1.

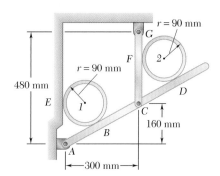

Figure P6.93

6.95 Une remorque de 1220 kg est attachée à une camionnette de 1480 kg par une rotule sphérique en D. Déterminez :
  a) les réactions à chacune des six roues lorsque l'ensemble est en arrêt ;
  b) la charge additionnelle introduite par la remorque sur chaque roue de la camionnette.

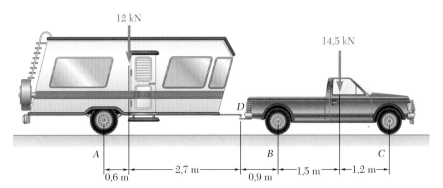

Figure P6.95

6.96 Afin d'obtenir une meilleure distribution de la charge sur les quatre roues de la camionnette du problème 6.95, on a installé le système d'attache illustré. Le système est composé de deux barres de tension (une seule est représentée) dont l'une des extrémités est reliée rigidement au châssis de la camionnette. Les barres sont reliées par des chaînes au châssis de la remorque où des crochets spécialement conçus permettent de soumettre les chaînes à une tension T. Déterminez :
  a) la tension T nécessaire dans chacune des chaînes si l'on veut distribuer également aux quatre roues de la camionnette la charge additionnelle créée par la remorque ;
  b) les réactions correspondantes à chacune des six roues de l'ensemble.

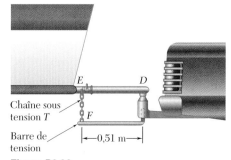

Figure P6.96

6.97 Une racleuse est composée d'un tracteur et d'une boîte reliés par un axe vertical placé à 0,6 m derrière l'axe des roues du tracteur. La distance entre C et D est de 0,75 m. Le centre de gravité du tracteur de 10 Mg (10 tonnes métriques) est situé au point G_t, celui de la boîte de 8 Mg est situé à G_b, et le centre de gravité de la charge de 45 Mg se trouve à G_c. Sachant que la racleuse est en arrêt, freins relâchés, déterminez:

a) la réaction à chacune des quatre roues;

b) les forces exercées sur le tracteur aux points C et D.

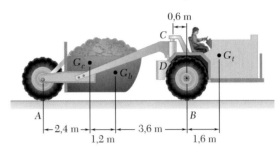

Figure P6.97

6.98 Solutionnez le problème 6.97 en retirant la charge de 45 Mg.

6.99 En considérant la charpente et la charge illustrées, déterminez les composantes de toutes les forces agissant sur le membre ABE.

6.100 En considérant la charpente et la charge illustrées, déterminez les composantes de toutes les forces agissant sur le membre ABE.

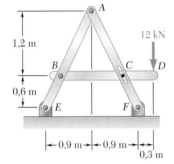

Figure P6.99

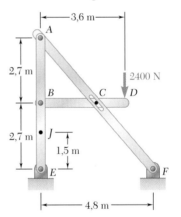

Figure P6.100

6.101 En considérant la charpente et la charge illustrées, déterminez les composantes des forces agissant sur le membre CFE aux pivots C et F.

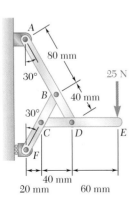

Figure P6.102

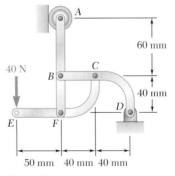

Figure P6.101

6.102 En considérant la charpente et la charge illustrées, déterminez les composantes des forces agissant sur le membre CDE aux pivots C et D.

6.103 En considérant la charpente soumise aux charges illustrées, déterminez les composantes des forces agissant sur le membre *DABC* aux pivots *B* et *D*.

6.104 Résolvez le problème 6.103 en retirant la charge de 6 kN.

6.105 Sachant que *P* = 15 N et *Q* = 65 N, évaluez les composantes des forces appliquées:
a) sur la barre *BCDF* aux pivots *C* et *D*;
b) sur la barre *ACEG* au pivot *E*.

6.106 Sachant que *P* = 25 N et *Q* = 55 N, évaluez les composantes des forces appliquées:
a) sur la barre *BCDF* aux pivots *C* et *D*;
b) sur la barre *ACEG* au pivot *E*.

6.107 L'arche *ABC*, composée de deux barres, forme une parabole dont le sommet est situé au joint *B*. Les barres sont retenues à leurs extrémités par les charnières *A*, *B* et *C*. Sachant que *P* = 112 kN et *Q* = 140 kN, calculez:
a) les composantes de la réaction en *A*;
b) les composantes de la force appliquée au point *B* sur l'élément *AB*.

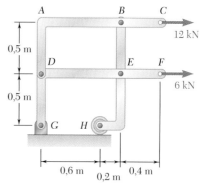

Figure P6.103

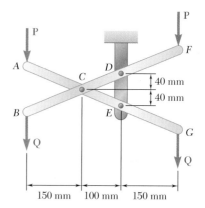

Figure P6.105 - P6.106

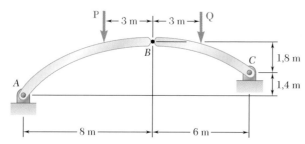

Figure P6.107 - P6.108

6.108 L'arche *ABC*, composée de deux barres, forme une parabole dont le sommet est situé au joint *B*. Les barres sont retenues à leurs extrémités par les charnières *A*, *B* et *C*. Sachant que *P* = 140 kN et *Q* = 112 kN, calculez:
a) les composantes de la réaction en *A*;
b) les composantes de la force appliquée au point *B* sur l'élément *AB*.

6.109 En considérant la charpente soumise à la charge illustrée, déterminez:
a) la réaction à la cheville *C*;
b) l'effort dans le membre *AD*.

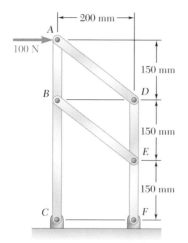

Figure P6.109

6.110 Sachant qu'il n'y a pas de frottement aux appuis, déterminez les réactions aux points A, B, D et E.

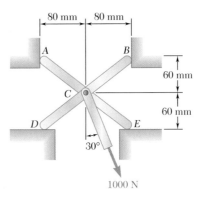

Figure P6.110

6.111 à 6.113 Les membres *ABC* et *CDE* sont reliés au point *C* par un pivot. Ils sont soutenus par quatre barres articulées et soumis à une charge **P**, comme illustré. Calculez la force dans chaque barre.

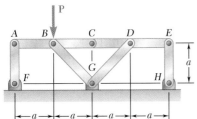

Figure P6.111

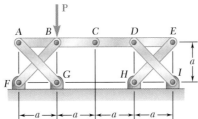

Figure P6.112

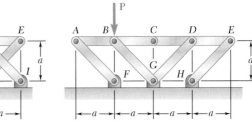

Figure P6.113

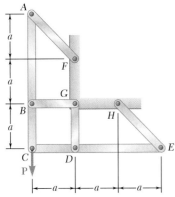

Figure P6.114

6.114 Les membres *ABC* et *CDE* sont reliés par un pivot en *C* et supportés par les quatre barres articulées *AF*, *BG*, *DG* et *EH*. L'ensemble de la charpente étant soumis à une charge **P**, calculez l'effort dans chaque barre.

6.115 Solutionnez le problème 6.113 en remplaçant la force **P** par un moment M_0 appliqué en sens horaire au membre *CDE* en *D*.

6.116 Solutionnez le problème 6.114 en remplaçant la force **P** par un moment M_0 appliqué en sens horaire au membre *CDE* en *D*.

6.117 Quatre poutres de longueur 2*a* sont clouées à leur point milieu pour former l'ensemble illustré. En supposant que les forces exercées aux points de jonction sont verticales, calculez les réactions verticales aux appuis *A*, *D*, *E* et *H*.

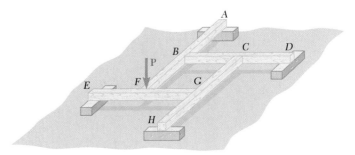

Figure P6.117

6.118 Quatre poutres de longueur $3a$ sont reliées à l'aide d'un seul clou aux points A, B, C et D pour former l'ensemble illustré. Chaque poutre est attachée à un bloc situé à une distance a de l'une de ses extrémités. En supposant que les forces exercées aux points de jonction sont verticales, calculez les réactions verticales aux appuis E, F, G et H.

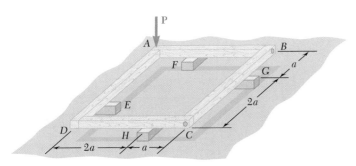

Figure P6.118

6.119 à 6.121 Chaque charpente illustrée est formée de deux membres en L reliés par deux liaisons rigides. Pour chaque cas, évaluez les réactions aux appuis et déterminez si la structure est rigide.

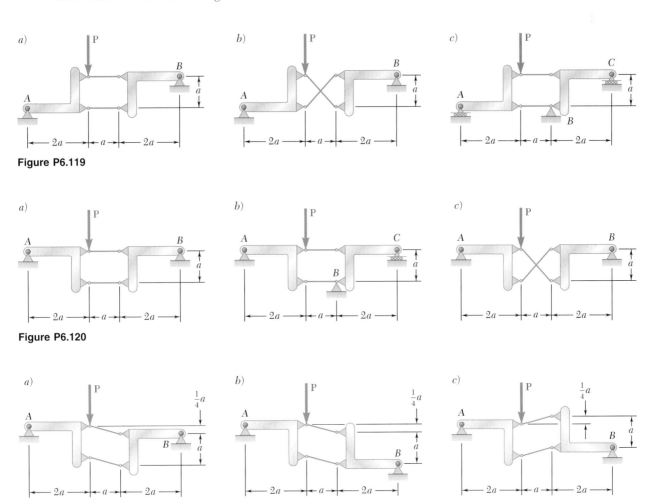

a)

Figure P6.119

a)

Figure P6.120

a)

Figure P6.121

6.4 MÉCANISMES

Les mécanismes sont conçus pour transmettre des forces ou en modifier la nature. Des outils les plus simples aux mécanismes les plus complexes, la fonction première consiste à convertir les forces présentes à l'entrée sous la forme requise à la sortie. Considérons, par exemple, des pinces coupe-fil (*voir la figure 6.22a*). Si l'on applique deux forces égales et opposées, **P** et **−P**, aux manches de la pince, elles exerceront deux forces égales et opposées, **Q** et **−Q**, sur le fil (*voir la figure 6.22b*).

Cette lampe peut prendre des positions multiples, grâce à l'ensemble des éléments qui la composent. La description de leurs diagrammes du corps libre permettra de calculer la force des ressorts et les forces internes aux différents nœuds.

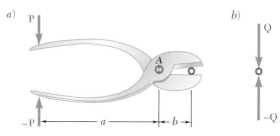

Figure 6.22

Pour déterminer la grandeur Q des forces à la sortie, connaissant la grandeur P des forces appliquées à l'entrée, ou, à l'inverse, pour trouver P si l'on a Q, on trace le diagramme du corps libre de la pince seule. Le DCL montre les forces à l'entrée, **P** et **−P**, de même que les réactions **−Q** et **Q** exercées par le fil sur les pinces (*voir la figure 6.23*). Cependant, une pince forme une structure non rigide; on doit donc prendre l'une de ses pièces constituantes comme un corps libre afin de déterminer les forces inconnues. À la figure 6.24*a* par exemple, si l'on considère les moments par rapport à A, on obtient la relation $Pa = Qb$, qui définit la grandeur Q en fonction de P, ou, à l'inverse, P en fonction de Q. On peut se référer au même DCL pour calculer les composantes de la force interne en A; on trouve $A_x = 0$ et $A_y = P + Q$.

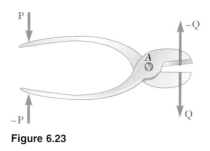

Figure 6.23

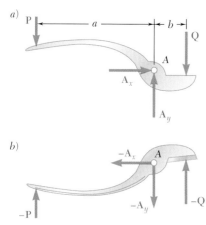

Figure 6.24

Pour les mécanismes plus complexes, il faut souvent utiliser plusieurs DCL et on doit parfois résoudre simultanément des équations contenant plusieurs forces internes inconnues. On choisit alors les corps libres de façon à inclure les forces présentes à l'entrée et les réactions à la sortie, en s'assurant que le nombre total de composantes inconnues ne dépasse pas le nombre d'équations indépendantes disponibles. Avant de tenter de résoudre un problème, il est préférable de vérifier si la structure est déterminée, c'est-à-dire isostatique ou non. Par ailleurs, on ne discute pas de la rigidité d'un mécanisme puisque celui-ci inclut toujours des parties mobiles et est ainsi obligatoirement non rigide.

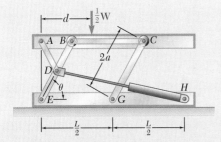

Un élévateur hydraulique est utilisé pour soulever une caisse d'une tonne métrique à différentes hauteurs en fonction de la taille de l'employé. Il est formé d'une plate-forme et de deux mécanismes identiques opérés par des vérins de même force. La figure représente un seul côté de l'élévateur. Les membres EDB et CG mesurent $2a$ et le membre AD est pivotant au point D, situé au milieu de EDB. Calculez la force exercée par chaque vérin pour soulever la moitié du poids de la caisse, sachant que $\theta = 60°$, $a = 0{,}7$ m et $L = 3{,}20$ m. Démontrez que le résultat est indépendant de la distance d.

> **SOLUTION**

Le mécanisme considéré est formé d'une plate-forme et d'un ensemble de membrures. Le DCL inclut une force d'entrée $\mathbf{F}_{DH}$, provenant du vérin, le poids $\frac{1}{2}\mathbf{W}$, égal et opposé à la force de sortie, et des réactions aux pivots E et G orientées comme illustré. Puisqu'il y a plus de trois inconnues, on n'utilisera pas le mécanisme entier comme corps libre. On démembre le mécanisme et on trace le DCL de ses composantes. Les éléments AD, BC et CG sont des membrures à effort axial (deux forces). On suppose que CG est en compression et que AD et BC sont en tension, comme illustré. On représente les forces appliquées par chaque membrure à effort axial sur la plate-forme, sur la barre BDE et sur le rouleau C par des vecteurs égaux et opposés.

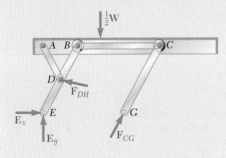

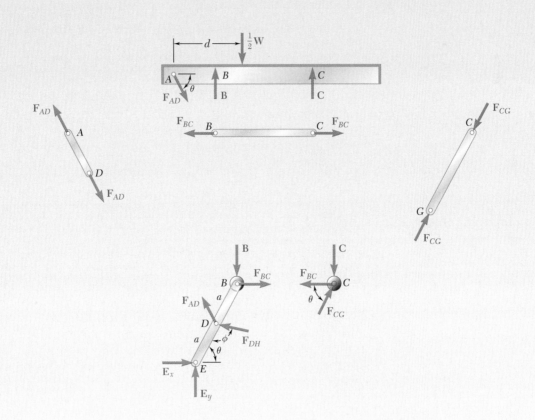

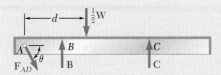

Diagramme du corps libre de la plate-forme *ABC*

$$\xrightarrow{\pm}\Sigma F_x = 0: \qquad F_{AD}\cos\theta = 0 \qquad\qquad F_{AD} = 0$$

$$+\uparrow\Sigma F_y = 0: \qquad B + C - \tfrac{1}{2}W = 0 \qquad B + C = \tfrac{1}{2}W \qquad (1)$$

Diagramme du corps libre du rouleau *C*   On trace le triangle des forces et on trouve $F_{BC} = C \cot \theta$.

Diagramme du corps libre de la barre *BDE*   Puisque $F_{AD} = 0$,

$$+\curvearrowleft\Sigma M_E = 0: \qquad F_{DH}\cos(\phi - 90°)a - B(2a\cos\theta) - F_{BC}(2a\sin\theta) = 0$$

$$F_{DH}a\sin\phi - B(2a\cos\theta) - (C\cot\theta)(2a\sin\theta) = 0$$

$$F_{DH}\sin\phi - 2(B + C)\cos\theta = 0$$

En reprenant l'équation 1, on a

$$F_{DH} = W\frac{\cos\theta}{\sin\phi} \qquad (2)$$

On peut donc conclure que

le résultat obtenu est indépendant de *d*. ◄

En appliquant la loi des sinus au triangle *EDH*, on écrit

$$\frac{\sin\phi}{EH} = \frac{\sin\theta}{DH} \qquad \sin\phi = \frac{EH}{DH}\sin\theta \qquad (3)$$

D'autre part, en utilisant la loi des cosinus, on a

$$(DH)^2 = a^2 + L^2 - 2aL\cos\theta$$

$$= (0{,}70)^2 + (3{,}20)^2 - 2(0{,}70)(3{,}20)\cos 60°$$

$$(DH)^2 = 8{,}49 \qquad DH = 2{,}91\ m$$

On note que

$$W = mg = (1000\ \text{kg})(9{,}81\ \text{m/s}^2)$$

$$= 9810\ \text{N} = 9{,}81\ \text{kN}$$

En substituant dans l'équation 2 l'expression de $\sin\phi$ tirée de l'équation 3 et en y introduisant les données, on conclut que

$$F_{DH} = W\frac{DH}{EH}\cot\theta$$

$$= (9{,}81\ \text{kN})\frac{2{,}91}{3{,}20}\cot 60°$$

$$F_{DH} = 5{,}15\ \text{kN} \quad ◄$$

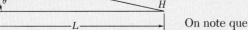

Dans cette section, nous avons procédé à l'étude des mécanismes. Puisqu'ils sont conçus pour transmettre ou pour modifier des forces, ils contiennent toujours des pièces mobiles. Or, tous les mécanismes considérés dans ce chapitre sont au repos. Nous procéderons donc à l'analyse des forces nécessaires pour garder le mécanisme en équilibre.

Un mécanisme transforme des forces d'entrée, les forces connues agissant sur le mécanisme, en forces de sortie, modifiées à la sortie du mécanisme. À partir des forces d'entrée, nous déterminerons les forces de sortie en calculant les forces égales et opposées requises pour garder le système en équilibre.

Dans l'analyse des mécanismes, nous appliquerons la même démarche que celle utilisée dans l'analyse des charpentes.

1. **Tracer le diagramme du corps libre du mécanisme.** Comme toutes les analyses de corps effectuées jusqu'à maintenant, l'étude des mécanismes débute par le traçage du diagramme du corps libre, qu'on utilise pour déterminer le plus de forces inconnues possible agissant sur le mécanisme.

2. **Décomposer le mécanisme.** La deuxième étape consiste à démembrer le mécanisme dans ses éléments les plus simples. On trace ensuite le DCL de chaque membre afin de visualiser les forces internes dans le mécanisme.

3. **Considérer en premier lieu les membres à effort axial.** On commence l'analyse en considérant les membres soumis à deux forces. On inscrit sur leur DCL, aux points de connexion avec un autre élément, des forces égales et opposées. Si, à ce stade, il est impossible de dire si la membrure est en tension ou en compression, on suppose toujours qu'elle est en tension et on dirige les deux forces vers l'extérieur. Puisque ces forces sont de même grandeur inconnue, on les désigne par le même symbole, en omettant le signe.

4. **Considérer ensuite les membres à effort multiple.** Une fois qu'on a analysé les éléments à effort axial, on procède avec les membres à effort multiple. On détermine les charges et les forces appliquées, ainsi que les réactions et les forces internes aux différents nœuds.

   a) **Liaison d'un membre à effort multiple avec un membre à effort axial.** Si le nœud étudié relie un élément à effort multiple avec un élément à effort axial, on applique sur la barre à effort multiple une force égale et opposée à la force dessinée sur le DCL de la barre à effort axial et on la désigne par le même symbole.

   b) **Liaison d'un membre à effort multiple avec un autre membre à effort multiple.** Si le nœud étudié relie un élément à effort multiple avec un autre élément à effort multiple, on utilise les composantes horizontale et verticale pour représenter les forces internes à ce nœud. Le choix de la direction des deux composantes de force sur le premier membre à effort multiple sera arbitraire. Cependant, on doit indiquer des composantes de force égales et opposées sur l'autre membre à effort multiple et les désigner par les mêmes symboles.

5. **Écrire les équations d'équilibre.** Rappelons les notions suivantes :

a) **Pour simplifier la solution,** on tente d'écrire et de résoudre, dans la mesure du possible, des équations d'équilibre à une seule inconnue.

b) **Vérifier l'hypothèse de la direction de chacune des forces inconnues,** puisque l'on a posé arbitrairement cette direction. Une solution avec un signe positif confirme l'hypothèse de départ ; une solution comportant un signe négatif signifie qu'il faut changer l'orientation posée.

6. **Vérifier la solution.** La dernière étape consiste à vérifier les résultats obtenus en substituant les valeurs trouvées dans une équation d'équilibre inutilisée lors de la résolution du problème. Si l'équation est satisfaite, la solution trouvée est vérifiée.

6.122 En vous référant au mécanisme et aux charges illustrés, déterminez :
- *a)* la force **P** nécessaire pour que le système soit en situation d'équilibre ;
- *b)* la force correspondante dans la membrure *BD* ;
- *c)* la réaction correspondante au point *C*.

6.123 Une force de 100 N est appliquée verticalement vers le bas au point *C* d'un levier à pression. Sachant que la barre *BD* mesure 60 mm et que *a* = 40 mm, calculez la force horizontale appliquée sur le bloc *E*.

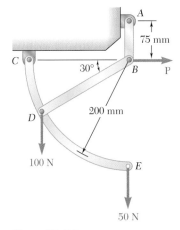

Figure P6.122

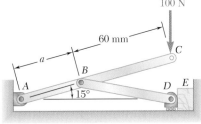

Figure P6.123 - P6.124

6.124 Une force de 100 N est appliquée verticalement vers le bas au point *C* d'un levier à pression. Sachant que la barre *BD* mesure 60 mm et que *a* = 80 mm, calculez la force horizontale appliquée sur le bloc *E*.

6.125 La presse à levier illustrée est utilisée pour embosser un sceau placé au point *E*. Cette tâche nécessite une force *P* = 250 N. Déterminez :
- *a)* la composante verticale de la force appliquée au sceau ;
- *b)* la réaction au pivot *A*.

6.126 La presse à levier illustrée est utilisée pour embosser un sceau placé au point *E*. Le matériau à embosser nécessite une force verticale de 900 N sur le sceau. Déterminez :
- *a)* la force verticale **P** nécessaire au point *C* ;
- *b)* la réaction correspondante au pivot *A*.

6.127 La barre de contrôle *CE* glisse à l'intérieur d'un trou horizontal. La barre articulée *BD* a une longueur de 250 mm. Évaluez la force **Q** nécessaire pour garder le mécanisme en équilibre lorsque *β* = 20°.

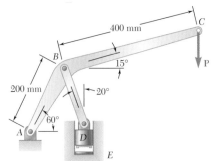

Figure P6.125 - P6.126

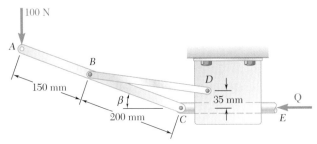

Figure P6.127

6.128 Solutionnez le problème 6.127 lorsque :
- *a)* *β* = 0° ;
- *b)* *β* = 6°.

6.129 Un couple **M** de 1,5 kN · m est appliqué au bras de la manivelle d'un moteur. Déterminez la force **P** nécessaire pour maintenir le système en équilibre pour chacune des positions illustrées.

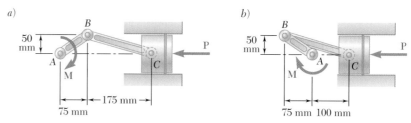

a)

b)

Figure P6.129 - P6.130

6.130 Une force **P** de 16 kN est appliquée sur la tête du piston illustré. Calculez le couple **M** requis pour garder le mécanisme en équilibre pour chacune des positions illustrées.

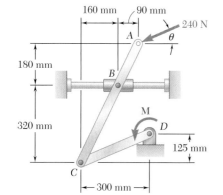

Figure P6.131 - P6.132

6.131 Le bras *ABC* est goupillé à un manchon en *B* et à la barre *CD* en *C*. En négligeant le frottement, calculez le couple **M** requis pour maintenir le système en équilibre si $\theta = 0°$.

6.132 Le bras *ABC* est rivé à un manchon en *B* et à la barre *CD* en *C*. En négligeant le frottement, calculez le couple **M** requis pour maintenir le système en équilibre si $\theta = 90°$.

6.133 Le membre *ABC* est relié à un pivot situé en *B* qui glisse librement dans la fente de la plaque illustrée. En négligeant le frottement, calculez le couple **M** requis pour maintenir le système en équilibre si $\theta = 30°$.

6.134 Le membre *ABC* est relié à un pivot situé en *B* qui glisse librement dans la fente de la plaque illustrée. En négligeant le frottement, calculez le couple **M** requis pour maintenir le système en équilibre si $\theta = 60°$.

6.135 et 6.136 Deux tiges sont reliées par un manchon sans frottement. Calculez le couple **M**_*A* requis pour maintenir le système en équilibre.

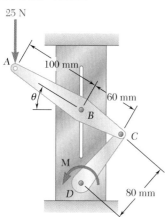

Figure P6.133 - P6.134

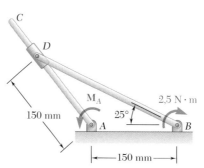

Figure P6.135

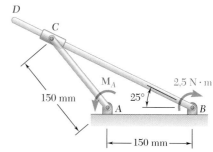

Figure P6.136

6.137 et 6.138 La barre *CD* est reliée au manchon *D* par un pivot et passe dans un autre manchon, intégré au bras *AB*. En négligeant le frottement, calculez le couple **M** requis pour tenir le système en équilibre si $\theta = 30°$.

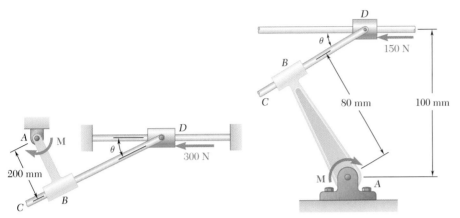

Figure P6.137

Figure P6.138

6.139 Un bras robotisé *ABC* est contrôlé par deux cylindres hydrauliques parallèles. Sachant que $P = 160$ N et $Q = 80$ N, calculez la force exercée par chaque cylindre.

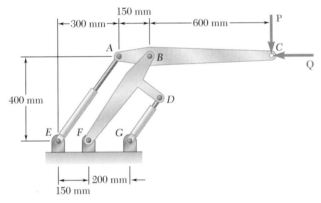

Figure P6.139 - P6.140

6.140 Un bras robotisé *ABC* est contrôlé par deux cylindres hydrauliques parallèles. Si les forces appliquées en tension par les cylindres sur le bras sont $F_{AE} = 600$ N et $F_{DG} = 50$ N, déterminez les forces **P** et **Q** exercées au point *C*.

6.141 Les mâchoires montrées exercent une force totale verticale vers le haut de 45 kN sur l'extrémité d'un tuyau. Déterminez les forces appliquées aux points *D* et *F* sur la mâchoire *ADF*.

6.142 Si le mécanisme illustré est ajouté aux extrémités des mâchoires du problème 6.141 de façon à appliquer une seule force verticale de 45 kN en *G*, déterminez les forces exercées aux points *D* et *F* sur la mâchoire *ADF*.

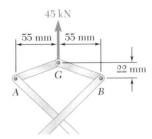

Figure P6.142

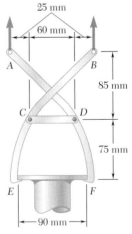

Figure P6.141

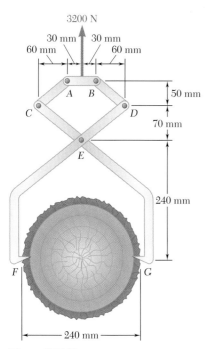

Figure P6.143

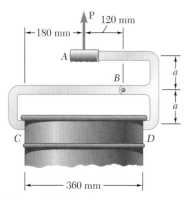

Figure P6.144

6.143 Des billes de bois de 3,2 kN sont manutentionnées à l'aide d'un mécanisme à mâchoires, comme illustré. Calculez les forces appliquées aux points E et F sur la mâchoire DEF.

6.144 Un tonneau de 61,2 kg de masse est transporté à l'aide du système illustré. Sachant que $a = 100$ mm, déterminez les forces exercées sur la mâchoire ABD aux points B et D.

6.145 Une personne applique deux forces de 300 N sur les manches du coupe-boulon illustré. Évaluez la grandeur des forces appliquées aux boulons.

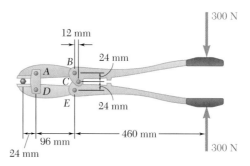

Figure P6.145

6.146 Deux forces de 50 N sont appliquées aux manches des pinces illustrées. Sachant que les pivots A et D glissent librement dans les rainures, calculez la grandeur des forces créées sur l'écrou selon la ligne aa.

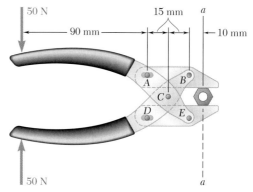

Figure P6.146

6.147 Le niveau d'entaille du couteau ACE du sécateur illustré s'ajuste à l'aide de la goupille située au point A. Si des forces verticales de 1,5 kN sont requises pour entailler des branches à E, déterminez la grandeur P des forces requises aux manches du sécateur lorsque la position de la goupille est telle qu'illustrée.

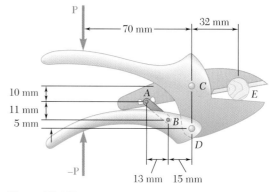

Figure P6.147

6.148 Calculez la grandeur des forces de serrage produites par deux forces de 300 N appliquées à la pince-étau illustrée.

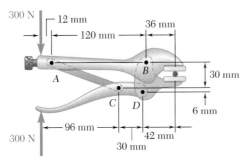

Figure P6.148

6.149 et 6.150 Évaluez la force **P** devant être appliquée à la rotule D pour garder l'ensemble en équilibre.

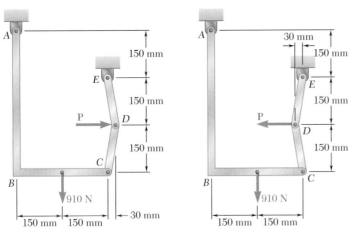

Figure P6.149

Figure P6.150

6.151 Le sécateur présenté à la figure P6.151 est composé de deux lames et deux manches. La goupille C relie les manches et la goupille D relie les lames entre elles. La lame gauche et le manche droit sont goupillés en A. De même, la lame droite et le manche gauche sont reliés par une goupille en B. Calculez la grandeur des forces développées au point E par deux forces de 80 N appliquées sur les manches, comme illustré.

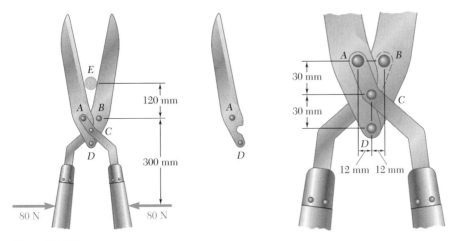

Figure P6.151

6.152 L'élément *ABC* est actionné par le vérin hydraulique *CD*. Sachant que $\theta = 30°$ et que le système est en équilibre, évaluez :
a) la force appliquée au point *C* par le vérin ;
b) la réaction au pivot *B*.

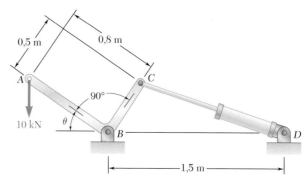

Figure P6.152

6.153 Un élévateur industriel est constitué d'un bras télescopique *ABC* actionné par un vérin *BD*. La masse totale de la nacelle, incluant les deux travailleurs et leurs outils, est de 200 kg et le centre de gravité de cette masse se situe au-dessus du point *C*. Si $\theta = 20°$, déterminez :
a) la force développée au point *B* par le piston *BD* ;
b) la force soutenue au point *A*.

6.154 Le bras *ABC* d'une nacelle industrielle peut être abaissé jusqu'à ce que son extrémité *C* touche le sol et que les travailleurs puissent y monter. Si $\theta = -20°$, déterminez :
a) la force développée au point *B* par le vérin *BD* ;
b) la force soutenue au point *A*.

6.155 La benne d'une chargeuse manipule une charge de 1427 kg. La benne est actionnée par deux mécanismes identiques, dont un seul est illustré. En considérant que le mécanisme illustré supporte la moitié de la charge, déterminez :
a) la force développée par le vérin *CD* ;
b) la force développée par le vérin *FH*.

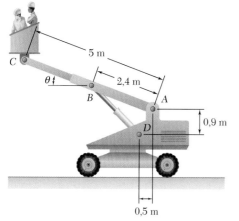

Figure P6.153 - P6.154

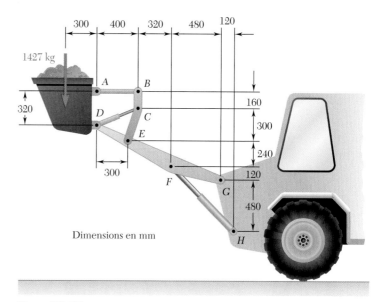

Figure P6.155

6.156 La benne de la chargeuse illustrée est actionnée par un mécanisme constitué de deux bras et de barres articulées reliés au pivot D. Les bras sont situés de façon symétrique par rapport au plan central, vertical et longitudinal de la chargeuse ; le bras AFJ et son vérin EF sont montrés sur la figure. Le mécanisme unique $GHDB$ et son vérin BC sont situés dans le plan de symétrie. En vous référant à la position et à la charge indiquées, déterminez :

a) la force développée par le vérin BC ;
b) la force développée par le vérin EF.

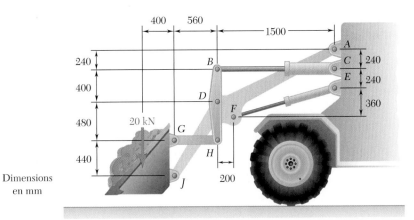

Dimensions en mm

Figure P6.156

6.157 La pelle arrière d'une excavatrice, actionnée par les cylindres hydrauliques AD, CG et EF, est utilisée pour déplacer une plaque d'acier. Une force de résistance **P** de 8 kN est développée à l'extrémité de la pelle au point J avec un angle $\theta = 45°$. Évaluez la force développée par chaque cylindre.

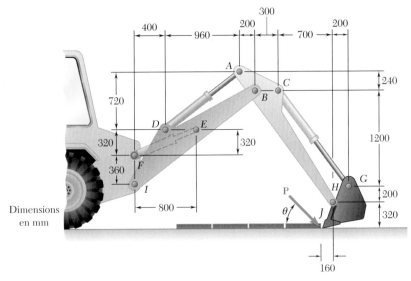

Dimensions en mm

Figure P6.157

6.158 Solutionnez le problème 6.157, sachant que la force de résistance **P** agit horizontalement vers la droite ($\theta = 0°$).

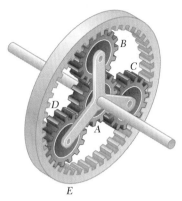

Figure P6.159

6.159 Dans l'engrenage de type planétaire illustré, le rayon de l'engrenage central A est $a = 18$ mm, celui des roues planétaires est b, et celui de la roue extérieure $E = (a + 2b)$. Un couple agissant dans le sens horaire et de grandeur $M_A = 10$ N · m est appliqué à l'engrenage A, et un autre couple agissant dans le sens antihoraire et de grandeur $M_S = 50$ N · m est appliqué au croisillon (porte-planètes) BCD. Le système étant en équilibre, calculez :
a) le rayon b des engrenages planétaires ;
b) la grandeur du couple $\mathbf{M}_E$ à appliquer sur l'engrenage extérieur.

6.160 Les engrenages D et G sont fixés respectivement aux arbres CDE et FGH, supportés par des paliers sans frottement. Si $r_D = 90$ mm et $r_G = 30$ mm, calculez :
a) le couple $\mathbf{M}_0$ qui doit être appliqué pour assurer l'équilibre du système ;
b) les réactions d'appui aux points A et B.

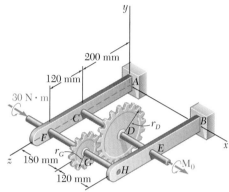

Figure P6.160

*6.161 Deux arbres AC et CF, situés dans le plan vertical xy, sont reliés par un joint universel au point C. Les paliers B et D n'exercent aucune poussée axiale. Un couple de 5 N · m (dans le sens horaire lorsque vu par un observateur situé sur le côté positif de l'axe des x) est appliqué sur l'arbre CF en F. Au moment où la fourche du demi-joint reliée à l'axe CF est horizontale, calculez :
a) la grandeur du couple à appliquer sur l'arbre AC au point A pour maintenir l'équilibre ;
b) les réactions aux paliers B, D et E.

(Suggestion : la somme des couples appliqués au croisillon central du joint doit être nulle.)

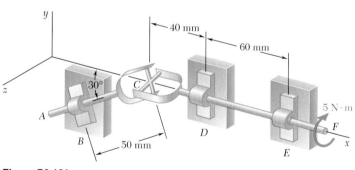

Figure P6.161

*6.162 Solutionnez le problème 6.161 si l'étrier attaché à l'arbre CF est vertical.

*6.163 Des mâchoires industrielles sont utilisées pour manutentionner la brame d'acier HJ de 7500 kg. En supposant qu'il n'y a pas de glissement, déterminez les composantes de toutes les forces appliquées sur le membre EFH. (Suggestion : considérez la symétrie des mâchoires pour établir les relations entre les composantes de la force agissant en E sur EFH et les composantes de la force agissant en D sur CDF.)

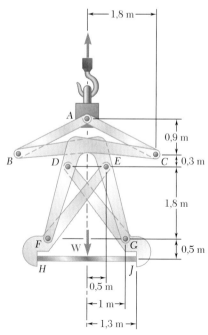

Figure P6.163

6 RÉSUMÉ

Dans ce chapitre, nous avons appris comment déterminer les forces internes qui assurent la cohésion des éléments d'une structure.

Analyse des treillis

La première moitié du chapitre a été consacrée à l'étude des treillis (ou fermes), c'est-à-dire des structures formées de membres droits assemblés à leurs extrémités et situés dans un plan appelé le *plan de charpente*. Ces membres sont minces et supportent mal les charges latérales; les charges doivent donc être appliquées aux nœuds seulement. Ainsi, on considère qu'un treillis est composé de nœuds et de membrures à effort axial (deux forces) (*voir la section 6.1.1*).

Treillis simples

Un treillis est dit *rigide* s'il est conçu pour supporter des charges sans se déformer ni s'effondrer. Un treillis triangulaire formé de trois membres reliés par trois nœuds est un treillis rigide (*voir la figure 6.25a*) de même que tout treillis obtenu par l'ajout de deux nouveaux membres reliés entre eux par un nouveau nœud (*voir la figure 6.25b*). On appelle ces treillis ainsi que tous les treillis obtenus en répétant cette procédure des *treillis simples*. On peut démontrer qu'un treillis simple est formé de $m = 2n - 3$ membres, où n représente le nombre de nœuds (*voir la section 6.1.1*).

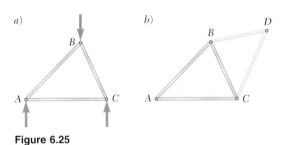

Figure 6.25

Méthode des nœuds

On détermine les forces internes des membres d'un treillis simple par la méthode des nœuds (*voir la section 6.1.2*). Les étapes à suivre sont les suivantes:

1. considérer l'ensemble du treillis comme corps libre;
2. calculer les réactions aux appuis du treillis;
3. tracer le diagramme du corps libre (DCL) de chaque nœud; les DCL montreront les forces exercées sur le nœud par les membres et les appuis qui y sont reliés.

Étant donné que les membres sont des barres droites soumises à des charges axiales, la force appliquée par un membre sur le nœud est orientée selon l'axe du membre; donc, seule la grandeur de la force est inconnue. Dans le cas de treillis simples, il est toujours possible de choisir l'ordre d'analyse des nœuds de façon à ce que seulement deux forces inconnues apparaissent dans chaque DCL. Ces forces peuvent alors être trouvées en solutionnant les deux équations d'équilibre correspondantes. Dans le cas où seulement trois forces sont impliquées, on peut aussi recourir au triangle des forces.

Un membre est en compression si la force qu'il applique sur le nœud est orientée vers le nœud. Si la force est orientée en s'éloignant du nœud, le membre est en tension (*voir le problème résolu 6.1*). On peut parfois simplifier l'analyse d'un treillis en déterminant des nœuds qui sont soumis à une condition particulière de charge (*voir la section 6.1.3*). La méthode des nœuds s'applique également aux structures tridimensionnelles (*voir la section 6.1.4*).

Méthode des sections

Lorsque l'on cherche la force dans un seul membre (ou un nombre limité de membres) d'un treillis, la méthode des sections est préférable à celle des nœuds (*voir la section 6.2.1*).

Si l'on veut déterminer la force dans le membre *BD* du treillis de la figure 6.26*a*, on applique les étapes suivantes :

1. tracer une ligne de section qui divise le treillis aux membres *BD*, *BE* et *CE* ;
2. retirer les éléments sectionnés ;
3. utiliser la portion restante *ABC* du treillis comme corps libre (*voir la figure 6.26b*) ;
4. écrire les équations $\Sigma M_E = 0$ et les solutionner pour obtenir la grandeur de la force interne $\mathbf{F}_{BD}$ du membre *BD*.

Une valeur positive indique que le membre est en tension ; une valeur négative indique qu'il est en compression (*voir les problèmes résolus 6.2 et 6.3*).

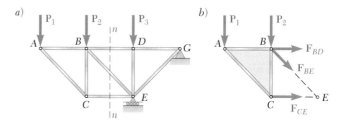

Figure 6.26

Treillis composés

La méthode des sections est particulièrement intéressante lors de l'étude de treillis composés, c'est-à-dire ceux qui ne sont pas construits à partir du treillis triangulaire de base (*voir la figure 6.25a*), mais de la liaison de plusieurs treillis simples (*voir la section 6.2.2*). Si les treillis composés sont reliés correctement (par exemple par une barre et un nœud, ou à l'aide de trois barres non concourantes et non parallèles) et si la structure résultante est supportée correctement (par exemple par un pivot et un rouleau), le treillis composé est statiquement déterminé, rigide et complètement lié. La condition nécessaire mais non suffisante $m + r = 2n$, où m = nombre de membres, n = nombre de nœuds et r = nombre d'inconnues représentant les réactions aux appuis, est donc satisfaite.

Charpentes

La section 6.3 a été consacrée à l'étude des charpentes. Les charpentes sont des structures comportant des membres à effort multiple, c'est-à-dire des membres soumis à trois forces ou plus. Les charpentes sont habituellement des structures stationnaires complètement liées et sont conçues pour supporter des charges.

Étude d'une charpente

Pour l'étude d'une charpente, on procède comme suit :

1. considérer la structure complète comme un corps libre ;
2. écrire les trois équations d'équilibre (*voir la section 6.3.1*).

Si le corps demeure rigide lorsque détaché de ses appuis, les réactions introduisent seulement trois inconnues, qui pourront être déterminées par les trois équations d'équilibre (*voir les problèmes résolus 6.4 et 6.5*).

Si la charpente s'effondre lorsque détachée de ses appuis, les réactions introduisent plus de trois inconnues, qui ne pourront être complètement déterminées à l'aide des équations d'équilibre de la structure (*voir la section 6.3.2 et le problème résolu 6.6*).

Analyse d'une charpente

On doit ensuite démembrer la charpente et distinguer les membres à effort multiple des membres à effort axial (deux forces) ; on suppose que les pivots font partie intégrante d'un des membres qu'ils relient. On trace le diagramme du corps libre (DCL) de chacun des membres à effort multiple, en se souvenant que :

a) si deux membres à effort multiple sont reliés à une même barre à effort axial, la barre exerce sur eux des forces égales et opposées, de grandeur inconnue mais de direction connue ;

b) si deux membres à effort multiple sont reliés à un nœud, ils exercent l'un sur l'autre des forces égales, opposées et de direction inconnue, représentées par deux composantes inconnues.

Les équations d'équilibre découlant du DCL des membres à effort multiple peuvent alors être résolues pour trouver les différentes forces internes (*voir les problèmes résolus 6.4 et 6.5*). Les équations d'équilibre peuvent aussi être utilisées pour compléter le calcul des réactions aux appuis (*voir le problème résolu 6.6*). En fait, si la charpente est isostatique et rigide, les DCL des membres à effort multiple fourniront autant d'équations que de forces inconnues, incluant les réactions (*voir la section 6.3.2*). Cependant, comme suggéré précédemment, il est préférable de considérer en premier le DCL de la charpente complète afin de minimiser le nombre d'équations à résoudre simultanément.

Étude d'un mécanisme

L'étude d'un mécanisme suit la même procédure que celle d'une charpente. On démembre le mécanisme et on trace le DCL de chaque élément à effort multiple. Les équations d'équilibre fourniront les forces de sortie créées par le mécanisme, en fonction des forces d'entrée qui lui sont appliquées, ainsi que les forces internes appliquées sur les différentes connexions du mécanisme (*voir la section 6.4 et le problème résolu 6.7*).

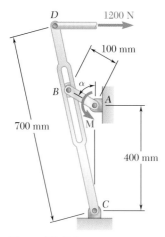

Figure P6.164

6.164 Dans le mécanisme illustré, le bloc *B* est lié par une rotule à la manivelle *AB* et peut glisser librement dans une rainure de la membrure *CD*. Déterminez le couple **M** requis pour assurer l'équilibre du mécanisme quand :
a) $\alpha = 0$;
b) $\alpha = 30°$.

6.165 Le treillis illustré fait partie d'un ensemble de treillis soutenant un panneau publicitaire. En utilisant la méthode des nœuds, déterminez la force dans chaque membre du treillis sous l'effet d'une surcharge de vent équivalente aux deux forces illustrées.

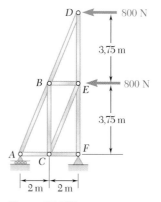

Figure P6.165

6.166 En négligeant le frottement, évaluez les forces appliquées en *B* et *C* sur le membre *BCE* de chacune des deux structures illustrées.

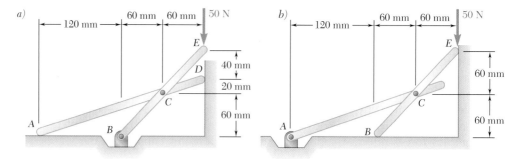

Figure P6.166

6.167 En utilisant la méthode des nœuds, déterminez la force interne de chaque membre du treillis illustré sous l'effet des forces indiquées.

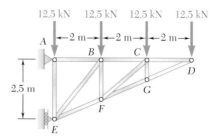

Figure P6.167

6.168 L'étagère de 20 kg est retenue par une moise autobloquante composée de deux membrures *EDC* et *CBD* articulées en *C* et s'appuyant au point *D*. Déterminez la force **P** nécessaire pour débloquer le mécanisme.

6.169 Les pinces illustrées retiennent une tige de 6 mm de diamètre. Sachant que deux forces de 240 N sont appliquées sur les manches, déterminez:
a) la grandeur des forces appliquées sur la tige;
b) la force exercée par le goujon *A* sur la section *AB* des pinces.

6.170 La clé serre-tube illustrée est utilisée pour assembler des tuyaux difficilement accessibles (sous un lavabo, par exemple). Elle est composée d'une mâchoire *BC* articulée sur une longue tige. Sachant que les forces exercées sur l'écrou sont équivalentes à un couple de 15 N · m dans le sens horaire (pour une vue du dessus), calculez:
a) la grandeur de la force exercée par le pivot *B* sur la mâchoire *BC*;
b) le moment du couple **M**$_O$ appliqué à la clé.

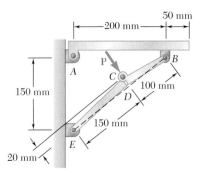

Figure P6.168

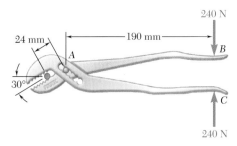

Figure P6.169

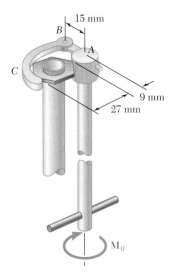

Figure P6.170

6.171 Une ferme de toiture Pratt est soumise aux charges illustrées. En utilisant la méthode des sections, évaluez les forces dans les membres *CE*, *DE* et *DF*.

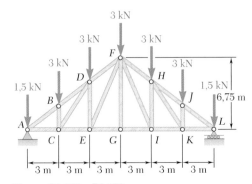

Figure P6.171 - P6.172

6.172 Une ferme de toiture Pratt est soumise aux charges illustrées. En utilisant la méthode des sections, évaluez les forces dans les membres *FH*, *FI* et *GI*.

6.173 Un tuyau de plomberie de 50 mm de diamètre est serré par une clé Stillson, comme illustré. Les parties *AB* et *DE* de la clé sont solidement reliées l'une à l'autre et la partie *CF* est reliée à *DE* par la goupille *D*. En supposant qu'il n'y a aucun glissement entre le tuyau et la clé, calculez les composantes des forces exercées sur le tuyau aux points *A* et *C*.

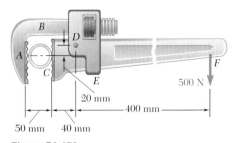

Figure P6.173

6.174 Une structure de pièces soudées en forme de T est insérée dans trois tuyaux, comme présenté. En négligeant le frottement, déterminez les réactions aux pivots A, B et C causées par une force verticale de 240 N.

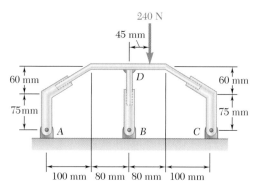

Figure P6.174 - P6.175

6.175 Solutionnez le problème 6.174 en remplaçant la force de 240 N par un couple de 18 kN · m appliqué dans le sens horaire au point de soudure D.

LES PROBLÈMES SUIVANTS SONT CONÇUS POUR ÊTRE SOLUTIONNÉS NUMÉRIQUEMENT.

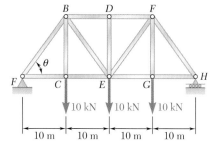

Figure P6.176

6.176 Un treillis en acier de type Pratt doit être conçu pour soutenir les charges illustrées. La longueur du treillis devra mesurer 40 m. La hauteur du treillis, l'angle θ et les aires des sections transversales des différents membres doivent être conçus le plus économiquement possible. Plus précisément, l'aire de la section transversale de chaque membre doit être déterminée de sorte que la contrainte (la force divisée par la surface) dans le membre soit de 140 MPa (ou N/mm²), soit la contrainte admissible pour le type d'acier utilisé. La masse totale de l'acier, et par conséquent son coût, doit être minimale.

a) Sachant que la densité de l'acier est de 7860 kg/m³, concevez un programme permettant de calculer la masse du treillis et l'aire de la section transversale de chaque membre porteur situé à gauche de la barre DE, et ce, pour des valeurs de θ variant de 20° à 80° par incréments de 5°.

b) En utilisant de plus petits incréments, déterminez la valeur optimale de l'angle θ et les valeurs qui correspondent à la masse du treillis et aux aires des sections transversales des membres. (Ignorez la masse de tout membre à effort nul.)

6.177 Le plancher d'un pont est composé de longerons (poutres longitudinales) supportés par des traverses (*voir la figure 6.3*). Les extrémités des poutres seront reliées aux nœuds supérieurs de deux fermes, dont une est illustrée à la figure P6.177.

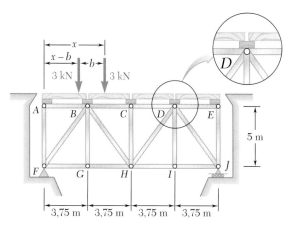

Figure P6.177

On désire simuler l'effet du passage d'un camion de 12 kN sur le tablier. Les deux essieux du camion sont espacés de $b = 2,25$ m, le poids du camion étant également distribué sur les quatre roues. Concevez un programme permettant le calcul des forces créées par le passage du camion sur les membrures BH et GH, et ce, pour des valeurs de x variant de 0 m à 17,25 m par incréments de 0,75 m. À partir des résultats obtenus, déterminez :

a) la force de tension maximale dans BH ;

b) la force maximale en compression dans BH ;

c) la force de tension maximale dans GH.

Trouvez pour chacun des cas la valeur correspondante de x. (Note : les incréments ont été choisis de sorte que les valeurs cherchées se trouvent parmi les résultats calculés par le programme.)

6.178 Dans le mécanisme illustré, le positionnement de la barre AC est assuré par le bras BD. En tenant compte des charges appliquées, concevez un programme qui vous permettra de calculer le couple **M** requis pour assurer l'équilibre du système, pour des valeurs de θ variant de $-30°$ à $90°$ par incréments de $10°$, ainsi que les réactions correspondantes au pivot A. En utilisant de plus petits incréments, déterminez :

a) la valeur de θ pour laquelle M est maximale, ainsi que la valeur correspondante de M ;

b) la valeur de θ pour laquelle la réaction au pivot A est maximale, ainsi que la grandeur correspondante de cette réaction.

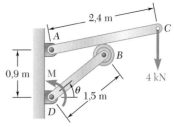

Figure P6.178

6.179 Le mécanisme illustré fait partie intégrante d'un robot. Les barres AC et BD sont reliées par un manchon sans frottement en D. Concevez un programme permettant de déterminer le couple **M**$_A$ requis pour assurer l'équilibre des deux barres, et ce, pour des valeurs de θ variant de $0°$ à $120°$ par incréments de $10°$. Pour chacune des valeurs de θ, déterminez ensuite la grandeur de la force **F** créée par la barre AC sur le manchon.

6.180 Le niveau d'entaille du couteau ACE du sécateur illustré s'ajuste à l'aide de la goupille située au point A. Sachant que la barre AB mesure 17 mm, concevez un programme permettant d'évaluer la grandeur des forces verticales appliquées au point E, et ce, pour des valeurs de d variant de 8 mm à 12 mm par incréments de 0,5 mm. En utilisant de plus petits incréments, trouvez la plus petite valeur de d admissible si la force maximale dans la barre AB est de 2 kN.

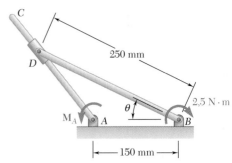

Figure P6.179

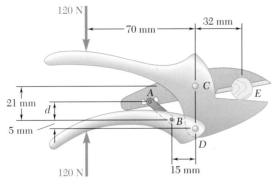

Figure P6.180

6.181 La barre CD est reliée au manchon D à l'aide d'un pivot et est insérée dans un manchon soudé en B au levier AB. Aucun frottement n'est considéré dans ce montage. Pour simuler le fonctionnement du mécanisme, concevez un programme permettant de calculer la grandeur M du couple nécessaire pour conserver l'équilibre du système pour des valeurs de θ variant de $15°$ à $90°$ par incréments de $5°$. En utilisant de plus petits incréments, trouvez la valeur de θ pour laquelle M est minimale et calculez la valeur correspondante de M.

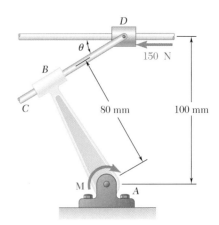

Figure P6.181

7 POUTRES ET CÂBLES

Des ponts suspendus ont été construits pour enjamber des fleuves et des estuaires ; leur tablier est soutenu par des câbles. Le pont Pierre-Laporte, qui enjambe le fleuve Saint-Laurent entre les villes de Québec et de Lévis, possède la plus grande portée de tous les ponts suspendus canadiens.

SOMMAIRE

OBJECTIFS

- **Considérer** l'état général des forces internes d'un élément de structure, qui incluent la force axiale, l'effort tranchant et le moment fléchissant.

- **Appliquer** des méthodes d'analyse pour obtenir des valeurs précises, des expressions générales et des diagrammes de l'effort tranchant et du moment fléchissant dans les poutres.

- **Faire l'examen** des relations entre la charge, l'effort tranchant et le moment fléchissant, et utiliser celles-ci pour obtenir les diagrammes de l'effort tranchant et du moment fléchissant de poutres.

- **Analyser** les tensions dans les câbles soumis à des charges concentrées, réparties uniformément selon l'horizontale, et réparties uniformément le long du câble.

Dans les chapitres précédents, nous avons analysé deux types de problèmes relatifs aux structures : il s'agissait :

1. de déterminer les forces externes agissant sur une structure (*voir le chapitre 4*) ;
2. de calculer les forces d'interaction entre les membres d'une même structure (*voir le chapitre 6*).

Nous nous attaquons maintenant aux forces agissant à l'intérieur d'un membre donné d'une structure.

Analysons d'abord les forces internes dans les membres d'une charpente, telle la potence étudiée dans l'introduction du chapitre 6 et à la section 6.3.1 (*voir la page 295*) sachant que dans un élément droit à effort axial (ou deux forces), les forces internes produisent uniquement de la tension ou de la compression dans cet élément, alors que dans tout autre type de membre les forces internes créent souvent aussi un effort tranchant et un moment fléchissant.

Ce chapitre est principalement consacré à l'analyse des forces internes engendrées dans deux types d'éléments fréquemment utilisés en ingénierie, soit :

1. Les poutres, qui sont des éléments profilés, généralement longs et droits, conçus pour supporter des charges appliquées en différents points de leur longueur.
2. Les câbles, qui sont des membres flexibles résistant aux tensions seulement, conçus pour soutenir aussi bien des charges concentrées que des charges réparties. On retrouve les câbles dans plusieurs applications en ingénierie telles que les ponts suspendus et les lignes de transport d'électricité.

*7.1 FORCES INTERNES DANS UN ÉLÉMENT DE STRUCTURE

Considérons d'abord un élément droit à effort axial *AB* (*voir la figure 7.1a*). Rappelons que les forces **F** et **−F**, agissant respectivement en *A* et *B*, sont colinéaires, c'est-à-dire dans l'axe de *AB*, de sens opposé, et de même grandeur ou intensité *F* (*voir la section 4.2.1*). Supposons maintenant que l'on coupe l'élément au point *C*. Pour maintenir l'équilibre des corps libres *AC* et *CB*, on applique à *AC* une force **−F**, égale et opposée à **F**, et à *CB* une force **F**, égale et opposée à **−F** (*voir la figure 7.1b*). Ces nouvelles forces sont orientées dans l'axe de *AB* ; elles sont de sens opposé et de grandeur *F*. Or, puisque les parties *AC* et *CB* étaient en équilibre avant que l'on coupe la barre, des forces internes équivalentes à ces nouvelles forces devaient exister au préalable. On en conclut que, dans un membre droit à effort

Lors de la conception de l'arbre d'une scie circulaire, on doit tenir compte des forces internes résultant de l'application de forces sur les dents de la scie. En un point donné de l'arbre, ces forces internes sont équivalentes à un système force-couple constitué d'une force axiale, d'un effort tranchant et d'un couple représentant le moment fléchissant et le moment de torsion.

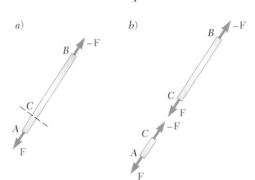

Figure 7.1

axial, les forces internes que les deux portions exercent l'une sur l'autre sont équivalentes aux forces axiales externes. L'intensité F de ces forces ne dépend pas de l'endroit où l'on sectionne l'élément (point C); on y réfère sous l'expression de force dans le membre AB. Dans le cas considéré, l'élément est en tension et il tend à se tirer sous l'action des forces internes. À l'inverse, la barre de la figure 7.2 est en compression et elle tend à se comprimer sous l'action des forces internes.

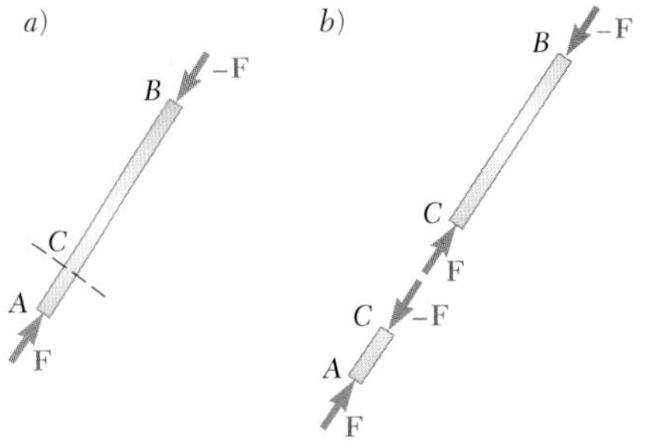

Examinons maintenant un membre à effort multiple, par exemple l'élément AD de la potence de la section 6.3.1, dont le dessin est repris à la figure 7.3a, accompagné du diagramme du corps libre de AD (*voir la figure 7.3b*). On sectionne le membre AD au point J et l'on trace le diagramme des segments JD et AJ (*voir les figures 7.3c et d*). L'équilibre du corps libre JD sera maintenu à condition d'appliquer une force **F** au point J pour compenser la composante verticale de **T**, une force **V** pour annuler la composante horizontale de **T** et un couple **M** pour équilibrer le moment de **T** par rapport à J. On conclut une fois de plus que les forces internes devaient exister au point J avant que l'on sectionne AD. Les forces internes agissant sur la portion JD du membre AD sont équivalentes au système force-couple illustré à la figure 7.3c. Conformément à la troisième loi de Newton, les forces internes opérant sur AJ doivent correspondre à un système force-couple égal et opposé (*voir la figure 7.3d*). Il apparaît clairement que l'action des forces internes dans le membre AD ne se limite pas à une tension ou à une compression comme c'est le cas dans les éléments à deux forces. Les forces internes produisent également des efforts tranchants et des moments fléchissants: la force **F** est une force axiale; la force **V** est un effort tranchant; et le moment **M** du couple est le moment fléchissant au point J. Lorsqu'on détermine les forces internes dans un membre d'une structure, il est important d'indiquer clairement sur quel segment les forces sont censées agir. Le membre AD devrait subir une déformation comme celle de la figure 7.3e. Ce type de déformation est analysé en détail lorsqu'on étudie la résistance des matériaux.

Il est à remarquer que, dans un membre à deux forces qui n'est pas droit, les forces internes correspondent aussi à un système force-couple, comme montré à la figure 7.4, où l'élément ABC a été coupé en D.

Figure 7.2

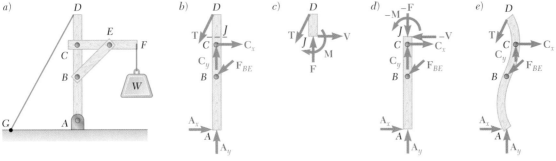

Figure 7.3

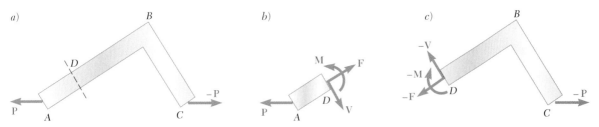

Figure 7.4

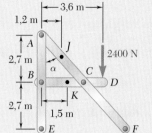

En vous référant à la structure ci-contre, déterminez les forces internes :
a) au point J du membre ACF;
b) au point K du membre BCD.

Note : cette structure a déjà été analysée au problème résolu 6.5.

> **SOLUTION**

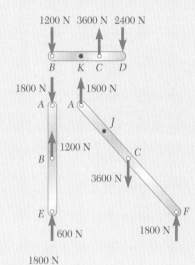

Réactions et forces aux joints   Les forces et les réactions appliquées à chaque élément de la structure ont été calculées au problème résolu 6.5 et les résultats sont consignés ci-contre.

a) Forces internes au point J   On sectionne le membre ACF au point J, comme illustré. Les forces internes à ce point sont représentées par un système force-couple équivalent que l'on peut calculer en solutionnant les équations d'équilibre pour l'une des parties. Si l'on choisit AJ comme corps libre, on a

$+\uparrow \Sigma M_J = 0 :$ $-(1800\ \text{N})(1,2\ \text{m}) + M = 0$

             $M = +2160\ \text{N} \cdot \text{m}$ $\mathbf{M} = 2160\ \text{N} \cdot \text{m} \ \uparrow$ ◄

$+\searrow \Sigma F_x = 0 :$ $F - (1800\ \text{N})\cos 41,7° = 0$

             $F = +1344\ \text{N}$ $\mathbf{F} = 1344\ \text{N} \searrow$ ◄

$+\nearrow \Sigma F_y = 0 :$ $-V + (1800\ \text{N})\sin 41,7° = 0$

             $V = +1197\ \text{N}$ $\mathbf{V} = 1197\ \text{N} \swarrow$ ◄

Les forces internes au point J sont donc équivalentes à un couple $\mathbf{M}$, à une force axiale $\mathbf{F}$ et à un effort tranchant $\mathbf{V}$. Le système force-couple interne appliqué à la portion JCF est égal et opposé.

b) Forces internes au point K   On coupe le membre BCD au point K. En considérant la partie BK comme corps libre, on écrit

$+\uparrow \Sigma M_K = 0 :$ $(1200\ \text{N})(1,5\ \text{m}) + M = 0$

             $M = -1800\ \text{N} \cdot \text{m}$ $\mathbf{M} = 1800\ \text{N} \cdot \text{m} \ \downarrow$ ◄

$\xrightarrow{+} \Sigma F_x = 0 :$ $F = 0$ $\mathbf{F} = 0$ ◄

$+\uparrow \Sigma F_y = 0 :$ $-1200\ \text{N} - V = 0$

             $V = -1200\ \text{N}$ $\mathbf{V} = 1200\ \text{N} \uparrow$ ◄

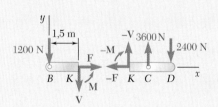

Dans cette section, nous avons étudié la méthode de calcul des forces internes des membres d'une structure. Les forces internes d'un membre à un point donné se caractérisent comme suit :

a) dans le cas d'un membre droit à effort axial, les forces internes dans un membre droit à deux forces sont réduites à une force axiale ;

b) pour toute autre situation, ces forces sont équivalentes à un système force-couple formé d'une force axiale **F**, d'un effort tranchant **V** et d'un couple **M** représentant le moment fléchissant à ce point.

Pour déterminer les forces internes agissant à un point donné J d'un membre, nous suggérons de suivre les étapes suivantes :

1. **Tracer le diagramme du corps libre (DCL) de la structure complète.** On utilise le DCL pour déterminer le plus de réactions aux appuis possible.

2. **Tracer le diagramme du corps libre (DCL) de chaque membre.** En démembrant la structure et en traçant le DCL de chacun des membres, on écrit les équations d'équilibre nécessaires pour trouver toutes les forces agissant sur le membre contenant le point J.

3. **Sectionner le membre au point J.** On coupe le membre au point J. On trace ensuite le DCL de chaque partie, en identifiant au point J les composantes de force et le couple représentant les forces internes exercées par l'autre partie. Rappelons que ces composantes de force et ces couples sont de même grandeur et de sens contraire d'une portion à l'autre.

4. **Écrire les équations d'équilibre.** En choisissant arbitrairement l'un des deux DCL tracés en 3, on écrit les trois équations d'équilibre correspondantes.

    a) **Le moment fléchissant M.** En additionnant les moments par rapport au point J et en égalisant la somme à zéro, on trouve le moment fléchissant au point J.

    b) **La force axiale F et l'effort tranchant V.** En additionnant les composantes parallèles et perpendiculaires au membre au point J et en égalisant la somme à zéro, on trouve respectivement la force axiale et l'effort tranchant.

5. **Identification.** Il est important de spécifier pour quelle partie du membre sectionné les forces et les moments ont été calculés, puisque les forces et les couples agissent en sens contraire sur chacune des deux parties.

Dans les problèmes qui suivent, il faudra déterminer systématiquement les forces exercées entre les éléments d'une structure. Nous suggérons de revoir les méthodes utilisées au chapitre 6. Rappelons que lorsque la charpente étudiée comporte des câbles et des poulies, les forces exercées par une poulie sur l'élément de la structure où elle est attachée ont la même grandeur et la même direction que les forces exercées par le câble sur la poulie (*voir le problème 6.90*).

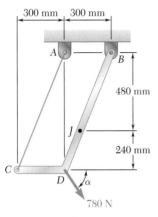

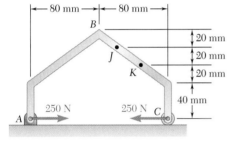

Figure P7.3 - P7.4

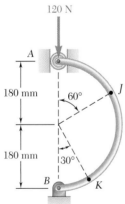

Figure P7.5 et P7.6

Figure P7.7 - P7.8

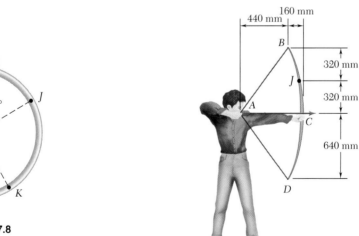

Figure P7.9

Note : dans les problèmes du chapitre 7, si le poids d'un corps n'est pas explicitement mentionné, ce poids est considéré comme négligeable.

7.1 Déterminez les forces internes (force axiale, effort tranchant et moment fléchissant) au point *B* de la structure illustrée au problème 6.83b.

7.2 Déterminez les forces internes (force axiale, effort tranchant et moment fléchissant) au point *J* de la structure illustrée au problème 6.76.

7.3 Calculez les forces internes au point *J* quand $\alpha = 90°$.

7.4 Calculez les forces internes au point *J* quand $\alpha = 0$.

7.5 et 7.6 En considérant la charpente illustrée, calculez les forces internes au point indiqué :
   7.5 point *J* ;
   7.6 point *K*.

7.7 En considérant le mécanisme illustré, déterminez les forces internes au point *J*.

7.8 En considérant le mécanisme illustré, déterminez les forces internes au point *K*.

7.9 Un jeune archer applique une tension de 45 N sur la corde de son arc. En supposant que la forme de l'arc est parabolique, calculez les forces internes au point *J*.

7.10 Dans la situation décrite au problème 7.9, calculez la grandeur et l'emplacement :
   a) de la charge axiale maximale ;
   b) de l'effort tranchant maximal ;
   c) du moment fléchissant maximal.

7.11 En considérant le montage de la figure P7.11 - P7.12, déterminez les forces internes au point *J*, sachant que $\theta = 30°$.

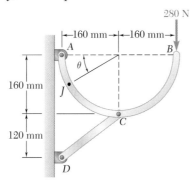

Figure P7.11 - P7.12

7.12 En considérant le montage illustré, déterminez la grandeur et le point d'application du moment fléchissant maximal dans la membrure semi-circulaire.

7.13 La structure de la figure P7.13 - P7.14 est composée de deux membrures assemblées comme illustré ; chacune des membrures consiste en une partie droite et un quart de cercle. Sachant que la structure supporte une charge de 75 N en *A*, calculez les forces internes au point *J*.

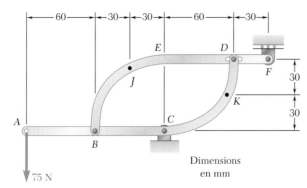

Dimensions
en mm

Figure P7.13 - P7.14

7.14 La structure de la figure P7.13 - P7.14 est composée de deux membrures assemblées comme illustré ; chacune des membrures consiste en une partie droite et un quart de cercle. Sachant que la structure supporte une charge de 75 N en *A*, calculez les forces internes au point *K*.

7.15 En négligeant le frottement, évaluez les forces internes agissant au point *J* de la structure illustrée, sachant que les poulies ont un rayon de 200 mm.

7.16 En négligeant le frottement, évaluez les forces internes agissant au point *K* de la structure illustrée, sachant que les poulies ont un rayon de 200 mm.

7.17 En négligeant le frottement, évaluez les forces internes agissant au point *J* de la structure illustrée, sachant que les poulies ont un rayon de 200 mm.

7.18 En négligeant le frottement, évaluez les forces internes agissant au point *K* de la structure illustrée, sachant que les poulies ont un rayon de 200 mm.

7.19 Des consoles constituées de deux éléments, comme illustré, supportent tous les deux mètres un tuyau de 100 mm de diamètre. Sachant que le poids du tuyau et de son contenu est de 180 N/m et en négligeant le frottement, déterminez la grandeur et la position du moment fléchissant maximal dans l'élément *AC*.

7.20 En vous référant aux données du problème 7.19, déterminez la grandeur et l'emplacement du moment fléchissant maximal dans l'élément *BC*.

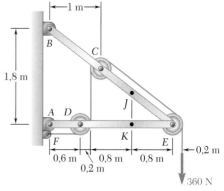

Figure P7.15 - P7.16

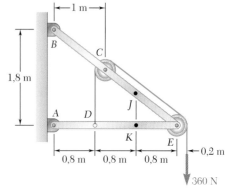

Figure P7.17 - P7.18

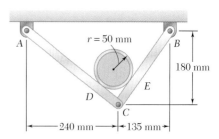

Figure P7.19

7.21 Une force **P** est appliquée sur une tige pliée en forme de coude, soutenue par un rouleau et un pivot. Déterminez les forces internes au point *J* pour chacune des configurations illustrées.

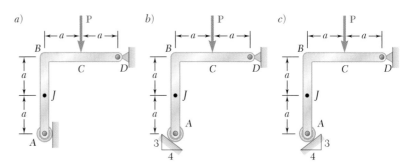

Figure P7.21

7.22 Une force **P** est appliquée sur une tige pliée en forme de coude, soutenue par un rouleau et un pivot. Déterminez les forces internes au point *J* pour chacune des configurations illustrées.

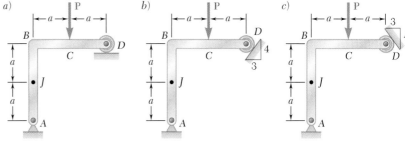

Figure P7.22

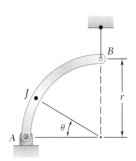

Figure P7.23 - P7.24

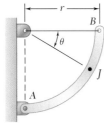

Figure P7.25

7.23 En considérant le montage de la figure P7.23 - P7.24, calculez le moment fléchissant au point *J*, sachant que $\theta = 60°$. La tige semi-circulaire a un poids *W* et une section uniforme.

7.24 En considérant le montage de la figure P7.23 - P7.24, calculez le moment fléchissant au point *J*, sachant que $\theta = 150°$. La tige semi-circulaire a un poids *W* et une section uniforme.

7.25 En considérant le montage de la figure P7.25, calculez le moment fléchissant au point *J*, sachant que $\theta = 30°$. La tige forme un quart de cercle, a un poids *W* et une section uniforme.

7.26 En considérant le montage de la figure P7.26, calculez le moment fléchissant au point *J*, sachant que $\theta = 30°$. La tige forme un quart de cercle, a un poids *W* et une section uniforme.

7.27 et 7.28 Un tuyau coupé de moitié repose sur une surface horizontale sans frottement. La masse de cette moitié de tuyau est de 9 kg et son diamètre est de 300 mm. Calculez le moment fléchissant au point *J* quand $\theta = 90°$.

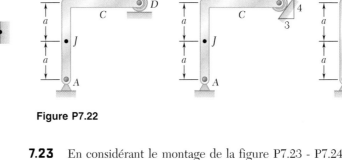

Figure P7.26

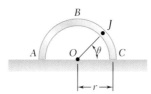

Figure P7.27

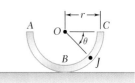

Figure P7.28

7.2 POUTRES

Une poutre est un élément structurel conçu pour soutenir des charges appliquées en différents points de sa longueur. La plupart du temps, les charges agissent perpendiculairement à l'axe de la poutre, produisant uniquement des efforts tranchants et des moments fléchissants à l'intérieur. Lorsque les charges ne sont pas perpendiculaires à la poutre, elles génèrent également des forces axiales dans celle-ci.

Les poutres prennent généralement la forme de barres longues, droites et profilées. Pour concevoir une poutre qui supporte efficacement des charges données, on procède en deux étapes :

1. on détermine les efforts tranchants et les moments fléchissants produits par les charges ;
2. on choisit la section transversale qui offrira la meilleure résistance aux efforts tranchants et aux moments fléchissants calculés à la première étape.

Nous abordons ici la première partie du problème. Nous présenterons la seconde dans le cours traitant de la résistance des matériaux.

*7.2.1 TYPES DE CHARGES ET D'APPUIS

Une poutre peut supporter des charges concentrées $\mathbf{P}_1$, $\mathbf{P}_2$, …, exprimées en newtons ou en kilonewtons (*voir la figure 7.5a*), une charge répartie w, mesurée en N/m ou en kN/m (*voir la figure 7.5b*), ou une combinaison de ces deux types de charges. Lorsque la charge par unité de longueur w a une valeur constante sur une portion de la poutre (entre A et B sur la figure 7.5b, par exemple), on dit que la charge est répartie uniformément sur cette portion de la poutre. On peut simplifier considérablement le calcul des réactions aux appuis en remplaçant les charges réparties par des charges concentrées équivalentes (*voir la section 5.3.1*). Toutefois, il faut éviter de faire cette substitution ou la faire avec prudence lorsqu'on calcule des forces internes (*voir le problème résolu 7.3*).

On classe les poutres en fonction des supports sur lesquels elles s'appuient. La figure 7.6 montre les cas les plus courants.

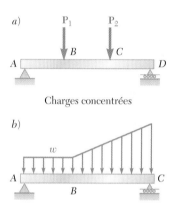

a)

Charges concentrées

b)

Charge répartie

Figure 7.5

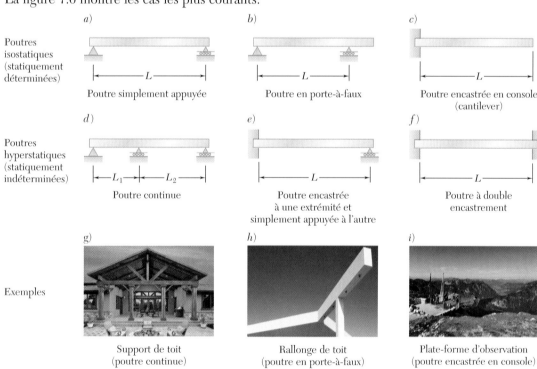

a)	*b)*	*c)*

Poutres isostatiques (statiquement déterminées)

Poutre simplement appuyée · Poutre en porte-à-faux · Poutre encastrée en console (cantilever)

d) · *e)* · *f)*

Poutres hyperstatiques (statiquement indéterminées)

Poutre continue · Poutre encastrée à une extrémité et simplement appuyée à l'autre · Poutre à double encastrement

g) · *h)* · *i)*

Exemples

Support de toit (poutre continue) · Rallonge de toit (poutre en porte-à-faux) · Plate-forme d'observation (poutre encastrée en console)

Figure 7.6

Figure 7.7

Les forces internes, que subissent les poutres de l'échangeur illustré, varient en fonction du passage des charges appliquées par les véhicules.

La distance L entre les appuis se nomme la *portée*. Il est à remarquer que les réactions seront déterminées (poutre isostatique) si les appuis produisent seulement trois inconnues. S'il y en a davantage, les réactions seront statiquement indéterminées et les méthodes de la statique ne permettront pas de calculer toutes les réactions ; il faudra alors tenir compte des propriétés qui touchent la résistance à la flexion de la poutre. Nous n'avons pas considéré les poutres posées sur deux appuis roulants ; elles sont seulement partiellement liées et elles se déplaceront sous certaines conditions de charges.

Il arrive parfois que l'on joigne à l'aide de rotules deux ou plusieurs poutres en une seule structure continue. La figure 7.7 montre au point H deux exemples d'éléments ainsi articulés. Les réactions aux appuis produisent quatre inconnues et ne peuvent être déterminées en considérant le diagramme du corps libre (DCL) du système formé par les deux poutres. On peut cependant les trouver en analysant les DCL des deux poutres séparément ; on a alors six inconnues (incluant deux composantes de force à l'articulation) et six équations.

*7.2.2 EFFORT TRANCHANT ET MOMENT FLÉCHISSANT

Considérons une poutre AB soumise à différentes charges, concentrées et réparties (*voir la figure 7.8a*). Nous allons déterminer l'effort tranchant et le moment fléchissant en tout point de sa longueur. La poutre de cet exemple est simplement appuyée, mais la méthode d'analyse est valable pour tout genre de poutre isostatique.

Déterminons d'abord les réactions en A et B en considérant la poutre entière comme un corps libre (*voir la figure 7.8b*) ; les équations $\Sigma M_A = 0$ et $\Sigma M_B = 0$ donnent respectivement $\mathbf{R}_B$ et $\mathbf{R}_A$.

Pour trouver les forces internes en C, on sectionne la poutre en ce point et on trace le diagramme du corps libre des portions AC et CB (*voir la figure 7.8c*). Le diagramme de AC permet de calculer l'effort tranchant $\mathbf{V}$ au point C ; on obtient l'équation en égalisant à zéro la somme des composantes verticales de toutes les forces agissant sur AC. De même, on trouve le moment fléchissant $\mathbf{M}$ au point C en posant égale à zéro la somme des moments par rapport à C de toutes les forces et des couples

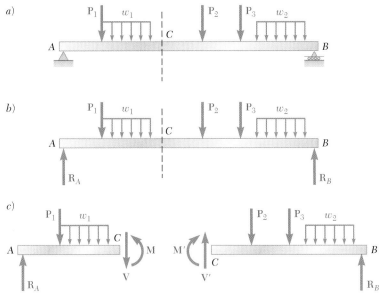

Figure 7.8

agissant sur *AC*. On aurait également pu considérer le diagramme de la poutre *CB*[1] et déterminer l'effort tranchant **V′** et le moment fléchissant **M′** en posant égales à zéro la somme des composantes verticales des forces et la somme des moments par rapport à *C* de toutes les forces et des couples agissant sur *CB*. On peut choisir un corps libre ou l'autre pour faciliter le calcul de l'effort tranchant et du moment fléchissant. Cependant, il faut préciser chaque fois sur quelle portion de la poutre agissent les forces internes considérées. Si l'on veut déterminer l'effort tranchant et le moment fléchissant en tout point de la poutre, il faut trouver une façon simple de noter les résultats sans avoir à indiquer chaque fois quel segment de la poutre a servi de corps libre. Dans ce but, nous allons dorénavant adopter la convention suivante :

a) Pour déterminer l'effort tranchant dans une poutre, on suppose toujours que les forces internes **V** et **V′** sont orientées comme à la figure 7.8*c*. Si leur grandeur commune *V* est positive, le sens posé au départ est le bon et la direction des forces correspond à ce qui est illustré. Par contre, si l'on obtient une valeur négative pour *V*, la supposition de départ était erronée et on doit inverser le sens des efforts tranchants. En procédant ainsi, il suffit de noter la grandeur *V* en prenant soin d'indiquer le signe positif ou négatif pour définir complètement les efforts tranchants en tout point de la poutre. On réfère généralement à la grandeur scalaire *V* lorsqu'on parle de l'effort tranchant à un point donné de la poutre.

b) De même, on suppose toujours que les couples internes **M** et **M′** agissent dans le sens indiqué à la figure 7.8*c*. Si la grandeur *M*, nommée le *moment fléchissant*, est positive, l'hypothèse de départ est la bonne ; à l'inverse, une valeur négative signifie qu'il faut inverser le sens.

La convention de signes se résume ainsi : **L'effort tranchant V et le moment fléchissant M à un point donné de la poutre sont positifs lorsque les forces internes et les moments agissant sur chaque portion de la poutre sont dans le sens indiqué à la figure 7.9*a*.**

On se souviendra facilement de cette convention en considérant que :

1. L'effort tranchant au point *C* est positif lorsque les forces **externes** (charges et réactions) agissant sur la poutre tendent à la cisailler (trancher) en ce point, comme indiqué à la figure 7.9*b*.

2. Le moment fléchissant en *C* est positif lorsque les forces **externes** agissant sur la poutre tendent à la fléchir en ce point dans le sens indiqué à la figure 7.9*c*.

a)

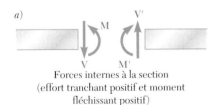

Forces internes à la section
(effort tranchant positif et moment
fléchissant positif)

b)

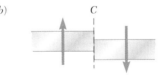

Effet des forces externes
(cisaillement ou effort tranchant positif)

c)

Effet des forces externes
(flexion ou moment fléchissant positif)

Figure 7.9

1. La force et le couple représentant les forces internes agissant sur *CB* seront dorénavant indiqués par **V′** et **M′** plutôt que par −**V** et −**M**, comme nous l'avons fait auparavant, pour éviter toute confusion avec la convention de signes que nous allons bientôt introduire.

Il est également utile de noter que la situation décrite à la figure 7.9, où l'effort tranchant et le moment fléchissant sont positifs, correspond précisément à ce qui se produit dans la moitié gauche d'une poutre simplement appuyée et supportant une charge unique concentrée en son point milieu. Ce cas particulier sera traité en détail à la prochaine section.

*7.2.3 DIAGRAMMES DE L'EFFORT TRANCHANT ET DU MOMENT FLÉCHISSANT

Maintenant que nous avons clairement défini la grandeur et le sens de l'effort tranchant et du moment fléchissant, on peut facilement présenter les résultats obtenus sur toute la longueur de la poutre en mettant en graphique ces valeurs en fonction de la distance x mesurée à partir de l'une des extrémités de la poutre. Ces graphiques sont appelés *diagramme de l'effort tranchant* et *diagramme du moment fléchissant*. Considérons, par exemple, une poutre simplement appuyée AB, de portée L, soumise à une seule charge concentrée **P** appliquée au point milieu D (*voir la figure 7.10a*). On détermine les réactions aux appuis en analysant le diagramme du corps libre de la poutre complète (*voir la figure 7.10b*) et l'on trouve que la grandeur de chaque réaction est égale à $P/2$.

On sectionne ensuite la poutre au point C, entre A et D, et l'on trace les diagrammes des corps libres AC et CB (*voir la figure 7.10c*). On suppose que l'effort tranchant et le moment fléchissant sont positifs, et on oriente les forces internes **V** et **V'** et les couples internes **M** et **M'** dans le sens indiqué à la figure 7.9a. Considérant le corps libre AC, on égale à zéro la somme des composantes verticales et la somme des moments par rapport à C des forces agissant sur le corps, et l'on trouve $V = +P/2$ et $M = +Px/2$. Les deux valeurs sont positives; on peut le vérifier en observant que la réaction en A tend à cisailler la poutre et à la plier en C comme illustré aux figures 7.9b et c. On trace ensuite le graphique des valeurs de V et M obtenues entre A et D (*voir les figures 7.10e et f*); l'effort tranchant est constant, $V = P/2$, et le moment fléchissant augmente linéairement de $M = 0$ pour $x = 0$, à $M = PL/4$ pour $x = L/2$.

Coupons maintenant la poutre au point E, entre D et B, et considérons le corps libre EB (*voir la figure 7.10d*); la somme des composantes et la somme des moments par rapport à E des forces appliquées sur le corps libre sont égales à zéro. Il en découle que $V = -P/2$ et $M = P(L - x)/2$. L'effort tranchant est négatif alors que le moment fléchissant est positif; on peut le vérifier en observant que la réaction en B plie la poutre en E comme illustré à la figure 7.9c et qu'elle tend à la cisailler dans le sens contraire à celui qui est montré à la figure 7.9b. On est maintenant en mesure de compléter les diagrammes des figures 7.10e et f; l'effort tranchant est constant entre D et B, soit $V = -P/2$, alors que le moment fléchissant suit une décroissance linéaire, évoluant de $M = PL/4$ à $x = L/2$ vers $M = 0$ à $x = L$.

Lorsqu'une poutre est soumise uniquement à des charges concentrées, l'effort tranchant est constant entre les charges alors que le moment fléchissant varie linéairement sur le même segment. Par contre, lorsqu'une poutre soutient des charges réparties, l'effort tranchant et le moment fléchissant se comportent très différemment (*voir le problème résolu 7.3*).

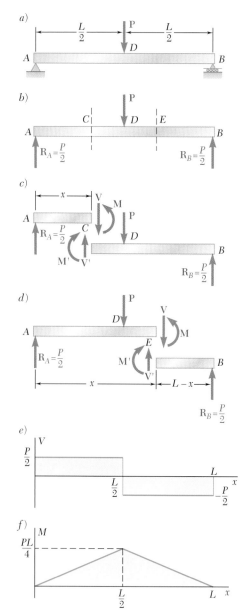

Figure 7.10

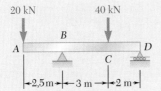

Tracez les diagrammes de l'effort tranchant et du moment fléchissant de la poutre soumise aux charges illustrées.

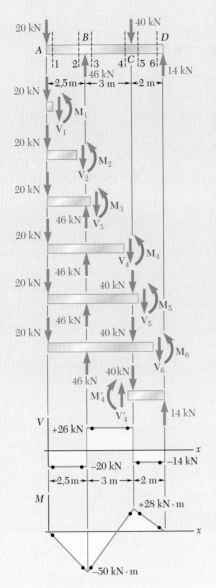

Diagramme du corps libre (DCL) : ensemble de la poutre   En traçant le DCL de l'ensemble de la poutre, on trouve les réactions d'appui aux points B et D.

$$\mathbf{R}_B = 46 \text{ kN} \uparrow \qquad \mathbf{R}_D = 14 \text{ kN} \uparrow$$

Effort tranchant et moment fléchissant   On détermine d'abord les forces internes juste à droite de la charge de 20 kN appliquée au point A. En considérant comme corps libre l'extrémité de la poutre à gauche de la section *1*, et en supposant que V et M sont positives (selon la convention établie), on écrit

$$+\uparrow\Sigma F_y = 0: \qquad -20 \text{ kN} - V_1 = 0 \qquad V_1 = -20 \text{ kN}$$
$$+\curvearrowleft\Sigma M_1 = 0: \qquad (20 \text{ kN})(0 \text{ m}) + M_1 = 0 \qquad M_1 = 0$$

En deuxième lieu, on considère la partie de la poutre à gauche de la section *2*. On a

$$+\uparrow\Sigma F_y = 0: \qquad -20 \text{ kN} - V_2 = 0 \qquad V_2 = -20 \text{ kN}$$
$$+\curvearrowleft\Sigma M_2 = 0: \qquad (20 \text{ kN})(2,5 \text{ m}) + M_2 = 0 \qquad M_2 = -50 \text{ kN} \cdot \text{m}$$

L'effort tranchant (ou le cisaillement) et le moment fléchissant aux sections *3*, *4*, *5* et *6* sont déterminés de la même façon à partir des DCL indiqués, d'où

$V_3 = +26 \text{ kN}$	$M_3 = -50 \text{ kN} \cdot \text{m}$
$V_4 = +26 \text{ kN}$	$M_4 = +28 \text{ kN} \cdot \text{m}$
$V_5 = -14 \text{ kN}$	$M_5 = +28 \text{ kN} \cdot \text{m}$
$V_6 = -14 \text{ kN}$	$M_6 = 0$

Pour plusieurs des dernières sections analysées, on obtient les résultats plus facilement en considérant comme corps libre la partie de la poutre à droite de la section. Par exemple, en considérant la partie de la poutre à droite de la section *4*, on a

$$+\uparrow\Sigma F_y = 0: \qquad V_4 - 40 \text{ kN} + 14 \text{ kN} = 0 \qquad V_4 = +26 \text{ kN}$$
$$+\curvearrowleft\Sigma M_4 = 0: \qquad -M_4 + (14 \text{ kN})(2 \text{ m}) = 0 \qquad M_4 = +28 \text{ kN} \cdot \text{m}$$

Diagrammes de l'effort tranchant (DET) et du moment fléchissant (DMF)   On peut maintenant rapporter les six points calculés sur les diagrammes de l'effort tranchant (DET) et du moment fléchissant (DMF). Entre des charges concentrées, l'effort tranchant est constant tandis que le moment fléchissant varie linéairement (*voir la section 7.2.3*) ; on obtient donc les diagrammes illustrés.

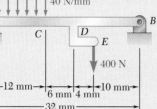

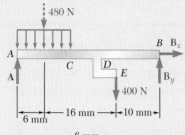

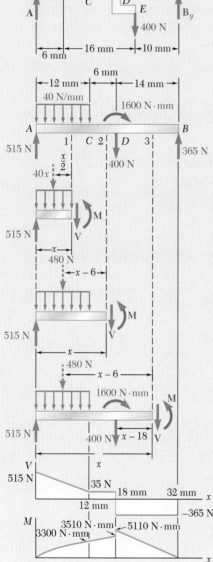

Tracez les diagrammes de l'effort tranchant et du moment fléchissant de la membrure AB soumise aux charges illustrées. La charge répartie de 40 N/mm agit du point A au point C sur une longueur de 12 mm et la charge de 400 N est appliquée au point E.

SOLUTION

Diagramme du corps libre (DCL): ensemble de la pièce En traçant le DCL de l'ensemble de la pièce, on trouve les réactions aux appuis.

$+\gamma \Sigma M_A = 0$: $B_y(32 \text{ mm}) - (480 \text{ N})(6 \text{ mm}) - (400 \text{ N})(22 \text{ mm}) = 0$

                $B_y = +365 \text{ N}$ $\mathbf{B}_y = 365 \text{ N} \uparrow$

$+\gamma \Sigma M_B = 0$: $(480 \text{ N})(26 \text{ mm}) + (400 \text{ N})(10 \text{ mm}) - A(32 \text{ mm}) = 0$

                $A = +515 \text{ N}$ $\mathbf{A} = 515 \text{ N} \uparrow$

$\xrightarrow{+} \Sigma F_x = 0$: $B_x = 0$ $\mathbf{B}_x = 0$

La charge de 400 N est remplacée par un système force-couple équivalent appliqué au point D de la membrure.

Effort tranchant et moment fléchissant de A à C On détermine les forces internes à une distance x du point A en considérant la partie de la membrure située à gauche de la section *1*. Cette portion de la charge répartie agissant sur le corps libre est remplacée par sa résultante, d'où

$+\uparrow \Sigma F_y = 0$: $515 - 40x - V = 0$ $V = 515 - 40x$

$+\gamma \Sigma M_1 = 0$: $-515x - 40x(\frac{1}{2}x) + M = 0$ $M = 515x - 20x^2$

Puisque le DCL peut être utilisé pour toute valeur de x inférieure à 12 mm, les expressions obtenues pour V et M sont valides dans toute la région 0 mm $< x <$ 12 mm.

Effort tranchant et moment fléchissant de C à D On répète la même procédure pour la partie de la pièce située à gauche de la section *2*. En remplaçant la charge répartie par sa résultante, on obtient

$+\uparrow \Sigma F_y = 0$: $515 - 480 - V = 0$ $V = 35 \text{ N}$

$+\gamma \Sigma M_2 = 0$: $-515x + 480(x - 6) + M = 0$ $M = (2880 + 35x) \text{ N} \cdot \text{mm}$

Ces expressions sont valides pour la région 12 mm $< x <$ 18 mm.

Effort tranchant et moment fléchissant de D à B Finalement, pour la partie de la membrure située à gauche de la section *3*, c'est-à-dire pour les valeurs de x comprises entre 18 mm $< x <$ 32 mm, on obtient

$+\uparrow \Sigma F_y = 0$: $515 - 480 - 400 - V = 0$ $V = -365 \text{ N}$

$+\gamma \Sigma M_3 = 0$: $-515x + 480(x - 6) - 1600 + 400(x - 18) + M = 0$

                         $M = (11\,680 - 365x) \text{ N} \cdot \text{mm}$

Diagrammes de l'effort tranchant (DET) et du moment fléchissant (DMF) On peut maintenant tracer le DET et le DMF de l'ensemble de la pièce. On observe que le moment de couple 1600 N · mm appliqué au point D introduit une discontinuité dans la courbe du DMF.

D ans cette section, nous avons vu comment calculer l'effort tranchant V et le moment fléchissant M en tout point d'une poutre, ainsi que la façon d'obtenir les diagrammes de l'effort tranchant et du moment fléchissant en traçant respectivement V et M par rapport à la distance x mesurée le long de la poutre.

A. Déterminer l'effort tranchant V et le moment fléchissant M. Nous suggérons d'adopter la procédure suivante pour le calcul de V et de M à un point C donné d'une poutre :

1. **Tracer le diagramme du corps libre (DCL) de l'ensemble de l'élément.** On peut alors déterminer les réactions aux appuis de la poutre.

2. **Sectionner l'élément au point C.** En considérant les charges initiales, on choisit l'une des deux parties de l'élément pour analyse.

3. **Tracer le diagramme du corps libre (DCL) d'une partie.** À partir de la portion choisie à l'étape 2, on trace son DCL en identifiant :

   a) **les charges et la réaction appliquées sur la portion ;** on remplace chaque charge répartie par une force équivalente concentrée (*voir la section 5.3.1*) ;

   b) **l'effort tranchant V et le moment fléchissant M représentant les forces internes au point C.** Pour faciliter l'identification de V et M, nous suggérons d'utiliser la convention illustrée aux figures 7.8 et 7.9. Par exemple, si l'on analyse la portion de la poutre située à gauche de C, on applique à ce point un effort tranchant **V** dirigé vers le bas et un moment fléchissant **M** orienté dans le sens antihoraire. Inversement, si l'on analyse la portion située à droite de C, on applique en C un effort tranchant **V′** dirigé vers le haut et un moment fléchissant **M′** agissant dans le sens horaire (*voir le problème résolu 7.2*).

4. **Écrire les équations d'équilibre.** À partir des équations d'équilibre de la portion d'élément choisie, on procède à la résolution de $\Sigma F_y = 0$ pour V et de $\Sigma M_C = 0$ pour M.

5. **Identifier les signes de V et de M.** Un signe positif pour V indique que les efforts tranchants agissant au point C sur chacune des parties de la poutre sont orientés comme illustré aux figures 7.8 et 7.9 ; un signe négatif indique qu'ils sont de sens contraire. De la même façon, un signe positif pour M indique que les moments fléchissants au point C sont orientés comme illustré aux figures 7.8 et 7.9, et un signe négatif montre qu'ils agissent en sens inverse.

B. Tracer les diagrammes de l'effort tranchant (DET) et du moment fléchissant (DMF). On obtient ces diagrammes en traçant l'effort tranchant V et le moment fléchissant M par rapport à la distance x mesurée le long de la poutre. Dans la plupart des cas, on calcule seulement les valeurs de V et M pour quelques points déterminés.

1. **Poutre soumise à des charges concentrées seulement.** Pour les poutres soumises uniquement à des charges concentrées, on observe les points suivants (*voir le problème résolu 7.2*) :

   a) Le diagramme de l'effort tranchant (DET) est constitué de segments de droite horizontaux.

   Ainsi, pour tracer le DET de la poutre, on calcule V tout juste à droite ou tout juste à gauche des points d'application des charges ou des réactions d'appui.

   b) Le diagramme du moment fléchissant (DMF) est constitué de segments de droite obliques.

   Dans un tel cas, pour tracer le DMF de la poutre, on calcule M seulement aux points d'application des charges et des réactions.

2. **Poutre soumise à des charges réparties uniformément.** Pour les poutres soumises à des charges réparties uniformément, on observe les points suivants (*voir le problème résolu 7.3*) :

   a) Le diagramme de l'effort tranchant (DET) est constitué d'un segment de droite oblique.

   Dans un tel cas, on calcule V seulement aux points où la charge répartie débute et où elle se termine.

   b) Le diagramme du moment fléchissant (DMF) est constitué d'un arc parabolique.

   Dans la plupart des cas, on calcule M seulement aux points où la charge répartie débute et où elle se termine.

3. **Poutre soumise à des charges complexes.** Dans une telle situation, on doit considérer le DCL d'une partie de la poutre, de longueur arbitraire x, et déterminer V et M en fonction de x. On répète cette procédure autant de fois que les fonctions de V et M varient le long de la poutre (*voir le problème résolu 7.3*).

4. **Poutre sous l'effet d'un couple.** Dans ce cas, l'effort tranchant a la même valeur de chaque côté du point C d'application du couple. Cependant, le diagramme du moment fléchissant montre une discontinuité au point C, positive ou négative, d'une valeur égale à la grandeur du couple. Soulignons qu'un couple peut être appliqué directement sur la poutre, ou résulter de l'application d'une charge sur un élément qui ne se situe pas sur l'axe de la poutre, mais qui est solidement attaché à la poutre (*voir le problème résolu 7.3*).

7.29 à 7.32 Pour la poutre et la charge illustrées,
- *a)* tracez les diagrammes de l'effort tranchant et du moment fléchissant ;
- *b)* déterminez la valeur absolue maximale de l'effort tranchant et du moment fléchissant.

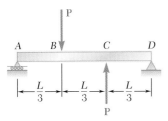

Figure P7.29

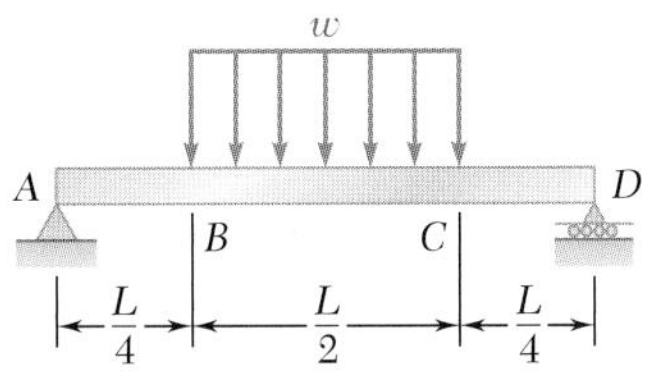

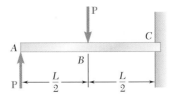

Figure P7.30

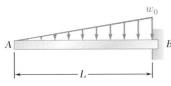

Figure P7.31

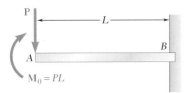

Figure P7.32

7.33 En considérant la poutre et la charge illustrées,
- *a)* tracez les diagrammes de l'effort tranchant et du moment fléchissant ;
- *b)* déterminez la valeur absolue maximale de l'effort tranchant et du moment fléchissant.

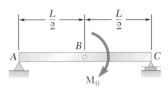

Figure P7.33

7.34 En considérant la poutre et la charge illustrées,
- *a)* tracez les diagrammes de l'effort tranchant et du moment fléchissant ;
- *b)* déterminez la valeur absolue maximale de l'effort tranchant et du moment fléchissant.

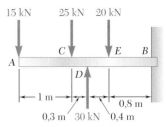

Figure P7.35

Figure P7.34

7.35 En considérant la poutre et la charge illustrées,
- *a)* tracez les diagrammes de l'effort tranchant et du moment fléchissant ;
- *b)* déterminez la valeur absolue maximale de l'effort tranchant et du moment fléchissant.

7.36 En considérant la poutre et la charge illustrées,
- *a)* tracez les diagrammes de l'effort tranchant et du moment fléchissant ;
- *b)* déterminez la valeur absolue maximale de l'effort tranchant et du moment fléchissant.

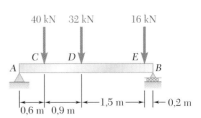

Figure P7.36

7.37 En considérant la poutre et la charge illustrées,
- *a)* tracez les diagrammes de l'effort tranchant et du moment fléchissant ;
- *b)* déterminez la valeur absolue maximale de l'effort tranchant et du moment fléchissant.

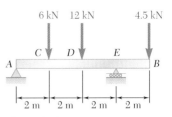

Figure P7.37

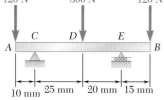

Figure P7.38

7.38 En considérant la poutre et la charge illustrées,
  a) tracez les diagrammes de l'effort tranchant et du moment fléchissant;
  b) déterminez la valeur absolue maximale de l'effort tranchant et du moment fléchissant.

7.39 à 7.42 En considérant la poutre et la charge illustrées,
  a) tracez les diagrammes de l'effort tranchant et du moment fléchissant;
  b) déterminez la valeur absolue maximale de l'effort tranchant et du moment fléchissant.

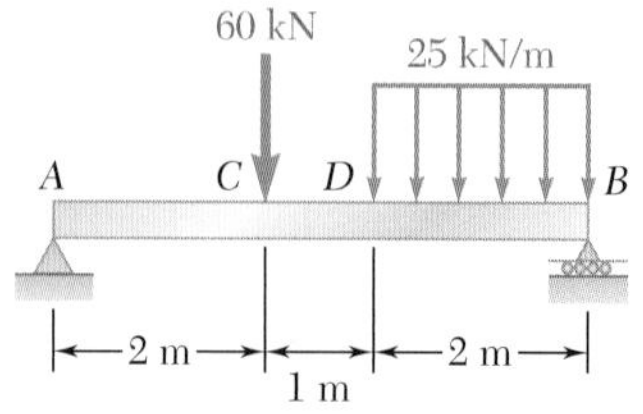

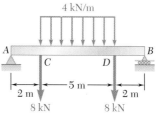

Figure P7.39

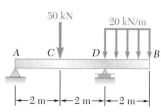

Figure P7.40

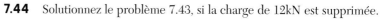

Figure P7.41

Figure P7.42

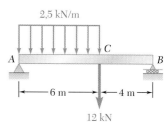

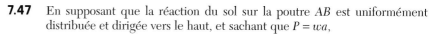

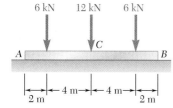

Figure P7.43

7.43 En supposant que la réaction du sol sur la poutre *AB* est uniformément distribuée et dirigée vers le haut,
  a) tracez les diagrammes de l'effort tranchant et du moment fléchissant;
  b) déterminez la valeur absolue maximale de l'effort tranchant et du moment fléchissant.

7.44 Solutionnez le problème 7.43, si la charge de 12kN est supprimée.

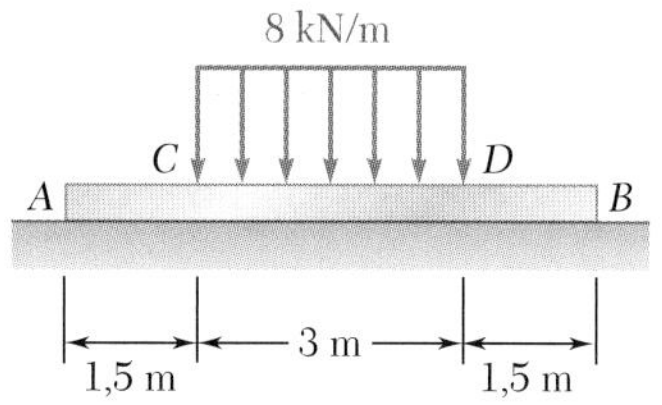

7.45 et 7.46 En supposant que la réaction du sol sur la poutre *AB* est uniformément distribuée et dirigée vers le haut,
  a) tracez les diagrammes de l'effort tranchant et du moment fléchissant;
  b) déterminez la valeur absolue maximale de l'effort tranchant et du moment fléchissant.

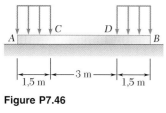

Figure P7.45

7.47 En supposant que la réaction du sol sur la poutre *AB* est uniformément distribuée et dirigée vers le haut, et sachant que $P = wa$,
  a) tracez les diagrammes de l'effort tranchant et du moment fléchissant;
  b) évaluez la valeur absolue maximale de l'effort tranchant et du moment fléchissant.

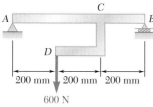

Figure P7.46

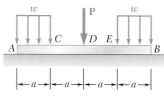

Figure P7.47

7.48 Solutionnez le problème 7.47, sachant que $P = 3wa$.

7.49 Tracez les diagrammes de l'effort tranchant et du moment fléchissant de la poutre *AB* et déterminez la valeur de l'effort tranchant et du moment fléchissant:
  a) tout juste à gauche du point *C*;
  b) tout juste à droite du point *C*.

Figure P7.49

7.50 Deux éléments, *DF* et *EH*, sont soudés à la poutre *AB* de poids $W = 3$ kN. L'ensemble est suspendu par deux câbles, *CD* et *CE*, comme illustré. En négligeant le poids des nouvelles sections et sachant que $\theta = 30°$,
a) tracez les diagrammes de l'effort tranchant et du moment fléchissant de la poutre *AB*;
b) déterminez la valeur absolue maximale de l'effort tranchant et du moment fléchissant dans la poutre.

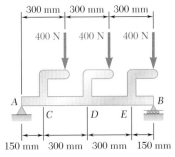

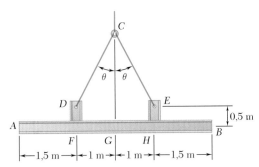

Figure P7.50

7.51 Solutionnez le problème 7.50, sachant que $\theta = 60°$.

7.52 à 7.54 Tracez les diagrammes de l'effort tranchant et du moment fléchissant de la poutre *AB* et déterminez la valeur absolue maximale de l'effort tranchant et du moment fléchissant.

7.55 En vous référant à l'élément structurel du problème 7.50, évaluez:
a) l'angle θ pour lequel la valeur absolue maximale du moment fléchissant dans la poutre *AB* est minimale;
b) la valeur correspondante de $|M|_{max}$.

(Suggestion: tracez le diagramme du moment fléchissant et égalisez ensuite les valeurs absolues du moment fléchissant maximal positif et négatif.)

7.56 En vous référant à la poutre du problème 7.43, évaluez:
a) la distance *a* pour laquelle la valeur absolue maximale du moment fléchissant dans la poutre *AB* est la plus petite possible;
b) la valeur correspondante de $|M|_{max}$.

(Référez-vous à la suggestion du problème 7.55.)

7.57 En vous référant à la poutre de la figure P7.57, évaluez:
a) la grandeur *P* des deux forces verticales orientées vers le haut, de façon que la valeur maximale du moment fléchissant soit la plus petite possible;
b) la valeur correspondante de $|M|_{max}$.

(Référez-vous à la suggestion du problème 7.55.)

7.58 En vous référant à la poutre du problème 7.47, déterminez:
a) le rapport $k = P/wa$ de façon que la valeur absolue maximale du moment fléchissant dans la poutre soit la plus petite possible;
b) la valeur correspondante de $|M|_{max}$.

(Référez-vous à la suggestion du problème 7.55.)

7.59 En vous référant à la poutre illustrée, évaluez:
a) la distance *a* pour laquelle la valeur absolue maximale du moment fléchissant dans la poutre est la plus petite possible;
b) la valeur correspondante de $|M|_{max}$.

(Référez-vous à la suggestion du problème 7.55.)

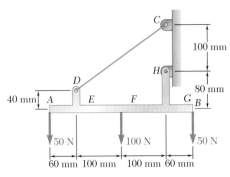

Figure P7.52

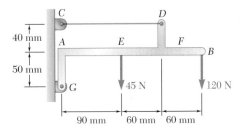

Figure P7.53

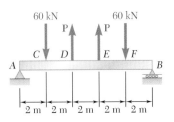

Figure P7.54

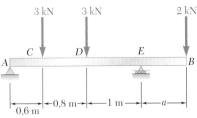

Figure P7.57

Figure P7.59

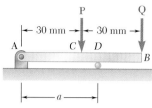

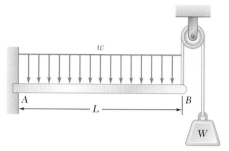

Figure P7.60

7.60 Sachant que $P = Q = 150$ N, déterminez :
  a) la distance a de façon que la valeur absolue maximale du moment fléchissant dans l'élément AB soit la plus petite possible ;
  b) la valeur correspondante de $|M|_{max}$.
  (Référez-vous à la suggestion du problème 7.55.)

7.61 Solutionnez le problème 7.60, en supposant que $P = 300$ N et $Q = 150$ N.

*7.62 Afin de réduire le moment fléchissant dans la poutre encastrée en console AB, un contrepoids est attaché à l'extrémité B à l'aide d'un câble passant par une poulie. Calculez la valeur du contrepoids pour laquelle la valeur absolue maximale du moment fléchissant dans la poutre est la plus petite possible, et déterminez la valeur correspondante de $|M|_{max}$. Considérez :
  a) le cas où la charge répartie est appliquée d'une façon permanente sur la poutre ;
  b) le cas plus général où la charge répartie peut être soit retirée, soit appliquée sur la poutre.
  (Référez-vous à la suggestion du problème 7.55.)

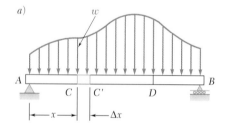

Figure P7.62

***7.3** RELATION ENTRE LA CHARGE, L'EFFORT TRANCHANT ET LE MOMENT FLÉCHISSANT

Lorsqu'une poutre supporte plus de deux charges concentrées, ou lorsqu'elle soutient des charges réparties, il devient fastidieux de tracer les courbes de l'effort tranchant et du moment fléchissant en suivant la méthode dite directe vue à la section 7.2.3. En pareil cas, on simplifie beaucoup la construction des diagrammes de l'effort tranchant du moment fléchissant en tenant compte de certaines équations reliant la charge, l'effort tranchant et le moment fléchissant.

Considérons une poutre simplement appuyée AB supportant une charge répartie par unité de longueur égale à w (*voir la figure 7.11a*) ; posons C et C', deux points de la poutre séparés par une distance Δx. On note respectivement V et M l'effort tranchant et le moment fléchissant en C, dont on suppose les valeurs positives ; au point C', l'effort tranchant et le moment fléchissant correspondent respectivement à $V + \Delta V$ et à $M + \Delta M$.

Isolons maintenant le segment CC' et traçons le diagramme du corps libre (DCL) correspondant (*voir la figure 7.11b*) où figurent une charge de grandeur $w\Delta x$ ainsi que les forces internes et les couples exercés en C et C'. Les valeurs de l'effort tranchant et du moment fléchissant ayant été considérées comme positives, le sens des forces et des couples est comme indiqué sur la figure.

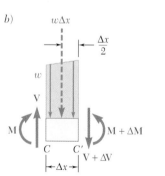

Figure 7.11

Relations entre la charge et l'effort tranchant La somme des composantes verticales des forces agissant sur le corps libre CC' est égale à zéro :

$$V - (V + \Delta V) - w \, \Delta x = 0$$
$$\Delta V = -w \, \Delta x$$

On divise les deux membres de l'équation par Δx et, laissant Δx tendre vers zéro, on obtient

$$\frac{dV}{dx} = -w \qquad (7.1)$$

L'équation 7.1 signifie que, pour la poutre de la figure 7.11*a*, la pente de la courbe de l'effort tranchant, dV/dx, est négative et que la valeur de la pente en un point donné correspond à la charge par unité de longueur à ce point.

On intègre l'équation 7.1 entre C et D et on trouve

$$V_D - V_C = -\int_{x_C}^{x_D} w\, dx \tag{7.2}$$

$$V_D - V_C = -(\text{aire sous la courbe} \\ \text{de la charge délimitée par } C \text{ et } D) \tag{7.2'}$$

On aurait également pu obtenir ce résultat en considérant l'équilibre du segment CD de la poutre puisque l'aire sous la courbe représente la charge totale appliquée entre les points C et D.

Il est à noter que l'équation 7.1 n'est pas valide en un point où se trouve une charge concentrée, car la courbe de l'effort tranchant y est discontinue (*voir la section 7.2.3*). De même, les relations 7.2 et 7.2' ne sont plus valides s'il y a des charges concentrées entre C et D, car elles ne tiennent pas compte de la variation soudaine de l'effort tranchant causée par une charge concentrée. On réservera donc l'application des équations 7.2 et 7.2' à des segments compris entre deux charges concentrées successives.

Relations entre l'effort tranchant et le moment fléchissant Revenons au diagramme du corps libre de la figure 7.11*b*. La somme des moments par rapport à C' est nulle, ce qui donne

$$(M + \Delta M) - M - V\Delta x + w\, \Delta x\, \frac{\Delta x}{2} = 0$$
$$\Delta M = V\Delta x - \tfrac{1}{2}w(\Delta x)^2$$

En divisant les deux côtés de l'équation par Δx et en faisant tendre Δx vers zéro, on obtient

$$\frac{dM}{dx} = V \tag{7.3}$$

L'équation 7.3 indique que la pente de la courbe du moment fléchissant, dM/dx, correspond à l'effort tranchant. Cette affirmation est vraie en tout point où l'effort tranchant a une valeur bien définie, c'est-à-dire en tout point où une charge concentrée n'est pas appliquée. L'équation 7.3 montre également que l'effort tranchant est nul aux endroits où le moment fléchissant atteint un maximum. Cette propriété permet d'identifier facilement les points où la poutre risque de céder en flexion.

On intègre l'équation 7.3 entre les points C et D et l'on trouve

$$M_D - M_C = \int_{x_C}^{x_D} V\, dx \tag{7.4}$$

$$M_D - M_C = (\text{aire sous la courbe de} \\ \text{l'effort tranchant entre } C \text{ et } D) \tag{7.4'}$$

Il est à remarquer que l'aire sous la courbe est positive lorsque l'effort tranchant est positif et qu'elle devient négative là où l'effort tranchant est négatif. Les équations 7.4 et 7.4' restent valides même s'il y a des charges concentrées entre C et D, à condition que la courbe de l'effort tranchant soit correctement tracée. Elles deviennent cependant invalides si un couple s'applique en un point situé entre C et D parce qu'elles ne tiennent pas compte de la variation soudaine du moment fléchissant engendrée par un couple (*voir le problème résolu 7.7*).

Considérons une poutre simplement appuyée AB, de portée L, supportant une charge uniformément répartie w (*voir la figure 7.12a*). Le DCL de la poutre complète permet de déterminer l'intensité des réactions aux appuis : on trouve $R_A = R_B = wL/2$ (*voir la figure 7.12b*). On trace ensuite le diagramme de l'effort tranchant. Près de l'extrémité A, l'effort est égal à R_A, c'est-à-dire à $wL/2$; on peut le vérifier en assimilant à un corps libre une très petite portion de la poutre. L'équation 7.2 donne alors la valeur de l'effort tranchant V à une distance x quelconque du point A : on a

$$V - V_A = -\int_0^x w \; dx = -wx$$

$$V = V_A - wx = \frac{wL}{2} - wx = w\left(\frac{L}{2} - x\right)$$

La courbe de l'effort tranchant prend alors la forme d'une droite oblique qui croise l'axe des x à $x = L/2$ (*voir la figure 7.12c*). Examinons maintenant le moment fléchissant M ; on observe d'abord que $M_A = 0$ et l'équation 7.4 détermine la valeur de M à une distance x quelconque de A : on a

$$M - M_A = \int_0^x V \; dx$$

$$M_A = \int_0^x w\left(\frac{L}{2} - x\right) dx = \frac{w}{2}(Lx - x^2)$$

Le moment fléchissant donne une courbe parabolique dont le maximum se trouve à $x = L/2$, étant donné que V (et dM/dx) est nul pour cette valeur de x. On insère $x = L/2$ dans la dernière équation et l'on obtient $M_{max} = wL^2/8$.

En pratique, la plupart des problèmes exigent de connaître le moment fléchissant seulement à quelques points le long d'une poutre. Après avoir tracé le diagramme de l'effort tranchant et déterminé M à l'une des extrémités de la poutre, on peut trouver la valeur du moment fléchissant en un point quelconque en calculant l'aire sous la courbe de l'effort tranchant et en utilisant l'équation 7.4'. Par exemple, sachant que $M_A = 0$ pour le cas illustré à la figure 7.12, on obtient la valeur maximale du moment fléchissant simplement en mesurant l'aire de la surface triangulaire ombrée du diagramme de l'effort tranchant :

$$M_{max} = \frac{1}{2} \frac{L}{2} \frac{wL}{2} = \frac{wL^2}{8}$$

Ici, la courbe de la charge est une droite horizontale, celle de l'effort tranchant, une droite oblique, et la courbe du moment fléchissant correspond à une parabole. Si la courbe de la charge avait été une droite oblique (premier degré), l'effort tranchant aurait donné une parabole (deuxième degré) et le moment fléchissant aurait correspondu à une équation du troisième degré. Les courbes de l'effort tranchant et du moment fléchissant sont toujours respectivement de un degré et de deux degrés supérieures à la courbe de la charge. Ainsi, après avoir calculé quelques valeurs de l'effort tranchant et du moment fléchissant, on peut généralement esquisser leurs diagrammes sans connaître les fonctions $V(x)$ et $M(x)$. On peut préciser les courbes obtenues en considérant que, dans les zones de continuité, la pente de la courbe de l'effort tranchant est égale à $-w$ et la pente de la courbe du moment fléchissant correspond à V.

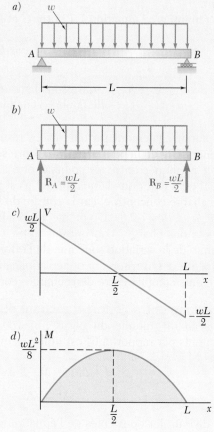

Figure 7.12

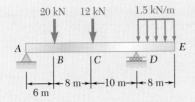

Tracez les diagrammes de l'effort tranchant (DET) et du moment fléchissant (DMF) de la poutre soumise aux charges illustrées.

> **SOLUTION**

Diagramme du corps libre (DCL) de l'ensemble de la poutre À partir du DCL de l'ensemble de la poutre, on peut déduire les réactions aux appuis :

$+\Sigma\curvearrowleft M_A = 0:$
$$D(24 \text{ m}) - (20 \text{ kN})(6 \text{ m}) - (12 \text{ kN})(14 \text{ m}) - (12 \text{ kN})(28 \text{ m}) = 0$$
$$D = +26 \text{ kN} \qquad\qquad \mathbf{D} = 26 \text{ kN} \uparrow$$

$+\uparrow\Sigma F_y = 0: \qquad A_y - 20 \text{ kN} - 12 \text{ kN} + 26 \text{ kN} - 12 \text{ kN} = 0$
$$A_y = +18 \text{ kN} \qquad\qquad \mathbf{A}_y = 18 \text{ kN} \uparrow$$

$\xrightarrow{+}\Sigma F_x = 0: \qquad A_x = 0 \qquad\qquad \mathbf{A}_x = 0$

Il est à noter que le moment fléchissant (M) est nul aux points A et E ; on a donc deux données (que l'on indique par des petits cercles) sur le DMF.

Diagramme de l'effort tranchant (DET) Puisque $dV/dx = -w$, la pente du DET est nulle (l'effort tranchant V est constant) entre les charges concentrées et les réactions. Pour déterminer V en un point quelconque de la poutre, on sectionne la poutre à ce point et on considère une des parties comme un corps libre. Par exemple, si l'on prend la portion de la poutre à gauche de la section *1*, on obtient l'effort tranchant entre B et C :

$+\uparrow\Sigma F_y = 0: \qquad +18 \text{ kN} - 20 \text{ kN} - V = 0 \qquad\qquad V = -2 \text{ kN}$

On en déduit que
  $V = +12$ kN tout juste à droite de D ;
  $V = 0$ à l'extrémité E de la poutre ;
  le DET entre D et E est une droite, puisque la pente $dV/dx = -w$ est constante entre ces deux points.

Diagramme du moment fléchissant (DMF) On a vu que l'aire sous la courbe de l'effort tranchant V entre deux points est égale à la variation du moment fléchissant M entre ces points. Par commodité, on calcule l'aire de chaque portion du DET et on l'inscrit sur le diagramme. Sachant que le moment fléchissant à l'extrémité A est $M_A = 0$, on écrit

$$\begin{array}{ll} M_B - M_A = +108 & M_B = +108 \text{ kN} \cdot \text{m} \\ M_C - M_B = -16 & M_C = +92 \text{ kN} \cdot \text{m} \\ M_D - M_C = -140 & M_D = -48 \text{ kN} \cdot \text{m} \\ M_E - M_D = +48 & M_E = 0 \end{array}$$

Le fait que $M_E = 0$ confirme l'exactitude des résultats obtenus.

Étant donné que l'effort tranchant V est constant entre deux charges concentrées ou deux réactions, la pente dM/dx sera donc constante et on trace le DMF en joignant les points connus par des segments de droite. Cependant, entre les points D et E, où la courbe du DET est une droite oblique, la courbe du DMF est parabolique.

Finalement, on conclut que $V_{max} = 18$ kN et $M_{max} = 108$ kN $\cdot$ m.

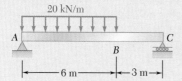

20 kN/m

A   C
       B

|← 6 m →|← 3 m →|

Tracez les diagrammes de l'effort tranchant et du moment fléchissant de la poutre ci-contre, soumise à une charge répartie. Déterminez ensuite l'emplacement et la grandeur du moment fléchissant maximal.

> **SOLUTION**

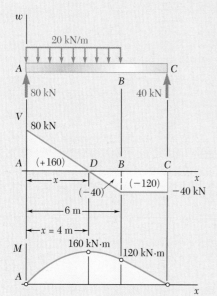

Diagramme du corps libre (DCL) de l'ensemble de la poutre L'étude du DCL de la poutre complète donne les réactions aux points d'appui A et C.

$$\mathbf{R}_A = 80 \text{ kN} \uparrow \qquad \mathbf{R}_C = 40 \text{ kN} \uparrow$$

Diagramme de l'effort tranchant (DET) L'effort tranchant V juste à droite du point A est $V_A = +80$ kN. Puisque la variation de V entre deux points est égale et de signe contraire à l'aire sous la courbe de la charge comprise entre ces mêmes points, on calcule V_B en écrivant

$$V_B - V_A = -(20 \text{ kN/m})(6 \text{ m}) = -120 \text{ kN}$$
$$V_B = -120 + V_A = -120 + 80 = -40 \text{ kN}$$

La pente de la courbe de l'effort tranchant $dV/dx = -w$ étant constante entre les points A et B, le DET entre ces points est représenté par une ligne droite. L'aire sous la courbe de la charge est nulle entre B et C, d'où

$$V_C - V_B = 0 \qquad V_C = V_B = -40 \text{ kN}$$

L'effort tranchant est donc constant entre les points B et C.

Diagramme du moment fléchissant (DMF) Le moment fléchissant M est nul à chaque extrémité de la poutre. Pour trouver le moment fléchissant maximal, on trouve le point D de la poutre où $V = 0$. On écrit

$$V_D - V_A = -wx$$
$$0 - 80 \text{ kN} = -(20 \text{ kN/m})x$$

et, en isolant x, on trouve $\qquad x = 4 \text{ m}$ ◄

Le moment fléchissant maximal se situe au point D, c'est-à-dire au point où $dM/dx = V = 0$. On calcule ensuite les aires des différentes parties du DET et on les inscrit entre parenthèses sur le diagramme. Étant donné que l'aire sous la courbe de V comprise entre deux points est égale à la variation du moment fléchissant M entre ces mêmes points, on écrit

$$M_D - M_A = +160 \text{ kN} \cdot \text{m} \qquad M_D = +160 \text{ kN} \cdot \text{m}$$
$$M_B - M_D = -40 \text{ kN} \cdot \text{m} \qquad M_B = +120 \text{ kN} \cdot \text{m}$$
$$M_C - M_B = -120 \text{ kN} \cdot \text{m} \qquad M_C = 0$$

Le DMF est formé d'un arc de parabole suivi d'un segment droit; la pente de la parabole au point A est égale à la valeur de V à ce point.

La valeur maximale du moment fléchissant est alors

$$M_{\text{max}} = M_D = +160 \text{ kN} \cdot \text{m}$$ ◄

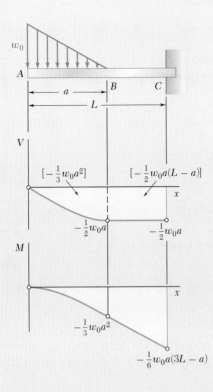

Tracez les diagrammes de l'effort tranchant et du moment fléchissant de la poutre encastrée soumise aux charges illustrées.

SOLUTION

Diagramme de l'effort tranchant (DET) À l'extrémité libre de la poutre, on a $V_A = 0$. Entre les points A et B, l'aire sous la courbe de la charge est $\frac{1}{2}w_0 a$; on trouve V_B en écrivant

$$V_B - V_A = -\tfrac{1}{2}w_0 a \qquad V_B = -\tfrac{1}{2}w_0 a$$

Entre B et C, la poutre ne supporte aucune charge; alors $V_C = V_B$.

Au point A, on a $w = w_0$ et, d'après l'équation 7.1, la pente de la courbe de l'effort tranchant V est de $dV/dx = -w_0$, tandis qu'au point B la pente est nulle $(dV/dx = 0)$.

Entre A et B, la charge décroît linéairement et la courbe du DET est parabolique.

Finalement, entre B et C, $w = 0$ et la courbe de V devient une droite horizontale.

Diagramme du moment fléchissant (DMF) À l'extrémité libre de la poutre, le moment fléchissant M_A est nul. Par le calcul de l'aire sous la courbe de V, on a

$$M_B - M_A = -\tfrac{1}{3}w_0 a^2 \qquad\qquad M_B = -\tfrac{1}{3}w_0 a^2$$
$$M_C - M_B = -\tfrac{1}{2}w_0 a(L - a)$$
$$M_C = -\tfrac{1}{6}w_0 a(3L - a)$$

On complète le DMF en se rappelant que $dM/dx = V$. On observe qu'entre A et B le DMF est représenté par une courbe cubique de pente nulle à l'extrémité A et par un segment de droite entre B et C.

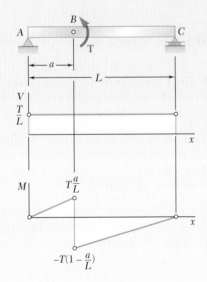

Un couple de grandeur T est appliqué au point B de la poutre AC illustrée. Tracez les diagrammes de l'effort tranchant et du moment fléchissant de la poutre.

SOLUTION

Diagramme du corps libre de l'ensemble de la poutre En considérant la poutre dans son ensemble comme un corps libre, on a

$$\mathbf{R}_A = \frac{T}{L}\uparrow \qquad \mathbf{R}_C = \frac{T}{L}\downarrow$$

Diagrammes de l'effort tranchant et du moment fléchissant L'effort tranchant en tout point de la poutre est constant et vaut T/L. Puisqu'un couple est appliqué au point B, le DMF est discontinu à ce point; le moment fléchissant M décroît subitement d'une valeur égale à T.

D ans cette section, nous avons exploré les relations entre les charges, l'effort tranchant (V) et le moment fléchissant (M). Nous avons présenté les équations mathématiques les reliant et nous avons appris à les utiliser pour faciliter la construction des diagrammes de l'effort tranchant (DET) et du moment fléchissant (DMF). Ces équations sont

$$\frac{dV}{dx} = -w \tag{7.1}$$

$$\frac{dM}{dx} = V \tag{7.3}$$

$$V_D - V_C = -(\text{aire sous la courbe de la charge}$$
$$\text{comprise entre les points } C \text{ et } D) \tag{7.2'}$$

$$M_D - M_C = \text{aire sous la courbe de l'effort tranchant}$$
$$\text{entre les points } C \text{ et } D \tag{7.4'}$$

Nous suggérons la procédure qui suit, basée sur ces équations, pour tracer les DET et DMF d'une poutre.

1. **Diagramme du corps libre (DCL) de l'ensemble de la poutre.** La première étape consiste à tracer le DCL de la poutre et à l'utiliser pour déterminer les réactions aux appuis.

2. **Diagramme de l'effort tranchant (DET).** Comme nous l'avons vu aux sections 7.2.2 et 7.2.3, on peut tracer le DET en coupant la poutre en divers points et en analysant le DCL d'une des parties résultantes (*voir le problème résolu 7.3*). On peut toutefois choisir l'une des deux approches alternatives suivantes :

    a) **Analyse de l'effort tranchant V.** L'effort tranchant V en un point C quelconque de la poutre correspond à la somme des charges et des réactions à gauche de ce point. Une force vers le haut est considérée comme positive, tandis qu'une force vers le bas doit être soustraite.

    b) **Poutre soumise à une charge répartie.** En commençant par un point où V est connue et en utilisant plusieurs fois l'équation 7.2', on peut calculer l'effort tranchant V en tout point de la poutre.

3. **Diagramme du moment fléchissant (DMF).** Pour tracer le diagramme du moment fléchissant, on suit la procédure suivante :

    a) **Calcul de l'aire sous la courbe de l'effort tranchant V.** En calculant l'aire sous chaque portion de la courbe de V, on affecte un signe positif aux aires situées au-dessus de l'axe des x et un signe négatif aux aires situées en dessous.

    b) **Application répétitive de l'équation 7.4'.** On applique l'équation 7.4' plusieurs fois (*voir les problèmes résolus 7.4 et 7.5*) en commençant à l'extrémité gauche de la poutre, où $M = 0$ (sauf si un couple est appliqué à ce point ou s'il s'agit d'une poutre en porte-à-faux dont l'extrémité gauche est encastrée).

    c) **Attention particulière aux discontinuités.** Si un couple est appliqué à un point de la poutre, une attention particulière sera apportée pour illustrer la discontinuité dans le DMF au point d'application du couple. Si le couple est orienté dans le sens horaire, la valeur de M sera augmentée d'une quantité égale à la grandeur du couple. Si le couple est de sens antihoraire, la valeur de M sera réduite de la même quantité (*voir le problème résolu 7.7*).

4. **Position et grandeur du moment fléchissant maximal $|M|_{max}$.** La valeur absolue maximale du moment fléchissant $|M|_{max}$ se trouve à l'un des points où $dM/dx = 0$, c'est-à-dire à un point où $V = 0$ ou encore lorsque V change de signe, selon l'équation 7.3. Pour la trouver, on suit les étapes suivantes :

   a) **Déterminer à partir du DET la valeur de $|M|$ où V change de signe.** Au problème résolu 7.4, nous avons vu que cela survient à l'emplacement des charges ponctuelles.

   b) **Déterminer les points où $V = 0$ et les valeurs de $|M|$ correspondantes.** Cette condition survient lorsque la charge est répartie. Pour trouver x, la distance entre le point C (début de la charge répartie) et le point D (où $V = 0$), on utilise l'équation 7.2′. Pour trouver V_C, on utilise la valeur connue de l'effort tranchant au point C. Pour V_D, on prend la valeur 0 et on exprime l'aire sous la courbe de la charge en fonction de x (*voir le problème résolu 7.5*).

5. **Diagrammes améliorés.** On peut améliorer la qualité de ses DET et DMF en se rappelant les équations 7.1 et 7.3 : en tout point sur la poutre, la pente de la courbe de V est égale à $-w$ et la pente de la courbe de M correspond à V.

6. **Poutre soumise à une charge répartie exprimée par une fonction $w(x)$.** Rappelons que l'effort tranchant V peut être obtenu en intégrant la fonction $-w(x)$, et que le moment fléchissant M est obtenu en intégrant $V(x)$ (*voir les équations 7.3 et 7.4*).

7.63 Résolvez le problème 7.29 en utilisant la méthode présentée à la section 7.3.

7.64 Résolvez le problème 7.30 en utilisant la méthode présentée à la section 7.3.

7.65 Résolvez le problème 7.31 en utilisant la méthode présentée à la section 7.3.

7.66 Résolvez le problème 7.32 en utilisant la méthode présentée à la section 7.3.

7.67 Résolvez le problème 7.33 en utilisant la méthode présentée à la section 7.3.

7.68 Résolvez le problème 7.34 en utilisant la méthode présentée à la section 7.3.

7.69 et 7.70 En considérant la poutre et la charge illustrées :
  a) tracez les diagrammes de l'effort tranchant et du moment fléchissant ;
  b) déterminez la valeur absolue maximale de l'effort tranchant et celle du moment fléchissant.

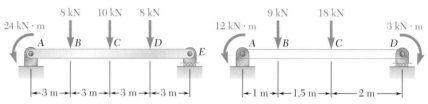

Figure P7.69   **Figure P7.70**

7.71 Résolvez le problème 7.41 en utilisant la méthode présentée à la section 7.3.

7.72 Résolvez le problème 7.42 en utilisant la méthode présentée à la section 7.3.

7.73 Résolvez le problème 7.39 en utilisant la méthode présentée à la section 7.3.

7.74 Résolvez le problème 7.40 en utilisant la méthode présentée à la section 7.3.

7.75 En considérant la poutre et la charge illustrées :
  a) tracez les diagrammes de l'effort tranchant et du moment fléchissant ;
  b) déterminez la valeur absolue maximale de l'effort tranchant et celle du moment fléchissant.

7.76 En considérant la poutre et la charge illustrées :
  a) tracez les diagrammes de l'effort tranchant et du moment fléchissant ;
  b) déterminez la valeur absolue maximale de l'effort tranchant et celle du moment fléchissant.

7.77 En considérant la poutre et la charge illustrées :
  a) tracez le diagramme de l'effort tranchant et celui du moment fléchissant ;
  b) déterminez la grandeur et la position du moment fléchissant maximal.

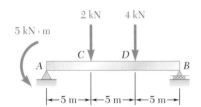

Figure P7.75

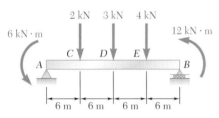

Figure P7.76

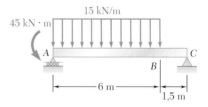

Figure P7.77

B. Câbles soumis à une charge répartie uniformément selon l'axe horizontal.
Dans ce cas, la forme du câble est parabolique. Pour la résolution d'un problème de ce type, on utilise un ou plusieurs des concepts suivants :

1. **Point le plus bas du câble.** Si on situe l'origine du système de coordonnées au point le plus bas du câble et qu'on oriente l'axe des x vers la droite et l'axe des y vers le haut, l'équation de la parabole décrivant la ligne du câble est

$$y = \frac{wx^2}{2T_0} \tag{7.8}$$

La tension minimale dans le câble se situe à l'origine, là où le câble est en position horizontale ; la tension maximale se trouve au point d'attache où la pente est maximale.

2. **Points d'attache situés au même niveau.** Si les points d'attache du câble sont situés au même niveau, la flèche h du câble correspond à la distance verticale entre le point le plus bas du câble et la droite horizontale reliant ses attaches. On peut alors appliquer l'équation 7.8 à l'un des points d'attache, qui peut ensuite être résolue pour trouver une inconnue.

3. **Points d'attache situés à des niveaux différents.** Si les points d'attache du câble se trouvent à des niveaux différents, on applique l'équation 7.8 à chaque extrémité du câble (*voir la figure 7.17*).

4. **La longueur du câble.** La longueur du câble entre le point le plus bas et l'un des points d'attache sera déterminée à l'aide de l'équation 7.10. Soulignons que, dans la plupart des cas, on tiendra compte seulement des deux premiers termes de la série.

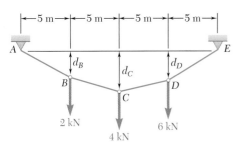

Figure P7.93 - P7.94

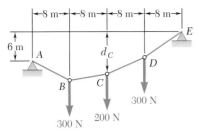

Figure P7.95 - P7.96

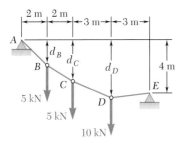

Figure P7.97 - P7.98

7.93 Trois charges sont suspendues au câble *ABCDE*. Sachant que $d_C = 4$ m, déterminez:
a) la réaction à l'attache *E*;
b) la tension maximale dans le câble.

7.94 Si la tension maximale dans le câble *ABCDE* est de 25 kN, déterminez la distance d_C.

7.95 En vous rapportant à la figure, si $d_C = 8$ m, calculez:
a) la réaction à l'attache *A*;
b) la réaction à l'attache *E*.

7.96 En vous rapportant à la figure, si $d_C = 4{,}5$ m, calculez:
a) la réaction à l'attache *A*;
b) la réaction à l'attache *E*.

7.97 En vous rapportant à la figure, si $d_C = 3$ m, calculez:
a) les distances d_B et d_D;
b) la réaction à l'attache *E*.

7.98 En vous référant à la figure, déterminez:
a) la distance d_C pour laquelle la portion *DE* du câble est horizontale;
b) les réactions correspondantes aux points d'attache *A* et *E*.

7.99 Pour supporter un oléoduc, on utilise des attaches retenues à un câble. Les attaches sont distantes de 6 m l'une de l'autre. Chaque attache supporte un poids de 4 kN. Sachant que $d_C = 12$ m, calculez:
a) la tension maximale dans le câble;
b) la distance d_D.

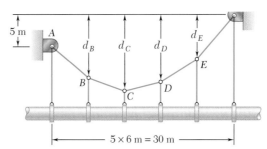

Figure P7.99

7.100 Solutionnez le problème 7.99, sachant que $d_C = 9$ m.

7.101 Le câble *ABC* supporte deux charges, comme illustré. Sachant que $b = 21$ m, évaluez:
a) la grandeur de la force horizontale **P** requise pour maintenir l'équilibre;
b) la distance correspondante *a*.

7.102 Le câble *ABC* supporte deux charges, comme illustré. Si l'on applique une force horizontale **P** de 200 N au point *C*, calculez les distances *a* et *b*.

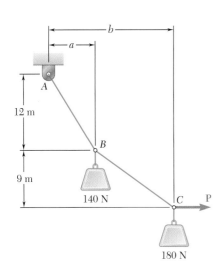

Figure P7.101 - P7.102

7.103 Sachant que $m_B = 70$ kg et $m_C = 25$ kg, calculez la grandeur requise de la force **P** pour maintenir le montage illustré en équilibre.

7.104 Sachant que $m_B = 18$ kg et $m_C = 10$ kg, calculez la grandeur requise de la force **P** pour maintenir le montage illustré en équilibre.

7.105 En vous rapportant à la figure, si $a = 3$ m, déterminez les grandeurs des forces **P** et **Q** de façon que le câble soit maintenu à la position indiquée.

7.106 En vous rapportant à la figure, si $a = 4$ m, déterminez les grandeurs des forces **P** et **Q** de façon que le câble soit maintenu à la position indiquée.

7.107 Un câble électrique a une masse linéaire de 0,8 kg/m. Il est suspendu à deux isolateurs de même élévation, distants de 75 m. Sachant que la flèche du câble est de 2 m, calculez:
a) la tension maximale dans le câble;
b) la longueur du câble.

7.108 Deux câbles électriques de même calibre sont attachés à un pylône de transmission au point *B*. Puisque le pylône est mince, la composante horizontale de la résultante des forces appliquées par les câbles au point *B* doit être nulle. Sachant que la masse linéaire des câbles est de 0,4 kg/m, calculez:
a) la valeur de la flèche h;
b) la tension maximale dans chaque câble.

7.109 La travée centrale du pont George Washington se composait à l'origine d'un tablier uniforme supporté par quatre câbles. La charge supportée par chaque câble était de $w = 142$ kN/m, uniformément répartie selon l'axe horizontal. Sachant que la portée L est de 1070 m et que la flèche h est de 96 m, déterminez:
a) la tension maximale dans chaque câble;
b) la longueur de chaque câble.

7.110 Les câbles du pont Golden Gate à San Francisco supportent une charge $w = 162$ kN/m, uniformément répartie selon l'axe horizontal. Sachant que la portée $L = 1265$ m et que la flèche $h = 141$ m, déterminez:
a) la tension maximale dans chaque câble;
b) la longueur de chaque câble.

7.111 Le câble uniforme *ACB* a une masse de 20 kg. Déterminez:
a) la flèche h;
b) la pente du câble à l'extrémité *A*.

7.112 Un câble, ayant une longueur de 50,5 m et une masse linéaire de 0,75 kg/m, est utilisé sur une portée L de 50 m.
a) Estimez la flèche du câble.
b) Déterminez la tension maximale dans le câble.
(Suggestion: utilisez seulement les deux premiers termes de l'équation 7.10.)

7.113 La portée centrale du pont Verrazano-Narrows à New York consiste en deux voies uniformes suspendues par quatre câbles. La conception originale permet au pont de supporter des variations extrêmes de température, qui causent une variation de la flèche du pont selon la saison. La flèche en hiver est $h_H = 115,8$ m, et en été $h_É = 118,2$ m. Sachant que la portée du pont est $L = 1278$ m, déterminez la variation de longueur des câbles entre les deux saisons.

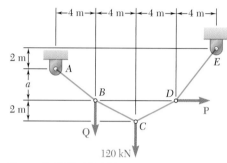

Figure P7.103 - P7.104

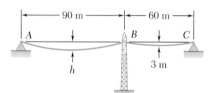

Figure P7.105 - P7.106

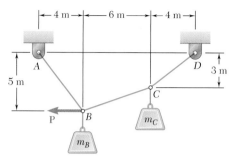

Figure P7.108

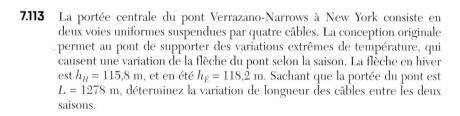

Figure P7.111

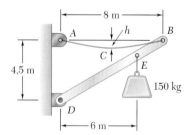

Poutres et câbles **369**

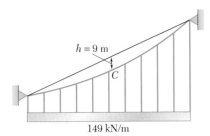

Figure P7.115

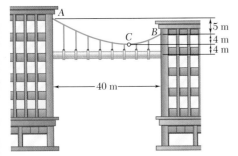

Figure P7.116

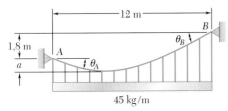

Figure P7.117 - P7.118

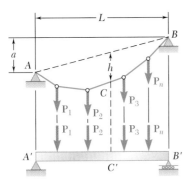

Figure P7.119

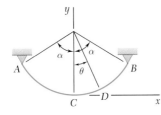

Figure P7.126

7.114 Un câble de longueur $L + \Delta$ relie deux points de même élévation et distants de L. Sachant que Δ est négligeable par rapport à L et que le câble est parabolique:

a) déterminez approximativement la flèche h en fonction de L et Δ;

b) si $L = 100$ m et $\Delta = 4$ m, estimez la flèche h du câble.

(Suggestion: utilisez seulement les deux premiers termes de l'équation 7.10.)

7.115 Chacun des câbles latéraux du pont Golden Gate de San Francisco est soumis à une charge uniformément répartie $w = 149$ kN/m selon l'horizontale. Sachant que, pour les portées latérales, la flèche maximale au milieu de chaque câble est de $h = 9$ m, calculez:

a) la tension maximale dans chaque câble;

b) la pente à l'extrémité B.

7.116 Un conduit de vapeur pèse 450 N/m et relie deux complexes industriels distants de 40 m. Il est soutenu par un système de câbles, comme illustré. En supposant que le poids du système de câbles équivaut à une charge répartie uniformément de 50 N/m:

a) situez le point le plus bas C du câble;

b) évaluez la tension maximale dans le câble.

7.117 Le câble AB supporte une charge uniformément répartie selon l'horizontale, comme illustré. Au point d'attache B, le câble forme un angle $\theta_B = 35°$ avec l'axe horizontal. Évaluez:

a) la tension maximale dans le câble;

b) la distance verticale a entre le point d'attache inférieur A et le point le plus bas du câble.

7.118 Le câble AB supporte une charge uniformément répartie selon l'horizontale, comme illustré. Si le point le plus bas du câble est situé à 0,6 m en dessous du point d'attache A, évaluez:

a) la tension maximale dans le câble;

b) l'angle θ_B formé entre le câble et l'horizontale à l'extrémité B.

*7.119 Un câble AB de portée L et une poutre simplement appuyée $A'B'$ de même portée sont soumis à des charges verticales identiques, comme illustré. Démontrez que la grandeur du moment fléchissant à un point C' sur la poutre est égale au produit T_0h, où T_0 est la grandeur de la composante horizontale de la tension dans le câble et h est la distance verticale entre le point C du câble et la corde joignant les points A et B.

7.120 à 7.123 En vous appuyant sur la relation établie au problème 7.119, solutionnez les problèmes indiqués en commençant par résoudre le problème de poutre correspondant.

7.120 Problème 7.94*a*.

7.121 Problème 7.97*a*.

7.122 Problème 7.99*b*.

7.123 Problème 7.100*b*.

*7.124 Démontrez que la courbe formée par un câble supportant une charge répartie $w(x)$ obéit à l'équation différentielle $d^2y/dx^2 = w(x)/T_0$, où T_0 est la tension au point le plus bas du câble.

*7.125 En utilisant la relation établie au problème 7.124, déterminez la courbe formée par un câble de portée L et de flèche h, supportant une charge répartie $w = w_0 \cos(\theta x/L)$, où x est mesuré à partir de la mi-portée. Établissez ensuite les expressions des valeurs maximale et minimale de la tension dans le câble.

*7.126 Si le poids linéaire d'un câble AB est $w = w_0/\cos^2\theta$, démontrez que la courbe formée par le câble est un arc de cercle. (Suggestion: utilisez la relation obtenue au problème 7.124.)

*7.5   CHAÎNETTES

Considérons maintenant un câble AB soumis à une charge répartie uniformément le long du câble (*voir la figure 7.18a*). Les câbles tendus sous leur propre poids correspondent à ce cas. La charge par unité de longueur, notée w et mesurée le long du câble, s'exprime en N/m. La grandeur W de la charge totale portée par un segment du câble de longueur s, qui s'étend du point le plus bas C à un point quelconque D, devient alors $W = ws$. On trouve la tension au point D en substituant cette valeur de W dans l'équation 7.6 :

$$T = \sqrt{T_0^2 + w^2 s^2}$$

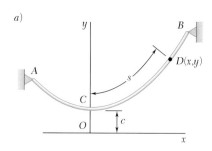

Afin de simplifier les calculs subséquents, on introduit la constante $c = T_0/w$. On peut alors écrire

$$T_0 = wc \qquad W = ws \qquad T = w\sqrt{c^2 + s^2} \qquad (7.11)$$

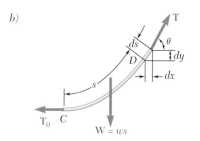

La figure 7.18*b* montre le diagramme du corps libre (DCL) de la portion CD du câble. On ne peut cependant l'utiliser pour obtenir directement l'équation de la courbe dessinée par le câble puisqu'on ignore la distance horizontale séparant D de la ligne d'action de la résultante **W** de la charge. Pour obtenir cette équation, on considère d'abord la projection horizontale dx d'un petit élément du câble de longueur ds, soit $dx = ds \cos \theta$. La figure 7.18*c* montre que $\cos \theta = T_0/T$; l'équation 7.11 permet d'écrire

$$dx = ds \cos \theta = \frac{T_0}{T} ds = \frac{wc\,ds}{w\sqrt{c^2 + s^2}} = \frac{ds}{\sqrt{1 + s^2/c^2}}$$

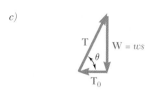

On pose l'origine O du système de coordonnées directement sous le point C, à une distance c de ce point (*voir la figure 7.18a*), et on intègre de $C(0, c)$ à $D(x, y)$. On obtient[5]

$$x = \int_0^s \frac{ds}{\sqrt{1 + s^2/c^2}} = c\left[\sinh^{-1}\frac{s}{c}\right]_0^s = c \sinh^{-1}\frac{s}{c}$$

Figure 7.18

Cette équation, qui relie la longueur s du segment CD du câble à la distance horizontale x, s'écrit

$$s = c \sinh \frac{x}{c} \qquad (7.15)$$

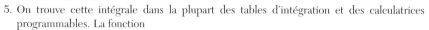

5. On trouve cette intégrale dans la plupart des tables d'intégration et des calculatrices programmables. La fonction

$$z = \sinh^{-1} u$$

(lire «arcsinus hyperbolique de u») est l'inverse de la fonction $u = \sinh z$ (lire «sinus hyperbolique de z»). Cette fonction ainsi que $v = \cosh z$ (lire «cosinus hyperbolique de z») se définissent comme suit :

$$u = \sinh z = \tfrac{1}{2}(e^z - e^{-z}) \qquad v = \cosh z = \tfrac{1}{2}(e^z + e^{-z})$$

Les valeurs numériques des fonctions $\sinh z$ et $\cosh z$ se trouvent dans les tables des fonctions hyperboliques. On peut également les obtenir avec la plupart des calculatrices, soit directement, soit en appliquant les équations ci-dessus. Pour une description complète des caractéristiques de ces fonctions, consultez un manuel de mathématiques spécialisé. Dans cette section, nous référons seulement aux propriétés suivantes, faciles à dériver à partir des définitions données plus haut :

$$\frac{d \sinh z}{dz} = \cosh z \qquad \frac{d \cosh z}{dz} = \sinh z \qquad (7.12)$$

$$\sinh 0 = 0 \qquad \cosh 0 = 1 \qquad (7.13)$$

$$\cosh^2 z - \sinh^2 z = 1 \qquad (7.14)$$

On étudie dans cette section les forces internes dans les câbles et les forces sur les supports des pylônes de cette ligne à haute tension.

On obtient la relation entre les coordonnées x et y en utilisant $dy = dx \tan \theta$. La figure 7.18c montre que $\tan \theta = W/T_0$, et les équations 7.11 et 7.15 permettent d'écrire

$$dy = dx \tan \theta = \frac{W}{T_0} dx = \frac{s}{c} dx = \sinh \frac{x}{c} dx$$

On intègre de $C(0, c)$ à $D(x, y)$, et les équations 7.12 et 7.13 donnent

$$y - c = \int_0^x \sinh \frac{x}{c} dx = c \left[\cosh \frac{x}{c} \right]_0^x = c \left(\cosh \frac{x}{c} - 1 \right)$$

$$y - c = c \cosh \frac{x}{c} - c$$

Après simplification, l'équation devient

$$y = c \cosh \frac{x}{c} \tag{7.16}$$

Cette équation est celle d'une chaînette d'axe vertical. L'ordonnée c du point le plus bas C est appelée *paramètre* de la chaînette. On élève au carré les deux côtés des équations 7.15 et 7.16, on les soustrait et, en tenant compte de l'équation 7.14, on obtient la relation suivante entre y et s :

$$y^2 - s^2 = c^2 \tag{7.17}$$

On isole s^2 de l'équation 7.17 et on insère l'expression dans la dernière des équations 7.11 ; on trouve

$$T_0 = wc \qquad W = ws \qquad T = wy \tag{7.18}$$

La dernière relation indique que la tension en tout point D du câble est proportionnelle à la distance verticale séparant D de la droite horizontale représentant l'axe des x.

Lorsque les points d'attache A et B sont au même niveau, on nomme *portée* la distance L qui les sépare et on parle de la flèche du câble pour désigner la distance verticale entre les attaches et le point le plus bas C. Ces définitions sont identiques à celles données pour les câbles paraboliques mais, tenant compte des axes de coordonnées choisis, la flèche h s'exprime comme suit :

$$h = y_A - c \tag{7.19}$$

Certains problèmes sur les chaînettes mettent en jeu des fonctions transcendantes que l'on résout par approximations successives (*voir le problème résolu 7.10*). Cependant, si le câble est suffisamment tendu, on peut considérer que la charge est répartie uniformément selon la direction horizontale et on remplace alors la chaînette par une parabole. On simplifie ainsi beaucoup la résolution du problème, et l'erreur introduite reste faible.

Si les attaches A et B ne sont pas à la même hauteur, la position du point le plus bas du câble n'est pas connue. On peut alors résoudre le problème en suivant une méthode semblable à celle utilisée pour un câble parabolique. On exprime alors que le câble passe par les points d'attache, et que $x_B - x_A = L$ et $y_B - y_A = d$, où L et d représentent respectivement la distance horizontale et la distance verticale entre les points fixes A et B.

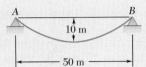

Le câble AB est suspendu aux ancrages A et B. Il a un poids linéaire de 45 N/m. Déterminez:

a) les tensions maximale et minimale supportées par le câble;

b) la longueur du câble.

> **SOLUTION**

Équation du câble On place l'origine du système de coordonnées à une distance c en dessous du point le plus bas C du câble. L'équation du câble est donnée par l'équation 7.16:

$$y = c \cosh \frac{x}{c}$$

Les coordonnées du point B sont

$$x_B = 25 \text{ m} \qquad y_B = 10 + c$$

En substituant ces coordonnées dans l'équation du câble, on obtient

$$10 + c = c \cosh \frac{25}{c}$$

$$\frac{10}{c} + 1 = \cosh \frac{25}{c}$$

On trouve la valeur de c par la méthode des approximations successives, comme illustré au tableau ci-dessous.

c	$\dfrac{25}{c}$	$\dfrac{10}{c}$	$\dfrac{10}{c} + 1$	$\cosh \dfrac{25}{c}$
30	0,833	0,333	1,333	1,367
35	0,714	0,286	1,286	1,266
33	0,758	0,303	1,303	1,301
32,8	0,762	0,305	1,305	1,305

En choisissant $c = 32,8$, il en résulte

$$y_B = 10 + c = 42,8 \text{ m}$$

a) Valeurs maximale et minimale de la tension À partir des équations 7.18, on a

$$T_{min} = T_0 = wc = (45 \text{ N/m})(32,8 \text{ m}) \qquad T_{min} = 1476 \text{ N} \blacktriangleleft$$

$$T_{max} = T_B = wy_B = (45 \text{ N/m})(42,8 \text{ m}) \qquad T_{max} = 1926 \text{ N} \blacktriangleleft$$

b) Longueur du câble La demi-longueur du câble est calculée grâce à l'équation 7.17:

$$y_B^2 - s_{CB}^2 = c^2 \qquad s_{CB}^2 = y_B^2 - c^2 = (42,8)^2 - (32,8)^2 \qquad s_{CB} = 27,5 \text{ m}$$

La longueur totale du câble est donc

$$s_{AB} = 2s_{CB} = 2(27,5 \text{ m}) \qquad s_{AB} = 55 \text{ m} \blacktriangleleft$$

Dans la dernière section du présent chapitre, nous avons vu comment analyser un câble supportant une charge uniformément répartie sur sa longueur. La forme décrite par le câble est une chaînette, obéissant à l'équation

$$y = c \cosh \frac{x}{c} \qquad (7.16)$$

1. **Origine des coordonnées de la chaînette et longueur du câble.** Rappelons que l'origine du système de coordonnées de la chaînette est située à une distance c en dessous du point le plus bas de la chaînette. La longueur du câble s mesurée de l'origine à un point quelconque du câble est calculée par

$$s = c \sinh \frac{x}{c} \qquad (7.15)$$

2. **Données connues et inconnues.** Nous suggérons de suivre les étapes suivantes pour déterminer les paramètres de la chaînette:

   a) Identifier toutes les données connues et inconnues de la situation;

   b) Écrire les équations 7.15 à 7.19 pour la situation analysée;

   c) Solutionner l'équation comportant une seule inconnue;

   d) À l'aide de la valeur trouvée en c et par substitution systématique, résoudre les autres équations.

3. **Flèche connue.** Si la flèche h est connue, la façon de procéder est la suivante:

   a) Si x est connue, utiliser l'équation 7.19 pour remplacer y par $h + c$ dans l'équation 7.16 (*voir le problème résolu 7.10*).

   b) Si s est connue, utiliser l'équation 7.19 pour remplacer y par $h + c$ dans l'équation 7.17.

   c) Finalement, résoudre l'équation obtenue en fonction de la constante c.

4. **Méthode des approximations successives.** Plusieurs problèmes sur les chaînettes impliquent la résolution d'une équation contenant un sinus ou un cosinus hyperbolique par méthode des approximations successives. La création d'un tableau facilitera la visualisation des résultats (*voir le problème résolu 7.10*). Il est possible d'utiliser une calculatrice programmable pour résoudre ce type de problème.

7.127 Un câble de 30 m est attaché entre deux édifices, comme illustré. On sait que la tension maximale dans le câble est de 500 N et que le point le plus bas se trouve à 4 m au-dessus du sol. Déterminez :
a) la distance horizontale qui sépare les deux édifices ;
b) la masse totale du câble.

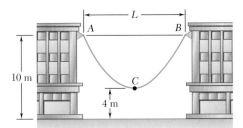

Figure P7.127

7.128 Une chaîne ayant une longueur de 20 m et une masse de 12 kg est suspendue entre deux points de même niveau. Sachant que la flèche est de 8 m, calculez :
a) la distance séparant les deux attaches ;
b) la tension maximale dans la chaîne.

7.129 Une chaîne d'arpenteur-géomètre de 50 m a une masse de 2 kg. On tend la chaîne entre deux points de même niveau jusqu'à ce que la tension à ses extrémités atteigne 78,5 N. Calculez la distance horizontale entre les deux extrémités de la chaîne. Négligez l'élongation de la chaîne attribuable à la tension.

7.130 Un câble électrique ayant une longueur de 40 m et une masse linéaire de 4 kg/m est suspendu entre deux points de même hauteur. Sachant que la flèche est de 10 m, évaluez la distance horizontale séparant les deux extrémités et la tension maximale dans le câble.

7.131 Un fil ayant une longueur de 20 m et une masse linéaire de 0,2 kg/m est attaché à un ancrage au point A et à un manchon sans frottement au point B. Déterminez :
a) la grandeur de la force **P** pour laquelle $h = 8$ m ;
b) la portée correspondante L du câble.

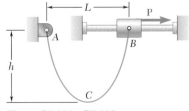

Figure P7.131 - P7.133

7.132 Un fil ayant une longueur de 20 m et une masse linéaire de 0,2 kg/m est attaché à un ancrage au point A et à un manchon sans frottement au point B. Sachant que la grandeur de la force horizontale **P** appliquée au manchon est de 20 N, déterminez :
a) la flèche h ;
b) la portée L.

7.133 Un fil ayant une longueur de 20 m et une masse linéaire de 0,2 kg/m est attaché à un ancrage au point A et à un manchon sans frottement au point B. Déterminez :
a) la flèche h de sorte que $L = 15$ m ;
b) la force **P** correspondante.

7.134 Un fil de 90 m est suspendu entre deux points situés au même niveau et séparés par une distance de 60 m. La tension maximale dans le fil étant de 300 N, calculez :
a) la flèche du fil ;
b) la masse totale du fil.

7.135 Évaluez la flèche d'une chaîne de 30 m de longueur attachée à deux points de même niveau et distants de 20 m.

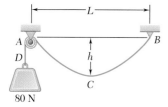

Figure P7.136

7.136 Un contrepoids D est attaché à un câble qui passe par une petite poulie au point A et est attaché au point B. Sachant que $L = 45$ m et que $h = 15$ m, et en négligeant le poids du câble de A à D, déterminez :
a) la longueur du câble de A à B ;
b) le poids linéaire du câble.

7.137 Un câble de masse linéaire 3 kg/m est suspendu à deux points de même niveau séparés de 48 m. Déterminez la flèche minimale permise si la tension maximale dans le câble doit être inférieure à 1800 N.

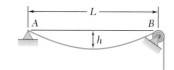

Figure P7.138

7.138 Une corde de 50 m fixée au point A passe autour d'une poulie en B. En négligeant le frottement, calculez la plus petite des deux valeurs de h de façon que la corde soit en état d'équilibre, sachant que $L = 20$ m.

7.139 On utilise un moteur M pour enrouler doucement un câble, comme illustré. Sachant que la masse linéaire du câble est de 0,4 kg/m, évaluez la tension maximale dans le câble lorsque $h = 5$ m.

7.140 On utilise un moteur M pour enrouler doucement un câble, comme illustré. Sachant que la masse linéaire du câble est de 0,4 kg/m, évaluez la tension maximale dans le câble lorsque $h = 3$ m.

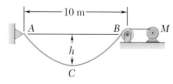

Figure P7.139 - P7.140

7.141 À gauche du point B, le câble $ABDE$ repose sur une surface rugueuse. La masse linéaire du câble étant de 2 kg/m, estimez la grandeur de la force $\mathbf{F}$ lorsque $a = 3{,}6$ m.

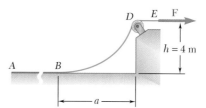

Figure P7.141 - P7.142

7.142 À gauche du point B, le câble $ABDE$ repose sur une surface rugueuse. La masse linéaire du câble étant de 2 kg/m, déterminez la grandeur de la force $\mathbf{F}$ lorsque $a = 6$ m.

7.143 Un câble uniforme de masse linéaire 0,306 kg/m est tenu dans la position illustrée à l'aide d'une force $\mathbf{P}$ appliquée au point B. Si $P = 180$ N et $\theta_A = 60°$, déterminez :
a) la position du point B ;
b) la longueur du câble.

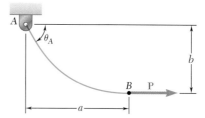

Figure P7.143 - P7.144

7.144 Un câble uniforme de masse linéaire 0,306 kg/m est tenu dans la position illustrée à l'aide d'une force $\mathbf{P}$ appliquée au point B. Si $P = 150$ N et $\theta_A = 60°$, déterminez :
a) la position du point B ;
b) la longueur du câble.

7.145 Le câble illustré ACB a une masse linéaire de 0,45 kg/m. Le point le plus bas du câble est situé à une distance $a = 0,6$ m en dessous de l'extrémité A. Calculez:

a) la position du point C;

b) la tension maximale dans le câble.

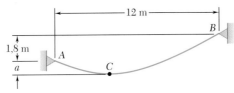

Figure P7.145 - P7.146

7.146 Le câble illustré ACB a une masse linéaire de 0,45 kg/m. Le point le plus bas du câble est situé à une distance $a = 2$ m en dessous de l'extrémité A. Calculez:

a) la position du point C;

b) la tension maximale dans le câble.

*7.147 Le câble AB de 10 m est attaché à deux manchons, comme illustré. Le manchon A glisse librement sur la tige. Une butée empêche le manchon B de glisser plus bas. Évaluez la distance a (négligez le coefficient de frottement et le poids des manchons).

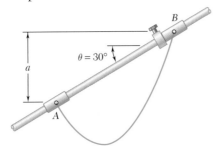

Figure P7.147

*7.148 Résolvez le problème 7.147 si l'angle θ formé par la tige avec l'horizontale est de 45°.

7.149 Si θ est l'angle formé par un câble uniforme avec l'horizontale, démontrez que, en tout point du câble:

a) $s = c \tan \theta$;

b) $y = c \sec \theta$.

*7.150 *a)* Déterminez la portée maximale permise d'un câble uniforme, de poids linéaire w, si la tension maximale dans le câble ne doit pas dépasser une valeur T_m donnée.

b) En utilisant le résultat obtenu en *a*, déterminez la portée maximale d'un fil de fer, avec $w = 25$ N/m et $T_m = 8000$ N.

*7.151 Un câble de masse linéaire de 3 kg/m est supporté comme illustré. Si la portée L est de 6 m, calculez les deux valeurs de la flèche h pour lesquelles la tension maximale est de 350 N.

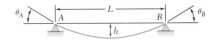

Figure P7.151 - P7.153

*7.152 Déterminez le rapport flèche/portée pour lequel la tension maximale dans le câble AB est égale à son poids total.

*7.153 Un câble de poids linéaire w est suspendu entre deux points de même niveau et distants de L. Calculez:

a) le rapport flèche/portée pour lequel la tension maximale est aussi petite que possible;

b) les valeurs correspondantes de θ_B et de T_m.

Nous venons de procéder à l'étude des forces internes qui assurent la cohésion des différentes parties d'un membre dans une structure.

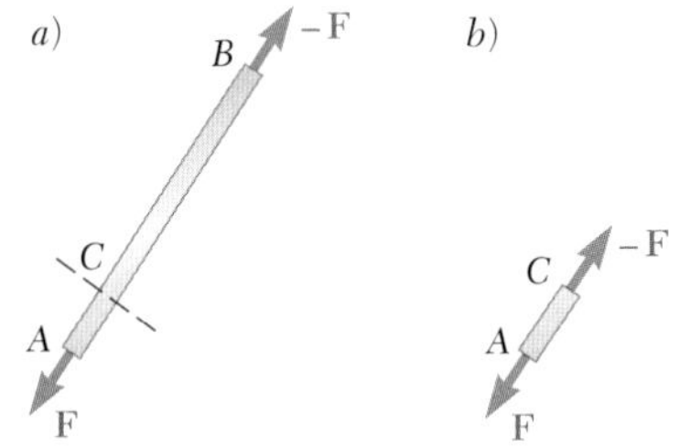

Forces dans les membres droits à force axiale

Nous avons débuté par l'analyse d'un membre droit à force axiale AB (*voir la section 7.1.1*). Rappelons qu'un tel membre est soumis à deux forces égales et opposées $\mathbf{F}$ et $-\mathbf{F}$, appliquées à ses extrémités A et B et dirigées selon l'axe AB (*voir la figure 7.19a*). En sectionnant le membre AB au point C et en traçant le diagramme du corps libre de la partie AC, nous déduisons que les forces internes qui existaient au point C sont équivalentes à une force axiale $-\mathbf{F}$, égale et opposée à $\mathbf{F}$ (*voir la figure 7.19b*). Par contre, dans le cas d'un membre à deux forces non droit, les forces internes sont représentées par un système force-couple plutôt que par une force unique.

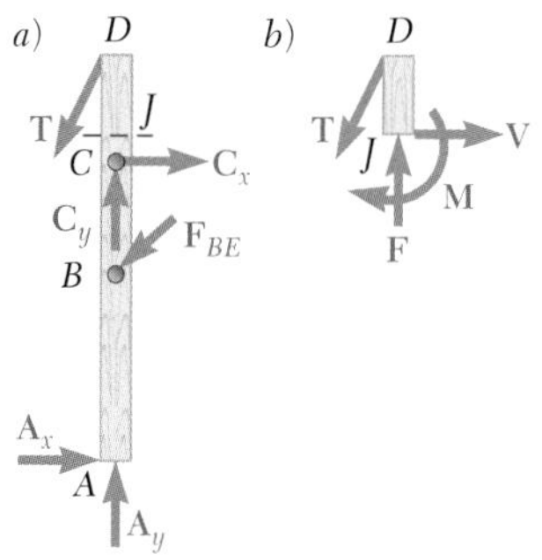

Figure P7.19

Forces dans les membres à effort multiple

Nous avons procédé ensuite à l'étude d'un membre à effort multiple AD (*voir la figure 7.20a*). Si l'on sectionne AD au point J et que l'on trace le DCL de la portion JD, on déduit que les forces internes en J sont équivalentes à un système force-couple composé d'une force axiale $\mathbf{F}$, d'un effort tranchant $\mathbf{V}$ et d'un couple $\mathbf{M}$ appelé le *moment fléchissant* (*voir la figure 7.20b*) au point J. La valeur de $\mathbf{V}$ représente le cisaillement au point J. Puisqu'un système force-couple égal et opposé aurait été obtenu par l'analyse du DCL de la portion AJ, il est important de préciser quelle portion du membre initial AD est considérée (*voir le problème résolu 7.1*).

Figure 7.20

Forces dans les poutres

La majeure partie du chapitre a été ensuite consacrée à l'analyse des forces internes dans deux grandes catégories de structures: les poutres et les câbles. Par *poutres*, nous entendons des corps rigides, longs, droits et profilés, conçus pour supporter des charges appliquées en différents points. Habituellement, les charges sont perpendiculaires à l'axe de la poutre et produisent uniquement des efforts tranchants et moments fléchissants dans la poutre. Les charges peuvent être concentrées en des points précis ou réparties tout au long de la poutre ou sur une portion limitée de la poutre. La poutre peut être supportée de différentes façons: puisque nous avons vu seulement les poutres isostatiques (statiquement déterminées), nous avons limité notre étude aux poutres simplement appuyées, aux poutres en porte-à-faux et aux poutres encastrées (*voir la section 7.2.1*).

Effort tranchant et moment fléchissant dans une poutre

Pour déterminer l'effort tranchant V et le moment fléchissant M au point C de la poutre, on procède comme suit:

a) On commence par déterminer les réactions aux points d'appui en considérant l'ensemble de la poutre comme un corps libre.

b) On sectionne la poutre en C.

c) On trace le diagramme du corps libre d'une des sections obtenues pour déterminer V et M.

d) Afin d'éviter toute confusion dans le sens de **V** et de **M**, qui change en fonction de la portion de la poutre considérée, on utilise la convention de signes présentée à la figure 7.21 de la section 7.2.2.

e) Après avoir évalué V et M en quelques points choisis de la poutre, on trace les diagrammes de l'effort tranchant et du moment fléchissant, qui illustrent respectivement les valeurs de V et M en tout point de la poutre (*voir la section 7.2.3*).

f) Si la poutre est soumise seulement à des charges concentrées, V est constant et M varie linéairement entre les charges (*voir le problème résolu 7.2*).

g) Si la poutre est soumise à des charges réparties, V et M varient alors très différemment (*voir le problème résolu 7.3*).

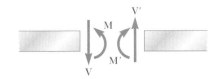

Forces internes à une section
(effort tranchant et moment fléchissant positifs)

Figure 7.21

Relations entre la charge, l'effort tranchant et le moment fléchissant

On facilitera le traçage des diagrammes de l'effort tranchant V et du moment fléchissant M en utilisant les équations suivantes. Le w représente la charge répartie par unité de longueur, et il est positif si la charge est orientée vers le bas. On a donc (*voir la section 7.2.3*)

$$\frac{dV}{dx} = -w \qquad (7.1)$$

$$\frac{dM}{dx} = V \qquad (7.3)$$

ou bien, sous la forme d'intégrales,

$V_D - V_C = -$(aire sous la courbe de la charge entre C et D) $\qquad (7.2')$

$M_D - M_C =$ aire sous la courbe de l'effort tranchant entre C et D $\qquad (7.4')$

L'équation 7.2′ permet de tracer le diagramme des efforts tranchants d'une poutre à partir de la courbe de la charge répartie et de la valeur de V à l'une des extrémités de la poutre. De la même façon, l'équation 7.4′ permet le traçage du diagramme des moments fléchissants à partir du diagramme de V et de la valeur de M à l'une des extrémités de la poutre. Cependant, les charges concentrées introduisent des discontinuités dans le diagramme de V et des couples concentrés dans le diagramme de M ; les équations utilisées ci-dessus ne tiennent pas compte de ces discontinuités (*voir les problèmes résolus 7.4 et 7.7*). Finalement, l'équation 7.3 indique que les points sur la poutre où le moment fléchissant est maximal ou minimal correspondent à des points où l'effort tranchant est nul (*voir le problème résolu 7.5*).

Câbles soumis à des charges concentrées

La deuxième partie de ce chapitre a été consacrée à l'étude des câbles flexibles. Nous avons d'abord analysé un câble de poids négligeable supportant des charges concentrées (*voir la section 7.4.1*).

En considérant l'ensemble du câble AB comme un corps libre (*voir la figure 7.22*), on remarque que les trois équations d'équilibre disponibles sont insuffisantes pour calculer les quatre inconnues représentant les réactions aux points d'attache A et B. Néanmoins, si l'on connaît les coordonnées d'un point D du câble, on obtient une équation supplémentaire en traçant le diagramme du corps libre de la partie AD ou DB du câble. Après avoir déterminé les réactions aux points d'attache, on peut déterminer la hauteur de tout point et la tension dans toute portion du câble à partir du DCL approprié (*voir le problème résolu 7.8*). Nous avons déduit que la composante horizontale de la tension **T** dans le câble est la même en tout point du câble.

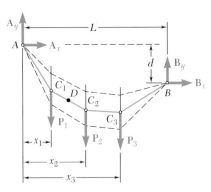

Figure 7.22

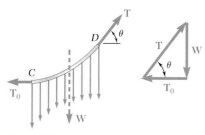

Figure 7.23

Câbles soumis à des charges réparties

Par la suite, nous avons analysé les câbles soumis à des charges réparties (*voir la section 7.4.2*). En considérant comme corps libre une portion CD du câble, du point le plus bas C à un point quelconque D (*voir la figure 7.23*), nous observons que la composante horizontale de la force de tension **T** au point D est constante et égale à la tension T_0 en C, tandis que la composante verticale est égale au poids W de la portion CD du câble. La grandeur et la direction de **T** sont obtenues par le triangle des forces:

$$T = \sqrt{T_0^2 + W^2} \qquad \tan \theta = \frac{W}{T_0} \qquad (7.6)$$

Câble parabolique

Dans le cas d'un câble supportant une charge uniformément répartie – comme c'est le cas pour les câbles d'un pont suspendu (*voir la figure 7.24*) –, la charge supportée par la partie CD est $W = wx$, où w correspond à la charge linéaire constante par unité de longueur horizontale (*voir la section 7.4.3*). Nous avons aussi démontré que la courbe formée par le câble est une parabole d'équation

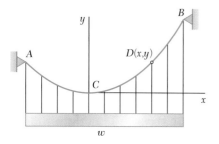

Figure 7.24

$$y = \frac{wx^2}{2T_0} \qquad (7.8)$$

La longueur du câble peut être trouvée en utilisant le développement en série de l'équation 7.10 (*voir le problème résolu 7.9*).

Chaînette

Dans le cas d'un câble supportant une charge uniformément répartie le long du câble – c'est-à-dire un câble tendu par son propre poids (*voir la figure 7.25*) –, la charge soutenue par la partie CD est $W = ws$, où s est la longueur mesurée le long du câble et w correspond au poids constant par unité de longueur (*voir la section 7.5*). En plaçant l'origine du système de coordonnées O à une distance $c = T_0/w$ en dessous de C, nous déduisons les équations

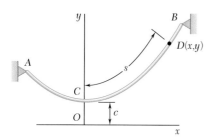

Figure 7.25

$$s = c \sinh \frac{x}{c} \qquad (7.15)$$

$$y = c \cosh \frac{x}{c} \qquad (7.16)$$

$$y^2 - s^2 = c^2 \qquad (7.17)$$

$$T_0 = wc \qquad W = ws \qquad T = wy \qquad (7.18)$$

Ces équations peuvent être utilisées pour résoudre des problèmes de câbles tendus par leur propre poids (*voir le problème résolu 7.10*). L'équation 7.16, qui représente la forme du câble, est l'équation d'une chaînette.

7.154 Sachant que le rayon de chaque poulie est de 150 mm, que $\alpha = 20°$, et en négligeant le frottement, déterminez les forces internes :
a) au point J ;
b) au point K.

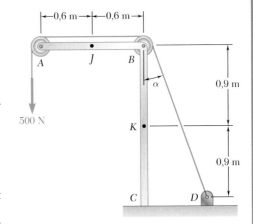

Figure P7.154

7.155 En vous référant à la poutre illustrée, déterminez :
a) la grandeur P des deux charges concentrées pour laquelle la valeur absolue maximale du moment fléchissant est la plus petite possible ;
b) la valeur correspondante de $|M|_{max}$.
(Référez-vous à la suggestion du problème 7.55.)

7.156 Si $\mathbf{P} = 750$ N,
a) tracez les diagrammes de l'effort tranchant et du moment fléchissant de la poutre AB ;
b) évaluez les valeurs absolues maximales de l'effort tranchant et du moment fléchissant.

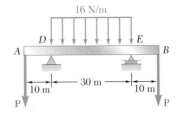

Figure P7.155 - P7.156

7.157 Un fil de masse linéaire 0,65 kg/m est fixé par ses extrémités à deux attaches distantes de 120 m et situées au même niveau. Si la flèche est de 30 m, calculez :
a) la longueur totale du fil ;
b) la tension maximale dans le fil.

7.158 On applique une charge de 2 kN au point G de la poutre $EFGH$, supportée par le câble $ABCD$ à l'aide des attaches BF et CH. Déterminez :
a) la tension dans chacune des attaches ;
b) la tension maximale dans le câble ;
c) le moment fléchissant aux points F et G.

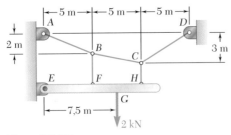

Figure P7.158

7.159 En vous référant à la figure :
a) écrivez l'équation des courbes de l'effort tranchant et du moment fléchissant ;
b) déterminez la grandeur et la position du moment fléchissant maximal.

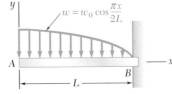

Figure P7.159

7.160 Une armature en acier de poids linéaire $w = 200$ N/m forme un côté d'une volée d'escalier. Pour chacune des situations illustrées, déterminez les forces internes au point central C causées par son propre poids.

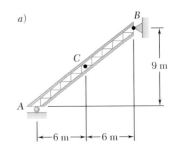

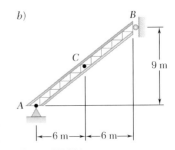

Figure P7.160

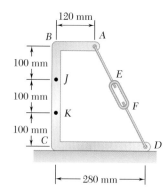

Figure P7.161

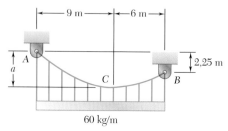

Figure P7.162

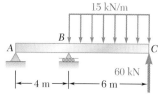

Figure P7.163

7.161 Le moment fléchissant au point K de la charpente illustrée est de 300 N · m. Calculez:
a) la tension dans chacune des tiges AE et FD;
b) les forces internes qui correspondent au point J.

7.162 Le câble ACB soutient une charge uniformément répartie, comme illustré. Le point le plus bas C est situé à 9 m à droite du point A. Évaluez:
a) la distance verticale a;
b) la longueur du câble;
c) les composantes de la réaction au point A.

7.163 En considérant la poutre et les charges illustrées:
a) tracez les diagrammes de l'effort tranchant et du moment fléchissant;
b) déterminez la grandeur et la position du moment fléchissant dont la valeur absolue est maximale.

7.164 Si $d_C = 5$ m, calculez:
a) les distances d_B et d_D;
b) la tension maximale dans le câble.

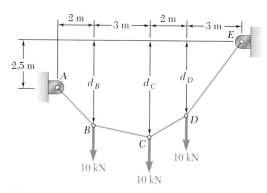

Figure P7.164 - P7.165

7.165 Évaluez:
a) la distance d_C pour laquelle la partie BC du câble est horizontale;
b) les composantes correspondantes de la réaction à l'extrémité E.

LES PROBLÈMES SUIVANTS SONT CONÇUS POUR ÊTRE SOLUTIONNÉS NUMÉRIQUEMENT.

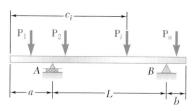

Figure P7.166

Figure P7.167

7.166 On désire concevoir une poutre en porte-à-faux pouvant soutenir différentes charges concentrées. La première étape consiste à déterminer les valeurs du moment fléchissant aux points d'appui A et B ainsi qu'aux points d'application des charges. Concevez un programme permettant de calculer ces valeurs pour une poutre si les paramètres et les charges qui lui sont appliquées peuvent varier, comme illustré. Appliquez ensuite ce programme pour résoudre les problèmes suivants:
a) problème 7.36;
b) problème 7.37;
c) problème 7.38.

7.167 La poutre simplement appuyée AB est soumise à plusieurs charges concentrées et à une charge répartie uniformément. Rédigez un programme permettant le calcul de l'effort tranchant et du moment fléchissant le long de la poutre pour la condition de charges illustrée, en utilisant des incréments donnés Δx. Appliquez ensuite ce programme à la résolution des problèmes suivants:
a) problème 7.39 avec $\Delta x = 0{,}25$ m;
b) problème 7.41 avec $\Delta x = 0{,}5$ m;
c) problème 7.42 avec $\Delta x = 0{,}5$ m.

7.168 La poutre AB, fixée au point B à l'aide d'une rotule, s'appuie sur une bille au point D. Pour un maximum d'efficacité, elle doit être conçue pour supporter une charge répartie uniformément de son extrémité A au point C, situé au centre de la poutre. Une étape importante du processus de conception de la poutre consiste à écrire un programme permettant d'établir la distance optimale a séparant A et D. Écrivez ce programme. La distance obtenue indiquera où placer la bille afin de minimiser la valeur absolue du moment fléchissant M dans la poutre. (Note : une analyse préliminaire démontre que la bille devrait être située sous la charge, que la valeur maximale négative de M survient en D, tandis que sa valeur maximale positive se trouve à un point situé entre D et C. Référez-vous à la suggestion du problème 7.55.)

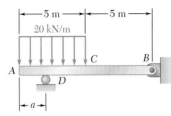

Figure P7.168

7.169 Le tablier d'un pont est constitué d'un assemblage de planches transversales déposées sur deux poutres longitudinales simplement appuyées ; une de ces poutres est illustrée. Une étape de la conception du pont consiste à simuler l'effet sur la poutre du passage d'un camion de 3000 kg. Le poids du camion est considéré comme uniformément réparti sur ses quatre roues et ses deux essieux sont séparés de 6 m.

a) Concevez un programme permettant de déterminer la grandeur et la position du moment fléchissant maximal dans la poutre pour des valeurs de x variant de -3 m à 10 m par incréments de 0,5 m.

b) En utilisant des incréments plus petits, si nécessaire, déterminez la valeur maximale du moment fléchissant qui surviendra dans la poutre lors du passage du camion sur le pont, ainsi que la valeur correspondante de x.

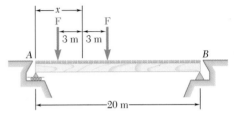

Figure P7.169

*7.170 Concevez un programme pouvant être utilisé pour tracer les diagrammes de l'effort tranchant et du moment fléchissant de la poutre décrite au problème 7.166. En utilisant ce programme avec des incréments de $\Delta x \le L/100$, tracez les diagrammes de V et de M pour les poutres et les charges illustrées aux problèmes suivants :

a) problème 7.36 ;
b) problème 7.37 ;
c) problème 7.38.

*7.171 Concevez un programme pouvant être utilisé pour tracer les diagrammes de l'effort tranchant et du moment fléchissant de la poutre décrite au problème 7.167. En utilisant ce programme avec des incréments de $\Delta x \le L/100$, tracez les diagrammes de V et de M pour les poutres et les charges illustrées aux problèmes suivants :

a) problème 7.39 ;
b) problème 7.41 ;
c) problème 7.42.

7.172 Rédigez un programme permettant de calculer les composantes horizontale et verticale de la réaction à l'extrémité A_n supportant le câble illustré, à partir des valeurs des charges $P_1, P_2, \ldots, P_{n-1}$, des distances horizontales $d_1, d_2, \ldots, d_n$, ainsi que des deux distances verticales h_0 et h_k. Utilisez ensuite ce programme pour résoudre les problèmes 7.95*b*, 7.96*b* et 7.97*b*.

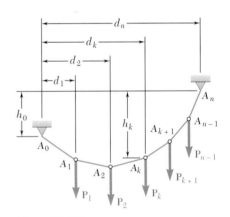

Figure P7.172

7.173 L'installation classique d'un câble électrique consiste en un câble de longueur s_{AB} de poids linéaire w suspendu à ses deux extrémités situées au même niveau. Écrivez un programme permettant de créer un tableau comprenant les paramètres d'installation suivants : h/L, s_{AB}/L, T_0/wL et $T_{\max}/wL$, et ce,

a) pour des valeurs de c/L variant de 0,2 à 0,5 par incréments de 0,025 ;
b) pour des valeurs de c/L variant de 1 à 4 par incréments de 0,5.

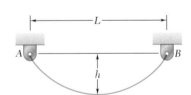

Figure P7.173

7.174 Rédigez un programme et utilisez-le pour résoudre le problème 7.132 pour des valeurs de P variant de 0 N à 50 N par incréments de 5 N.

CHAPITRE

8 FROTTEMENT

Ce bolide démarre, accélère et garde une excellente tenue de route grâce aux forces de frottement exercées par le sol sur ses pneus.

SOMMAIRE

OBJECTIFS

- **Faire l'examen** des lois du frottement sec et des coefficients et angles de frottement qui lui sont associés.

- **Considérer** l'équilibre des corps rigides lorsque le frottement sec aux surfaces de contact est impliqué.

- **Appliquer** les lois du frottement pour analyser les problèmes impliquant des coins et des vis à filetage carré.

- **Étudier** des applications des lois du frottement en génie, par exemple en modélisant le frottement aux paliers, butées, roues et courroies.

Dans les chapitres précédents, nous avons considéré que les surfaces de contact étaient sans frottement, ou rugueuses. Nous avons vu que la force produite entre deux surfaces sans frottement était normale à la surface de contact et que les surfaces pouvaient ainsi glisser librement l'une sur l'autre. Pour les surfaces rugueuses, nous avons supposé la présence de forces tangentielles suffisantes pour empêcher le mouvement d'une surface par rapport à l'autre.

Il s'agit d'une représentation simplifiée de la réalité. Dans les faits, il n'existe pas de surface parfaitement sans frottement. Lorsqu'on tente de glisser un corps sur un autre, des forces tangentielles aux surfaces de contact se manifestent inévitablement ; ce sont les forces de frottement. L'intensité de ces forces a cependant une limite et elle ne suffira pas à empêcher le mouvement si les forces appliquées sont assez grandes. Ainsi, la différence entre une surface sans frottement et une surface rugueuse est relative. La distinction sera mise en évidence dans ce chapitre, consacré à l'étude du frottement et de ses applications courantes en ingénierie.

Il existe deux types de frottement : le frottement sec, parfois aussi appelé *frottement de Coulomb*, et le frottement fluide. Le frottement fluide apparaît entre deux couches de fluide se déplaçant à des vitesses différentes. Il prend toute son importance lorsqu'on étudie l'écoulement des fluides dans des conduits ou à travers des orifices, ou encore si l'on considère des corps immergés dans des fluides en mouvement. Ces problèmes font l'objet de la mécanique des fluides. On doit aussi en tenir compte dans l'analyse du mouvement des mécanismes lubrifiés. Pour l'instant, notre étude se limite au frottement sec, c'est-à-dire au frottement entre des corps rigides dont les surfaces de contact ne sont pas lubrifiées.

En première partie, nous examinerons l'équilibre de corps rigides et de structures diverses, en tenant compte du frottement sec entre les surfaces de contact. Nous présenterons ensuite un certain nombre d'applications particulières où le frottement sec joue un rôle de premier plan : les coins ou cales d'appui, les vis à filetage carré, les paliers lisses, les paliers de butée, les roulements et les courroies.

a)

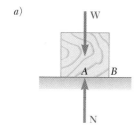

b)

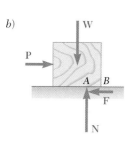

c)

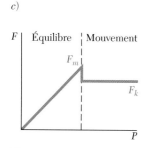

Figure 8.1

8.1 LOIS DU FROTTEMENT SEC

L'expérience suivante illustre bien les lois du frottement sec. On dépose un bloc de poids **W** sur une surface plane horizontale (*voir la figure 8.1a*). Les forces agissant sur le bloc se résument à son poids **W** et à la réaction de la surface. Puisque la composante horizontale du poids est nulle, la réaction de la surface est verticale, c'est-à-dire normale à la surface ; on la représente par **N** (*voir la figure 8.1a*). Soumettons maintenant le bloc à une force horizontale **P** (*voir la figure 8.1b*). Si **P** est faible, le bloc ne bouge pas ; on en déduit qu'une autre force horizontale agit à l'encontre de **P**. Cette force est la force de frottement statique **F**, en réalité la résultante d'un grand nombre de forces agissant sur toute la surface de contact entre le bloc et le plan horizontal. On ne connaît pas la nature exacte de ces forces mais on suppose généralement qu'elles sont dues aux irrégularités des surfaces et, dans une certaine mesure, à l'attraction moléculaire.

Si la force appliquée **P** augmente, la force de frottement **F** s'intensifie également, s'opposant toujours à **P**, jusqu'à une certaine valeur maximale F_m (*voir la figure 8.1c*). Si **P** dépasse cette valeur, la force de frottement ne peut plus la contrer et le bloc se met à glisser. À mesure que l'intensité F de la force de frottement augmente de 0 à F_m, le point d'application A de la résultante **N** des forces de contact normales se déplace vers la droite, de sorte que les couples formés respectivement par **P** et **F**, ainsi que par **W** et **N**, s'équilibrent. Si **N** rejoint le point B avant que F atteigne sa valeur maximale F_m, le bloc va basculer autour de B avant de se mettre à glisser (*voir les problèmes 8.17 à 8.20*). Dès que s'amorce le mouvement, la grandeur de **F** diminue, passant de F_m à F_k, car les irrégularités des surfaces de contact s'interpénètrent moins lorsqu'il y a déplacement. Le bloc glisse alors de plus en plus vite et la nouvelle force de frottement, $\mathbf{F}_k$, appelée *force de frottement cinétique* (en anglais *kinetic*), demeure à peu près constante.

8.1.1 COEFFICIENTS DE FROTTEMENT

Des études expérimentales démontrent que la grandeur maximale du frottement statique, F_m, est proportionnelle à la composante normale N de la réaction à la surface. On a

$$F_m = \mu_s N \qquad (8.1)$$

où μ_s représente une constante appelée *coefficient de frottement statique*. On utilise une forme mathématique semblable pour exprimer la grandeur du frottement cinétique F_k :

$$F_k = \mu_k N \qquad (8.2)$$

où la constante μ_k correspond au coefficient de frottement cinétique. Les coefficients de frottement μ_s et μ_k sont indépendants de l'aire des surfaces en contact. Ils varient cependant en fonction de la nature et du fini des surfaces. Pour ces raisons, ils ne peuvent être évalués avec exactitude, et une précision des coefficients de $\pm 5\,\%$ est tout à fait acceptable. Le tableau 8.1 donne l'ordre de grandeur du coefficient de frottement statique de quelques surfaces sèches. Les coefficients de frottement cinétique sont inférieurs d'environ 25 % à leur équivalent statique. Puisque les coefficients de frottement sont des grandeurs sans dimension, les valeurs du tableau 8.1 sont valables quel que soit le système d'unités utilisé.

Tableau 8.1 Coefficients de frottement statique entre des surfaces sèches (valeurs approximatives)

Métal sur métal	0,15–0,60
Métal sur bois	0,20–0,60
Métal sur pierre	0,30–0,70
Métal sur cuir	0,30–0,60
Bois sur bois	0,25–0,50
Bois sur cuir	0,25–0,50
Pierre sur pierre	0,40–0,70
Terre sur terre	0,20–1,00
Caoutchouc sur béton	0,60–0,90

En résumé, un corps rigide en contact avec une surface horizontale peut se comporter de quatre façons différentes :

1. Les forces appliquées au corps ne tendent pas à le déplacer sur la surface de contact ; le frottement est nul (*voir la figure 8.2a*).

2. Les forces appliquées tendent à faire glisser le corps sur la surface de contact, mais elles sont trop faibles pour le mettre en mouvement. On détermine la force de frottement **F** en résolvant les équations

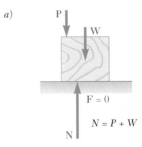

a)

Pas de frottement ($P_x = 0$)

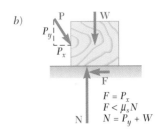

b)

Pas de mouvement ($P_x < F_m$)

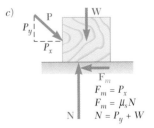

c)

Mouvement imminent $\longrightarrow$ ($P_x = F_m$)

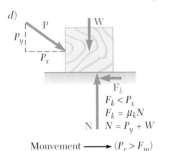

d)

Mouvement $\longrightarrow$ ($P_x > F_m$)

Figure 8.2

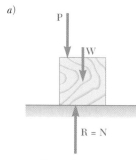

a)

Pas de frottement

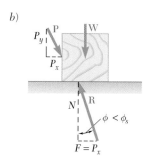

b)

$\phi < \phi_s$

Pas de mouvement

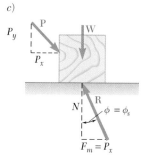

c)

$\phi = \phi_s$

Mouvement imminent ⟶

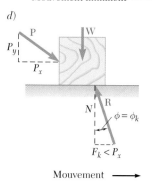

d)

$\phi = \phi_k$

$F_k < P_x$

Mouvement ⟶

Figure 8.3

d'équilibre du corps. Puisque rien n'indique qu'elle a atteint sa valeur maximale F_m, on ne peut recourir à l'équation $F_m = \mu_s N$ pour calculer la force de frottement (*voir la figure 8.2b*).

3. Les forces appliquées sont telles que le corps est sur le point de glisser, c'est-à-dire que le mouvement est imminent. La force de frottement **F** est à sa valeur maximale F_m et, combinée à la force normale **N**, les deux forces compensent exactement les forces appliquées. On peut utiliser à la fois les équations d'équilibre et l'équation $F_m = \mu_s N$. La force de frottement est opposée au sens du mouvement imminent (*voir la figure 8.2c*).

4. Le corps glisse sous l'action des forces appliquées et les équations d'équilibre ne sont plus valides. **F** correspond alors à F_k et on peut utiliser l'équation $F_k = \mu_k N$. Le sens de F_k s'oppose toujours au mouvement relatif des deux surfaces (*voir la figure 8.2d*).

8.1.2 ANGLES DE FROTTEMENT

Pour des raisons pratiques, on remplace parfois la force normale **N** et la force de frottement **F** par leur résultante **R**. Considérons à nouveau un bloc de poids **W** posé sur une surface horizontale plane. Si aucune force horizontale ne s'applique sur le bloc, la résultante **R** correspond à la force normale **N** (*voir la figure 8.3a*). Par contre, si la force appliquée **P** possède une composante horizontale $\mathbf{P}_x$ qui tend à faire bouger le bloc, la force **R** aura une composante horizontale **F** et elle formera un angle ϕ avec la normale à la surface (*voir la figure 8.3b*). Si $\mathbf{P}_x$ augmente et que le mouvement devient imminent, l'angle entre **R** et la verticale atteint une valeur maximale ϕ_s, appelée *angle de frottement statique* (*voir la figure 8.3c*). La géométrie de la figure 8.3c permet d'écrire

$$\tan \phi_s = \frac{F_m}{N} = \frac{\mu_s N}{N}$$

$$\tan \phi_s = \mu_s \qquad (8.3)$$

Si le mouvement s'amorce, l'intensité de la force de frottement diminue à F_k et l'angle entre **R** et **N** se resserre à ϕ_k, l'angle de frottement cinétique (*voir la figure 8.3d*). La géométrie de la figure 8.3d indique alors

$$\tan \phi_k = \frac{F_k}{N} = \frac{\mu_k N}{N}$$

$$\tan \phi_k = \mu_k \qquad (8.4)$$

L'exemple suivant illustre l'importance de l'angle de frottement dans la résolution de certains types de problèmes. Considérons un bloc reposant sur une table d'inclinaison variable, soumis uniquement à la force de son poids **W** et à la réaction **R** de la surface. En position horizontale, la force **R** exercée sur le bloc est perpendiculaire à la table, compensant exactement le poids **W** (*voir la figure 8.4a*). Si l'on incline la table d'un léger angle θ, la force **R** s'éloigne de la perpendiculaire à la table du même angle θ, annulant toujours le poids **W** (*voir la figure 8.4b*) ; **R** possède alors une composante normale **N** de grandeur $N = W \cos \theta$ et une composante tangentielle **F** de grandeur $F = W \sin \theta$.

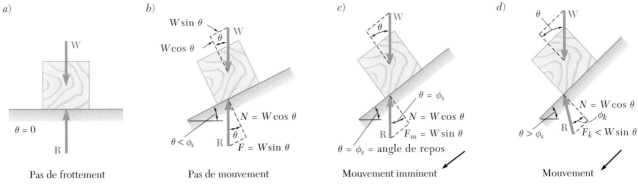

a)   *b)*   *c)*   *d)*

Pas de frottement   Pas de mouvement   Mouvement imminent   Mouvement

Figure 8.4

Si l'on augmente peu à peu l'inclinaison, le mouvement devient bientôt imminent. À ce point, l'angle entre **R** et la normale aura atteint son maximum ϕ_s (*voir la figure 8.4c*). On appelle *angle de repos* l'angle d'inclinaison correspondant au mouvement imminent ; il est égal à l'angle de frottement statique ϕ_s. Si l'on incline davantage la table, le bloc se met en mouvement et l'angle entre **R** et la normale diminue à ϕ_k (*voir la figure 8.4d*). La réaction **R** n'est désormais plus verticale et les forces agissant sur le bloc sont déséquilibrées.

8.1.3 PROBLÈMES IMPLIQUANT LE FROTTEMENT SEC

Les problèmes impliquant le frottement sec se retrouvent dans un bon nombre de situations d'ingénierie, allant de cas très simples, comme celui d'un bloc glissant sur un plan analysé à la section précédente, à des cas plus complexes (*voir le problème résolu 8.3*). Les problèmes de stabilité des corps rigides en accélération seront abordés dans l'étude de la dynamique. Par ailleurs, on applique les lois du frottement sec à plusieurs machines et mécanismes courants, dont les coins, les vis, les paliers lisses, les butées et les courroies de transmission. Nous les analyserons dans les sections qui suivent.

On reprend les méthodes décrites dans les précédents chapitres pour résoudre les problèmes impliquant le frottement. Dans le cas d'une simple translation, sans rotation, on considère généralement le corps comme une particule et on applique les méthodes vues au chapitre 2. Si la rotation est possible, on a affaire à un corps rigide et on réfère aux méthodes employées au chapitre 4. Si la structure comprend plusieurs parties, on utilise le principe d'action et de réaction étudié au chapitre 6.

Si un corps subit plus de trois forces (incluant les réactions aux surfaces de contact), on représente la réaction à chaque surface par ses composantes **N** et **F**, et on résout le problème à l'aide des équations d'équilibre. Par contre, lorsque seulement trois forces agissent sur le corps en question, il s'avère souvent plus pratique de représenter chaque réaction par la seule force **R** et de solutionner le problème en dessinant un triangle de forces.

On classe les problèmes impliquant le frottement en trois groupes. Dans le premier groupe, on connaît toutes les forces appliquées de même que les coefficients de frottement, et l'on cherche à déterminer si le corps se mettra en mouvement ou non. On trouve la force de frottement **F** nécessaire pour maintenir l'équilibre (sa grandeur ne correspond pas à $\mu_s N$) et la force normale **N** en traçant le diagramme du corps libre (DCL) et en résolvant les

Le coefficient de frottement statique entre une caisse et le tapis du convoyeur incliné doit être assez grand pour permettre à la caisse d'être transportée sans glissement.

a)

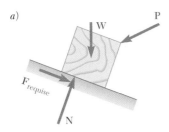

b)

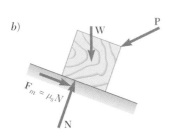

c)

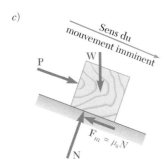

Figure 8.5

équations d'équilibre (*voir la figure 8.5a*). Par la suite, on compare la valeur obtenue pour F à sa valeur maximale $F_m = \mu_s N$.

- Si F est inférieure ou égale à F_m, le corps reste au repos.
- Si F est supérieure à F_m, l'équilibre ne peut être maintenu et le corps se met en mouvement. L'intensité de la force de frottement devient alors $F_k = \mu_k N$.

Dans le deuxième groupe de problèmes, on connaît toutes les forces appliquées, le mouvement est imminent et l'on cherche à déterminer le coefficient de frottement statique. Là encore, on calcule la force de frottement et la force normale en traçant le diagramme du corps libre et en résolvant les équations d'équilibre (*voir la figure 8.5b*). Sachant que F prend sa valeur maximale F_m, on trouve le coefficient de frottement en résolvant l'équation $F_m = \mu_s N$.

Dans le troisième groupe de problèmes, on connaît le coefficient de frottement statique, le mouvement est imminent dans une direction donnée et l'on veut déterminer la grandeur ou l'orientation de l'une des forces appliquées. La force de frottement figure sur le diagramme du corps libre dans le sens opposé au mouvement imminent et son intensité correspond à $F_m = \mu_s N$ (*voir la figure 8.5c*). On écrit alors les équations d'équilibre et on calcule la force cherchée.

Comme indiqué précédemment, lorsque seulement trois forces sont en cause, il peut être plus pratique de représenter la réaction de la surface par une force unique **R** et de résoudre le problème en dessinant un triangle des forces (*voir le problème résolu 8.2*).

Lorsque deux corps A et B sont en contact (*voir la figure 8.6a*), les forces de frottement exercées respectivement par A sur B et par B sur A sont égales et opposées (troisième loi de Newton). Il est important d'inclure sur les diagrammes du corps libre la force de frottement appropriée et d'indiquer correctement le sens de cette force. On observe alors la règle suivante: la force de frottement agissant sur le corps A est de sens opposé au mouvement de A (ou à son mouvement imminent) tel que vu du corps B[1] (*voir la figure 8.6b*). On procède de la même manière pour établir le sens de la force de frottement exercée sur le corps B (*voir la figure 8.6c*). Il est à noter que le mouvement de A tel qu'observé du corps B est un mouvement relatif. Par exemple, si le corps A est fixe alors que B se déplace, le corps A est en mouvement relativement à B. De même, si B et A descendent tous deux la pente mais que B va plus vite que A, du point de vue de B, le corps A se déplace vers le haut.

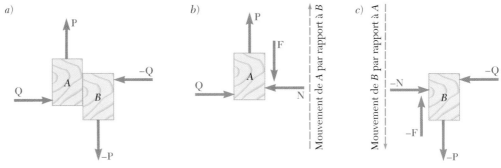

Figure 8.6

---

1. Le sens est alors le même que celui du mouvement de B tel qu'observé du point de vue du corps A.

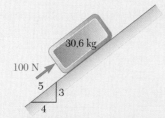

Une force de 100 N est appliquée sur un bloc de 30,6 kg placé sur un plan incliné. Les coefficients de frottement statique et cinétique entre le plan et le bloc sont respectivement $\mu_s = 0,25$ et $\mu_k = 0,20$. Déterminez si le corps est en équilibre et trouvez la force de frottement.

> **SOLUTION**

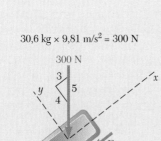

30,6 kg × 9,81 m/s^2 = 300 N

Force de frottement à l'équilibre On calcule d'abord la grandeur de la force de frottement nécessaire pour maintenir le bloc en équilibre. En supposant que la force F est dirigée vers le bas et vers la gauche, on trace le diagramme du corps libre (DCL) du bloc et on écrit les équations d'équilibre:

$+\nearrow \Sigma F_x = 0:$ $100\ \text{N} - \frac{3}{5}(300\ \text{N}) - F = 0$

$F = -80\ \text{N}$ $\mathbf{F} = 80\ \text{N} \nearrow$

$+\nwarrow \Sigma F_y = 0:$ $N - \frac{4}{5}(300\ \text{N}) = 0$

$N = +240\ \text{N}$ $\mathbf{N} = 240\ \text{N} \nwarrow$

La force **F** requise pour maintenir l'équilibre est une force de 80 N dirigée vers le haut et vers la droite; le bloc a donc tendance à descendre le plan incliné.

Force de frottement maximale La grandeur de la force de frottement maximale est donnée par

$$F_m = \mu_s N \qquad F_m = 0,25(240\ \text{N}) = 60\ \text{N}$$

Puisque la valeur de la force requise pour maintenir l'équilibre (80 N) est supérieure à la valeur maximale possible (60 N), l'équilibre ne peut être maintenu et *le bloc descendra sur le plan incliné*.

Valeur réelle de la force de frottement On calcule la force de frottement agissant sur le bloc à partir de l'équation

$$F_{réelle} = F_k = \mu_k N$$
$$= 0,20(240\ \text{N}) = 48\ \text{N}$$

Cette force s'oppose au mouvement; elle est donc dirigée vers le haut et vers la droite:

$$\mathbf{F}_{réelle} = 48\ \text{N} \nearrow \quad \blacktriangleleft$$

Il est à noter que les forces agissant sur le bloc ne sont pas équilibrées; leur résultante est

$$\tfrac{3}{5}(300\ \text{N}) - 100\ \text{N} - 48\ \text{N} = 32\ \text{N} \swarrow$$

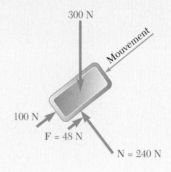

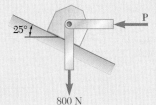

25°

P

800 N

Deux forces sont appliquées sur un bloc comme illustré. Sachant que les coefficients de frottement statique et cinétique entre le bloc et la surface sont respectivement $\mu_s = 0,35$ et $\mu_k = 0,25$, déterminez la force **P** nécessaire afin de :

a) commencer à déplacer le bloc vers le haut ;
b) garder le bloc en un mouvement d'ascension ;
c) prévenir son glissement vers le bas.

> SOLUTION

Diagramme du corps libre On aborde ce problème en traçant, pour chacune des situations, le diagramme du corps libre (DCL) du bloc ainsi que le triangle des forces formé par la force verticale de 800 N, la force horizontale **P** et la force **R**, appliquée par le plan incliné sur le bloc. L'orientation de **R** doit être déterminée pour chacun des cas considérés. **P** étant perpendiculaire à la force de 800 N, le triangle des forces est un triangle rectangle facilement résoluble pour **P**. Cependant, dans la plupart des cas, le triangle des forces est un triangle quelconque dont la résolution nécessite l'application de la loi des sinus.

a) Force *P* pour enclencher le mouvement ascendant

$$P = (800 \text{ N}) \tan 44,29° \qquad\qquad \mathbf{P} = 780 \text{ N} \leftarrow \ \blacktriangleleft$$

800 N

P

R

ϕ_s 25°

$\tan \phi_s = \mu_s$
$\quad = 0,35$
$\phi_s = 19,29°$
$25° + 19,29° = 44,29°$

P

800 N

R

b) Force *P* pour assurer le mouvement d'ascension

$$P = (800 \text{ N}) \tan 39,04° \qquad\qquad \mathbf{P} = 649 \text{ N} \leftarrow \ \blacktriangleleft$$

800 N

P

ϕ_k

R 25°

$\tan \phi_k = \mu_k$
$\quad = 0,25$
$\phi_k = 14,04°$
$25° + 14,04° = 39,04°$

P

800 N

R

c) Force *P* pour prévenir le glissement vers le bas

$$P = (800 \text{ N}) \tan 5,71° \qquad\qquad \mathbf{P} = 80,0 \text{ N} \leftarrow \ \blacktriangleleft$$

800 N

P

ϕ_s

25° R

$\phi_s = 19,29°$
$25° - 19,29° = 5,71°$

P

800 N R

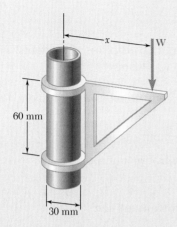

Une console mobile se déplace verticalement sur un tuyau de 30 mm de diamètre. Le coefficient de frottement statique entre la console et le tuyau est de 0,25. En négligeant le poids de la console, déterminez la distance minimale x de sorte que la charge **W** puisse être supportée.

> **SOLUTION**

Diagramme du corps libre (DCL)   On trace le DCL de la console. Quand la force **W** est placée à la distance x minimale à partir de l'axe du tuyau, la console se trouve sur le point de glisser et les forces de frottement appliquées en A et B sont maximales :

$$F_A = \mu_s N_A = 0{,}25\,N_A$$
$$F_B = \mu_s N_B = 0{,}25\,N_B$$

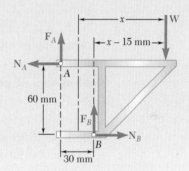

Équations d'équilibre

$\xrightarrow{+}\Sigma F_x = 0:$

$$N_B - N_A = 0$$
$$N_B = N_A$$

$+\uparrow\Sigma F_y = 0:$

$$F_A + F_B - W = 0$$
$$0{,}25 N_A + 0{,}25 N_B = W$$

Et, puisque N_B est égale à N_A,

$$0{,}50 N_A = W$$
$$N_A = 2W$$

$+\curvearrowleft \Sigma M_B = 0:$ $\quad N_A(60 \text{ mm}) - F_A(30 \text{ mm}) - W(x - 15 \text{ mm}) = 0$

$$60 N_A - 30(0{,}25 N_A) - Wx + 15W = 0$$
$$60(2W) - 7{,}5(2W) - Wx + 15W = 0$$

En divisant par W et en isolant x, on trouve

$$x = 120 \text{ mm} \quad \blacktriangleleft$$

Dans toutes les situations étudiées au cours des chapitres précédents, nous avons supposé que les surfaces des corps en contact étaient :

a) sans frottement, et que les corps pouvaient se mouvoir librement les uns par rapport aux autres ;

b) parfaitement rugueuses, empêchant tout mouvement.

Dans ces sections, nous avons abordé les lois du frottement sec.

A. Principes à respecter en situation de frottement sec

1. **Réaction R appliquée par la surface de contact.** Soit un corps reposant sur une surface quelconque. La réaction **R** exercée par la surface sur le corps peut être décomposée en une composante normale **N** et une composante tangentielle **F**, appelée *force de frottement*. La direction de la force **F** est opposée au mouvement ou au mouvement imminent relatif du corps par rapport à la surface. Deux situations peuvent se présenter :

   a) **Aucun mouvement**
   Si

   $$F \leq F_m$$

   où $F_m = \mu_s N$ et μ_s = coefficient de frottement statique,
   aucun mouvement ne peut exister et le corps sera en situation d'équilibre sur la surface.

   b) **Mouvement possible**
   Si

   $$F > F_m$$

   où F est la force de frottement nécessaire pour maintenir l'équilibre,
   le mouvement se produit. Dès que le mouvement se réalise, la valeur de F diminue à

   $$F = F_k = \mu_k N$$

   où μ_k = coefficient de frottement cinétique (*voir le problème résolu 8.1*).

2. **Trois forces en présence.** Quand seulement trois forces sont impliquées, nous devons adopter une approche de résolution plus analytique (*voir le problème résolu 8.2*). La réaction **R** est définie par sa grandeur R et par l'angle ϕ formé avec la normale à la surface. Si $\phi = \phi_s$, où $\tan \phi_s = \mu_s$, aucun mouvement n'est possible et le corps est en situation d'équilibre. Si une valeur de ϕ plus grande que ϕ_s est nécessaire pour maintenir l'équilibre, il y aura mouvement et la valeur de ϕ chutera à ϕ_k, où $\tan \phi_k = \mu_k$.

3. **Deux corps en contact.** Quand deux corps sont en contact, on doit déterminer le sens relatif du mouvement, réel ou imminent, au point de contact. Une force de frottement **F** doit être indiquée sur chacun des corps, dans le sens opposé au mouvement imminent ou réel, tel que vu à partir de l'autre corps.

B. Méthodes de résolution. La première étape de résolution consiste à tracer le diagramme du corps libre (DCL) illustrant les composantes de la force appliquée sur chacune des surfaces soumises à un frottement, en fonction de la composante normale **N** et de la force de frottement **F**. Si plusieurs corps sont impliqués, on trace le DCL pour chacun d'eux en prenant soin d'indiquer les forces appliquées sur chaque surface de contact, comme vu lors de l'étude des charpentes au chapitre 6.

Plusieurs situations peuvent être considérées :

1. **Vérification de la situation d'équilibre lorsque tous les coefficients de frottement et les forces sont connus.** Dans ce type de situation, la force de frottement F est considérée comme inconnue et l'on ne peut pas supposer que $F = \mu_s N$. On procède alors de la façon suivante :

    a) **Écrire les équations d'équilibre pour calculer N et F.**

    b) **Calculer la force de frottement maximale F_m.** La force de frottement maximale doit obéir à la relation $F_m = \mu_s N$.
    Si $F \leq F_m$, l'équilibre est maintenu.
    Si $F > F_m$, le corps est en mouvement et la grandeur de la force de frottement est $F_k = \mu_k N$ (*voir le problème résolu 8.1*).

2. **Calcul de μ_s minimale lorsque toutes les forces sont connues.** Quand on connaît toutes les forces en présence et que l'on doit déterminer le coefficient de frottement statique μ_s minimal pour que l'équilibre soit maintenu, on suppose que le mouvement est imminent et on évalue la valeur correspondante de μ_s.

    a) **Écrire les équations d'équilibre pour calculer N et F.**

    b) **Le mouvement étant imminent par hypothèse, alors $F = F_m$.** En substituant les valeurs de N et F trouvées en a dans l'équation $F_m = \mu_s N$, on détermine μ_s.

3. **Le mouvement du corps est imminent et μ_s est connue.** Dans ce cas, le mouvement est imminent, on connaît μ_s et l'on doit calculer un paramètre inconnu, par exemple une distance, un angle, la grandeur ou la direction d'une force.

    a) **Mouvement possible du corps.** En supposant que le corps est en mouvement, on inscrit sur le DCL la force de frottement en sens opposé au mouvement.

    b) **Mouvement imminent.** En supposant que le mouvement est imminent, alors $F = F_m = \mu_s N$. Puisque l'on connaît μ_s, on peut exprimer F en fonction de N sur le DCL, éliminant ainsi une inconnue.

    c) **Résolution des équations d'équilibre.** Finalement, on peut écrire et résoudre les équations d'équilibre en fonction de l'inconnue recherchée (*voir le problème résolu 8.3*).

Note: dans les problèmes du chapitre 8, si le poids d'un corps n'est pas explicitement mentionné, ce poids est considéré comme négligeable.

8.1 Vérifiez si le bloc reposant sur le plan incliné est en situation d'équilibre et déterminez la grandeur et la direction de la force de frottement si $P = 150$ N.

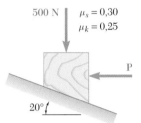

Figure P8.1 - P8.2

8.2 Vérifiez si le bloc reposant sur le plan incliné est en situation d'équilibre et déterminez la grandeur et la direction de la force de frottement si $P = 400$ N.

8.3 Vérifiez si le bloc reposant sur le plan incliné est en situation d'équilibre. Calculez ensuite la grandeur et la direction de la force de frottement si $P = 120$ N.

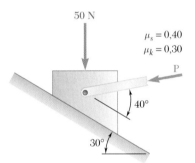

Figure P8.3 - P8.5

8.4 Vérifiez si le bloc reposant sur le plan incliné est en situation d'équilibre. Calculez ensuite la grandeur et la direction de la force de frottement si $P = 80$ N.

8.5 Estimez la gamme des valeurs que peut avoir P pour que le corps soit maintenu en équilibre.

8.6 En vous référant à la figure, estimez la gamme des valeurs que peut avoir P pour que le corps soit maintenu en équilibre.

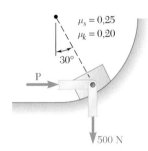

Figure P8.6

8.7 Sachant que le coefficient de frottement entre le bloc de 25 kg et la surface du plan incliné est $\mu_s = 0,25$, déterminez:
a) la valeur minimale de la force P nécessaire pour déplacer le bloc vers le haut;
b) la valeur correspondante de l'angle β.

8.8 Sachant que le coefficient de frottement entre le bloc de 15 kg et la surface du plan incliné est $\mu_s = 0,25$, déterminez:
a) la valeur minimale de la force P nécessaire pour maintenir le bloc en équilibre;
b) la valeur correspondante de l'angle β.

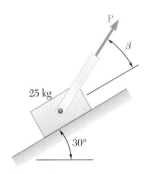

Figure P8.7

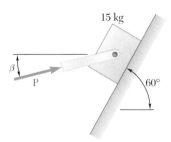

Figure P8.8

8.9 En ne tenant compte que des valeurs de $\theta < 90°$, déterminez la valeur minimale de θ nécessaire pour que le bloc entame un mouvement latéral vers la droite, sachant que:
a) le poids du bloc est $W = 75$ N;
b) le poids du bloc est $W = 100$ N.

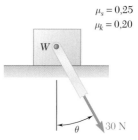

$\mu_s = 0,25$
$\mu_k = 0,20$

Figure P8.9

8.10 Un bloc de 10 kg est fixé à la barre AB et repose sur un convoyeur à courroie. Sachant que $\mu_s = 0,30$ et que $\mu_k = 0,25$, déterminez la grandeur de la force horizontale minimale **P** à exercer sur la courroie pour:
a) garder la courroie en mouvement vers la gauche;
b) garder la courroie en mouvement vers la droite.

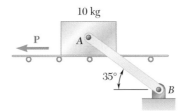

Figure P8.10

8.11 En vous référant aux données de la figure et sachant que $\theta = 40°$, évaluez la grandeur minimale de la force **P** pour maintenir le bloc de 7,5 kg en équilibre.

8.12 En vous référant aux données de la figure et sachant que $P = 100$ N, estimez la gamme des valeurs possibles de θ pour que le bloc de 7,5 kg puisse être maintenu en équilibre.

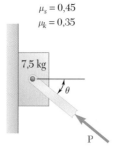

$\mu_s = 0,45$
$\mu_k = 0,35$

Figure P8.11 - P8.12

8.13 et 8.14 Les coefficients de frottement de toutes les surfaces en présence sont $\mu_s = 0,40$ et $\mu_k = 0,30$. Évaluez la grandeur minimale de la force **P** requise pour produire un mouvement horizontal du bloc de 30 kg si:
a) les deux blocs sont reliés par le câble AB comme illustré;
b) le câble AB est retiré.

(Note: négligez le frottement dans la poulie.)

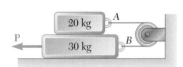

Figure P8.13

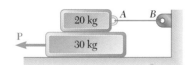

Figure P8.14

8.15 Les blocs A (2,04 kg) et B (3,06 kg), reliés par un câble comme illustré, reposent sur un plan incliné. Le coefficient de frottement statique entre les deux blocs est de 0,15 et de 0 entre le bloc B et la surface du plan. Établissez l'angle θ pour lequel le mouvement est imminent.

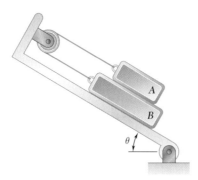

Figure P8.15 - P8.16

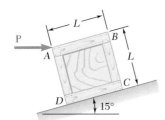

Figure P8.17

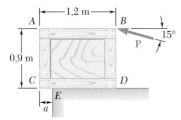

Figure P8.18

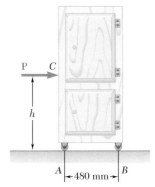

Figure P8.19 - P8.20

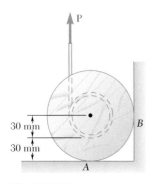

Figure P8.23

8.16 Les blocs A (2,04 kg) et B (3,06 kg), reliés par un câble comme illustré (*voir la figure P8.15 - P8.16 à la page* 397), reposent sur un plan incliné. Le coefficient de frottement statique entre les deux surfaces en présence est de 0,15. Établissez l'angle θ pour lequel le mouvement est imminent.

8.17 Une caisse uniforme de 30 kg doit être poussée vers le haut sur un plan incliné de 15° sans se renverser. Sachant que la force **P** est horizontale, déterminez:
a) le coefficient de frottement statique maximal entre la caisse et le plan;
b) la grandeur de la force **P** correspondante.

8.18 Un travailleur pousse une caisse de 50 kg reposant sur un quai de chargement en appliquant une force **P** au point B, comme illustré. Sachant que la caisse commence à se renverser lorsque a = 0,2 m, calculez:
a) le coefficient de frottement cinétique entre la caisse et la surface du quai;
b) la grandeur correspondante de la force **P**.

8.19 Une armoire de 61,2 kg est munie de roulettes qui peuvent être bloquées pour prévenir leur rotation. Le coefficient de frottement statique entre le plancher et chacune des roulettes est de 0,30. Si h = 640 mm, déterminez la grandeur de la force **P** nécessaire pour déplacer l'armoire vers la droite:
a) si toutes les roulettes sont bloquées;
b) si les roulettes situées en B sont bloquées, et celles en A libres de rouler;
c) si les roulettes situées en A sont bloquées, et celles en B libres de rouler.

8.20 Une armoire de 61,2 kg est munie de roulettes qui peuvent être bloquées pour prévenir leur rotation. Le coefficient de frottement statique entre le plancher et chacune des roulettes est de 0,30. Sachant que toutes les roulettes sont bloquées, évaluez:
a) la force **P** nécessaire pour déplacer l'armoire vers la droite;
b) la hauteur h maximale d'application de la force **P** afin de prévenir le renversement de l'armoire.

8.21 Un cylindre de poids W et de rayon r repose dans un coin d'un entrepôt. Le coefficient de frottement statique μ_s est identique aux points A et B. Déterminez la grandeur maximale du couple **M** qui peut être appliqué sur le cylindre tout en évitant la rotation de celui-ci.

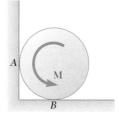

Figure P8.21 - P8.22

8.22 Un cylindre de poids W et de rayon r repose dans un coin d'un entrepôt. Si l'on désire éviter la rotation du cylindre, exprimez mathématiquement la grandeur maximale du couple **M** en fonction de W et de r, sachant que le coefficient de frottement statique est:
a) 0 au point A et 0,30 au point B;
b) 0,25 au point A et 0,30 au point B.

8.23 À l'aide d'une force verticale **P**, un câble est déroulé d'une bobine reposant dans le coin d'un entrepôt à une vitesse constante (*voir la figure P8.23*). Le poids de la bobine et du câble est de 20 N. Si les coefficients de frottement aux points A et B sont $\mu_s = 0,40$ et $\mu_k = 0,30$, calculez la grandeur de la force **P**.

8.24 Solutionnez le problème 8.23 en supposant que les coefficients de frottement au point *B* sont nuls.

8.25 Le vérin hydraulique illustré exerce une force de 3 kN dirigée vers la droite au point *B* et vers la gauche au point *E*. Calculez la grandeur du couple **M** nécessaire pour faire tourner le tambour dans le sens horaire à vitesse constante.

8.26 Un couple **M** de 100 N · m est appliqué sur un tambour, comme illustré. Déterminez la force minimale que doit exercer le vérin hydraulique aux joints *B* et *E* afin d'empêcher le tambour de tourner.

***8.27** Un cylindre *C* de poids *W* s'appuie sur le mur vertical au point *A* et repose sur le cylindre *D*. Sachant que le coefficient de frottement statique est de 0,25 en *A* et *B*, calculez la grandeur maximale du couple **M**, de sens antihoraire, pouvant être appliqué sur le cylindre *D* si l'on désire éviter tout mouvement de rotation.

***8.28** Une demi-section de tuyau de poids 200 N est tirée par un câble. Le coefficient de frottement statique entre le tuyau et le plancher est de 0,40. Si $\alpha = 30°$, déterminez :
a) la tension nécessaire pour mouvoir le tuyau ;
b) si le tuyau glissera ou basculera.

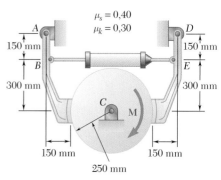

Figure P8.25 - P8.26

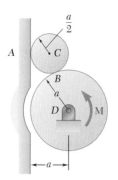

Figure P8.27

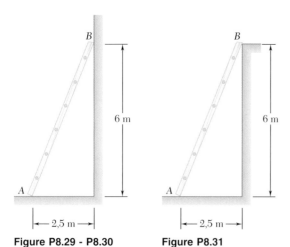

Figure P8.28

8.29 Une échelle *AB* de 6,5 m, de poids *W*, est appuyée sur un mur comme illustré. Si le coefficient de frottement statique au point *B* est nul, déterminez la valeur minimale de μ_s au point *A* pour que l'équilibre soit maintenu.

8.30 et 8.31 Une échelle *AB* de 6,5 m, de poids *W*, est appuyée sur un mur comme illustré. En supposant que le coefficient de frottement statique μ_s aux points *A* et *B* est identique, déterminez la valeur minimale de μ_s pour que l'équilibre soit assuré.

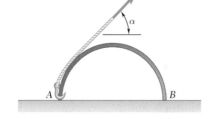

Figure P8.29 - P8.30 **Figure P8.31**

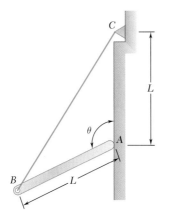

Figure P8.32

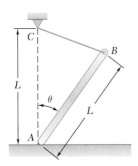

Figure P8.33

8.32 et 8.33 L'extrémité A d'une mince tige uniforme de longueur L et de poids W est appuyée sur une surface alors que son extrémité B est soutenue par la corde BC, comme illustré. Si les coefficients de frottement sont $\mu_s = 0{,}40$ et $\mu_k = 0{,}30$, calculez :

a) la valeur de θ de sorte que le mouvement soit imminent ;

b) la tension correspondante dans la corde.

8.34 Une mince tige de longueur L repose sur la cheville C et sur le mur vertical à la roulette B. Une force **P** est appliquée à l'extrémité A. Sachant que le coefficient de frottement statique entre la cheville et la tige est de 0,15 et qu'il est nul à la roulette B, déterminez la gamme des valeurs possibles du rapport L/a pour maintenir l'équilibre du montage.

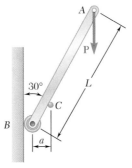

Figure P8.34

8.35 Résolvez le problème 8.34, sachant que le coefficient de frottement statique entre la cheville C et la tige est de 0,60.

8.36 Référez-vous à la presse illustrée, que l'on utilise pour estamper un sceau au point E. Si le coefficient de frottement cinétique entre le guide vertical et le poinçon D est de 0,30, déterminez la force exercée par le poinçon sur le sceau, si le poinçon glisse à vitesse constante.

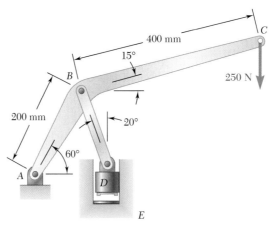

Figure P8.36

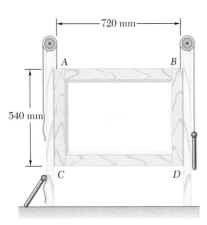

Figure P8.37

8.37 Un châssis de fenêtre de 4 kg est supporté par deux contrepoids de 2 kg chacun. Sachant que le châssis est demeuré ouvert après que la corde supportant un des contrepoids a été coupée, déterminez la plus petite valeur possible du coefficient de frottement statique. (Supposez que le châssis est légèrement plus petit que le cadre et qu'ils sont restés en contact seulement aux points A et D.)

8.38 Un bloc de béton de 50 kg est levé à l'aide de pinces, comme illustré. Déterminez la valeur minimale du coefficient de frottement statique entre les mâchoires et le bloc aux points F et G.

8.39 Une came de 100 mm de rayon est utilisée pour contrôler le mouvement de la plaque CD. Si le coefficient de frottement statique entre la plaque et la came est de 0,45 et que le frottement aux roulettes est négligeable, déterminez :
a) la force **P** nécessaire pour déplacer la plaque, sachant que celle-ci a une épaisseur de 20 mm ;
b) l'épaisseur maximale de la plaque pour que le mécanisme soit autobloquant (pour que la plaque ne puisse plus se déplacer quelle que soit la force **P**).

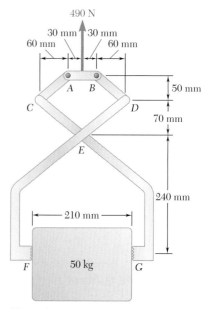

Figure P8.38

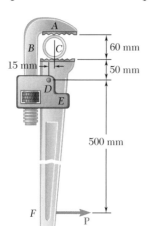

Figure P8.39

8.40 Une base de machine de 75 kg est nivelée à l'aide des patins A et B. Le coefficient de frottement statique entre les patins et le plancher est de 0,30. Si une force **P** de 500 N est appliquée au coin C, déterminez la gamme des valeurs de θ pour lesquelles aucun mouvement de la base n'est possible.

8.41 Un tuyau fixe de 60 mm de diamètre est serré par une clé à molette comme illustré. Les éléments AB et DE de la clé sont solidement reliés. L'élément CF est relié au point D à l'aide d'une goupille. Le rôle de la clé étant de serrer fermement le tuyau, déterminez les coefficients de frottement minimaux nécessaires aux points A et C, si on désire que la clé soit autobloquante.

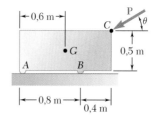

Figure P8.40

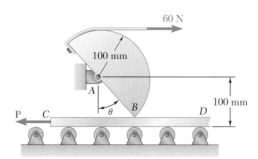

Figure P8.41

8.42 Solutionnez le problème 8.41, si le diamètre du tuyau est de 30 mm.

8.43 La plaque ABCD de 500 N glisse verticalement sur le poteau à l'aide des manchons situés aux points A et D. La plaque est soutenue par une force **P** au point E. Sachant que le coefficient de frottement statique entre les manchons et le poteau est de 0,40, vérifiez l'équilibre de la plaque si :
a) P = 0 ;
b) P = 200 N.

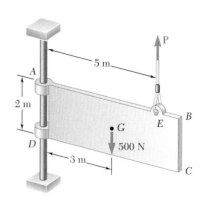

Figure P8.43

8.44 En vous référant au problème 8.43, déterminez la gamme des valeurs de la grandeur de la force verticale **P** appliquée en *E* permettant à la plaque de glisser vers le bas.

8.45 En vous référant à la figure, si le coefficient de frottement statique entre le manchon et la tige est de 0,35, évaluez la gamme des valeurs de *P* qui assurent l'équilibre du montage si $\theta = 50°$ et $M = 20$ N · m.

8.46 En vous référant à la figure, si le coefficient de frottement statique entre le manchon et la tige est de 0,40, estimez la gamme des valeurs de *M* assurant l'équilibre du montage si $\theta = 60°$ et $P = 200$ N.

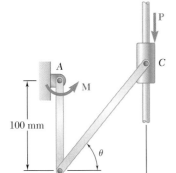

Figure P8.45 - P8.46

8.47 et 8.48 Un manchon *B* de poids *W* newtons est relié à un ressort *AB* et peut se déplacer sur une tige, comme illustré. La constante du ressort est $k = 1,5$ kN/m et le ressort est au repos quand $\theta = 0°$. Si $\mu_s = 0,40$ entre le manchon et la tige, déterminez la gamme des valeurs possibles de *W* afin que l'équilibre puisse être assuré si :
a) $\theta = 20°$;
b) $\theta = 30°$.

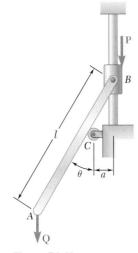

Figure P8.49

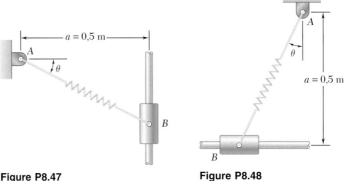

Figure P8.47   **Figure P8.48**

8.49 Une mince tige *AB* de longueur $l = 600$ mm est reliée à un manchon glissant sur un poteau. La tige repose sur une roue en *C* située à une distance horizontale $a = 80$ mm de l'axe vertical du poteau. Sachant que $\mu_s = 0,25$ entre le manchon et le poteau, que le rayon de la roue est négligeable, que $Q = 100$ N et $\theta = 30°$, déterminez la gamme des valeurs de *P* assurant l'équilibre du montage.

8.50 Les blocs *A* et *B*, dont le poids est de 10 N chacun, sont reliés à l'aide d'une mince tige de poids négligeable. Le coefficient de frottement statique entre toutes les surfaces de contact est de 0,30 et la tige forme un angle $\theta = 30°$ avec la verticale.
a) Démontrez que le montage est en équilibre quand $P = 0$.
b) Déterminez la valeur maximale de *P* pour laquelle le montage est en équilibre.

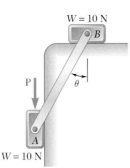

Figure P8.50

8.51 La barre *AB* relie deux manchons pouvant glisser sur deux tuyaux inclinés, comme illustré. On applique une force **P** au point *D* situé à une distance *a* de l'extrémité *A* de la barre. Sachant que $\mu_s = 0,30$ entre les manchons et les tuyaux sur lesquels ils glissent et en négligeant le poids de tous les éléments en jeu, déterminez la valeur minimale du rapport *a/L* pour assurer l'équilibre du montage.

8.52 En vous référant aux données du problème 8.51, dérivez une relation exprimant la valeur minimale du rapport *a/L* en fonction de μ_s permettant d'assurer l'équilibre du montage.

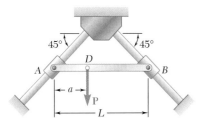

Figure P8.51

8.53 Deux planches uniformes et identiques de 16,3 kg sont appuyées l'une sur l'autre comme illustré. Sachant que $\mu_s = 0,40$ entre toutes les surfaces de contact, évaluez:
   a) la grandeur maximale de la force **P** pouvant être appliquée au point D tout en maintenant l'équilibre du système;
   b) la surface où le mouvement est imminent.

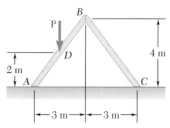

Figure P8.53

8.54 Deux tiges sont reliées par un manchon au point B. Un couple $\mathbf{M}_A$ de grandeur 15 N · m est appliqué à la barre AB. Si $\mu_s = 0,30$ entre le manchon et la barre AB, déterminez le couple maximal $\mathbf{M}_C$ pouvant être appliqué tout en assurant l'équilibre du mécanisme.

8.55 En vous référant au problème 8.54, évaluez la grandeur minimale du couple $\mathbf{M}_C$ nécessaire pour garder le système en équilibre.

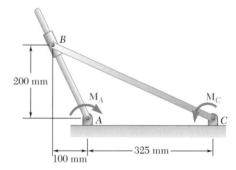

Figure P8.54

8.56 Deux blocs A et B de 8 kg chacun reposent sur deux étagères. Ils sont reliés par une tige de masse négligeable. Sachant que la grandeur de la force horizontale **P** appliquée au point C est graduellement augmentée à partir de zéro, déterminez la valeur de P à partir de laquelle le mouvement s'amorce ainsi que la nature du mouvement si le coefficient de frottement statique entre toutes les surfaces est:
   a) $\mu_s = 0,40$;
   b) $\mu_s = 0,50$.

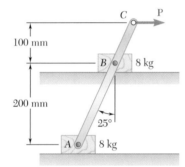

Figure P8.56

8.57 Une poutre de 10 m, pesant 1200 N, doit être bougée vers la gauche sur la plate-forme, comme illustré. Une force horizontale **P** est appliquée au chariot, qui est monté sur des roues sans frottement. Les coefficients de frottement entre toutes les surfaces sont $\mu_s = 0,30$ et $\mu_k = 0,25$, et $x = 2$ m initialement. En sachant que la surface du chariot est légèrement plus élevée que la plate-forme, déterminez la grandeur de la force **P** nécessaire pour mettre la poutre en mouvement. (Indice: la poutre est supportée en A et D.)

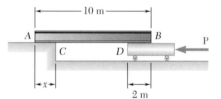

Figure P8.57

8.58 Une mince tige de 225 mm est placée à l'intérieur d'un tube, comme illustré. Si le coefficient de frottement statique entre la tige et le tube est de 0,20, calculez la valeur maximale de θ pour laquelle la tige ne tombera pas à l'intérieur du tube.

8.59 En vous référant aux données du problème 8.58, déterminez la valeur minimale de θ pour laquelle la tige ne tombera pas à l'extérieur du tube.

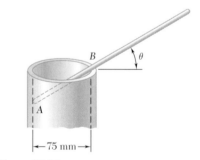

Figure P8.58

8.60 Deux tiges minces de poids négligeable sont attachées ensemble au point C et relient deux blocs de poids W aux points A et B. Sachant que $\theta = 80°$ et que le coefficient de frottement statique entre les blocs et la surface horizontale est $\mu_s = 0,30$, estimez la grandeur maximale de la force **P** pouvant être appliquée en C tout en gardant le montage en équilibre.

8.61 Deux tiges minces de poids négligeable sont attachées ensemble au point C et relient deux blocs de poids W aux points A et B. Sachant que $P = 1,26W$ et que le coefficient de frottement statique entre les blocs et la surface horizontale est $\mu_s = 0,30$, déterminez la gamme des valeurs possibles de θ $(0° < \theta < 180°)$ pour que l'équilibre soit maintenu.

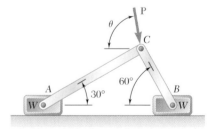

Figure P8.60 - P8.61

8.2.1 COINS

Les coins, ou cales d'appui, sont des dispositifs simples employés pour soulever de gros objets lourds à l'aide de forces beaucoup plus faibles que le poids de la charge. De plus, le frottement entre les surfaces de contact est tel qu'un coin de forme appropriée restera en place une fois sous la charge. On se sert entre autres des coins pour ajuster finement la position de lourdes pièces de machinerie.

On veut soulever légèrement le bloc A de la figure 8.7a reposant contre un mur vertical B; en insérant le coin C entre le bloc A et le second coin D. On cherche la valeur minimale de la force $\mathbf{P}$ qu'il faut appliquer au coin C pour déplacer le bloc. On suppose que le poids $\mathbf{W}$ du bloc est donné en newtons et calculé à partir de la masse exprimée en kilogrammes.

Les figures 8.7b et c montrent respectivement les diagrammes du corps libre du bloc A et du coin C. Les forces exercées sur le bloc comprennent son propre poids, de même que les forces normales et les forces de frottement développées aux surfaces de contact du mur B et du coin C. Les forces de frottement $\mathbf{F}_1$ et $\mathbf{F}_2$ correspondent respectivement à $\mu_s N_1$ et à $\mu_s N_2$ puisqu'on doit mettre le bloc en mouvement. On doit s'assurer de représenter correctement le sens des forces de frottement. Puisque le bloc va monter, la force $\mathbf{F}_1$ exercée par le mur sur le bloc sera dirigée vers le bas. Par ailleurs, puisque le coin C se déplacera vers la droite, le bloc A ira vers la gauche relativement à C et la force $\mathbf{F}_2$ exercée par C sur A pointera vers la droite.

Considérons maintenant le corps libre C de la figure 8.7c; les forces agissant sur C incluent la force appliquée $\mathbf{P}$ ainsi que les forces normales et les forces de frottement exercées au contact de A et de D. Dans cet exemple, on néglige le poids du coin car il est faible comparativement aux autres forces en jeu. Les forces exercées par A sur C sont égales et opposées aux forces $\mathbf{N}_2$ et $\mathbf{F}_2$ exercées par C sur A; on les représente respectivement par $-\mathbf{N}_2$ et $-\mathbf{F}_2$. La force de frottement $-\mathbf{F}_2$ pointe alors vers la gauche, de même que la force $\mathbf{F}_3$ exercée par D.

Des coins sont employés pour fendre des souches parce que les forces normales exercées par le coin sur le bois sont de beaucoup supérieures à la force requise pour insérer le coin.

a)

Figure 8.7

b)

c)

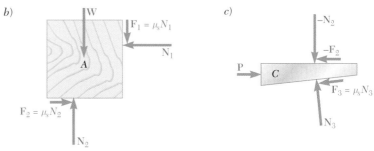

Les deux diagrammes du corps libre comprennent au total quatre inconnues si l'on exprime les forces de frottement en fonction des forces normales. Considérant l'équilibre du bloc A et du coin C, on obtient quatre équations dont la résolution détermine la grandeur de $\mathbf{P}$. Dans cet exemple, il sera plus pratique de remplacer par leur résultante les paires constituées d'une force normale et d'une force de frottement. Chaque corps libre subit alors seulement trois forces et les triangles des forces donnent la solution du problème (*voir le problème résolu 8.4*).

8.2.2 VIS À FILETAGE CARRÉ

Les vis à filetage carré sont utilisées dans les crics ou les vérins mécaniques, les presses et d'autres types de mécanismes. Leur analyse s'apparente à celle d'un bloc glissant sur un plan incliné.

Considérons le cric illustré à la figure 8.8. La vis porte une charge **W** et elle est soutenue par la base du cric. Le contact entre la vis et la base se fait par l'intermédiaire des filets. On fait tourner la vis pour soulever la charge **W** en appliquant une force **P** au levier.

On suppose que le filet de la base est déroulé pour être représenté par une ligne droite (*voir la figure 8.9a*). La pente a été établie en plaçant sur l'axe horizontal le produit $2\pi r$, où r correspond au rayon moyen du filet ; l'axe vertical représente le pas d'hélice ou l'avance de la vis, L, c'est-à-dire la distance axiale parcourue par la vis en un tour complet. On appelle *angle d'hélice* l'angle θ formé entre le plan incliné et l'horizontale. La force de frottement étant indépendante de l'aire de contact entre les surfaces, on peut supposer que l'aire de contact entre les deux filets est beaucoup plus petite qu'elle ne l'est en réalité et représenter la vis par un bloc (*voir la figure 8.9a*). Dans cette analyse, on a négligé le frottement entre la tête du cric et la vis.

Le diagramme du corps libre du bloc comprend la charge **W**, la réaction **R** du filet de la base et une force horizontale **Q** produisant le même effet que la force **P** appliquée au levier. La force **Q** aurait le même moment que **P** par rapport à l'axe de la vis et sa grandeur correspondrait à $Q = Pa/r$. On peut calculer la force **Q**, et par la suite la force **P** requise pour soulever la charge **W**, en analysant le diagramme du corps libre de la figure 8.9a. On suppose que l'angle de frottement est égal à ϕ_s puisque la charge sera soulevée en plusieurs petits déplacements successifs. Dans les mécanismes où la vis tourne en continu, on distingue habituellement la force requise pour amorcer le mouvement (associée à ϕ_s) de celle nécessaire pour l'entretenir (associée à ϕ_k).

Lorsque l'angle de frottement ϕ_s est supérieur à l'angle d'hélice θ, la vis est autobloquante et elle reste en place sous la charge. Dans ce cas, si l'on veut abaisser la charge, on applique la force représentée à la figure 8.9b. À l'inverse, si ϕ_s est plus petit que θ, la vis tourne sous l'action de la charge et il devient nécessaire d'appliquer la force montrée à la figure 8.9c pour maintenir l'équilibre et empêcher la vis de descendre.

On ne doit pas confondre le pas d'hélice (ou avance de vis) et le pas de filet. Rappelons que le pas d'hélice correspond au déplacement axial de la vis résultant d'une rotation complète ; le pas de filet se définit quant à lui par la distance mesurée entre deux crêtes consécutives du filet. Ces deux valeurs sont identiques pour les vis à filet simple mais elles diffèrent pour les vis à pas double ou multiple, c'est-à-dire celles qui possèdent plusieurs filets indépendants. On vérifie facilement que, dans le cas des vis à double pas, le pas de vis mesure deux fois le pas de filet ; de même, pour les vis à triple pas, le pas de vis est trois fois supérieur au pas de filet.

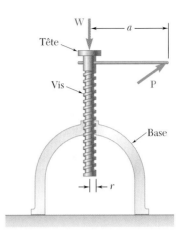

Figure 8.8

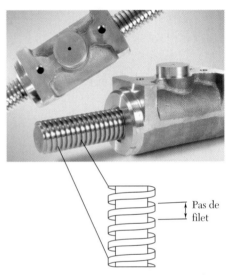

Un exemple de vis à filetage carré ajustée à un manchon, utilisée en industrie.

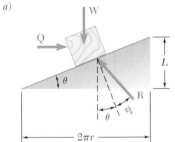

Mouvement imminent vers le haut

Figure 8.9

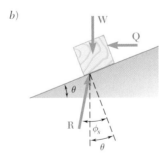

Mouvement imminent vers le bas, $\phi_s > \theta$

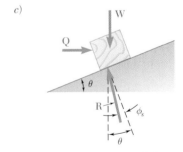

Mouvement imminent vers le bas, $\phi_s < \theta$

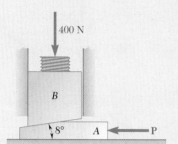

On veut mettre à niveau une machine, représentée par le bloc B, à l'aide d'un coin A servant de cale d'appui. Si le coefficient de frottement statique entre les surfaces de contact est de 0,35, déterminez la force $\mathbf{P}$ nécessaire :

a) pour lever le bloc ;
b) pour abaisser le bloc.

> SOLUTION

On trace les diagrammes du corps libre (DCL) du bloc B et du coin A. À l'aide des triangles de forces et de la loi des sinus, on trouve les forces recherchées. Puisque $\mu_s = 0,35$, l'angle de frottement est

$$\phi_s = \tan^{-1} 0,35 = 19,3°$$

a) Force P nécessaire pour lever le bloc
Par le DCL du bloc B, on a

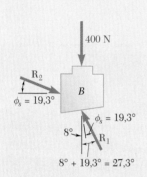

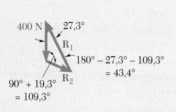

$$\frac{R_1}{\sin 109,3°} = \frac{400\ \text{N}}{\sin 43,4°}$$

$$R_1 = 549\ \text{N}$$

Par le DCL du coin A, on a

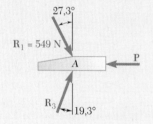

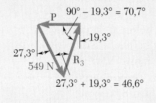

$$\frac{P}{\sin 46,6°} = \frac{549\ \text{N}}{\sin 70,7°}$$

$$P = 423\ \text{N}$$

$$\mathbf{P} = 423\ \text{N} \leftarrow \quad \blacktriangleleft$$

b) Force P nécessaire pour baisser le bloc
Par le DCL du bloc B, on a

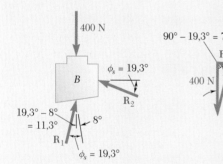

$$\frac{R_1}{\sin 70,7°} = \frac{400\ \text{N}}{\sin 98,0°}$$

$$R_1 = 381\ \text{N}$$

Par le DCL du coin A, on a

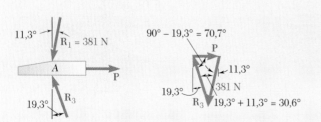

$$\frac{P}{\sin 30,6°} = \frac{381\ \text{N}}{\sin 70,7°}$$

$$P = 206\ \text{N}$$

$$\mathbf{P} = 206\ \text{N} \rightarrow \quad \blacktriangleleft$$

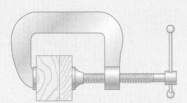

Un serre-joint est utilisé pour maintenir deux pièces de bois ensemble. Le serre-joint possède une vis à double filet carré de diamètre moyen de 10 mm avec un pas de filet de 2 mm. Le coefficient de frottement entre les filets est $\mu_s = 0{,}30$. Si un couple maximum de 40 N · m est nécessaire pour serrer la vis, déterminez :

a) la force exercée sur les pièces de bois ;

b) le couple nécessaire pour desserrer le serre-joint.

> **SOLUTION**

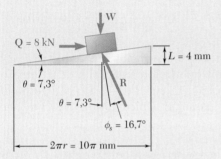

a) Force exercée par le serre-joint Le rayon moyen du filet est $r = 5$ mm. Puisque la vis est à double filet, le pas de vis L est le double du pas de filet ; alors, $L = 2(2 \text{ mm}) = 4$ mm. On calcule l'angle d'hélice θ et l'angle de frottement ϕ_s en écrivant

$$\tan \theta = \frac{L}{2\pi r} = \frac{4 \text{ mm}}{10\pi \text{ mm}} = 0{,}1273 \qquad \theta = 7{,}3°$$

$$\tan \phi_s = \mu_s = 0{,}30 \qquad \phi_s = 16{,}7°$$

La force **Q** qui doit être appliquée au bloc représentant la vis s'obtient en écrivant que son moment Qr par rapport à l'axe de la vis est égal au couple appliqué.

$$Q(5 \text{ mm}) = 40 \text{ N} \cdot \text{m}$$

$$Q = \frac{40 \text{ N} \cdot \text{m}}{5 \text{ mm}} = \frac{40 \text{ N} \cdot \text{m}}{5 \times 10^{-3} \text{ m}} = 8000 \text{ N} = 8 \text{ kN}$$

On est maintenant en mesure de tracer le DCL du bloc et le triangle des forces correspondant ; la grandeur de la force **W** appliquée sur les pièces de bois s'obtient en résolvant le triangle des forces.

$$W = \frac{Q}{\tan (\theta + \phi_s)} = \frac{8 \text{ kN}}{\tan 24{,}0°}$$

$$W = 17{,}97 \text{ kN} \quad \blacktriangleleft$$

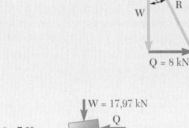

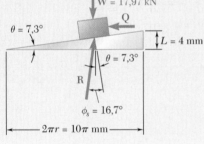

b) Couple nécessaire pour desserrer le serre-joint La force **Q** requise pour desserrer le serre-joint et le couple correspondant s'obtiennent à partir du DCL et du triangle des forces illustrés.

$$Q = W \tan (\phi_s - \theta)$$
$$= (17{,}97 \text{ kN}) \tan 9{,}4°$$
$$= 2{,}975 \text{ kN}$$

$$\text{Couple} = Qr$$
$$= (2{,}975 \text{ kN})(5 \text{ mm})$$
$$= (2{,}975 \times 10^3 \text{ N})(5 \times 10^{-3} \text{ m})$$
$$= 14{,}87 \text{ N} \cdot \text{m}$$

$$\text{Couple} = 14{,}87 \text{ N} \cdot \text{m} \quad \blacktriangleleft$$

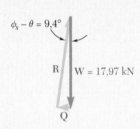

Dans cette section, nous avons appliqué les lois du frottement aux problèmes impliquant les coins ou cales d'appui et les vis à filetage carré.

1. **Coins ou cales d'appui.** Lors de l'étude de situations impliquant des coins, nous suggérons la procédure suivante :

   a) **Tracer le diagramme du corps libre (DCL).** La première étape consiste à tracer le DCL de la cale d'appui et de tous les corps impliqués, en identifiant correctement le sens du mouvement relatif de toutes les surfaces de contact et les forces de frottement agissant en sens contraire à ces mouvements.

   b) **Force maximale de frottement statique F_m.** Inscrire F_m à chaque surface du coin, puisque le mouvement y est imminent.

   c) **Réaction R et angle de frottement.** Il est souvent plus pratique d'utiliser la réaction **R** et l'angle de frottement plutôt que la force normale et la force de frottement. On peut alors tracer un ou plusieurs triangles des forces et déterminer, graphiquement ou par trigonométrie, les paramètres inconnus (*voir le problème résolu 8.4*).

2. **Vis à filetage carré.** L'étude d'une vis à filetage carré est équivalente à celle d'un bloc glissant sur un plan incliné. Pour illustrer le plan avec la bonne inclinaison, on déroule le filet de la vis pour le représenter par une droite (*voir le problème résolu 8.5*). Les principes suivants sont à retenir tout au long de l'étude :

   a) **Distinguer pas de filet et pas de vis.** Le pas de filet d'une vis est la distance séparant deux crêtes consécutives du filet ; le pas de vis est la distance axiale parcourue en un tour complet de la vis. Pour les vis à filet simple, le pas d'hélice (ou avance de la vis) est égal au pas de filet. Pour les vis à double pas, le pas de vis est égal à deux fois le pas de filet.

   b) **Distinguer couple de serrage et couple de desserrage.** Le couple nécessaire au serrage d'une vis n'est pas le même que le couple requis pour la desserrer. De plus, les vis utilisées dans les crics et les serre-joints sont habituellement autobloquantes. Ainsi, la vis demeure stationnaire tant qu'un couple ne lui est pas appliqué (*voir le problème résolu 8.5*).

8.62 L'élément de machine *ABC* est soutenu au point *B* par une charnière sans frottement. Il repose au point *C* sur un coin de 10° servant de cale d'appui. Si le coefficient de frottement statique aux deux surfaces du coin est de 0,20, déterminez :
a) la force **P** requise pour déplacer le coin ;
b) les composantes de la réaction correspondante en *B*.

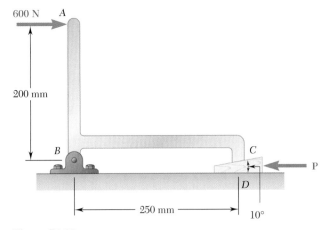

Figure P8.62

8.63 Solutionnez le problème 8.62 en supposant que la force **P** est dirigée vers la droite.

8.64 et 8.65 On a recours à deux coins de 10°, de poids négligeable, servant de cale d'appui pour positionner un bloc de 163 kg. Sachant que le coefficient de frottement statique entre toutes les surfaces est $\mu_s = 0,25$, déterminez la force minimale **P** à appliquer dans chacune des situations illustrées.

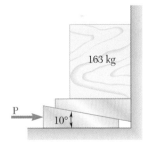

Figure P8.64

8.66 et 8.67 On utilise les cales d'appui en acier *E* et *F* en forme de coin pour niveler une poutre en acier reposant sur un plancher en béton. La plaque *CD* (en acier) est soudée à la semelle inférieure de la poutre. La réaction de la poutre est de 100 kN. Le coefficient de frottement statique est de 0,30 entre deux surfaces d'acier et de 0,60 entre les surfaces d'acier et de béton. Une force **Q** est appliquée pour prévenir tout mouvement horizontal de la poutre. Déterminez :
a) la force **P** nécessaire pour soulever la poutre ;
b) la force **Q** correspondante.

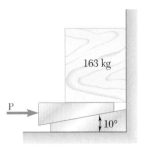

Figure P8.65

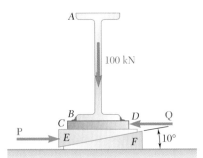

Figure P8.66

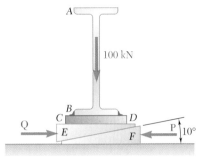

Figure P8.67

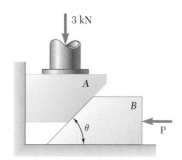

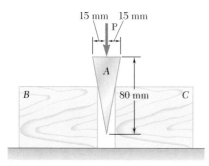

Figure P8.68 - P8.70

Figure P8.71 - P8.72

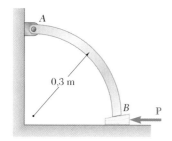

Figure P8.73

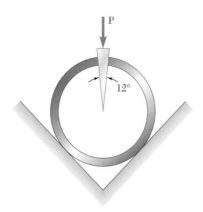

Figure P8.74

8.68 Une colonne cylindrique repose sur le bloc *A*, soutenu par le coin *B*. Sachant que le coefficient de frottement statique entre toutes les surfaces de contact est de 0,25 et que $\theta = 45°$, déterminez la valeur de la force minimale **P** nécessaire pour lever le bloc *A*.

8.69 Une colonne cylindrique repose sur le bloc *A*, soutenu par le coin *B*. Sachant que le coefficient de frottement statique entre toutes les surfaces de contact est de 0,25 et que $\theta = 45°$, déterminez la valeur de la force minimale **P** nécessaire pour assurer l'équilibre du montage.

8.70 Une colonne cylindrique repose sur le bloc *A*, soutenu par le coin *B*. Le coefficient de frottement statique entre toutes les surfaces de contact est de 0,25. Sachant que *P* = 0, déterminez :
a) l'angle θ pour lequel le glissement est imminent ;
b) la valeur correspondante de la force appliquée par le mur vertical sur le bloc *A*.

8.71 On désire insérer le coin *A* de poids négligeable entre les blocs *B* et *C* de 51 kg chacun. Le coefficient de frottement statique entre toutes les surfaces de contact est de 0,35. On vous demande de calculer la force **P** minimale requise pour enclencher le mouvement du coin si :
a) les blocs sont libres de se déplacer horizontalement ;
b) le bloc *C* est solidement fixé à la surface horizontale.

8.72 On désire insérer le coin *A* de poids négligeable entre les blocs *B* et *C* de 51 kg. Le coefficient de frottement statique vaut 0,35 entre les blocs et la surface plane et 0 entre le coin et les blocs. On vous demande de calculer la force **P** minimale requise pour initier le mouvement du coin si :
a) les blocs sont libres de se déplacer horizontalement ;
b) le bloc *C* est solidement fixé à la surface horizontale.

8.73 Un coin de 10° est inséré sous l'extrémité *B* de la tige *AB* de 5 kg. Le coefficient de frottement statique entre le coin et la tige est de 0,40, tandis qu'il est de 0,20 entre le coin et le plancher. Calculez la force minimale **P** requise pour lever la tige à son extrémité *B*.

8.74 On veut élargir la fente d'un anneau à l'aide d'un outil en forme de coin de 12°. Le coefficient de frottement statique entre le coin et l'anneau est $\mu_s = 0,30$. Si l'on a besoin d'une force **P** de 120 N pour insérer l'outil, déterminez la grandeur des forces appliquées sur l'anneau par l'outil après l'insertion. (Indice : considérez que les forces horizontales sur le coin sont identiques avant et après insertion.)

8.75 Le ressort du loquet d'une porte a une constante de 0,18 N/mm et, dans la position indiquée, exerce une force de 0,6 N sur le verrou. Le coefficient de frottement statique entre le verrou et la plaque d'arrêt est de 0,4 ; toutes les autres surfaces peuvent être considérées sans frottement. Déterminez la grandeur de la force **P** nécessaire pour commencer à fermer la porte.

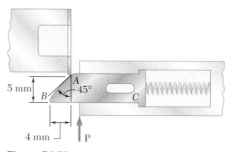

Figure P8.75

8.76 On fend des bûches à l'aide d'un outil en forme de coin de 10°. Le coefficient de frottement statique entre la bûche et le coin est de 0,35. Une force de 6 kN a été nécessaire pour insérer le coin. Déterminez la grandeur des forces appliquées sur la bûche par le coin après l'insertion. (Indice : considérez que les forces horizontales sur le coin sont identiques avant et après insertion.)

8.77 Un coin de 15° est introduit sous un tuyau de 50 kg. Sachant que $\mu_s = 0,20$ entre toutes les surfaces de contact :
a) démontrez que le glissement se produira d'abord entre le tuyau et le mur vertical ;
b) déterminez la force **P** nécessaire pour déplacer le coin.

Figure P8.76

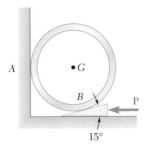

Figure P8.77 - P8.78

8.78 Un coin de 15° est introduit sous un tuyau de 50 kg. Sachant que $\mu_s = 0,20$ aux deux surfaces du coin, évaluez la valeur maximale de μ_s entre le tuyau et le mur vertical pour laquelle un glissement se produira en *A*.

8.79 Un coin de 8° doit être introduit sous la base d'une machine au point *B*. Sachant que $\mu_s = 0,15$ entre toutes les surfaces de contact :
a) calculez la force **P** nécessaire pour déplacer le coin ;
b) indiquez si la machine glissera.

8.80 Solutionnez le problème 8.79 en supposant que le coin est inséré sous la base de la machine au point *A* plutôt qu'au point *B*.

*8.81 Un bloc de 200 N repose sur un coin de poids négligeable. Le coefficient de frottement statique μ_s est le même aux deux surfaces du coin et il est nul entre le bloc et le mur vertical. Si *P* = 100 N, estimez la valeur de μ_s afin que le mouvement soit imminent. (Suggestion : appliquez la méthode des essais et erreurs.)

*8.82 Solutionnez le problème 8.81 en supposant que l'on retire les rouleaux et que μ_s est le coefficient de frottement statique entre toutes les surfaces de contact.

8.83 Référez-vous au cric présenté à la section 8.2.2. Dérivez les formules suivantes par rapport à la charge **W** et à la force **P** appliquée au levier du cric :
a) pour lever la charge : $P = (Wr/a) \tan(\theta + \phi_s)$;
b) pour abaisser la charge si la vis est autobloquante :
$P = (Wr/a) \tan(\phi_s - \theta)$;
c) pour maintenir la charge si la vis n'est pas autobloquante :
$P = (Wr/a) \tan(\theta - \phi_s)$.

8.84 On utilise des boulons en acier à haute résistance dans plusieurs structures d'acier. La tension minimale admissible est de 210 kN pour un boulon dont le diamètre nominal est de 24 mm. Sachant que $\mu_s = 0,40$, déterminez le couple à appliquer sur l'écrou. Le diamètre moyen du filet est de 22,6 mm et le pas (simple) du filet carré est de 3 mm. Négligez le frottement entre la rondelle et l'écrou.

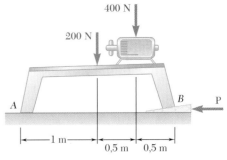

Figure P8.79

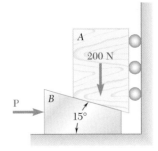

Figure P8.81

Figure P8.84

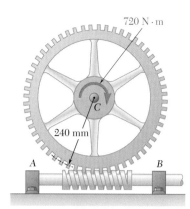

Figure P8.85

8.85 La vis sans fin à filetage carré illustrée a un rayon moyen de 30 mm et un pas de vis de 7,5 mm. La roue dentée est soumise à un couple constant de 720 N · m dans le sens horaire. Si le coefficient de frottement statique entre les deux engrenages est de 0,12, établissez le couple à appliquer à l'arbre *AB* pour faire tourner la grande roue dans le sens antihoraire (le frottement est nul dans les paliers *A*, *B* et *C*).

8.86 Au problème 8.85, déterminez la grandeur du couple à appliquer sur l'arbre *AB* pour faire tourner la grande roue dans le sens horaire.

8.87 Les extrémités de deux tiges fixes *A* et *B* ont un filetage carré simple de rayon moyen de 6 mm et de pas de filet de 2 mm. Elles se vissent des deux côtés d'un manchon taraudé de façon à former un tendeur. La tige *A* possède un filet droit, et la tige *B* un filet gauche. Le coefficient de frottement statique entre les différents éléments est de 0,12. Calculez le couple à appliquer au manchon pour rapprocher les extrémités des deux tiges.

Figure P8.87

8.88 Au problème 8.87, en supposant que les deux tiges possèdent un filet droit, calculez la grandeur du couple à appliquer au manchon pour le faire tourner.

8.89 La position du cric d'automobile illustré est contrôlée à l'aide de la vis *ABC* à filetage carré simple, dont l'extrémité *A* est filetée à droite et dont l'extrémité *C* est filetée à gauche. Chaque filet possède un pas de 2 mm et un diamètre moyen de 7,5 mm. Sachant que le coefficient de frottement statique est de 0,15, évaluez la grandeur du couple **M** requis pour soulever l'automobile.

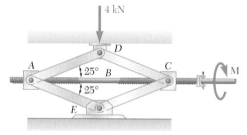

Figure P8.89

8.90 En vous référant aux données du problème 8.89, déterminez la grandeur du couple **M** requis pour abaisser l'automobile.

8.91 La pince illustrée est constituée de deux membrures liées par deux vis à double pas avec un rayon moyen de 15 mm et un pas de vis de 4 mm. La membrure inférieure est filetée en *A* et *B* ($\mu_s = 0,35$) mais la membrure supérieure n'est pas filetée. On désire appliquer deux forces opposées de 120 N sur le bloc maintenu entre les mâchoires de la pince.
   a) Quelle vis doit être ajustée la première?
   b) Quel est le moment du couple maximal à appliquer en serrant la seconde vis?

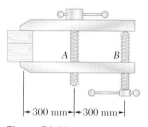

Figure P8.91

FROTTEMENT SUR LES PALIERS, BUTÉES ET ROUES

On utilise les paliers lisses à charge radiale pour supporter radialement les arbres tournants et les essieux. On emploie par ailleurs les paliers axiaux ou butées, qui font l'objet de la prochaine section, pour le soutien axial des arbres et des essieux. La résistance au frottement d'un palier lisse bien lubrifié dépend de la vitesse de rotation de l'arbre, du jeu entre le tourillon[2] et le palier et de la viscosité du lubrifiant. Comme mentionné dans l'introduction du chapitre, ces problèmes sont traités en mécanique des fluides. Les méthodes dont il est question dans ce chapitre s'appliquent cependant au frottement des arbres soutenus par des paliers non lubrifiés ou partiellement lubrifiés. On suppose alors que le contact entre l'axe et le palier se fait le long d'une droite.

8.3.1 PALIERS LISSES RADIAUX ET FROTTEMENT

Considérons deux roues de poids **W**, montées rigidement sur un arbre, appuyé de part et d'autre à deux paliers lisses (*voir la figure 8.10a*). Lorsque les roues tournent, on doit appliquer à chacune un couple **M** pour maintenir constante la vitesse de rotation. La figure 8.10*c* montre le diagramme du corps libre de l'une des roues et de la moitié de l'arbre, projetées sur un plan perpendiculaire à l'axe. Les forces en cause incluent le poids **W** de la roue, le couple **M** qui entretient le mouvement et la force **R** représentant la réaction du palier. Cette dernière est verticale, égale et opposée à **W**, mais elle ne passe pas par le centre O du tourillon; **R** se situe plutôt à droite de O à une distance telle que son moment par rapport à O compense exactement le moment **M** du couple. Ainsi, lorsque l'arbre tourne, son point le plus bas (A) ne touche pas le palier.

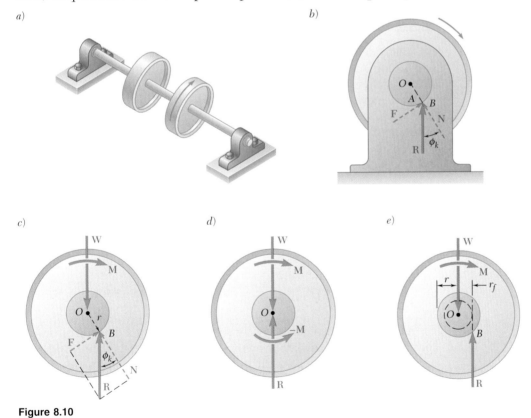

Figure 8.10

---

2. Le tourillon (en anglais *journal*) est la partie de l'arbre qui tourne dans le palier radial. (NdT)

Le contact se fait plutôt en *B* (*voir la figure 8.10b*) ou, plus exactement, le long d'une droite qui rencontre le plan de la figure au point *B*. Physiquement, lorsque les roues sont en mouvement, le tourillon «grimpe» sur les paliers jusqu'à ce qu'il commence à patiner. Il glisse alors légèrement vers le bas avant de se stabiliser plus ou moins dans la position illustrée. L'angle entre la réaction **R** et la normale à la surface du palier est alors égal à l'angle de frottement cinétique ϕ_k. La distance qui sépare *O* de la ligne d'action de **R** devient $r \sin \phi_k$, où *r* correspond au rayon du tourillon. L'équation $\Sigma M_O = 0$ pour les forces exercées sur le corps libre considéré donne la grandeur du couple **M** requise pour contrer la résistance au frottement de l'un des paliers, soit

$$M = Rr \sin \phi_k \qquad (8.5)$$

Lorsque l'angle de frottement est faible, on peut remplacer $\sin \phi_k$ par $\tan \phi_k$, c'est-à-dire par μ_k, et on obtient l'approximation suivante:

$$M \approx Rr\mu_k \qquad (8.6)$$

Pour résoudre certains problèmes, on suppose parfois que la ligne d'action de **R** passe par *O* comme lorsque l'axe ne tourne pas. On ajoute alors à la réaction **R** un couple −**M**, de même intensité que **M** mais de sens opposé (*voir la figure 8.10d*). Ce couple représente la résistance au frottement du palier.

Si l'on opte pour une solution graphique, on trace facilement la ligne d'action de **R** (*voir la figure 8.10e*), sachant qu'elle doit être tangente à un cercle centré en *O* et de rayon égal à

$$r_f = r \sin \phi_k \approx r\mu_k \qquad (8.7)$$

On appelle ce cercle le *cercle de frottement* ou le *disque de frottement* entre le tourillon et le coussinet, et il est indépendant des charges imposées à l'arbre.

*8.3.2 BUTÉES

On utilise deux types de butées pour empêcher le déplacement axial des arbres tournants et des essieux: (1) les butées d'extrémité et (2) les butées à collet[3] (*voir la figure 8.11*). Dans le cas des butées à collet, le frottement se manifeste entre les deux surfaces annulaires. Quant aux butées d'extrémité, le frottement se produit sur des surfaces circulaires complètes ou encore sur des surfaces annulaires si l'arbre est creux aux extrémités. On rencontre ce type de frottement dans d'autres applications, notamment dans les embrayages à disques.

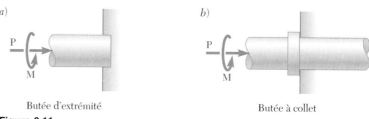

Butée d'extrémité   Butée à collet

Figure 8.11

Afin d'établir une équation générale exprimant le frottement d'un disque, considérons le cas d'un arbre creux en rotation (*voir la figure 8.12*). Un couple **M** entretient la rotation à vitesse constante et une force axiale **P** assure le contact entre l'arbre et un coussinet fixe. La surface de contact a une forme annulaire de rayon intérieur R_1 et de rayon extérieur R_2. En supposant la pression uniforme sur tout l'anneau, on remarque que l'intensité de

---

3. On trouve aussi l'expression *palier à collier.* (NdT)

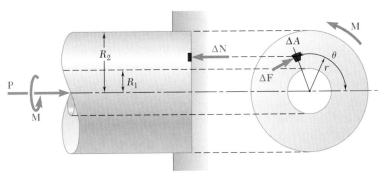

Figure 8.12

la force normale $\Delta\mathbf{N}$ exercée sur un élément d'aire ΔA correspond à $\Delta N = P\,\Delta A/A$, où $A = \pi(R_2^2 - R_1^2)$, et la grandeur de la force de frottement $\Delta\mathbf{F}$ exercée sur ΔA devient $\Delta F = \mu_k\,\Delta N$.

Si r représente la distance entre l'axe de l'arbre et l'élément d'aire ΔA, la grandeur ΔM du moment de $\Delta\mathbf{F}$ par rapport à l'axe de l'arbre s'exprime comme suit :

$$\Delta M = r\,\Delta F = \frac{r\mu_k P\,\Delta A}{\pi(R_2^2 - R_1^2)}$$

L'équilibre de l'arbre exige que la grandeur du moment $\mathbf{M}$ du couple appliqué à l'arbre corresponde à la somme des moments des forces de frottement $\Delta\mathbf{F}$. On remplace ΔA par l'élément infinitésimal $dA = r\,d\theta\,dr$, exprimé en coordonnées polaires. On intègre sur la surface de contact et on obtient l'expression suivante pour la grandeur du couple $\mathbf{M}$ nécessaire pour contrer la résistance au frottement du palier :

$$M = \frac{\mu_k P}{\pi(R_2^2 - R_1^2)} \int_0^{2\pi} \int_{R_1}^{R_2} r^2\,dr\,d\theta$$

$$= \frac{\mu_k P}{\pi(R_2^2 - R_1^2)} \int_0^{2\pi} \tfrac{1}{3}(R_2^3 - R_1^3)\,d\theta$$

$$M = \tfrac{2}{3}\mu_k P\frac{R_2^3 - R_1^3}{R_2^2 - R_1^2} \tag{8.8}$$

Lorsque la surface de contact s'étend sur un cercle complet de rayon R, l'équation 8.8 se simplifie et devient

$$M = \tfrac{2}{3}\mu_k PR \tag{8.9}$$

On note que la valeur de M correspond alors à celle qui aurait été obtenue si le contact entre l'arbre et le palier s'était limité à un seul point situé à une distance $2R/3$ de l'axe de l'arbre.

On détermine le couple maximal transmis par un embrayage à disques sans provoquer de patinage en utilisant une équation semblable à la relation 8.9, dans laquelle le coefficient de frottement statique μ_s remplace μ_k.

*8.3.3 ROUES ET RÉSISTANCE AU ROULEMENT

La roue demeure l'une des plus grandes inventions de notre civilisation. Elle permet de déplacer des charges lourdes en fournissant un effort relativement minime. Étant donné que le point de la roue qui touche le sol à un instant donné est immobile par rapport au sol, la roue élimine les grandes forces de frottement qui agiraient si la charge se trouvait directement en contact avec le sol. Il se manifeste tout de même de la résistance au mouvement de la roue, une résistance issue de deux sources distinctes :

1. un effet combiné du frottement de l'essieu et du frottement à la jante ;
2. la déformation de la roue et du sol, élargissant le contact à une certaine surface au lieu d'un seul point.

Pour étudier la première cause de la résistance au mouvement d'une roue, considérons un wagon de train muni de huit roues montées sur des essieux et des paliers. On suppose que le wagon se déplace vers la droite à vitesse constante, sur des rails droits horizontaux. La figure 8.13*a* montre le diagramme du corps libre de l'une des roues. Les forces en jeu comprennent la charge **W** supportée par la roue et la réaction normale **N** du rail. Puisque **W** passe par le centre *O* de l'essieu, on représente la résistance au frottement du palier par un couple **M** appliqué dans le sens antihoraire (*voir la section 8.3.1*). Pour maintenir l'équilibre du corps libre, on ajoute deux forces égales et opposées **P** et **F**, formant un moment de couple –**M** dans le sens horaire. La force **F** représente le frottement exercé par le rail sur la roue et **P** correspond à la force qu'il faut appliquer à la roue pour maintenir constante la vitesse de roulement. Il est à noter que les forces **P** et **F** n'existeraient pas s'il n'y avait pas de frottement entre la roue et le rail. Le couple **M** représentant le frottement de l'essieu serait alors nul et la roue glisserait sur le rail sans tourner dans ses paliers.

Le couple **M** et les forces **P** et **F** deviennent également nuls si l'axe tourne sans frottement. Par exemple, une roue sans palier qui roule librement à vitesse constante sur un sol horizontal (*voir la figure 8.13b*) est assujettie à deux forces seulement : son propre poids **W** et la réaction normale **N** du sol. Quel que soit le coefficient de frottement entre la roue et le sol, aucune force de frottement n'agit sur la roue. Une roue roulant ainsi librement sur un sol horizontal devrait poursuivre son mouvement indéfiniment.

Cependant, l'expérience nous dit que la roue va ralentir et finir par s'arrêter. Ce comportement est associé à la deuxième forme de résistance mentionnée en début de section, la résistance au roulement. En effet, la roue et le sol se déforment légèrement sous la charge **W**, élargissant la zone de contact entre les deux. Les résultats expérimentaux prouvent que la résultante des forces exercées par le sol sur la surface de contact de la roue correspond à une force **R** appliquée à un point *B*, qui ne se situe pas directement sous le centre *O* de la roue, mais légèrement devant ce point (*voir la figure 8.13c*). Pour compenser le moment de **W** par rapport à *B* et pour maintenir constante la vitesse de rotation de la roue, on doit appliquer une force horizontale **P** au centre de la roue. L'équation $\Sigma M_B = 0$ donne

$$Pr = Wb \qquad (8.10)$$

où r = le rayon de la roue et b = la distance horizontale qui sépare *O* et *B*. On nomme la distance b le *coefficient de résistance au roulement*[4]. Il est à remarquer que b, qui représente une distance, est habituellement exprimée en millimètres. Sa valeur dépend de plusieurs paramètres dont le rôle exact n'est pas encore bien connu. Le coefficient de résistance au roulement varie généralement entre 0,25 mm pour une roue en acier roulant sur un rail du même matériau et environ 125 mm pour la même roue roulant sur un sol mou.

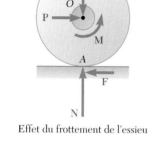

a)

Effet du frottement de l'essieu

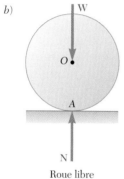

b)

Roue libre

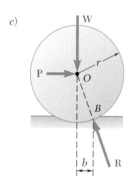

c)

Résistance au roulement

Figure 8.13

---

4. Dans certains ouvrages, le coefficient de résistance au roulement est parfois appelé *coefficient de roulement*.

8.108 Un couple de 30 N·m est nécessaire pour démarrer le mouvement de rotation d'un arbre vertical s'appuyant sur une butée à collet. Déterminez le coefficient de frottement statique entre les deux surfaces annulaires en contact.

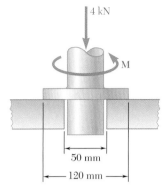

Figure P8.108

*8.109 La résistance due au frottement d'une butée est fonction de l'usure des surfaces de l'arbre et des coussinets du palier. Cette usure est directement proportionnelle à la distance parcourue par tout point de l'arbre, c'est-à-dire à la distance r séparant ce point et l'axe de l'arbre. On suppose que la force normale par unité de surface est inversement proportionnelle à r. Démontrez que la grandeur M du moment requis pour vaincre la résistance au frottement d'une butée d'extrémité usée (les deux surfaces étant parfaitement en contact) est égale à 75 % de la valeur donnée par l'équation 8.9 pour un nouveau coussinet.

*8.110 Sachant que les coussinets s'usent selon le principe décrit au problème 8.109, démontrez que le couple M requis pour vaincre la résistance due au frottement d'une butée usée est

$$M = \tfrac{1}{2}\mu_k P(R_1 + R_2)$$

où : P = grandeur de la force axiale ;
R_1, R_2 = rayons interne et externe du coussinet.

*8.111 Sachant que la pression entre les surfaces de contact est uniforme, démontrez que le moment M du couple nécessaire pour vaincre la résistance due au frottement d'un palier conique est

$$M = \frac{2}{3} \frac{\mu_k P}{\sin \theta} \frac{R_2^3 - R_1^3}{R_2^2 - R_1^2}$$

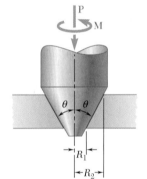

Figure P8.111

8.112 Solutionnez le problème 8.107 en supposant que la force normale par unité de surface entre le disque et le plancher varie uniformément d'un maximum, situé au centre du disque, jusqu'à zéro, au bord du disque.

8.113 On déplace la base d'une machine de 900 kg sur un plancher en béton en la poussant sur des tuyaux de 100 mm de diamètre. Si le coefficient de résistance au roulement est de 0,5 mm entre les tuyaux et la base de la machine, et de 1,25 mm entre les tuyaux et le plancher en béton, calculez la force **P** nécessaire pour déplacer lentement la base de la machine.

Figure P8.113

8.114 Sachant qu'un disque de 150 mm de diamètre roule à vitesse constante sur une pente descendante de 2 %, déterminez le coefficient de roulement entre le disque et le sol.

8.115 Calculez la force horizontale nécessaire pour déplacer à vitesse constante sur une route horizontale une automobile de 1100 kg ayant des pneus de 580 mm de diamètre. Considérez comme seule forme de frottement la résistance au roulement, avec un coefficient de 1,26 mm.

8.116 Résolvez le problème 8.105 en tenant compte de l'effet d'un coefficient de résistance au roulement de 0,5 mm.

8.117 Solutionnez le problème 8.106 en tenant compte d'un coefficient de résistance au roulement de 1,75 mm.

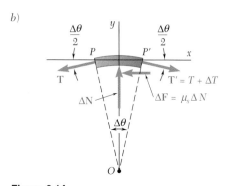

a)

b)

Figure 8.14

*8.4 COURROIES

Considérons une courroie plate enroulée sur un tambour cylindrique (*voir la figure 8.14a*). On veut déterminer la relation entre les tensions T_1 et T_2 manifestées dans les deux parties de la courroie lorsqu'elle est sur le point de glisser vers la droite.

Isolons du reste de la courroie un petit élément PP' qui sous-tend un angle $\Delta\theta$. Sur le diagramme du corps libre de l'élément de courroie (*voir la figure 8.14b*), T représente la tension en P, et $T + \Delta T$ la tension en P'. Deux autres forces entrent en jeu, soit la composante normale $\Delta\mathbf{N}$ de la réaction du tambour et la force de frottement $\Delta\mathbf{F}$. Puisqu'on suppose le mouvement imminent, on a $\Delta F = \mu_s \Delta N$. Notons que si $\Delta\theta$ tend vers zéro, les valeurs de ΔN et ΔF, de même que la différence ΔT entre les tensions en P et en P', s'approcheront également de zéro. La grandeur T de la tension en P demeure toutefois inchangée. Cette remarque aide à comprendre le choix des notations.

En prenant les axes de coordonnées indiqués à la figure 8.14b, on peut écrire comme suit les équations d'équilibre de l'élément PP' :

$$\Sigma F_x = 0: \qquad (T + \Delta T)\cos\frac{\Delta\theta}{2} - T\cos\frac{\Delta\theta}{2} - \mu_s\Delta N = 0 \qquad (8.11)$$

$$\Sigma F_y = 0: \qquad \Delta N - (T + \Delta T)\sin\frac{\Delta\theta}{2} - T\sin\frac{\Delta\theta}{2} = 0 \qquad (8.12)$$

L'équation 8.12 donne ΔN. En substituant l'expression de ΔN dans l'équation 8.11, on obtient, après simplification,

$$\Delta T\cos\frac{\Delta\theta}{2} - \mu_s(2T + \Delta T)\sin\frac{\Delta\theta}{2} = 0$$

On divise ensuite les deux termes par $\Delta\theta$. Dans le premier terme, on divise simplement ΔT par $\Delta\theta$. Dans le second terme, on divise par 2 les expressions entre parenthèses et on divise le sinus par $\Delta\theta/2$. On obtient

$$\Delta T\cos\frac{\Delta\theta}{2} - \mu_s\left(T + \frac{\Delta T}{2}\right)\frac{\sin(\Delta\theta/2)}{\Delta\theta/2} = 0$$

Si $\Delta\theta$ tend vers zéro, le cosinus tend alors vers 1 et $\Delta T/2$ tend vers zéro comme vu précédemment. Le quotient $\sin(\Delta\theta/2)/(\Delta\theta/2)$ tend également vers 1, conformément à un lemme dérivé dans les manuels de calcul. De plus, la limite de $\Delta T/\Delta\theta$ étant par définition égale à la dérivée $dT/d\theta$, on peut écrire

$$\frac{dT}{d\theta} - \mu_s T = 0 \qquad \frac{dT}{T} = \mu_s\, d\theta$$

On intègre ensuite les deux membres de la dernière équation de P_1 à P_2 (*voir la figure 8.14a*). Au point P_1, on a $\theta = 0$ et $T = T_1$; en P_2, on a $\theta = \beta$ et $T = T_2$. On intègre entre ces limites et l'on trouve

$$\int_{T_1}^{T_2}\frac{dT}{T} = \int_0^\beta \mu_s\, d\theta$$

$$\ln T_2 - \ln T_1 = \mu_s\beta$$

Avec le cordage enroulé deux fois autour de la bitte d'amarrage, la force appliquée par le marin sur les amarres est beaucoup plus petite que la tension dans la portion de la corde menant au navire.

Le membre de gauche étant égal au logarithme naturel du quotient de T_2 et T_1, on peut écrire

$$\ln \frac{T_2}{T_1} = \mu_s \beta \qquad (8.13)$$

ou encore

$$\frac{T_2}{T_1} = e^{\mu_s \beta} \qquad (8.14)$$

Les équations dérivées ci-dessus s'appliquent à la fois aux courroies plates enroulées autour de tambours cylindriques fixes et aux cordes enroulées autour de poteaux ou de cabestans. On peut également les employer à l'étude des freins à bande : dans ce cas, le tambour est sur le point de tourner alors que la bande reste fixe. Ces équations servent aussi pour les courroies de transmission (courroies d'entraînement) : dans ces problèmes, la poulie et la courroie tournent et l'on cherche à déterminer si la courroie va glisser, c'est-à-dire si elle va se déplacer relativement à la poulie.

Les équations 8.13 et 8.14 sont valides seulement si la courroie, la corde ou le frein sont sur le point de glisser. On utilisera l'équation 8.14 si l'on cherche T_1 ou T_2, et l'on optera pour l'équation 8.13 pour trouver μ_s ou l'angle de contact β. Il est à noter que T_2 est toujours plus grand que T_1 ; ainsi, T_2 représente la tension dans la portion de courroie ou de corde qui tire alors que T_1 correspond à la tension dans la portion qui résiste. Il est aussi à noter que l'angle de contact β s'exprime en radians. Sa valeur peut être supérieure à 2π, par exemple si une corde est enroulée plus d'une fois autour d'un poteau ; on aura $\beta = 2\pi n$ pour un enroulement de n tours.

Si la courroie, la corde ou le frein glisse, on applique des équations semblables aux équations 8.13 et 8.14 où le coefficient de frottement cinétique μ_k remplace μ_s. S'il n'y a pas de glissement ou que le glissement n'est pas imminent, aucune de ces équations n'est valide.

Les courroies de transmission ont souvent une forme trapézoïdale. À la figure 8.15a, la courroie est en contact avec la poulie le long des deux côtés de la gorge. On établit la relation entre les tensions T_1 et T_2 dans les deux parties de la courroie sur le point de glisser en traçant le diagramme du corps libre d'un élément de courroie (*voir les figures 8.15b et c*). On dérive des équations semblables aux équations 8.11 et 8.12 ; la valeur de la force totale du frottement sur l'élément devient $2\Delta F$ et la somme des composantes en y des forces normales s'élève à $2\Delta N \sin (\alpha/2)$ où α est l'angle de la gorge. En procédant comme ci-dessus, on obtient

$$\ln \frac{T_2}{T_1} = \frac{\mu_s \beta}{\sin (\alpha/2)} \qquad (8.15)$$

ou

$$\frac{T_2}{T_1} = e^{\mu_s \beta / \sin (\alpha/2)} \qquad (8.16)$$

a)

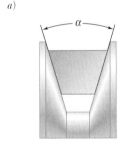

b)

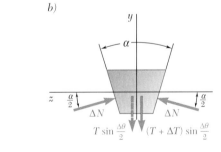

c)

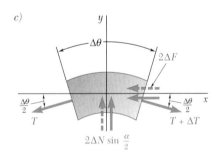

Figure 8.15

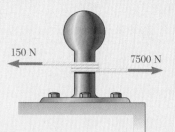

150 N   7500 N

Pour amarrer un navire, on enroule une haussière deux fois autour d'un cabestan (appelé aussi *bitte d'amarrage*). Le navire exerce sur une extrémité de la haussière une tension de 7500 N, tandis qu'un débardeur peut tout juste empêcher la haussière de glisser en appliquant une tension de 150 N à l'autre bout de la haussière. Sachant que le glissement est imminent, déterminez :

a) le coefficient de frottement entre la haussière et le cabestan ;

b) la tension maximale dans la haussière qui aurait pu être contrée par la force de 150 N si on avait enroulé la haussière trois fois autour du cabestan.

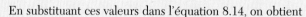

> **SOLUTION**

a) Coefficient de frottement   Puisque le glissement est imminent, on utilise l'équation 8.13 :

$$\ln \frac{T_2}{T_1} = \mu_s \beta$$

Étant donné que la haussière est enroulée de deux tours complets autour du cabestan, on a

$$\beta = 2(2\pi \text{ rad}) = 12,57 \text{ rad}$$
$$T_1 = 150 \text{ N} \qquad T_2 = 7500 \text{ N}$$

Donc,

$$\mu_s \beta = \ln \frac{T_2}{T_1}$$

$$\mu_s(12,57 \text{ rad}) = \ln \frac{7500 \text{ N}}{150 \text{ N}} = \ln 50 = 3,91$$

$$\mu_s = 0,311$$

$$\mu_s = 0,31 \quad \blacktriangleleft$$

b) Haussière enroulée trois tours autour du cabestan   Connaissant le coefficient de frottement statique calculé en *a*, on a

$$\beta = 3(2\pi \text{ rad}) = 18,85 \text{ rad}$$
$$T_1 = 150 \text{ N} \qquad \mu_s = 0,311$$

En substituant ces valeurs dans l'équation 8.14, on obtient

$$\frac{T_2}{T_1} = e^{\mu_s \beta}$$

$$\frac{T_2}{150 \text{ N}} = e^{(0,311)(18,85)} = e^{5,862} = 351,5$$

$$T_2 = 52\ 725 \text{ N}$$

$$T_2 = 52,7 \text{ kN} \quad \blacktriangleleft$$

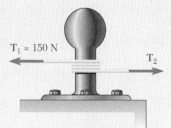

$T_1 = 150$ N T_2

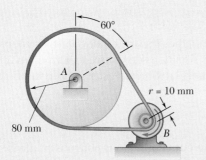

Une courroie plate transmet un couple de la poulie B, mue par un moteur électrique, à la poulie A, qui entraîne une machine-outil. Les coefficients de frottement statique et cinétique entre les poulies et la courroie sont : $\mu_s = 0{,}25$ et $\mu_k = 0{,}20$. Si la tension maximale permise dans la courroie est de 600 N, calculez le couple maximal que la courroie peut transmettre à la poulie A.

> SOLUTION

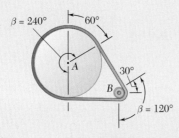

La résistance au glissement est fonction de l'angle de contact β entre la poulie et la courroie et du coefficient de frottement statique μ_s. Or, μ_s étant identique pour les deux poulies, on observera donc un premier glissement à la poulie B, car l'angle d'enroulement β y est plus petit.

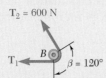

Poulie B En utilisant l'équation 8.14, sachant que $T_2 = 600$ N, $\beta = 120°$ $= 2\pi/3$ rad et $\mu_s = 0{,}25$, on a

$$\frac{T_2}{T_1} = e^{\mu_s \beta} \qquad \frac{600\,\text{N}}{T_1} = e^{0{,}25(2\pi/3)} = 1{,}688$$

$$T_1 = \frac{600\,\text{N}}{1{,}688} = 355{,}4\ \text{N}$$

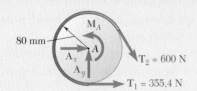

Poulie A On trace le diagramme du corps libre (DCL) de la poulie A. On observe que la machine-outil crée un couple $\mathbf{M}_A$ sur la poulie à laquelle elle est attachée. Ce couple est égal et opposé au couple exercé par la courroie. D'où

$$+\!\uparrow \Sigma M_A = 0: \quad M_A - (600\ \text{N})(80\ \text{mm}) + (355{,}4\ \text{N})(80\ \text{mm}) = 0$$
$$M_A = 19\ 568\ \text{mN} \cdot \text{m} = 19{,}57\ \text{N} \cdot \text{m}$$

$$M_A = 19{,}57\ \text{N} \cdot \text{m} \ \blacktriangleleft$$

Note Pour s'assurer que la courroie ne glisse pas sur la poulie A, on calcule la valeur de μ_s requise pour éviter le glissement et on vérifie si elle est inférieure à la valeur réelle de μ_s (0,25 dans notre exemple). Par l'équation 8.13, on a

$$\mu_s \beta = \ln \frac{T_2}{T_1} = \ln \frac{600\,\text{N}}{355{,}4\,\text{N}} = 0{,}524$$

Sachant que $\beta = 240° = 4\pi/3$ rad,

$$\frac{4\pi}{3}\mu_s = 0{,}524 \qquad \mu_s = 0{,}125 < 0{,}25$$

Le glissement est donc évité sur la grande poulie.

Nous avons présenté dans cette section les principes du frottement dans les courroies. Appliquons maintenant ces notions dans les situations de courroies enroulées autour de tambours fixes, de freins à bande (pour lesquels la courroie est fixe et le tambour en révolution) et de courroies de transmission.

1. **Situations impliquant le frottement d'une courroie.** Nous pouvons subdiviser ces situations en deux catégories :

   a) **Glissement imminent.** Quand le glissement de la courroie est imminent, on utilise l'une des équations suivantes, impliquant le coefficient de frottement statique μ_s :

   $$\ln \frac{T_2}{T_1} = \mu_s \beta \tag{8.13}$$

   ou

   $$\frac{T_2}{T_1} = e^{\mu_s \beta} \tag{8.14}$$

   b) **Situation de glissement.** Si nous sommes en situation où la courroie glisse sur le corps, on utilisera les formules 8.13 et 8.14 en remplaçant μ_s par le coefficient de frottement cinétique μ_k.

2. **Points à retenir.** Lors de l'étude de problèmes impliquant le frottement d'une courroie, on doit retenir les points suivants :

   a) **Expression de l'angle β.** L'angle de contact β, qui sous-tend l'arc du tambour ou de la poulie en contact avec la courroie, doit toujours être exprimé en radians.

   b) **Identification des tensions.** La tension qui tire dans la courroie est identifiée par T_2, et la tension qui résiste par T_1 ; on a donc toujours $T_2 > T_1$.

   c) **Emplacement des tensions.** La plus grande tension T_2 se trouve du côté de la courroie qui se trouve dans la direction du mouvement relatif de la courroie par rapport à la poulie.

3. **Problèmes potentiels.** Lors de l'étude du frottement d'une courroie, trois des quatre paramètres suivants sont donnés ou facilement déductibles: T_1, T_2, β et μ_s (ou μ_k). Le problème consiste à trouver le quatrième en résolvant l'équation appropriée. Voici deux exemples de ce type de problèmes:

a) **Déterminer le coefficient de frottement μ_s entre la courroie et le tambour, sachant que le glissement est imminent.** À partir des données disponibles, on procède comme suit:

   - on calcule T_1, T_2 et β;
   - on calcule μ_s avec l'équation 8.13 et les valeurs déterminées ci-dessus (*voir le problème résolu 8.7a*);
   - on suit la même procédure pour calculer la valeur minimale de μ_s pour éviter le glissement.

b) **Déterminer la grandeur d'une force ou d'un couple appliqué à la courroie ou à la poulie, sachant que le glissement est imminent.** Pour calculer la force ou le couple appliqué, on doit connaître μ_s et β. Par ailleurs, on peut se trouver devant deux situations:

   - T_1 ou T_2 connue; on utilise l'équation 8.14 pour trouver l'autre tension;
   - T_1 et T_2 inconnues; on trace le DCL du système poulie-courroie pour écrire une équation d'équilibre que l'on résout avec l'équation 8.14. T_1 et T_2 sont ainsi identifiées.

La grandeur de la force ou du couple recherchée est trouvée à partir du DCL du système.

On suit la même procédure pour calculer la valeur maximale de la force ou du couple pouvant être appliqué à la courroie ou à la poulie pour éviter le glissement (*voir le problème résolu 8.8*).

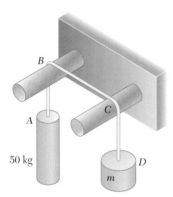

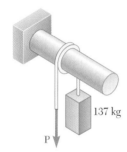

Figure P8.119 - P8.120

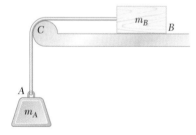

Figure P8.121

8.118 Une haussière est enroulée deux fois autour d'un cabestan. En appliquant une tension de 80 N à une extrémité de la haussière, un débardeur peut soutenir une tension de 5 kN appliquée à l'autre extrémité. Déterminez :
a) le coefficient de frottement statique entre la haussière et le cabestan ;
b) le nombre de tours complets d'enroulement de la haussière autour du cabestan pour que le débardeur puisse soutenir une tension de 20 kN avec la même tension de 80 N.

8.119 Une corde reliant deux cylindres est accrochée à deux tiges B et C comme illustré. Si le coefficient de frottement statique entre la corde et les tiges est de 0,40, estimez la gamme des valeurs possibles de la masse m du cylindre D afin d'assurer l'équilibre du montage.

8.120 Une corde reliant deux cylindres est accrochée à deux tiges B et C comme illustré. Sachant que le mouvement vers le haut du cylindre D est imminent quand sa masse est $m = 20$ kg, calculez :
a) le coefficient de frottement statique entre la corde et les tiges ;
b) la tension correspondante dans la partie BC de la corde.

8.121 Un bloc de 137 kg est soutenu par une corde enroulée un tour et demi sur une barre. Si le coefficient de frottement statique entre la corde et la barre est de 0,15, déterminez la gamme des valeurs de la tension P pour lesquelles l'équilibre est maintenu.

8.122 Le coefficient de frottement statique entre le bloc B et la surface plane et entre la corde et le support C est de 0,40. Sachant que $m_A = 12$ kg, déterminez la plus petite valeur possible de la masse du bloc B pour maintenir le montage en équilibre.

8.123 Le coefficient de frottement statique μ_s entre le bloc B et la surface plane et entre la corde et le support C est le même. Sachant que $m_A = m_B$, déterminez la valeur minimale de μ_s pour maintenir le montage en équilibre.

8.124 Une courroie plate transmet un couple de la poulie B à la poulie A. Le coefficient de frottement statique est de 0,40 et la tension maximale permise dans la courroie est de 450 N. Calculez la grandeur du couple maximal applicable à la poulie A.

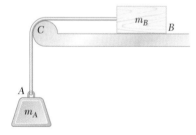

Figure P8.122 - P8.123

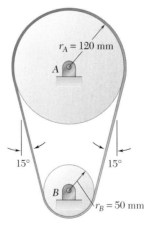

Figure P8.124

8.125 La figure P8.125 illustre un moteur de 79 kg monté sur un support pivotant. Le poids du moteur permet d'assurer une tension dans la courroie d'entraînement. Le coefficient de frottement statique entre la courroie plate et les poulies A et B est de 0,40. En négligeant le poids de la plate-forme CD, calculez la grandeur du couple maximal pouvant être transmis à la poulie B lorsque la poulie A tourne dans le sens horaire.

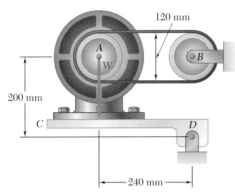

Figure P8.125

8.126 Résolvez le problème 8.125 en supposant que le tambour d'entraînement A tourne dans le sens antihoraire.

8.127 Une courroie plate sert à transmettre un couple de la poulie A à la poulie B. Les poulies ont un rayon de 60 mm, et une force **P** de 900 N est appliquée sur l'arbre de la poulie A comme illustré. Sachant que $\mu_s = 0,35$, déterminez:
a) le couple maximal pouvant être transmis;
b) la valeur maximale correspondante de la tension dans la courroie.

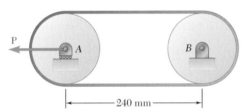

Figure P8.127

8.128 Résolvez le problème 8.127 en supposant que la courroie est montée en forme de huit sur les poulies (courroies croisées).

8.129 Pour maintenir à une vitesse constante la courroie de polissage illustrée, on applique un couple $\mathbf{M}_B$ sur le tambour d'entraînement B. Si $\mu_k = 0,45$ entre la courroie et le bloc à polir de 15 kg et $\mu_s = 0,30$ entre la courroie et le tambour B, évaluez:
a) la grandeur du couple $\mathbf{M}_B$;
b) la tension minimale dans la partie inférieure de la courroie si aucun glissement ne survient entre le tambour d'entraînement et la courroie.

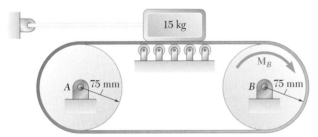

Figure P8.129

8.130 Une bande de frein est utilisée pour régler la vitesse d'un volant, comme illustré. Si $\mu_k = 0,25$ entre la bande et le volant, déterminez la grandeur du couple à appliquer au volant pour le maintenir en rotation à vitesse constante dans le sens horaire. Démontrez que le résultat est le même si le volant tourne dans le sens antihoraire.

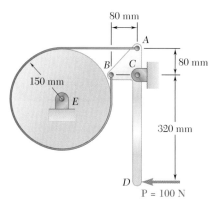

Figure P8.130

8.131 La vitesse de rotation d'un tambour de frein de rayon $r = 80$ mm est contrôlée par une courroie reliée à la manivelle *AD*. Une force **P** de 25 N est appliquée au point *A*. Évaluez la grandeur du moment appliqué au tambour, sachant que le coefficient de frottement cinétique entre la courroie et le tambour est de 0,25, que $a = 40$ mm et que le tambour tourne à vitesse constante :
a) dans le sens antihoraire ;
b) dans le sens horaire.

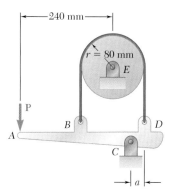

Figure P8.131 - P8.133

8.132 Si $a = 40$ mm et si le tambour tourne dans le sens antihoraire, déterminez la valeur maximale du coefficient de frottement statique pour lequel le tambour n'est pas autobloquant.

8.133 Si $\mu_s = 0,30$ et si le tambour tourne dans le sens antihoraire, déterminez la valeur minimale de *a* pour laquelle le tambour n'est pas autobloquant.

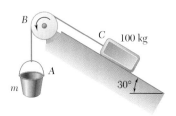

Figure P8.134

8.134 Le seau *A* est relié au bloc *C* à l'aide d'une corde passant par le tambour *B*, comme illustré. Sachant que le tambour *B* tourne lentement dans le sens antihoraire et que les coefficients de frottement à toutes les surfaces en jeu sont $\mu_s = 0,35$ et $\mu_k = 0,25$, déterminez la masse minimale *m* du seau et de son contenu pour que le bloc *C* :
a) demeure immobile ;
b) entame un mouvement ascendant ;
c) continue son mouvement ascendant à vitesse constante.

8.135 Solutionnez le problème 8.134 en supposant que le tambour est figé et ne peut tourner.

8.136 et 8.138 Un câble passe autour de trois tuyaux parallèles comme illustré. Sachant que les coefficients de frottement sont $\mu_s = 0{,}25$ et $\mu_k = 0{,}20$, déterminez :

a) la valeur minimale de la masse m pour assurer l'équilibre du montage ;

b) la valeur maximale de la masse m qui peut être soulevée si le tuyau B tourne lentement dans le sens antihoraire, les deux autres tuyaux demeurant immobiles.

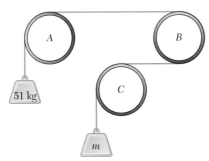

Figure P8.136 - P8.137

8.137 et 8.139 Un câble passe par trois tuyaux parallèles, comme illustré. Deux d'entre eux sont fixes et le troisième tourne lentement. Sachant que les coefficients de frottement sont $\mu_s = 0{,}25$ et $\mu_k = 0{,}20$, déterminez la masse maximale m qui peut être soulevée si :

a) le tuyau A tourne dans le sens antihoraire ;

b) le tuyau C tourne dans le sens horaire.

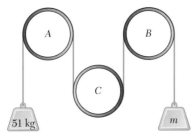

Figure P8.138 - P8.139

8.140 Une bande magnétique audio passe par un rouleau d'entraînement B de 20 mm de rayon et par un rouleau de positionnement C pouvant tourner librement. Sachant que les coefficients de frottement entre la bande et les rouleaux sont $\mu_s = 0{,}40$ et $\mu_k = 0{,}30$, évaluez la valeur minimale permise de P afin d'éviter tout glissement de la bande sur le rouleau B.

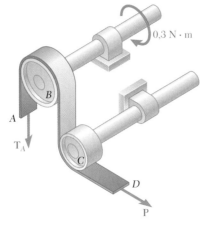

Figure P8.140

8.141 Solutionnez le problème 8.140 en supposant que le rouleau C est bloqué et ne peut tourner.

8.142 La barre *AE* de poids 98 N est suspendue à un câble passant par un tambour de 50 mm de rayon. Deux butées empêchent le mouvement vertical de l'extrémité *E* de la barre. Sachant que $\mu_s = 0,30$ entre le câble et le tambour, calculez :

a) la grandeur du couple $\mathbf{M}_O$ maximal dans le sens antihoraire pouvant être appliqué au tambour pour éviter le glissement ;

b) la force correspondante exercée à l'extrémité *E* de la barre.

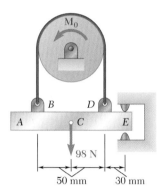

Figure P8.142

8.143 Résolvez le problème 8.142 en supposant que le couple $\mathbf{M}_O$ appliqué au tambour est de sens horaire.

8.144 La clé à courroie serre fermement les tuyaux sans en abîmer les surfaces extérieures. Sachant que $a = 200$ mm, $r = 30$ mm et $\theta = 65°$, évaluez le coefficient de frottement statique minimal entre le tuyau illustré et la sangle pour que la clé soit autobloquante.

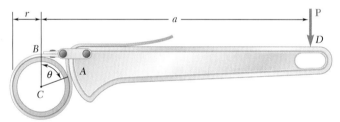

Figure P8.144 - P8.145

8.145 La clé à courroie serre fermement les tuyaux sans en abîmer les surfaces extérieures. Sachant que $a = 200$ mm, $r = 30$ mm et $\theta = 75°$, évaluez le coefficient de frottement statique minimal entre le tuyau illustré et la sangle pour que la clé soit autobloquante.

8.146 Démontrez que les équations 8.13 et 8.14 sont valides pour toute forme de surface, pour autant que le coefficient de frottement soit le même en tout point de contact.

8.147 Complétez la formulation de l'équation 8.15 décrivant la relation entre les tensions de chaque côté d'une courroie en V (trapézoïdale).

8.148 Solutionnez le problème 8.124 en supposant que la courroie plate et les tambours sont remplacés par une courroie en V et une poulie dont l'angle de la gorge en V est $\alpha = 36°$ (l'angle α est illustré à la figure 8.15a).

8.149 Solutionnez le problème 8.127 en supposant que la courroie plate et les poulies sont remplacées par une courroie en V et des poulies dont l'angle de la gorge en V est $\alpha = 36°$ (l'angle α est illustré à la figure 8.15a).

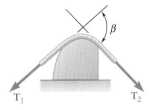

Figure P8.146

Ce chapitre a été consacré à l'étude du frottement sec, c'est-à-dire aux situations impliquant des corps rigides en contact avec des surfaces non lubrifiées.

Frottement statique et cinétique

Quand une force horizontale **P** croissante est appliquée à un corps reposant sur une surface horizontale (*voir la section 8.1.1*), on observe initialement que le bloc ne bouge pas. Cela démontre que la force de frottement **F** est créée pour équilibrer la force **P** ($F = P$, *voir la figure 8.16*). Plus la force **P** augmente, plus **F** augmente pour atteindre un maximum F_m. Si **P** augmente encore, le corps entame un glissement et la grandeur de la force **F** diminue de F_m à F_k. L'observation expérimentale a démontré que F_m et F_k sont proportionnelles à la composante normale N de la réaction de la surface. Nous observons que

$$F_m = \mu_s N \tag{8.1}$$

$$F_k = \mu_k N \tag{8.2}$$

où : μ_s = coefficient de frottement statique
μ_k = coefficient de frottement cinétique

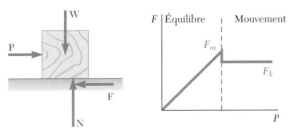

Figure 8.16

Ces coefficients dépendent de la nature et des conditions des surfaces en contact. Le tableau 8.1 (*voir la page 387*) donne des valeurs approximatives des coefficients de frottement statique communs.

Angles de frottement

Il est parfois commode de remplacer la force normale **N** et la force de frottement **F** par leur résultante **R** (*voir la figure 8.17*). Plus la force de frottement augmente, jusqu'à un maximum de $F_m = \mu_s N$, plus l'angle ϕ augmente jusqu'à ϕ_s, où :

- ϕ = angle formé entre **R** et la normale à la surface ;
- ϕ_s = angle de frottement statique.

Si l'on observe un mouvement, la force **F** chute à F_k ; de même, ϕ chute à une valeur ϕ_k, appelée *angle de frottement cinétique*. Comme présenté à la section 8.1.2, nous avons

$$\tan \phi_s = \mu_s \tag{8.3}$$

$$\tan \phi_k = \mu_k \tag{8.4}$$

Angles de frottement

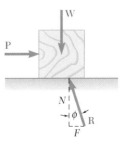

Figure 8.17

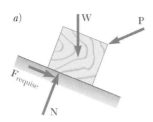

a)

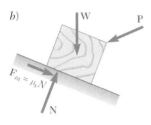

b)

Figure 8.18

Problèmes sur le frottement

Rappelons que, lors de la résolution d'un problème d'équilibre impliquant le frottement :

- si le glissement du corps est imminent, la grandeur de la force de frottement est (*voir la section 8.4*)

$$F = F_m = \mu_s N$$

- si le mouvement n'est pas imminent, F et N seront considérées comme des inconnues indépendantes à calculer à partir des équations d'équilibre (*voir la figure 8.18a*).

On doit vérifier si la valeur de F requise pour maintenir l'équilibre ne dépasse pas F_m ($F \le F_m$) ; sinon, le corps est en mouvement et la grandeur de la force de frottement devient $F = F_k = \mu_k N$ (*voir le problème résolu 8.1*). Par ailleurs, si le mouvement est imminent, F aura atteint son maximum ($F = F_m = \mu_s N$) (*voir la figure 8.18b*) ; cette expression peut remplacer F dans les équations d'équilibre (*voir le problème résolu 8.3*).

Quand il n'y a que trois forces en jeu dans le diagramme du corps libre (DCL), incluant la réaction **R** de la surface en contact avec le corps, il est plus aisé de résoudre le problème en traçant le triangle des forces (*voir le problème résolu 8.2*).

Lors de la résolution d'un problème impliquant deux corps A et B exerçant des forces l'un sur l'autre, il est important d'illustrer la bonne direction des forces de frottement. Ainsi, la force de frottement créée par B sur A est de sens opposé au mouvement (réel ou imminent) relatif de A par rapport à B (*voir la figure 8.6*).

Coins et vis

Dans la deuxième partie du chapitre, nous avons appliqué les lois du frottement sec à un certain nombre d'applications typiques d'ingénierie, soit les coins et les vis. Les coins sont des dispositifs simples utilisés pour soulever de lourdes charges (*voir la section 8.2.1*). L'étude des coins se fait en traçant deux DCL ou plus et en prenant soin d'illustrer correctement le sens des forces de frottement (*voir le problème résolu 8.4*). L'étude des vis à filetage carré, couramment utilisées dans les vérins, les presses et autres types de mécanismes, se réduit à l'étude d'un bloc glissant sur un plan incliné, en déroulant le filet de la vis et en le représentant par une droite (*voir la section 8.2.2*).

La figure 8.19 illustre cette méthode, où :

r = le rayon moyen du filet ;

L = le pas d'hélice ou pas de vis, c'est-à-dire la distance axiale parcourue en un tour complet de la vis ;

W = la charge appliquée ;

Qr = le couple appliqué à la vis.

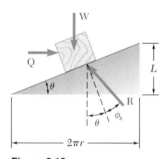

Figure 8.19

Pour des vis à pas multiple, on ne doit pas confondre le pas de vis (d'hélice) L et le pas de filet, ce dernier étant la distance séparant deux crêtes consécutives du filet.

D'autres applications d'ingénierie ont été explorées telles que :

- les paliers lisses ou à coussinets (*voir la section 8.3.1*) ;
- les butées (*voir la section 8.3.2*) ;
- les roues et la résistance au roulement (*voir la section 8.3.3*) ;
- les courroies (*voir la section 8.4*).

Frottement des courroies

Dans le cas d'une courroie plate passant autour d'une poulie, il est important de déterminer le sens du glissement, réel ou imminent, de la courroie. Deux situations ont été présentées :

- la courroie fait tourner la poulie ;
- la courroie glisse sur la poulie fixe.

Dans la première situation, on détermine le sens du mouvement ou de l'imminence du mouvement relatif de la courroie par rapport à la poulie. Par exemple, si la courroie illustrée à la figure 8.20 est sur le point de glisser à droite, la force de frottement appliquée par la poulie sur la courroie est orientée vers la gauche et la tension dans la partie de droite de la courroie sera plus grande que dans la partie de gauche. Les équations ci-dessous résument les relations entre les tensions dans la courroie et les forces de frottement :

$$\ln \frac{T_2}{T_1} = \mu_s \beta \tag{8.13}$$

$$\frac{T_2}{T_1} = e^{\mu_s \beta} \tag{8.14}$$

où :

T_2 = la grande tension ;

T_1 = la petite tension ;

μ_s = le coefficient de frottement statique entre la courroie et la poulie ;

β = l'angle de contact (en radians).

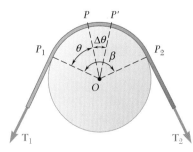

Figure 8.20

Les problèmes résolus 8.7 et 8.8 illustrent des exemples d'application de ces équations.

Dans les situations où la courroie glisse sur le tambour, on remplace le coefficient de frottement statique μ_s dans ces deux équations par le coefficient de frottement cinétique μ_k.

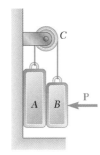

Figure P8.150

Figure P8.152

8.150 Une corde, autour de la poulie C tournant librement sur son axe, relie le bloc A de 12 kg et le bloc B de 6 kg. Si le coefficient de frottement statique entre toutes les surfaces en jeu est de 0,12, déterminez la valeur minimale de P requise pour maintenir l'équilibre.

8.151 Solutionnez le problème 8.150, sachant que la poulie ne peut pas tourner sur son axe et que $\mu_s = 0,12$ entre la corde et la poulie.

8.152 Une auto est arrêtée juste devant un trottoir, qui est en contact avec ses roues avant. Le conducteur démarre l'auto et désire passer par-dessus le trottoir. On vous informe que: les pneus de l'auto ont un rayon de 300 mm; le coefficient de frottement statique entre les pneus et le sol est de 0,90; le poids de l'auto est réparti à 60 % sur le train avant et à 40 % sur le train arrière. Déterminez la hauteur h maximale de la butée que l'auto peut négocier, si:

a) l'auto est à traction (la puissance du moteur est transmise aux roues avant);

b) l'auto est à propulsion (la puissance du moteur est transmise aux roues arrière).

8.153 Solutionnez le problème 8.152 en supposant que le poids de l'automobile est réparti également sur les trains avant et arrière.

8.154 Deux tiges uniformes de poids W et de longueur L sont maintenues dans la position illustrée à l'aide d'un couple $\mathbf{M}_O$ agissant sur la tige CD. Si le coefficient de frottement statique entre les deux tiges est de 0,40, établissez la gamme des valeurs de M_O pour lesquelles le montage demeure en équilibre.

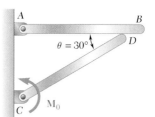

Figure P8.154

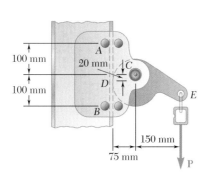

Figure P8.155

8.155 Un harnais de sécurité, utilisé sur des échelles fixes par des travailleurs œuvrant sur de hautes structures, est constitué d'un manchon glissant sur les rebords de l'échelle. Une chaîne relie la ceinture du travailleur à l'extrémité E d'une came excentrique pouvant pivoter autour d'un axe attaché au manchon au point C. Déterminez la valeur minimale commune requise du coefficient de frottement statique entre les rebords de l'échelle, les goupilles A et B et la came si le manchon ne doit pas glisser quand la chaîne est tirée vers le bas.

8.156 Pour faciliter l'usage du harnais décrit au problème 8.155, le manchon doit pouvoir glisser facilement si la force $\mathbf{P}$ est dirigée vers le haut (*voir la figure P8.156*). Déterminez la valeur maximale permise du coefficient de frottement statique entre les rebords de l'échelle et les goupilles A et B si le manchon doit pouvoir glisser librement quand la chaîne est tirée dans la direction illustrée, avec un angle:

a) $\theta = 60°$;

b) $\theta = 50°$;

c) $\theta = 40°$.

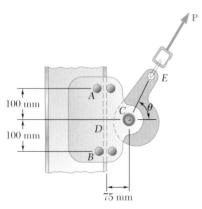

Figure P8.156

8.157 Dans le montage, quand la poulie est en équilibre, la lecture sur chaque balance à ressort est de 14 N. Si un couple de 1,05 N · m doit être appliqué à la poulie pour maintenir une rotation horaire à vitesse constante, déterminez (en supposant que la longueur de la courroie est constante):

a) la lecture de chaque balance à ce moment;
b) le coefficient de frottement cinétique.

8.158 Dans le montage, quand la poulie est en équilibre, la lecture sur chaque balance à ressort est 16 N; le coefficient de frottement cinétique est de 0,20. Si un couple est appliqué à la poulie pour maintenir une rotation horaire à vitesse constante, déterminez (en supposant que la longueur de la courroie est constante):

a) la lecture de chaque balance à ce moment;
b) la grandeur du moment du couple.

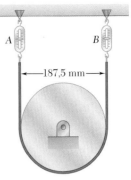

Figure P8.157 - P8.158

8.159 Un hémisphère homogène de poids W et de rayon r est déposé sur un plan incliné. Sachant que le coefficient de frottement statique entre l'hémisphère et le plan est de 0,30, calculez:

a) la valeur de l'angle β de façon que le glissement soit imminent;
b) la valeur correspondante de θ.

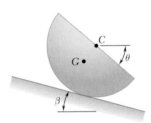

Figure P8.159

8.160 Une force horizontale **Q** est appliquée sur un hémisphère homogène, de poids W et de rayon r. Sachant que le coefficient de frottement statique entre l'hémisphère et le sol est de 0,30, établissez la valeur de l'angle θ de façon que le glissement soit imminent.

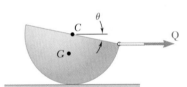

Figure P8.160

8.161 Son arbre étant gelé, une poulie ne peut tourner sur son axe. On applique une force **F** de 200 N au point E à un angle θ par rapport à la verticale, comme illustré. Le coefficient de frottement statique entre la poulie et le câble $ABCD$ est de 0,30. Déterminez:

a) la valeur maximale de θ permise afin d'assurer l'équilibre du système;
b) les réactions correspondantes aux points A et D.

(Supposez que les sections droites du câble se joignent au point E.)

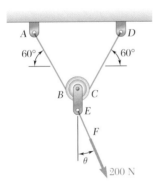

Figure P8.161

8.162 Le positionnement d'une barre de métal AB de 10 kg est assuré par un bloc de 2 kg. Le bloc est déplacé lentement vers la gauche à l'aide d'une force **P**, comme illustré. Sachant que le coefficient de frottement cinétique entre toutes les surfaces en contact est de 0,25, concevez un programme permettant le calcul de la grandeur de la force P pour des valeurs de x variant de 900 mm à 100 mm, et ce, par incréments de 50 mm. En utilisant des incréments plus petits, déterminez la valeur maximale de P ainsi que la distance x correspondante.

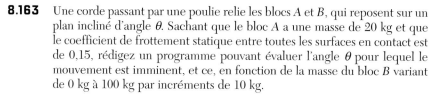

Figure P8.162

8.163 Une corde passant par une poulie relie les blocs A et B, qui reposent sur un plan incliné d'angle θ. Sachant que le bloc A a une masse de 20 kg et que le coefficient de frottement statique entre toutes les surfaces en contact est de 0,15, rédigez un programme pouvant évaluer l'angle θ pour lequel le mouvement est imminent, et ce, en fonction de la masse du bloc B variant de 0 kg à 100 kg par incréments de 10 kg.

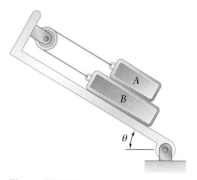

Figure P8.163

8.164 Le cylindre C de 300 g repose sur le cylindre D, comme illustré. Si le coefficient de frottement statique μ_s est identique aux points de contact A et B, concevez un programme pour déterminer la grandeur du couple antihoraire maximal **M** pouvant être appliqué au cylindre D sans qu'il y ait rotation, et ce, en fonction de valeurs de μ_s variant de 0 à 0,40 par incréments de 0,05.

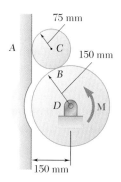

Figure P8.164

8.165 Deux tiges sont reliées par un manchon D. L'équilibre du montage est assuré par le couple **M_A** (*voir la figure P8.165*). Le coefficient de frottement statique entre le manchon et la tige AC étant de 0,40, rédigez un programme pour évaluer la gamme des valeurs de M_A permettant le maintien de la situation d'équilibre en fonction de valeurs de θ variant de 0° à 120°, et ce, par incréments de 10°.

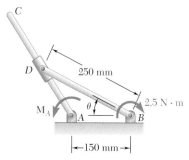

Figure P8.165

8.166 Un bloc *A* de 10 kg est déplacé lentement sur une surface cylindrique à l'aide d'un câble passant par un tambour fixe situé en *B*. Le coefficient de frottement cinétique entre toutes les surfaces en jeu est de 0,30. Écrivez un programme pouvant calculer la force **P** requise au maintien du mouvement du bloc *A* pour des valeurs de θ variant de 0° à 90° par incréments de 10°. Pour les mêmes valeurs de θ, calculez la grandeur de la réaction entre le bloc et la surface. [Notez que l'angle de contact entre le câble et le tambour fixe *B* est $\beta = \pi - (\theta/2)$.]

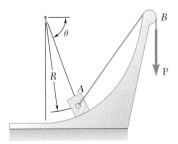

Figure P8.166

8.167 On utilise une courroie plate pour transmettre un couple de la poulie *A* à la poulie *B* de rayon $r = 80$ mm chacun. Une poulie *C* sert à augmenter la surface de contact entre la courroie et les poulies. La tension maximale permise dans la courroie est de 200 N et le coefficient de frottement statique entre la courroie et les poulies est de 0,30. Rédigez un programme permettant le calcul du couple maximal pouvant être transmis pour des valeurs de θ variant de 0° à 30° par incréments de 5°.

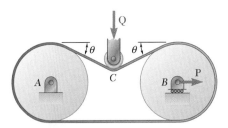

Figure P8.167

8.168 Deux manchons *A* et *B*, glissant librement sur des barres verticales, sont reliés à l'aide d'une corde de 300 mm passant au-dessus d'un rouleau fixe *C*. Le coefficient de frottement statique entre la corde et le rouleau est de 0,30 et le poids du manchon *B* est de 8 N. À l'aide d'un programme, déterminez les valeurs maximale et minimale du poids du manchon *A* pour maintenir l'équilibre du système, et ce, pour des valeurs de θ variant de 0° à 60° par incréments de 10°.

8.169 Une grue stationnaire est utilisée pour soulever une poutre de longueur *L* par son extrémité *B*. La poutre est au repos sur le sol et son extrémité *A* se trouve directement en dessous de la poulie *C* de la grue. Si on tire lentement le câble de la grue, la poutre glisse d'abord vers la gauche avec un angle $\theta = 0$, et ce, sur une distance x_0. Par ailleurs, l'extrémité *B* est soulevée alors que l'extrémité *A* continue son glissement vers la gauche jusqu'à ce que *x* atteigne sa valeur maximale x_m, qui correspond à un angle θ_1. Ensuite, la poutre pivote par rapport au point *A'* tandis que θ continue d'augmenter. Quand θ atteint la valeur θ_2, l'extrémité *A* commence à glisser vers la droite de façon irrégulière jusqu'à ce que l'extrémité *B* de la poutre atteigne *C*. Sachant que les coefficients de frottement entre la poutre et le sol sont $\mu_s = 0,50$ et $\mu_k = 0,40$:

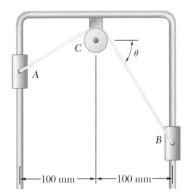

Figure P8.168

a) rédigez un programme pour déterminer *x* pour toute valeur de θ quand la poutre glisse vers la gauche et utilisez-le pour calculer x_0, x_m et θ_1 ;

b) modifiez le programme pour déterminer la valeur de *x* pour laquelle le glissement est imminent vers la droite, et ce, pour toute valeur de θ ; utilisez ce programme pour calculer l'angle θ_2 correspondant à l'imminence du mouvement vers la droite lorsque $x = x_m$.

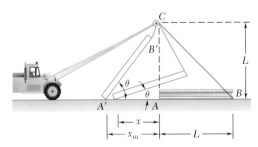

Figure P8.169

9 FORCES RÉPARTIES : MOMENTS D'INERTIE

Cette funambule utilise un long balancier de façon à augmenter son moment d'inertie de masse, et ainsi sa résistance à la rotation.

SOMMAIRE

OBJECTIFS

- **Décrire** le deuxième moment, ou moment d'inertie, d'une surface.

- **Déterminer** par intégration les moments d'inertie orthogonaux et polaires de surfaces et leurs rayons de giration correspondants.

- **Développer** le théorème des axes parallèles et l'appliquer pour déterminer le moment d'inertie de surfaces composites.

- **Introduire** le produit d'inertie et l'appliquer pour analyser la transformation des moments d'inertie quand les axes de coordonnées sont tournés.

- **Décrire** le moment d'inertie de masse par rapport à un axe.

- **Appliquer** le théorème des axes parallèles pour faciliter le calcul des moments d'inertie.

- **Analyser** la transformation des moments d'inertie quand les axes de coordonnées sont tournés.

Au chapitre 5, nous avons examiné trois types de forces réparties sur une surface ou sur un volume, soit: (1) le poids de plaques homogènes d'épaisseur uniforme (*voir les sections 5.1 et 5.2*); (2) des charges réparties sur des poutres et des forces hydrostatiques (*voir la section 5.3*); et (3) le poids de solides homogènes (*voir la section 5.4*). Dans le premier cas, la grandeur ΔW du poids d'un élément de plaque était proportionnelle à son aire ΔA. Pour les poutres, la grandeur ΔW de chaque élément de poids réparti correspondait à un élément d'aire ΔA sous la courbe de la charge, de sorte que $\Delta A = \Delta W$; on abordait de la même manière les forces hydrostatiques exercées sur des surfaces rectangulaires submergées. Finalement, dans l'étude des solides homogènes, la grandeur ΔW du poids d'un élément du corps était proportionnelle à son volume ΔV. Ainsi, dans toutes les situations analysées au chapitre 5, les forces réparties étaient proportionnelles aux éléments d'aires ou de volumes associés. On trouvait la résultante en additionnant les aires ou les volumes correspondants, et on obtenait le moment de cette résultante par rapport à un axe quelconque en calculant les moments statiques (ou premiers moments) des aires ou des volumes relativement à cet axe.

La première partie de ce chapitre traite des forces réparties $\Delta \mathbf{F}$, dont l'intensité dépend à la fois des éléments d'aire ΔA où s'appliquent ces forces et de la distance qui sépare ΔA d'un axe donné. Plus précisément, on suppose que la grandeur de la force par unité de surface, $\Delta F / \Delta A$, varie linéairement avec la distance à l'axe. Nous verrons à la section 9.1 que l'on rencontre ce type de forces dans l'étude de la flexion des poutres et dans tous les problèmes où des surfaces non rectangulaires sont immergées. En considérant des éléments de force répartis sur une surface A qui varient linéairement avec la distance y qui les sépare de l'axe des x, nous allons démontrer que, si la grandeur de la résultante $\mathbf{R}$ dépend du moment statique de l'aire A d'une surface quelconque selon $Q_x = \int y\, dA$, le lieu où s'applique cette force $\mathbf{R}$ dépend du moment d'inertie (deuxième moment), $I_x = \int y^2\, dA$, de la même surface par rapport à l'axe des x. Nous déterminerons aussi les moments d'inertie de différentes surfaces par rapport à des axes x et y donnés. Puis, nous définirons le moment d'inertie polaire d'une surface $J_O = \int r^2\, dA$, où r correspond à la distance entre l'élément d'aire dA et le point O. Pour simplifier les calculs, nous établirons une relation entre le moment d'inertie I_x d'une aire A par rapport à un axe x donné et le moment d'inertie $I_{x'}$ de la même aire par rapport à un axe central x' parallèle et qui passe par le centre géométrique (théorème des axes parallèles). Nous étudierons également la transformation des moments d'inertie d'une surface donnée lorsqu'on fait tourner les axes de coordonnées.

La seconde partie du chapitre est consacrée aux moments d'inertie des masses par rapport à un axe donné. La relation $I = \int r^2\, dm$ définit le moment d'inertie d'une masse par rapport à un axe AA', où r correspond à la distance qui sépare AA' de l'élément de masse dm. On rencontre les moments d'inertie des masses surtout en dynamique et dans les problèmes de rotation des corps rigides autour d'un axe. Là encore, le théorème des axes parallèles facilite le calcul des moments d'inertie. Finalement, nous examinerons la transformation des moments d'inertie des masses lorsqu'on fait tourner le système de coordonnées.

9.1 MOMENTS D'INERTIE DES SURFACES

Dans la première partie de ce chapitre, nous considérons les forces réparties $\Delta \mathbf{F}$ dont la grandeur ΔF est proportionnelle aux éléments d'aire ΔA où agissent ces forces, et qui varient linéairement en fonction de la distance qui sépare ΔA d'un axe donné.

9.1.1 DEUXIÈME MOMENT OU MOMENT D'INERTIE D'UNE SURFACE

Prenons par exemple une poutre de section transversale uniforme soumise à deux couples égaux et opposés appliqués à ses extrémités. La poutre est dite en *flexion pure*. Les traités de la résistance des matériaux démontrent alors que les forces internes dans une section transversale quelconque de la poutre sont réparties et que leur grandeur $\Delta F = ky\,\Delta A$ varie linéairement selon la distance y entre l'élément d'aire ΔA et un axe passant par le centre géométrique de la section. Cet axe, désigné comme l'axe des x à la figure 9.1, est l'axe neutre de la section. On trouve des forces de compression d'un côté de l'axe neutre, et des tensions de l'autre côté; les forces sont nulles sur l'axe même.

La grandeur de la résultante **R** des éléments de force $\Delta \mathbf{F}$ agissant sur l'ensemble de la section est donnée par

$$R = \int ky\,dA = k\int y\,dA$$

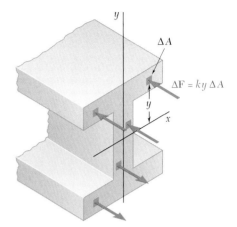

Figure 9.1

La dernière intégrale correspond au moment statique (premier moment) Q_x de la section par rapport à l'axe des x; il est égal à $\overline{y}A$, c'est-à-dire égal à zéro, étant donné que le centre géométrique de la section se trouve sur l'axe des x. Le système des forces $\Delta \mathbf{F}$ se réduit alors à un couple. La grandeur M de ce couple (moment fléchissant) correspond à la somme des moments $\Delta M_x = y\,\Delta F = ky^2\,\Delta A$ des éléments de force. On intègre sur toute la section et on trouve

$$M = \int ky^2\,dA = k\int y^2\,dA$$

La dernière intégrale représente le moment d'inertie (deuxième moment[1]) de la section de la poutre par rapport à l'axe des x, noté I_x. On l'obtient en multipliant chaque élément d'aire dA par le carré de la distance qui le sépare de l'axe des x et en intégrant sur la section de la poutre. Le produit $y^2\,dA$ étant positif quel que soit le signe de y, ou égal à zéro si $y = 0$, l'intégrale I_x donne toujours une valeur positive.

Le problème d'hydrostatique suivant fournit un autre exemple du moment d'inertie d'une surface. La figure 9.2 montre une vanne circulaire verticale submergée, installée à la sortie d'un grand réservoir. Quelle est la résultante des forces exercées par l'eau sur la porte, et quel est le moment de cette résultante par rapport à la ligne d'intersection du plan de la vanne et de la surface de l'eau (axe des x)?

Si la vanne était rectangulaire, on déterminerait la résultante des forces à partir de la courbe de pression en procédant comme à la section 5.3.2. Cependant, une vanne circulaire exige une méthode plus générale. Posons y, la profondeur d'un élément d'aire ΔA, et γ, le poids spécifique de l'eau. La pression agissant sur l'élément s'écrit $p = \gamma y$ et l'intensité de l'élément de force exercé sur ΔA devient $\Delta F = p\,\Delta A = \gamma y\,\Delta A$. La grandeur de la résultante s'exprime alors comme suit:

$$R = \int \gamma y\,dA = \gamma \int y\,dA$$

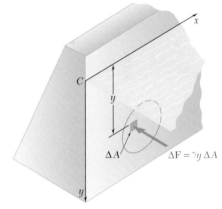

Figure 9.2

et on la trouve en calculant le moment statique $Q_x = \int y\,dA$ de la surface de la vanne par rapport à l'axe des x. Par ailleurs, le moment M_x de la résultante est égal à la somme des moments $\Delta M_x = y\,\Delta F = \gamma y^2\,\Delta A$ des éléments de force. On intègre sur la surface de la vanne et on obtient

$$M_x = \int \gamma y^2\,dA = \gamma \int y^2\,dA$$

Ici encore, l'intégrale représente le moment d'inertie, ou deuxième moment I_x de la surface par rapport à l'axe des x.

---

1. L'expression *deuxième moment* paraît plus appropriée car, selon toute logique, on devrait réserver le terme *moment d'inertie* aux intégrales de masse (*voir la section 9.5.1*). Cependant, en pratique, les ingénieurs emploient souvent *moment d'inertie* dans les deux cas.

9.1.2 DÉTERMINATION DU MOMENT D'INERTIE D'UNE SURFACE PAR INTÉGRATION

À la section précédente, nous avons défini le moment d'inertie (deuxième moment) de l'aire d'une surface A par rapport à l'axe des x. Écrivons maintenant une définition similaire relativement à l'axe des y (*voir la figure 9.3a*) : on a

$$I_x = \int y^2 \, dA \qquad I_y = \int x^2 \, dA \tag{9.1}$$

On évalue plus facilement ces intégrales, appelées *moments d'inertie orthogonaux* de la surface A, en choisissant un élément dA ayant la forme d'une bande étroite parallèle à l'un des axes de coordonnées. Pour calculer I_x, on prend une bande parallèle à l'axe des x, de sorte que tous les points de la bande soient à la même distance y de l'axe des x (*voir la figure 9.3b*). On trouve le moment d'inertie dI_x de la bande en multipliant son aire dA par y^2. De même, on calcule I_y en sélectionnant une bande parallèle à l'axe des y, de sorte que tous les points de l'élément se situent à la même distance x de l'axe des y (*voir la figure 9.3c*). Le moment d'inertie dI_y de la bande devient ainsi $x^2 \, dA$.

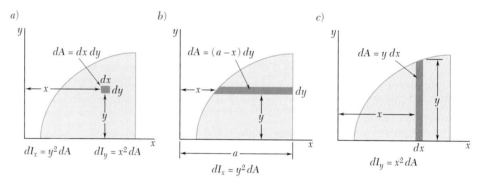

Figure 9.3

Moment d'inertie d'une surface rectangulaire À titre d'exemple, déterminons le moment d'inertie d'un rectangle par rapport à sa base (*voir la figure 9.4*). On divise le rectangle en bandes parallèles à l'axe des x et on obtient

$$dA = b \, dy \qquad dI_x = y^2 b \, dy$$

$$I_x = \int_0^h b y^2 \, dy = \tfrac{1}{3} b h^3 \tag{9.2}$$

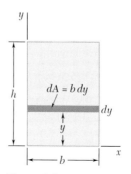

Figure 9.4

Calcul de I_x et I_y à partir des mêmes éléments de surface   On peut aussi utiliser l'équation précédente pour déterminer le moment d'inertie dI_x par rapport à l'axe des x d'une bande rectangulaire parallèle à l'axe des y (*voir la figure 9.3c*). On substitue $b = dx$ et $h = y$ dans l'équation 9.2 et on trouve

$$dI_x = \tfrac{1}{3} y^3 \, dx$$

Par ailleurs, on a

$$dI_y = x^2 \, dA = x^2 y \, dx$$

Le même élément sert alors à calculer les moments d'inertie I_x et I_y d'une surface donnée (*voir la figure 9.5*).

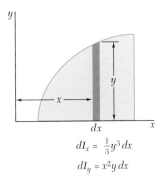

$$dI_x = \tfrac{1}{3} y^3 \, dx$$
$$dI_y = x^2 y \, dx$$

Figure 9.5

9.1.3 MOMENT D'INERTIE POLAIRE

L'intégrale ci-dessous s'avère très utile lorsqu'on s'intéresse à la torsion d'arbres cylindriques (arbres de transmission) ou à la rotation de plaques. On a

$$J_O = \int r^2 \, dA \tag{9.3}$$

où r correspond à la distance entre O et l'élément d'aire dA (*voir la figure 9.6*). Cette intégrale définit le moment d'inertie polaire d'une surface quelconque A par rapport au « pôle » O.

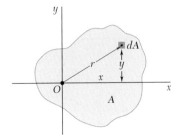

Figure 9.6

On calcule le moment d'inertie polaire d'une surface donnée à l'aide de ses moments d'inertie orthogonaux I_x et I_y si ces derniers sont déjà connus. Sachant que $r^2 = x^2 + y^2$, on écrit

$$J_O = \int r^2 \, dA = \int (x^2 + y^2) \, dA = \int y^2 \, dA + \int x^2 \, dA$$

c'est-à-dire

$$J_O = I_x + I_y \tag{9.4}$$

9.1.4 RAYON DE GIRATION DE SURFACES

Considérons une surface A ayant un moment d'inertie I_x par rapport à l'axe des x (voir la figure 9.7a). Imaginons que l'on concentre cette surface en une bande étroite parallèle à l'axe des x (voir la figure 9.7b). Pour que la surface A ainsi concentrée conserve le même moment d'inertie, la bande doit se trouver à une distance k_x de l'axe des x, de sorte que

$$I_x = k_x^2 A$$

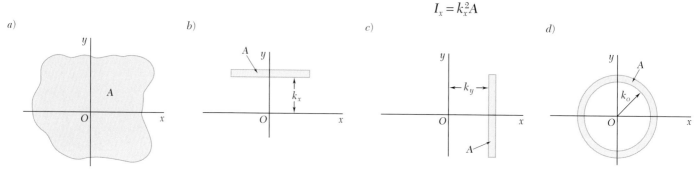

Figure 9.7

En isolant k_x, on obtient

$$k_x = \sqrt{\frac{I_x}{A}} \tag{9.5}$$

On appelle k_x le *rayon de giration de la surface* par rapport à l'axe des x. On définit également les rayons de giration k_y et k_O (voir les figures 9.7c et d) comme suit :

$$I_y = k_y^2 A \qquad k_y = \sqrt{\frac{I_y}{A}} \tag{9.6}$$

$$J_O = k_O^2 A \qquad k_O = \sqrt{\frac{J_O}{A}} \tag{9.7}$$

Si on reprend l'équation 9.4 en fonction des rayons de giration, on trouve

$$k_O^2 = k_x^2 + k_y^2 \tag{9.8}$$

APPLICATION DE CONCEPT   9.1

Calculons le rayon de giration k_x du rectangle de la figure 9.8 par rapport à sa base. Les équations 9.5 et 9.2 permettent d'écrire

$$k_x^2 = \frac{I_x}{A} = \frac{\frac{1}{3}bh^3}{bh} = \frac{h^2}{3} \qquad k_x = \frac{h}{\sqrt{3}}$$

La figure 9.8 montre le rayon de giration k_x du rectangle. On ne doit pas le confondre avec $\overline{y} = h/2$, l'ordonnée du centre géométrique de la surface. La valeur de k_x dépend du moment d'inertie (deuxième moment), alors que l'ordonnée $\overline{y}$ est fonction du moment statique (premier moment) de la surface.

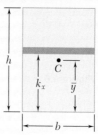

Figure 9.8

Calculez le moment d'inertie d'un triangle par rapport à sa base.

> SOLUTION

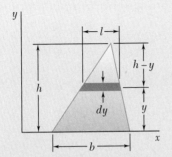

Soit un triangle de base b et de hauteur h, l'abscisse coïncidant avec la base. On choisit une bande élémentaire dA parallèle à l'axe des x. Puisque tous les points de la bande choisie sont équidistants de l'axe des x, on peut écrire

$$dI_x = y^2 \, dA \qquad dA = l \, dy$$

À partir du théorème des triangles semblables, on a

$$\frac{l}{b} = \frac{h-y}{h} \qquad l = b\frac{h-y}{h} \qquad dA = b\frac{h-y}{h} \, dy$$

En intégrant dI_x de $y = 0$ à $y = h$, on obtient

$$I_x = \int y^2 \, dA = \int_0^h y^2 b\frac{h-y}{h} \, dy = \frac{b}{h} \int_0^h (hy^2 - y^3) \, dy$$

$$= \frac{b}{h} \left[h\frac{y^3}{3} - \frac{y^4}{4} \right]_0^h$$

$$I_x = \frac{bh^3}{12} \quad \blacktriangleleft$$

a) Déterminez par intégration le moment d'inertie polaire d'une surface circulaire par rapport à son centre géométrique.

b) À partir du résultat obtenu en a, calculez le moment d'inertie de la même surface par rapport à son diamètre.

> SOLUTION

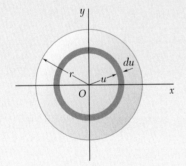

a) **Moment d'inertie polaire** On commence par choisir un élément différentiel de surface annulaire dA. Puisque tous les points de cet élément sont à égale distance de l'origine, on écrit

$$dJ_O = u^2 \, dA \qquad dA = 2\pi u \, du$$

$$J_O = \int dJ_O = \int_0^r u^2(2\pi u \, du) = 2\pi \int_0^r u^3 \, du$$

$$J_O = \frac{\pi}{2} r^4 \quad \blacktriangleleft$$

b) **Moment d'inertie par rapport au diamètre** En raison de la symétrie de la surface circulaire, on a $I_x = I_y$. On peut conclure que

$$J_O = I_x + I_y = 2I_x \qquad \frac{\pi}{2} r^4 = 2I_x$$

$$I_{\text{diamètre}} = I_x = \frac{\pi}{4} r^4 \quad \blacktriangleleft$$

a) Calculez le moment d'inertie de la surface ombrée ci-dessous par rapport aux deux axes de référence (cette surface a déjà été étudiée au problème résolu 5.4).

b) À partir du résultat obtenu en *a*, calculez le rayon de giration de la même surface par rapport aux deux axes.

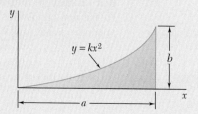

> **SOLUTION**

En se référant au problème résolu 5.4, on a l'équation de la courbe y et celle de l'aire totale A:

$$y = \frac{b}{a^2}x^2 \qquad A = \tfrac{1}{3}ab$$

a) Moment d'inertie I_x Soit dA, l'élément différentiel vertical de la surface. Puisque tous les points de cette bande élémentaire ne sont pas équidistants de l'axe des x, on doit considérer la bande comme un rectangle mince. Son moment d'inertie par rapport à l'axe des x est donc

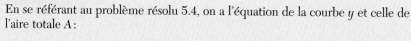

$$dI_x = \tfrac{1}{3}y^3\,dx = \frac{1}{3}\left(\frac{b}{a^2}x^2\right)^3 dx = \frac{1}{3}\frac{b^3}{a^6}x^6\,dx$$

$$I_x = \int dI_x = \int_0^a \frac{1}{3}\frac{b^3}{a^6}x^6\,dx = \left[\frac{1}{3}\frac{b^3}{a^6}\frac{x^7}{7}\right]_0^a$$

$$I_x = \frac{ab^3}{21} \blacktriangleleft$$

Moment d'inertie I_y On utilise le même élément différentiel dA. Maintenant, tous les points de cette bande sont équidistants par rapport à l'axe des y. On a donc

$$dI_y = x^2\,dA = x^2(y\,dx) = x^2\left(\frac{b}{a^2}x^2\right)dx = \frac{b}{a^2}x^4\,dx$$

$$I_y = \int dI_y = \int_0^a \frac{b}{a^2}x^4\,dx = \left[\frac{b}{a^2}\frac{x^5}{5}\right]_0^a$$

$$I_y = \frac{a^3b}{5} \blacktriangleleft$$

b) Rayons de giration k_x et k_y Par définition, on a

$$k_x^2 = \frac{I_x}{A} = \frac{ab^3/21}{ab/3} = \frac{b^2}{7} \qquad k_x = \sqrt{\tfrac{1}{7}}\,b \blacktriangleleft$$

et

$$k_y^2 = \frac{I_y}{A} = \frac{a^3b/5}{ab/3} = \tfrac{3}{5}a^2 \qquad k_y = \sqrt{\tfrac{3}{5}}\,a \blacktriangleleft$$

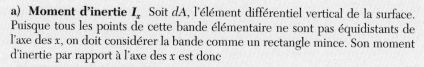

Cette section avait pour objectif d'introduire les moments d'inertie rectangulaires et polaires de surfaces données ainsi que les rayons de giration correspondants. Bien que les problèmes 9.1 à 9.30 paraissent relever plus du domaine du calcul intégral que de celui de la mécanique, nous espérons que cette introduction a pu convaincre le lecteur de la pertinence du calcul des moments d'inertie dans une multitude d'applications en ingénierie.

1. **Calcul des moments d'inertie rectangulaires I_x et I_y.** Les moments d'inertie rectangulaires se calculent par

$$I_x = \int y^2 \, dA \qquad I_y = \int x^2 \, dA \qquad (9.1)$$

où dA est un élément différentiel d'aire $dx \, dy$. Ces moments d'inertie sont parfois appelés *deuxièmes moments de la surface*. À la section 9.1.2, nous avons mis l'accent sur l'importance de bien définir la forme et l'orientation de l'élément dA. De plus, nous retiendrons les points suivants :

a) **Calcul de moments d'inertie par intégration simple.** La plupart des moments d'inertie I_x et I_y peuvent être calculés à l'aide des équations différentielles présentées aux figures 9.3*b* et *c* et 9.5. Que l'on utilise une intégrale simple ou double, il faut s'assurer de bien choisir et d'illustrer correctement l'élément de surface dA.

b) **Positivité du moment d'inertie.** Indépendamment de la position de la surface par rapport aux axes de coordonnées, le moment d'inertie de cette surface est toujours positif, puisqu'on le calcule en intégrant le produit de dA et du carré d'une distance (notez la distinction avec le calcul du moment statique ou premier moment de l'aire). Par contre, si une surface est retranchée d'une autre surface, comme dans le cas d'un trou, le moment d'inertie de la surface retranchée sera considéré comme négatif.

c) **Vérification des calculs.** On peut vérifier partiellement les calculs en s'assurant que les moments d'inertie correspondent à une aire multipliée par le carré d'une longueur. Chaque terme dans l'équation d'un moment d'inertie devrait donc être une longueur à la quatrième puissance.

2. **Calcul du moment d'inertie polaire J_O.** Le moment d'inertie polaire J_O se calcule par

$$J_O = \int r^2 \, dA \qquad (9.3)$$

où $r^2 = x^2 + y^2$. Si la surface étudiée possède une symétrie circulaire (comme la surface du problème résolu 9.2), on peut exprimer dA en fonction de r et calculer ensuite J_O avec une intégrale simple. Par contre, si la surface considérée n'a pas de symétrie circulaire, il est généralement plus simple de calculer d'abord les moments d'inertie I_x et I_y et de déterminer ensuite le moment d'inertie polaire J_O avec l'équation

$$J_O = I_x + I_y \qquad (9.4)$$

Finalement, si l'équation de la courbe délimitant la surface étudiée est donnée sous forme de coordonnées polaires, $dA = r \, dr \, d\theta$ et on aura recours à une double intégrale pour calculer J_O (*voir le problème 9.27*).

3. **Calcul des rayons de giration rectangulaires k_x et k_y et du rayon de giration polaire k_O.** Une fois qu'on a calculé l'aire des surfaces et les moments d'inertie, on peut déterminer les rayons de giration à l'aide des équations présentées à la section 9.1.4. Rappelons que k_x est mesuré selon l'axe des y et que k_y est mesuré selon l'axe des x.

Une étude approfondie de la section 9.1.4 permettra d'assimiler ce concept.

9.1 à 9.4 Déterminez par intégration le moment d'inertie des surfaces ombrées par rapport à l'ordonnée y.

9.5 à 9.8 Déterminez par intégration le moment d'inertie des surfaces ombrées par rapport à l'abscisse x.

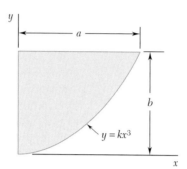

Figure P9.1 - P9.5

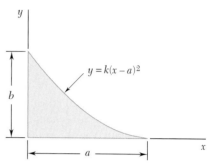

Figure P9.2 - P9.6

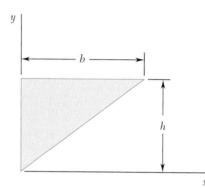

Figure P9.3 - P9.7

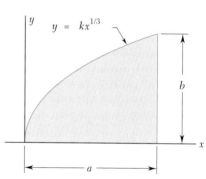

Figure P9.4 - P9.8

9.9 à 9.11 Calculez par intégration le moment d'inertie des surfaces ombrées par rapport à l'abscisse x.

9.12 à 9.14 Déterminez par intégration le moment d'inertie des surfaces ombrées par rapport à l'axe des y.

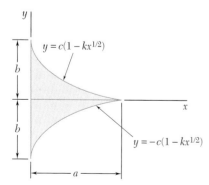

Figure P9.9 - P9.12

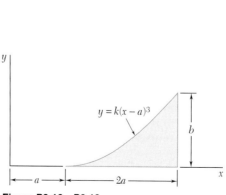

Figure P9.10 - P9.13

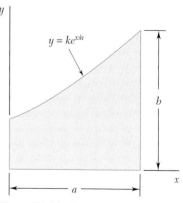

Figure P9.11 - P9.14

9.15 et 9.16 Déterminez le moment d'inertie et le rayon de giration des surfaces ombrées par rapport à l'axe des x.

9.17 et 9.18 Calculez le moment d'inertie et le rayon de giration des surfaces ombrées par rapport à l'axe des y.

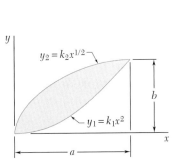

Figure P9.15 - P9.17

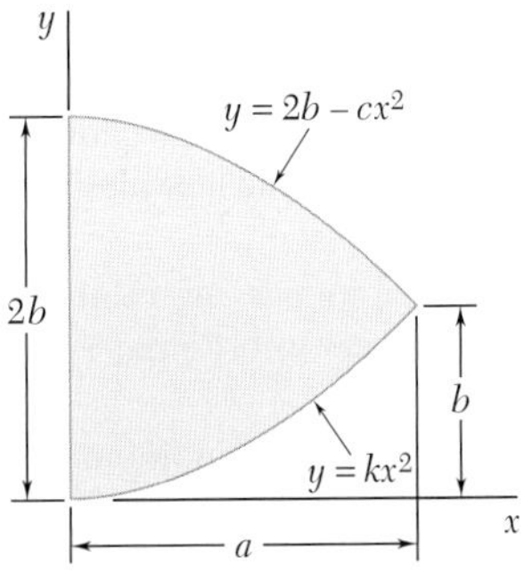

Figure P9.16 - P9.18

9.19 Déterminez le moment d'inertie et le rayon de giration de la surface ombrée par rapport à l'axe des x.

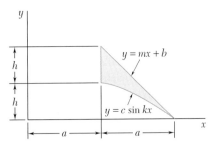

Figure P9.19 - P9.20

9.20 Calculez le moment d'inertie et le rayon de giration de la surface ombrée par rapport à l'ordonnée y.

9.21 et 9.22 Déterminez le moment d'inertie polaire et le rayon de giration polaire des surfaces ombrées par rapport au point P.

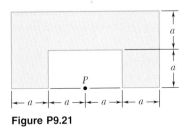

Figure P9.21

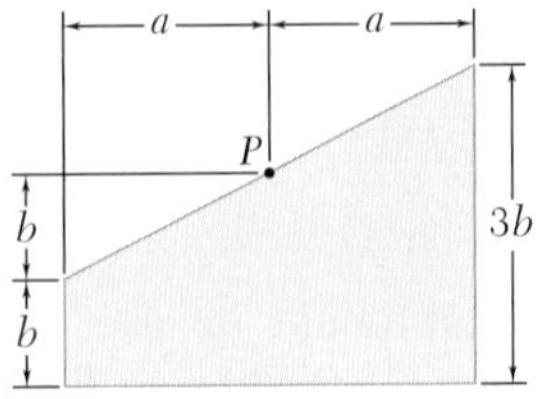

Figure P9.22

9.23 et 9.24 Déterminez le moment d'inertie polaire et le rayon de giration polaire des surfaces ombrées par rapport au point P.

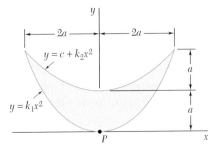

Figure P9.23

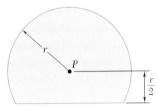

Figure P9.24

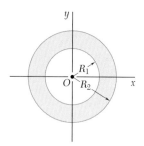

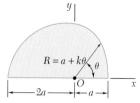

Figure P9.25 - P9.26

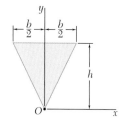

Figure P9.27

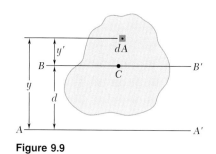

Figure P9.28

9.25 **a)** Déterminez par intégration le moment d'inertie polaire de la surface annulaire par rapport au point O.

b) Calculez, à partir du résultat trouvé en a, le moment d'inertie de cette surface par rapport à l'axe des x.

9.26 **a)** Démontrez que le rayon de giration polaire k_O de la surface annulaire est approximativement égal au rayon moyen $R_m = (R_1 + R_2)/2$ pour de petites valeurs de l'épaisseur $t = R_2 - R_1$.

b) Calculez le pourcentage d'erreur résultant de l'utilisation de R_m au lieu de k_O pour les valeurs suivantes de t/R_m : 1, 1/2, 1/10.

9.27 Déterminez le moment d'inertie polaire et le rayon de giration polaire de la surface ombrée par rapport au point O.

9.28 Déterminez le moment d'inertie polaire et le rayon de giration polaire du triangle isocèle illustré par rapport au point O.

*9.29 À partir du moment d'inertie polaire du triangle isocèle du problème 9.28, démontrez que le moment d'inertie polaire par rapport au centre géométrique d'une surface circulaire de rayon r est égal à $\pi r^4/2$. (Indice : si on divise une surface circulaire en un nombre croissant de secteurs circulaires égaux, quelle est la forme approximative de chaque secteur ?)

*9.30 Démontrez que le moment d'inertie polaire par rapport au centre géométrique d'une surface A donnée ne peut être inférieur à $A^2/2\pi$. (Suggestion : comparez le moment d'inertie d'une surface quelconque avec le moment d'inertie d'une surface circulaire de même aire et de même centre géométrique.)

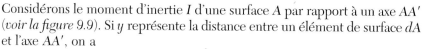

9.2 THÉORÈME DES AXES PARALLÈLES ET SURFACES COMPOSÉES

9.2.1 THÉORÈME DES AXES PARALLÈLES

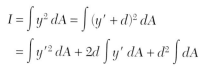

Figure 9.9

Considérons le moment d'inertie I d'une surface A par rapport à un axe AA' (*voir la figure 9.9*). Si y représente la distance entre un élément de surface dA et l'axe AA', on a

$$I = \int y^2 \, dA$$

Traçons maintenant un axe BB' parallèle à AA' et passant par le centre géométrique C ; on dit que BB' est un axe central. Si y' désigne la distance séparant dA de BB', on a $y = y' + d$, où d correspond à la distance entre les axes AA' et BB'. En remplaçant y dans l'intégrale ci-dessus, on trouve

$$I = \int y^2 \, dA = \int (y' + d)^2 \, dA$$
$$= \int y'^2 \, dA + 2d \int y' \, dA + d^2 \int dA$$

La première intégrale exprime le moment d'inertie $\bar{I}$ de la surface par rapport à l'axe central BB'. La deuxième décrit son moment statique par rapport à BB'. Étant donné que le centre géométrique C de l'aire se trouve sur cet axe, sa valeur est nulle. Finalement, la dernière intégrale donne l'aire totale A. On a alors

$$I = \bar{I} + Ad^2 \tag{9.9}$$

L'équation signifie que le moment d'inertie I d'une surface par rapport à un axe quelconque AA' est égal à son moment d'inertie $\bar{I}$ par rapport à l'axe qui passe par le centre géométrique BB' et parallèle à AA', additionné au produit de cette aire A multipliée par le carré de la distance d séparant les deux axes. Ce théorème, connu sous le nom de *théorème des axes parallèles*, peut aussi s'écrire comme suit :

$$k^2 = \bar{k}^2 + d^2 \qquad (9.10)$$

où l'on a remplacé I par $k^2 A$ et $\bar{I}$ par $\bar{k}^2 A$. Un théorème semblable relie le moment d'inertie polaire J_O d'une surface par rapport à un point O à son moment d'inertie polaire $\bar{J}_C$ relatif à son centre géométrique C. Si d représente la distance entre O et C, on a

$$J_O = \bar{J}_C + Ad^2 \qquad \text{ou} \qquad k_O^2 = \bar{k}_C^2 + d^2 \qquad (9.11)$$

APPLICATION DE CONCEPT 9.2

Appliquons le théorème des axes parallèles pour déterminer le moment d'inertie I_T d'une surface circulaire par rapport à une droite tangente au cercle (*voir la figure 9.10*). Au problème résolu 9.2, nous avons vu que le moment d'inertie d'une surface circulaire par rapport à un axe central s'écrit $\bar{I} = \frac{1}{4}\pi r^4$. On a donc

$$I_T = \bar{I} + Ad^2 = \frac{1}{4}\pi r^4 + (\pi r^2)r^2 = \frac{5}{4}\pi r^4$$

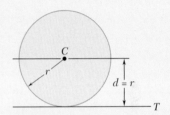

Figure 9.10

APPLICATION DE CONCEPT 9.3

Le théorème des axes parallèles permet également de trouver le moment central d'inertie d'une surface lorsqu'on connaît déjà son moment d'inertie relativement à un axe parallèle. Prenons, par exemple, la surface triangulaire de la figure 9.11. Nous avons trouvé, au problème résolu 9.1, que le moment d'inertie d'un triangle par rapport à sa base AA' est égal à $\frac{1}{12}bh^3$. Le théorème des axes parallèles donne alors

$$I_{AA'} = \bar{I}_{BB'} + Ad^2$$
$$\bar{I}_{BB'} = I_{AA'} - Ad^2 = \frac{1}{12}bh^3 - \frac{1}{2}bh\left(\frac{1}{3}h\right)^2 = \frac{1}{36}bh^3$$

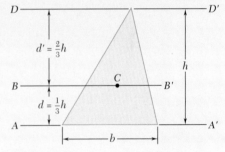

Figure 9.11

Il est à remarquer que nous avons soustrait le produit Ad^2 du moment d'inertie donné pour obtenir le moment d'inertie central du triangle. En effet, on ajoute ce produit pour passer d'un axe central à un axe parallèle, mais on le soustrait pour aller vers un axe central. Autrement dit, le moment d'inertie central d'une surface est toujours plus petit que ses moments d'inertie associés aux axes parallèles.

La figure 9.11 montre également que le moment d'inertie du triangle par rapport à l'axe DD' (passant par un sommet du triangle) peut s'écrire

$$I_{DD'} = \bar{I}_{BB'} + Ad'^2 = \frac{1}{36}bh^3 + \frac{1}{2}bh\left(\frac{2}{3}h\right)^2 = \frac{1}{4}bh^3$$

On ne peut obtenir $I_{DD'}$ directement à partir de $I_{AA'}$. Le théorème des axes parallèles s'applique uniquement si l'un des axes parallèles passe par le centre géométrique de la surface.

9.2.2 MOMENTS D'INERTIE DES SURFACES COMPOSÉES

Considérons une surface A composée de plusieurs surfaces $A_1, A_2, A_3, \ldots$ Sachant que l'intégrale du moment d'inertie de A peut aussi s'exprimer comme la somme d'intégrales évaluées séparément sur $A_1, A_2, A_3, \ldots$, le moment d'inertie de A par rapport à un axe donné correspond à la somme des moments d'inertie des surfaces $A_1, A_2, A_3, \ldots$, relativement au même axe. Il devient alors facile de calculer le moment d'inertie d'une surface composée de formes courantes en utilisant les formules fournies à la figure 9.12. Cependant, avant d'additionner les moments d'inertie des surfaces constituantes (les éléments composants), il faut parfois appliquer le théorème des axes parallèles pour transférer les moments d'inertie vers l'axe désiré (*voir les problèmes résolus 9.4 et 9.5*).

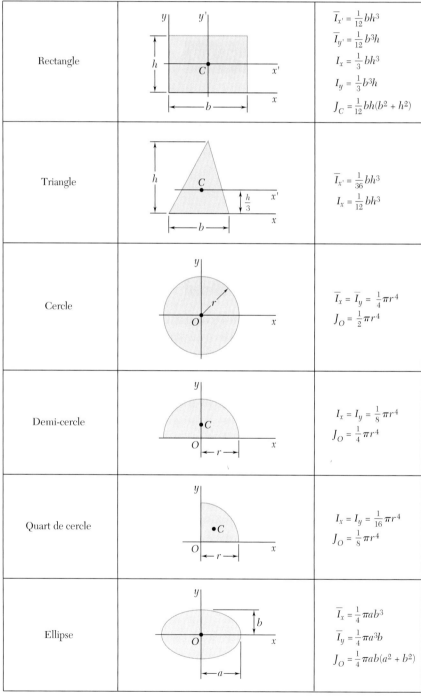

Figure 9.12 Moments d'inertie de formes géométriques courantes

La figure 9.13 présente les propriétés de quelques profilés structuraux en acier en fonction de la forme de leur section transversale. Comme présenté à la section 9.1.1, le moment d'inertie de la section d'une poutre par rapport à son axe neutre est lié de près au calcul de la contrainte de flexion dans cette même section de la poutre. Il devient donc essentiel de déterminer les moments d'inertie pour l'analyse et la conception des éléments de structures portantes.

Notons que le rayon de giration d'une surface composée n'est pas égal à la somme des rayons de giration des surfaces constituantes. Pour déterminer le rayon de giration d'une surface composée, il est nécessaire de calculer d'abord son moment d'inertie.

	Désignation	Aire mm²	Hauteur mm	Largeur des ailes mm	Axe X-X			Axe Y-Y		
					$\bar{I}_x$ 10^6 mm⁴	$\bar{k}_x$ mm	$\bar{y}$ mm	$\bar{I}_y$ 10^6 mm⁴	$\bar{k}_y$ mm	$\bar{x}$ mm
Profilés en I 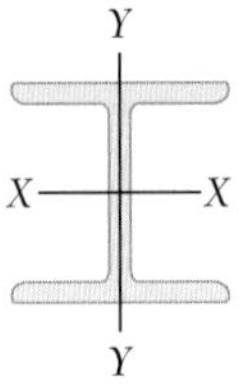	W460×113†	14 400	463	280	554	196,3		63,3	66,3	
	W410×85	10 800	417	181	316	170,7		17,94	40,6	
	W360×57	7 230	358	172	160,2	149,4		11,11	39,4	
	W200×46,1	5 890	203	203	45,8	88,1		15,44	51,3	
Poutrelles régulières (standards de l'American Standard Shapes) 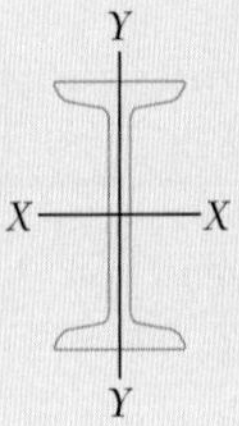	S460×81,4†	10 390	457	152	335	179,6		8,66	29,0	
	S310×47,3	6 032	305	127	90,7	122,7		3,90	25,4	
	S250×37,8	4 806	254	118	51,6	103,4		2,83	24,2	
	S150×18,6	2 362	152	84	9,2	62,2		0,758	17,91	
Profilés en C (standards de l'American Standard Channels) 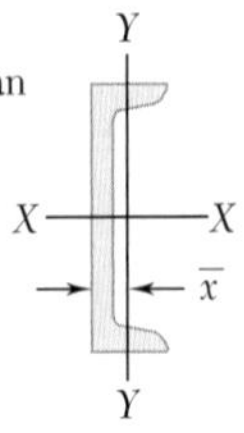	C310×30,8†	3 929	305	74	53,7	117,1		1,615	20,29	17,73
	C250×22,8	2 897	254	65	28,1	98,3		0,949	18,11	16,10
	C200×17,1	2 181	203	57	13,57	79,0		0,549	15,88	14,50
	C150×12,2	1 548	152	48	5,45	59,4		0,288	13,64	13,00
Cornières 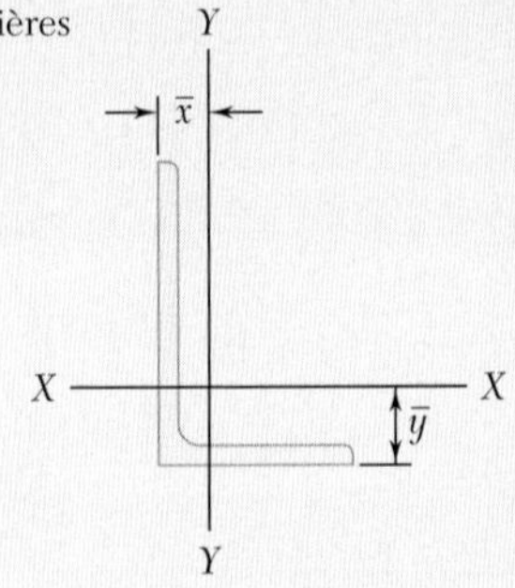	L152×152×25,4‡	7 100			14,78	45,6	47,2	14,78	45,6	47,2
	L102×102×12,7	2 420			2,31	30,9	30,0	2,31	30,9	30,0
	L76×76×6,4	929			0,516	23,6	21,4	0,516	23,6	21,4
	L152×102×12,7	3 060			7,24	48,6	50,5	2,61	29,2	25,1
	L127×76×12,7	2 420			3,93	40,3	44,5	1,074	21,1	19,05
	L76×51×6,4	768			0,454	24,3	25,2	0,163	14,58	12,52

Figure 9.13 Propriétés des profilés à charpente en acier (Unités SI)

† Hauteur nominale en millimètres et masse en kilogrammes par mètre.

‡ Hauteur, largeur et épaisseur en millimètres.

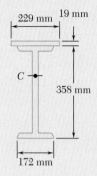

Un profilé en acier W360 × 57 a été renforcé à l'aide d'une plaque de 229 mm × 19 mm soudée à sa semelle supérieure. Calculez le moment d'inertie et le rayon de giration de la section composée de la poutre par rapport à un axe parallèle à la plaque et passant par le centre géométrique C de la section.

> SOLUTION

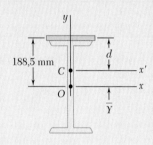

On choisit comme origine de coordonnées O le centre géométrique de la section du profilé en I et on calcule par les méthodes développées au chapitre 5 la coordonnée $\overline{Y}$ du centre géométrique de la section composée. La figure 9.13 donne l'aire de la section du profilé. L'aire de la plaque de renforcement et la coordonnée y de son centre géométrique sont

$$A = (229 \text{ mm})(19 \text{ mm}) = 4351 \text{ mm}^2$$
$$\overline{y} = \tfrac{1}{2}(358 \text{ mm}) + \tfrac{1}{2}(19 \text{ mm}) = 188,5 \text{ mm}$$

Section	Aire, mm²	$\overline{y}$, mm	$\overline{y}A$, mm³
Plaque	4 351	188,5	$0,820 \times 10^6$
Profilé en I	7 230	0	0
	$\Sigma A = 11\ 581$		$\Sigma \overline{y}A = 0,820 \times 10^6$

$$\overline{Y}\Sigma A = \Sigma \overline{y}A \qquad \overline{Y}(11\ 581) = 0,820 \times 10^6 \qquad \overline{Y} = 70,8 \text{ mm}$$

Moment d'inertie Le théorème des axes parallèles nous permet de calculer le moment d'inertie de la section composée du profilé et de la plaque par rapport à l'axe x' ; cet axe est l'axe central de la section composée, mais il ne l'est pas pour chaque élément considéré séparément. La valeur de $\overline{I}_x$ pour le profilé seul est obtenue à la figure 9.13.

Pour le profilé en I, on a

$$I_{x'} = \overline{I}_x + A\overline{Y}^2 = 160,2 \times 10^6 + (7230)(70,8)^2 = 196,4 \times 10^6 \text{ mm}^4$$

Pour la plaque de renforcement, on a

$$I_{x'} = \overline{I}_x + Ad^2 = (\tfrac{1}{12})(229)(19)^3 + (4351)(188,5 - 70,8)^2 = 60,4 \times 10^6 \text{ mm}^4$$

Pour la surface composée, on a

$$I_{x'} = 196,4 \times 10^6 + 60,4 \times 10^6 = 256,8 \times 10^6 \text{ mm}^4$$

$$I_{x'} = 257 \times 10^6 \text{ mm}^4 \quad \blacktriangleleft$$

Rayon de giration On a

$$k_{x'}^2 = \frac{I_{x'}}{A} = \frac{256,8 \times 10^6 \text{ mm}^4}{11\ 581 \text{ mm}^2}$$

$$k_{x'} = 149 \text{ mm} \quad \blacktriangleleft$$

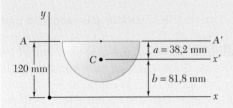

Calculez le moment d'inertie de la surface ombrée par rapport à l'axe des x.

> **SOLUTION**

La surface ombrée peut être obtenue en retranchant un demi-cercle d'un rectangle. Les moments d'inertie du rectangle et du demi-cercle seront calculés séparément.

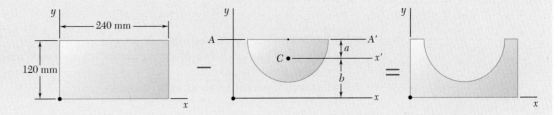

Moment d'inertie du rectangle   En se référant à la figure 9.12, on obtient

$$I_x = \tfrac{1}{3}bh^3 = \tfrac{1}{3}(240 \text{ mm})(120 \text{ mm})^3 = 138,2 \times 10^6 \text{ mm}^4$$

Moment d'inertie du demi-cercle   En se référant à la figure 5.8, on localise le centre géométrique C du demi-cercle par rapport au diamètre AA'.

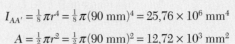

$$a = \frac{4r}{3\pi} = \frac{(4)(90 \text{ mm})}{3\pi} = 38,2 \text{ mm}$$

La distance b qui sépare le centre géométrique C de l'axe des x est donnée par

$$b = 120 \text{ mm} - a = 120 \text{ mm} - 38,2 \text{ mm} = 81,8 \text{ mm}$$

En utilisant l'équation de la figure 9.12, on peut évaluer le moment d'inertie du demi-cercle par rapport au diamètre AA' ; on calcule également l'aire du demi-cercle.

$$I_{AA'} = \tfrac{1}{8}\pi r^4 = \tfrac{1}{8}\pi(90 \text{ mm})^4 = 25,76 \times 10^6 \text{ mm}^4$$

$$A = \tfrac{1}{2}\pi r^2 = \tfrac{1}{2}\pi(90 \text{ mm})^2 = 12,72 \times 10^3 \text{ mm}^2$$

Le théorème des axes parallèles permet d'évaluer $\bar{I}_{x'}$ et I_x :

$$I_{AA'} = \bar{I}_{x'} + Aa^2$$

$$25,76 \times 10^6 \text{ mm}^4 = \bar{I}_{x'} + (12,72 \times 10^3 \text{ mm}^2)(38,2 \text{ mm})^2$$

$$\bar{I}_{x'} = 7,20 \times 10^6 \text{ mm}^4$$

$$I_x = \bar{I}_{x'} + Ab^2$$

$$= 7,20 \times 10^6 \text{ mm}^4 + (12,72 \times 10^3 \text{ mm}^2)(81,8 \text{ mm})^2$$

$$= 92,3 \times 10^6 \text{ mm}^4$$

Moment d'inertie de la surface   Enfin, le moment d'inertie de la surface ombrée est obtenu en soustrayant le moment d'inertie du demi-cercle de celui du rectangle :

$$I_x = 138,2 \times 10^6 \text{ mm}^4 - 92,3 \times 10^6 \text{ mm}^4$$

$$I_x = 45,9 \times 10^6 \text{ mm}^4 \quad \blacktriangleleft$$

Dans cette section, nous avons présenté le théorème des axes parallèles et son utilité pour simplifier le calcul des moments d'inertie rectangulaires et polaires de surfaces composées. Dans les problèmes qui suivent, nous l'appliquerons pour traiter des surfaces de formes courantes et de profilés à charpente. Nous aurons aussi l'occasion d'appliquer ce théorème pour localiser le point d'application (le centre de pression) de la résultante des forces hydrostatiques agissant sur les surfaces submergées.

1. **Application du théorème des axes parallèles.** Nous avons présenté à la section 9.2.1 l'équation du théorème des axes parallèles, soit

$$I = \bar{I} + Ad^2 \qquad (9.9)$$

où I = moment d'inertie de la surface A;
$\bar{I}$ = moment d'inertie de la surface A par rapport à un axe parallèle qui passe par le centre géométrique;
d = distance séparant les deux axes considérés.

Ce théorème énonce que le moment d'inertie I d'une surface A par rapport à un axe est égal à la somme du moment d'inertie $\bar{I}$ de cette surface par rapport à un axe central parallèle et du produit Ad^2.

De plus, retenons les points suivants:

a) **Calcul du moment central d'inertie d'une surface A.** On peut obtenir le moment central d'inertie $\bar{I}$ d'une surface A en soustrayant Ad^2 du moment d'inertie I de la surface par rapport à un axe parallèle.

Il en découle que $\bar{I} < I$, où I = moment d'inertie de la surface par rapport à tout autre axe parallèle.

b) **Limite du théorème des axes parallèles.** Le théorème des axes parallèles ne peut être appliqué que si l'un des axes est un axe central (axe passant par le centre géométrique). Ainsi, comme nous l'avons vu dans la rubrique Application de concept 9.2 de la section 9.2.2, si l'on connaît déjà le moment d'inertie d'une surface par rapport à un axe quelconque et que l'on veut calculer son moment d'inertie par rapport à un autre axe, ces deux axes n'étant pas des axes centraux, il faut d'abord calculer le moment d'inertie de la surface par rapport à un axe central parallèle aux deux axes considérés.

2. **Calcul des moments d'inertie rectangulaires et polaires de surfaces composées.** Les problèmes résolus 9.4 et 9.5 présentent les étapes à suivre pour résoudre ce type de problème. On commence par tracer les formes courantes ou les profilés à charpente qui constituent la surface composée en indiquant les distances séparant les axes centraux des éléments des axes par rapport auxquels on veut calculer les moments d'inertie. De plus, on doit tenir compte des points suivants:

a) **Le moment d'inertie d'une surface est toujours positif.** Indépendamment de la position de l'axe par rapport auquel il est calculé et de la forme de la surface composée, le moment d'inertie de la surface est toujours positif. Seuls les moments des surfaces retranchées, comme celles des trous, sont considérés comme négatifs.

b) Cas particulier des semi-ellipses et des quarts d'ellipse. Les moments d'inertie d'une semi-ellipse et d'un quart d'ellipse sont calculés en divisant respectivement par 2 et par 4 le moment d'inertie de l'ellipse complète. Ces moments d'inertie ne sont valables que par rapport aux axes de symétrie de l'ellipse. Pour obtenir les moments centraux d'inertie de ces formes, il faudra passer par le théorème des axes parallèles.

Ce principe s'applique aussi dans le cas de demi-cercles et de quarts de cercle.

Soulignons que les formules présentées à la figure 9.12 pour ces formes ne sont pas des moments centraux d'inertie.

c) Calcul du moment d'inertie polaire J_O. Pour calculer le moment d'inertie polaire J_O d'une surface composée, on peut utiliser soit les formules présentées à la figure 9.12, soit l'équation 9.4 ci-dessous, dépendamment de la forme de la surface.

$$J_O = I_x + I_y \tag{9.4}$$

d) Localisation du centre géométrique d'une surface. Avant de calculer les moments centraux d'inertie d'une surface, on détermine l'emplacement de son centre géométrique à l'aide des techniques présentées au chapitre 5.

3. Localisation du point d'application de la résultante d'un système de forces hydrostatiques. À la section 9.1.1, nous avons trouvé que

$$R = \gamma \int y \, dA = \gamma \bar{y} A$$

$$M_x = \gamma \int y^2 \, dA = \gamma I_x$$

où $\bar{y}$ = distance séparant l'axe des x et le centre géométrique de la surface plane submergée.

Puisque la résultante **R** est équivalente au système de forces hydrostatiques élémentaires, il en découle que

$$\Sigma M_x : \qquad y_P R = M_x$$

où y_P = profondeur du point d'application de **R**.

Alors,

$$y_P(\gamma \bar{y} A) = \gamma I_x \qquad \text{ou} \qquad y_P = \frac{I_x}{\bar{y} A}$$

En conclusion, il est recommandé de bien comprendre et retenir les formes et la notation de la figure 9.13 pour les profilés à charpente car, dans le domaine de l'ingénierie, on les rencontre sous toute forme de matériaux : acier laminé, plastiques, toiles, bois, etc.

9.31 et 9.32 Déterminez le moment d'inertie et le rayon de giration de la surface ombrée par rapport à l'abscisse x.

9.33 et 9.34 Déterminez le moment d'inertie et le rayon de giration de la surface ombrée par rapport à l'ordonnée y.

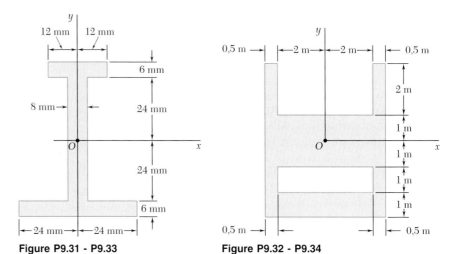

Figure P9.31 - P9.33   **Figure P9.32 - P9.34**

9.35 et 9.36 Déterminez les moments d'inertie par rapport aux axes de coordonnées x et y de la surface ombrée.

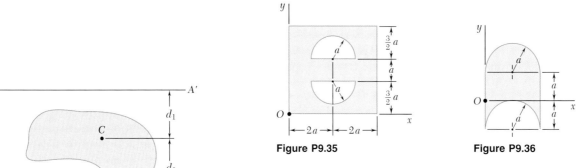

Figure P9.35   **Figure P9.36**

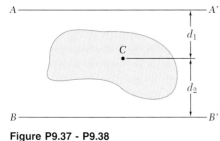

Figure P9.37 - P9.38

9.37 Considérez la surface ombrée illustrée qui a une aire de 4000 mm². Calculez la distance d_2 et le moment d'inertie par rapport à l'axe central parallèle à AA', sachant que les moments d'inertie par rapport à AA' et BB' sont respectivement de 12×10^6 mm⁴ et $23,9 \times 10^6$ mm⁴, et que $d_1 = 25$ mm.

9.38 Pour la surface ombrée illustrée, calculez l'aire et le moment d'inertie par rapport à l'axe central parallèle à BB', sachant que $d_1 = 25$ mm, $d_2 = 15$ mm, et que les moments d'inertie par rapport à AA' et BB' sont respectivement de $7,84 \times 10^6$ mm⁴ et $5,20 \times 10^6$ mm⁴.

9.39 Référez-vous à la surface ombrée illustrée, dont l'aire est de 24 m² et le moment central d'inertie polaire $\bar{J}_C$ de 600 m⁴. Sachant que $J_D = 2J_B$ et $d = 5$ m, déterminez les valeurs des moments d'inertie polaires J_B et J_D.

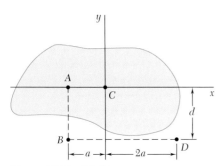

Figure P9.39 - P9.40

9.40 Évaluez le moment d'inertie polaire par rapport au centre géométrique $\bar{J}_C$ de la surface ombrée de 25 m² d'aire, sachant que ses moments d'inertie polaires par rapport aux points A, B et D sont $J_A = 281$ m⁴, $J_B = 810$ m⁴ et $J_D = 1578$ m⁴.

9.41 à 9.44 Déterminez les moments d'inertie $\bar{I}_x$ et $\bar{I}_y$ des surfaces illustrées par rapport aux axes orthogonaux respectivement parallèles et perpendiculaires au côté AB et passant par leur centre géométrique.

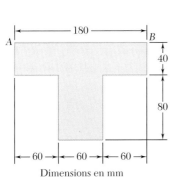

Figure P9.41

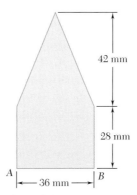

Figure P9.42

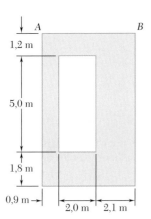

Figure P9.43

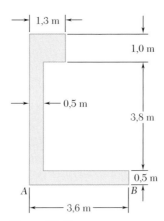

Figure P9.44

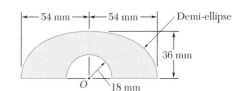

Figure P9.45

9.45 et 9.46 Déterminez le moment d'inertie polaire de la surface illustrée par rapport :
a) au point O ;
b) à son centre géométrique.

9.47 et 9.48 Déterminez le moment d'inertie polaire de la surface illustrée par rapport :
a) au point O ;
b) à son centre géométrique.

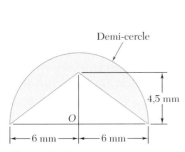

Figure P9.47

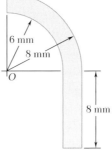

Figure P9.48

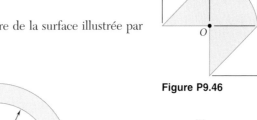

Figure P9.46

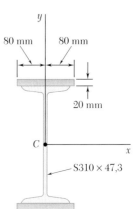

Figure P9.49

9.49 Deux plaques d'acier de 20 mm sont soudées à un profilé en I de désignation S comme illustré. En considérant la section d'assemblage illustrée, évaluez les moments d'inertie et les rayons de giration par rapport aux axes x et y du centre géométrique.

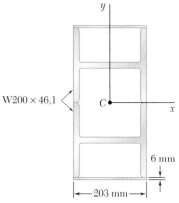

W200 × 46,1

C

6 mm

203 mm

Figure P9.50

9.50 On veut fabriquer une section de boîte renforcée. À cette fin, deux profilés W et deux plaques sont assemblés par soudage, comme illustré. Déterminez les moments d'inertie et les rayons de giration de la section de l'assemblage par rapport aux axes x et y du centre géométrique.

9.51 Quatre cornières de 76 mm × 76 mm × 6,4 mm sont soudées à un profilé W comme illustré. Évaluez les moments d'inertie et les rayons de giration de la section de l'assemblage par rapport aux axes x et y du centre géométrique (référez-vous à la figure 9.13).

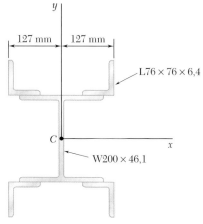

127 mm   127 mm

L76 × 76 × 6,4

C   x

W200 × 46,1

Figure P9.51

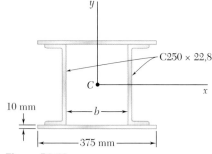

C250 × 22,8

C

10 mm

b

375 mm

Figure P9.52

9.52 Deux profilés et deux plaques sont soudés pour former la section illustrée. Pour $b = 200$ mm, déterminez les moments d'inertie et les rayons de giration par rapports aux axes centraux x et y.

9.53 Deux cornières de 76 mm × 76 mm × 6,4 mm sont soudées à un profilé C250 × 22,8 comme illustré. Évaluez les moments d'inertie de la section composée par rapport aux axes centraux respectivement parallèle et perpendiculaire à l'âme horizontale du profilé en C.

9.54 Pour former une poutre asymétrique, on soude deux cornières de 76 mm × 76 mm × 6,4 mm et deux plus grandes de 152 mm × 102 mm × 12,7 mm aux extrémités d'une plaque en acier de 540 mm de long et de 16 mm d'épaisseur. Estimez les moments d'inertie de la section composée par rapport aux axes centraux x et y.

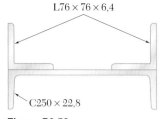

L76 × 76 × 6,4

C250 × 22,8

Figure P9.53

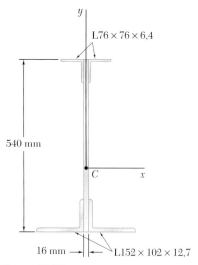

y

L76 × 76 × 6,4

540 mm

C   x

16 mm   L152 × 102 × 12,7

Figure P9.54

9.55 On soude deux cornières de 127 mm × 76 mm × 12,7 mm à une plaque d'acier de 12,7 mm d'épaisseur. Déterminez la distance b et les moments centraux d'inertie $\bar{I}_x$ et $\bar{I}_y$ de la section composée, sachant que $\bar{I}_y = 4\bar{I}_x$.

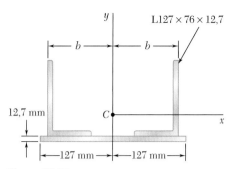

Figure P9.55

9.56 La figure P9.56 illustre l'assemblage de deux plaques d'acier soudées à une poutre en I de désignation W. Sachant que les moments d'inertie $\bar{I}_x$ et $\bar{I}_y$ de la section composée sont égaux, calculez :
   a) la distance a ;
   b) les moments d'inertie par rapport aux axes centraux x et y (référez-vous à la figure 9.13).

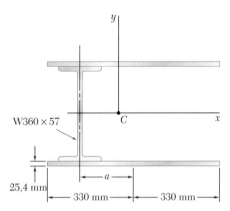

Figure P9.56

9.57 et 9.58 Les figures P9.57 et P9.58 montrent une section d'un contenant rempli d'eau jusqu'au niveau AA'. En vous référant à la section 9.1.1, déterminez la profondeur du point d'application de la résultante des forces hydrostatiques agissant sur la section (centre de pression).

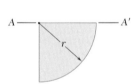

Figure P9.57

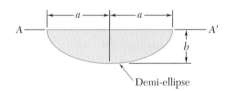

Demi-ellipse

Figure P9.58

9.59 et *9.60 Les figures P9.59 et P9.60 montrent un des panneaux d'une auge remplie d'eau jusqu'au niveau AA'. En vous référant à la section 9.1.1, évaluez la profondeur du point d'application de la résultante des forces hydrostatiques agissant sur le panneau (centre de pression).

9.61 Le couvercle du trou d'accès d'un réservoir d'eau a un diamètre de 0,5 m. Il est fixé au réservoir à l'aide de quatre boulons équidistants. Déterminez la force additionnelle due à la pression d'eau sur chaque boulon lorsque le centre du couvercle est situé à 1,4 m en dessous du niveau de l'eau.

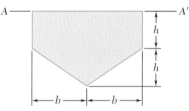

Figure P9.59

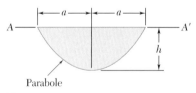

Parabole

Figure P9.60

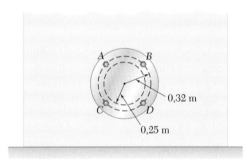

Figure P9.61

9.62 Une trappe trapézoïdale verticale sert de soupape de sûreté. Elle est gardée en position fermée à l'aide de deux ressorts comme illustré. Sachant que chaque ressort exerce un couple de 1470 N · m, déterminez le niveau d'eau d nécessaire pour que la trappe s'ouvre.

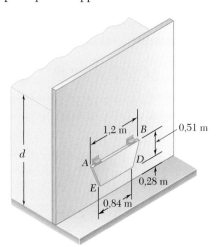

Figure P9.62

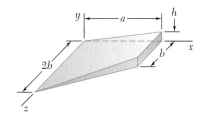

Figure P9.63

*9.63 Déterminez la coordonnée x du centre géométrique du volume illustré. (Suggestions : *a*) la hauteur y du volume est proportionnelle à la coordonnée x ; *b*) envisagez une analogie entre cette hauteur et la pression d'eau sur une surface submergée.)

*9.64 Calculez la coordonnée x du centre géométrique du volume illustré. Ce volume a été obtenu en coupant un cylindre elliptique par un plan oblique (référez-vous à la suggestion du problème 9.63).

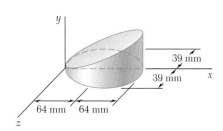

Figure P9.64

*9.65 Démontrez que le système de forces hydrostatiques agissant sur une surface plane submergée d'aire A peut être réduit à la force **P** appliquée au centre géométrique C de la surface et à deux couples. La force **P** est perpendiculaire à la surface et vaut $P = \gamma A \overline{y} \sin \theta$, où γ est le poids volumique du liquide. Les couples sont $\mathbf{M}_{x'} = (\gamma \overline{I}_{x'} \sin \theta)\mathbf{i}$, et $\mathbf{M}_{y'} = (\gamma \overline{I}_{x'y'} \sin \theta)\mathbf{j}$, où $\overline{I}_{x'y'} = \int x'y'\, dA$ (*voir la section 9.3.1*). Notez que les couples sont indépendants de la profondeur à laquelle se trouve la surface.

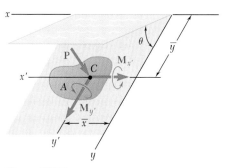

Figure P9.65

*9.66 Démontrez que la résultante des forces hydrostatiques appliquées sur une surface plane immergée d'aire A est une force **P** perpendiculaire à l'aire et de grandeur $P = \gamma A \overline{y} \sin \theta = \overline{p}\, A$, où γ est le poids volumique du liquide et $\overline{p}$ est la pression appliquée au centre géométrique C de la surface. Démontrez que **P** est appliquée au point C_P, appelé le *centre de pression*, de coordonnées $x_P = I_{xy}/A\overline{y}$ et $y_P = I_x/A\overline{y}$, où $I_{xy} = \int xy\, dA$ (*voir la section 9.3.1*). Démontrez finalement que la différence d'ordonnée $y_P - \overline{y}$ vaut $\overline{k}_x^2/\overline{y}$ et que, par conséquent, elle dépend de la profondeur à laquelle la surface est immergée.

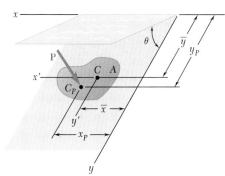

Figure P9.66

9.3 TRANSFORMATION DES MOMENTS D'INERTIE

*9.3.1 PRODUIT D'INERTIE

L'intégrale

$$I_{xy} = \int xy\, dA \qquad (9.12)$$

définit le produit d'inertie de la surface A par rapport aux axes x et y. On l'obtient en multipliant chaque élément dA de la surface A par ses coordonnées x et y, et en intégrant ensuite sur l'aire (*voir la figure 9.14*). Contrairement aux moments d'inertie I_x et I_y, le produit d'inertie I_{xy} peut être positif, négatif ou nul.

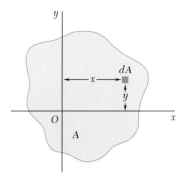

Figure 9.14

Si au moins un des axes x ou y coïncide avec un axe de symétrie de la surface A, le produit d'inertie I_{xy} devient nul. Par exemple, considérons le profilé en C de la figure 9.15 : la section étant symétrique par rapport à l'axe des x, on peut associer à chaque élément dA de coordonnées x et y un élément dA' de coordonnées x et $-y$. La contribution de ces deux éléments s'annule dans le calcul de I_{xy}, et il en va de même pour toutes les paires d'éléments choisies de la même façon ; l'intégrale 9.12 se réduit donc à zéro.

Les produits d'inertie ont aussi leur théorème des axes parallèles, semblable à celui établi pour les moments d'inertie à la section 9.2.1. Considérons une surface A et un plan cartésien xy (*voir la figure 9.16*). On trace deux axes centraux, x' et y', respectivement parallèles aux axes x et y et passant par le centre géométrique C, de coordonnées $\bar{x}$ et $\bar{y}$. Prenons un élément dA, positionné en x et y dans le repère original, et en x' et y' dans le système d'axes centraux ; on a ainsi $x = x' + \bar{x}$ et $y = y' + \bar{y}$. Si l'on substitue x et y dans l'équation 9.12, le produit d'inertie I_{xy} s'écrit

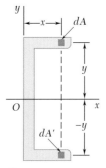

Figure 9.15

$$I_{xy} = \int xy\, dA = \int (x' + \bar{x})(y' + \bar{y})\, dA$$

$$= \int x'y'\, dA + \bar{y}\int x'\, dA + \bar{x}\int y'\, dA + \bar{x}\bar{y}\int dA$$

La première intégrale représente le produit d'inertie $\bar{I}_{x'y'}$ de la surface A par rapport aux axes centraux x' et y'. Les deux intégrales suivantes donnent les premiers moments de la surface par rapport aux axes centraux ; elles sont nulles étant donné que le centre géométrique C se trouve sur ces axes. Finalement, la dernière intégrale correspond à la surface totale A. On a donc

$$I_{xy} = \bar{I}_{x'y'} + \bar{x}\bar{y}\,A \qquad (9.13)$$

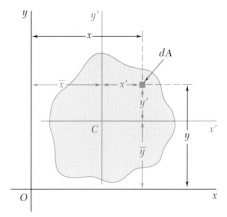

Figure 9.16

*9.3.2 AXES PRINCIPAUX ET MOMENTS PRINCIPAUX D'INERTIE

Considérons une surface A et un repère cartésien xy (*voir la figure 9.17, à la page suivante*). Supposons que les moments d'inertie et le produit d'inertie de la surface A donnés par les équations ci-dessous soient connus :

$$I_x = \int y^2\, dA \qquad I_y = \int x^2\, dA \qquad I_{xy} = \int xy\, dA \qquad (9.14)$$

On cherche les moments $I_{x'}$, $I_{y'}$ et le produit d'inertie $I_{x'y'}$ de A relativement aux nouveaux axes x' et y' obtenus en faisant tourner les axes de départ d'un angle θ autour de l'origine.

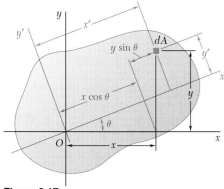

Figure 9.17

On établit d'abord la relation entre les coordonnées (x', y') et (x, y) d'un élément d'aire dA: on a

$$x' = x \cos \theta + y \sin \theta \qquad y' = y \cos \theta - x \sin \theta$$

En substituant y' dans l'expression de $I_{x'}$, on trouve

$$I_{x'} = \int (y')^2 \, dA = \int (y \cos \theta - x \sin \theta)^2 \, dA$$

$$= \cos^2 \theta \int y^2 \, dA - 2 \sin \theta \cos \theta \int xy \, dA + \sin^2 \theta \int x^2 \, dA$$

Les relations 9.14 permettent d'écrire

$$I_{x'} = I_x \cos^2 \theta - 2I_{xy} \sin \theta \cos \theta + I_y \sin^2 \theta \tag{9.15}$$

En procédant de la même façon, on trouve, pour $I_{y'}$ et $I_{x'y'}$,

$$I_{y'} = I_x \sin^2 \theta + 2I_{xy} \sin \theta \cos \theta + I_y \cos^2 \theta \tag{9.16}$$

$$I_{x'y'} = (I_x - I_y) \sin \theta \cos \theta + I_{xy}(\cos^2 \theta - \sin^2 \theta) \tag{9.17}$$

Rappelons quelques identités trigonométriques utiles:

$$\sin 2\theta = 2 \sin \theta \cos \theta \qquad \cos 2\theta = \cos^2 \theta - \sin^2 \theta$$

et

$$\cos^2 \theta = \frac{1 + \cos 2\theta}{2} \qquad \sin^2 \theta = \frac{1 - \cos 2\theta}{2}$$

Reformulons maintenant les équations 9.15, 9.16 et 9.17 comme suit:

$$I_{x'} = \frac{I_x + I_y}{2} + \frac{I_x - I_y}{2} \cos 2\theta - I_{xy} \sin 2\theta \tag{9.18}$$

$$I_{y'} = \frac{I_x + I_y}{2} - \frac{I_x - I_y}{2} \cos 2\theta + I_{xy} \sin 2\theta \tag{9.19}$$

$$I_{x'y'} = \frac{I_x - I_y}{2} \sin 2\theta + I_{xy} \cos 2\theta \tag{9.20}$$

La somme des équations 9.18 et 9.19 donne

$$I_{x'} + I_{y'} = I_x + I_y \tag{9.21}$$

Nous aurions pu prédire ce résultat, sachant que les deux membres de l'équation 9.21 correspondent au moment d'inertie polaire J_O.

Les relations 9.18 et 9.20 coïncident avec les équations paramétriques d'un cercle. Ainsi, en choisissant des axes perpendiculaires et en rapportant un point M d'abscisse $I_{x'}$ et d'ordonnée $I_{x'y'}$, quelle que soit la valeur de θ, on obtient des points qui forment un cercle. On établit cette propriété en éliminant θ des équations 9.18 et 9.20: on transpose $(I_x + I_y)/2$ dans l'équation 9.18, on met ensuite au carré les deux membres des équations 9.18 et 9.20, et on additionne. On obtient

$$\left(I_{x'} - \frac{I_x + I_y}{2}\right)^2 + I_{x'y'}^2 = \left(\frac{I_x - I_y}{2}\right)^2 + I_{xy}^2 \tag{9.22}$$

On pose

$$I_{\text{moy}} = \frac{I_x + I_y}{2} \qquad \text{et} \qquad R = \sqrt{\left(\frac{I_x - I_y}{2}\right)^2 + I_{xy}^2} \tag{9.23}$$

et on reformule l'équation 9.22 comme suit :

$$(I_{x'} - I_{moy})^2 + I_{x'y'}^2 = R^2 \qquad (9.24)$$

On a l'équation d'un cercle de rayon R, centré au point C, de coordonnées x et y respectivement égales à I_{moy} et 0 (*voir la figure 9.18a*). Il est à noter que les relations 9.19 et 9.20 sont les équations paramétriques du même cercle. De plus, le cercle étant symétrique par rapport à l'axe horizontal, on aurait obtenu le même résultat en utilisant un point N de coordonnées $I_{y'}$ et $-I_{x'y'}$ au lieu du point M (*voir la figure 9.18b*). Cette propriété servira à la section 9.4.

Portons une attention particulière aux points A et B, là où le cercle croise l'axe horizontal (*voir la figure 9.18a*). Le point A donne la valeur maximale du moment d'inertie $I_{x'}$, et B représente sa valeur minimale. Les deux points correspondent également au zéro du produit d'inertie $I_{x'y'}$. On calcule les valeurs θ_m du paramètre θ correspondant à A et B en posant $I_{x'y'} = 0$ dans l'équation 9.20. On trouve[2]

$$\tan 2\theta_m = -\frac{2 I_{xy}}{I_x - I_y} \qquad (9.25)$$

L'équation définit deux valeurs pour $2\theta_m$, à 180° l'une de l'autre, soit deux valeurs de θ_m distantes de 90°. L'une d'elles correspond au point A de la figure 9.18a et à un axe passant par O sur la figure 9.17, par rapport auquel le moment d'inertie d'une surface donnée est maximal. La seconde valeur va au point B et à un axe passant par O par rapport auquel le moment d'inertie de la surface est minimal. Les deux axes ainsi définis, perpendiculaires l'un à l'autre, sont les axes principaux de la surface par rapport au point O, et les moments d'inertie correspondants I_{max} et I_{min} désignent les moments principaux d'inertie de la surface par rapport à O. Les deux valeurs de θ_m données par la relation 9.25 ayant été obtenues en posant $I_{x'y'} = 0$ dans l'équation 9.20, il est clair que le produit d'inertie de la surface est nul par rapport à ses axes principaux.

La figure 9.18a montre que

$$I_{max} = I_{moy} + R \qquad I_{min} = I_{moy} - R \qquad (9.26)$$

En remplaçant I_{moy} et R par les expressions 9.23, on écrit

$$I_{max,min} = \frac{I_x + I_y}{2} \pm \sqrt{\left(\frac{I_x - I_y}{2}\right)^2 + I_{xy}^2} \qquad (9.27)$$

À moins qu'il apparaisse évident que l'un des axes correspond à I_{max} et l'autre à I_{min}, on substitue une valeur de θ_m dans l'équation 9.18 pour déterminer lequel des deux donne le moment d'inertie maximal de la surface par rapport à O.

Par ailleurs, si une surface possède un axe de symétrie passant par O (*voir la section 9.3.1*), il s'agit forcément d'un axe principal de cette surface par rapport à O ; cependant, un axe principal n'est pas toujours un axe de symétrie. Avec ou sans axe de symétrie, une surface a toujours deux axes principaux d'inertie par rapport à un point quelconque O.

Les propriétés établies valent pour tout point O situé à l'intérieur ou à l'extérieur d'une surface donnée. Si le point O coïncide avec le centre géométrique de la surface, tout axe passant par O devient un axe central. On nomme *axes centraux principaux (d'inertie) de la surface* les deux axes principaux de l'aire définis par rapport à son centre géométrique.

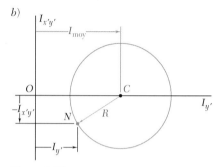

Figure 9.18

---

2. On obtient la même relation en dérivant $I_{x'}$ dans l'équation 9.18 et en posant $dI_{x'}/d\theta = 0$.

Calculez le produit d'inertie du triangle droit ci-contre par rapport :
a) aux axes de référence x et y;
b) aux axes centraux parallèles aux axes x et y.

> **SOLUTION**

a) Produit d'inertie I_{xy} On trace une bande élémentaire rectangulaire verticale comme élément différentiel de surface. Selon le théorème des axes parallèles, on a

$$dI_{xy} = dI_{x'y'} + \bar{x}_{el}\bar{y}_{el}\, dA$$

Puisque l'élément est symétrique par rapport aux axes x' et y', on en déduit que $dI_{x'y'} = 0$. Selon la géométrie du triangle, on a

$$y = h\left(1 - \frac{x}{b}\right) \qquad dA = y\, dx = h\left(1 - \frac{x}{b}\right) dx$$

$$\bar{x}_{el} = x \qquad \bar{y}_{el} = \tfrac{1}{2}y = \tfrac{1}{2}h\left(1 - \frac{x}{b}\right)$$

En intégrant dI_{xy} de $x = 0$ à $x = b$, on obtient

$$I_{xy} = \int dI_{xy} = \int \bar{x}_{el}\,\bar{y}_{el}\, dA = \int_0^b x(\tfrac{1}{2})\, h^2\left(1 - \frac{x}{b}\right)^2 dx$$

$$= h^2 \int_0^b \left(\frac{x}{2} - \frac{x^2}{b} + \frac{x^3}{2b^2}\right) dx$$

$$= h^2 \left[\frac{x^2}{4} - \frac{x^3}{3b} + \frac{x^4}{8b^2}\right]_0^b$$

$$I_{xy} = \tfrac{1}{24}b^2h^2 \qquad \blacktriangleleft$$

b) Produit d'inertie $\bar{I}_{x'y'}$ Les coordonnées du centre géométrique du triangle par rapport aux axes de référence sont

$$\bar{x} = \tfrac{1}{3}b \qquad \bar{y} = \tfrac{1}{3}h$$

En utilisant l'expression de I_{xy} obtenue en a et le théorème des axes parallèles, on a

$$I_{xy} = \bar{I}_{x'y'} + \bar{x}\,\bar{y}A$$

$$\tfrac{1}{24}b^2h^2 = \bar{I}_{x'y'} + (\tfrac{1}{3}b)(\tfrac{1}{3}h)(\tfrac{1}{2}bh)$$

$$\bar{I}_{x'y'} = \tfrac{1}{24}b^2h^2 - \tfrac{1}{18}b^2h^2$$

$$\bar{I}_{x'y''} = -\tfrac{1}{72}b^2h^2 \qquad \blacktriangleleft$$

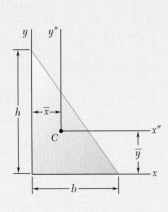

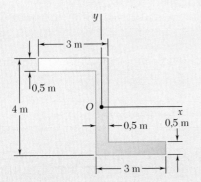

Les moments d'inertie par rapport aux axes x et y de la section illustrée sont connus et valent

$$I_x = 10{,}38 \text{ m}^4 \qquad I_y = 6{,}97 \text{ m}^4$$

Déterminez :
a) l'orientation des axes principaux de la section par rapport au point O ;
b) les valeurs des moments principaux d'inertie de la section par rapport au point O.

> **SOLUTION**

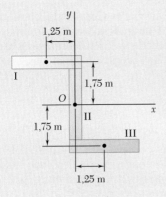

On calcule d'abord le produit d'inertie par rapport aux axes de référence x et y. La surface est divisée en trois rectangles comme illustré. On remarque que, pour chaque rectangle, le produit d'inertie $\bar{I}_{x'y'}$ par rapport aux axes centraux parallèles aux axes x et y est nul. Selon le théorème des axes parallèles, on a $I_{xy} = \bar{I}_{x'y'} + \bar{x}\bar{y}A$ et on trouve que I_{xy} se réduit pour chaque rectangle à $\bar{x}\bar{y}A$.

Rectangle	Aire, m²	$\bar{x}$, m	$\bar{y}$, m	$\bar{x}\bar{y}A$, m⁴
I	1,5	−1,25	+1,75	−3,28
II	1,5	0	0	0
III	1,5	+1,25	−1,75	−3,28
				$\Sigma\bar{x}\bar{y}A = -6{,}56$

$$I_{xy} = \Sigma\bar{x}\bar{y}A = -6{,}56 \text{ m}^4$$

a) Axes principaux Puisque les valeurs de I_x, I_y et I_{xy} sont connues, on utilise l'équation 9.25 pour trouver la valeur de θ_m :

$$\tan 2\theta_m = -\frac{2I_{xy}}{I_x - I_y} = -\frac{2(-6{,}56)}{10{,}38 - 6{,}97} = +3{,}85$$

$$2\theta_m = 75{,}4° \text{ et } 255{,}4°$$

$$\theta_m = 37{,}7° \qquad \text{et} \qquad \theta_m = 127{,}7° \quad \blacktriangleleft$$

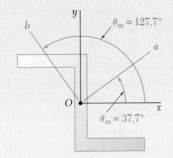

b) Moments principaux d'inertie À partir de l'équation 9.27, on écrit

$$I_{\max,\min} = \frac{I_x + I_y}{2} \pm \sqrt{\left(\frac{I_x - I_y}{2}\right)^2 + I_{xy}^2}$$

$$= \frac{10{,}38 + 6{,}97}{2} \pm \sqrt{\left(\frac{10{,}38 - 6{,}97}{2}\right)^2 + (-6{,}56)^2}$$

$$I_{\max} = 15{,}45 \text{ m}^4 \qquad I_{\min} = 1{,}897 \text{ m}^4 \quad \blacktriangleleft$$

Puisque les éléments de la surface de la section sont distribués plus près de l'axe b que de l'axe a, on conclut que

$$I_a = I_{\max} = 15{,}45 \text{ m}^4$$
$$I_b = I_{\min} = 1{,}897 \text{ m}^4$$

On peut vérifier cette conclusion en posant $\theta = 37{,}7°$ dans les équations 9.18 et 9.19.

Dans la section 9.3, nous avons appliqué les notions de moments d'inertie à de nouvelles situations, tout en introduisant le concept de produits d'inertie. Nous avons vu :
- le calcul du produit d'inertie par intégration ;
- les produits d'inertie de surfaces composées ;
- les moments et le produit d'inertie avec rotation d'axes ;
- les moments principaux d'inertie.

1. **Calcul du produit d'inertie par intégration.** Le produit d'inertie se calcule à l'aide de l'intégrale suivante :

$$I_{xy} = \int xy \, dA \tag{9.12}$$

Le résultat peut être positif, négatif ou nul. On peut le calculer directement à partir de l'équation 9.12 par intégrale double, ou encore par intégrale simple comme au problème résolu 9.6. Quand on utilise cette dernière méthode avec le théorème des axes parallèles, il faut se rappeler que $\bar{x}_{el}$ et $\bar{y}_{el}$ représentent, dans l'équation ci-dessous, les coordonnées du centre géométrique de l'élément de surface dA.

$$dI_{xy} = dI_{x'y'} + \bar{x}_{el}\bar{y}_{el} \, dA$$

Si dA n'est pas dans le premier quadrant, au moins une des coordonnées sera négative.

2. **Calcul des produits d'inertie de surfaces composées.** On peut calculer les produits d'inertie d'une surface composée facilement à partir des produits d'inertie de ses parties constituantes, à l'aide du théorème des axes parallèles.

$$I_{xy} = \bar{I}_{x'y'} + \bar{x}\bar{y}A \tag{9.13}$$

Les problèmes résolus 9.6 et 9.7 illustrent la technique à utiliser pour ce type de situations. De plus, il faut retenir les concepts suivants :

   a) **Un des axes centraux d'un composant est un axe de symétrie de cette surface.** Si l'un des axes centraux de la surface d'un élément de base est un axe de symétrie de cette surface, le produit d'inertie $\bar{I}_{x'y'}$ de la surface est nul. Donc, $\bar{I}_{x'y'}$ est nul pour des surfaces de base telles que les cercles, les demi-cercles, les rectangles et les triangles isocèles ayant un axe de symétrie parallèle à un axe de référence.

   b) **Attention particulière aux signes des coordonnées $\bar{x}$ et $\bar{y}$.** Quand on utilise le théorème des axes parallèles, on doit porter une attention particulière aux signes des coordonnées $\bar{x}$ et $\bar{y}$ des surfaces de chaque composant (*voir le problème résolu 9.7*).

3. **Les moments et le produit d'inertie avec rotation d'axes.** Les équations 9.18, 9.19 et 9.20 (*voir la section 9.3.2*) déterminent les moments et le produit d'inertie pour des axes de référence ayant pivoté autour de l'origine O. Dans de tels cas, retenons que :

   a) l'angle de rotation θ est positif pour une rotation antihoraire et négatif pour une rotation horaire des axes ;

   b) les valeurs I_x, I_y et I_{xy} doivent être connues pour une orientation donnée des axes.

4. **Les moments principaux d'inertie.** Il a été démontré à la section 9.3.2 qu'il existe une orientation déterminée des axes de coordonnées x et y pour que les moments d'inertie atteignent leurs valeurs maximale, $I_{\max}$, et minimale, $I_{\min}$, et que le produit d'inertie soit nul. Ces moments, appelés *moments principaux d'inertie* d'une surface par rapport au point O, se calculent à l'aide de l'équation 9.27. Les axes correspondants sont appelés *axes principaux* d'inertie de la surface par rapport à O et leur orientation est déterminée à l'aide de l'équation 9.25.

   Finalement, pour savoir lequel des axes principaux correspond à $I_{\max}$ et lequel correspond à $I_{\min}$, on peut soit suivre la procédure présentée à la fin de la section 9.3.2 (après l'équation 9.27), soit observer autour de quel axe principal la surface est plus étroitement distribuée : cet axe correspond à $I_{\min}$ (*voir le problème résolu 9.7*).

9.67 à 9.70 Déterminez par intégration le produit d'inertie des surfaces illustrées par rapport aux axes x et y.

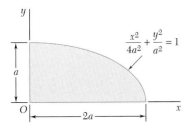

Figure P9.67

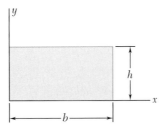

Figure P9.68

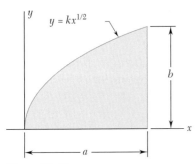

Figure P9.69

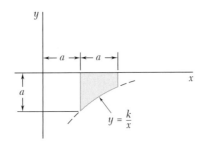

Figure P9.70

9.71 à 9.74 À l'aide du théorème des axes parallèles, déterminez le produit d'inertie des surfaces illustrées par rapport aux axes centraux x et y.

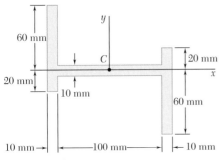

Figure P9.71

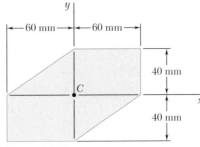

Figure P9.72

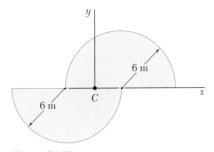

Figure P9.73

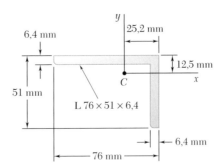

Figure P9.74

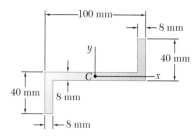

Figure P9.75

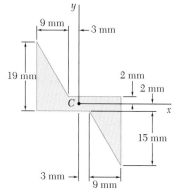

Figure P9.76

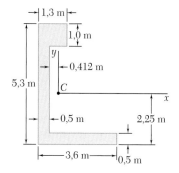

Figure P9.77

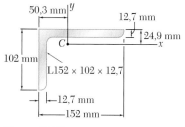

Figure P9.78

9.75 à 9.78 À l'aide du théorème des axes parallèles, calculez le produit d'inertie des surfaces illustrées par rapport aux axes centraux x et y.

9.79 En vous référant au quart d'ellipse du problème 9.67, calculez les moments d'inertie et le produit d'inertie par rapport à de nouveaux axes obtenus en faisant pivoter les axes x et y autour du point O:
a) de 45° dans le sens antihoraire;
b) de 30° dans le sens horaire.

9.80 En vous référant à la surface du problème 9.72, calculez les moments d'inertie et le produit d'inertie de la surface par rapport à de nouveaux axes centraux obtenus en faisant pivoter les axes x et y de 30° dans le sens antihoraire.

9.81 En vous référant à la surface du problème 9.73, calculez les moments d'inertie et le produit d'inertie de la surface par rapport à de nouveaux axes centraux obtenus en faisant pivoter les axes de référence x et y de 60° dans le sens antihoraire.

9.82 En vous référant à la surface du problème 9.75, calculez les moments d'inertie et le produit d'inertie de la surface par rapport à de nouveaux axes centraux obtenus en faisant pivoter les axes de référence x et y de 45° dans le sens horaire.

9.83 En vous référant à la cornière L76 mm × 51 mm × 6,4 mm du problème 9.74, calculez les moments d'inertie et le produit d'inertie de la surface de sa section par rapport à de nouveaux axes centraux obtenus en faisant pivoter les axes x et y de 30° dans le sens horaire.

9.84 En vous référant à la cornière L152 mm × 102 mm × 12,7 mm du problème 9.78, calculez les moments d'inertie et le produit d'inertie de sa section par rapport à de nouveaux axes centraux obtenus en faisant pivoter les axes x et y de 45° dans le sens antihoraire.

9.85 En vous référant au quart d'ellipse du problème 9.67, déterminez l'orientation des axes principaux à l'origine (point O) et les valeurs correspondantes des moments d'inertie.

9.86 à 9.88 Pour chacune des surfaces indiquées ci-dessous, déterminez l'orientation des axes principaux à l'origine et les valeurs correspondantes des moments d'inertie.
9.86 Surface du problème 9.72.
9.87 Surface du problème 9.73.
9.88 Surface du problème 9.75.

9.89 et 9.90 Pour la section des cornières identifiées ci-dessous, déterminez l'orientation des axes principaux à l'origine et les valeurs correspondantes des moments d'inertie.
9.89 La cornière de 76 mm × 51 mm × 6,4 mm du problème 9.74.
9.90 La cornière de 152 mm × 102 mm × 12,7 mm du problème 9.78.

*9.4 CERCLE DE MOHR

À la section précédente, nous avons utilisé un cercle pour illustrer les relations entre les moments et les produits d'inertie d'une surface donnée par rapport aux axes passant par un point fixe O. Introduit pour la première fois par l'ingénieur allemand Otto Mohr (1835-1918), ce cercle porte son nom. Selon le principe du cercle de Mohr, si on connaît les moments et le produit d'inertie d'une surface A par rapport à deux axes perpendiculaires x et y passant par un point O, on peut déterminer graphiquement (1) les axes principaux et les moments principaux d'inertie d'une surface par rapport à O et (2) les moments et le produit d'inertie de la surface par rapport à toute autre paire d'axes perpendiculaires x' et y' passant par O.

Pour démontrer le principe du cercle de Mohr, considérons une surface donnée A et un plan cartésien xy (voir la figure 9.19a). Supposons que les moments d'inertie I_x et I_y et le produit d'inertie I_{xy} soient connus. On représente ces quantités sur un diagramme en rapportant un point X de coordonnées I_x et I_{xy} et un point Y de coordonnées I_y et $-I_{xy}$ (voir la figure 9.19b). Si I_{xy} est positif (voir la figure 9.19a), X se situe au-dessus de l'axe horizontal et Y se trouve en dessous (voir la figure 9.19b). À l'inverse, si I_{xy} a une valeur négative, X est sous l'axe horizontal et Y au-dessus. On joint X et Y par un segment de droite qui coupe l'axe horizontal au point C ; on trace ensuite un cercle de centre C et de diamètre XY. Sachant que l'abscisse de C et le rayon du cercle correspondent respectivement aux quantités I_{moy} et R définies par les équations 9.23, on conclut que le cercle est un cercle de Mohr pour une surface donnée par rapport au point O. Ainsi, les abscisses des points A et B où le cercle rencontre l'axe horizontal représentent respectivement les moments principaux d'inertie de la surface, soit I_{max} et I_{min}.

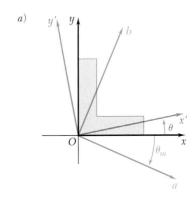

De plus, puisque $\tan(XCA) = 2I_{xy}/(I_x - I_y)$, l'angle XCA donne la valeur de l'un des angles $2\theta_m$ satisfaisant à l'équation 9.25. Ainsi, l'angle θ_m, qui définit l'axe principal Oa (voir la figure 9.19a) associé au point A (voir la figure 9.19b), est égal à la moitié de l'angle XCA du cercle de Mohr. On observe également que si $I_x > I_y$ et $I_{xy} > 0$, comme dans notre exemple, la rotation de CX vers CA est de sens horaire. Dans ces conditions, l'angle θ_m obtenu de l'équation 9.25, qui définit l'axe principal Oa à la figure 9.19a, prend une valeur négative. Il s'ensuit que la rotation de Ox vers Oa est également de sens horaire. Ainsi, le sens de rotation est le même dans les deux parties de la figure 9.19. Si une rotation horaire de $2\theta_m$ est requise pour ramener CX sur CA dans le cercle de Mohr, une rotation horaire de θ_m fera coïncider Ox avec l'axe principal Oa à la figure 9.19a.

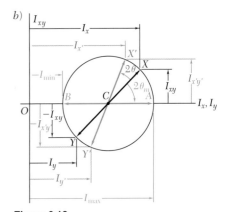

Figure 9.19

Le cercle de Mohr étant unique, on trouve le même cercle en considérant les moments et le produit d'inertie de la surface A par rapport aux axes x' et y' (voir la figure 9.19a). Le point X' de coordonnées $I_{x'}$ et $I_{x'y'}$, et le point Y' de coordonnées $I_{y'}$ et $-I_{x'y'}$ se situent donc sur le cercle de Mohr, et l'angle $X'CA$ (voir la figure 9.19b) correspond à deux fois l'angle $x'Oa$ (voir la figure 9.19a). L'angle XCA mesurant le double de l'angle xOa, il s'ensuit que l'angle XCX' (voir la figure 9.19b) est deux fois plus grand que xOx' (voir la figure 9.19a). Par ailleurs, le diamètre $X'Y'$ définit les moments $I_{x'}$, $I_{y'}$, et le produit d'inertie $I_{x'y'}$ d'une surface donnée par rapport aux axes perpendiculaires x' et y' formant un angle θ avec les axes x et y. On obtient le diamètre $X'Y'$ en faisant tourner d'un angle 2θ le diamètre XY, associé aux moments I_x, I_y, et au produit d'inertie I_{xy}. La rotation qui ramène le diamètre XY sur $X'Y'$ (voir la figure 9.19b) est de même sens que celle qui déplace les axes x et y sur x' et y' (voir la figure 9.19a).

Le cercle de Mohr n'est pas réservé aux solutions graphiques, c'est-à-dire celles où l'on mesure les paramètres sur des diagrammes précis. Une ébauche du cercle de Mohr combinée à l'utilisation judicieuse de la trigonométrie permet de dériver les relations nécessaires à la solution algébrique d'un problème donné (voir le problème résolu 9.8).

Les moments et le produit d'inertie de la section ci-dessous par rapport aux axes de référence x et y valent respectivement

$$I_x = 7,24 \times 10^6 \text{ mm}^4 \qquad I_y = 2,61 \times 10^6 \text{ mm}^4 \qquad I_{xy} = -2,54 \times 10^6 \text{ mm}^4$$

À l'aide du cercle de Mohr, déterminez :
a) les axes principaux de la section par rapport au point O ;
b) les valeurs des moments principaux d'inertie de la surface par rapport au point O ;
c) les moments et le produit d'inertie de la section par rapport aux axes x' et y', qui forment un angle de 60° avec les axes initiaux x et y.

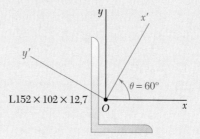

> SOLUTION

Traçage du cercle de Mohr On commence par placer le point X dont les coordonnées sont $I_x = 7,24$, $I_{xy} = -2,54$, et le point Y dont les coordonnées sont $I_y = 2,61$, $-I_{xy} = +2,54$.

Ensuite, en joignant les points X et Y par une droite, on identifie le centre C du cercle de Mohr. L'abscisse de C représentant I_{moy} et le rayon R du cercle peuvent être mesurés directement ou bien calculés comme suit :

$$I_{\text{moy}} = OC = \tfrac{1}{2}(I_x + I_y) = \tfrac{1}{2}(7,24 \times 10^6 + 2,61 \times 10^6) = 4,925 \times 10^6 \text{ mm}^4$$

$$CD = \tfrac{1}{2}(I_x - I_y) = \tfrac{1}{2}(7,24 \times 10^6 - 2,61 \times 10^6) = 2,315 \times 10^6 \text{ mm}^4$$

$$R = \sqrt{(CD)^2 + (DX)^2} = \sqrt{(2,315 \times 10^6)^2 + (2,54 \times 10^6)^2}$$
$$= 3,437 \times 10^6 \text{ mm}^4$$

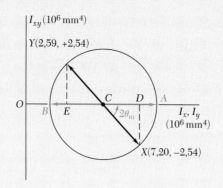

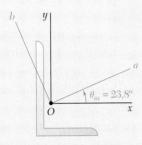

a) Axes principaux Les axes principaux de la section correspondent aux points A et B sur le cercle de Mohr, et l'angle qu'on doit faire décrire à CX pour le ramener sur CA représente $2\theta_m$, d'où

$$\tan 2\theta_m = \frac{DX}{CD} = \frac{2,54}{2,315} = 1,097 \qquad 2\theta_m = 47,6° \nwarrow \qquad \theta_m = 23,8° \nwarrow \quad \blacktriangleleft$$

Par conséquent, l'axe principal Oa, correspondant à la valeur maximale du moment d'inertie, s'obtient en faisant pivoter l'axe des x de 23,8° dans le sens antihoraire. L'axe principal Ob, correspondant à la valeur minimale du moment d'inertie, s'obtient en faisant tourner l'axe des y du même angle.

b) Moments principaux d'inertie Les moments principaux d'inertie sont représentés par les abscisses des points A et B, d'où

$$I_{max} = OA = OC + CA = I_{moy} + R = (4,925 + 3,437) \times 10^6 \text{ mm}^4$$
$$I_{max} = 8,36 \times 10^6 \text{ mm}^4 \quad \blacktriangleleft$$

$$I_{min} = OB = OC - BC = I_{moy} - R = (4,925 - 3,437) \times 10^6 \text{ mm}^4$$
$$I_{min} = 1,49 \times 10^6 \text{ mm}^4 \quad \blacktriangleleft$$

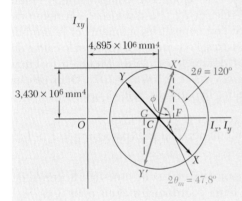

c) Moments et produit d'inertie par rapport aux axes x' et y' Sur le cercle de Mohr, les points X' et Y', correspondants aux axes x' et y', s'obtiennent en faisant pivoter CX et CY d'un angle positif $2\theta = 2(60°) = 120°$ dans le sens antihoraire. Les coordonnées de X' et de Y' donnent les moments et le produit d'inertie recherchés. Sachant que l'angle que CX' forme avec l'axe horizontal est

$$\phi = 120° - 47,6° = 72,4°$$

on peut conclure que

$$I_{x'} = OF = OC + CF = 4,925 \times 10^6 \text{ mm}^4 + (3,437 \times 10^6 \text{ mm}^4) \cos 72,4°$$
$$I_{x'} = 5,96 \times 10^6 \text{ mm}^4 \quad \blacktriangleleft$$
$$I_{y'} = OG = OC - GC = 4,925 \times 10^6 \text{ mm}^4 - (3,437 \times 10^6 \text{ mm}^4) \cos 72,4°$$
$$I_{y'} = 3,89 \times 10^6 \text{ mm}^4 \quad \blacktriangleleft$$
$$I_{x'y'} = FX' = (3,437 \times 10^6 \text{ mm}^4) \sin 72,4°$$
$$I_{x'y'} = 3,28 \times 10^6 \text{ mm}^4 \quad \blacktriangleleft$$

Dans cette section, nous avons présenté la méthode du cercle de Mohr pour trouver les moments et le produit d'inertie d'une surface donnée pour différentes orientations des axes de coordonnées. Bien que, dans certains cas, cette approche ne soit pas aussi directe que l'utilisation des équations 9.18 à 9.20, le cercle de Mohr:

    a) permet la visualisation des relations entre les différentes variables présentes;

    b) montre l'ensemble des valeurs possibles des moments et du produit d'inertie.

Utilisation du cercle de Mohr. La théorie sous-jacente au concept du cercle de Mohr a été exposée à la section 9.3.2, et ses applications ont été illustrées à la section 9.4 et au problème résolu 9.8. Dans ce problème, nous avons présenté les étapes à suivre pour déterminer **les axes principaux, les moments principaux d'inertie ainsi que les moments et le produit d'inertie par rapport à une orientation donnée des axes.**

De plus, nous avons mis l'accent sur les points suivants:

    a) Valeurs de R et de I_{moy}. Le cercle de Mohr est complètement défini par deux paramètres: R, le rayon du cercle, et I_{moy}, la distance de l'origine de coordonnées O au centre C du cercle. Si l'on connaît les moments et le produit d'inertie selon une orientation donnée des axes, l'équation 9.23 permet le calcul de ces deux paramètres. Toutefois, on peut définir le cercle de Mohr en fonction d'autres valeurs connues (*voir les problèmes 9.103, 9.106 et 9.107*). Dans ce cas, il peut s'avérer nécessaire de faire quelques hypothèses, telles que:

- si I_{moy} est inconnue, localiser arbitrairement C;
- affecter des grandeurs relatives aux moments d'inertie (par exemple $I_x > I_y$);
- choisir le signe du produit d'inertie.

    b) Coordonnées des points X et Y. Les points X et Y sont situés sur le cercle de Mohr et sont diamétralement opposés, leurs coordonnées étant pour X (I_x, I_{xy}) et pour Y (I_y, $-I_{xy}$).

    c) Principe de positivité des moments d'inertie. Puisque les moments d'inertie sont toujours positifs, le cercle de Mohr doit toujours être situé à la droite de l'axe I_{xy}, d'où nécessairement:

$$I_{moy} > R$$

    d) Rotation des axes selon un angle θ. Si les axes pivotent d'un angle θ, la rotation du diamètre du cercle de Mohr sera de 2θ dans le même sens. Comme présenté à la figure 9.19*b* et au problème résolu 9.8, il est recommandé de garder les mêmes symboles pour désigner les paramètres calculés afin de retracer facilement les signes du produit d'inertie en fonction de l'angle de rotation θ (*voir les problèmes résolus 9.8a et c*).

Concluons que l'application du cercle de Mohr est aussi d'une grande utilité dans un autre domaine important de l'ingénierie, soit la résistance des matériaux.

9.91   À l'aide du cercle de Mohr, calculez les moments et le produit d'inertie du quart d'ellipse du problème 9.67 par rapport à de nouveaux axes obtenus par la rotation des axes x et y autour de O:
a) selon un angle de 45° dans le sens antihoraire;
b) selon un angle de 30° dans le sens horaire.

9.92   À l'aide du cercle de Mohr, calculez les moments et le produit d'inertie de la surface du problème 9.72 par rapport à de nouveaux axes centraux obtenus par la rotation des axes x et y de 30° dans le sens antihoraire.

9.93   À l'aide du cercle de Mohr, calculez les moments et le produit d'inertie de la surface du problème 9.73 par rapport à de nouveaux axes centraux obtenus par la rotation des axes x et y de 60° dans le sens antihoraire.

9.94   À l'aide du cercle de Mohr, calculez les moments et le produit d'inertie de la surface du problème 9.75 par rapport à de nouveaux axes centraux obtenus par la rotation des axes x et y de 45° dans le sens horaire.

9.95   À l'aide du cercle de Mohr, évaluez les moments et le produit d'inertie d'une section de la cornière de 76 mm × 51 mm × 6,4 mm du problème 9.74 par rapport à de nouveaux axes centraux obtenus par la rotation des axes x et y de 30° dans le sens horaire.

9.96   À l'aide du cercle de Mohr, évaluez les moments et le produit d'inertie d'une section de la cornière de 152 mm × 102 mm × 12,7 mm du problème 9.78 par rapport à de nouveaux axes centraux obtenus par la rotation des axes x et y de 45° dans le sens antihoraire.

9.97   En vous référant au quart d'ellipse du problème 9.67, utilisez le cercle de Mohr pour déterminer l'orientation des axes principaux à l'origine et les valeurs correspondantes des moments d'inertie.

9.98 à 9.102   À l'aide du cercle de Mohr et pour chacune des surfaces indiquées, déterminez l'orientation des axes centraux principaux et les valeurs correspondantes des moments d'inertie.
 9.98 Surface du problème 9.72.
 9.99 Surface du problème 9.76.
 9.100 Surface du problème 9.73.
 9.101 Surface du problème 9.74.
 9.102 Surface du problème 9.77.
(Les moments d'inertie $\bar{I}_x$ et $\bar{I}_y$ de la surface du problème 9.102 ont été calculés au problème 9.44.)

9.103   Les moments et le produit d'inertie d'une section de cornière de 102 mm × 76 mm × 6,4 mm par rapport aux axes rectangulaires x et y passant par C sont respectivement: $\bar{I}_x = 0{,}566 \times 10^6$ mm⁴, $\bar{I}_y = 1{,}15 \times 10^6$ mm⁴ et $\bar{I}_{xy} < 0$. La valeur minimale du moment d'inertie de la surface par rapport à tout axe passant par C est $\bar{I}_{min} = 0{,}300 \times 10^6$ mm⁴. À l'aide du cercle de Mohr, calculez:
a) le produit d'inertie $\bar{I}_{xy}$ de la surface;
b) l'orientation des axes principaux;
c) la valeur de $\bar{I}_{max}$.

9.104 et 9.105 À l'aide du cercle de Mohr, déterminez l'orientation des axes centraux principaux et les valeurs correspondantes des moments d'inertie de la section des cornières illustrées. (Les propriétés de la section des cornières sont données à la figure 9.13.)

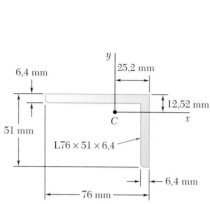

Figure P9.104

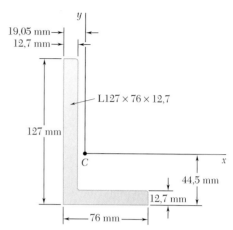

Figure P9.105

*9.106 Les moments et le produit d'inertie d'une surface donnée par rapport à deux axes centraux orthogonaux x et y sont respectivement $\overline{I}_x = 1200$ mm^4 et $\overline{I}_y = 300$ mm^4. Sachant qu'après la rotation des axes de 30° dans le sens antihoraire autour du centre géométrique le moment d'inertie relatif à l'axe des x est de 1450 mm^4, déterminez à l'aide du cercle de Mohr :

a) l'orientation des axes principaux ;

b) les moments centraux principaux d'inertie.

9.107 On sait que, pour une surface donnée, $\overline{I}_y = 48 \times 10^6$ mm^4 et $\overline{I}_{xy} = -20 \times 10^6$ mm^4, x et y étant des axes centraux orthogonaux. L'axe correspondant au produit d'inertie maximal est obtenu en faisant pivoter l'axe des x autour de C de 67,5° dans le sens antihoraire. À l'aide du cercle de Mohr, déterminez :

a) le moment d'inertie $\overline{I}_x$ de la surface ;

b) les moments centraux principaux d'inertie.

9.108 À l'aide du cercle de Mohr, démontrez que pour tout polygone régulier (tel le pentagone) :

a) le moment d'inertie est identique par rapport à tout axe passant par le centre géométrique ;

b) le produit d'inertie est nul par rapport à tout système d'axes orthogonaux (x, y) passant par le centre géométrique.

9.109 À l'aide du cercle de Mohr, prouvez que l'expression $I_{x'}I_{y'} - I^2_{x'y'}$, où $I_{x'}$, $I_{y'}$ et $I_{x'y'}$ représentent les moments et le produit d'inertie d'une surface donnée par rapport à des axes orthogonaux x' et y' centrés sur O, est indépendante de l'orientation des axes x' et y'. Démontrez ensuite que cette expression est égale au carré de la longueur de la tangente tracée entre l'origine du système de coordonnées et le cercle de Mohr.

9.110 En utilisant la propriété démontrée au problème précédent, exprimez le produit d'inertie I_{xy} d'une surface A par rapport à des axes orthogonaux $(x$ et $y)$ passant par le point O, en fonction des moments d'inertie I_x et I_y de A et des moments principaux d'inertie I_{min} et I_{max} de A par rapport à O. Finalement, appliquez cette formule pour calculer le produit d'inertie I_{xy} de la section de la cornière de 76 mm × 51 mm × 6,4 mm illustrée à la figure 9.13, sachant que son moment d'inertie maximal est de 0,523 × 10^6 mm^4.

9.5 MOMENTS D'INERTIE DES MASSES

9.5.1 MOMENT D'INERTIE D'UNE MASSE

Considérons une petite masse Δm fixée au bout d'une tige de masse négligeable tournant librement autour d'un axe AA' (*voir la figure 9.20a*). Si on applique un couple au système, la tige et la masse, qui sont initialement au repos, se mettront à tourner autour de AA'. Nous étudierons les détails de ce mouvement plus tard dans le cours de dynamique. Pour l'instant, mentionnons simplement que le temps que mettra le système à atteindre une vitesse de rotation donnée est proportionnel à la masse Δm et au carré de la distance r. Ainsi, le produit $r^2 \Delta m$ donne une mesure de l'inertie du système, c'est-à-dire de la résistance qu'il oppose à se mettre en mouvement. Pour cette raison, le produit $r^2 \Delta m$ désigne le moment d'inertie de la masse Δm par rapport à l'axe AA'.

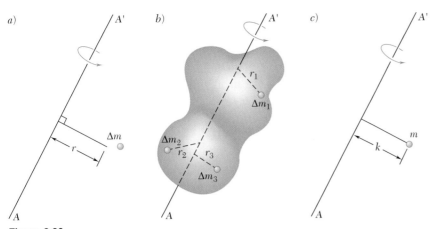

Figure 9.20

Examinons maintenant un corps de masse m que l'on fera tourner autour d'un axe AA' (*voir la figure 9.20b*). Divisons le corps en éléments de masse Δm_1, Δm_2, ... La résistance du corps à l'amorce du mouvement correspond à $r_1^2 \Delta m_1 + r_2^2 \Delta m_2 + \cdots$. Cette somme définit le moment d'inertie du corps par rapport à l'axe AA'. Si on augmente le nombre d'éléments, le moment d'inertie s'exprime, à la limite, par l'intégrale

$$I = \int r^2 \, dm \tag{9.28}$$

Le rayon de giration k du corps par rapport à l'axe AA' s'écrit

$$I = k^2 m \qquad \text{ou} \qquad k = \sqrt{\frac{I}{m}} \tag{9.29}$$

Il représente la distance à laquelle il faudrait concentrer la masse totale du corps pour qu'elle conserve le même moment d'inertie par rapport à AA' (*voir la figure 9.20c*). Sous sa forme originale (*voir la figure 9.20b*) ou concentrée (*voir la figure 9.20c*), la masse m réagira de la même manière à la rotation, c'est-à-dire à la giration par rapport à AA'.

Dans les unités SI, le rayon de giration k est en mètres, et la masse m en kilogrammes, de sorte que le moment d'inertie de la masse est en $kg \cdot m^2$.

Le moment d'inertie d'un corps par rapport à un axe de coordonnées se traduit facilement en fonction des coordonnées x, y, z de l'élément de

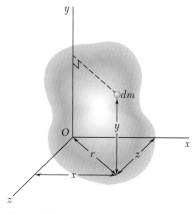

Figure 9.21

masse dm (*voir la figure 9.21*). Par exemple, le carré de la distance r qui sépare l'élément dm de l'axe des y est $z^2 + x^2$, et le moment d'inertie du corps par rapport à l'axe des y s'écrit

$$I_y = \int r^2 \, dm = \int (z^2 + x^2) \, dm$$

On obtient des expressions similaires pour les moments d'inertie relativement aux axes x et z; on a alors

$$I_x = \int (y^2 + z^2) \, dm$$

$$I_y = \int (z^2 + x^2) \, dm \qquad (9.30)$$

$$I_z = \int (x^2 + y^2) \, dm$$

9.5.2 THÉORÈME DES AXES PARALLÈLES

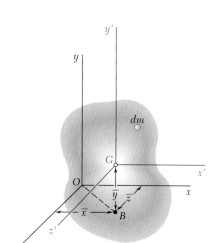

Figure 9.22

Considérons un corps de masse m. Choisissons un système de coordonnées cartésiennes $Oxyz$ dont on situe arbitrairement l'origine O et un système $Gx'y'z'$ d'axes centraux parallèles, c'est-à-dire un système dont l'origine correspond au centre de gravité G du corps[3] et dont les axes x', y' et z' sont respectivement parallèles aux axes x, y et z (*voir la figure 9.22*). Désignons par $\bar{x}$, $\bar{y}$, $\bar{z}$ les coordonnées de G dans le système $Oxyz$. Les coordonnées x, y, z de l'élément dm dans le repère $Oxyz$ sont alors liées comme suit aux coordonnées x', y', z' dans le système central $Gx'y'z'$:

$$x = x' + \bar{x} \qquad y = y' + \bar{y} \qquad z = z' + \bar{z} \qquad (9.31)$$

Les équations 9.30 permettent d'exprimer le moment d'inertie du corps par rapport à l'axe des x : on a

$$I_x = \int (y^2 + z^2) \, dm = \int [(y' + \bar{y})^2 + (z' + \bar{z})^2] \, dm$$

$$= \int (y'^2 + z'^2) \, dm + 2\bar{y} \int y' \, dm + 2\bar{z} \int z' \, dm + (\bar{y}^2 + \bar{z}^2) \int dm$$

Dans cette dernière équation, la première intégrale représente le moment d'inertie $\bar{I}_x$ du corps par rapport à l'axe central x'; les deuxième et troisième intégrales donnent les moments statiques (les premiers moments) du corps par rapport aux plans $z'x'$ et $x'y'$. Or, puisque ces deux plans contiennent le point G, les deux intégrales sont nulles; la dernière intégrale correspond à la masse totale du corps, m. On peut donc écrire

$$I_x = \bar{I}_{x'} + m(\bar{y}^2 + \bar{z}^2) \qquad (9.32)$$

et, de même,

$$I_y = \bar{I}_{y'} + m(\bar{z}^2 + \bar{x}^2) \qquad I_z = \bar{I}_{z'} + m(\bar{x}^2 + \bar{y}^2) \qquad (9.32')$$

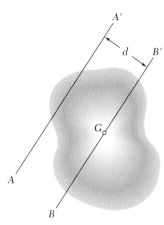

Figure 9.23

La figure 9.22 permet de vérifier facilement que la somme $\bar{z}^2 + \bar{x}^2$ représente le carré de la distance OB qui sépare les axes y et y'. De même, $\bar{y}^2 + \bar{z}^2$ et $\bar{x}^2 + \bar{y}^2$ correspondent au carré de la distance entre les axes x et x' et les axes z et z' respectivement. Si d symbolise la distance séparant un axe arbitraire AA' et un axe central parallèle BB' (*voir la figure 9.23*), on

---

3. Le terme *central* décrit ici un axe passant par le centre de gravité G du corps, et ce, peu importe si G correspond ou non au centre géométrique du volume du corps.

établit l'équation générale suivante entre le moment d'inertie I du corps par rapport à AA' et son moment d'inertie $\bar{I}$ par rapport à BB' :

$$I = \bar{I} + md^2 \tag{9.33}$$

On exprime également les moments d'inertie en fonction des rayons de giration : on a

$$k^2 = \bar{k}^2 + d^2 \tag{9.34}$$

où k et $\bar{k}$ désignent les rayons de giration du corps par rapport aux axes AA' et BB' respectivement.

9.5.3 MOMENTS D'INERTIE DE PLAQUES MINCES

Considérons une plaque d'épaisseur uniforme t, faite d'un matériau homogène de densité ou de masse volumique ρ. Le moment d'inertie de la masse de la plaque par rapport à un axe AA' contenu dans le plan de la plaque (*voir la figure 9.24a*) s'écrit

$$I_{AA',\text{masse}} = \int r^2 \, dm$$

Puisque $dm = \rho t \, dA$, on a

$$I_{AA',\text{masse}} = \rho t \int r^2 \, dA$$

Étant donné que r représente la distance entre l'élément d'aire dA et l'axe AA', l'intégrale est égale au moment d'inertie de la surface de la plaque par rapport à AA'. On a

$$I_{AA',\text{masse}} = \rho t I_{AA',\text{aire}} \tag{9.35}$$

De même, pour un axe BB' inclus dans le plan de la plaque et perpendiculaire à AA' (*voir la figure 9.24b*), on écrit

$$I_{BB',\text{masse}} = \rho t I_{BB',\text{aire}} \tag{9.36}$$

Considérons maintenant l'axe CC' perpendiculaire à la plaque et passant par le point d'intersection C de AA' et BB' (*voir la figure 9.24c*) ; on a

$$I_{CC',\text{masse}} = \rho t J_{C,\text{aire}} \tag{9.37}$$

où J_C correspond au moment d'inertie polaire de la surface de la plaque par rapport au point C.

Se rappelant l'équation $J_C = I_{AA'} + I_{BB'}$ qui relie le moment d'inertie polaire et les moments d'inertie rectangulaires d'une surface, on trouve l'équation équivalente pour les moments d'inertie de la masse d'une plaque mince :

$$I_{CC'} = I_{AA'} + I_{BB'} \tag{9.38}$$

Plaque rectangulaire Les moments d'inertie d'une plaque rectangulaire de côtés a et b (*voir la figure 9.25*) associés aux axes passant par son centre de gravité s'écrivent :

$$I_{AA',\text{masse}} = \rho t I_{AA',\text{aire}} = \rho t (\tfrac{1}{12} a^3 b)$$
$$I_{BB',\text{masse}} = \rho t I_{BB',\text{aire}} = \rho t (\tfrac{1}{12} a b^3)$$

Sachant que le produit ρabt donne la masse m de la plaque, les moments d'inertie de la masse d'une mince plaque rectangulaire prennent la forme :

$$I_{AA'} = \tfrac{1}{12} m a^2 \quad I_{BB'} = \tfrac{1}{12} m b^2 \tag{9.39}$$
$$I_{CC'} = I_{AA'} + I_{BB'} = \tfrac{1}{12} m (a^2 + b^2) \tag{9.40}$$

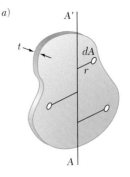

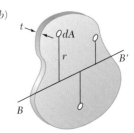

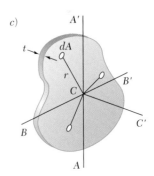

$c)$

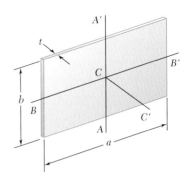

Figure 9.24

Figure 9.25

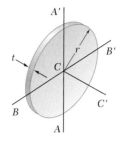

Figure 9.26

Plaque circulaire Pour une plaque circulaire, ou un disque, de rayon r (*voir la figure 9.26*), on a

$$I_{AA',\text{masse}} = \rho t I_{AA',\text{aire}} = \rho t(\tfrac{1}{4}\pi r^4)$$

La masse m de la plaque étant donnée par $\rho\pi r^2 t$, et considérant que $I_{AA'} = I_{BB'}$, on écrit comme suit les moments d'inertie de la masse d'une plaque circulaire:

$$I_{AA'} = I_{BB'} = \tfrac{1}{4}m r^2 \tag{9.41}$$

$$I_{CC'} = I_{AA'} + I_{BB'} = \tfrac{1}{2}m r^2 \tag{9.42}$$

9.5.4 DÉTERMINATION DU MOMENT D'INERTIE D'UN SOLIDE PAR INTÉGRATION

On obtient le moment d'inertie d'un solide en évaluant l'intégrale $I = \int r^2\,dm$. Si la matière constituante est homogène et de densité ρ, l'élément de masse dm devient $\rho\,dV$ et on écrit $I = \rho\int r^2\,dV$. Cette intégrale est fonction uniquement de la forme du solide. En conséquence, le calcul du moment d'inertie d'un solide exigera le plus souvent une triple intégration ou au moins une double intégration.

Cependant, lorsqu'un corps possède deux plans de symétrie, on détermine généralement son moment d'inertie en une seule intégration à condition de choisir pour élément de masse dm une mince plaque perpendiculaire aux deux plans de symétrie. Pour les solides de révolution, par exemple, l'élément dm prend la forme d'un disque mince (*voir la figure 9.27*). L'équation 9.42 donne le moment d'inertie du disque par rapport à l'axe de révolution, comme indiqué à la figure 9.27. L'équation 9.41 et le théorème des axes parallèles déterminent son moment d'inertie relativement aux deux autres axes de coordonnées. On trouve le moment d'inertie du corps en intégrant l'expression obtenue.

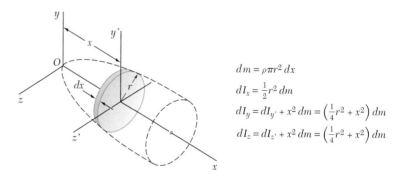

$$dm = \rho\pi r^2\,dx$$
$$dI_x = \tfrac{1}{2}r^2\,dm$$
$$dI_y = dI_{y'} + x^2\,dm = \left(\tfrac{1}{4}r^2 + x^2\right)dm$$
$$dI_z = dI_{z'} + x^2\,dm = \left(\tfrac{1}{4}r^2 + x^2\right)dm$$

Figure 9.27 Détermination du moment d'inertie d'un solide de révolution

9.5.5 MOMENTS D'INERTIE DE SOLIDES COMPOSÉS

La figure 9.28 donne les moments d'inertie de quelques formes géométriques courantes. On obtient le moment d'inertie d'un solide composé de ces formes simples par rapport à un axe donné en calculant les moments d'inertie de ses parties constituantes par rapport au même axe et en les additionnant ensuite. Par contre, comme dans le cas des surfaces, on ne peut pas obtenir le rayon de giration d'un solide composé en additionnant les rayons de giration de ses parties constituantes.

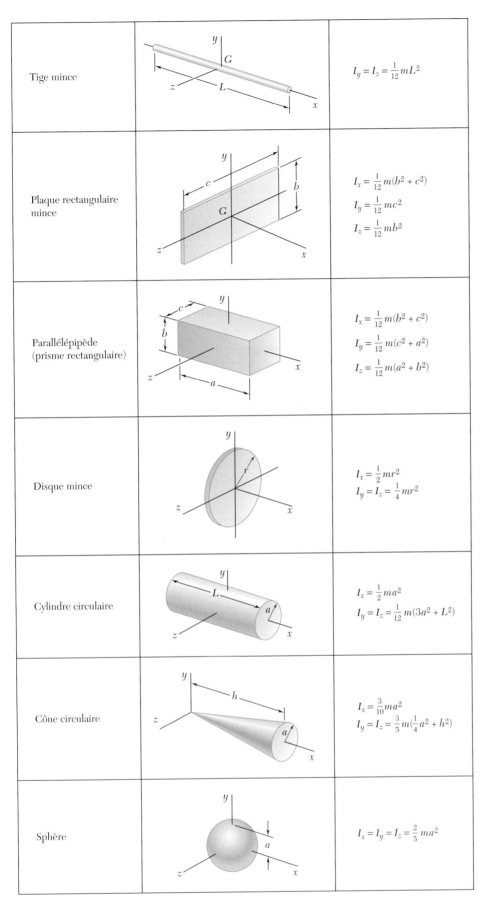

Tige mince		$I_y = I_z = \frac{1}{12} mL^2$
Plaque rectangulaire mince		$I_x = \frac{1}{12} m(b^2 + c^2)$ $I_y = \frac{1}{12} mc^2$ $I_z = \frac{1}{12} mb^2$
Parallélépipède (prisme rectangulaire)		$I_x = \frac{1}{12} m(b^2 + c^2)$ $I_y = \frac{1}{12} m(c^2 + a^2)$ $I_z = \frac{1}{12} m(a^2 + b^2)$
Disque mince		$I_x = \frac{1}{2} mr^2$ $I_y = I_z = \frac{1}{4} mr^2$
Cylindre circulaire		$I_x = \frac{1}{2} ma^2$ $I_y = I_z = \frac{1}{12} m(3a^2 + L^2)$
Cône circulaire		$I_x = \frac{3}{10} ma^2$ $I_y = I_z = \frac{3}{5} m(\frac{1}{4} a^2 + h^2)$
Sphère		$I_x = I_y = I_z = \frac{2}{5} ma^2$

Figure 9.28 Moments d'inertie (masse) de formes géométriques courantes

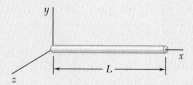

Calculez le moment d'inertie d'une tige mince de longueur L et de masse m, par rapport à un axe perpendiculaire à la tige et passant par une des extrémités de la tige.

> **SOLUTION**

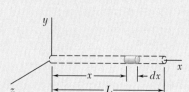

Si dm représente la masse de l'élément différentiel illustré, on a

$$dm = \frac{m}{L}\, dx$$

$$I_y = \int x^2\, dm = \int_0^L x^2 \frac{m}{L}\, dx = \frac{m}{L}\left[\frac{x^3}{3}\right]_0^L$$

$$I_y = \tfrac{1}{3} mL^2 \quad \blacktriangleleft$$

Déterminez le moment d'inertie du prisme rectangulaire homogène ci-contre par rapport à l'axe des z.

> **SOLUTION**

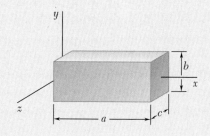

On choisit la plaque mince illustrée ci-contre comme élément de masse

$$dm = \rho bc\, dx$$

En se rapportant à la section 9.5.3 on trouve que le moment d'inertie de masse de l'élément par rapport à l'axe z' est

$$dI_{z'} = \tfrac{1}{12} b^2\, dm$$

Par le théorème des axes parallèles, on obtient le moment d'inertie de masse de la plaque par rapport à l'axe des z.

$$dI_z = dI_{z'} + x^2\, dm = \tfrac{1}{12} b^2\, dm + x^2\, dm = (\tfrac{1}{12} b^2 + x^2)\, \rho bc\, dx$$

L'intégration de dI_z de $x = 0$ à $x = a$ donne

$$I_z = \int dI_z = \int_0^a (\tfrac{1}{12} b^2 + x^2)\, \rho bc\, dx = \rho abc(\tfrac{1}{12} b^2 + \tfrac{1}{3} a^2)$$

Puisque la masse totale du prisme est

$$m = \rho abc$$

alors,

$$I_z = m(\tfrac{1}{12} b^2 + \tfrac{1}{3} a^2) \qquad\qquad I_z = \tfrac{1}{12} m(4a^2 + b^2) \quad \blacktriangleleft$$

Il est à noter que, si le prisme est mince, b est petit par rapport à a et donc

$$I_z = \tfrac{1}{3} ma^2$$

On obtient le même résultat qu'au problème résolu 9.9 pour $L = a$.

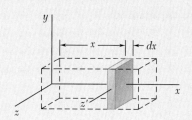

Calculez le moment d'inertie d'un cône droit par rapport à :

a) son axe longitudinal ;

b) un axe perpendiculaire à l'axe longitudinal du cône et passant par son sommet ;

c) un axe perpendiculaire à l'axe longitudinal du cône et passant par son centre géométrique.

> SOLUTION

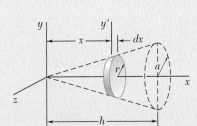

On choisit comme masse élémentaire la masse du disque mince illustré :

$$r = a\frac{x}{h} \qquad dm = \rho\pi r^2\,dx = \rho\pi\frac{a^2}{h^2}x^2\,dx$$

a) Moment d'inertie I_x En utilisant l'expression développée à la section 9.5.3 pour un disque mince, on calcule le moment d'inertie de masse de l'élément différentiel par rapport à l'axe des x comme suit :

$$dI_x = \tfrac{1}{2}r^2\,dm = \tfrac{1}{2}\left(a\frac{x}{h}\right)^2\!\left(\rho\pi\frac{a^2}{h^2}x^2\,dx\right) = \tfrac{1}{2}\rho\pi\frac{a^4}{h^4}x^4\,dx$$

En intégrant dI_x de $x = 0$ à $x = h$, on obtient

$$I_x = \int dI_x = \int_0^h \tfrac{1}{2}\rho\pi\frac{a^4}{h^4}x^4\,dx = \tfrac{1}{2}\rho\pi\frac{a^4}{h^4}\frac{h^5}{5} = \tfrac{1}{10}\rho\pi a^4 h$$

La masse totale du cône étant

$$m = \tfrac{1}{3}\rho\pi a^2 h$$

alors,

$$I_x = \tfrac{1}{10}\rho\pi a^4 h = \tfrac{3}{10}a^2(\tfrac{1}{3}\rho\pi a^2 h) = \tfrac{3}{10}ma^2 \qquad I_x = \tfrac{3}{10}ma^2 \ \blacktriangleleft$$

b) Moment d'inertie I_y En prenant la même masse élémentaire et en utilisant le théorème des axes parallèles et les expressions déduites à la section 9.5.3 pour un disque mince, on écrit :

$$dI_y = dI_{y'} + x^2\,dm = \tfrac{1}{4}r^2\,dm + x^2\,dm = (\tfrac{1}{4}r^2 + x^2)\,dm$$

En substituant les valeurs de r et dm dans cette dernière équation, on obtient

$$dI_y = \left(\frac{1}{4}\frac{a^2}{h^2}x^2 + x^2\right)\!\left(\rho\pi\frac{a^2}{h^2}x^2\,dx\right) = \rho\pi\frac{a^2}{h^2}\left(\frac{a^2}{4h^2} + 1\right)x^4\,dx$$

$$I_y = \int dI_y = \int_0^h \rho\pi\frac{a^2}{h^2}\left(\frac{a^2}{4h^2} + 1\right)x^4\,dx = \rho\pi\frac{a^2}{h^2}\left(\frac{a^2}{4h^2} + 1\right)\frac{h^5}{5}$$

Finalement, si on introduit la masse totale du cône, I_y devient

$$I_y = \tfrac{3}{5}(\tfrac{1}{4}a^2 + h^2)\tfrac{1}{3}\rho\pi a^2 h$$

$$I_y = \tfrac{3}{5}m(\tfrac{1}{4}a^2 + h^2) \ \blacktriangleleft$$

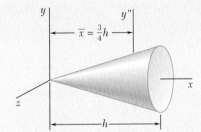

c) Moment d'inertie $\bar{I}_{y''}$ À l'aide du théorème des axes parallèles, on écrit

$$I_y = \bar{I}_{y''} + m\bar{x}^2$$

En résolvant par rapport à $\bar{I}_{y''}$ et en se rappelant que $\bar{x} = \tfrac{3}{4}h$, on a

$$\bar{I}_{y''} = I_y - m\bar{x}^2 = \tfrac{3}{5}m(\tfrac{1}{4}a^2 + h^2) - m(\tfrac{3}{4}h)^2$$

$$\bar{I}_{y''} = \tfrac{3}{20}m\,(a^2 + \tfrac{1}{4}h^2) \ \blacktriangleleft$$

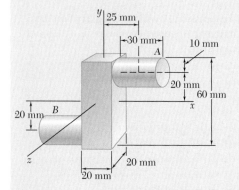

La pièce en acier forgé illustrée ci-contre est composée d'un prisme rectangulaire de 60 mm × 20 mm × 20 mm et de deux cylindres de 20 mm de diamètre et de 30 mm de longueur. Déterminez ses moments d'inertie par rapport aux axes de référence, sachant que la densité de l'acier est $\rho_a = 7850$ kg/m^3.

SOLUTION

Calcul des masses
du prisme

$$V = (0,02 \text{ m})(0,02 \text{ m})(0,06 \text{ m}) = 24 \times 10^{-6} \text{ m}^3$$

$$m = \frac{7850 \text{ kg}}{\text{m}^3} \times 24 \times 10^{-6} \text{ m}^3$$

$$= 0,188 \text{ kg}$$

de chaque cylindre

$$V = \pi(0,01 \text{ m})^2(0,03 \text{ m}) = 9,42 \times 10^{-6} \text{ m}^3$$

$$m = \frac{7850 \text{ kg}}{\text{m}^3} \times 9,42 \times 10^{-6} \text{ m}^3 = 0,074 \text{ kg}$$

Moments d'inertie   On calcule les moments d'inertie de chaque volume constituant à partir de la figure 9.28, et on utilise le théorème des axes parallèles au besoin. Il est à souligner que toutes les longueurs devraient être exprimées en mètres.

Prisme

$$I_x = I_z = \tfrac{1}{12}(0,188 \text{ kg})[(0,06 \text{ m})^2 + (0,02 \text{ m})^2] = 62,67 \times 10^{-6} \text{ kg} \cdot \text{m}^2$$

$$I_y = \tfrac{1}{12}(0,188 \text{ kg})[(0,02 \text{ m})^2 + (0,02 \text{ m})^2] = 12,53 \times 10^{-6} \text{ kg} \cdot \text{m}^2$$

Chaque cylindre

$$I_x = \tfrac{1}{2}m a^2 + m\overline{y}^2$$

$$= \tfrac{1}{2}(0,074 \text{ kg})(0,01 \text{ m})^2 + (0,074 \text{ kg})(0,02 \text{ m})^2$$

$$= 33,3 \times 10^{-6} \text{ kg} \cdot \text{m}^2$$

$$I_y = \tfrac{1}{12}m(3a^2 + L^2) + m\overline{x}^2$$

$$= \tfrac{1}{12}(0,074 \text{ kg})[3(0,01 \text{ m})^2 + (0,03 \text{ m})^2] + (0,074 \text{ kg})(0,025 \text{ m})^2$$

$$= 53,65 \times 10^{-6} \text{ kg} \cdot \text{m}^2$$

$$I_z = \tfrac{1}{12}m(3a^2 + L^2) + m(\overline{x}^2 + \overline{y}^2)$$

$$= \tfrac{1}{12}(0,074 \text{ kg})[3(0,01 \text{ m})^2 + (0,03 \text{ m})^2]$$

$$+ (0,074 \text{ kg})[(0,025 \text{ m})^2 + (0,02 \text{ m})^2] = 83,25 \times 10^{-6} \text{ kg} \cdot \text{m}^2$$

Ensemble de la pièce forgée

En additionnant les valeurs obtenues, on obtient

$$I_x = 62,67 \times 10^{-6} + 2(33,3 \times 10^{-6}) \qquad I_x = 129,3 \times 10^{-6} \text{ kg} \cdot \text{m}^2 \blacktriangleleft$$

$$I_y = 12,53 \times 10^{-6} + 2(53,65 \times 10^{-6}) \qquad I_y = 119,8 \times 10^{-6} \text{ kg} \cdot \text{m}^2 \blacktriangleleft$$

$$I_z = 62,67 \times 10^{-6} + 2(83,25 \times 10^{-6}) \qquad I_z = 229,2 \times 10^{-6} \text{ kg} \cdot \text{m}^2 \blacktriangleleft$$

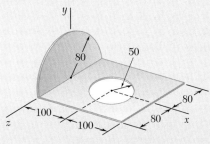

Dimensions en mm

Une mince feuille d'acier de 4 mm d'épaisseur est estampée pour former l'élément de machine illustré. La densité de l'acier étant $\rho_a = 7850$ kg/m³, déterminez les moments d'inertie de la pièce par rapport aux axes de coordonnées.

L'élément de machine peut être divisé en trois composants distincts: un demi-cercle, un rectangle et un cercle retranché du rectangle.

Calcul des masses
Demi-cercle

$$V_1 = \tfrac{1}{2}\pi r^2 t = \tfrac{1}{2}\pi(0{,}08 \text{ m})^2(0{,}004 \text{ m}) = 40{,}21 \times 10^{-6} \text{ m}^3$$

$$m_1 = \rho V_1 = (7{,}85 \times 10^3 \text{ kg/m}^3)(40{,}21 \times 10^{-6} \text{ m}^3) = 0{,}3156 \text{ kg}$$

Rectangle

$$V_2 = (0{,}200 \text{ m})(0{,}160 \text{ m})(0{,}004 \text{ m}) = 128 \times 10^{-6} \text{ m}^3$$

$$m_2 = \rho V_2 = (7{,}85 \times 10^3 \text{ kg/m}^3)(128 \times 10^{-6} \text{ m}^3) = 1{,}005 \text{ kg}$$

Cercle

$$V_3 = \pi a^2 t = \pi(0{,}050 \text{ m})^2(0{,}004 \text{ m}) = 31{,}42 \times 10^{-6} \text{ m}^3$$

$$m_3 = \rho V_3 = (7{,}85 \times 10^3 \text{ kg/m}^3)(31{,}42 \times 10^{-6} \text{ m}^3) = 0{,}2466 \text{ kg}$$

Moments d'inertie des masses On calcule les moments d'inertie de chaque composant en appliquant la méthode présentée à la section 9.5.3.

Demi-cercle À partir de la figure 9.28, on détermine que, pour une plaque circulaire de masse m et de rayon r, les moments d'inertie sont

$$I_x = \tfrac{1}{2}mr^2 \qquad I_y = I_z = \tfrac{1}{4}mr^2$$

En raison de la symétrie, la plaque en forme de demi-cercle aura des moments d'inertie de

$$I_x = \tfrac{1}{2}(\tfrac{1}{2}mr^2) \qquad I_y = I_z = \tfrac{1}{2}(\tfrac{1}{4}mr^2)$$

Or, la masse du demi-cercle étant de $m_1 = \tfrac{1}{2}m$, on a

$$I_x = \tfrac{1}{2}m_1 r^2 = \tfrac{1}{2}(0{,}3156 \text{ kg})(0{,}08 \text{ m})^2 = 1{,}010 \times 10^{-3} \text{ kg}\cdot\text{m}^2$$

$$I_y = I_z = \tfrac{1}{4}(\tfrac{1}{2}mr^2) = \tfrac{1}{4}m_1 r^2 = \tfrac{1}{4}(0{,}3156 \text{ kg})(0{,}08 \text{ m})^2 = 0{,}505 \times 10^{-3} \text{ kg}\cdot\text{m}^2$$

Rectangle

$$I_x = \tfrac{1}{12}m_2 c^2 = \tfrac{1}{12}(1{,}005 \text{ kg})(0{,}16 \text{ m})^2 = 2{,}144 \times 10^{-3} \text{ kg}\cdot\text{m}^2$$

$$I_z = \tfrac{1}{3}m_2 b^2 = \tfrac{1}{3}(1{,}005 \text{ kg})(0{,}2 \text{ m})^2 = 13{,}400 \times 10^{-3} \text{ kg}\cdot\text{m}^2$$

$$I_y = I_x + I_z = (2{,}144 + 13{,}400)(10^{-3}) = 15{,}544 \times 10^{-3} \text{ kg}\cdot\text{m}^2$$

Cercle

$$I_x = \tfrac{1}{4}m_3 a^2 = \tfrac{1}{4}(0{,}2466 \text{ kg})(0{,}05 \text{ m})^2 = 0{,}154 \times 10^{-3} \text{ kg}\cdot\text{m}^2$$

$$I_y = \tfrac{1}{2}m_3 a^2 + m_3 d^2$$
$$= \tfrac{1}{2}(0{,}2466 \text{ kg})(0{,}05 \text{ m})^2 + (0{,}2466 \text{ kg})(0{,}1 \text{ m})^2 = 2{,}774 \times 10^{-3} \text{ kg}\cdot\text{m}^2$$

$$I_z = \tfrac{1}{4}m_3 a^2 + m_3 d^2 = \tfrac{1}{4}(0{,}2466 \text{ kg})(0{,}05 \text{ m})^2 + (0{,}2466 \text{ kg})(0{,}1 \text{ m})^2$$
$$= 2{,}620 \times 10^{-3} \text{ kg}\cdot\text{m}^2$$

Ensemble de l'élément de machine

$$I_x = (1{,}010 + 2{,}144 - 0{,}154)(10^{-3}) \text{ kg}\cdot\text{m}^2 \qquad I_x = 3{,}00 \times 10^{-3} \text{ kg}\cdot\text{m}^2 \blacktriangleleft$$

$$I_y = (0{,}505 + 15{,}544 - 2{,}774)(10^{-3}) \text{ kg}\cdot\text{m}^2 \qquad I_y = 13{,}28 \times 10^{-3} \text{ kg}\cdot\text{m}^2 \blacktriangleleft$$

$$I_z = (0{,}505 + 13{,}400 - 2{,}620)(10^{-3}) \text{ kg}\cdot\text{m}^2 \qquad I_z = 11{,}29 \times 10^{-3} \text{ kg}\cdot\text{m}^2 \blacktriangleleft$$

Dans cette section, nous avons présenté principalement :

- les moments d'inertie d'une masse et le rayon de giration de corps tridimensionnels par rapport à un axe donné (*voir les équations 9.28 et 9.29*) ;
- l'application du théorème des axes parallèles avec les moments d'inertie de masse ;
- les moments d'inertie de masse de plaques minces et de solides tridimensionnels.

1. **Calcul des moments d'inertie de masse.** Dans le cas de formes simples, le moment d'inertie I d'un corps tridimensionnel par rapport à un axe donné se calcule directement à partir de l'équation 9.28 (*voir le problème résolu 9.9*). Toutefois, il est souvent nécessaire de diviser le corps en minces tranches élémentaires, de calculer le moment d'inertie d'un élément par rapport à l'axe donné (à l'aide du théorème des axes parallèles si nécessaire) et finalement d'intégrer la fonction obtenue.

2. **Application du théorème des axes parallèles.** La section 9.5.2 introduit le théorème des axes parallèles pour le calcul des moments d'inertie de masse :

$$I = \bar{I} + md^2 \tag{9.33}$$

où I = moment d'inertie d'un corps de masse m par rapport à un axe donné ;
$\bar{I}$ = moment d'inertie du corps par rapport à un axe central ;
d = distance séparant l'axe donné et l'axe central.

Quand le moment d'inertie d'un corps tridimensionnel est calculé par rapport à l'un des axes de coordonnées, on peut remplacer d^2 par la somme des carrés des distances mesurées par rapport aux deux autres axes (*voir les équations 9.32 et 9.32'*).

3. **Erreurs à éviter.** Les erreurs les plus fréquentes concernent les unités de mesure. On doit donc demeurer cohérent dans le choix des unités : soit des mètres, soit des millimètres. Nous recommandons fortement de toujours écrire les unités de mesure pendant le développement du problème (*voir les problèmes résolus 9.12 et 9.13*).

4. **Calcul du moment d'inertie de masse de plaques minces.** Comme nous l'avons vu à la section 9.5.3, le moment d'inertie d'une plaque mince par rapport à un axe donné est égal au moment d'inertie correspondant de la surface de la plaque multiplié par la densité ρ et par l'épaisseur de la plaque t (*voir les équations 9.35 à 9.37*).

Puisque l'axe CC' de la figure 9.24c est perpendiculaire à la plaque, $I_{CC', \text{masse}}$ est associé au moment d'inertie polaire $J_{C, \text{aire}}$.

a) **Calcul du moment d'inertie par rapport à un axe parallèle.** Au lieu de calculer directement le moment d'inertie d'une plaque mince par rapport à un axe donné, il est parfois plus facile de calculer d'abord son moment d'inertie par rapport à un axe parallèle à l'axe désiré et d'appliquer ensuite le théorème des axes parallèles.

b) **Calcul du moment d'inertie d'une plaque mince par rapport à un axe perpendiculaire à la plaque.** Dans ce cas, on détermine en premier ses moments d'inertie par rapport à deux axes perpendiculaires coplanaires et on applique ensuite l'équation 9.38.

c) Masse d'une plaque. Concluons l'étude des plaques en rappelant que

$$m = \rho t A$$

où m = masse de la plaque ;
$\quad A$ = aire de la plaque ;
$\quad t$ = épaisseur de la plaque ;
$\quad \rho$ = densité de la plaque.

5. **Calcul du moment d'inertie d'un corps par intégration simple.** La section 9.5.4 et les problèmes résolus 9.10 et 9.11 illustrent comment utiliser l'intégration simple pour déterminer le moment d'inertie d'un corps en le divisant en une série de minces plaques élémentaires. Pour ce faire, on exprime la masse du corps en fonction de sa densité et de ses dimensions. Si le corps est divisé en plaques élémentaires perpendiculaires à l'axe des x, les dimensions de chaque plaque seront exprimées en fonction de la variable x.

   a) **Cas de solide de révolution.** Dans ces cas, la plaque élémentaire est un mince disque et on appliquera les équations de la figure 9.27 pour calculer les moments d'inertie (*voir le problème résolu 9.11*).

   b) **Cas généraux.** Dans la majorité des cas, quand le corps n'est pas un solide de révolution, l'élément différentiel n'est pas un disque mais une mince tranche de forme différente et les équations de la figure 9.27 ne sont plus valides. Le problème résolu 9.10 illustre cette situation. En présence de formes plus complexes, les équations suivantes sont plus appropriées (basées sur les équations 9.32 et 9.32′ de la section 9.5.2) :

   $$dI_x = dI_{x'} + (\bar{y}_{el}^2 + \bar{z}_{el}^2)\, dm$$
   $$dI_y = dI_{y'} + (\bar{z}_{el}^2 + \bar{x}_{el}^2)\, dm$$
   $$dI_z = dI_{z'} + (\bar{x}_{el}^2 + \bar{y}_{el}^2)\, dm$$

   où les primes représentent les axes centraux de chaque plaque élémentaire et $\bar{x}_{el}$, $\bar{y}_{el}$ et $\bar{z}_{el}$ représentent les coordonnées de son centre géométrique. Les moments centraux d'inertie de chaque élément sont déterminés de la même façon que dans le cas d'une plaque mince : on calcule les moments d'inertie correspondants de la surface de la plaque élémentaire et on multiplie par ρ (densité) et t (épaisseur) (*voir la figure 9.12*). De plus, en supposant que le corps a été divisé en minces plaques perpendiculaires à l'axe des x, on obtient facilement $dI_{x'}$ en additionnant $dI_{y'}$ et $dI_{z'}$.

   Finalement, par la géométrie du corps étudié, on présente le résultat obtenu en fonction d'une seule variable, x, et on intègre par rapport à x.

6. **Calcul du moment d'inertie de corps composés.** Le moment d'inertie d'un corps composé par rapport à un axe donné est égal à la somme des moments de ses composants par rapport à cet axe (*voir la section 9.5.5, et les problèmes résolus 9.12 et 9.13*). Le moment d'inertie d'un composant est négatif seulement si le corps est retranché (comme c'est le cas pour un trou). Si l'on doit déterminer les moments d'inertie d'un corps qui n'apparaît pas à la figure 9.28, il faut dériver soi-même les équations nécessaires en utilisant les techniques présentées dans ces sections.

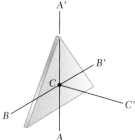

Figure P9.111

9.111 Une plaque mince de masse m est découpée pour former un triangle équilatéral de côté a. Déterminez le moment d'inertie de sa masse par rapport à :

a) l'axe AA' et l'axe BB'.

b) l'axe central CC' perpendiculaire au plan de la plaque.

9.112 Soit la plaque mince semi-elliptique de masse m illustrée. Calculez le moment d'inertie de la plaque par rapport à :

a) l'axe central BB';

b) l'axe central CC' perpendiculaire à la plaque.

9.113 L'anneau elliptique illustré a été découpé d'une feuille de métal uniforme. Si m représente la masse de l'anneau, déterminez son moment d'inertie par rapport à :

a) l'axe central BB';

b) l'axe central CC' perpendiculaire au plan de l'anneau.

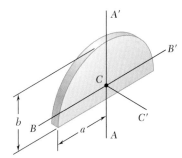

Figure P9.112

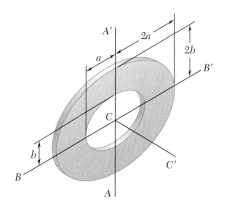

Figure P9.113

9.114 Le solide de masse m illustré a été découpé à partir d'un métal en feuille homogène. Déterminez son moment d'inertie par rapport à :

a) l'axe BB';

b) l'axe DD' perpendiculaire au plan du volume. (Suggestion : référez-vous au problème résolu 9.3.)

9.115 Une mince feuille de métal uniforme est découpée pour former l'élément de machine illustré. Si m représente la masse de la pièce, calculez son moment d'inertie par rapport à :

a) l'axe des x;

b) l'axe des y.

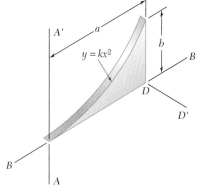

Figure P9.114

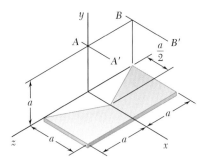

Figure P9.115 - P9.116

9.116 Une mince feuille de métal uniforme est découpée pour former l'élément de machine illustré. Si m représente la masse de la pièce, calculez son moment d'inertie par rapport à:

a) l'axe AA';

b) l'axe BB', de façon que les axes AA' et BB' soient parallèles à l'axe x et se situent dans un plan parallèle au plan xz, à une distance a au-dessus de celui-ci.

9.117 Considérez la plaque mince illustrée, de masse m et de forme trapézoïdale. Déterminez le moment d'inertie de la plaque par rapport à:

a) l'axe x;

b) l'axe y.

9.118 Considérez la plaque mince illustrée, de masse m et de forme trapézoïdale. Déterminez le moment d'inertie de la plaque par rapport à:

a) l'axe central CC' perpendiculaire à la plaque;

b) l'axe AA' parallèle à l'axe des x et situé à une distance $1{,}5\,a$ de la plaque.

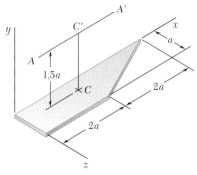

Figure P9.117 - P9.118

9.119 La surface illustrée a tourné autour de l'axe x pour former un solide de révolution homogène de masse m. Par intégration, exprimez le moment d'inertie du solide par rapport à l'axe x en fonction de m et h.

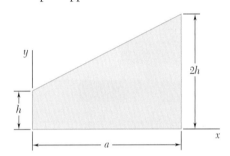

Figure P9.119

9.120 Calculez par intégration le moment d'inertie par rapport à l'axe z du cylindre illustré, de densité uniforme et de masse m.

9.121 La surface illustrée a tourné autour de l'axe x pour former un solide de révolution homogène de masse m. Calculez par intégration le moment d'inertie du solide par rapport à:

a) l'axe x;

b) l'axe y.

(Suggestion: exprimez les réponses en fonction de m et des dimensions du solide.)

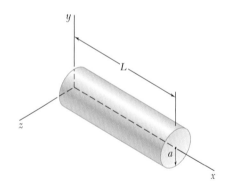

Figure P9.120

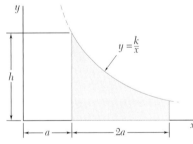

Figure P9.121

9.122 Calculez par intégration le moment d'inertie du tétraèdre régulier illustré par rapport à l'axe x, sachant que sa masse est m et que sa densité est uniforme.

9.123 Calculez par intégration le moment d'inertie du tétraèdre régulier illustré par rapport à l'axe y, sachant que sa masse est m et que sa densité est uniforme.

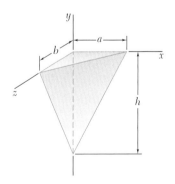

Figure P9.122 - P9.123

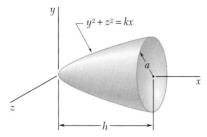

Figure P9.124

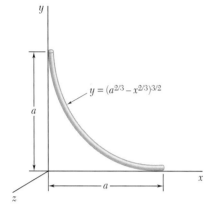

Figure P9.125

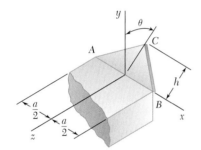

Figure P9.126

9.124 Calculez par intégration le moment d'inertie de masse et le rayon de giration du paraboloïde illustré par rapport à l'axe x, sachant que sa masse est m et que sa densité est uniforme.

*9.125 Un mince fil de fer est plié selon la forme illustrée. Sachant que sa masse par unité de longueur est m', calculez par intégration le moment d'inertie du fil de fer par rapport à chacun des axes de référence.

9.126 Une mince plaque triangulaire de masse m est soudée par sa base AB à un bloc comme illustré. Sachant que la plaque forme un angle θ avec l'axe des y, calculez par intégration le moment d'inertie de la plaque par rapport à :
a) l'axe x;
b) l'axe y;
c) l'axe z.

9.127 La figure illustrée représente la section transversale d'une poulie pour courroie plate moulée en composite de laiton et de polycarbonate. Calculez son moment d'inertie et son rayon de giration par rapport à l'axe AA'. (Densité du laiton $\rho_l = 8650$ kg/m³; densité du polycarbonate $\rho_p = 1250$ kg/m³.)

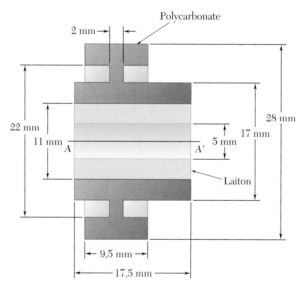

Figure P9.127

9.128 La figure illustrée représente la section transversale d'une poulie de renvoi. Calculez les valeurs du moment d'inertie de sa masse et du rayon de giration par rapport à l'axe AA'. (Densité du bronze $\rho_b = 8580$ kg/m³; densité de l'aluminium $\rho_{al} = 2770$ kg/m³; densité du néoprène $\rho_n = 1250$ kg/m³.)

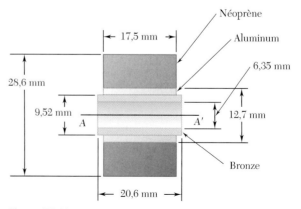

Figure P9.128

9.129 Une mince coquille hémisphérique a une masse m et une épaisseur t. Déterminez le moment d'inertie et le rayon de giration de la coquille par rapport à l'axe x. (Indice: considérez que la coquille est formée en évidant un hémisphère de rayon r d'un autre hémisphère de rayon $r + t$. Négligez les termes contenant t^2 et t^3 et conservez les termes en t.)

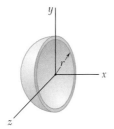

Figure P9.129

9.130 Un trou de 20 mm de diamètre est percé et ensuite alésé dans une barre d'acier de 32 mm de diamètre comme illustré. Calculez la profondeur p que devra avoir le trou pour que le rapport des moments d'inertie de la barre, avec et sans le trou, par rapport à l'axe AA' soit de 0,96.

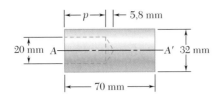

Figure P9.130

9.131 Après une certaine période d'utilisation, une lame de déchiqueteur est réduite à la forme illustrée et sa masse est de 0,18 kg. Sachant que les moments d'inertie de la lame par rapport aux axes AA' et BB' sont respectivement de 0,320 g·m² et 0,680 g·m², calculez:
a) la position de l'axe central GG';
b) le rayon de giration par rapport à l'axe GG'.

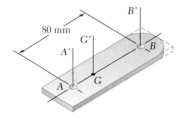

Figure P9.131

9.132 Les bras et les assiettes d'un anémomètre sont fabriqués à partir d'un matériau de densité ρ. Sachant que le moment d'inertie par rapport à l'axe central GG' de chaque assiette, en forme de mince coquille hémisphérique de masse m et d'épaisseur t, est de $5\,ma^2/12$, calculez:
a) le moment d'inertie de l'anémomètre par rapport à l'axe AA';
b) le rapport a/l de façon que le moment central d'inertie des assiettes soit de 1 % du moment d'inertie des assiettes par rapport à l'axe AA'.

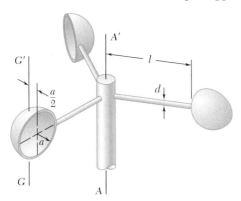

Figure P9.132

9.133 Déterminez le moment d'inertie de masse de l'élément de machine de 25 kg illustré par rapport à l'axe AA'.

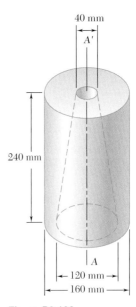

Figure P9.133

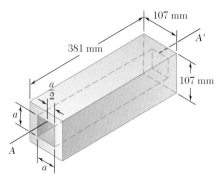

Figure P9.134

9.134 Un trou carré est percé longitudinalement au centre de l'élément de machine en aluminium illustré. Calculez:

a) la valeur que doit avoir a pour que le moment d'inertie de masse de l'élément par rapport à l'axe AA', passant par le centre de la surface supérieure du trou, soit maximal;

b) les valeurs correspondantes du moment d'inertie de masse de l'élément et de son rayon de giration par rapport à l'axe AA' (la densité de l'aluminium est $\rho_{al} = 2770$ kg/m^3).

9.135 et 9.136 Un élément de machine est fabriqué à partir d'une feuille de tôle de 2 mm d'épaisseur estampée comme illustré. Sachant que la densité de l'acier est $\rho_a = 7850$ kg/m^3, déterminez le moment d'inertie de l'élément par rapport à chaque axe de référence.

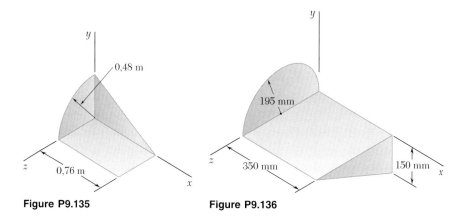

Figure P9.135   Figure P9.136

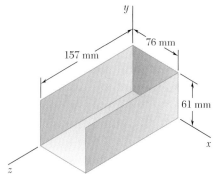

Figure P9.137

9.137 Le couvercle d'un circuit électronique est formé d'une feuille d'aluminium de 1,27 mm d'épaisseur. Déterminez le moment d'inertie du couvercle par rapport à chaque axe de référence. (La densité de l'aluminium est $\rho_{al} = 2770$ kg/m^3.)

9.138 Un élément de machine est estampé à même une tôle en acier galvanisé de 1,27 mm d'épaisseur. Déterminez le moment d'inertie de l'élément par rapport à chaque axe de coordonnées. (La densité de l'acier est $\rho_a = 7530$ kg/m^3.)

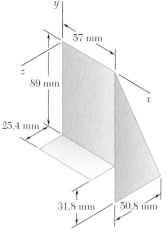

Figure P9.138

9.139 Une pièce de sous-assemblage d'une maquette d'avion est composée de trois pièces en contreplaqué de 1,5 mm d'épaisseur. En négligeant la masse des adhésifs utilisés, calculez le moment d'inertie de la pièce par rapport à chaque axe de référence. (La densité du contreplaqué est $\rho_c = 780$ kg/m³.)

*9.140 Pour fabriquer un abreuvoir, un fermier soude une feuille d'acier rectangulaire de 2 mm d'épaisseur à un demi-tonneau en acier. Sachant que la densité de l'acier est $\rho_a = 7850$ kg/m³, que l'épaisseur des parois du tonneau est de 1,8 mm et en négligeant la masse du cordon de soudure, calculez le moment d'inertie de l'abreuvoir par rapport à chacun des axes de coordonnées.

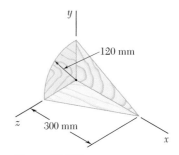

Figure P9.139

9.141 L'élément de machine illustré est en acier de densité $\rho_a = 7850$ kg/m³. Déterminez son moment d'inertie par rapport à:
a) l'axe x;
b) l'axe y;
c) l'axe z.

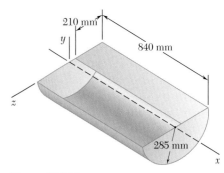

Figure P9.140

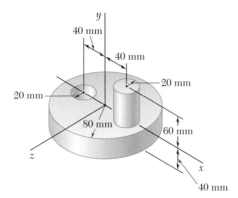

Figure P9.141

9.142 L'élément de machine illustré est en acier de densité $\rho_a = 7850$ kg/m³. Déterminez le moment d'inertie de sa masse par rapport à l'axe y.

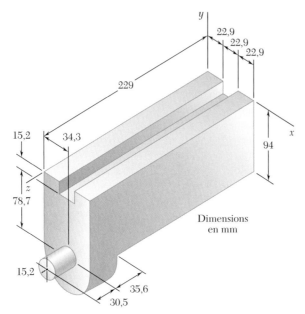

Dimensions en mm

Figure P9.142 - P9.143

9.143 L'élément de machine illustré est en acier de densité $\rho_a = 7850$ kg/m³. Déterminez le moment d'inertie de sa masse par rapport à l'axe z.

9.144 La pièce moulée illustrée est en aluminium de densité $\rho_{al} = 2700$ kg/m³. Calculez son moment d'inertie par rapport à l'axe z.

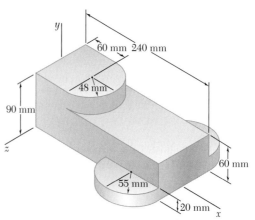

Figure P9.144

9.145 Calculez le moment d'inertie du support en acier illustré (densité de l'acier $\rho_a = 7850$ kg/m³) par rapport à :
a) l'axe x ;
b) l'axe y ;
c) l'axe z.

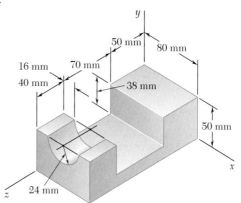

Figure P9.145

9.146 Un fil d'aluminium ayant une masse linéaire de 0,049 kg/m est plié pour former un cercle et des crochets comme illustré. Calculez le moment d'inertie de la pièce par rapport à chacun des axes de coordonnées.

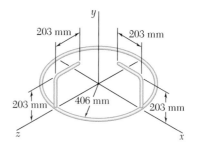

Figure P9.146

9.147 Un fil d'acier de 3,18 mm de diamètre est plié pour former la pièce illustrée. Sachant que la densité de l'acier est de 7850 kg/m³, déterminez le moment d'inertie de sa masse par rapport à chaque axe de référence.

9.148 Un fil de fer homogène ayant une masse linéaire de 0,056 kg/m est plié selon la forme illustrée. Calculez le moment d'inertie du fil par rapport à chacun des axes de référence.

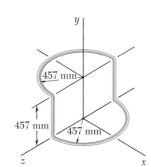

Figure P9.147

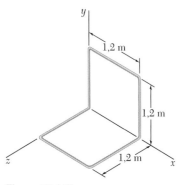

Figure P9.148

9.6 AUTRES CONCEPTS DE MOMENTS D'INERTIE D'UN SOLIDE

9.6.1 PRODUIT D'INERTIE D'UNE MASSE

Dans cette section, nous verrons comment déterminer le moment d'inertie d'un solide par rapport à un axe arbitraire OL passant par l'origine (*voir la figure 9.29*), connaissant ses moments d'inertie par rapport aux trois axes de coordonnées et d'autres données définies ci-après.

Le moment d'inertie I_{OL} du solide par rapport à OL est égal à $\int p^2 \, dm$, où p représente la distance perpendiculaire entre l'élément de masse dm et l'axe OL. Si $\boldsymbol{\lambda}$ désigne le vecteur unitaire dans la direction de OL, et $\mathbf{r}$ le vecteur position de l'élément dm, la distance perpendiculaire p est égale à $r \sin \theta$, soit la grandeur du produit vectoriel $\boldsymbol{\lambda} \times \mathbf{r}$. On peut alors écrire

$$I_{OL} = \int p^2 \, dm = \int |\boldsymbol{\lambda} \times \mathbf{r}|^2 \, dm \tag{9.43}$$

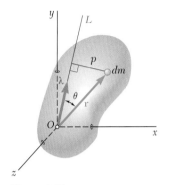

Figure 9.29

En exprimant $|\boldsymbol{\lambda} \times \mathbf{r}|^2$ en fonction des composantes rectangulaires du produit vectoriel, on obtient

$$I_{OL} = \int [(\lambda_x y - \lambda_y x)^2 + (\lambda_y z - \lambda_z y)^2 + (\lambda_z x - \lambda_x z)^2] \, dm$$

où les composantes λ_x, λ_y et λ_z du vecteur unitaire $\boldsymbol{\lambda}$ représentent les cosinus directeurs de l'axe OL, et les composantes x, y et z de $\mathbf{r}$ correspondent aux coordonnées de l'élément de masse dm. En développant les termes de l'expression et en les réarrangeant, on trouve

$$I_{OL} = \lambda_x^2 \int (y^2 + z^2) \, dm + \lambda_y^2 \int (z^2 + x^2) \, dm + \lambda_z^2 \int (x^2 + y^2) \, dm$$

$$- 2\lambda_x \lambda_y \int xy \, dm - 2\lambda_y \lambda_z \int yz \, dm - 2\lambda_z \lambda_x \int zx \, dm \tag{9.44}$$

Les équations 9.30 indiquent que les trois premières intégrales de 9.44 donnent respectivement les moments d'inertie I_x, I_y et I_z du solide par rapport aux axes du repère. Les trois dernières, qui contiennent des produits de coordonnées, définissent les produits d'inertie du solide par rapport aux axes x et y, aux axes y et z, et aux axes z et x respectivement. On a

$$I_{xy} = \int xy \, dm \qquad I_{yz} = \int yz \, dm \qquad I_{zx} = \int zx \, dm \tag{9.45}$$

En récrivant 9.44 en fonction des intégrales de 9.30 et 9.45, on obtient

$$I_{OL} = I_x \lambda_x^2 + I_y \lambda_y^2 + I_z \lambda_z^2 - 2I_{xy} \lambda_x \lambda_y - 2I_{yz} \lambda_y \lambda_z - 2I_{zx} \lambda_z \lambda_x \tag{9.46}$$

On observe que la définition des produits d'inertie d'une masse exprimés par les équations 9.45 est une extension de la définition du produit d'inertie d'une surface (*voir la section 9.3.1*). Les produits d'inertie des masses sont nuls dans les mêmes conditions de symétrie que les produits d'inertie des surfaces, et le théorème des axes parallèles prend des formes semblables dans les deux cas. On obtient les équations du théorème appliqué aux masses en substituant dans 9.45 les expressions obtenues pour x, y et z en 9.31, soit

$$\begin{aligned} I_{xy} &= \bar{I}_{x'y'} + m\bar{x}\bar{y} \\ I_{yz} &= \bar{I}_{y'z'} + m\bar{y}\bar{z} \\ I_{zx} &= \bar{I}_{z'x'} + m\bar{z}\bar{x} \end{aligned} \tag{9.47}$$

où $\bar{x}$, $\bar{y}$, $\bar{z}$ sont les coordonnées du centre de gravité G du solide et $\bar{I}_{x'y'}$, $\bar{I}_{y'z'}$, $\bar{I}_{z'x'}$ représentent les produits d'inertie du solide relativement aux axes centraux x', y', z' (*voir la figure 9.22*).

*9.6.2 ELLIPSOÏDE D'INERTIE – AXES PRINCIPAUX D'INERTIE

Supposons que le moment d'inertie du corps étudié à la section précédente soit connu relativement à un grand nombre d'axes OL passant par le point fixe O et rapportons un point Q sur chacun des axes à une distance de O égale à $OQ = 1/\sqrt{I_{OL}}$. Le lieu des points Q ainsi obtenus forme une surface (*voir la figure 9.30*) dont on trouve l'équation en remplaçant I_{OL} par $1/(OQ)^2$ dans l'équation 9.46 et en multipliant ensuite les deux côtés de l'équation par $(OQ)^2$. Sachant que

$$(OQ)\lambda_x = x \qquad (OQ)\lambda_y = y \qquad (OQ)\lambda_z = z$$

où x, y, z représentent les coordonnées de Q, on écrit

$$I_x x^2 + I_y y^2 + I_z z^2 - 2I_{xy} xy - 2I_{yz} yz - 2I_{zx} zx = 1 \qquad (9.48)$$

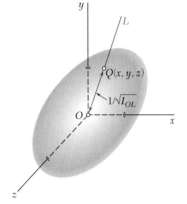

Figure 9.30

Cette équation est celle d'une surface quadrique. Le moment d'inertie I_{OL} étant différent de zéro pour tous les axes OL, aucun point Q ne peut se trouver à une distance infinie de O. La surface quadrique décrit donc un ellipsoïde. On l'appelle l'*ellipsoïde d'inertie* du solide au point O, puisqu'il définit le moment d'inertie du corps relativement à tous les axes passant par O.

Si on fait tourner les axes de la figure 9.30, les coefficients de l'équation de l'ellipsoïde changent puisqu'ils correspondent aux moments et aux produits d'inertie du corps par rapport aux axes déplacés. Cependant, l'ellipsoïde reste le même car sa forme dépend uniquement de la distribution de la masse dans le solide. Si l'on choisit les axes principaux x', y', z' de l'ellipsoïde d'inertie (*voir la figure 9.31*), l'équation devient

$$I_{x'} x'^2 + I_{y'} y'^2 + I_{z'} z'^2 = 1 \qquad (9.49)$$

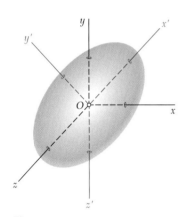

Figure 9.31

On observe qu'elle ne contient pas de produit de coordonnées. En comparant 9.48 et 9.49, on voit que les produits d'inertie du solide par rapport aux axes x' y', z' sont nuls. Les axes x', y', z' sont appelés *axes principaux d'inertie* du solide au point O et les coefficients $I_{x'}$, $I_{y'}$, $I_{z'}$ deviennent les moments principaux d'inertie du corps en O. Pour un solide de forme quelconque et un point O donné, il existe toujours des axes principaux, c'est-à-dire des axes donnant des produits d'inertie nuls. En fait, quelle que soit la forme du solide, ses moments et ses produits d'inertie par rapport aux axes x, y et z passant par O définissent un ellipsoïde dont les axes principaux sont les axes principaux d'inertie du solide en O.

Si on utilise comme repère les axes principaux d'inertie x', y', z', l'expression 9.46 du moment d'inertie par rapport à un axe quelconque passant par O se simplifie et devient

$$I_{OL} = I_{x'} \lambda_{x'}^2 + I_{y'} \lambda_{y'}^2 + I_{z'} \lambda_{z'}^2 \qquad (9.50)$$

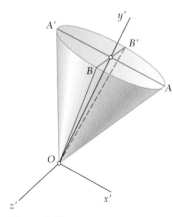

Figure 9.32

La détermination des axes principaux d'inertie d'un solide quelconque joue ici un rôle dont nous discuterons à la prochaine section. Cependant, dans plusieurs cas, on trouve facilement ces axes. Par exemple, le cône homogène de base elliptique de la figure 9.32 possède deux plans de symétrie mutuellement perpendiculaires, soit OAA' et OBB'. La définition relative aux équations 9.45 montre que, si les plans $x'y'$ et $y'z'$ coïncident avec les deux plans de symétrie, tous les produits d'inertie deviennent nuls. Les axes x', y' et z' correspondent alors aux axes principaux d'inertie du cône en O. Dans le cas du tétraèdre régulier homogène de la figure 9.33, la droite passant par le coin O et par le centre D de la face opposée représente un axe principal d'inertie au point O; toute ligne passant par O et perpendiculaire à OD est également un axe principal d'inertie au point O. Cette propriété devient évidente sachant qu'en faisant pivoter le tétraèdre de 120° par rapport à OD, on retrouve la même forme et la même distribution de la masse. La rotation ne change pas non plus l'ellipsoïde d'inertie au point O, qui devient ainsi un solide de révolution autour de l'axe OD; cet axe est également l'un des axes principaux de l'ellipsoïde, de même que les axes perpendiculaires à OD qui passent par O.

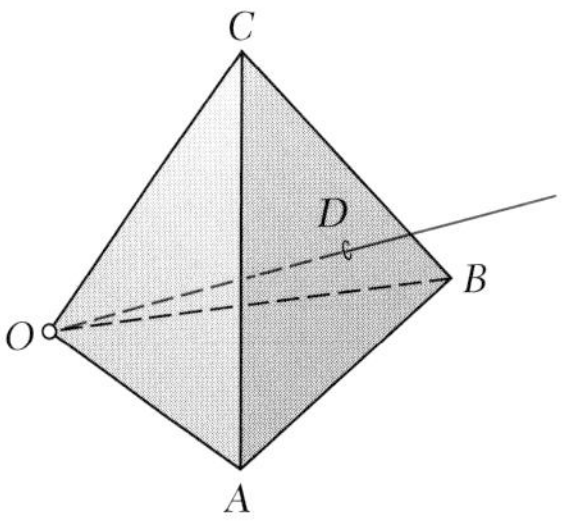

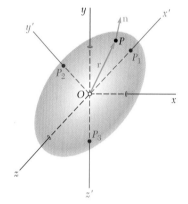

Figure 9.33

*9.6.3 AXES PRINCIPAUX ET MOMENTS PRINCIPAUX D'INERTIE D'UN SOLIDE DE FORME QUELCONQUE

On recourt à la méthode décrite dans cette section lorsque le solide étudié n'a pas de symétrie apparente.

Considérons l'ellipsoïde d'inertie du corps à un point O (*voir la figure 9.34*); posons $\mathbf{r}$, le rayon vecteur d'un point P à la surface de l'ellipsoïde, et $\mathbf{n}$, le vecteur unitaire de la normale à la surface au point P. Les vecteurs $\mathbf{r}$ et $\mathbf{n}$ sont colinéaires seulement aux points P_1, P_2 et P_3, là où les axes principaux traversent la portion visible de la surface, et aux points opposés sur l'ellipsoïde.

Or, la direction de la normale à une surface d'équation $f(x, y, z) = 0$ à un point $P(x, y, z)$ se définit par le gradient ∇f de la fonction f à ce point. Ainsi, en posant que $\mathbf{r}$ et ∇f sont colinéaires, on trouve les points de rencontre entre les axes principaux et la surface de l'ellipsoïde d'inertie, soit

Figure 9.34

$$\nabla f = (2K)\mathbf{r} \qquad (9.51)$$

où K représente une constante, $\mathbf{r} = x\mathbf{i} + y\mathbf{j} + z\mathbf{k}$, et

$$\nabla f = \frac{\partial f}{\partial x}\mathbf{i} + \frac{\partial f}{\partial y}\mathbf{j} + \frac{\partial f}{\partial x}\mathbf{k}$$

Considérant l'équation 9.48, la fonction $f(x, y, z)$ correspondant à l'ellipsoïde d'inertie s'écrit

$$f(x, y, z) = I_x x^2 + I_y y^2 + I_z z^2 - 2I_{xy} xy - 2I_{yz} yz - 2I_{zx} zx - 1$$

On remplace $\mathbf{r}$ et ∇f dans l'équation 9.51 et, en faisant l'égalité avec les coefficients des vecteurs unitaires, on trouve

$$\begin{aligned} I_x x - I_{xy} y - I_{zx} z &= Kx \\ -I_{xy} x + I_y y - I_{yz} z &= Ky \\ -I_{zx} x - I_{yz} y + I_z z &= Kz \end{aligned} \qquad (9.52)$$

En divisant chaque terme par la distance r séparant O et P, on obtient des équations semblables comportant les cosinus directeurs λ_x, λ_y et λ_z:

$$\begin{aligned} I_x \lambda_x - I_{xy} \lambda_y - I_{zx} \lambda_z &= K\lambda_x \\ -I_{xy} \lambda_x + I_y \lambda_y - I_{yz} \lambda_z &= K\lambda_y \\ -I_{zx} \lambda_x - I_{yz} \lambda_y + I_z \lambda_z &= K\lambda_z \end{aligned} \qquad (9.53)$$

En transposant les membres de droite, on obtient les équations linéaires homogènes suivantes :

$$(I_x - K)\lambda_x - I_{xy}\lambda_y - I_{zx}\lambda_z = 0$$
$$-I_{xy}\lambda_x + (I_y - K)\lambda_y - I_{yz}\lambda_z = 0 \qquad (9.54)$$
$$-I_{zx}\lambda_x - I_{yz}\lambda_y + (I_z - K)\lambda_z = 0$$

On trouve une solution différente de $\lambda_x = \lambda_y = \lambda_z = 0$ en posant égal à zéro le discriminant du système :

$$\begin{vmatrix} I_x - K & -I_{xy} & -I_{zx} \\ -I_{xy} & I_y - K & -I_{yz} \\ -I_{zx} & -I_{yz} & I_z - K \end{vmatrix} = 0 \qquad (9.55)$$

On développe le déterminant et on change les signes pour obtenir

$$K^3 - (I_x + I_y + I_z)K^2 + (I_xI_y + I_yI_z + I_zI_x - I_{xy}^2 - I_{yz}^2 - I_{zx}^2)K$$
$$- (I_xI_yI_z - I_xI_{yz}^2 - I_yI_{zx}^2 - I_zI_{xy}^2 - 2I_{xy}I_{yz}I_{zx}) = 0 \qquad (9.56)$$

Il s'agit d'une équation en K du troisième degré qui donne trois racines positives réelles, K_1, K_2 et K_3.

Pour obtenir les cosinus directeurs de l'axe principal correspondant à K_1, on remplace K par K_1 dans 9.54. Ces équations étant désormais linéairement dépendantes, deux d'entre elles suffisent à déterminer λ_x, λ_y et λ_z. On trouve une équation supplémentaire cependant, en considérant que les cosinus directeurs doivent satisfaire à la relation suivante, comme vu à la section 2.4.1 :

$$\lambda_x^2 + \lambda_y^2 + \lambda_z^2 = 1 \qquad (9.57)$$

On procède de la même manière avec K_2 et K_3 pour trouver les cosinus directeurs des deux autres axes principaux.

Nous allons maintenant démontrer que les racines K_1, K_2 et K_3 de l'équation 9.56 sont les moments principaux d'inertie du corps donné. Substituons K_1 à K dans l'équation 9.53, et remplaçons λ_x, λ_y et λ_z par $(\lambda_x)_1$, $(\lambda_y)_1$ et $(\lambda_z)_1$, les valeurs correspondantes des cosinus directeurs ; les trois équations seront alors satisfaites. On multiplie ensuite respectivement par $(\lambda_x)_1$, $(\lambda_y)_1$ et $(\lambda_z)_1$ les termes des trois équations avant de les additionner. On obtient

$$I_x^2(\lambda_x)_1^2 + I_y^2(\lambda_y)_1^2 + I_z^2(\lambda_z)_1^2 - 2I_{xy}(\lambda_x)_1(\lambda_y)_1 - 2I_{yz}(\lambda_y)_1(\lambda_z)_1$$
$$- 2I_{zx}(\lambda_z)_1(\lambda_x)_1 = K_1[(\lambda_x)_1^2 + (\lambda_y)_1^2 + (\lambda_z)_1^2]$$

En comparant avec l'équation 9.46, on voit que le membre de gauche de l'équation représente le moment d'inertie du corps par rapport à l'axe principal associé à K_1 ; il décrit donc le moment principal d'inertie correspondant à cette racine. Par ailleurs, l'équation 9.57 permet de simplifier le membre de droite, qui devient égal à K_1. On en déduit que K_1 est le moment principal d'inertie. En appliquant le même raisonnement, on démontre facilement que K_2 et K_3 sont les deux autres moments principaux d'inertie du solide.

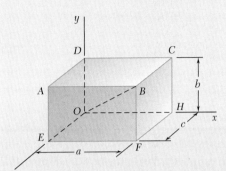

Soit le prisme rectangulaire ci-contre de masse m et de côtés a, b et c. Déterminez :

a) les moments d'inertie du corps par rapport aux axes de référence ;

b) les produits d'inertie du corps par rapport aux axes de référence ;

c) son moment d'inertie par rapport à la diagonale OB.

> SOLUTION

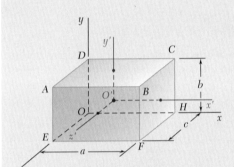

a) Moments d'inertie par rapport aux axes de référence Les moments d'inertie par rapport aux axes centraux x', y' et z' sont donnés à la figure 9.28. Par le théorème des axes parallèles, on a

$$I_x = \bar{I}_{x'} + m(\bar{y}^2 + \bar{z}^2) = \tfrac{1}{12}m(b^2 + c^2) + m(\tfrac{1}{4}b^2 + \tfrac{1}{4}c^2)$$
$$I_x = \tfrac{1}{3}m(b^2 + c^2) \blacktriangleleft$$

De même, $\qquad\qquad I_y = \tfrac{1}{3}m(c^2 + a^2) \qquad I_z = \tfrac{1}{3}m(a^2 + b^2) \blacktriangleleft$

b) Produits d'inertie par rapport aux axes de référence En raison de la symétrie du corps étudié, les produits d'inertie par rapport aux axes centraux x', y' et z' sont nuls. Par le théorème des axes parallèles, on obtient

$$I_{xy} = \bar{I}_{x'y'} + m\bar{x}\,\bar{y} = 0 + m(\tfrac{1}{2}a)(\tfrac{1}{2}b) \qquad I_{xy} = \tfrac{1}{4}mab \blacktriangleleft$$

De même, $\qquad\qquad\qquad\qquad\qquad I_{yz} = \tfrac{1}{4}mbc \qquad I_{zx} = \tfrac{1}{4}mca \blacktriangleleft$

c) Moment d'inertie par rapport à l'axe OB En utilisant l'équation 9.46, on a

$$I_{OB} = I_x\lambda_x^2 + I_y\lambda_y^2 + I_z\lambda_z^2 - 2I_{xy}\lambda_x\lambda_y - 2I_{yz}\lambda_y\lambda_z - 2I_{zx}\lambda_z\lambda_x$$

où les cosinus directeurs de OB sont

$$\lambda_x = \cos\theta_x = \frac{OH}{OB} = \frac{a}{(a^2 + b^2 + c^2)^{1/2}}$$

$$\lambda_y = \frac{b}{(a^2 + b^2 + c^2)^{1/2}} \qquad \lambda_z = \frac{c}{(a^2 + b^2 + c^2)^{1/2}}$$

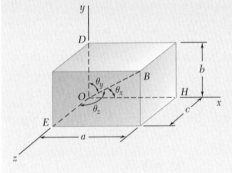

En remplaçant dans l'équation de I_{OB} les valeurs obtenues pour les moments d'inertie, les produits d'inertie et les cosinus directeurs, il en résulte

$$I_{OB} = \frac{1}{a^2 + b^2 + c^2}\left[\tfrac{1}{3}m(b^2+c^2)a^2 + \tfrac{1}{3}m(c^2+a^2)b^2 + \tfrac{1}{3}m(a^2+b^2)c^2\right.$$
$$\left. - \tfrac{1}{2}ma^2b^2 - \tfrac{1}{2}mb^2c^2 - \tfrac{1}{2}mc^2a^2\right]$$

$$I_{OB} = \frac{m}{6}\,\frac{a^2b^2 + b^2c^2 + c^2a^2}{a^2 + b^2 + c^2} \blacktriangleleft$$

Solution alternative Puisque la diagonale OB passe par le centre géométrique O' du prisme, le moment d'inertie I_{OB} peut être obtenu directement à partir de ses moments principaux d'inertie $\bar{I}_{x'}$, $\bar{I}_{y'}$ et $\bar{I}_{z'}$.

Les axes x', y' et z' étant des axes principaux, on obtient, selon l'équation 9.50,

$$I_{OB} = \bar{I}_{x'}\lambda_x^2 + \bar{I}_{y'}\lambda_y^2 + \bar{I}_{z'}\lambda_z^2$$
$$= \frac{1}{a^2 + b^2 + c^2}\left[\frac{m}{12}(b^2+c^2)a^2 + \frac{m}{12}(c^2+a^2)b^2 + \frac{m}{12}(a^2+b^2)c^2\right]$$

$$I_{OB} = \frac{m}{6}\,\frac{a^2b^2 + b^2c^2 + c^2a^2}{a^2 + b^2 + c^2} \blacktriangleleft$$

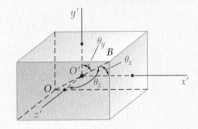

En vous référant au prisme du problème résolu 9.14, si $a = 3c$ et $b = 2c$, déterminez :
a) les moments principaux d'inertie à l'origine O ;
b) l'orientation des axes principaux d'inertie passant par O.

> SOLUTION

a) Moments principaux d'inertie par rapport à l'origine O   En substituant $a = 3c$ et $b = 2c$ à la solution du problème résolu 9.14, on obtient

$$I_x = \tfrac{5}{3}mc^2 \qquad I_y = \tfrac{10}{3}mc^2 \qquad I_z = \tfrac{13}{3}mc^2$$
$$I_{xy} = \tfrac{3}{2}mc^2 \qquad I_{yz} = \tfrac{1}{2}mc^2 \qquad I_{zx} = \tfrac{3}{4}mc^2$$

En substituant les valeurs des moments et des produits d'inertie dans l'équation 9.56 et en regroupant les valeurs, on a

$$K^3 - (\tfrac{28}{3}mc^2)K^2 + (\tfrac{3479}{144}m^2c^4)K - \tfrac{589}{54}m^3c^6 = 0$$

On résout maintenant cette équation afin de trouver ses racines. En se basant sur la présentation faite à la section 9.6.3, on sait que les racines sont les moments principaux d'inertie du corps au point d'origine.

$$K_1 = 0,568\,867\,mc^2 \qquad K_2 = 4,208\,85\,mc^2 \qquad K_3 = 4,555\,62\,mc^2$$
$$K_1 = 0,569\,mc^2 \qquad K_2 = 4,21\,mc^2 \qquad K_3 = 4,56\,mc^2 \qquad \blacktriangleleft$$

b) Axes principaux d'inertie en O   Pour connaître l'orientation d'un axe principal d'inertie, on substitue la valeur correspondante de K dans deux des équations 9.54. Les équations résultantes, conjointement avec l'équation 9.57, forment un système de trois équations qui nous permettra de trouver les cosinus directeurs de l'axe principal correspondant. Il en découle que, pour le premier moment principal d'inertie K_1, on a

$$(\tfrac{5}{3} - 0,568\,867)\,mc^2(\lambda_x)_1 - \tfrac{3}{2}mc^2(\lambda_y)_1 - \tfrac{3}{4}mc^2(\lambda_z)_1 = 0$$
$$-\tfrac{3}{2}mc^2(\lambda_x)_1 + (\tfrac{10}{3} - 0,568\,867)\,mc^2(\lambda_y)_1 - \tfrac{1}{2}mc^2(\lambda_z)_1 = 0$$
$$(\lambda_x)_1^2 + (\lambda_y)_1^2 + (\lambda_z)_1^2 = 1$$

La solution donne

$$(\lambda_x)_1 = 0,836\,600 \qquad (\lambda_y)_1 = 0,496\,001 \qquad (\lambda_z)_1 = 0,232\,557$$

Le premier axe principal d'inertie forme donc les angles suivants avec les trois axes de coordonnées [4] :

$$(\theta_x)_1 = 33,2° \qquad (\theta_y)_1 = 60,3° \qquad (\theta_z)_1 = 76,6° \qquad \blacktriangleleft$$

En répétant la même procédure pour K_2 et K_3 (utilisation conjointe des valeurs de K trouvées en a avec les équations 9.54 et 9.57), on trouve les angles associés aux deuxième et troisième moments principaux d'inertie à l'origine :

$$(\theta_x)_2 = 57,8° \qquad (\theta_y)_2 = 146,6° \qquad (\theta_z)_2 = 98,0° \qquad \blacktriangleleft$$

et

$$(\theta_x)_3 = 82,8° \qquad (\theta_y)_3 = 76,1° \qquad (\theta_z)_3 = 164,3° \qquad \blacktriangleleft$$

---

4. Nous avons trouvé au problème résolu 9.14 que $\lambda_x = \cos\theta_x$.

Dans cette section, nous avons vu :

- la définition des produits d'inertie d'une masse I_{xy}, I_{yz} et I_{zx} d'un corps ;
- le calcul des moments d'inertie du corps par rapport à des axes quelconques passant par l'origine O ;
- la détermination des axes principaux d'inertie du corps à l'origine O ;
- le calcul des moments principaux d'inertie correspondants.

1. **Calcul des produits d'inertie d'un corps composé.** Les produits d'inertie de la masse d'un corps composé par rapport aux axes de référence peuvent s'exprimer comme les sommes des produits d'inertie de ses composants par rapport aux axes correspondants. Pour chacune des parties composantes, on peut appliquer le théorème des axes parallèles en utilisant les équations 9.47.

$$I_{xy} = \overline{I}_{x'y'} + m\overline{x}\,\overline{y} \qquad I_{yz} = \overline{I}_{y'z'} + m\overline{y}\,\overline{z} \qquad I_{zx} = \overline{I}_{z'x'} + m\overline{z}\,\overline{x}$$

où les primes font référence aux axes centraux de chaque corps constituant ; $\overline{x}$, $\overline{y}$ et $\overline{z}$ représentent les coordonnées de son centre de gravité.

Les produits d'inertie sont positifs, négatifs ou nuls, d'où l'importance d'indiquer correctement les signes de $\overline{x}$, $\overline{y}$ et $\overline{z}$.

a) **Deux ou trois produits centraux d'inertie peuvent être nuls.** À partir des propriétés de symétrie des corps composants, on peut déduire que deux ou trois produits centraux d'inertie sont nuls.
Ainsi, on peut vérifier que :

i) les produits d'inertie $\overline{I}_{y'z'}$ et $\overline{I}_{z'x'}$ sont nuls pour :
- une mince plaque parallèle au plan xy ;
- un fil contenu dans un plan parallèle au plan xy ;
- un corps avec un plan de symétrie parallèle au plan xy ;
- un corps avec un axe de symétrie parallèle à l'axe des z.

ii) les produits d'inertie $\overline{I}_{x'y'}$, $\overline{I}_{y'z'}$ et $\overline{I}_{z'x'}$ sont tous nuls pour :
- des plaques rectangulaires, circulaires ou semi-circulaires avec des axes de symétrie parallèles aux axes de référence ;
- des fils droits parallèles à un axe de coordonnées ;
- des fils circulaires ou semi-circulaires avec des axes de symétrie parallèles aux axes de référence ;
- des parallélépipèdes (ou prismes rectangulaires) avec des axes de symétrie parallèles aux axes de référence.

b) **Calcul des produits d'inertie qui ne sont pas nuls.** On calcule les produits d'inertie qui ne sont pas nuls à l'aide des équations 9.45. Bien qu'en général il soit nécessaire d'utiliser une intégration triple pour calculer le produit d'inertie d'une masse, on peut parfois utiliser une intégration simple si le corps peut être divisé en minces tranches élémentaires parallèles. Le calcul se fait alors comme présenté préalablement.

2. **Calcul du moment d'inertie par rapport à un axe quelconque.** Le moment d'inertie I_{OL} d'un corps par rapport à un axe quelconque OL est donné par l'équation 9.46. Avant d'utiliser cette équation, on doit d'abord calculer les moments et les produits d'inertie du corps par rapport aux axes de coordonnées données et les cosinus directeurs du vecteur unitaire $\boldsymbol{\lambda}$ le long de l'axe OL.

3. **Calcul du moment principal d'inertie d'un corps et détermination de ses axes principaux d'inertie.** À la section 9.6.2, on a vu qu'il est toujours possible de déterminer une orientation des axes de coordonnées de façon que les produits d'inertie soient nuls: ce sont les axes principaux d'inertie, et les moments correspondants sont les moments principaux d'inertie. En général, ces axes sont déterminés à partir des propriétés de symétrie du corps.

Si le corps ne possède pas de symétrie apparente (*voir la section 9.6.3 et le problème résolu 9.15*), on procède comme suit:

a) **Développer le déterminant de l'équation 9.55 et résoudre l'équation cubique résultante.** On obtient la solution soit par la méthode des approximations successives, soit à l'aide d'une calculatrice scientifique ou d'un logiciel approprié. Les racines K_1, K_2 et K_3 de l'équation représentent les moments principaux d'inertie du corps.

b) **Déterminer l'orientation de l'axe principal relié à K_1.** Cela se fait en substituant K_1 dans deux des équations 9.54 et en résolvant ces équations conjointement avec l'équation 9.57 pour les cosinus directeurs et l'axe principal correspondant à K_1.

c) **Répéter le processus pour K_2 et K_3.** Pour connaître l'orientation des deux autres axes principaux, on reprendra le processus avec K_2 et K_3. Il est intéressant de vérifier que le produit scalaire d'une paire quelconque de vecteurs unitaires le long des trois axes obtenus est nul, ce qui prouve que ces axes sont bien perpendiculaires.

9.149 Déterminez les produits d'inertie I_{xy}, I_{yz} et I_{zx} du support en acier illustré (densité de l'acier $\rho_a = 7850$ kg/m³).

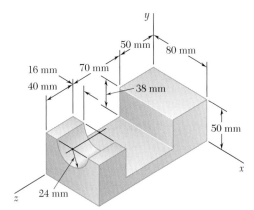

Figure P9.149

9.150 Déterminez les produits d'inertie I_{xy}, I_{yz} et I_{zx} de l'élément de machine illustré (densité de l'acier $\rho_a = 7850$ kg/m³).

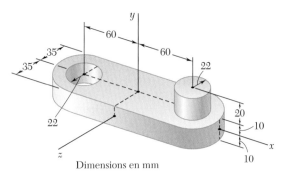

Dimensions en mm

Figure P9.150

9.151 et 9.152 Déterminez les produits d'inertie I_{xy}, I_{yz} et I_{zx} des éléments de machine en aluminium moulé illustré (densité de l'aluminium ρ_{al} = 2770 kg/m³).

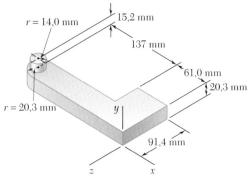

Figure P9.151

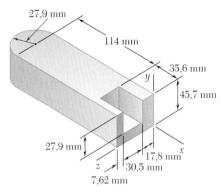

Figure P9.152

9.153 à 9.156 Des feuilles d'acier de 2 mm d'épaisseur sont coupées et pliées pour former les éléments de machine des figures P9.153 à P9.156. Sachant que la densité de l'acier est $\rho_a = 7850$ kg/m³, déterminez les produits d'inertie I_{xy}, I_{yz} et I_{zx} de ces éléments.

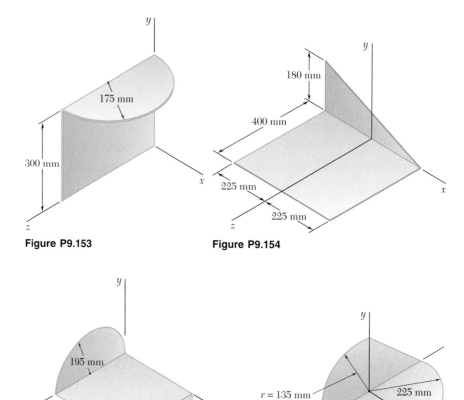

Figure P9.153

Figure P9.154

Figure P9.155

Figure P9.156

9.157 et 9.158 Un fil de laiton, de poids linéaire w, est utilisé pour former les canevas suivants. Calculez les produits d'inertie I_{xy}, I_{yz} et I_{zx} de ces formes.

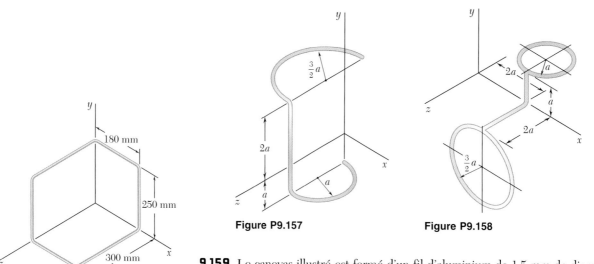

Figure P9.159

Figure P9.157

Figure P9.158

9.159 Le canevas illustré est formé d'un fil d'aluminium de 1,5 mm de diamètre. Si la densité de l'aluminium est $\rho_{al} = 2800$ kg/m³, déterminez les produits d'inertie I_{xy}, I_{yz} et I_{zx} du corps.

9.160 Un mince fil d'aluminium de diamètre uniforme sert à former le canevas illustré. Sachant que m' est la masse linéaire du fil, déterminez les produits d'inertie I_{xy}, I_{yz} et I_{zx} du corps.

9.161 Les équations 9.47 représentent le théorème des axes parallèles pour les produits d'inertie d'un corps. Complétez-en le développement.

9.162 Soit le tétraèdre homogène de masse m illustré.
   a) Déterminez le produit d'inertie I_{zx} par intégration.
   b) Déduisez I_{xy} et I_{yz} à partir du résultat obtenu en *a*.

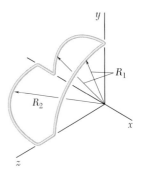

Figure P9.160

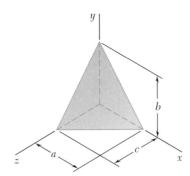

Figure P9.162

9.163 Soit le cylindre homogène de masse m illustré. Déterminez le moment d'inertie du cylindre par rapport à un axe reliant l'origine O et le point A situé sur le périmètre de la partie supérieure du cylindre.

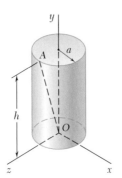

Figure P9.163

9.164 Soit le cône homogène de masse m illustré. Déterminez le moment d'inertie du cône par rapport à un axe reliant l'origine O et le point A.

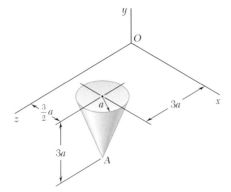

Figure P9.164

9.165 La figure P9.165 reprend l'élément de machine du problème 9.141. Déterminez le moment d'inertie de l'élément par rapport à un axe reliant l'origine O au point A.

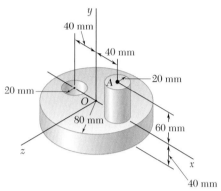

Figure P9.165

9.166 Calculez le moment d'inertie des pièces en acier des problèmes 9.145 et 9.149 par rapport à un axe passant par l'origine et formant des angles égaux avec les axes x, y et z.

9.167 La mince plaque illustrée a une densité uniforme et un poids W. Calculez son moment d'inertie par rapport à un axe reliant l'origine O et le point A.

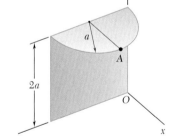

Figure P9.167

9.168 Un élément de machine est estampé à partir d'une tôle d'épaisseur t et de densité ρ. Déterminez le moment d'inertie de l'élément par rapport à l'axe reliant l'origine O au point A.

9.169 Calculez le moment d'inertie de la masse des composants de machine des problèmes 9.136 et 9.155 par rapport à l'axe passant par l'origine et caractérisé par le vecteur unitaire $\lambda = (-4\mathbf{i} + 8\mathbf{j} + \mathbf{k})/9$.

9.170 à 9.172 Pour les formes en fil de fer des problèmes indiqués, déterminez le moment d'inertie des corps par rapport à l'axe passant par l'origine et caractérisé par le vecteur unitaire $\lambda = (-3\mathbf{i} - 6\mathbf{j} + 2\mathbf{k})/7$.
   9.170 Forme du problème 9.148.
   9.171 Forme du problème 9.147.
   9.172 Forme du problème 9.146.

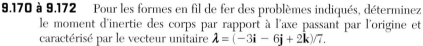

Figure P9.168

9.173 En vous référant au prisme rectangulaire illustré, calculez les valeurs des rapports b/a et c/a pour que l'ellipsoïde d'inertie du prisme soit une sphère lorsque calculé :
a) au point A ;
b) au point B.

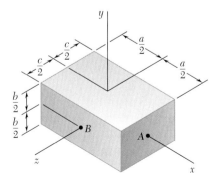

Figure P9.173

9.174 En vous rapportant au cône droit du problème résolu 9.11, calculez la valeur du rapport a/h pour que l'ellipsoïde d'inertie du cône soit une sphère lorsque calculé :

  a) au sommet du cône ;

  b) au centre de la base du cône.

9.175 Soit le cylindre homogène de rayon a et de longueur L illustré. Déterminez la valeur du rapport a/L pour que l'ellipsoïde d'inertie du cylindre soit une sphère lorsque calculé :

  a) au centre géométrique du cylindre ;

  b) au point A.

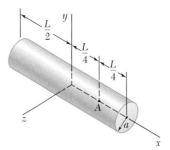

Figure P9.175

9.176 Soit un corps quelconque et trois axes orthogonaux x, y et z. Démontrez que le moment d'inertie du corps par rapport à l'un des axes ne peut être plus grand que la somme des moments d'inertie par rapport aux deux autres axes. En d'autres termes, prouvez que $I_x \le I_y + I_z$, et qu'il en va de même pour les relations similaires par rapport aux deux autres axes. Prouvez aussi que $I_y \ge \frac{1}{2} I_x$ si le corps est un solide de révolution homogène, où l'axe des x est l'axe de révolution, et où l'axe des y est un axe transversal.

9.177 Supposons un cube de masse m et de côté a.

  a) Prouvez que l'ellipsoïde d'inertie au centre du cube est une sphère. Utilisez ensuite cette propriété pour calculer le moment d'inertie du cube par rapport à l'une de ses diagonales.

  b) Démontrez que l'ellipsoïde d'inertie à l'un des sommets du cube est un ellipsoïde de révolution et déterminez les moments principaux d'inertie du cube à ce sommet.

9.178 Soit un corps homogène de masse m et de forme quelconque et trois axes rectangulaires x, y et z dont l'origine se situe au point O. Démontrez que la somme des moments d'inertie $(I_x + I_y + I_z)$ du corps ne peut être plus petite que la même somme calculée pour une sphère de même masse et de même matériau centrée en O. Ensuite, en utilisant le résultat du problème 9.176, prouvez que, si le corps est un solide de révolution, l'axe x étant l'axe de révolution, le moment d'inertie I_y par rapport à l'axe transversal y ne peut être inférieur à $3ma^2/10$, où a = rayon de la sphère de même masse et de même matériau.

*9.179 Le cylindre homogène illustré a une masse m. Sa surface supérieure, de diamètre OB, forme un angle de 45° avec les axes x et z.

  a) Déterminez les moments principaux d'inertie du cylindre à l'origine O.

  b) Calculez les angles formés entre les axes de référence et les axes principaux d'inertie au point O.

  c) Illustrez sur un schéma le cylindre en montrant l'orientation des axes principaux d'inertie par rapport aux axes rectangulaires x, y et z.

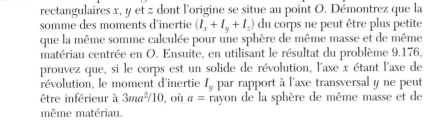
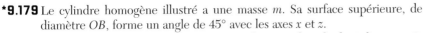

Figure P9.179

9.180 à 9.184 En vous rapportant aux composants présentés aux problèmes indiqués, déterminez :

  a) les moments principaux d'inertie à l'origine ;

  b) les axes principaux d'inertie à l'origine. Tracez le schéma du corps en montrant l'orientation des axes principaux d'inertie par rapport aux axes orthogonaux x, y et z.

  *9.180 Élément de machine du problème 9.165.

  *9.181 Corps du problème 9.145.

  *9.182 Plaque mince du problème 9.167.

  *9.183 Élément de machine du problème 9.168.

  *9.184 Fil homogène du problème 9.148.

Dans la première partie du chapitre, nous avons montré comment calculer **R**, la résultante de forces $\Delta\mathbf{F}$ réparties sur une surface plane d'aire A quand les grandeurs de ces forces sont proportionnelles à ΔA et à y, c'est-à-dire que

$$R = \Delta F = ky \, \Delta A$$

où ΔA = aires élémentaires sur lesquelles agissent les forces;
  y = distances séparant ces éléments d'un axe x donné.

Nous avons déduit que:

- R est proportionnelle au moment statique (premier moment) $Q_x = \int y \, dA$ de l'aire de la surface A;
- le moment de **R** par rapport à l'axe des x est proportionnel au moment d'inertie (second moment) $I_x = \int y^2 \, dA$ de la surface A par rapport au même axe (*voir la section 9.1.1*).

Moments d'inertie orthogonaux

Les moments d'inertie orthogonaux (ou rectangulaires) I_x et I_y d'une surface (*voir la section 9.1.2*) s'obtiennent par:

$$I_x = \int y^2 \, dA \qquad I_y = \int x^2 \, dA \tag{9.1}$$

Ces calculs se réduisent en intégrales simples lorsqu'on choisit comme élément de surface dA une mince tranche parallèle à l'un des axes de coordonnées. Il est possible de calculer I_x et I_y en utilisant cette même tranche élémentaire à l'aide de l'équation du moment d'inertie d'une surface rectangulaire (*voir la figure 9.35 et le problème résolu 9.3*).

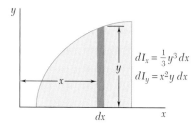

$dI_x = \frac{1}{3} y^3 \, dx$
$dI_y = x^2 y \, dx$

Figure 9.35

Moment d'inertie polaire

Le moment d'inertie polaire J_O d'une surface A par rapport à un pôle O (*voir la section 9.1.3*) se calcule par

$$J_O = \int r^2 \, dA \tag{9.3}$$

où r est la distance séparant O de l'élément dA (*voir la figure 9.36*).

Sachant que $r^2 = x^2 + y^2$, on déduit la relation suivante:

$$J_O = I_x + I_y \tag{9.4}$$

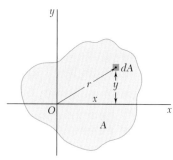

Figure 9.36

Rayon de giration

D'une façon générale, le rayon de giration d'une surface A par rapport à un axe (*voir la section 9.1.4*) ou par rapport à l'origine O se définit k_x, avec $I_x = k_x^2 A$, d'où

$$k_x = \sqrt{\frac{I_x}{A}} \qquad k_y = \sqrt{\frac{I_y}{A}} \qquad k_O = \sqrt{\frac{J_O}{A}} \tag{9.5-9.7}$$

où k_x = rayon de giration par rapport à l'axe des x;
  k_y = rayon de giration par rapport à l'axe des y;
  k_O = rayon de giration par rapport à O.

Théorème des axes parallèles

La section 9.2.1 présente le théorème des axes parallèles, qui indique que le moment d'inertie I d'une surface par rapport à un axe quelconque AA' (voir la figure 9.37) est égal au moment d'inertie $\bar{I}$ de la surface par rapport à son axe central BB' parallèle à AA', additionné au produit de l'aire A multiplié par le carré de la distance d séparant les deux axes :

$$I = \bar{I} + Ad^2 \qquad (9.9)$$

où I = moment d'inertie de la surface par rapport à un axe quelconque AA' ;

$\bar{I}$ = moment d'inertie de la surface par rapport à son axe central BB' ;

A = aire de la surface ;

d = distance entre l'axe central et l'axe quelconque AA'.

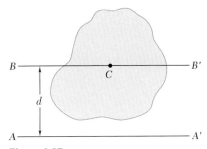

Figure 9.37

On peut aussi utiliser cette équation pour déterminer $\bar{I}$ lorsque les autres paramètres de l'équation sont connus.

Le même raisonnement s'applique pour le moment d'inertie polaire. Ainsi,

$$J_O = \bar{J}_C + Ad^2 \qquad (9.11)$$

où J_O = moment d'inertie polaire d'une surface par rapport à un point quelconque O ;

$\bar{J}_C$ = moment d'inertie polaire de la surface par rapport à son centre géométrique C ;

A = aire de la surface ;

d = distance séparant les points O et C.

Surfaces composées

Le théorème des axes parallèles est très utile pour calculer le moment d'inertie de surfaces composées par rapport à un axe donné (voir la section 9.2.2). La procédure est la suivante :

- pour chaque composant de la surface, calculer le moment d'inertie par rapport à l'axe central, en utilisant les équations des figures 9.12 et 9.13 lorsque c'est possible ;
- appliquer le théorème des axes parallèles à chaque composant pour connaître son moment d'inertie par rapport à l'axe désiré ;
- additionner les valeurs obtenues. Il est fortement recommandé d'utiliser un tableau pour rendre la procédure systématique et ainsi éviter les erreurs ou les oublis (voir les problèmes résolus 9.4 et 9.5).

Produit d'inertie

Les sections 9.3 et 9.4 ont été consacrées à l'étude de l'effet de la rotation des axes de coordonnées sur les moments d'inertie d'une surface. On a commencé par définir le produit d'inertie d'une surface A :

$$I_{xy} = \int xy \, dA \qquad (9.12)$$

où $I_{xy} = 0$ si la surface A est symétrique par rapport à un ou plusieurs axes de référence. L'application du théorème des axes parallèles dans ce contexte donne :

$$I_{xy} = \bar{I}_{x'y'} + \bar{x}\bar{y}A \qquad (9.13)$$

où $\bar{I}_{x'y'}$ = produit d'inertie de la surface par rapport aux axes centraux x' et y', parallèles aux axes de référence x et y ;

$\bar{x}$ et $\bar{y}$ = coordonnées du centre géométrique de la surface (voir la section 9.3.1).

Rotation des axes

À la section 9.3.2, nous avons montré comment déterminer les moments et le produit d'inertie $I_{x'}$, $I_{y'}$ et $I_{x'y'}$ d'une surface par rapport aux axes x' et y' obtenus par la rotation des axes de référence x et y d'un angle θ dans le sens antihoraire (*voir la figure 9.38*) : c'est le principe de la rotation des axes. Les paramètres $I_{x'}$, $I_{y'}$ et $I_{x'y'}$ sont définis en fonction des moments et du produit d'inertie I_x, I_y et I_{xy} (par rapport aux axes de référence). D'où :

$$I_{x'} = \frac{I_x + I_y}{2} + \frac{I_x - I_y}{2} \cos 2\theta - I_{xy} \sin 2\theta \tag{9.18}$$

$$I_{y'} = \frac{I_x + I_y}{2} - \frac{I_x - I_y}{2} \cos 2\theta + I_{xy} \sin 2\theta \tag{9.19}$$

$$I_{x'y'} = \frac{I_x - I_y}{2} \sin 2\theta + I_{xy} \cos 2\theta \tag{9.20}$$

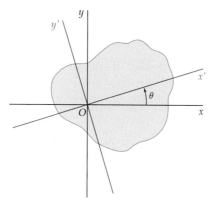

Figure 9.38

Axes principaux

Les axes principaux de la surface au point O sont définis comme les deux axes perpendiculaires l'un à l'autre, par rapport auxquels les moments d'inertie de la surface sont maximal et minimal. Les valeurs correspondantes de l'angle θ sont désignées par θ_m et obtenues à l'aide de l'équation suivante :

$$\tan 2\theta_m = -\frac{2I_{xy}}{I_x - I_y} \tag{9.25}$$

Moments principaux d'inertie

Les valeurs extrêmes de I (maximale et minimale) sont appelées les *moments principaux d'inertie* $I_{\text{max,min}}$ de la surface au point O, où :

$$I_{\text{max,min}} = \frac{I_x + I_y}{2} \pm \sqrt{\left(\frac{I_x - I_y}{2}\right)^2 + I_{xy}^2} \tag{9.27}$$

Cercle de Mohr

Le cercle de Mohr (*voir la section 9.4*) illustre graphiquement la variation des moments et du produit d'inertie d'une surface après la rotation des axes.

Ainsi, si I_x, I_y et I_{xy} représentent respectivement les moments et le produit d'inertie d'une surface par rapport aux axes de coordonnées x et y, on trace les points X (I_x, I_{xy}) et Y $(I_y, -I_{xy})$. On relie les points X et Y par une droite (*voir la figure 9.39*), qui correspond à un diamètre du cercle de Mohr.

La rotation des axes de coordonnées selon un angle θ procure au diamètre du cercle une rotation de 2θ et les coordonnées de X' et Y' fourniront les nouvelles valeurs $I_{x'}$, $I_{y'}$ et $I_{x'y'}$ des moments et du produit d'inertie de la surface. Finalement, l'angle θ_m et les coordonnées des points A et B définissent les axes principaux a et b et les moments principaux d'inertie de la surface (*voir le problème résolu 9.8*).

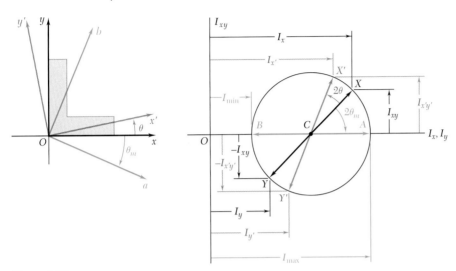

Figure 9.39

Moments d'inertie des masses

La deuxième partie du chapitre a été consacrée aux moments d'inertie des masses ou des corps tridimensionnels, rencontrés en dynamique lors de l'étude de corps rigides en rotation autour d'un axe. Le moment d'inertie de la masse d'un corps tridimensionnel par rapport à un axe AA' (*voir la figure 9.40*) se calcule par

$$I = \int r^2 \, dm \tag{9.28}$$

où r est la distance séparant l'axe AA' de l'élément de masse (*voir la section 9.5.1*).

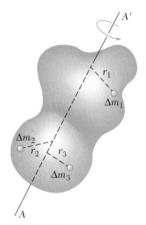

Figure 9.40

Le rayon de giration du corps est défini par

$$k = \sqrt{\frac{I}{m}} \tag{9.29}$$

Les moments d'inertie d'un corps par rapport aux axes de référence sont donnés par

$$I_x = \int (y^2 + z^2)\, dm$$

$$I_y = \int (z^2 + x^2)\, dm \tag{9.30}$$

$$I_z = \int (x^2 + y^2)\, dm$$

Théorème des axes parallèles

La section 9.5.2 présente des applications du théorème des axes parallèles au calcul des moments d'inertie de masses. Ainsi,

$$I = \bar{I} + md^2 \tag{9.33}$$

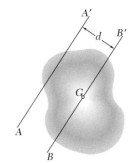

Figure 9.41

où I = moment d'inertie d'un corps par rapport à un axe quelconque AA' (*voir la figure 9.41*);

$\bar{I}$ = moment d'inertie du corps par rapport à son axe central BB' parallèle à AA';

m = masse du corps;

d = distance entre l'axe central BB' et l'axe quelconque AA'.

Moments d'inertie de plaques minces

Les moments d'inertie de plaques minces s'obtiennent à partir des moments d'inertie de leurs surfaces (*voir la section 9.5.3*). Ainsi, les moments d'inertie d'une plaque rectangulaire par rapport aux axes illustrés (*voir la figure 9.42*) sont

$$I_{AA'} = \tfrac{1}{12} m a^2 \qquad I_{BB'} = \tfrac{1}{12} m b^2 \tag{9.39}$$
$$I_{CC'} = I_{AA'} + I_{BB'} = \tfrac{1}{12} m(a^2 + b^2) \tag{9.40}$$

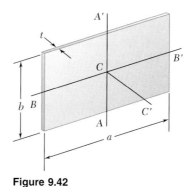

Figure 9.42

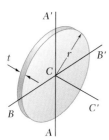

Figure 9.43

Pour une plaque circulaire (*voir la figure 9.43*), ils se calculent par:

$$I_{AA'} = I_{BB'} = \tfrac{1}{4} m r^2 \tag{9.41}$$
$$I_{CC'} = I_{AA'} + I_{BB'} = \tfrac{1}{2} m r^2 \tag{9.42}$$

Corps composés

Si un corps possède deux plans de symétrie, on peut habituellement utiliser une intégration simple pour déterminer son moment d'inertie par rapport à un axe donné en choisissant comme élément de masse dm une mince plaque (*voir les problèmes résolus 9.10 et 9.11*). Si un corps est constitué de plusieurs formes géométriques courantes, son moment d'inertie par rapport à un axe donné est obtenu à partir des formules de la figure 9.28 utilisées conjointement avec le théorème des axes parallèles (*voir les problèmes résolus 9.12 et 9.13*).

Moment d'inertie par rapport à un axe quelconque

Dans la dernière partie de ce chapitre, nous avons appris à déterminer le moment d'inertie d'un corps par rapport à un axe quelconque OL passant par l'origine O (*voir la section 9.6.1*).

Si λ_x, λ_y et λ_z représentent les composantes du vecteur unitaire $\boldsymbol{\lambda}$ le long de OL (*voir la figure 9.44*), les produits d'inertie par rapport aux axes de référence sont

$$I_{xy} = \int xy\, dm \qquad I_{yz} = \int yz\, dm \qquad I_{zx} = \int zx\, dm \qquad (9.45)$$

et le moment d'inertie par rapport à l'axe OL est

$$I_{OL} = I_x\lambda_x^2 + I_y\lambda_y^2 + I_z\lambda_z^2 - 2I_{xy}\lambda_x\lambda_y - 2I_{yz}\lambda_y\lambda_z - 2I_{zx}\lambda_z\lambda_x \qquad (9.46)$$

Ellipsoïde d'inertie

En ajoutant un point Q sur chaque axe OL à une distance $1/\sqrt{I_{OL}}$ à partir de O (*voir la section 9.6.2*), on obtient la surface d'un ellipsoïde, appelée *l'ellipsoïde d'inertie* du corps au point O.

Moments principaux d'inertie

Les axes principaux x', y' et z' de l'ellipsoïde sont les axes principaux d'inertie du corps (*voir la figure 9.45*), c'est-à-dire que les produits d'inertie $I_{x'y'}$, $I_{y'z'}$ et $I_{z'x'}$ du corps par rapport à ces axes sont nuls. Si l'on choisit ces axes comme axes de référence, on a pour I_{OL}:

$$I_{OL} = I_{x'}\lambda_{x'}^2 + I_{y'}\lambda_{y'}^2 + I_{z'}\lambda_{z'}^2 \qquad (9.50)$$

où $I_{x'}$, $I_{y'}$ et $I_{z'}$ sont les moments principaux d'inertie du corps en O.

Axes principaux d'inertie

Si on ne peut pas déduire par observation les axes principaux d'inertie (*voir la section 9.6.2*), il faut résoudre l'équation cubique suivante:

$$K^3 - (I_x + I_y + I_z)K^2 + (I_xI_y + I_yI_z + I_zI_x - I_{xy}^2 - I_{yz}^2 - I_{zx}^2)K$$
$$- (I_xI_yI_z - I_xI_{yz}^2 - I_yI_{zx}^2 - I_zI_{xy}^2 - 2I_{xy}I_{yz}I_{zx}) = 0 \qquad (9.56)$$

Les racines K_1, K_2 et K_3 de cette équation sont les moments principaux d'inertie du corps (*voir la section 9.6.3*). Les cosinus directeurs $(\lambda_x)_1$, $(\lambda_y)_1$ et $(\lambda_z)_1$ des axes principaux correspondant au moment principal d'inertie K_1 sont calculés en substituant K_1 dans deux des équations 9.54 et en résolvant ces deux dernières conjointement avec l'équation 9.57. On répète cette procédure pour les racines K_2 et K_3 afin de déterminer les cosinus directeurs des deux autres axes principaux (*voir le problème résolu 9.15*).

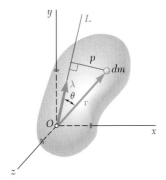

Figure 9.44

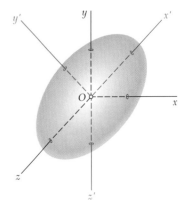

Figure 9.45

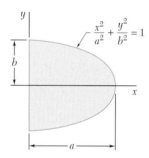

Figure P9.185

9.185 Calculez par intégration les moments d'inertie de la surface ombrée par rapport aux axes x et y.

9.186 Calculez les moments d'inertie et les rayons de giration de la surface ombrée par rapport aux axes x et y.

9.187 Déterminez les moments d'inertie de la surface ombrée par rapport aux axes x et y si $a = 20$ mm.

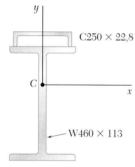

Figure P9.186

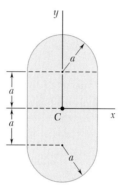

Figure P9.187

9.188 La poutre en I illustrée est renforcée par la soudure d'un profilé en C à sa semelle supérieure. Déterminez les moments d'inertie de la section composée par rapport à ses axes centraux x et y.

9.189 À l'aide du théorème des axes parallèles, calculez le produit d'inertie de la section illustrée d'une cornière de 127 mm $\times$ 76 mm $\times$ 12,7 mm par rapport aux axes centraux x et y.

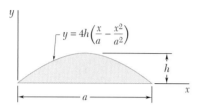

Figure P9.188

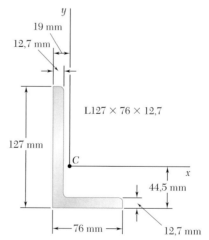

Figure P9.189 - P9.190

9.190 En vous référant à la section illustrée d'une cornière de 127 mm $\times$ 76 mm $\times$ 12,7 mm, utilisez le cercle de Mohr pour déterminer :
  a) les moments d'inertie et le produit d'inertie par rapport à de nouveaux axes centraux obtenus en faisant tourner les axes x et y de 30° dans le sens horaire ;
  b) l'orientation des axes principaux passant par le centre géométrique et les valeurs correspondantes des moments d'inertie.

9.191 Une mince plaque de masse m a été découpée en forme de parallélogramme, comme illustré. Déterminez le moment d'inertie de la plaque par rapport à :

a) l'axe des x ;
b) l'axe BB' perpendiculaire à la plaque.

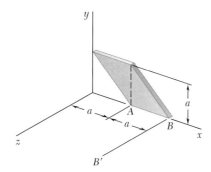

Figure P9.191

9.192 Une feuille d'acier de 2 mm d'épaisseur est découpée et pliée selon la forme illustrée. Sachant que la densité de l'acier est $\rho_a = 7850$ kg/m³, déterminez le moment d'inertie de la pièce par rapport à :

a) l'axe x ;
b) l'axe y ;
c) l'axe z.

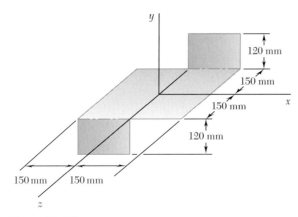

Figure P9.192

9.193 Déterminez les moments d'inertie et les rayons de giration de l'élément de machine en acier illustré par rapport aux axes x et y (densité de l'acier : $\rho_a = 7850$ kg/m³).

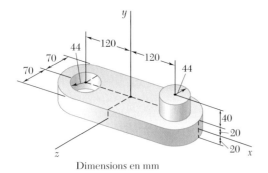

Dimensions en mm

Figure P9.193

9.194 Déterminez le moment d'inertie et le rayon de giration de l'élément de machine en acier illustré par rapport à l'axe des x (densité de l'acier : $\rho_a = 7850$ kg/m³).

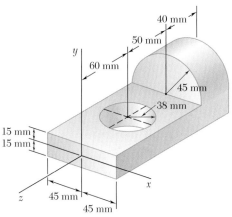

Figure P9.194

9.195 Un déflecteur de radar est constitué de deux côtés en forme de quart de cercle de 406 mm de rayon et d'un autre côté de forme triangulaire. Le matériau utilisé est de l'aluminium de 1,90 mm d'épaisseur et de densité $\rho_{al} = 2720$ kg/m³. Calculez le moment d'inertie du déflecteur par rapport à chaque axe de référence.

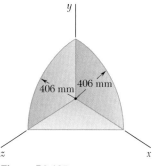

Figure P9.195

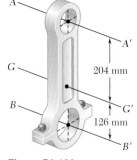

Figure P9.196

9.196 Une bielle de 3,1 kg possède un moment d'inertie par rapport à l'axe AA' de 160 g·m². Déterminez son moment d'inertie par rapport à l'axe BB'.

🖥️ **LES PROBLÈMES SUIVANTS SONT CONÇUS POUR ÊTRE SOLUTIONNÉS NUMÉRIQUEMENT.**

9.197 Concevez un programme qui permet, à partir des moments et du produit d'inertie I_x, I_y et I_{xy} connus d'une surface, de calculer les moments et le produit d'inertie $I_{x'}$, $I_{y'}$ et $I_{x'y'}$ par rapport aux axes x' et y' obtenus en faisant pivoter les axes originaux d'un angle θ dans le sens antihoraire. Utilisez ce programme pour calculer les valeurs de $I_{x'}$, $I_{y'}$ et $I_{x'y'}$ de la section du problème résolu 9.7 pour des valeurs de θ variant de 0° à 90°, et ce, par incréments de 5°.

9.198 Rédigez un programme qui permet de calculer, à partir des moments et du produit d'inertie I_x, I_y et I_{xy} connus d'une surface, l'orientation des axes principaux de cette surface et les valeurs correspondantes des moments principaux d'inertie. Appliquez ce programme pour résoudre :
a) le problème 9.89 ;
b) le problème résolu 9.7.

9.199 Plusieurs sections transversales peuvent être évaluées à l'aide d'une série de rectangles, comme illustré. Concevez un programme permettant de calculer les moments d'inertie et les rayons de giration de ce type de sections transversales par rapport aux axes centraux horizontal et vertical. Appliquez ce programme aux sections transversales illustrées aux figures indiquées :

a) figure P9.31 - P9.33 ;
b) figure P9.32 - P9.34 ;
c) figure P9.43 ;
d) figure P9.44.

9.200 Plusieurs sections transversales peuvent être évaluées à l'aide d'une série de rectangles, comme illustré. Concevez un programme permettant de calculer les produits d'inertie de ce type de sections transversales par rapport aux axes centraux horizontal et vertical. Appliquez ce programme pour résoudre :

a) le problème 9.71 ;
b) le problème 9.75 ;
c) le problème 9.77.

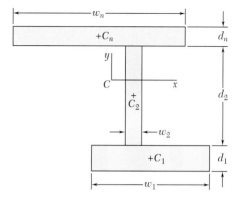

Figure P9.199 - P9.200

9.201 La surface illustrée pivote autour de l'abscisse pour former un solide homogène de masse m. Divisez la surface en utilisant une série de 400 rectangles de la forme $bcc'b'$ et d'épaisseur Δl chacun. Rédigez ensuite un programme permettant de déterminer le moment d'inertie du solide par rapport à l'axe des x. Finalement, utilisez-le pour résoudre les problèmes suivants :

a) le problème résolu 9.11 ;
b) le problème 9.121.

Dans chacun des cas, supposez que $m = 2$ kg, $a = 100$ mm et $h = 400$ mm.

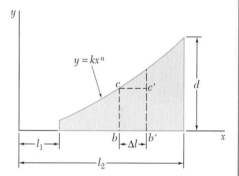

Figure P9.201

9.202 Un fil homogène ayant une masse linéaire de 0,06 kg/m est utilisé pour former la courbe illustrée. Approximez la courbe à l'aide de dix segments rectilignes et rédigez un programme permettant de calculer le moment d'inertie I_x du fil par rapport à l'abscisse. Appliquez finalement ce programme pour déterminer I_x quand :

a) $a = 25,4$ mm, $L = 279$ mm, $h = 102$ mm ;
b) $a = 50,8$ mm, $L = 432$ mm, $h = 254$ mm ;
c) $a = 127$ mm, $L = 635$ mm, $h = 152$ mm.

9.203 Concevez un programme qui, pour un corps de moments et de produits d'inertie I_x, I_y, I_z, I_{xy}, I_{yz} et I_{zx} connus, peut calculer les moments principaux d'inertie K_1, K_2 et K_3 du corps au point d'origine. Appliquez ce programme pour résoudre les problèmes suivants :

a) le problème 9.180 ;
b) le problème 9.181 ;
c) le problème 9.184.

9.204 Modifiez le programme développé au problème 9.203 pour inclure le calcul des angles que les axes principaux d'inertie à l'origine forment avec les axes de référence. Appliquez ce programme pour résoudre les problèmes suivants :

a) le problème 9.180 ;
b) le problème 9.181 ;
c) le problème 9.184.

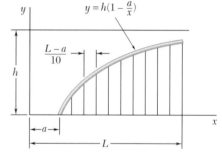

Figure P9.202

La méthode du travail virtuel s'avère particulièrement efficace lorsqu'il existe une relation simple entre les déplacements des points d'application des forces en présence. C'est le cas du mécanisme de cette plate-forme utilisée pour hisser les ouvriers au niveau d'un mur en construction.

SOMMAIRE

OBJECTIFS

- **Définir** le travail d'une force, et considérer les cas où une force ne fait aucun travail.

- **Faire l'examen** du principe du travail virtuel.

- **Appliquer** le concept d'énergie potentielle pour déterminer la position d'équilibre d'un corps rigide ou d'un système de corps rigides.

- **Évaluer** le rendement mécanique des machines, et considérer la stabilité de l'équilibre.

Dans les chapitres précédents, nous avons traité de la notion d'équilibre des corps rigides en partant du principe que la somme des forces externes qui agissent sur les corps est nulle. On déterminait les inconnues en solutionnant les équations d'équilibre suivantes : $\Sigma F_x = 0$, $\Sigma F_y = 0$ et $\Sigma M_A = 0$. La première partie de ce chapitre présente une autre méthode, élaborée à partir du principe du travail virtuel, qui s'avère dans certains cas plus simple d'application que l'approche traditionnelle. Cette méthode a été utilisée formellement pour la première fois au dix-huitième siècle par le mathématicien suisse Jean Bernoulli.

La première partie de ce chapitre présente le principe du travail virtuel. Supposons qu'une particule, un corps rigide ou un système de corps rigides assemblés, soit en équilibre sous l'action de forces externes. Selon le principe du travail virtuel, si on éloigne arbitrairement le système de sa position d'équilibre, le travail total produit par les forces externes pendant le déplacement est nul (voir la section 10.1.2). Ce principe s'avère particulièrement utile pour solutionner les problèmes abordant l'équilibre des machines ou des mécanismes, qui sont des assemblages d'éléments rigides.

La seconde partie du chapitre présente la méthode du travail virtuel sous une forme différente, basée sur la notion d'énergie potentielle. Nous démontrerons que, pour une particule, un corps rigide ou un assemblage de corps rigides en équilibre, la dérivée de l'énergie potentielle par rapport à une variable définissant sa position est égale à zéro (voir la section 10.2.3).

Finalement, nous verrons comment évaluer le rendement mécanique d'une machine (voir la section 10.1.4) et vérifier si une position d'équilibre donnée est stable, instable ou neutre (voir la section 10.2.4).

10.1 MÉTHODE DE BASE

*10.1.1 TRAVAIL PRODUIT PAR UNE FORCE

Commençons par préciser le sens physique des termes *déplacement* et *travail*. Considérons une particule allant d'un point A à un point voisin A' (voir la figure 10.1). Si $\mathbf{r}$ désigne le vecteur position du point A, le petit vecteur allant de A à A', représenté par l'élément différentiel $d\mathbf{r}$, correspond au déplacement de la particule. Supposons maintenant qu'une force $\mathbf{F}$ agisse sur la particule ; le travail produit par la force $\mathbf{F}$ et correspondant au déplacement $d\mathbf{r}$ s'exprime au moyen du produit scalaire de $\mathbf{F}$ et $d\mathbf{r}$. On a

$$d\mathcal{W} = \mathbf{F} \cdot d\mathbf{r} \qquad (10.1)$$

Sachant que F désigne la grandeur de la force, ds la grandeur du déplacement, et α l'angle formé par $\mathbf{F}$ et $d\mathbf{r}$, on applique la définition du produit scalaire de deux vecteurs (voir la section 3.2.1) et la relation devient

$$d\mathcal{W} = F \, ds \cos \alpha \qquad (10.1')$$

Étant une quantité scalaire, le travail s'exprime par une grandeur algébrique mais sans direction. Ses unités sont celles d'une unité de longueur multipliée par une unité de force, soit le newton-mètre (N · m) ou joule (J) dans le SI[1]. On a 1 J = 1 N · m.

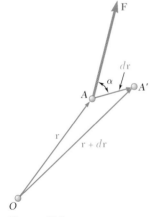

Figure 10.1

---

1. Le joule est l'unité SI de l'énergie et du travail, sous leurs formes mécaniques (travail, énergie potentielle, énergie cinétique), chimique, électrique ou thermique. Toutefois, bien que 1 N·m = 1 J, le moment d'une force s'exprime en newtons-mètres, et non en joules, car le moment d'une force n'est pas une forme d'énergie.

L'équation 10.1′ montre que le travail $d\mathcal{W}$ est positif pour un angle α aigu et négatif pour un angle obtus. Trois cas particuliers s'avèrent intéressants : si **F** et $d\mathbf{r}$ sont de même sens et de même direction, le travail devient simplement $d\mathcal{W} = F\,ds$; si **F** est opposée à $d\mathbf{r}$, le travail s'écrit $d\mathcal{W} = -F\,ds$; finalement, si les deux vecteurs sont perpendiculaires, le travail $d\mathcal{W}$ est nul.

Le travail produit par une force **F** au cours d'un déplacement $d\mathbf{r}$ correspond également au produit de l'intensité F et de $ds\cos\alpha$, la composante de $d\mathbf{r}$ parallèle à **F** (*voir la figure 10.2a*). De ce point de vue, le travail fait par le poids **W** d'un corps (*voir la figure 10.2b*) se ramène simplement au produit de W par le déplacement vertical dy du centre de gravité G du corps. Sa valeur est positive si le corps va vers le bas et négative si on le déplace vers le haut.

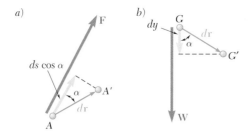

Figure 10.2

Les forces, appliquées par les vérins hydrauliques pour orienter la nacelle, peuvent être calculées par la méthode du travail virtuel. Une relation simple peut être établie entre les déplacements des points d'application agissant sur les éléments de la grue.

Il arrive souvent que les forces rencontrées en statique ne produisent aucun travail : par exemple, les forces appliquées à des points fixes ($ds = 0$) ou celles qui agissent dans une direction perpendiculaire au déplacement ($\cos\alpha = 0$). Parmi ces forces, on compte :

- la réaction à un pivot sans frottement lorsqu'un corps tourne autour de l'axe du pivot ;
- la réaction à une surface lisse lorsqu'un corps glisse sur la surface ;
- la réaction à un rouleau se déplaçant sur un rail ;
- le poids d'un corps lorsque son centre de gravité se déplace horizontalement ;
- la force de frottement agissant sur une roue qui roule sans glisser (à tout instant, le point de contact de la roue est immobile par rapport au sol).

Par ailleurs, d'autres forces produisent un travail : le poids d'un corps (sauf dans le cas cité plus haut), le frottement agissant sur un corps qui glisse sur une surface rugueuse, et la plupart des forces exercées sur un corps en mouvement.

Dans certaines conditions, un ensemble de forces peut produire un travail total nul. Considérons le cas de deux corps rigides AC et BC reliés au point C par une articulation sans frottement (*voir la figure 10.3a*). La force **F** exercée par BC sur AC agit au point C et le travail correspondant est rarement nul. Cependant, la force opposée –**F**, exercée par AC sur BC, produit

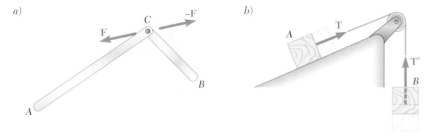

Figure 10.3

un travail égal et de signe contraire, étant donné que **F** et –**F** agissent sur la même particule (point *C*). Ainsi, lorsqu'on considère le travail total de l'ensemble des forces agissant sur *AB* et *BC*, on sait que le travail des deux forces internes exercées en *C* s'annule. On obtient un résultat similaire pour le système de deux blocs liés par un câble inextensible *AB* de la figure 10.3*b*. Le travail produit par la force de tension **T** en *A* et le travail de la tension **T′** en *B* sont de même grandeur puisque les deux forces ont la même intensité et que les points *A* et *B* parcourent la même distance. Cependant, le travail est positif dans un cas et négatif dans l'autre. Le travail des forces internes s'annule donc aussi dans ce cas.

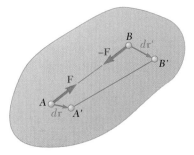

Figure 10.4

On peut aussi démontrer que le travail total produit par les forces internes assurant la cohésion des particules d'un corps rigide est nul. Considérons deux particules d'un corps rigide, *A* et *B*, et les deux forces égales et opposées **F** et –**F** qu'elles exercent l'une sur l'autre (*voir la figure 10.4*). Bien que leurs petits déplacements *d***r** et *d***r′** soient généralement différents, la composante de ces déplacements selon *AB* est la même dans les deux cas. S'il en était autrement, la distance entre les particules varierait et on n'aurait pas affaire à un corps rigide. En conséquence, le travail des forces **F** et –**F** est de même grandeur et de signe contraire, de sorte que leur somme est nulle.

Lorsqu'on calcule le travail des forces externes agissant sur un corps rigide, il est souvent utile de considérer le travail d'un couple sans calculer séparément le travail des deux forces individuelles qui le composent. Examinons les forces **F** et –**F** constituant un moment de couple **M** et agissant sur un corps rigide (*voir la figure 10.5*). Un petit déplacement quelconque du corps rigide transporte *A* et *B* vers *A′* et *B″* respectivement. On divise ce déplacement en deux parties : la première, où le même déplacement *d***r**$_1$ s'applique aux points *A* et *B* ; la seconde, où le point *A′* reste fixe alors que *B′* va vers *B″*, décrivant un déplacement *d***r**$_2$ de grandeur $ds_2 = r \, d\theta$. Dans la première partie du mouvement, le travail de **F** est égal et de signe contraire à celui de –**F**, pour un total de zéro. Dans la seconde étape, seule la force **F** produit un travail, soit $d\mathcal{W} = F \, ds_2 = Fr \, d\theta$. Or, le produit Fr correspond à la grandeur M du moment du couple. Ainsi, le travail d'un couple de moment **M** agissant sur un corps rigide s'écrit

$$d\mathcal{W} = M \, d\theta \tag{10.2}$$

où $d\theta$ représente le petit angle de rotation du corps, exprimé en radians. On remarque une fois de plus que les unités du travail correspondent au produit d'une unité d'une force multipliée par une unité de longueur.

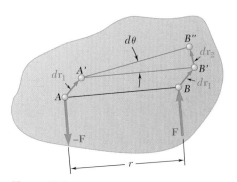

Figure 10.5

*10.1.2 PRINCIPE DU TRAVAIL VIRTUEL

Considérons une particule soumise à plusieurs forces $\mathbf{F}_1$, $\mathbf{F}_2$, ..., $\mathbf{F}_n$ (*voir la figure 10.6*). Imaginons que la particule se déplace légèrement de A à A'. Bien que possible, ce déplacement ne se fera pas nécessairement. La particule restera au repos si les forces s'équilibrent, ou elle pourra suivre une direction différente de AA' sous l'action des forces données. Si le déplacement espéré ne se produit pas, on parle d'un déplacement virtuel, noté $\delta\mathbf{r}$ et représentant une différentielle du premier ordre. On emploie le symbole $\delta\mathbf{r}$ pour distinguer le déplacement virtuel d'un déplacement réel $d\mathbf{r}$. Nous verrons plus loin que les déplacements virtuels permettent de déterminer si une particule est en équilibre.

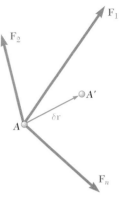

Figure 10.6

Le travail produit par chacune des forces $\mathbf{F}_1$, $\mathbf{F}_2$, ..., $\mathbf{F}_n$ lors du déplacement virtuel $\delta\mathbf{r}$ est appelé *travail virtuel*. Pour l'ensemble des forces agissant sur la particule de la figure 10.6, il s'écrit

$$\delta\mathcal{W} = \mathbf{F}_1 \cdot \delta\mathbf{r} + \mathbf{F}_2 \cdot \delta\mathbf{r} + \cdots + \mathbf{F}_n \cdot \delta\mathbf{r}$$
$$= (\mathbf{F}_1 + \mathbf{F}_2 + \cdots + \mathbf{F}_n) \cdot \delta\mathbf{r}$$

ou

$$\delta\mathcal{W} = \mathbf{R} \cdot \delta\mathbf{r} \tag{10.3}$$

où $\mathbf{R}$ représente la résultante des forces données. On voit que le travail virtuel total des forces $\mathbf{F}_1$, $\mathbf{F}_2$, ..., $\mathbf{F}_n$ équivaut à celui de la résultante $\mathbf{R}$.

Pour une particule, le principe du travail virtuel s'énonce comme suit : **si une particule est en équilibre, le travail virtuel total des forces exercées sur la particule est nul pour tout déplacement virtuel de la particule**.

Cette condition est nécessaire : pour une particule en équilibre, la résultante $\mathbf{R}$ des forces est nulle et l'équation 10.3 montre que le travail virtuel total $\delta\mathcal{W}$ égale zéro. Cette condition est également suffisante : en effet, si le travail virtuel total $\delta\mathcal{W}$ s'avère nul pour un déplacement virtuel quelconque, le produit scalaire $\mathbf{R} \cdot \delta\mathbf{r}$ est nul pour toute valeur de $\delta\mathbf{r}$, et la résultante $\mathbf{R}$ doit être égale à zéro.

Dans le cas d'un corps rigide, le principe du travail virtuel stipule que, **si un corps rigide est en équilibre, le travail virtuel total produit par les forces externes exercées sur le corps est nul pour tout déplacement virtuel du corps**.

Il s'agit d'une condition nécessaire : si le corps est en équilibre, toutes ses particules constituantes le sont également et le travail virtuel total des forces agissant sur l'ensemble des particules s'annule. Cependant, nous avons vu à la section précédente que le travail total des forces internes est nul. En conséquence, le travail total des forces externes doit également être nul. On peut aussi démontrer que cette condition est suffisante.

Le principe du travail virtuel peut aussi s'appliquer à un assemblage de corps rigides. Si le système reste lié lors du déplacement virtuel, **on tient compte uniquement du travail produit par les forces externes**, puisque les forces internes agissant aux points de liaison donnent un travail total nul.

*10.1.3 APPLICATION DU PRINCIPE DU TRAVAIL VIRTUEL

Le principe du travail virtuel devient particulièrement intéressant lorsqu'on analyse des machines ou des mécanismes formés de plusieurs éléments rigides. Considérons par exemple le levier à pression (ou à genouillère) ACB de la figure 10.7*a* (*voir la page 526*), utilisé pour comprimer un bloc de bois. On cherche la force exercée par le levier sur le bloc lorsqu'une force $\mathbf{P}$ est appliquée au point C, en négligeant le frottement. Posons **Q**, la réaction du bloc sur le levier ; traçons ensuite le diagramme du corps libre du levier et considérons le déplacement virtuel produit en augmentant l'angle θ d'un incrément positif $\delta\theta$ (*voir la figure 10.7b*).

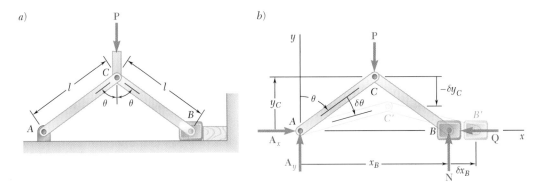

Figure 10.7

Les forces de retenue des genouillères à serrage peuvent être déterminées en fonction de la force appliquée sur le manche : 1) on identifie la relation géométrique entre les membres en présence ; 2) on applique la méthode du travail virtuel.

Choisissons un système de référence dont l'origine coïncide avec A. On observe que x_B augmente à mesure que y_C diminue. Pour cette raison, on a indiqué sur la figure un incrément positif δx_B et un incrément négatif $-\delta y_C$. Les réactions $\mathbf{A}_x$, $\mathbf{A}_y$ et $\mathbf{N}$ ne produisent aucun travail au cours du déplacement virtuel considéré. Ainsi, on tiendra compte des forces **P** et **Q** seulement. Puisque **Q** et δx_B sont de sens opposé, le travail virtuel de **Q** devient $\delta\mathcal{W}_Q = -Q\,\delta x_B$. Par ailleurs, **P** et l'incrément $-\delta y_C$ étant de même sens, le travail virtuel de **P** s'écrit $\delta\mathcal{W}_P = +P(-\delta y_C) = -P\,\delta y_C$. On aurait pu prédire les signes négatifs simplement en observant que les forces **Q** et **P** vont dans le sens contraire des axes x et y respectivement. On exprime les coordonnées x_B et y_C en fonction de l'angle θ, on dérive ensuite et on obtient

$$x_B = 2l\sin\theta \qquad\qquad y_C = l\cos\theta \qquad (10.4)$$
$$\delta x_B = 2l\cos\theta\,\delta\theta \qquad \delta y_C = -l\sin\theta\,\delta\theta$$

Le travail virtuel total des forces **Q** et **P** devient alors

$$\delta\mathcal{W} = \delta\mathcal{W}_Q + \delta\mathcal{W}_P = -Q\,\delta x_B - P\,\delta y_C$$
$$= -2Ql\cos\theta\,\delta\theta + Pl\sin\theta\,\delta\theta$$

Si $\delta\mathcal{W} = 0$, on trouve

$$2Ql\cos\theta\,\delta\theta = Pl\sin\theta\,\delta\theta \qquad (10.5)$$
$$Q = \tfrac{1}{2}P\tan\theta \qquad (10.6)$$

L'avantage de la méthode du travail virtuel sur l'approche conventionnelle avec les équations d'équilibre devient ici très net. Le travail virtuel élimine toutes les réactions inconnues, alors que l'équation $\Sigma M_A = 0$ aurait fait disparaître seulement deux réactions inconnues. Pour cette raison, on fait souvent appel à la méthode du travail virtuel pour résoudre des problèmes qui mettent en jeu des machines ou des mécanismes. **Si le déplacement virtuel considéré est cohérent avec les contraintes imposées par les appuis et les liaisons, toutes les réactions et les forces internes s'éliminent et, pour résoudre le problème, il suffit de tenir compte du travail produit par les charges, les forces appliquées et les forces de frottement.**

Le travail virtuel intervient aussi dans l'analyse des structures complètement liées bien que les déplacements virtuels en cause ne se produiront jamais. Prenons le cas de la structure ACB de la figure 10.8a. Si le point A est fixe tandis que B se déplace virtuellement à l'horizontale (*voir la figure 10.8b*), seul compte le travail produit par **P** et **B**$_x$. On détermine la composante **B**$_x$ de la réaction en B en procédant comme on l'a fait pour la force **Q** dans l'exemple précédent (*voir la figure 10.7b*) ; on a

$$B_x = -\tfrac{1}{2}P \tan \theta$$

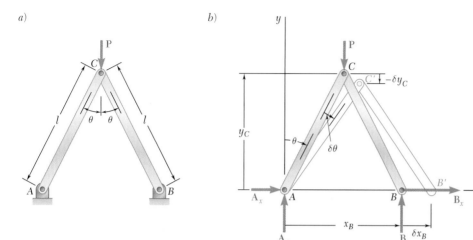

Figure 10.8

À l'inverse, si B reste fixe et A se déplace virtuellement à l'horizontale, on obtient de la même façon la composante **A**$_x$ de la réaction au point A. On trouve **A**$_y$ et **B**$_y$ en faisant pivoter la structure ACB comme un corps rigide autour de B et A respectivement.

On emploie aussi la méthode du travail virtuel pour déterminer la configuration d'un système soumis à des forces en équilibre. Par exemple, on trouve l'angle θ pour lequel l'articulation de la figure 10.7 est en équilibre sous l'action des forces **P** et **Q** en isolant tan θ de l'équation 10.6.

Le recours à la méthode du travail virtuel pour solutionner des problèmes reste intéressant dans la mesure où les déplacements virtuels sont liés par des relations géométriques simples. Autrement, il est préférable d'utiliser la méthode conventionnelle vue au chapitre 6.

*10.1.4 MACHINES ET RENDEMENT MÉCANIQUE

À la section précédente, nous avons négligé le frottement dans l'analyse du levier à pression, de sorte que le travail virtuel se rapportait seulement à la force appliquée **P** et à la réaction **Q**. Dans ces conditions, le travail produit par la réaction **Q** est égal mais de signe contraire au travail de la force exercée par le levier sur le bloc. L'équation 10.5 signifie donc que le travail fourni $2Ql \cos \theta \, \delta\theta$ est égal au travail reçu $Pl \sin \theta \, \delta\theta$; cette condition vaut pour une machine « idéale ». Dans une machine « réelle », les forces de frottement produisent toujours un certain travail de sorte que le travail fourni est moins grand que le travail reçu.

Revenons au levier à pression de la figure 10.7a et supposons qu'une force de frottement **F** se manifeste entre la surface horizontale et le bloc B qui glisse sur la surface (*voir la figure 10.9, à la page 528*). En additionnant les moments par rapport à A selon les méthodes conventionnelles de la statique, on trouve $N = P/2$. Si μ représente le coefficient de frottement entre le bloc B et le plan horizontal, on a $F = \mu N = \mu P/2$. Les équations 10.4 donnent le travail virtuel total des forces **Q**, **P** et **F** lors du déplacement virtuel illustré à la figure 10.9, soit

$$\delta\mathcal{W} = -Q\,\delta x_B - P\,\delta y_C - F\,\delta x_B$$
$$= -2Ql \cos \theta \, \delta\theta + Pl \sin \theta \, \delta\theta - \mu Pl \cos \theta \, \delta\theta$$

En posant $\delta\mathcal{W} = 0$, on obtient

$$2Ql \cos \theta \; \delta\theta = Pl \sin \theta \; \delta\theta - \mu Pl \cos \theta \; \delta\theta \qquad (10.7)$$

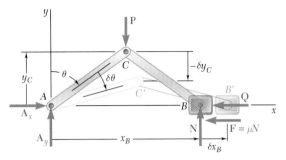

Figure 10.9

Ainsi, le travail fourni est égal au travail reçu moins le travail de la force de frottement. En isolant Q, on trouve

$$Q = \tfrac{1}{2}P(\tan \theta - \mu) \qquad (10.8)$$

Il est à noter d'une part que $Q = 0$ lorsque $\tan \theta = \mu$, c'est-à-dire lorsque θ est égal à l'angle de frottement ϕ, et d'autre part que $Q < 0$ si $\theta < \phi$. Le levier à pression s'avère donc utile uniquement si θ est supérieur à l'angle de frottement.

Le rendement mécanique d'une machine se définit comme suit :

$$\eta = \frac{\text{travail fourni à l'extrant}}{\text{travail reçu à l'intrant}} \qquad (10.9)$$

Ainsi, le rendement mécanique d'une machine idéale est égal à l'unité ($\eta = 1$), car le travail fourni est égal au travail reçu, et il est toujours inférieur à 1 pour une machine réelle.

Dans le cas du levier à pression que nous venons d'analyser, on a

$$\eta = \frac{\text{travail fourni}}{\text{travail reçu}} = \frac{2Ql \cos \theta \; \delta\theta}{Pl \sin \theta \; \delta\theta}$$

On remplace Q par l'expression 10.8 et on obtient

$$\eta = \frac{P(\tan \theta - \mu)l \cos \theta \; \delta\theta}{Pl \sin \theta \; \delta\theta} = 1 - \mu \cot \theta \qquad (10.10)$$

On peut vérifier qu'en l'absence de frottement on aurait $\mu = 0$ et $\eta = 1$. En général, μ diffère de zéro et le rendement η devient nul si $\mu \cot \theta = 1$, c'est-à-dire si $\tan \theta = \mu$ ou $\theta = \tan^{-1} \mu = \phi$. On remarque une fois de plus qu'on peut utiliser le levier à pression seulement pour les valeurs de θ plus grandes que l'angle de frottement ϕ.

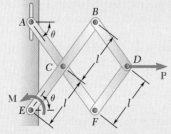

À l'aide du principe du travail virtuel, calculez le moment **M** requis pour maintenir l'équilibre du mécanisme ci-contre.

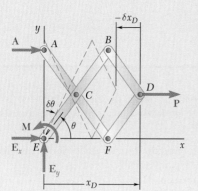

> SOLUTION

On choisit un système de coordonnées ayant comme origine le point E, et on écrit

$$x_D = 3l \cos \theta \qquad \delta x_D = -3l \sin \theta \, \delta\theta$$

Principe du travail virtuel Puisque les réactions **A**, $\mathbf{E}_x$ et $\mathbf{E}_y$ ne produisent pas de travail lors du déplacement virtuel, le travail virtuel total de **M** et **P** doit être nul. En notant que **P** agit dans la direction des x positifs et que **M** agit dans le sens θ positif, on peut écrire

$\delta\mathcal{U} = 0$:
$$+M \, \delta\theta + P \, \delta x_D = 0$$
$$+M \, \delta\theta + P(-3l \sin \theta \, \delta\theta) = 0$$

$$M = 3Pl \sin \theta \ \blacktriangleleft$$

Déterminez les expressions de θ et de la force interne du ressort correspondant à la position d'équilibre du mécanisme montré. La longueur du ressort au repos est h et sa constante est k. Le poids du mécanisme est négligeable.

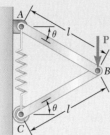

> SOLUTION

Selon le système de coordonnées indiqué, on a

$$y_B = l \sin \theta \qquad\qquad y_C = 2l \sin \theta$$
$$\delta y_B = l \cos \theta \, \delta\theta \qquad \delta y_C = 2l \cos \theta \, \delta\theta$$

L'élongation du ressort est $\quad s = y_C - h = 2l \sin \theta - h$

La grandeur de la force exercée en C par le ressort est

$$F = ks = k(2l \sin \theta - h) \tag{1}$$

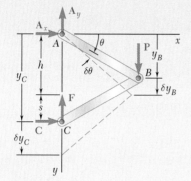

Principe du travail virtuel Puisque les réactions $\mathbf{A}_x$, $\mathbf{A}_y$ et C ne produisent pas de travail, le travail virtuel total fourni par **P** et **F** doit être nul.

$\delta\mathcal{U} = 0$:
$$P \delta y_B - F \, \delta y_C = 0$$
$$P(l \cos \theta \, \delta\theta) - k(2l \sin \theta - h)(2l \cos \theta \, \delta\theta) = 0$$

$$\sin \theta = \frac{P + 2kh}{4kl} \ \blacktriangleleft$$

En remplaçant cette expression dans l'équation 1, on obtient $\qquad F = \tfrac{1}{2}P \ \blacktriangleleft$

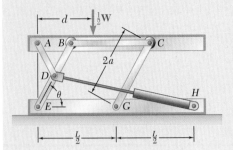

Une table de levage hydraulique est utilisée pour soulever des caisses de 1000 kg. La table est constituée d'une plate-forme et de deux mécanismes identiques, disposés de chaque côté de la plate-forme, sur lesquels des vérins hydrauliques appliquent des forces égales (une seule moitié de l'ensemble est illustrée). Les membrures EDB et CG mesurent $2a$ et la membrure AD est articulée au point milieu de EDB. La caisse est placée sur la table de sorte que le système illustré supporte exactement la moitié de son poids. Sachant que $\theta = 60°$, $a = 0{,}70$ m et $L = 3{,}20$ m, déterminez la force développée par chaque cylindre pour soulever les caisses. (Ce mécanisme a déjà été traité au problème résolu 6.7.)

> SOLUTION

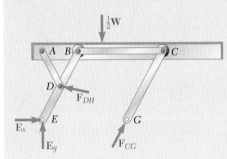

La machine étudiée est constituée de la plate-forme et du mécanisme, avec une force à l'intrant $\mathbf{F}_{DH}$ créée par le vérin et une force à la sortie égale et opposée à $\frac{1}{2}\mathbf{W}$.

Principe du travail virtuel Dans un premier temps, on observe que les réactions aux points E et G ne produisent pas de travail.
Si y = hauteur de la plate-forme par rapport à la base,
  s = longueur DH de l'ensemble cylindre–piston,
on écrit

$$\delta\mathcal{U} = 0 : \qquad -\tfrac{1}{2}W\,\delta y + F_{DH}\,\delta s = 0 \tag{1}$$

Le déplacement vertical δy de la plate-forme, exprimé en fonction du déplacement angulaire $\delta\theta$ de la membrure EDB, est

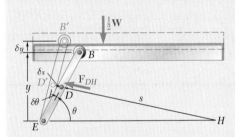

$$y = (EB)\sin\theta = 2a\sin\theta$$
$$\delta y = 2a\cos\theta\,\delta\theta$$

Pour exprimer δs en fonction de $\delta\theta$, on utilise la loi des cosinus :

$$s^2 = a^2 + L^2 - 2aL\cos\theta$$

On dérive l'équation et on obtient

$$2s\,\delta s = -2aL(-\sin\theta)\,\delta\theta$$

$$\delta s = \frac{aL\sin\theta}{s}\,\delta\theta$$

En substituant les expressions obtenues pour δy et δs dans l'équation 1, on écrit

$$(-\tfrac{1}{2}W)2a\cos\theta\,\delta\theta + F_{DH}\,\frac{aL\sin\theta}{s}\,\delta\theta = 0$$

$$F_{DH} = W\frac{s}{L}\cot\theta$$

L'insertion des données du problème dans ces équations donne

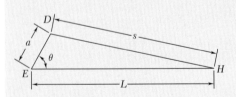

$$W = mg = (1000\text{ kg})(9{,}81\text{ m/s}^2) = 9810\text{ N} = 9{,}81\text{ kN}$$
$$s^2 = a^2 + L^2 - 2aL\cos\theta$$
$$= (0{,}70)^2 + (3{,}20)^2 - 2(0{,}70)(3{,}20)\cos 60° = 8{,}49$$
$$s = 2{,}91\text{ m}$$

$$F_{DH} = W\frac{s}{L}\cot\theta = (9{,}81\text{ kN})\frac{2{,}91\text{ m}}{3{,}20\text{ m}}\cot 60°$$

$$F_{DH} = 5{,}15\text{ kN} \quad \blacktriangleleft$$

Dans la section 10.1, nous avons présenté la méthode du travail virtuel, qui constitue une approche différente pour solutionner des problèmes impliquant l'équilibre de corps rigides.

Le travail fourni par une force durant le déplacement de son point d'application ou par un couple lors d'un mouvement de rotation est donné par

$$dW = F \, ds \cos \alpha \tag{10.1}$$

$$dW = M \, d\theta \tag{10.2}$$

Principe du travail virtuel. Si un corps rigide est en équilibre, le travail virtuel total des forces extérieures appliquées au corps est nul pour tout déplacement virtuel du corps. Lors de l'application de ce principe, il faut se rappeler les six points suivants :

1. **Déplacement virtuel.** Tout mécanisme ou machine en équilibre a tendance à rester immobile. Toutefois, on peut imaginer ou causer un léger déplacement. Puisque ce déplacement ne survient pas en réalité, il est appelé *déplacement virtuel*.

2. **Travail virtuel.** On entend par travail virtuel tout travail fourni par une force ou un couple lors d'un déplacement virtuel.

3. **Sélection des forces.** Lors de l'étude, on ne considérera que les forces qui produisent un travail durant le déplacement virtuel.

4. **Forces à éviter.** Lors de l'application de la méthode du travail virtuel, on ne considérera pas les forces qui ne produisent pas de travail durant un déplacement virtuel. Si le déplacement virtuel est cohérent avec les contraintes imposées au système, les forces à éviter sont :

    a) les réactions aux appuis ;

    b) les forces internes aux liaisons ;

    c) les forces appliquées par des cordes et des câbles inextensibles.

5. **Vérification.** On doit s'assurer d'exprimer les déplacements virtuels en fonction d'un déplacement virtuel unique. Ainsi, aux problèmes résolus 10.1 à 10.3, les déplacements virtuels ont tous été exprimés en fonction de $\delta\theta$.

6. **Limites de la méthode du travail virtuel.** La méthode du travail virtuel est efficace dans la mesure où la géométrie du système permet de relier facilement les différents déplacements.

10.1 Déterminez la force verticale **P** à appliquer au point C pour maintenir l'équilibre des mécanismes illustrés.

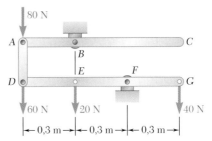

Figure P10.1 et P10.3

10.2 Déterminez la force horizontale **P** à appliquer au point A pour maintenir l'équilibre des mécanismes illustrés.

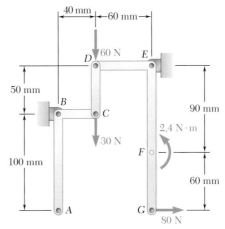

Figure P10.2 - P10.4

10.3 et 10.4 Déterminez le couple **M** à appliquer à la membrure ABC pour maintenir l'équilibre des mécanismes illustrés.

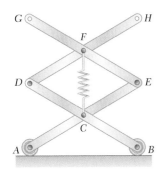

Figure P10.5 - P10.6

10.5 Un ressort dont la constante est de 15 N/mm relie les points C et F du mécanisme illustré. En négligeant le poids du mécanisme et du ressort, calculez la force dans le ressort et le déplacement vertical du point G quand :
a) on applique une force verticale vers le bas de 120 N au point C ;
b) on applique une force verticale vers le bas de 120 N aux points C et H.

10.6 Un ressort dont la constante est de 15 N/mm relie les points C et F du mécanisme illustré. En négligeant le poids du mécanisme et du ressort, calculez la force dans le ressort et le déplacement vertical du point G quand :
a) on applique une force verticale vers le bas de 120 N au point E ;
b) on applique une force verticale vers le bas de 120 N aux points E et F.

10.7 Sachant que la force de frottement appliquée par la bouteille sur le bouchon est de 300 N, déterminez :
a) la force **P** à appliquer sur le tire-bouchon pour déboucher la bouteille ;
b) la force appliquée par la base du tire-bouchon sur le goulot de la bouteille.

Figure P10.7

10.8 Le mécanisme à deux membrures illustré est supporté par une goupille au point *B* et par un manchon *D* se déplaçant librement et sans frottement sur une barre verticale. Déterminez la valeur de la force **P** requise pour maintenir le mécanisme en équilibre.

10.9 Une force **P** est appliquée au mécanisme illustré. Écrivez une équation mathématique exprimant **Q** pour maintenir le mécanisme en équilibre.

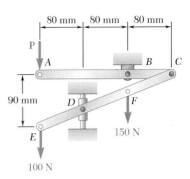

Figure P10.8

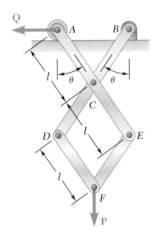

Figure P10.9

10.10 Sur la barre *AD*, une force verticale **P** est appliquée au point *A* et deux forces de grandeur *Q* sont appliquées aux points *B* et *C*. Écrivez une expression pour la grandeur *Q* des forces horizontales nécessaires pour maintenir l'équilibre.

10.11 Solutionnez le problème 10.10 en supposant que la force **P** appliquée au point *A* agit horizontalement vers la droite.

10.12 et 10.13 La tige mince *AB* reliée au manchon *A* s'appuie sur un rouleau en *C*. En négligeant le rayon du rouleau ainsi que le frottement dans tout le mécanisme, déduisez une expression pour la grandeur de la force *Q* nécessaire pour maintenir l'équilibre.

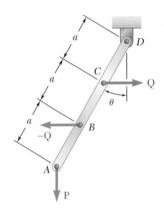

Figure P10.10

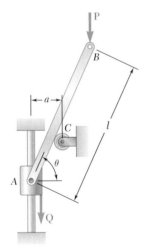

Figure P10.12

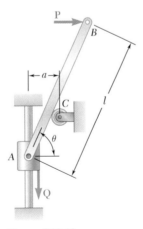

Figure P10.13

10.14 Déduisez une expression de la grandeur de la force **Q** requise pour maintenir en équilibre le mécanisme illustré.

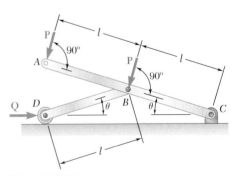

Figure P10.14

10.15 à 10.17 Déduisez une expression mathématique du moment de couple M requis pour maintenir en équilibre les mécanismes illustrés.

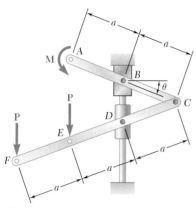

Figure P10.15

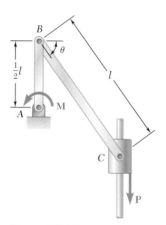

Figure P10.16

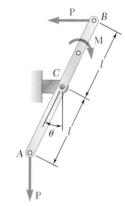

Figure P10.17

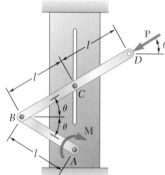

Figure P10.18

10.18 Une goupille, reliée en *C* à la membrure *BCD*, glisse librement dans la rainure usinée d'une console, comme illustré. En négligeant toute force de frottement, déduisez une expression mathématique de la grandeur du couple **M** requis pour maintenir l'équilibre si la force **P** agissant en *D* est orientée :
a) dans le sens illustré ;
b) verticalement vers le bas ;
c) horizontalement vers la droite.

10.19 Une force **P** de 4 kN agit sur le piston d'un moteur comme illustré. Sachant que $AB = 50$ mm et $BC = 200$ mm, déterminez le couple **M** requis pour maintenir le système en équilibre si la valeur de l'angle θ est :
a) $\theta = 30°$;
b) $\theta = 150°$.

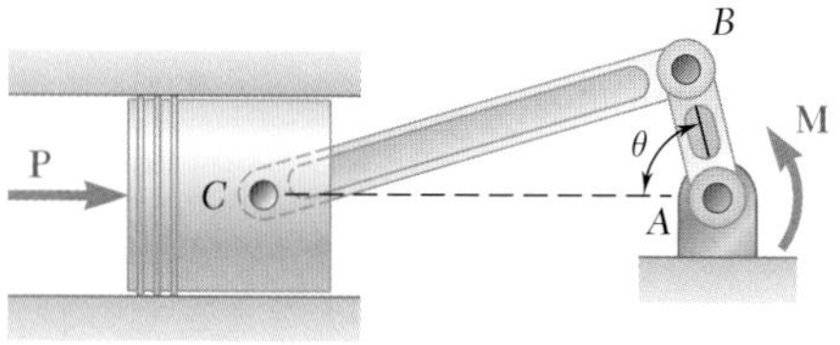

10.20 Un couple **M** de 100 N·m est appliqué au point *A* du mécanisme illustré. Sachant que $AB = 50$ mm et $BC = 200$ mm, déterminez la force **P** nécessaire pour maintenir le système en équilibre si la valeur de l'angle θ est :
a) $\theta = 60°$;
b) $\theta = 120°$.

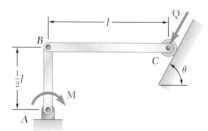

Figure P10.19 - P10.20

10.21 En vous référant au mécanisme illustré, déterminez la valeur du couple **M** requis pour en assurer l'équilibre si $l = 1,8$ m, $Q = 40$ N et $\theta = 65°$.

10.22 En vous référant au mécanisme illustré, déterminez la valeur de la force **Q** requise pour en assurer l'équilibre si $l = 1,8$ m, $M = 60$ N·m et $\theta = 70°$.

Figure P10.21 - P10.22

10.23 En vous référant au problème 10.9 et sachant que $P = 270$ N et $Q = 960$ N, déterminez la valeur de l'angle θ qui correspond à la position d'équilibre du mécanisme.

10.24 En vous référant au problème 10.10 et sachant que $P = 80$ N et $Q = 100$ N, déterminez la valeur de l'angle θ qui correspond à la position d'équilibre du mécanisme.

10.25 Une tige mince, de longueur l et reliée à un manchon en B, s'appuie sur un cylindre de rayon r. En négligeant le frottement et sachant que $l = 200$ mm, $r = 60$ mm, $P = 40$ N et $Q = 80$ N, déterminez la valeur de l'angle θ qui correspond à la position d'équilibre du mécanisme.

10.26 Une tige mince, de longueur l et reliée à un manchon en B, s'appuie sur un cylindre de rayon r. En négligeant le frottement et sachant que $l = 140$ mm, $r = 50$ mm, $P = 75$ N et $Q = 150$ N, déterminez la valeur de l'angle θ qui correspond à la position d'équilibre du mécanisme.

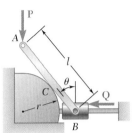

Figure P10.25 - P10.26

10.27 En vous référant au mécanisme du problème 10.12 et sachant que $l = 300$ mm, $a = 50$ mm, $P = 25$ N et $Q = 40$ N, déterminez la valeur de l'angle θ qui correspond à la position d'équilibre de la barre.

10.28 En vous référant au mécanisme du problème 10.13 et sachant que $l = 600$ mm, $a = 100$ mm, $P = 50$ N et $Q = 90$ N, déterminez la valeur de l'angle θ qui correspond à la position d'équilibre de la barre.

10.29 Les deux barres AC et CE sont reliées à l'aide du pivot en C et du ressort AE. La constante du ressort est k et le ressort est au repos quand $\theta = 30°$. Sachant qu'une force **P** est appliquée en E, développez une équation en fonction de P, θ, l et k afin d'exprimer l'équilibre du système.

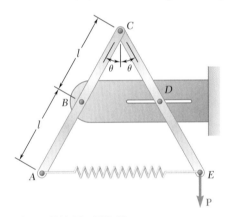

Figure P10.29 - P10.30

10.30 Les deux barres AC et CE sont reliées par un pivot en C et par le ressort AE. La constante du ressort est $k = 300$ N/m et le ressort est au repos quand $\theta = 30°$. Si $l = 0,25$ m et $P = 200$ N, déterminez la valeur de l'angle θ qui correspond à la position d'équilibre du mécanisme. (Le poids des barres est négligeable.)

10.31 Les deux barres AD et DG sont reliées par un pivot au point D et par un ressort AG. En sachant que le ressort a une longueur libre de 300 mm et que sa constante est 5 kN/m, déterminez la valeur de x correspondant à l'équilibre quand une force verticale de 900 N est appliquée en E.

10.32 Solutionnez le problème 10.31 en supposant que la force verticale de 900 N est plutôt appliquée au point C.

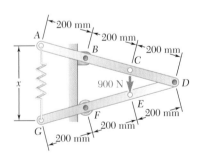

Figure P10.31 - P10.32

10.33 Une charge **W** de 600 N est appliquée au point *B* du mécanisme illustré. La constante du ressort est $k = 2,5$ kN/m. Le ressort est au repos quand les membrures *AB* et *BC* sont en position horizontale. Sachant que le poids des membrures est négligeable et que $l = 300$ mm, déterminez la valeur de l'angle θ qui correspond à l'équilibre du mécanisme.

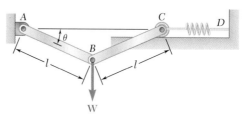

Figure P10.33 - P10.34

10.34 On applique une charge **W** au point *B* du mécanisme illustré. La constante du ressort est k et le ressort est au repos quand les membrures *AB* et *BC* sont en position horizontale. En négligeant le poids du mécanisme, développez une équation en fonction de W, θ, l et k pour exprimer l'équilibre du système.

10.35 et 10.36 Sachant que k est la constante du ressort *CD* et que le ressort est au repos quand la membrure *ABC* est en position horizontale, déterminez la valeur de l'angle θ qui correspond à l'équilibre du système pour les données ci-dessous.
10.35 $P = 300$ N, $l = 400$ mm, $k = 5$ kN/m.
10.36 $P = 75$ N, $l = 15$ mm, $k = 20$ kN/m.

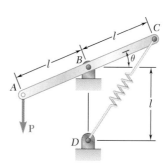

Figure P10.35 - P10.36

10.37 Une charge **W** de grandeur 72 N est appliquée sur le mécanisme au point *C*. En négligeant le poids du mécanisme, déterminez la valeur de θ correspondant à l'équilibre. La constante du ressort est $k = 2$ kN/m, et le ressort est au repos lorsque $\theta = 0$.

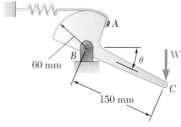

Figure P10.37

10.38 On applique une force verticale **P** de 150 N à l'extrémité *E* du câble *CDE*, qui passe par la poulie *D*. Le câble est attaché au mécanisme au point *C*. La constante du ressort est $k = 4$ kN/m et le ressort est au repos lorsque $\theta = 0$. En négligeant le poids du mécanisme et le rayon de la poulie, déterminez la valeur de l'angle θ qui correspond à la position d'équilibre du mécanisme.

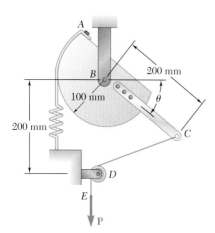

Figure P10.38

10.39 Le levier AB du mécanisme illustré est relié à l'arbre horizontal BC, lequel passe par un palier et est soudé à un support fixe à son extrémité C. Ce mécanisme, appelé *barre de torsion*, a une constante de torsion K, c'est-à-dire qu'il faut un couple de moment K pour faire tourner l'extrémité B de la barre de 1 rad. La barre est au repos quand AB est horizontal. Déterminez la valeur de θ correspondant à la position d'équilibre si $P = 100$ N, $l = 250$ mm et $K = 12{,}5$ N · m/rad.

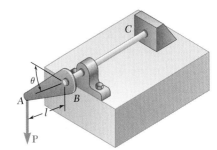

Figure P10.39

10.40 Résolvez le problème 10.39, sachant que $P = 350$ N, $l = 250$ mm et $K = 12{,}5$ N · m/rad. Faites le calcul pour chacun des quadrants suivants : $0 < \theta < 90°$, $270° < \theta < 360°$ et $360° < \theta < 450°$.

10.41 La position de la poutre ABC est contrôlée par le vérin hydraulique BD. Une charge de 8 kN est appliquée à l'extrémité A. Calculez la force exercée par le vérin au point B si $\theta = 70°$.

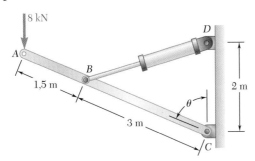

Figure P10.41 - P10.42

10.42 La position de la poutre ABC est contrôlée par le vérin hydraulique BD. Sachant qu'une charge de 8 kN est appliquée à l'extrémité A et que le vérin peut exercer une force maximale au point B de 25 kN, déterminez la valeur maximale de l'angle θ.

10.43 La position de la membrure ABC est contrôlée par le vérin hydraulique CD. Si une charge est appliquée à l'extrémité A comme illustré, déterminez la force exercée par le vérin au point C si $\theta = 55°$.

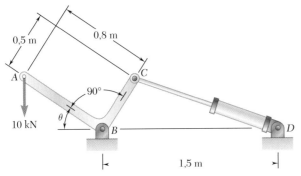

Figure P10.43 - P10.44

10.44 La position de la membrure ABC est contrôlée par le vérin hydraulique CD. Sachant que le vérin exerce une force de 15 kN au point C, déterminez la valeur de l'angle θ.

10.45 Un élévateur industriel est constitué d'un bras télescopique ABC actionné par un piston BD. La masse totale de la nacelle avec les deux travailleurs est de 204 kg et le centre de gravité correspondant se situe au-dessus du point C. Si $\theta = 20°$, déterminez la force développée au point B par le piston BD.

10.46 En supposant que l'on abaisse le bras ABC de l'élévateur industriel de la figure P10.45 de sorte que la nacelle touche le sol pour déposer les travailleurs, déterminez la force développée au point B par le piston BD si $\theta = -20°$.

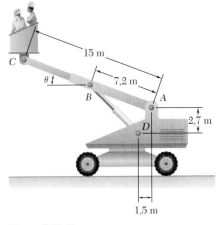

Figure P10.45

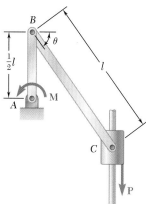

Figure P10.48 - P10.49

10.47 Un bloc de poids W, reposant sur un plan incliné formant un angle α avec l'horizontale, est tiré vers le haut du plan à l'aide d'une force **P** parallèle au plan. Si μ est le coefficient de frottement entre le bloc et le plan, développez une équation mathématique pour calculer le rendement mécanique du système. Démontrez que le rendement mécanique ne peut dépasser 0,5 (50 %) si le bloc reste en place lorsque la force **P** est retirée.

10.48 Si μ_s représente le coefficient de frottement statique entre le manchon C et la barre verticale, développez une expression pour la grandeur maximale du couple **M** nécessaire au maintien de l'équilibre du système illustré. Expliquez ce qu'il advient si $\mu_s \geq \tan\theta$.

10.49 Sachant que le coefficient de frottement statique entre le manchon C et la tige verticale est de 0,40, calculez les valeurs maximale et minimale du couple **M** permettant d'assurer l'équilibre du système illustré, sachant que $\theta = 35°$, $l = 600$ mm et $P = 300$ N.

10.50 En vous référant au vérin étudié à la section 8.2.2, déduisez une formule mathématique pour calculer son rendement mécanique. Montrez que, si le vérin est autobloquant, le rendement mécanique ne peut dépasser 0,5 (50 %).

10.51 Si μ_s représente le coefficient de frottement statique entre le plan horizontal et le bloc, lequel est fixé à la membrure ACE, développez des expressions mathématiques en fonction de P, μ_s et θ pour calculer les valeurs maximale et minimale de la force **Q** de sorte que l'équilibre puisse être maintenu.

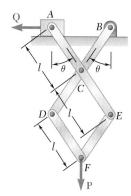

Figure P10.51 - P10.52

10.52 En vous référant à la situation décrite au problème 10.51 et sachant que $\mu_s = 0,15$, $\theta = 30°$, $l = 0,2$ m et $P = 40$ N, calculez les valeurs maximale et minimale de la force **Q** permettant d'assurer l'équilibre du système.

10.53 À l'aide de la méthode du travail virtuel, calculez séparément la force et le couple représentant la réaction au point A.

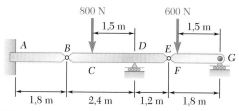

Figure P10.53 - P10.54

10.54 À l'aide de la méthode du travail virtuel, déterminez la réaction au point D.

10.55 En vous référant au problème 10.43 et à l'aide de la valeur calculée de la force exercée par le vérin hydraulique CD, déterminez la variation de la longueur de CD nécessaire pour soulever de 15 mm la charge de 10 kN.

10.56 En vous référant au problème 10.45 et à l'aide de la valeur calculée de la force exercée par le vérin hydraulique BD, déterminez la variation de la longueur de BD nécessaire pour soulever de 70 mm la nacelle reliée à C.

10.57 Calculez le déplacement vertical du nœud D si la membrure BF subit un allongement de 75 mm. (Suggestion : appliquez une charge verticale au nœud D et, à l'aide des méthodes vues au chapitre 6, calculez la force appliquée par la membrure BF aux nœuds B et F. Appliquez ensuite la méthode du travail virtuel pour un déplacement virtuel découlant de l'allongement de BF. Cette approche n'est valable que pour des variations mineures de la longueur des membrures.)

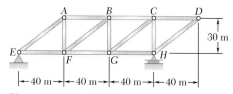

Figure P10.57 - P10.58

10.58 Déterminez le déplacement horizontal du nœud D si la membrure BF est allongée de 75 mm (référez-vous à la suggestion du problème 10.57).

*10.2 TRAVAIL, ÉNERGIE POTENTIELLE ET ÉQUILIBRE

*10.2.1 TRAVAIL D'UNE FORCE LORS D'UN DÉPLACEMENT FINI

Considérons une force **F** agissant sur une particule. Le travail de **F**, associé à un déplacement infinitésimal $d\mathbf{r}$, a été défini à la section 10.1.1 :

$$d\mathcal{W} = \mathbf{F} \cdot d\mathbf{r} \tag{10.1}$$

On calcule le travail de **F** au cours du déplacement fini de la particule du point A_1 au point A_2 (*voir la figure 10.10a*), noté $\mathcal{W}_{1 \to 2}$, en intégrant l'équation 10.1 le long de la trajectoire décrite par la particule :

$$\mathcal{W}_{1 \to 2} = \int_{A_1}^{A_2} \mathbf{F} \cdot d\mathbf{r} \tag{10.11}$$

Rappelons l'expression équivalente pour l'élément de travail $d\mathcal{W}$ (*voir la section 10.1.1*) :

$$d\mathcal{W} = F \, ds \cos \alpha \tag{10.1'}$$

Si l'on substitue cette expression dans l'équation 10.11, le travail $\mathcal{W}_{1 \to 2}$ s'écrit

$$\mathcal{W}_{1 \to 2} = \int_{s_1}^{s_2} (F \cos \alpha) \, ds \tag{10.11'}$$

où la variable d'intégration s mesure la distance parcourue par la particule le long de son trajet. Le travail $\mathcal{W}_{1 \to 2}$ correspond à l'aire sous la courbe de $F \cos \alpha$ entre s_1 et s_2 (*voir la figure 10.10b*). Pour une force **F** de grandeur constante appliquée dans la direction du mouvement, l'équation 10.11' devient $\mathcal{W}_{1 \to 2} = F(s_2 - s_1)$.

Or, nous avons vu à la section 10.1.1 que le travail fourni par un moment de couple **M** dans la rotation infinitésimale $d\theta$ d'un corps rigide est donné par

$$d\mathcal{W} = M \, d\theta \tag{10.2}$$

Le travail du couple associé à la rotation finie du corps s'écrit donc

$$\mathcal{W}_{1 \to 2} = \int_{\theta_1}^{\theta_2} M \, d\theta \tag{10.12}$$

Si le couple est constant, l'équation 10.12 devient

$$\mathcal{W}_{1 \to 2} = M(\theta_2 - \theta_1)$$

Travail produit par un poids Nous avons vu à la section 10.1.1 que le travail fait par le poids **W** d'un corps lors d'un déplacement infinitésimal correspond au produit de W par le déplacement vertical du centre de gravité du corps. Si l'axe y pointe vers le haut, le travail de **W** lors d'un déplacement fini (*voir la figure 10.11*) s'écrit

$$d\mathcal{W} = -W \, dy$$

En intégrant de A_1 à A_2, on trouve

$$\mathcal{W}_{1 \to 2} = -\int_{y_1}^{y_2} W \, dy = W y_1 - W y_2 \tag{10.13}$$

ou

$$\mathcal{W}_{1 \to 2} = -W(y_2 - y_1) = -W \, \Delta y \tag{10.13'}$$

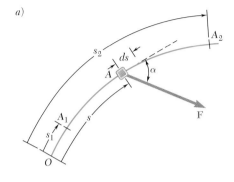

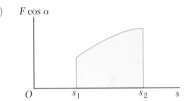

Figure 10.10

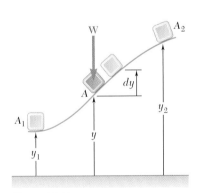

Figure 10.11

où Δy représente le déplacement vertical entre A_1 et A_2. Le travail du poids **W** est alors égal au produit de W par le déplacement vertical du centre de gravité du corps. Le travail est positif lorsque $\Delta y < 0$, c'est-à-dire lorsque le corps descend.

Travail d'une force exercée par un ressort Considérons un corps A fixé à un point B à l'aide d'un ressort (*voir la figure 10.12a*). Supposons que le ressort n'est pas déformé lorsque le corps est en A_0 (position neutre). Il est prouvé expérimentalement que la grandeur de la force **F** exercée par le ressort sur un corps A est proportionnelle à l'allongement x du ressort mesuré à partir du point neutre A_0. On a

$$F = kx \qquad (10.14)$$

où k représente la constante du ressort, exprimée en N/m. Le travail de la force **F** exercée par le ressort lors d'un déplacement fini du corps de A_1 ($x = x_1$) à A_2 ($x = x_2$) s'écrit

$$d\mathcal{W} = -F\,dx = -kx\,dx$$

$$\mathcal{W}_{1\rightarrow2} = -\int_{x_1}^{x_2} kx\,dx = \tfrac{1}{2}kx_1^2 - \tfrac{1}{2}kx_2^2 \qquad (10.15)$$

On voit que le travail produit par la force **F** exercée par le ressort sur le corps est positif lorsque $x_2 < x_1$, soit lorsque le ressort revient vers sa position initiale neutre.

L'équation 10.14 étant celle d'une droite de pente k passant par l'origine, on trouve le travail $\mathcal{W}_{1\rightarrow2}$ de **F** lors du déplacement de A_1 à A_2 en évaluant l'aire du trapèze de la figure 10.12b. Il suffit de calculer F_1 et F_2, et de multiplier la base Δx du trapèze par sa hauteur moyenne $\tfrac{1}{2}(F_1 + F_2)$. Sachant que le travail de la force **F** exercée par le ressort est positif pour une valeur négative de Δx, on a

$$\mathcal{W}_{1\rightarrow2} = -\tfrac{1}{2}(F_1 + F_2)\,\Delta x \qquad (10.16)$$

On préfère généralement l'équation 10.16 à l'équation 10.15 parce qu'on s'y retrouve plus facilement avec les unités et qu'il y a ainsi moins de risques d'erreur.

*10.2.2 ÉNERGIE POTENTIELLE

Considérons de nouveau le corps de la figure 10.11 ; on obtient le travail du poids **W** dans un déplacement fini en soustrayant la valeur que prend la fonction Wy à la deuxième position du corps de sa valeur à la position de départ. Le travail de **W** est donc indépendant du trajet suivi par le corps ; il dépend uniquement des valeurs initiale et finale de la fonction Wy. On appelle cette fonction l'*énergie potentielle* du corps associée à la force de gravité **W** et on la représente par U_g. On écrit

$$\mathcal{W}_{1\rightarrow2} = (U_g)_1 - (U_g)_2 \qquad \text{où } U_g = Wy \qquad (10.17)$$

Si $(U_g)_2 > (U_g)_1$, c'est-à-dire si l'énergie potentielle augmente au cours du déplacement, comme dans le cas présent, le travail $\mathcal{W}_{1\rightarrow2}$ est négatif. À l'inverse, l'énergie potentielle décroît si le travail $\mathcal{W}$ est positif. En conséquence, l'énergie potentielle U_g d'un corps donne une mesure du travail qui peut être produit par son poids **W**. Puisque seule compte la variation d'énergie potentielle (*voir l'équation 10.17*) et non pas sa valeur absolue U_g, on peut ajouter sans problème une constante arbitraire à l'expression de U_g. Autrement dit, on peut choisir le niveau de référence qui servira à la mesure de la hauteur y. Il est à noter que le travail et l'énergie potentielle ont les mêmes unités, soit le joule[2] (J).

---

2. Voir la note 1 à la page 524.

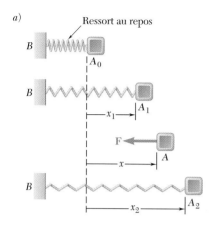

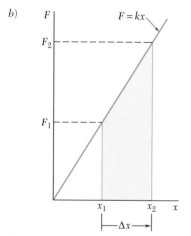

Figure 10.12

Considérons maintenant le corps de la figure 10.12a. L'équation 10.15 indique que le travail de la force élastique du ressort **F** est obtenu en soustrayant la valeur de la fonction $\frac{1}{2}kx^2$ lorsque le corps est en position A_2 de sa valeur en position A_1. Cette fonction, notée U_e, représente l'énergie potentielle du corps relativement à la force élastique **F**. On écrit

$$\mathscr{W}_{1\to 2} = (U_e)_1 - (U_e)_2 \qquad \text{où } U_e = \tfrac{1}{2}kx^2 \qquad (10.18)$$

Le travail de la force **F** est négatif lors du déplacement considéré alors que l'énergie potentielle U_e augmente. Il est à noter que l'expression obtenue pour U_e est valable seulement si on mesure l'allongement du ressort à partir de sa position neutre (ressort non déformé).

Le concept d'énergie potentielle s'applique également à d'autres forces que la gravité et la force élastique. Il reste valide tant que l'élément de travail $d\mathscr{W}$ de la force considérée correspond à une différentielle exacte. On peut alors trouver une fonction U, appelée *énergie potentielle*, de façon que

$$d\mathscr{W} = -dU \qquad (10.19)$$

En intégrant l'équation 10.19 sur un déplacement fini, on obtient l'expression générale

$$\mathscr{W}_{1\to 2} = U_1 - U_2 \qquad (10.20)$$

Ainsi, **le travail produit par la force est indépendant du parcours suivi ; il est égal mais de signe contraire à la variation d'énergie potentielle**. On appelle *force conservative*[3] une force qui satisfait à l'équation 10.20.

*10.2.3 ÉNERGIE POTENTIELLE ET ÉQUILIBRE

L'application du principe du travail virtuel devient très simple si on connaît l'énergie potentielle d'un système. Pour un déplacement virtuel, l'équation 10.19 s'écrit $\delta\mathscr{W} = -\delta U$. De plus, si une seule variable indépendante θ suffit à définir la position du système, on a $\delta U = (dU/d\theta)\,\delta\theta$. Puisque $\delta\theta$ ne peut être nul, la condition d'équilibre $\delta\mathscr{W} = 0$ s'exprime comme suit :

$$\frac{dU}{d\theta} = 0 \qquad (10.21)$$

Ainsi, en ce qui concerne l'énergie potentielle, le principe du travail virtuel stipule que, **si un système est en équilibre, la dérivée de son énergie potentielle totale est nulle**. Lorsque la position du système est fonction de plusieurs variables indépendantes (le système possède plusieurs degrés de liberté), la dérivée partielle de U par rapport à chacune des variables indépendantes est nulle.

Considérons, par exemple, une structure constituée de deux membres AC et CB, supportant une charge W au point C. La structure s'appuie sur un pivot en A et sur un rouleau en B. Un ressort BD relie B à un point fixe D (*voir la figure 10.13a*). On a k, la constante du ressort, et on suppose la longueur libre du ressort égale à AD, de sorte qu'il n'est pas déformé lorsque B coïncide avec A. Si on néglige le frottement et le poids des éléments structurels, seuls le poids **W** et la force **F** exercée par le ressort en B produisent un travail au cours du déplacement de la structure (*voir la figure 10.13b*).

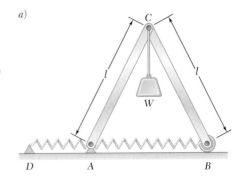

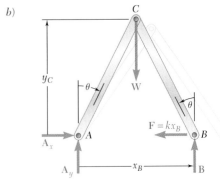

Figure 10.13

---

3. Pour plus de détails, consultez la section 13.2.2 de *Dynamique*.

On obtient l'énergie potentielle totale du système en additionnant l'énergie potentielle gravitationnelle U_g, associée au poids **W**, et l'énergie potentielle élastique U_e, correspondant à la force du ressort **F**.

On choisit un système de référence dont on place l'origine en A. Sachant que l'allongement du ressort mesuré à partir de sa position neutre est $AB = x_B$, on écrit

$$U_e = \tfrac{1}{2} k x_B^2 \qquad U_g = W y_C$$

On exprime les coordonnées x_B et y_C en fonction de θ ; on a

$$
\begin{aligned}
x_B &= 2l \sin \theta & y_C &= l \cos \theta \\
U_e &= \tfrac{1}{2} k (2l \sin \theta)^2 & U_g &= W(l \cos \theta) \\
U &= U_e + U_g = 2k l^2 \sin^2 \theta + W l \cos \theta
\end{aligned}
\tag{10.22}
$$

On trouve les positions d'équilibre du système en faisant égaler à zéro la dérivée de l'énergie potentielle U. On écrit

$$\frac{dU}{d\theta} = 4k l^2 \sin \theta \cos \theta - W l \sin \theta = 0$$

On met en évidence $l \sin \theta$ et l'expression devient

$$\frac{dU}{d\theta} = l \sin \theta (4k l \cos \theta - W) = 0$$

Il y a donc deux positions d'équilibre, correspondant aux valeurs $\theta = 0$ et $\theta = \cos^{-1}(W/4kl)$ respectivement[4].

*10.2.4 ÉTATS D'ÉQUILIBRE

Considérons les tiges uniformes de longueur $2a$ et de poids **W** illustrées à la figure 10.14. Les trois tiges sont en équilibre mais une différence importante les distingue. Déplaçons légèrement chaque tige de sa position d'équilibre et relâchons-la ensuite : la tige a reviendra à sa position initiale, la tige b continuera de s'éloigner du point d'équilibre et la tige c conservera sa nouvelle position. On dira que l'équilibre de la tige a est stable, que celui de la tige b est instable et que celui de c est neutre.

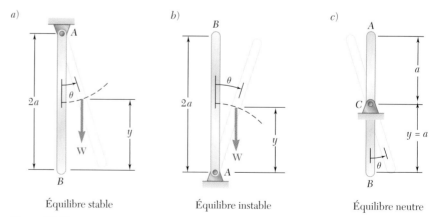

Figure 10.14

---

4. La seconde position n'existe pas si $W > 4kl$.

Rappelons que l'énergie potentielle gravitationnelle U_g est égale à Wy, où y représente la hauteur du point d'application de **W**, mesurée à partir d'un niveau de référence arbitraire (*voir la section 10.2.2*). On en déduit qu'à la position d'équilibre considérée, l'énergie potentielle de la tige *a* est minimale, celle de la tige *b* est maximale alors que celle de la tige *c* demeure constante. L'équilibre sera donc stable, instable ou neutre selon que la valeur de l'énergie potentielle est minimale, maximale ou constante (*voir la figure 10.15*).

On voit facilement que ce résultat a une portée générale. On observe d'abord que la force tend toujours à produire un travail positif et donc à diminuer l'énergie potentielle du système auquel elle s'applique. Ainsi, si on perturbe la position d'équilibre d'un système, les forces agissant sur le système tendent à le ramener à sa position initiale lorsque U est minimale (*voir la figure 10.15a*) ; elles cherchent au contraire à l'éloigner davantage de sa position initiale lorsque U est maximale (*voir la figure 10.15b*) ; et, si U est constante, les forces n'influenceront pas la position du système (*voir la figure 10.15c*).

Une fonction étant minimale ou maximale selon que sa dérivée seconde donne une valeur positive ou négative, les conditions d'équilibre d'un système à un degré de liberté (un système dont la position est définie par une seule variable indépendante, disons θ) se résument comme suit :

$$\frac{dU}{d\theta} = 0 \qquad \frac{d^2U}{d\theta^2} > 0 : \text{équilibre stable}$$

$$\frac{dU}{d\theta} = 0 \qquad \frac{d^2U}{d\theta^2} < 0 : \text{équilibre instable}$$

(10.23)

Si les dérivées première et seconde de U sont nulles, on examine les dérivées d'ordre supérieur. L'équilibre sera neutre si toutes les dérivées sont nulles, car l'énergie potentielle U est alors constante. Il sera stable si la première dérivée non nulle est positive et qu'elle correspond à un ordre pair. Il sera instable dans tous les autres cas.

Pour les systèmes à plus d'un degré de liberté, l'énergie potentielle U dépend de plusieurs variables et on applique la théorie des fonctions à plusieurs variables afin de déterminer si U est minimale. On peut vérifier qu'un système à deux degrés de liberté sera stable, et son énergie potentielle $U(\theta_1, \theta_2)$ minimale, lorsque les équations suivantes sont satisfaites simultanément :

$$\frac{\partial U}{\partial \theta_1} = \frac{\partial U}{\partial \theta_2} = 0$$

$$\left(\frac{\partial^2 U}{\partial \theta_1 \partial \theta_2} \right)^2 - \frac{\partial^2 U}{\partial \theta^2_1} \frac{\partial^2 U}{\partial \theta^2_2} < 0$$

(10.24)

$$\frac{\partial^2 U}{\partial \theta_1^2} > 0 \qquad \text{ou} \qquad \frac{\partial^2 U}{\partial \theta_1^2} > 0$$

a)

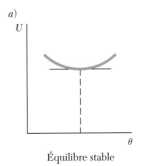

Équilibre stable

b)

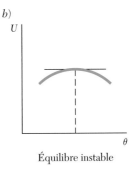

Équilibre instable

c)

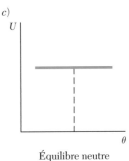

Équilibre neutre

Figure 10.15

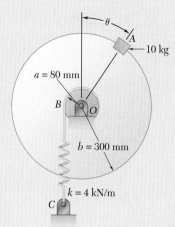

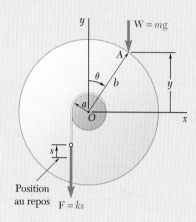

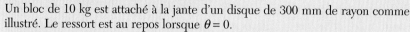

Un bloc de 10 kg est attaché à la jante d'un disque de 300 mm de rayon comme illustré. Le ressort est au repos lorsque $\theta = 0$.

a) Déterminez la position ou les positions d'équilibre.

b) Indiquez pour chaque cas si l'équilibre est stable, instable ou neutre.

> SOLUTION

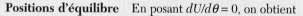

a) Énergie potentielle En identifiant par s la déformation du ressort mesurée à partir de sa position au repos et en plaçant l'origine du système de coordonnées au point O, on calcule comme suit l'énergie potentielle du système :

$$U_e = \tfrac{1}{2}ks^2 \qquad U_g = Wy = mgy$$

En mesurant θ en radians, on obtient

$$s = a\theta \qquad y = b\cos\theta$$

La substitution de s et y dans les équations de U_e et U_g donne

$$U_e = \tfrac{1}{2}ka^2\theta^2 \qquad U_g = mgb\cos\theta$$
$$U = U_e + U_g = \tfrac{1}{2}ka^2\theta^2 + mgb\cos\theta$$

Positions d'équilibre En posant $dU/d\theta = 0$, on obtient

$$\frac{dU}{d\theta} = ka^2\theta - mgb\sin\theta = 0$$

$$\sin\theta = \frac{ka^2}{mgb}\theta$$

En remplaçant les valeurs $a = 0{,}08$ m, $b = 0{,}3$ m, $k = 4$ kN/m, et $m = 10$ kg, on obtient

$$\sin\theta = \frac{(4000\ \text{N/m})(0{,}08\ \text{m})^2}{(10\ \text{kg})(9{,}81\ \text{m/s}^2)(0{,}3\ \text{m})}\,\theta$$

$$\sin\theta = 0{,}8699\theta$$

où θ est en radians. En utilisant la méthode des approximations successives, on trouve

$$\theta = 0 \qquad \text{et} \qquad \theta = 0{,}902\ \text{rad}$$

$$\theta = 0 \qquad \text{et} \qquad \theta = 51{,}7° \ \blacktriangleleft$$

b) Vérification de l'état d'équilibre La dérivée seconde de l'énergie potentielle U par rapport à θ est

$$\frac{d^2U}{d\theta^2} = ka^2 - mgb\cos\theta$$

$$= (4\ \text{kN/m})(0{,}08\ \text{m})^2 - (10\ \text{kg})(9{,}81\ \text{m/s}^2)(0{,}3\ \text{m})\cos\theta$$

$$= 25{,}6 - 29{,}43\cos\theta$$

Pour $\theta = 0$: $\qquad \dfrac{d^2U}{d\theta^2} = 25{,}6 - 29{,}43\cos 0° = -3{,}83 < 0$

L'équilibre est instable pour $\theta = 0$. ◀

Pour $\theta = 51{,}7°$: $\qquad \dfrac{d^2U}{d\theta^2} = 25{,}6 - 29{,}43\cos 51{,}7° = +7{,}36 > 0$

L'équilibre est stable pour $\theta = 51{,}7°$. ◀

$\mathbf{D}$ans cette section, nous avons présenté :

a) le travail d'une force lors d'un déplacement fini ;

b) l'énergie potentielle d'un corps rigide ou d'un assemblage de corps rigides ;

c) la détermination de la position d'équilibre d'un corps rigide ou d'un assemblage de corps rigides à l'aide de la notion d'énergie potentielle.

1. **Énergie potentielle U d'un système.** L'énergie potentielle d'un système correspond à la somme des énergies potentielles dues aux différentes forces qui agissent sur le système et qui produisent un travail lors du déplacement du système. On aura à déterminer les énergies potentielles suivantes :

   a) **Énergie potentielle U_g due au poids.** L'énergie potentielle U_g est due à la force gravitationnelle et $U_g = Wy$, où

   W = poids du corps ;

   y = hauteur (du centre de gravité) du corps.

   Il est à remarquer que toute force $\mathbf{P}$ de grandeur constante qui agit verticalement vers le bas sur le corps peut être utilisée dans l'équation :

   $$U_g = Py$$

   b) **Énergie potentielle U_e d'un ressort.** Cette énergie est causée par la force élastique exercée par le ressort et s'écrit $U_e = \frac{1}{2}kx^2$, où
   k = constante du ressort ;
   x = déformation du ressort, mesurée à partir de sa position initiale (neutre).

   Toute force qui ne produit pas de travail, comme les réactions aux appuis fixes, les forces internes aux liaisons, les forces exercées par des câbles ou des cordes inextensibles, ne contribue pas à l'énergie potentielle du système.

2. **Identification des distances et des angles.** Lorsqu'on calcule l'énergie potentielle U d'un système, on exprime les distances et les angles en fonction d'une seule variable, habituellement l'angle θ. Cela permettra de trouver la position d'équilibre du système par la dérivée $dU/d\theta$.

3. **Dérivée première de l'énergie potentielle.** Quand un système est en condition d'équilibre, la dérivée première de son énergie potentielle est nulle. Donc, on doit :

   a) **Déterminer une position d'équilibre.** Une fois qu'on a exprimé l'énergie potentielle en fonction de la variable unique θ, on trouve la valeur de θ qui correspond à la position d'équilibre d'un système en résolvant l'équation $dU/d\theta = 0$.

   b) **Calculer la force ou le couple requis pour assurer l'équilibre.** Pour calculer la force ou le couple nécessaire pour maintenir un corps en équilibre à une position donnée, on remplace la valeur connue de θ dans $dU/d\theta = 0$ et on solutionne par rapport au couple ou à la force désiré.

4. **États d'équilibre.** Les trois règles suivantes s'appliquent :

a) **Équilibre stable.** Cet état d'équilibre survient quand l'énergie potentielle du système est minimale. Alors, $dU/d\theta = 0$ et $d^2U/d\theta^2 > 0$ (*voir les figures 10.14a et 10.15a*).

b) **Équilibre instable.** Cet état d'équilibre survient quand l'énergie potentielle du système est maximale. Alors, $dU/d\theta = 0$ et $d^2U/d\theta^2 < 0$ (*voir les figures 10.14b et 10.15b*).

c) **Équilibre neutre.** Cet état d'équilibre survient quand l'énergie potentielle du système est constante. Alors, $dU/d\theta = 0$, $d^2U/d\theta^2 = 0$ et toute autre dérivée de U par rapport à θ est aussi nulle (*voir les figures 10.14c et 10.15c*).

Si l'on rencontre une situation où $dU/d\theta = 0$ et $d^2U/d\theta^2 = 0$, mais que certaines des dérivées successives ou d'ordre supérieur de U par rapport à θ ne sont pas nulles, on doit se référer à la fin de la section 10.2.4.

10.59 Solutionnez le problème 10.29 à l'aide de la méthode présentée à la section 10.2.3.

10.60 Solutionnez le problème 10.30 à l'aide de la méthode présentée à la section 10.2.3.

10.61 À l'aide de la méthode présentée à la section 10.2.3, solutionnez le problème 10.33.

10.62 À l'aide de la méthode présentée à la section 10.2.3, solutionnez le problème 10.34.

10.63 Solutionnez le problème 10.35 à l'aide de la méthode présentée à la section 10.2.3.

10.64 Solutionnez le problème 10.36 à l'aide de la méthode présentée à la section 10.2.3.

10.65 À l'aide de la méthode présentée à la section 10.2.3, solutionnez le problème 10.31.

10.66 À l'aide de la méthode présentée à la section 10.2.3, solutionnez le problème 10.38.

10.67 Démontrez que le mécanisme décrit au problème 10.1 est en équilibre neutre.

10.68 Démontrez que le mécanisme décrit au problème 10.8 est en équilibre neutre.

10.69 Deux barres uniformes, chacune de masse m et de longueur l, sont fixées à des poulies reliées par une courroie (*voir la figure P10.69*). Aucun glissement ne survient entre la courroie et les poulies. Déterminez les positions d'équilibre du système et, pour chacune de ces positions, établissez l'état d'équilibre (stable, instable ou neutre).

10.70 Deux barres uniformes AB et CD, de même longueur l, sont attachées à des engrenages comme illustré. En sachant que la barre AB a une masse de 3 kg et que la barre CD a une masse de 2 kg, déterminez les positions d'équilibre du système et, pour chacune de ces positions, dites si l'équilibre est stable, instable ou neutre.

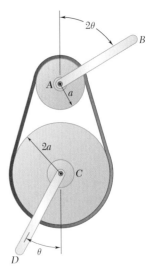

Figure P10.69

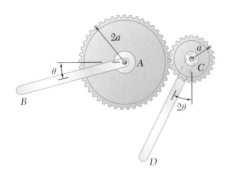

Figure P10.70

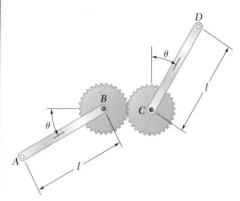

Figure P10.71 - P10.72

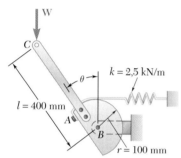

Figure P10.75 - P10.76

10.71 Deux barres uniformes, chacune de masse m et de longueur l, sont fixées à des roues dentées de même rayon comme illustré. Déterminez les positions d'équilibre du système et établissez l'état d'équilibre de chacune d'elles.

10.72 Deux barres uniformes AB et CD sont fixées à des roues dentées de même rayon comme illustré. Si les poids des barres sont respectivement $W_{AB} = 8$ N et $W_{CD} = 4$ N, déterminez les positions d'équilibre du système et établissez l'état d'équilibre de chacune d'elles.

10.73 À l'aide de la méthode présentée à la section 10.2.3, résolvez le problème 10.39. Déterminez si l'état d'équilibre est stable, instable ou neutre. (Suggestion : l'énergie potentielle correspondant au couple créé par une barre de torsion est $\frac{1}{2}K\theta^2$, où K = constante de torsion de la barre et θ = angle de torsion.)

10.74 Référez-vous au problème 10.40 et déterminez l'état d'équilibre de chacune des positions (reportez-vous à la suggestion du problème 10.73).

10.75 Une charge **W** de 100 N est appliquée au point C du mécanisme illustré. Sachant que le ressort est au repos quand $\theta = 15°$, calculez la valeur de θ qui correspond à l'équilibre et vérifiez si l'équilibre est stable.

10.76 Une charge **W** de 100 N est appliquée au point C du mécanisme illustré. Sachant que le ressort est au repos quand $\theta = 30°$, calculez la valeur de θ qui correspond à l'équilibre et vérifiez la stabilité de l'équilibre du mécanisme.

10.77 Une tige mince AB de poids W est attachée aux blocs A et B, qui peuvent glisser sans frottement le long des deux guides illustrés. Sachant que le ressort est au repos lorsque $y = 0$, déterminez la valeur de y qui correspond à l'équilibre quand $W = 80$ N, $l = 500$ mm et $k = 600$ N/m.

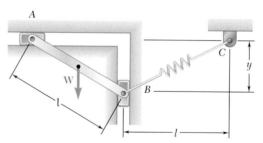

Figure P10.77

10.78 Référez-vous au mécanisme illustré. Sachant que les deux ressorts sont au repos quand $y = 0$, que $W = 80$ N, $l = 500$ mm et $k = 600$ N/m, déterminez la valeur de y qui correspond à l'équilibre du mécanisme.

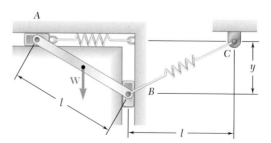

Figure P10.78

10.79 Une tige mince *AB* de poids *W* est attachée aux blocs *A* et *B*, qui peuvent glisser sans frottement le long des deux guides illustrés. Le ressort est au repos lorsque *AB* est horizontale. En négligeant le poids des blocs, écrivez une équation en fonction de θ, *W*, *l* et *k* qui doit être satisfaite lorsque la tige est en équilibre.

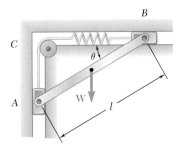

Figure P10.79 - P10.80

10.80 Une tige mince *AB* de poids *W* est attachée aux blocs *A* et *B*, qui peuvent glisser sans frottement le long des deux guides illustrés. Sachant que le ressort est au repos lorsque *AB* est horizontale et que *W* = 300 N, *l* = 160 mm et *k* = 7,5 kN/m, déterminez trois valeurs de θ correspondant à l'équilibre du mécanisme. Vérifiez ensuite la condition d'équilibre pour chacune des positions.

10.81 Un ressort *AB* de constante *k* relie deux engrenages identiques comme illustré. On sait que le ressort est au repos lorsque $\theta = 0$. Calculez deux valeurs de θ qui correspondent à l'équilibre du système quand *P* = 30 N, *a* = 40 mm, *b* = 30 mm, *r* = 60 mm et *k* = 500 N/m. Vérifiez ensuite la condition d'équilibre pour chacune des positions.

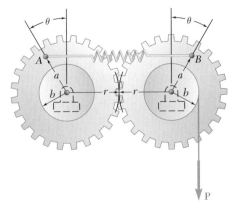

Figure P10.81 - P10.82

10.82 Un ressort *AB* de constante *k* relie deux engrenages identiques comme illustré. Sachant que le ressort est au repos lorsque $\theta = 0$ et que *a* = 60 mm, *b* = 45 mm, *r* = 90 mm et *k* = 6 kN/m, déterminez :
  a) l'étendue des valeurs de *P* de sorte qu'il existe une position d'équilibre ;
  b) deux valeurs de θ correspondant à l'équilibre si *P* est égale à 50 % de la limite supérieure de l'étendue obtenue en *a*.

10.83 Une tige mince *AB* est reliée aux manchons *A* et *B*, qui glissent sans frottement le long des barres guides illustrées. Sachant que $\beta = 30°$ et que *P* = *Q* = 400 N, déterminez la valeur de l'angle θ qui correspond à l'équilibre du système.

10.84 Une tige mince *AB* est reliée aux manchons *A* et *B*, qui glissent sans frottement le long des barres guides illustrées. Sachant que $\beta = 30°$, *P* = 100 N et *Q* = 25 N, déterminez la valeur de l'angle θ correspondant à l'équilibre du système.

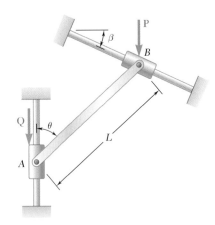

Figure P10.83 - P10.84

10.85 et 10.86 Le manchon *A* glisse sans frottement sur la tige semi-circulaire illustrée. Sachant que la constante du ressort est *k* = 1,5 kN/m, que sa longueur au repos est égale au rayon du demi-cercle (*r* = 90 mm) et que *W* = 50 N, déterminez la valeur de l'angle *θ* correspondant à l'équilibre du système.

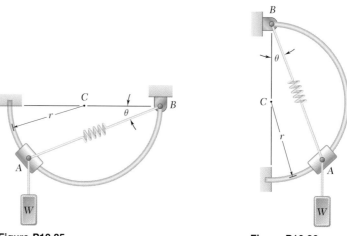

Figure P10.85   Figure P10.86

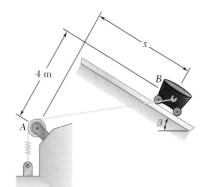

Figure P10.87 - P10.88

10.87 et 10.88 Un chariot *B* de 75 kN se déplace sur une surface plane formant un angle *β* avec l'horizontale. La constante du ressort est de 5 kN/m, et le ressort est en position de repos quand *x* = 0. Calculez la distance *x* qui correspond à l'équilibre du système pour les positions suivantes.
10.87 Angle *β* = 30°.
10.88 Angle *β* = 60°.

10.89 La barre *AB* est attachée au pivot *A* et à deux ressorts de constante *k*. Si *h* = 250 mm, *d* = 120 mm et *W* = 80 N, déterminez l'étendue des valeurs de *k* pour lesquelles l'équilibre de la barre est stable à la position indiquée. Chaque ressort, au repos dans la position indiquée, peut travailler soit en compression, soit en tension.

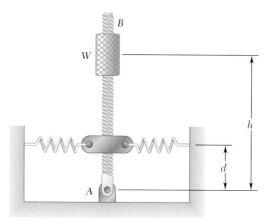

Figure P10.89 - P10.90

10.90 La barre *AB* est attachée au pivot *A* et à deux ressorts de constante *k*. Si *h* = 450 mm, *k* = 600 N/m et *W* = 60 N, déterminez la plus petite valeur de *d* pour laquelle l'équilibre de la tige *AB* est stable à la position illustrée. Chaque ressort, au repos dans la position indiquée, peut travailler soit en compression, soit en tension.

10.91 Une barre verticale *AD* est attachée à deux ressorts de constante *k* et elle est en équilibre à la position indiquée. Déterminez le domaine des valeurs de la grandeur *P* de deux forces verticales, égales et opposées, **P** et **–P**, pour lesquelles l'équilibre du système est stable si :

a) *AB* = *CD* ;

b) *AB* = 2*CD*.

10.92 et 10.93 Deux barres sont reliées à un ressort de constante *k* qui est en position neutre quand les barres sont verticales. Déterminez le domaine des valeurs de *P* de sorte que le système soit en condition d'équilibre stable à la position illustrée.

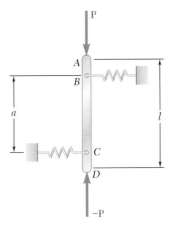

Figure P10.91

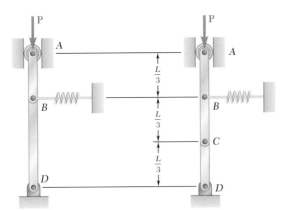

Figure P10.92 **Figure P10.93**

10.94 Deux barres *AB* et *CD*, de masse négligeable, sont attachées à un ressort de constante *k*, au repos lorsque les barres sont horizontales. Déterminez le domaine des valeurs de *P* des deux forces opposées pour lesquelles l'équilibre du système est stable dans la position illustrée.

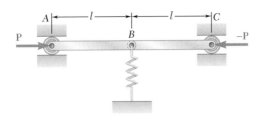

Figure P10.94

10.95 La barre horizontale *BEH* est reliée à trois barres verticales. Le manchon en *E* glisse sans frottement sur la barre *DF*. Déterminez le domaine des valeurs de *P* pour lesquelles la position d'équilibre est stable à la position illustrée quand *a* = 150 mm, *b* = 200 mm et *Q* = 45 N.

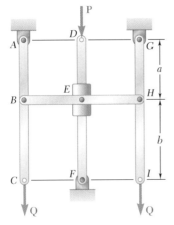

Figure P10.95 - P10.96

10.96 La barre horizontale *BEH* est reliée à trois barres verticales. Le manchon en *E* glisse sans frottement sur la barre *DF*. Déterminez le domaine des valeurs de *Q* pour lesquelles la position d'équilibre est stable à la position illustrée quand $a = 0,6$ m, $b = 0,5$ m et $P = 150$ N.

*10.97 Les barres *AB* et *BC*, chacune de longueur *l* et de poids négligeable, sont attachées à deux ressorts de constante *k*. Les ressorts sont au repos et le système est en équilibre lorsque $\theta_1 = \theta_2 = 0$. Calculez le domaine des valeurs de *P* pour lesquelles la position d'équilibre est stable.

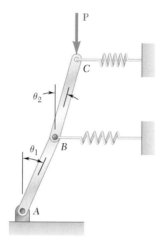

Figure P10.97

*10.98 Solutionnez le problème 10.97, sachant que $l = 800$ mm et $k = 2,5$ kN/m.

*10.99 Deux barres de poids négligeable sont attachées à des tambours de rayon *r*. Les tambours sont reliés à l'aide d'un ressort de constante *k*. Sachant que le ressort est au repos quand les barres sont verticales, calculez le domaine des valeurs de *P* pour lesquelles la position d'équilibre $\theta_1 = \theta_2 = 0$ est stable.

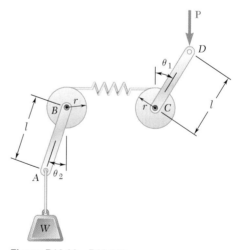

Figure P10.99 - P10.100

*10.100 Résolvez le problème 10.99 sachant que $k = 1$ kN/m, $r = 60$ mm, $l = 120$ mm et :
a) $W = 15$ N ;
b) $W = 60$ N.

Travail d'une force

Dans la première partie de ce chapitre, nous avons présenté le principe du travail virtuel et ses applications pour résoudre des problèmes d'équilibre. Nous avons d'abord défini le travail d'une force $\mathbf{F}$ correspondant à un déplacement infinitésimal $d\mathbf{r}$ (*voir la section 10.1.1*) de sorte que

$$d\mathcal{W} = \mathbf{F} \cdot d\mathbf{r} \qquad (10.1)$$

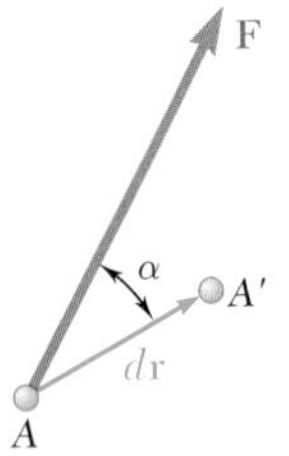

c'est-à-dire que $d\mathcal{W}$ est obtenu par le produit scalaire de la force $\mathbf{F}$ et du déplacement $d\mathbf{r}$ (*voir la figure 10.16*). Nous avons alors

$$d\mathcal{W} = F\,ds\,\cos\alpha \qquad (10.1')$$

où $d\mathcal{W}$ = travail de la force $\mathbf{F}$;

F = grandeur de la force $\mathbf{F}$;

ds = grandeur du déplacement ;

α = angle formé entre $\mathbf{F}$ et $d\mathbf{r}$.

Alors, $d\mathcal{W} > 0$ si $\alpha < 90°$;

$d\mathcal{W} = 0$ si $\alpha = 90°$;

$d\mathcal{W} < 0$ si $\alpha > 90°$.

Le travail d'un couple de moment $\mathbf{M}$ agissant sur un corps rigide se calcule par

$$d\mathcal{W} = M\,d\theta \qquad (10.2)$$

où $d\theta$ = angle infinitésimal de rotation du corps exprimé en radians.

Figure 10.16

Déplacement virtuel

En considérant une particule située au point A et qui subit l'effet des forces $\mathbf{F}_1$, $\mathbf{F}_2$, ..., $\mathbf{F}_n$ (*voir la section 10.1.2*), nous avons imaginé que la particule se déplaçait au point A' (*voir la figure 10.17*). Puisque ce déplacement ne se réalise pas réellement, on l'appelle *déplacement virtuel* et

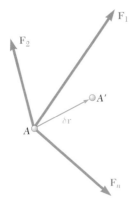

Figure 10.17

on le désigne par $\delta\mathbf{r}$, tandis que le travail correspondant aux forces est appelé *travail virtuel* et désigné par $\delta\mathscr{W}$, d'où

$$\delta\mathscr{W} = \mathbf{F}_1 \cdot \delta\mathbf{r} + \mathbf{F}_2 \cdot \delta\mathbf{r} + \cdots + \mathbf{F}_n \cdot \delta\mathbf{r}$$

Principe du travail virtuel

Principe du travail virtuel : si une particule est en équilibre, le travail virtuel total $\delta\mathscr{W}$ des forces agissant sur la particule est nul pour tout déplacement virtuel de la particule.

Ce principe peut s'appliquer par extension aux corps rigides et à des assemblages de corps rigides. Étant donné qu'il n'implique que des forces produisant un travail, il nous permet une solution de rechange à l'utilisation des équations d'équilibre. Le principe du travail virtuel est très efficace lors de l'analyse de mécanismes et de machines constitués d'éléments rigides reliés entre eux. Dans de tels cas, le travail des réactions aux appuis est nul et le travail des forces internes aux liaisons s'annule (*voir la section 10.1.3 et les problèmes résolus 10.1, 10.2 et 10.3*).

Rendement mécanique

Dans le cas des machines réelles (*voir la section 10.1.4*), on doit tenir compte du travail dû au frottement. Dans ce cas, le travail fourni à l'extrant sera inférieur au travail reçu à l'intrant, d'où la notion du rendement mécanique :

$$\eta = \frac{\text{travail à l'extrant (fourni par la machine)}}{\text{travail à l'intrant (reçu par la machine)}} \qquad (10.9)$$

Théoriquement, pour une machine idéale ne subissant aucun frottement, $\eta = 1$, tandis que, pour une machine réelle, $\eta < 1$.

Travail d'une force en déplacement fini

Dans la seconde partie du chapitre, nous avons présenté le travail de forces correspondant à des déplacements finis de leurs points d'application. On obtient le travail $\mathscr{W}_{1\to2}$ d'une force $\mathbf{F}$ correspondant au déplacement d'une particule A du point A_1 au point A_2 (*voir la figure 10.18*) en intégrant la partie de droite de l'équation 10.1 ou 10.1' le long de la trajectoire décrite par la particule (*voir la section 10.2.1*) :

$$\mathscr{W}_{1\to2} = \int_{A_1}^{A_2} \mathbf{F} \cdot d\mathbf{r} \qquad (10.11)$$

ou

$$\mathscr{W}_{1\to2} = \int_{s_1}^{s_2} (F \cos \alpha)\, ds \qquad (10.11')$$

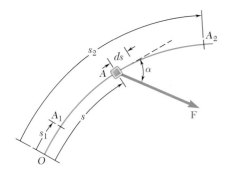

Figure 10.18

De même, le travail d'un moment de couple $\mathbf{M}$ correspondant à une rotation finie de θ_1 à θ_2 d'un corps rigide s'obtient par

$$\mathscr{W}_{1\to2} = \int_{\theta_1}^{\theta_2} M\, d\theta \qquad (10.12)$$

Travail dû au poids

On calcule le travail dû au poids $\mathbf{W}$ d'un corps dont le centre de gravité se déplace verticalement de y_1 à y_2 (*voir la figure 10.19*) en substituant W par F dans l'équation 10.11' et en fixant $\alpha = 180°$.

$$\mathscr{W}_{1\to2} = -\int_{y_1}^{y_2} W\, dy = Wy_1 - Wy_2 \qquad (10.13)$$

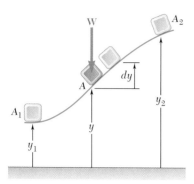

Figure 10.19

Donc, le travail du poids $\mathbf{W}$ est positif quand la hauteur y décroît.

Travail d'une force exercée par un ressort

On calcule le travail d'une force exercée par un ressort sur un corps A causé par l'allongement du ressort de x_1 à x_2 (*voir la figure 10.20*) en substituant $F = kx$, où k est la constante du ressort, et en fixant $\alpha = 180°$ dans l'équation 10.11', d'où

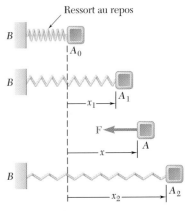

Ressort au repos

$$\mathscr{W}_{1 \to 2} = -\int_{x_1}^{x_2} kx\, dx = \tfrac{1}{2}kx_1^2 - \tfrac{1}{2}kx_2^2 \qquad (10.15)$$

Ainsi, le travail de $\mathbf{F}$ est positif quand le ressort revient à sa position initiale neutre.

Énergie potentielle

Quand le travail d'une force $\mathbf{F}$ est indépendant de la trajectoire empruntée entre le point A_1 et le point A_2, on dira que $\mathbf{F}$ est une force conservative ; son travail est donné par

$$\mathscr{W}_{1 \to 2} = U_1 - U_2 \qquad (10.20)$$

Figure 10.20

où U est l'énergie potentielle associée à $\mathbf{F}$, et U_1 et U_2 représentent les valeurs de U aux points A_1 et A_2, respectivement (*voir la section 10.2.2*). Les énergies potentielles associées à la force gravitationnelle (le poids) $\mathbf{W}$ et à la force élastique $\mathbf{F}$ exercée par le ressort s'obtiennent par

$$U_g = Wy \qquad \text{et} \qquad U_e = \tfrac{1}{2}kx^2 \qquad (10.17, 10.18)$$

Autre forme du principe du travail virtuel

Lorsque la position d'un système mécanique dépend d'une seule variable indépendante θ, l'énergie potentielle du système, $U(\theta)$, est fonction de cette variable et, à partir de l'équation 10.20, on peut écrire $\delta\mathscr{W} = -\delta U = -(dU/d\theta)\,\delta\theta$. La condition $\delta\mathscr{W} = 0$, requise selon le principe du travail virtuel pour obtenir l'équilibre d'un système, peut être remplacée par

$$\frac{dU}{d\theta} = 0 \qquad (10.21)$$

Si toutes les forces impliquées sont conservatives, il est préférable d'utiliser l'équation 10.21 plutôt que le principe du travail virtuel comme présenté à la section 10.2.3 et au problème résolu 10.4.

Équilibre stable

De plus, cette approche permet de déterminer l'état d'équilibre (*voir la section 10.2.4*). Ainsi,

- si $d^2U/d\theta^2 > 0$, U est minimale et l'équilibre est stable ;
- si $d^2U/d\theta^2 < 0$, U est maximale et l'équilibre est instable ;
- si $d^2U/d\theta^2 = 0$, il faut vérifier les dérivées d'ordre supérieur.

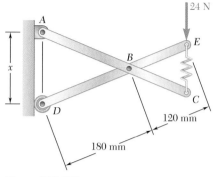

Figure P10.101

10.101 Deux barres identiques *ABC* et *DBE* sont reliées en *B* par un pivot et par un ressort *CE*. Sachant que le ressort a une longueur libre au repos de 80 mm et une constante *k* de 400 N/m, et qu'une charge de 24 N agit au point *E*, déterminez la distance *x* qui correspond à l'équilibre.

10.102 Solutionnez le problème 10.101, sachant que la charge de 24 N a été transférée de *E* à *C*.

10.103 La tige *AB* est attachée à un bloc en *A* pouvant glisser librement dans la rainure d'une plaque comme illustré. En négligeant l'effet du frottement et le poids des tiges, déterminez la valeur de l'angle θ qui correspond à l'équilibre.

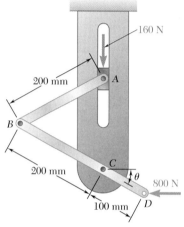

Figure P10.103

10.104 Solutionnez le problème 10.103 en remplaçant la force de 800 N par un couple de 24 N · m appliqué en *D* dans le sens horaire.

10.105 Un hémisphère homogène de rayon *r* repose sur un plan incliné comme illustré. En supposant que le frottement est suffisant pour prévenir tout glissement de l'hémisphère sur le plan, déterminez l'angle θ qui correspond à l'équilibre si $\beta = 10°$.

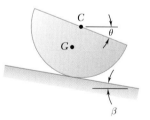

Figure P10.105 - P10.106

10.106 Un hémisphère homogène de rayon *r* repose sur un plan incliné comme illustré. En supposant que le frottement est suffisant pour prévenir tout glissement de l'hémisphère sur le plan, déterminez :

a) la valeur maximale de l'angle β pour laquelle il existe une position d'équilibre ;

b) l'angle θ qui correspond à l'équilibre lorsque β est égal à 50 % de la valeur obtenue en *a*.

10.107 Deux barres de masse m chacune sont soudées ensemble pour former la membrure BCD en forme de L illustrée. En négligeant le frottement, évaluez l'angle θ qui correspond à l'équilibre du montage.

10.108 Une tige mince de masse m et de longueur l est attachée au manchon A et s'appuie sur un cylindre de rayon r. En négligeant l'effet du frottement, calculez la valeur de l'angle θ qui correspond à l'équilibre du système, sachant que $l = 180$ mm et $r = 120$ mm.

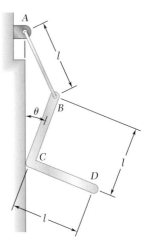

Figure P10.107

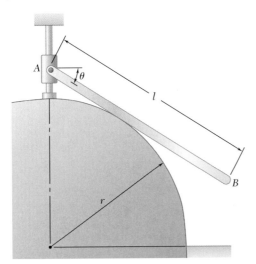

Figure P10.108

10.109 Le manchon B illustré glisse sans frottement sur la barre AC. Il est attaché à l'aide d'un pivot à un bloc se déplaçant dans un guide. Écrivez une formule mathématique pour calculer la grandeur du couple $\mathbf{M}$ nécessaire pour maintenir l'équilibre.

10.110 Deux manchons A et B sont reliés par un câble AB. Ils se déplacent sans frottement sur des barres comme illustré. La longueur du câble est de 440 mm et le poids du manchon A est $W = 90$ N. Calculez la grandeur de la force $\mathbf{P}$ nécessaire pour assurer l'équilibre du système lorsque :
a) $c = 80$ mm ;
b) $c = 280$ mm.

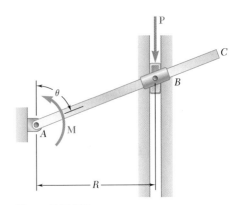

Figure P10.109

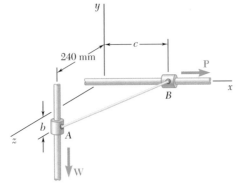

Figure P10.110

10.111 La barre AB, de poids négligeable, peut glisser librement sur le sol et sur la surface inclinée. Déduisez une formule mathématique pour calculer la grandeur de la force $\mathbf{Q}$ nécessaire pour maintenir l'équilibre.

10.112 La barre AB de masse $m = 2{,}55$ kg peut glisser librement sur le sol et sur la surface inclinée. Sachant que $P = 40$ N, $\beta = 50°$ et $\theta = 20°$, calculez la grandeur de la force $\mathbf{Q}$ nécessaire pour maintenir l'équilibre.

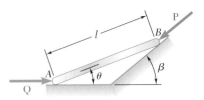

Figure P10.111 - P10.112

10.113 Un couple **M** agit sur la manivelle *AB* pour compenser l'action d'une force **P** appliquée sur le piston et ainsi maintenir l'équilibre du mécanisme bielle-manivelle illustré. Sachant que $b = 48$ mm et que $l = 150$ mm, rédigez un programme permettant de calculer le rapport *M/P* pour des valeurs de l'angle θ variant de 0° à 180°, et ce, par incréments de 10°. À l'aide d'incréments appropriés plus petits, déterminez la valeur de θ de sorte que *M/P* soit maximale. Établissez la valeur correspondante de *M/P*.

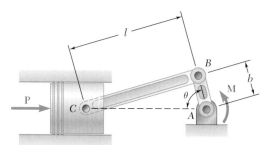

Figure P10.113

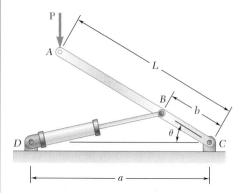

Figure P10.114

10.114 Sachant que $a = 500$ mm, $b = 150$ mm, $L = 500$ mm et $P = 100$ N, concevez un programme pouvant calculer la force dans le vérin *BD* pour des valeurs de l'angle θ variant de 30° à 150°, et ce, par incréments de 10°. À l'aide d'incréments appropriés plus petits, déterminez l'étendue des valeurs de θ de sorte que la valeur absolue de la force dans *BD* soit inférieure à 400 N.

10.115 Solutionnez le problème 10.114 en supposant que la force **P** appliquée au point *A* est orientée horizontalement vers la droite.

10.116 La constante du ressort *AB* est k et le ressort est au repos quand $\theta = 0$.

   a) En négligeant le poids de la membrure *BCD*, rédigez un programme permettant le calcul de l'énergie potentielle du système et de sa dérivée $dU/d\theta$.

   b) Si $W = 667$ N, $a = 254$ mm et $k = 13,1$ kN/m, calculez et tracez sur un graphique l'énergie potentielle en fonction de l'angle θ pour des valeurs variant de 0° à 165° par incréments de 15°.

   c) À l'aide d'incréments appropriés plus petits, déterminez les valeurs de θ de sorte que le système soit en équilibre et établissez pour chacune de ces valeurs la condition d'équilibre correspondante.

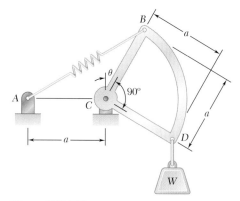

Figure P10.116

10.117 Deux barres, AC et DE, de longueur L chacune, sont reliées à l'aide d'un manchon attaché au milieu de AC par un pivot B.

    a) Concevez un programme pour calculer l'énergie potentielle U du système et sa dérivée $dU/d\theta$.

    b) Si $W = 75$ N, $P = 200$ N et $L = 500$ mm, calculez U et $dU/d\theta$ pour des valeurs de θ variant de 0° à 70°, et ce, par incréments de 5°.

    c) À l'aide d'incréments appropriés plus petits, déterminez les valeurs de θ de sorte que le système soit en équilibre et établissez pour chacune de ces valeurs la condition d'équilibre correspondante.

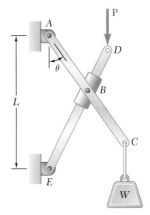

Figure P10.117

10.118 Une mince tige ABC est reliée à l'aide de pivots aux blocs A et B, qui se déplacent librement dans les guides illustrés. La constante du ressort est k et le ressort est au repos lorsque la tige est en position verticale.

    a) En négligeant le poids des blocs et de la tige, rédigez un programme permettant de calculer l'énergie potentielle U du système et sa dérivée $dU/d\theta$.

    b) Si $P = 150$ N, $l = 200$ mm et $k = 3$ kN/m, calculez et tracez sur un graphique l'énergie potentielle en fonction de l'angle θ pour des valeurs variant de 0° à 75° par incréments de 5°.

    c) À l'aide d'incréments appropriés plus petits, déterminez toute position d'équilibre pour l'étendue $0 \leq \theta \leq 75°$ et établissez pour chacune l'état d'équilibre correspondant.

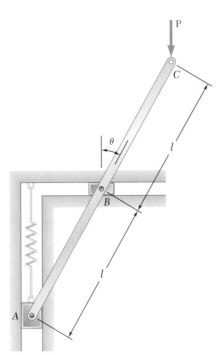

Figure P10.118

10.119 Solutionnez le problème 10.118 en supposant que la force **P** appliquée au point C est orientée horizontalement vers la droite.

A.1 SYSTÈME DE MESURES IMPÉRIALES

Bien que la majorité des pays utilisent le système de mesures internationales SI, dont les unités pertinentes pour ce livre sont le mètre, le newton, le kilogramme, le degré Celsius et la seconde, les États-Unis ont conservé l'ancien système de mesures impériales, dont les unités correspondantes sont le pied, la livre force, le slug, le degré Fahrenheit et la seconde. Les États-Unis étant la plus grande nation industrielle de la planète, il y a un intérêt à connaître les fondements du système de mesures impériales.

Les unités fondamentales des deux systèmes apparaissent au tableau suivant :

Tableau A.1 Systèmes de mesures

Mesure	SI	Système impérial
Longueur	Mètre (m)	Pied (pi)
Force	Newton (N)	Livre force (lbf)
Masse	Kilogramme (kg)	Slug (sl)
Température	Degré Celsius (°C)	Degré Fahrenheit (°F)
Temps	Seconde (s)	Seconde (s)

Analysons maintenant les unités du système impérial.

Le poids d'un corps étant fonction de l'attraction terrestre, il variera en fonction du lieu. On a déterminé qu'une livre étalon est le poids d'un corps d'une livre pris au niveau de la mer à une latitude de 45°. La livre étalon sert d'unité de mesure pour toute transaction commerciale. Or, on ne peut appliquer cette notion en ingénierie. Ainsi, la livre étalon soumise à l'accélération gravitationnelle de la Terre, accélération qui dans le système impérial est de $g = 32,2$ pi/s^2, aura une force de $F = 1$ lbf (une livre force) (*voir la figure A.1*). Sachant par la loi de Newton que $F = ma$, on peut dire qu'une livre force (lbf) est égale à l'accélération de 1 pi/s^2 que subit une masse de 1 slug, c'est-à-dire que

$$F = ma \qquad 1 \text{ lbf} = (1 \text{ slug})(1 \text{ pi/s}^2)$$

Par substitution, on obtient

$$1 \text{ slug} = \frac{1 \text{ lbf}}{1 \text{ pi/s}^2} = 1 \text{ lbf} \cdot \text{s}^2/\text{pi}$$

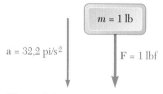

Figure A.1

La figure A.2 montre qu'une force $F = 1$ lbf confère à une masse $m = 1$ slug une accélération $a = 1$ pi/s^2. On peut conclure qu'un slug est une masse 32,2 fois plus grande qu'une masse standard d'une livre (la livre masse ou lbm).

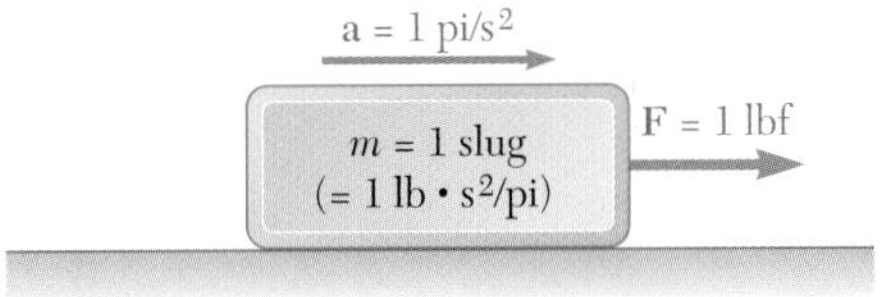

Figure A.2

Dans le système impérial, l'utilisation des poids en livres force au lieu des masses en slugs simplifie l'étude de la statique. Par contre, en dynamique, où on fait appel aux forces, aux masses et aux accélérations, on utilisera les slugs pour les masses, et les livres force pour les poids, où $W = mg$ (W = poids, m = masse, et g = accélération terrestre).

Voici d'autres unités de mesure souvent utilisées dans le système impérial :

- le mille (mi), qui égale 5280 pieds (pi) ;
- le pouce (po), qui égale 1/12 de pied (pi) ;
- la tonne (T), qui égale 2000 livres (lb).

On peut imaginer la complexité des calculs pour convertir, par exemple, une vitesse de 30 mi/h en pi/s.

A.2 CONVERSION DES POIDS ET MESURES

Pour simplifier les calculs nécessaires au passage du système international (SI) au système impérial, nous présentons à la page suivante une table de conversion des mesures les plus communes.

Exemples de conversion Les exemples ci-dessous illustrent la procédure à adopter pour convertir des moments d'un système à l'autre.

Exemple 1

On veut convertir un moment de 40 N·m du système international (SI) au système impérial.

Solution

$$M = 40 \text{ N} \cdot \text{m} = (\text{N} \cdot \text{m})\left(\frac{1 \text{ lbf}}{4,448 \text{ N}}\right)\left(\frac{1 \text{ pi}}{0,3048 \text{ m}}\right) = 29,5 \text{ lbf} \cdot \text{pi}$$

Exemple 2

On veut convertir un moment de 47 lbf·po en système international (SI).

Solution

$$M = 47 \text{ lbf} \cdot \text{po} = 47(4,448 \text{ N})(25,4 \text{ mm}) = 5310 \text{ N} \cdot \text{mm} = 5,31 \text{ N} \cdot \text{m}$$

Tableau A.2 Les unités SI et leurs équivalences impériales

Poids, forces et mesures	SI	Équivalence impériale
Accélération	1 m/s^2	$3{,}2808 \text{ pi/s}^2 = 39{,}37 \text{ po/s}^2$
Surface	1 m^2	$10{,}7638 \text{ pi}^2 = 1550 \text{ po}^2$
Énergie	joule (J)	0,7375 livre force · pied (lbf·pi)
Force	newton (N)	0,2248 lbf
	kN	0,2248 kip
Impulsion	N·s	0,2248 lbf·s
Longueur	mètre (m)	3,2808 pi (pieds)
	mm	0,039 37 po
	km	0,6215 mi
Masse	gramme (g)	0,035 27 ozm (once masse)
	kg	2,2046 lbm (livres masse)
		0,0685 slug
	tonne (1 t = 1000 kg)	1,1023 tonne britannique (1 tonne Br = 2000 lb)
Moment	newton·mètre (N·m)	0,7375 lbf·pi
	N·m	8,8496 lbf·po
Moment d'inertie		
d'une surface	mm^4	$2{,}402 \times 10^{-6} \text{ po}^4$
d'une masse	kg·m^2	$0{,}7375 \text{ lbf·pi·s}^2$
Quantité de mouvement	kg·m/s	0,2248 lbf·s
Puissance	watt (W)	0,7375 lbf·pi /s
		$1{,}341 \times 10^{-3} \text{ cv}$ (cheval-vapeur)
Pression ou tension	pascal (Pa)	$0{,}0209 \text{ lbf/pi}^2$
	kPa	$0{,}145 \text{ psi (livre/po}^2)$
Vitesse	mètre/s	3,2808 pi/s
		39,3701 po/s
		2,2371 mi/h (mph)
	km/h	0,6215 mi/h (mph)
Volume	mètre^3	$35{,}32 \text{ pi}^3$
	cm^3	$0{,}061 \text{ po}^3$
Liquides	litre (L)	0,219 98 gal (Br)
		0,264 17 gal (US)
		0,8799 pinte (Br)
		1,0567 pinte (US)
		$0{,}035 \ 32 \text{ pi}^3$
Travail	J	0,7375 livre force · pied (lbf·pi)

A.3 PROPRIÉTÉS DES PROFILÉS À CHARPENTE EN ACIER LAMINÉ

Le tableau A.3 donne les propriétés des profilés à charpente en acier laminé les plus courants en mesures américaines.

Tableau A.3 **Propriétés des profilés à charpente en acier laminé (mesures américaines)**

	Désignation	Aire po²	Hauteur po	Largeur po	Axe X-X			Axe Y-Y		
					$\bar{I}_x$ po⁴	$\bar{k}_x$ po	$\bar{y}$ po	$\bar{I}_y$ po⁴	$\bar{k}_y$ po	$\bar{x}$ po
Profilés en I	W18 × 76†	22,3	18,21	11,035	1330	7,73		152	2,61	
	W16 × 57	16,8	16,43	7,120	758	6,72		43,1	1,60	
	W14 × 38	11,2	14,10	6,770	385	5,88		26,7	1,55	
	W8 × 31	9,13	8,00	7,995	110	3,47		37,1	2,02	
Poutrelles régulières (standards de l'American Standard Shapes)	S18 × 55,7†	16,1	18,00	6,001	804	7,07		20,8	1,14	
	S12 × 31,8	9,35	12,00	5,000	218	4,83		9,36	1,00	
	S10 × 25,4	7,46	10,00	4,661	124	4,07		6,79	0,954	
	S6 × 12,5	3,67	6,00	3,332	22,1	2,45		1,88	0,705	
Profilés en C (standards de l'American Standard Channels)	C12 × 20,7†	6,09	12,00	2,942	129	4,61		3,88	0,799	0,698
	C10 × 15,3	4,49	10,00	2,600	67,4	3,87		2,28	0,713	0,634
	C8 × 11,5	3,38	8,00	2,260	32,6	3,11		1,32	0,625	0,571
	C6 × 8,2	2,40	6,00	1,920	13,1	2,34		0,692	0,537	0,512
Cornières	L6 × 6 × 1‡	11,00			35,5	1,80	1,86	35,5	1,80	1,86
	L4 × 4 × ½	3,75			5,56	1,22	1,18	5,56	1,22	1,18
	L3 × 3 × ¼	1,44			1,24	0,930	0,842	1,24	0,930	0,842
	L6 × 4 × ½	4,75			17,4	1,91	1,99	6,27	1,15	0,987
	L5 × 3 × ½	3,75			9,45	1,59	1,75	2,58	0,829	0,750
	L3 × 2 × ¼	1,19			1,09	0,957	0,993	0,392	0,574	0,493

Reproduit avec l'autorisation de l'American Institute of Steel Construction, Chicago, Illinois.

† Hauteur nominale en pouces, et poids en livres par pied.

‡ Hauteur, largeur et épaisseur en pouces.

LEXIQUE ANGLAIS-FRANÇAIS

A

Axial thrust Charge ou poussée axiale
Axis of the wrench Axe du torseur

B

Ball Bille
Ball and socket Rotule
Bearing Palier
Belt Courroie
Bending moment Moment fléchissant
Bending-moment diagram Diagramme du moment fléchissant
Body of revolution Solide de révolution, volume de révolution
Bracing Contreventement

C

Cable Câble
Catenary Chaînette
Center of gravity Centre de gravité
Centroid Centre géométrique
Centroidal axis Axe central
Clamp Serre-joint
Collar bearings Butée à collet
Collar on frictionless rod Manchon sans frottement
Colomb friction Frottement de Coulomb
Completely constraint Isostatique, complètement lié ou statiquement lié
Composite surface, volume Surface composée, volume composé
Connection Liaison
Conservative force Force conservative
Constant of the spring Constante du ressort
Constraining forces Forces de contrainte
Corner plate Cornière
Couple vector Vecteur couple
Cross section Coupe transversale
Curve (cable) Déformée ou flèche du câble

D

Director cosine Cosinus directeur
Disk clutch Embrayage à disques
Disk friction Frottement de disque
Dot product Produit croisé
Double-threaded screw Vis à filet double
Drag force Force de traînée
Dry friction Frottement sec

E

Elemental weight Poids élémentaire, poids d'un élément du corps
Ellipsoid of inertia Ellipsoïde d'inertie
End bearings Butée d'extrémité
Equilibrium conditions Conditions d'équilibre
Equivalent couples Couples équivalents

F

Fixed support Encastrement
Floor beams Traverses
Force triangle Triangle de forces
Force-couple Force-couple
Forces in a plane Forces coplanaires
Forces in space Forces spatiales
Frame Charpente, armature, membrure, ossature, structure
Free-body diagram Diagramme (ou schéma) du corps libre (DCL)
Frictionless pin and slot Rainure sans frottement
Frictionless pin or hinge Pivot ou goupille sans frottement ou rotule plane
Frictionless surface Surface lisse

H

Hinge and bearing… radial… Charnière et palier à charge radiale
Hinge and bearing… axial… Charnière et palier à poussée axiale et charge radiale

I

Improperly constrained Hypostatique, incorrectement lié ou liaison incorrecte
Input forces Forces à l'intrant

J

Journal Tourillon
Journal bearings Palier lisse ou palier à coussinet

K

Kinetic friction Frottement cinétique

L

Lead Pas de vis
Lead angle Angle d'hélice

M

Mechanical efficiency Rendement mécanique
Method of joint Méthode des nœuds
Moment Moment
Moment of inertia Moment d'inertie ou deuxième moment

N

Neutral axis Axe neutre

O

Output forces Forces à l'extrant

P

Partially constrained Hyperstatique, partiellement lié ou liaison incomplète
Pin Pivot, rotule
Pin and bracket Pivot ou goupille d'articulation
Pitch Pas de filet
Pitch of the wrench Bras de levier du torseur

Polar moment of inertia Moment d'inertie polaire
Polley Poulie
Position vector Vecteur position
Principal axes of inertia Axes principaux d'inertie
Principal moments of inertia Moments principaux d'inertie
Principle of transmissibility Principe de transmissibilité
Pure bending Flexion pure

Q

Quadric surface Surface quadrique

R

Rectangular components Composantes rectangulaires
Rectangular moment of inertia Moment d'inertie orthogonal ou rectangulaire
Resistance to slippage Résistance au glissement
Resultant Résultante
Rocker Bascule
Roller bearing Roulement à rouleau
Roller on rough surface Rouleau avec frottement
Rollers Rouleaux
Rolling resistance Résistance de roulement

S

Sag (cable) Flèche du câble
Scalar components Composantes scalaires
Self-locking screw Vis autobloquante
Shaft Arbre
Shear Cisaillement
Shear diagram Diagramme de cisaillement
Shear force Effort (force) tranchant ou de cisaillement
Shearing stress Contrainte de cisaillement
Short cable Câble
Short link Barre articulée
Single-threaded screw Vis à filet simple
Slope (cable) Pente du câble
Span (cable) Portée du câble
Square-threaded screw Vis à filetage carré
Static friction Frottement statique
Stringers Longerons
Supports Appuis (supports)
Surface of revolution Surface de révolution

T

Thrust bearings Butée
Toggle clamp Serrage à genouillère

Toggle wise Levier à pression, à genouillère
Torsion bar Barre de torsion
Torsion spring Ressort de torsion
Triangle rule Règle du triangle, trigonométrie
Truss Treillis
Truss member Élément, membrure, barre de treillis
Two-force Deux forces

U

Unit vector Vecteur unitaire
Universal joint Joint universel ou à cardan

V

V-belt Courroie trapézoïdale (en V)
Vector components Composantes vectorielles
Virtual work Travail virtuel

W

Wedge Coin ou cale d'appui
Wedging effect Coincement ou effet de coinçage
Wheel on rail Roulement sur rail (ou à brides)
Wrench Torseur

CHAPITRE 2

2.1 3,30 kN ⬓ 66,6°

2.2 179 N ⬓ 75,1°

2.3 77,1 N ⬔ 85,4°

2.4 1391 N ⬔ 67,0°

2.5 *a)* 103,0° *b)* 276 N

2.6 *a)* 25,1° *b)* 266 N

2.7 *a)* 853 N *b)* 567 N

2.8 *a)* 938 N *b)* 665 N

2.9 *a)* 37,1° *b)* 73,2 N

2.10 *a)* 44,7 N *b)* 107,1 N

2.11 *a)* 391,7 N *b)* 346,5 N

2.12 *a)* 42,6° *b)* 550,9 N

2.13 *a)* 368 N→ *b)* 212,5 N

2.14 *a)* 21,13 N *b)* 45,3 N

2.15 *a)* 2,6 kN *b)* 4,26 kN

2.16 2,66 kN ⬓ 34,3°

2.17 100,3 N ⬔ 21,2°

2.18 3,3 kN ⬓ 66,6°

2.19 104,4 N ⬓ 86,7°

2.20 104,4 N ⬓ 83,3°

2.21 (80 N) 61,3 N, 51,4 N ; (120 N) 41,0 N, 112,8 N ; (150 N) −122,9 N, 86,0 N

2.22 (40 N) 20,0 N, −34,6 N ; (50 N) −38,3 N, −32,1 N ; (60 N) 54,4 N, 25,4 N

2.23 (102 N) −48,0 N, 90,0 N ; (106 N) 56,0 N, 90,0 N ; (200 N) −160,0 N, −120,0 N

2.24 (145 N) 105 N, 100 N ; (250 N) −70 N, 240 N ; (255 N) 120 N, −225N

2.25 *a)* 1465 N *b)* 840 N↓

2.26 *a)* 621 N *b)* 160,8 N

2.27 *a)* 523 N *b)* 428 N

2.28 *a)* 373 N *b)* 286 N

2.29 *a)* 194,9 N *b)* 153,6 N

2.30 *a)* 228,4 N *b)* 140,6 N

2.31 193,0 N ⟋ 36,6°

2.32 251 N ⬓ 85,3°

2.33 54,9 N ⬓ 48,9°

2.34 163,4 N ⬓ 21,5°

2.35 309 N ⬔ 86,6°

2.36 226 N ⬔ 62,3°

2.37 202,51 N ⟋ 8,47°

2.38 201,97 N ⟋ 33,23°

2.39 *a)* 21,7° *b)* 229 N

2.40 *a)* 580 N *b)* 300 N

2.41 *a)* 95,1 N *b)* 95,0 N

2.42 *a)* 56,31° *b)* 204,22 N

2.43 *a)* 440 N *b)* 326 N

2.44 *a)* 2,13 kN *b)* 1,735 kN

2.45 *a)* 5187 N *b)* 481,1 N

2.46 *a)* 172,7 N *b)* 231 N

2.47 1122 N

2.48 620 N

2.49 $F_C = 6,40$ kN ; $F_D = 4,80$ kN

2.50 $F_B = 15,00$ kN ; $F_C = 8,00$ kN

2.51 $F_A = 1303$ N ; $F_B = 420$ N

2.52 $P = 477$ N ; $Q = 127,7$ N

2.53 *a)* 182,5 kN *b)* 15,22 kN

2.54 *a)* 26,3 kN *b)* 101,3 kN

2.55 *a)* 51,96 N *b)* 45 N

2.56 30 N ≤ Q ≤ 69,28 N

2.57 *a)* 1081 N *b)* 82,5°

2.58 *a)* 1294 N *b)* 62,5°

2.59 *a)* 60° *b)* 230 N

2.60 *a)* ⟋ 5° *b)* 436 N

2.61 *a)* 50° *b)* 1,503 kN

2.62 5,80 m

2.63 *a)* 53,84 N *b)* 147,15 N

2.64 563,61 mm

2.65 602 N ⬓ 46,8° ou 1365 N ⬔ 46,8°

2.66 *a)* 22,5° *b)* 630 N

2.67 *a)* 300 N *b)* 300 N *c)* 200 N *d)* 200 N *e)* 150 N

2.68 *b)* 200 N *d)* 150 N

2.69 *a)* 1293 N *b)* 2220 N

2.70 *a)* 1048,4 N *b)* 608,2 N

2.71 *a)* +220 N, +544 N, +126,8 N
b) 68,5°, 25,0°, 77,8°

2.72 *a)* −237 N, +258 N, +282 N
b) 121,8°, 55,0°, 51,1°

2.73 *a)* +56,4 N, −103,9 N, −20,5 N
b) 62,0°, 150,0°, 99,8°

2.74 *a)* +37,1 N, −68,8 N, +33,4 N
b) 64,1°, 144,0°, 66,8°

2.75 *a)* 288 N *b)* 67,5°, 30,0°, 108,7°

2.76 *a)* 100,0 N *b)* 112,5°, 30,0°, 108,7°

2.77 *a)* −15 N, 51,96 N, 25,98 N
b) 104,48°, 30°, 64,34°

2.78 *a)* 80 N *b)* 104,48°, 30°, 64,34°

2.79 $F = 900$ N ; $\theta_x = 73,2°$, $\theta_y = 110,8°$, $\theta_z = 27,3°$

2.80 $F = 570$ N ; $\theta_x = 55,8°$, $\theta_y = 45,4°$, $\theta_z = 116,0°$

2.81 *a)* 140,3°
b) $F_x = 79,9$ N, $F_z = 120,1$ N ; $F = 226$ N

2.82 *a)* 118,2°
b) $F_x = 36,0$ N, $F_y = −90,0$ N ; $F = 110$ N

2.83 *a)* +194 N, +108 N
b) 105,12°, 62°

2.84 *a)* −184 N, −61,92 N
b) 67,6°, 107,15°

2.85 +192 N, +288 N, −216 N

2.86 −165 N, +317 N, +238 N

2.87 +400 N, +2000 N, −500 N

2.88 +200 N, +1000 N, +740 N

2.89 240 N, −255 N, 160 N

2.90 135 N, −200 N, 300 N

2.91 515 N ; $\theta_x = 70,2°$, $\theta_y = 27,6°$, $\theta_z = 71,5°$

2.92 515 N ; $\theta_x = 79,8°$, $\theta_y = 33,4°$, $\theta_z = 58,6°$

2.93 913 N ; $\theta_x = 48,2°$, $\theta_y = 116,6°$, $\theta_z = 53,4°$

2.94 913 N ; $\theta_x = 50,6°$, $\theta_y = 117,6°$, $\theta_z = 51,8°$

2.95 748 N ; $\theta_x = 120,1°$, $\theta_y = 52,5°$, $\theta_z = 128,0°$

2.96 *a)* 652,6 N *b)* 2077,54 N ; 61,5°, 151,6°, 90°

2.97 *a)* 2874,9 N *b)* 3981,82 N ; 61,5°, 151,6°, 90°

2.98 $T_{AB} = 490$ N ; $T_{AD} = 515$ N

2.99 1031 N↑

2.100 956 N↑

2.101 926,06 N

2.102 $T_{AB} = 200,9$ N, $T_{AC} = 371,7$ N, $T_{AD} = 415,5$ N

2.103 2100 N

2.104 1868 N

2.105 1049 N

2.106 $T_{AB} = 571$ N ; $T_{AC} = 830$ N ; $T_{AD} = 528$ N

2.107 960 N

2.108 $0 \le Q < 300$ N

2.109 845 N

2.110 768 N

2.111 1553 N

2.112 2000 N

2.113 $T_{AB} = 974$ N ; $T_{AC} = 531$ N ; $T_{AD} = 533$ N

2.114 $T_{AD} = T_{CD} = 295$ N ; $T_{BD} = 102,5$ N

2.115 $T_{AB} = 510$ N ; $T_{AC} = 56,2$ N ; $T_{AD} = 536$ N

2.116 $T_{AB} = 1340$ N ; $T_{AC} = 1025$ N ; $T_{AD} = 915$ N

2.117 $T_{AB} = 1431$ N ; $T_{AC} = 1560$ N ; $T_{AD} = 183,0$ N

2.118 $T_{AB} = 1249$ N ; $T_{AC} = 490$ N ; $T_{AD} = 1647$ N

2.119 $T_{AB} = 144,75$ N, $T_{AC} = 290,57$ N

2.120 $T_{AB} = 166,94$ N, $T_{AC} = 272,88$ N

2.121 378 N

2.122 *a)* 454 N *b)* 1202 N

2.123 $P = 36,0$ N ; $Q = 54,0$ N

2.124 $W = 180,0$ N ; $P = 24,0$ N

2.125 *a)* 1155 N *b)* 1012 N

2.126 *a)* 651 N *b)* 496 N

2.127 *a)* 312 N *b)* 144 N

2.128 $0 < P < 514$ N

2.129 36,97°

2.130 *a)* 1347 N *b)* 184,8 N

2.131 *a)* 216,46 N *b)* 291,63 N

2.132 72,1 N ∡ 45,3°

2.133 *a)* −1861 N, +3360 N, +677 N
b) 118,5°, 30,5°, 80,0°

2.134 *a)* 500 N *b)* 544 N

2.135 15,13 N ; 133,42°, 43,62°, 86,56°

2.136 (45 N) + 25,8 N, +36,9 N ;
(60 N) + 49,1 N, +34,4 N ;
(75 N) + 48,2 N, −57,5 N

2.137 *a)* 125,0 N *b)* 45,0 N

2.138 $x = 268,33$ mm ; $z = 134,16$ mm

2.140 (1) *b)* 20° ; *c)* 244 N
(2) *b)* −10° ; *c)* 467 N
(3) *b)* 10° ; *c)* 163,2 N

2.141 *a)* 1,001 m *b)* 4,01 kN *c)* 1,426 kN ; 1,194 kN

CHAPITRE 3

3.1 *a)* 41,7 N · m↰ *b)* 147,4 N

3.2 *a)* 41,7 N · m↰ *b)* 333,6 N→ *c)* 176,8 N

3.3 4,664 N · m↓

3.4 35,88 N ↘ 19,98°

3.5 $\alpha = 6,11°$ ou 33,84°

3.6 *a)* 80 N · m↓ *b)* 205,28 N *c)* 177,78 N

3.7 *a)* 196,2 N · m↓ *b)* 199,0 N ↘ 59,5°

3.8 *a)* 196,2 N · m↓ *b)* 321 N ↗ 35,0°
c) 231 N↑ au point D

3.9 27,9 N · m↰

3.10 30,77 N · m↰

3.11 *a)* 760 N · m↰ *b)* 760 N · m↰

3.12 1224 N

3.13 0,5172 m

3.14 72,45 N · m↓

3.16 1,814 m

3.17 *a)* $(-3\mathbf{i} - \mathbf{j} - \mathbf{k})/\sqrt{11}$
b) $(2\mathbf{j} + 3\mathbf{k})/\sqrt{13}$

3.18 *a)* 41,01 *b)* 26,93

3.19 *a)* $-18\mathbf{i} + 16\mathbf{j} - 44\mathbf{k}$
b) $-25\mathbf{i} + 47\mathbf{j} + 38\mathbf{k}$ *c)* 0

3.20 *a)* $9\mathbf{i} + 22\mathbf{j} + 21\mathbf{k}$
b) $22\mathbf{i} + 11\mathbf{k}$ *c)* 0

3.21 $(3080 \text{ N} \cdot \text{m})\mathbf{i} - (2065 \text{ N} \cdot \text{m})\mathbf{k}$

3.22 $(23,5 \text{ N} \cdot \text{m})\mathbf{i} + (78,5 \text{ N} \cdot \text{m})\mathbf{j} - (473 \text{ N} \cdot \text{m})\mathbf{k}$

3.23 $-(42,29 \text{ N} \cdot \text{m})\mathbf{i} - (21,02 \text{ N} \cdot \text{m})\mathbf{j} - (21,02 \text{ N} \cdot \text{m})\mathbf{k}$

3.24 $-(146,9 \text{ N} \cdot \text{m})\mathbf{i} + (60,48 \text{ N} \cdot \text{m})\mathbf{j} + (205,9 \text{ N} \cdot \text{m})\mathbf{k}$

3.25 *a)* $-(1242 \text{ N} \cdot \text{m})\mathbf{i} - (248,4 \text{ N} \cdot \text{m})\mathbf{k}$
b) $-(1242 \text{ N} \cdot \text{m})\mathbf{i} + (1458 \text{ N} \cdot \text{m})\mathbf{j} + (1852,2 \text{ N} \cdot \text{m})\mathbf{k}$

3.26 $(2,017 \text{ N} \cdot \text{m})\mathbf{i} - (1,926 \text{ N} \cdot \text{m})\mathbf{j} - (1,315 \text{ N} \cdot \text{m})\mathbf{k}$

3.27 4,58 m

3.28 3,70 m

3.29 645,4 mm

3.30 1,14 m

3.31 1,564 m

3.32 3,29 m

3.33 1,723 m

3.34 5,917 m

3.35 $\mathbf{P} \cdot \mathbf{Q} = 18$; $\mathbf{P} \cdot \mathbf{S} = 10$; $\mathbf{Q} \cdot \mathbf{S} = 0$

3.37 43,6°

3.38 38,9°

3.39 27,4°

3.40 37,1°

3.41 *a)* 52,9° *b)* 325,7 N

3.42 *a)* 56,1° *b)* 273,3 N

3.43 *a)* 71,1° *b)* 9,732 N

3.44 0,24 m

3.45 *a)* 67 *b)* 111

3.46 2

3.47 $M_x = 78,9$ kN · m, $M_y = 13,15$ kN · m, $M_z = -9,86$ kN · m

3.48 3,04 kN

3.49 1097 N

3.50 822 N

3.51 1,252 m

3.52 1,256 m

3.53 $\phi = 38{,}21°$, $d = 0{,}88$ m

3.54 $-226{,}8$ N · m

3.55 2,28 N · m

3.56 $-9{,}50$ N · m

3.57 169,9 N · m

3.58 $-293{,}4$ N · m

3.59 $aP/\sqrt{2}$

3.60 *b*) $a/\sqrt{2}$

3.61 277,5 N · m

3.62 -236 N · m

3.64 0,1198 m

3.65 0,437 m

3.66 0,761 m

3.67 1,087 m

3.68 0,295 m

3.69 0,633 m

3.70 *a*) 8,4 N · m⤺ *b*) 0,7 m *c*) 31,6°

3.71 6,19 N · m⤵

3.72 *a*) 26,67 N *b*) 50 N *c*) 23,53 N

3.73 *a*) 15,12 N · m

      b) 6,72 N · m

3.74 800 m

3.75 $M = 10$ N · m; $\theta_x = 90°$, $\theta_y = 143{,}1°$, $\theta_z = 126{,}9°$

3.76 $M = 9{,}21$ N · m; $\theta_x = 77{,}9°$, $\theta_y = 12{,}05°$, $\theta_z = 90°$

3.77 $M = 604$ mN · m; $\theta_x = 72{,}8°$, $\theta_y = 27{,}3°$, $\theta_z = 110{,}5°$

3.78 1,17 N · m; $\theta_x = 81{,}2°$, $\theta_y = 13{,}7°$, $\theta_z = 100{,}4°$

3.79 $M = 10{,}92$ N · m; $\theta_x = 97{,}8°$, $\theta_y = 34{,}5°$, $\theta_z = 56{,}7°$

3.80 $M = 4{,}50$ N · m; $\theta_x = 90°$, $\theta_y = 177{,}1°$, $\theta_z = 87{,}1°$

3.81 *a*) $\mathbf{F} = 560$ N ⬂ 20°; $\mathbf{M} = 7720$ N · m⤵

      b) $\mathbf{F} = 560$ N ⬂ 20°; $\mathbf{M} = 4290$ N · m⤵

3.82 *a*) $\mathbf{F} = 80$ N←; $\mathbf{M} = 4$ N · m⤺

      b) $\mathbf{F}_C = 100$ N↓; $\mathbf{F}_D = 100$ N↑

3.83 *a*) $\mathbf{F} = 160$ N ⦨ 60°; $\mathbf{M} = 334$ N · m⤺

      b) $\mathbf{F}_B = 20{,}0$ N↑; $\mathbf{F}_D = 143{,}0$ N ⦨ 56,0°

3.84 *a*) $\mathbf{F} = 360$ N ⬈ 50°; $\mathbf{M} = 230{,}45$ N · m⤺

      b) $\mathbf{F} = 232{,}48$ N ⬈ 5,52°

3.85 168 N ⬈ 50°; 192 N ⬈ 50°

3.86 $\mathbf{F}_A = 389$ N ⬂ 60°; $\mathbf{F}_C = 651$ N ⬂ 60°

3.87 *a*) $\mathbf{F} = (240$ N$)\mathbf{k}$; $\mathbf{M} = (100$ N · m$)\mathbf{j}$

      b) $(240$ N$)\mathbf{k}$; 0,417 m de A le long de AB

      c) 100 N

3.88 *a*) $-(600$ N$)\mathbf{k}$; $d = 90$ mm au-dessous de ED

      b) $-(600$ N$)\mathbf{k}$; $d = 90$ mm au-dessus de ED

3.89 *a*) $\mathbf{F} = 48$ N ⦨ 65°; $\mathbf{M} = 490$ mN · m⤵

      b) 48 N ⦨ 65°; 17,78 mm à gauche de B

3.90 $(2{,}266$ N$)\mathbf{i} + (1{,}057$ N$)\mathbf{k}$; 1590 mm à droite de B

3.91 *a*) 48 N↓; 144 mm à droite de A *b*) 77,65°

3.92 300 N; $\alpha = 30°$

3.93 $\mathbf{F} = (-250$ kN$)\mathbf{j}$; $\mathbf{M} = (15$ kN · m$)\mathbf{i} + (7{,}5$ kN · m$)\mathbf{k}$

3.94 $\mathbf{F} = (-512$ N$)\mathbf{i} - (1024$ N$)\mathbf{j} + (128$ N$)\mathbf{k}$;

      $\mathbf{M} = (4{,}10$ kN · m$)\mathbf{i} + (16{,}38$ kN · m$)\mathbf{k}$

3.95 $\mathbf{F} = -(360$ N$)\mathbf{i} - (720$ N$)\mathbf{j} - (720$ N$)\mathbf{k}$;

      $\mathbf{M} = -(23{,}0$ kN · m$)\mathbf{i} + (11{,}52$ kN · m$)\mathbf{k}$

3.96 $\mathbf{F} = (5$ N$)\mathbf{i} + (150$ N$)\mathbf{j} - (0$ N$)\mathbf{k}$;

      $\mathbf{M} = (77{,}4$ N · m$)\mathbf{i} + (61{,}5$ N · m$)\mathbf{j} + (106{,}8$ N · m$)\mathbf{k}$

3.97 $\mathbf{F} = -(28{,}5$ N$)\mathbf{j} + (106{,}3$ N$)\mathbf{k}$;

      $\mathbf{M} = (12{,}35$ N · m$)\mathbf{i} - (19{,}15$ N · m$)\mathbf{j} - (5{,}13$ N · m$)\mathbf{k}$

3.98 $\mathbf{F} = (36$ N$)\mathbf{i} - (28$ N$)\mathbf{j} - (6$ N$)\mathbf{k}$;

      $\mathbf{M} = -(1{,}884$ N · m$)\mathbf{i} + (0{,}27$ N · m$)\mathbf{j} - (2{,}884$ N · m$)\mathbf{k}$

3.99 *a*) 135,0 mm

      b) $\mathbf{F}_2 = (42$ N$)\mathbf{i} + (42$ N$)\mathbf{j} - (49$ N$)\mathbf{k}$;

      $\mathbf{M}_2 = -(25{,}9$ N · m$)\mathbf{i} + (21{,}2$ N · m$)\mathbf{j}$

3.100 2,4 N↓; $x = -16{,}887$ mm; $z = -24{,}546$ mm

3.101 *a*) Charge a : $\mathbf{R} = 600$ N↓; $\mathbf{M} = 1000$ N · m⤺

        Charge b : $\mathbf{R} = 600$ N↓; $\mathbf{M} = 900$ N · m⤵

        Charge c : $\mathbf{R} = 600$ N↓; $\mathbf{M} = 900$ N · m⤺

        Charge d : $\mathbf{R} = 400$ N↑; $\mathbf{M} = 900$ N · m⤺

        Charge e : $\mathbf{R} = 600$ N↓; $\mathbf{M} = 200$ N · m⤵

        Charge f : $\mathbf{R} = 600$ N↓; $\mathbf{M} = 800$ N · m⤺

        Charge g : $\mathbf{R} = 1000$ N↓; $\mathbf{M} = 1000$ N · m⤺

        Charge h : $\mathbf{R} = 600$ N↓; $\mathbf{M} = 900$ N · m⤺

      b) Charges c et h

3.102 Charge f

3.103 *a*) 600 N↓; 1,5 m *b*) 400 N↑; 2,25 m *c*) 600 N↓; 0,333 m

3.104 Système force couple à D

3.105 *a*) 0,6667 m à droite de C

      b) 0,7692 m à droite de C

3.106 *a*) 0,9891 m *b*) 0,8286 m

3.107 *a*) 6,907 m

      b) 458,26 N; 3,156 m à droite de A

3.108 $\mathbf{R} = 72{,}4$ N ⬂ 81,9°; $M = 2{,}47$ N · m

3.109 *a*) 224 N ⬂ 63,4°

      b) 130 mm à gauche de B et 260 mm au-dessous de B

3.110 *a*) 269 N ⬂ 68,2°

      b) 120 mm à gauche de B et 300 mm au-dessous de B

3.111 *a*) 665 N ⦨ 79,6°; 649 mm à droite de A

      b) 22,9°

3.112 *a*) 578 N ⦨ 81,8°; 623 mm à droite de A

      b) 10,44°

3.113 7,73 kN ⬈ 79,0°; 9,54 m à droite de A

3.114 *a*) 0,365 m au-dessus de G

      b) 0,227 m à droite de G

3.115 *a*) 0,299 m au-dessus de G

      b) 0,259 m à droite de G

3.116 185,19 N ⦨ 11,85°; 0,4655 m à gauche de O

3.117 350,43 N ⬂ 21,4°; 27,4 mm à droite de F

3.118 *a*) $\mathbf{R} = F$ ⬈ $\tan^{-1}(a^2/2bx)$;

      $\mathbf{M} = 2Fb^2(x - x^3/a^2)/\sqrt{a^4 + 4b^2x^2}$⤺

      b) 0,369 m

3.119 $\mathbf{F} = -(300$ N$)\mathbf{i} - (240$ N$)\mathbf{j} + (25$ N$)\mathbf{k}$;

      $\mathbf{M} = -(3$ N · m$)\mathbf{i} + (13{,}5$ N · m$)\mathbf{j} + (9$ N · m$)\mathbf{k}$

3.120 $\mathbf{R} = -(420$ N$)\mathbf{j} - (339$ N$)\mathbf{k}$;

      $\mathbf{M} = (1{,}125$ N · m$)\mathbf{i} + (163{,}9$ N · m$)\mathbf{j} - (109{,}9$ N · m$)\mathbf{k}$

3.121 $\mathbf{A} = (6{,}4$ N$)\mathbf{i} - (144$ N$)\mathbf{j} + (8$ N$)\mathbf{k}$;

      $\mathbf{B} = -(38{,}4$ N$)\mathbf{i} + (144$ N$)\mathbf{j} + (8$ N$)\mathbf{k}$

3.122 *a*) $\mathbf{B} = (12{,}5 \text{ N})\mathbf{i}$;
$\mathbf{C} = (0{,}5 \text{ N})\mathbf{i} - (12{,}34 \text{ N})\mathbf{j} - (3{,}5 \text{ N})\mathbf{k}$
b) $R_y = -12{,}34 \text{ N}$; $M_x = 1{,}632 \text{ N} \cdot \text{m}$

3.123 *a*) $\mathbf{R} = -(28{,}4 \text{ N})\mathbf{j} - (50{,}0 \text{ N})\mathbf{k}$;
$\mathbf{M} = (8{,}56 \text{ N} \cdot \text{m})\mathbf{i} - (24{,}0 \text{ N} \cdot \text{m})\mathbf{j} + (2{,}13 \text{ N} \cdot \text{m})\mathbf{k}$
b) Anti-horaire

3.124 *a*) $\mathbf{R} = -(28{,}4 \text{ N})\mathbf{j} - (50{,}0 \text{ N})\mathbf{k}$;
$\mathbf{M} = (42{,}4 \text{ N} \cdot \text{m})\mathbf{i} - (24{,}0 \text{ N} \cdot \text{m})\mathbf{j} + (2{,}13 \text{ N} \cdot \text{m})\mathbf{k}$
b) Anti-horaire

3.125 $\mathbf{F} = (13{,}64 \text{ N})\mathbf{i} - (41{,}35 \text{ N})\mathbf{j} - (6{,}36 \text{ N})\mathbf{k}$;
$\mathbf{M} = (10{,}82 \text{ N} \cdot \text{m})\mathbf{i} - (2{,}55 \text{ N} \cdot \text{m})\mathbf{j} - (10{,}03 \text{ N} \cdot \text{m})\mathbf{k}$

3.126 $\mathbf{R} = (33{,}6 \text{ N})\mathbf{i} - (76{,}8 \text{ N})\mathbf{j} - (12{,}8 \text{ N})\mathbf{k}$;
$\mathbf{M} = (85{,}86 \text{ N} \cdot \text{m})\mathbf{i} + (68{,}16 \text{ N} \cdot \text{m})\mathbf{j} - (78{,}24 \text{ N} \cdot \text{m})\mathbf{k}$

3.127 1035 N; $2{,}57 \text{ m}$ de OG et $3{,}05 \text{ m}$ de OE

3.128 $2{,}32 \text{ m}$ de OG et $1{,}165 \text{ m}$ de OE

3.129 405 N; $3{,}78 \text{ m}$ à droite de AB et $0{,}8815 \text{ m}$ au-dessous de BC

3.130 $a = 0{,}2166 \text{ m}$; $b = 6{,}17 \text{ m}$

3.131 $358{,}4 \text{ N}$; centre de la boîte: $0{,}357 \text{ m}$ de AD; $0{,}33 \text{ m}$ de AB

3.132 $576{,}2 \text{ N}$; centre de la boîte: $0{,}6 \text{ m}$ de AD; $0{,}886 \text{ m}$ de AB

3.133 *a*) P; $\theta_x = 90°$, $\theta_y = 90°$, $\theta_z = 0°$
b) $5a/2$
c) L'axe du torseur est parallèle à l'axe z et à $x = a$, $y = -a$.

3.134 *a*) $P\sqrt{3}$; $\theta_x = \theta_y = \theta_z = 54{,}7°$
b) $-a$ *c*) La diagonale OC

3.135 *a*) $-(21 \text{ N})\mathbf{j}$ *b*) $0{,}571 \text{ m}$ *c*) L'axe du torseur est parallèle à l'axe y et à $x = 0$, $z = 41{,}67 \text{ mm}$.

3.136 *a*) $\mathbf{R} = -(20 \text{ N})\mathbf{i} - (15 \text{ N})\mathbf{j}$
b) $0{,}2 \text{ m}$
c) L'axe du torseur est dans le plan xz.

3.137 *a*) $-(84 \text{ N})\mathbf{j} - (80 \text{ N})\mathbf{k}$
b) $0{,}477 \text{ m}$
c) $(0{,}526 \text{ m}, 0 \text{ m}, -0{,}1857 \text{ m})$

3.138 *a*) $\mathbf{R} = -(8 \text{ N})\mathbf{i} - (15 \text{ N})\mathbf{j} - (26{,}4 \text{ N})\mathbf{k}$
b) $7{,}85 \text{ mm}$
c) $x = 0{,}8467 \text{ mm}$; $z = 14{,}2312 \text{ mm}$

3.139 *a*) $3P(2\mathbf{i} - 20\mathbf{j} - \mathbf{k})/25$
b) $-0{,}0988a$
c) $(2{,}00a, 0, -1{,}990a)$

3.140 *a*) $\mathbf{R} = (2300 \text{ N})\mathbf{i} + (500 \text{ N})\mathbf{j} + (1850 \text{ N})\mathbf{k}$
b) $-0{,}2 \text{ m}$
c) $y = -0{,}944 \text{ mm}$; $z = 2{,}783 \text{ mm}$

3.141 $\mathbf{R} = -(42 \text{ kN})\mathbf{i} + (18 \text{ kN})\mathbf{j} - (8 \text{ kN})\mathbf{k}$; $y = 11{,}59 \text{ mm}$; $z = -1{,}137 \text{ mm}$

3.142 $\mathbf{R} = (20 \text{ N})\mathbf{i} + (30 \text{ N})\mathbf{j} - (10 \text{ N})\mathbf{k}$; $(0 \text{ m}, -0{,}54 \text{ m}, -0{,}42 \text{ m})$

3.143 $\mathbf{A} = (M/b)\mathbf{i} + R(1 + a/b)\mathbf{k}$; $\mathbf{B} = -(M/b)\mathbf{i} - (aR/b)\mathbf{k}$

3.147 $140 \text{ N} \cdot \text{m}$ ⟍

3.148 $61{,}6 \text{ N} \cdot \text{m}$ ⟍

3.149 *a*) $\mathbf{M} = (28{,}8 \text{ N} \cdot \text{m})\mathbf{i} + (16{,}2 \text{ N} \cdot \text{m})\mathbf{j} - (28{,}8 \text{ N} \cdot \text{m})\mathbf{k}$
b) $\mathbf{M} = -(28{,}8 \text{ N} \cdot \text{m})\mathbf{i} - (16{,}2 \text{ N} \cdot \text{m})\mathbf{j} + (28{,}8 \text{ N} \cdot \text{m})\mathbf{k}$

3.150 *a*) $59{,}0°$ *b*) 648 N

3.151 441 N

3.152 $-90 \text{ N} \cdot \text{m}$

3.153 $d = 12{,}5 \text{ mm}$

3.154 *a*) $\mathbf{F} = 250 \text{ N}$ ⟍ $60°$; $\mathbf{M} = 75 \text{ N} \cdot \text{m}$ ↓
b) $\mathbf{F}_A = 375 \text{ N}$ ⟋ $60°$; $\mathbf{F}_B = 625 \text{ N}$ ⟍ $60°$

3.155 $\mathbf{R} = -(122{,}9 \text{ N})\mathbf{j} - (86{,}0 \text{ N})\mathbf{k}$;
$\mathbf{M} = (22{,}6 \text{ N} \cdot \text{m})\mathbf{i} + (15{,}49 \text{ N} \cdot \text{m})\mathbf{j} - (22{,}1 \text{ N} \cdot \text{m})\mathbf{k}$

3.156 *a*) $34{,}0 \text{ N}$ ⟋ $28{,}0°$
b) AB: $116{,}4 \text{ mm}$ à gauche de B;
BC: 62 mm au-dessous de B

3.157 *a*) $B = 80 \text{ N}$; $C_x = 30 \text{ N}$; $C_y = 0 \text{ N}$; $C_z = 40 \text{ N}$
b) $R_y = 0 \text{ N}$; $R_z = -40 \text{ N}$ *c*) Orientation en y

3.158 $F_B = 35 \text{ kN}$; $F_F = 25 \text{ kN}$

3.161 4 côtés: $\beta = 10°$, $\alpha = 44{,}1°$;
$\beta = 20°$, $\alpha = 41{,}6°$;
$\beta = 30°$, $\alpha = 37{,}8°$

3.162 $\theta = 0$ rév.: $M = 97{,}0 \text{ N} \cdot \text{m}$;
$\theta = 6$ rév.: $M = 63{,}3 \text{ N} \cdot \text{m}$;
$\theta = 12$ rév.: $M = 9{,}17 \text{ N} \cdot \text{m}$

3.164 $d_{AB} = 0{,}9 \text{ m}$; $d_{CD} = 0{,}225 \text{ m}$;
$d_{min} = 1{,}458 \text{ m}$

CHAPITRE 4

4.1 *a*) $6{,}07 \text{ kN}$↑ *b*) $4{,}23 \text{ kN}$↑

4.2 *a*) $4{,}89 \text{ kN}$↑ *b*) $3{,}69 \text{ kN}$↑

4.3 *a*) 1299 N↑ *b*) 4700 N↑

4.4 *a*) 245 N↑ *b*) 140 N

4.5 *a*) $\mathbf{A} = 20 \text{ N}$↓; $\mathbf{B} = 150 \text{ N}$↑
b) $\mathbf{A} = 10 \text{ N}$↓; $\mathbf{B} = 140 \text{ N}$↑

4.6 40 mm

4.7 *a*) $37{,}9 \text{ N}$↑ *b*) 373 N↑

4.8 *a*) $2{,}76 \text{ N}$↑ *b*) 391 N↑

4.9 $1{,}25 \text{ kN} < Q < 27{,}5 \text{ kN}$

4.10 $1{,}25 \text{ kN} < Q < 10{,}25 \text{ kN}$

4.11 $6 \text{ kN} \leq P \leq 42 \text{ kN}$

4.12 $20 \text{ mm} \leq a \leq 100 \text{ mm}$

4.13 $150 \text{ mm} \leq d \leq 400 \text{ mm}$

4.14 $120 \text{ mm} \leq d \leq 250 \text{ mm}$

4.15 *a*) 2 kN
b) $2{,}32 \text{ kN}$ ∡ $46{,}4°$

4.16 *a*) $1{,}5 \text{ kN}$ *b*) $1{,}906 \text{ kN}$ ∡ $61{,}8°$

4.17 *a*) $80{,}8 \text{ N}$↓ *b*) 216 N ∡ $22{,}0°$

4.18 232 N

4.19 *a*) 600 N
b) $\mathbf{C} = 1253 \text{ N}$ ∡ $69{,}8°$

4.20 $919{,}5 \text{ N}$

4.21 *a*) $\mathbf{A} = 225 \text{ N}$↑; $\mathbf{C} = 641 \text{ N}$ ⟋ $20{,}6°$
b) $\mathbf{A} = 365 \text{ N}$ ∡ $60°$; $\mathbf{C} = 844 \text{ N}$ ⟋ $22{,}0°$

4.22 *a*) $\mathbf{A} = 150 \text{ N}$ ∡ $30°$; $\mathbf{B} = 150 \text{ N}$ ⟍ $30°$
b) $\mathbf{A} = 433{,}25 \text{ N}$ ⟍ $12{,}55°$; $\mathbf{B} = 488{,}3 \text{ N}$ ⟍ $30°$

4.23 *a*) $\mathbf{A} = 44{,}7 \text{ N}$ ⟍ $26{,}6°$; $\mathbf{B} = 30 \text{ N}$↑
b) $\mathbf{A} = 30{,}2 \text{ N}$ ⟍ $41{,}4°$; $\mathbf{B} = 34{,}6 \text{ N}$ ⟍ $60°$

4.24 *a*) $\mathbf{A} = 20 \text{ N}$↑; $\mathbf{B} = 50 \text{ N}$ ⟍ $36{,}9°$
b) $\mathbf{A} = 23{,}1 \text{ N}$ ∡ $60°$; $\mathbf{B} = 59{,}6 \text{ N}$ ⟍ $30{,}2°$

4.25 *a*) $190{,}9 \text{ N}$ *b*) $142{,}3 \text{ N}$ ∡ $18{,}4°$

4.26 *a*) 324 N *b*) 270 N→

4.27 a) 400 N
b) $\mathbf{C} = 458{,}26$ N $\measuredangle$ 49,1°

4.28 a) $\mathbf{A} = 8{,}29$ N $\searrow$ 58° ; $\mathbf{E} = 31{,}2$ N $\measuredangle$ 60°
b) $\mathbf{A} = 0$ N ; $\mathbf{E} = 28{,}3$ N $\measuredangle$ 45°

4.29 $T = 80$ N ; $\mathbf{C} = 89{,}4$ N $\measuredangle$ 26,6°

4.30 a) 130,0 N b) 224 N $\nearrow$ 2,0°

4.31 $T = 2P/3$; $\mathbf{C} = 0{,}577\,P\rightarrow$

4.32 $T = 0{,}586\,P$; $\mathbf{C} = 0{,}414\,P\rightarrow$

4.33 $B = 2P$; $\mathbf{C} = 1{,}24P$ $\searrow$ 36,2°

4.34 $B = 1{,}155P$; $\mathbf{C} = 1{,}086P$ $\measuredangle$ 22,9°

4.35 $T_{BE} = 3230$ N ; $T_{CF} = 960$ N ; $\mathbf{D} = 3750$ N$\leftarrow$

4.36 a) 1432 N b) 1100 N$\uparrow$ c) 1400 N$\leftarrow$

4.37 $T = 20$ N ; $\mathbf{A} = 40$ N $\searrow$ 30° ; $\mathbf{C} = 40$ N $\searrow$ 30°

4.38 $T = 17{,}32$ N ; $\mathbf{A} = 35$ N $\searrow$ 30° ; $\mathbf{C} = 45$ N $\searrow$ 30°

4.39 $\mathbf{A} = \mathbf{D} = 0$; $\mathbf{B} = 964$ N$\leftarrow$; $\mathbf{C} = 140{,}2$ N$\rightarrow$

4.40 $\mathbf{A} = \mathbf{C} = 0$; $\mathbf{B} = 470$ N$\leftarrow$; $\mathbf{D} = 50{,}2$ N$\leftarrow$

4.41 $\mathbf{A} = 20{,}23$ N$\uparrow$; $\mathbf{B} = 30$ N $\searrow$ 60° ; $\mathbf{F} = 16{,}2$ N$\downarrow$

4.42 5,44 N $\leq P \leq$ 17,23 N

4.43 a) $\mathbf{A} = 78{,}5$ N$\uparrow$; $\mathbf{M}_A = 125{,}6$ N·m $\curvearrowright$
b) $\mathbf{A} = 111{,}0$ N $\measuredangle$ 45° ; $\mathbf{M}_A = 125{,}6$ N·m $\curvearrowright$
c) $\mathbf{A} = 157{,}0$ N$\uparrow$; $\mathbf{M}_A = 251$ N·m $\curvearrowright$

4.44 $T_{\max} = 2245$ N ; $T_{\min} = 1522$ N

4.45 $\mathbf{C} = 7{,}07$ N $\searrow$ 45° ; $\mathbf{M}_C = 430$ mN·m $\curvearrowright$

4.46 $\mathbf{C} = 7{,}07$ N $\searrow$ 45° ; $\mathbf{M}_C = 450$ mN·m $\curvearrowright$

4.47 $\mathbf{C} = 1951$ N $\searrow$ 88,5° ; $\mathbf{M}_C = 75{,}0$ N·m $\curvearrowright$

4.48 1,232 kN $\leq T \leq$ 1,774 kN

4.49 a) $\mathbf{D} = 200$ N$\downarrow$; $\mathbf{M} = 200$ N·m $\curvearrowright$
b) $\mathbf{D} = 100$ N$\downarrow$; $\mathbf{M} = 300$ N·m $\curvearrowleft$

4.50 880 N $\leq W \leq$ 1040 N

4.51 a) $T = \frac{1}{2}W/(1 - \tan\theta)$ b) 39,8°

4.52 a) $\sin\theta + \cos\theta = M/Pl$ b) 17,1° et 72,9°

4.53 a) $P = \frac{1}{3}Q(a\cos\theta + d)/(a\sin\theta)$ b) 6,84 N

4.54 a) $\cos^3\theta = a(P + Q)/Pl$ b) 40,6°

4.55 a) $\theta = 2\arcsin\left(\dfrac{1}{2}\dfrac{kl}{kl - P}\right)$
b) $\theta = 83{,}62°$

4.56 a) $kl\big(\tan(\theta) - \sin(\theta)\big) - W = 0$
b) $\theta = 57{,}96°$

4.57 $\theta = 141{,}1°$

4.58 a) $(1 - \cos\theta)\tan\theta = W/2kl$ b) 49,7°

4.59 (1) Liaison complète ; isostatique ;
$\mathbf{A} = \mathbf{C} = 196{,}2$ N$\uparrow$
(2) Liaison complète ; isostatique ;
$\mathbf{B} = 0$, $\mathbf{C} = \mathbf{D} = 196{,}2$ N$\uparrow$
(3) Liaison complète ; hyperstatique ;
$\mathbf{A}_x = 294$ N$\rightarrow$, $\mathbf{D}_x = 294$ N$\leftarrow$
(4) Liaison incorrecte ; hyperstatique ; pas d'équilibre
(5) Liaison incomplète ; isostatique ; équilibre ;
$\mathbf{C} = \mathbf{D} = 196{,}2$ N$\uparrow$
(6) Liaison complète ; isostatique ;
$\mathbf{B} = 294$ N$\rightarrow$, $\mathbf{D} = 491$ N $\searrow$ 53,1°
(7) Liaison incomplète ; pas d'équilibre
(8) Liaison complète ; statiquement indéterminé ;
$\mathbf{B} = 196{,}2$ N$\uparrow$, $\mathbf{D}_y = 196{,}2$ N$\uparrow$

4.60 (1) Complète isostatique ; $\mathbf{B} = 66{,}67$ N$\leftarrow$;
$\mathbf{A} = 120{,}18$ N $\measuredangle$ 56,3°
(2) Incorrecte
(3) Incomplète isostatique ; $\mathbf{A} = 50$ N$\uparrow$; $\mathbf{B} = 50$ N$\uparrow$
(4) Complète isostatique ; $\mathbf{A} = 50$ N$\uparrow$; $\mathbf{C} = 66{,}67$ N$\rightarrow$
$\mathbf{B} = 83{,}3$N $\searrow$ 36,9°
(5) Complète hyperstatique ; $\mathbf{A} = 50$ N$\uparrow$; $\mathbf{B} = 0$; $\mathbf{C} = 50$ N$\uparrow$
(6) Complète hyperstatique
(7) Complète isostatique ; $\mathbf{A} = 50$ N$\uparrow$; $\mathbf{C} = 50$ N$\uparrow$
(8) Incorrecte

4.61 $\mathbf{A} = 400$ N$\uparrow$; $\mathbf{B} = 500$ N $\searrow$ 53,1°

4.62 $a \geq 138{,}6$ mm

4.63 a) 80,8 N$\downarrow$ b) 216 N $\measuredangle$ 22°

4.64 232 N

4.65 $\mathbf{B} = 888$ N $\searrow$ 41,3° ; $\mathbf{D} = 943$ N $\searrow$ 45°

4.66 $\mathbf{B} = 1001$ N $\searrow$ 48,2° ; $\mathbf{D} = 943$ N $\searrow$ 45°

4.67 $\mathbf{A} = 63{,}64$ N $\searrow$ 45° ; $\mathbf{C} = 87{,}46$ N $\searrow$ 59°

4.68 $\mathbf{C} = 270{,}4$ N $\searrow$ 56,4° ; $\mathbf{D} = 167{,}7$ N $\searrow$ 26,56°

4.69 $\mathbf{A} = 777{,}8$ N$\downarrow$; $\mathbf{C} = 1012{,}4$ N $\searrow$ 77,9°

4.70 $\mathbf{A} = 769{,}6$ N$\downarrow$; $\mathbf{C} = 955{,}6$ N $\searrow$ 74,2°

4.71 a) 5,63 kN b) 4,52 kN $\nearrow$ 4,8°

4.72 $T = 499$ N ; $\mathbf{B} = 457$ N $\searrow$ 26,56°

4.73 $T = 998$ N ; $\mathbf{B} = 821{,}6$ N $\nearrow$ 5,73°

4.74 $\mathbf{A} = 163{,}1$ N $\searrow$ 74,1° ; $\mathbf{B} = 258$ N $\searrow$ 65°

4.75 $\mathbf{A} = 163{,}1$ N $\searrow$ 55,9° ; $\mathbf{B} = 258$ N $\searrow$ 65°

4.76 a) 25 N $\nearrow$ 30° b) 15,42 N $\measuredangle$ 30°

4.77 $T = 100$ N ; $\mathbf{B} = 111{,}1$ N $\searrow$ 30,3°

4.78 $T = 300$ N ; $\mathbf{B} = 375$ N $\searrow$ 36,9°

4.79 a) $\mathbf{A} = 150$ N $\measuredangle$ 30° ; $\mathbf{B} = 150$ N $\searrow$ 30°
b) $\mathbf{A} = 433{,}25$ N $\searrow$ 12,55° ; $\mathbf{B} = 488{,}3$ N $\searrow$ 30°

4.80 a) 400 N b) $\mathbf{C} = 458{,}26$ N $\measuredangle$ 49,1°

4.81 a) $2P$ $\searrow$ 60°
b) $1{,}239P$ $\searrow$ 36,2°

4.82 a) $1{,}155P$ $\searrow$ 30°
b) $1{,}086P$ $\measuredangle$ 22,9°

4.83 $\tan\theta = 2\tan\beta$

4.84 a) 49,1° b) $\mathbf{A} = 45{,}3$ N$\leftarrow$; $\mathbf{B} = 90{,}6$ N $\measuredangle$ 60°

4.85 $h^2 = \dfrac{s^2 - L^2}{3}$

4.86 a) 129,1 mm b) 11,62 N c) 5,92 N$\leftarrow$

4.87 60,0 mm

4.88 32,5°

4.89 $R^2 = L^2(1 + 3\cos^2\theta)$

4.90 $A = 33{,}8$ N ; $B = 52{,}37$ N ; $\theta = 59{,}4°$

4.91 $\mathbf{A} = (56{,}0\text{ N})\mathbf{j} + (18{,}0\text{ N})\mathbf{k}$;
$\mathbf{D} = (24{,}0\text{ N})\mathbf{j} + (42{,}0\text{ N})\mathbf{k}$

4.92 $\mathbf{A} = (56{,}0\text{ N})\mathbf{j} + (14{,}4\text{ N})\mathbf{k}$;
$\mathbf{D} = (24{,}0\text{ N})\mathbf{j} + (33{,}6\text{ N})\mathbf{k}$

4.93 a) 375 N b) $\mathbf{B} = (337{,}5\text{ N})\mathbf{j} - (700\text{ N})\mathbf{k}$;
$\mathbf{D} = (337{,}5\text{ N})\mathbf{j} + (280\text{ N})\mathbf{k}$

4.94 $\mathbf{A} = (112{,}4\text{ N})\mathbf{i} + (41{,}7\text{ N})\mathbf{j}$;
$\mathbf{B} = (112{,}4\text{ N})\mathbf{i} + (125{,}1\text{ N})\mathbf{j}$; $\mathbf{C} = -(224{,}7\text{ N})\mathbf{i}$

4.95 $T = 78{,}48$ N ; $\mathbf{A} = (-27{,}54\text{ N})\mathbf{i} + (58{,}86\text{ N})\mathbf{j}$;
$\mathbf{B} = (106{,}02\text{ N})\mathbf{i} + (58{,}86\text{ N})\mathbf{j}$

4.96 $T = 135{,}93$ N ; $\mathbf{A} = (-47{,}69$ N$)\mathbf{i} + (58{,}86$ N$)\mathbf{j}$;
$\mathbf{B} = (183{,}63$ N$)\mathbf{i} + (58{,}86$ N$)\mathbf{j}$

4.97 $T_A = 23{,}5$ N ; $T_C = 11{,}77$ N ; $T_D = 105{,}9$ N

4.98 *a*) 0,48 m
b) $T_A = 23{,}5$ N ; $T_C = 0$; $T_D = 117{,}7$ N

4.99 $T_A = 91{,}98$ N ; $T_B = T_C = 76{,}66$ N

4.100 $W = 17{,}52$ N ; $x = 200$ mm, $z = 100$ mm

4.101 390 mm

4.102 *a*) 121,9 N *b*) −46,2 N *c*) 100,9 N

4.103 *a*) 95,6 N *b*) −7,36 N *c*) 88,3 N

4.104 *a*) $T_A = 30$ N ; $T_B = 45$ N ; $T_C = 45$ N
b) 150 mm

4.105 $T_{BD} = T_{BE} = 5{,}238$ kN ; $\mathbf{A} = (5{,}714$ kN$)\mathbf{i} - (2{,}667$ kN$)\mathbf{j}$

4.106 $T_{BD} = T_{BE} = 707{,}1$ N ; $\mathbf{C} = -(200$ N$)\mathbf{j} + (866$ N$)\mathbf{k}$

4.107 $T_{AD} = 2{,}6$ kN ; $T_{AE} = 2{,}8$ kN ;
$\mathbf{C} = (1{,}8$ kN$)\mathbf{j} + (4{,}8$ kN$)\mathbf{k}$

4.108 $T_{AD} = 5{,}2$ kN ; $T_{AE} = 5{,}6$ kN ; $\mathbf{C} = (9{,}6$ kN$)\mathbf{k}$

4.109 $T_{BD} = 780$ N ; $T_{BE} = 390$ N ;
$\mathbf{A} = -(195$ N$)\mathbf{i} + (1170$ N$)\mathbf{j} + (130$ N$)\mathbf{k}$

4.110 $T_{BD} = 525$ N ; $T_{BE} = 105$ N ;
$\mathbf{A} = -(105$ N$)\mathbf{i} + (840$ N$)\mathbf{j} + (140$ N$)\mathbf{k}$

4.111 $T_{AD} = 2080$ N ; $T_{AE} = 2080$ N ; $T_{BF} = 2720$ N ;
$\mathbf{C} = (-480$ N$)\mathbf{i} + (480$ N$)\mathbf{j} + (6240$ N$)\mathbf{k}$

4.112 $T_{AD} = 3328$ N ; $T_{AE} = 3328$ N ; $T_{BF} = 4352$ N ;
$\mathbf{C} = (-768$ N$)\mathbf{i} + (9984$ N$)\mathbf{k}$

4.113 *a*) 462 N
b) $\mathbf{C} = -(336$ N$)\mathbf{j} + (467$ N$)\mathbf{k}$; $\mathbf{D} = (505$ N$)\mathbf{j} - (66{,}7$ N$)\mathbf{k}$

4.114 $F = 19{,}63$ N ; $\mathbf{A} = (-19{,}23$ N$)\mathbf{i} + (45{,}12$ N$)\mathbf{j}$;
$\mathbf{B} = (49{,}05$ N$)\mathbf{j}$

4.115 *a*) 198 N
b) $\mathbf{A} = -(48$ N$)\mathbf{i} + (130$ N$)\mathbf{j} - (16$ N$)\mathbf{k}$;
$\mathbf{B} = (20$ N$)\mathbf{j} + (136$ N$)\mathbf{k}$

4.116 *a*) 475 N
b) $\mathbf{A} = (375$ N$)\mathbf{i} + (130$ N$)\mathbf{j} + (283{,}3$ N$)\mathbf{k}$;
$\mathbf{B} = (20$ N$)\mathbf{j} - (33{,}3$ N$)\mathbf{k}$

4.117 *a*) $T = 344{,}63$ N
b) $\mathbf{A} = (114{,}45$ N$)\mathbf{i} + (377{,}31$ N$)\mathbf{j} + (141{,}49$ N$)\mathbf{k}$;
$\mathbf{B} = (113{,}19$ N$)\mathbf{j} + (185{,}51$ N$)\mathbf{k}$

4.118 *a*) $T = 621{,}3$ N
b) $\mathbf{A} = (-196{,}2$ N$)\mathbf{i} + (377{,}31$ N$)\mathbf{j} - (37{,}73$ N$)\mathbf{k}$;
$\mathbf{B} = (113{,}19$ N$)\mathbf{j} + (364{,}73$ N$)\mathbf{k}$

4.119 *a*) 462 N
b) $\mathbf{C} = (169{,}1$ N$)\mathbf{j} + (400$ N$)\mathbf{k}$;
$\mathbf{M}_C = (20$ N · m$)\mathbf{j} + (151{,}5$ N · m$)\mathbf{k}$

4.120 *a*) 198 N
b) $\mathbf{A} = -(48$ N$)\mathbf{i} + (150$ N$)\mathbf{j} + (120$ N$)\mathbf{k}$;
$\mathbf{M}_A = -(40{,}8$ N · m$)\mathbf{j} + (6{,}0$ N · m$)\mathbf{k}$

4.121 *a*) 25 N
b) $\mathbf{C} = -(25$ N$)\mathbf{i} + (30$ N$)\mathbf{j} - (25$ N$)\mathbf{k}$;
$\mathbf{M}_C = (400$ mN · m$)\mathbf{j} - (600$ mN · m$)\mathbf{k}$

4.122 $T_{CF} = 200$ N ; $T_{DE} = 450$ N ; $\mathbf{M}_A = -(16{,}20$ N · m$)\mathbf{i}$;
$\mathbf{A} = (160$ N$)\mathbf{i} + (270$ N$)\mathbf{k}$

4.123 $T_{BE} = 975$ N ; $T_{CF} = 600$ N ; $T_{DG} = 625$ N ;
$\mathbf{A} = (2100$ N$)\mathbf{i} + (175$ N$)\mathbf{j} - (375$ N$)\mathbf{k}$

4.124 $T_{BE} = 1950$ N ; $T_{CF} = 0$; $T_{DG} = 1250$ N ;
$\mathbf{A} = (3000$ N$)\mathbf{i} - (750$ N$)\mathbf{k}$

4.125 $T_{BG} = 80$ N ; $T_{DH} = 60$ N ; $T_{FJ} = 0$ N ;
$\mathbf{A} = (100$ N$)\mathbf{i} - (48$ N$)\mathbf{k}$

4.126 $T_{BG} = 60$ N ; $T_{DH} = 15$ N ; $T_{FJ} = 15$ N ;
$\mathbf{A} = (66$ N$)\mathbf{i} - (36$ N$)\mathbf{k}$

4.127 $\mathbf{B} = (60$ N$)\mathbf{k}$; $\mathbf{C} = (30$ N$)\mathbf{j} - (16$ N$)\mathbf{k}$;
$\mathbf{D} = -(30$ N$)\mathbf{j} + (4$ N$)\mathbf{k}$

4.128 $\mathbf{B} = (60$ N$)\mathbf{k}$; $\mathbf{C} = -(16$ N$)\mathbf{k}$; $\mathbf{D} = (4$ N$)\mathbf{k}$

4.129 $\mathbf{A} = (120$ N$)\mathbf{j} - (150$ N$)\mathbf{k}$; $\mathbf{B} = (180$ N$)\mathbf{i} + (150$ N$)\mathbf{k}$;
$\mathbf{C} = -(180$ N$)\mathbf{i} + (120$ N$)\mathbf{j}$

4.130 $\mathbf{A} = (20$ N$)\mathbf{j} + (25$ N$)\mathbf{k}$; $\mathbf{B} = (30$ N$)\mathbf{i} - (25$ N$)\mathbf{k}$;
$\mathbf{C} = -(30$ N$)\mathbf{i} - (20$ N$)\mathbf{j}$

4.131 *a*) $T_{CG} = 52{,}12$ N
b) $\mathbf{A} = (-36{,}79$ N$)\mathbf{i} + (73{,}58$ N$)\mathbf{j} + (27{,}6$ N$)\mathbf{k}$;
$\mathbf{B} = (73{,}575$ N$)\mathbf{i}$

4.132 *a*) $(15{,}7$ N$)\mathbf{i} + (20{,}93$ N$)\mathbf{j}$
b) $\mathbf{A} = (-15{,}7$ N$)\mathbf{i} + (28{,}12$ N$)\mathbf{j} - (14{,}71$ N$)\mathbf{k}$;
$\mathbf{B} = (14{,}72$ N$)\mathbf{k}$

4.133 373 N

4.134 301 N

4.135 853 N

4.136 1817 N

4.137 $(45$ N$)\mathbf{j}$

4.138 $T_{DF} = 342{,}86$ N

4.139 $T_{DF} = 587{,}24$ N

4.140 *a*) $x = 2$ m, $y = 4$ m *b*) 53,67 N

4.141 *a*) $y = 8$ m
b) $T_{BH} = 56{,}57$ N

4.142 $\mathbf{B} = P/2 \angle 45°$; $\mathbf{C} = 3P/2 \searrow 45°$; $\mathbf{D} = P/\sqrt{2}\downarrow$

4.143 $26{,}6° \leq \alpha \leq 153{,}4°$

4.144 *a*) 875 N *b*) 1584 N $\searrow 45{,}0°$

4.145 $\mathbf{C} = 7{,}97$ N $\rightarrow$; $\mathbf{D} = 42{,}62$ N $\leftarrow$; $\mathbf{E} = 69{,}28$ N $\angle 60°$

4.146 *a*) $\theta = 23{,}96°$
b) $\mathbf{C} = 0$ N ; $\mathbf{D} = 26{,}67$ N $\leftarrow$; $\mathbf{E} = 65{,}65$ N $\angle 66{,}04°$

4.147 *a*) $T_{CD} = T_{CE} = 3{,}96$ kN
b) $\mathbf{A} = (6{,}67$ kN$)\mathbf{i} + (1{,}667$ kN$)\mathbf{j}$

4.148 *a*) $T_{CD} = 0{,}954$ kN ; $T_{CE} = 5{,}90$ kN
b) $\mathbf{A} = (5{,}77$ kN$)\mathbf{i} + (1{,}443$ kN$)\mathbf{j} - (0{,}833$ kN$)\mathbf{k}$

4.149 *a*) $T_B = -0{,}3657P$; $T_C = 1{,}22P$; $T_D = -0{,}853P$
b) $\mathbf{F} = (-0{,}345P)\mathbf{i} + (P)\mathbf{j} - (0{,}86P)\mathbf{k}$

4.150 *a*) $\mathbf{A} = 67{,}1$ N $\angle 26{,}6°$; $\mathbf{B} = 67{,}1$ N $\searrow 26{,}6°$
b) 40 mm ; $A = 120$ N, $B = 134{,}2$ N $\searrow 26{,}6°$

4.151 $T = 1200$ N ; $\mathbf{C} = (400$ N$)\mathbf{i} + (1200$ N$)\mathbf{j}$;
$\mathbf{D} = (-1600$ N$)\mathbf{i} - (480$ N$)\mathbf{j}$

4.152 *a*) $\mathbf{A} = 0{,}745P \angle 63{,}43°$; $\mathbf{C} = 0{,}472P \searrow 45°$
b) $\mathbf{A} = 0{,}812P \angle 60°$; $\mathbf{C} = 0{,}503P \searrow 36{,}2°$
c) $\mathbf{A} = 0{,}448P \searrow 60°$; $\mathbf{C} = 0{,}652P \angle 69{,}9°$
d) Impossible

4.153 *a*) 187,5 mm *b*) 160 mm *c*) 80 mm *d*) 63,4°

4.154 $\theta = 20°$: $T = 114{,}8$ N ; $\theta = 70°$: $T = 127{,}7$ N ;
$T_{\max} = 132{,}2$ N à $\theta = 50{,}4°$

4.155 $x = 600$ mm : $P = 31{,}4$ N ; $x = 150$ mm : $P = 37{,}7$ N ;
$P_{\max} = 47{,}2$ N à $x = 283$ mm

4.156 $\theta = 30°$: $W = 48,3$ N ; $\theta = 60°$: $W = 183$ N ; $W = 25$ N à $\theta = 22,9°$ [Aussi à $\theta = 175,7°$]

4.157 $\theta = 30°$: $W = 4$ N ; $\theta = 60°$: $W = 22,85$ N ; $W = 25$ N à $\theta = 62,6°$ [Aussi à $\theta = 159,6°$]

4.158 $\theta = 30°$: $m = 7,09$ kg ; $\theta = 60°$: $m = 11,02$ kg Quand $m = 10$ kg, $\theta = 51,0°$.

4.159 $\theta = 15°$: $T_{BD} = 10,30$ kN, $T_{BE} = 21,7$ kN ; $\theta = 30°$: $T_{BD} = 5,69$ kN, $T_{BE} = 24,4$ kN ; $T_{max} = 26,5$ kN à $\theta = 36,9°$

CHAPITRE 5

5.1 $\bar{x} = 42,2$ mm, $\bar{y} = 24,2$ mm

5.2 $\bar{x} = 19,28$ mm, $\bar{y} = 6,94$ mm

5.3 $\bar{x} = 7,22$ mm, $\bar{y} = 9,56$ mm

5.4 $\bar{x} = 52$ mm, $\bar{y} = 65$ mm

5.5 $\bar{x} = 2,84$ mm, $\bar{y} = 24,8$ mm

5.6 $\bar{x} = -10$ mm, $\bar{y} = 87,1$ mm

5.7 $\bar{x} = 12,34$ mm, $\bar{y} = 23,46$ mm

5.8 $\bar{x} = 1,64$ mm, $\bar{y} = 17,46$ mm

5.9 $\bar{x} = \bar{y} = 16,75$ mm

5.10 $\bar{x} = -62,39$ mm, $\bar{y} = 0$ mm

5.11 $\bar{x} = 0$, $\bar{y} = 18,95$ mm

5.12 $\bar{x} = -9,89$ mm, $\bar{y} = -10,67$ mm

5.13 $\bar{x} = 3,20$ mm, $\bar{y} = 2,00$ mm

5.14 $\bar{x} = 30,0$ mm, $\bar{y} = 64,8$ mm

5.15 $\bar{x} = 11,91$ mm, $\bar{y} = 28,82$ mm

5.16 $\bar{x} = 49,6$ mm, $\bar{y} = 45,36$ mm

5.17 $\bar{y} = \dfrac{2}{3}\left(\dfrac{r_2^3 - r_1^3}{r_2^2 - r_1^2}\right)\left(\dfrac{2\cos\alpha}{\pi - 2\alpha}\right)$

5.18 $\bar{y} = \left(\dfrac{r_1 + r_2}{\pi - 2\alpha}\right)\cos\alpha$

5.19 $\bar{y} = \dfrac{2}{3}h\left[\dfrac{b_1 + \frac{1}{2}b_2}{b_1 + b_2}\right]$

5.20 $r_2/r_1 = 1,34$

5.21 $a/b = 4/5$

5.22 $r_2/r_1 = 1,093$

5.23 $F_B = 459$ N

5.24 $(Q_x)_1 = 25$ m³ ; $(Q_x)_2 = -25$ m³

5.25 $(Q_x)_1 = 23,3$ m³ ; $(Q_x)_2 = -23,3$ m³

5.26 a) $Q_x = (2r^3\cos^3\theta)/3$ b) $\theta = 0$; $(Q_x)_{max} = 2r^3/3$

5.27 $\bar{x} = 40,9$ mm, $\bar{y} = 25,3$ mm

5.28 $\bar{x} = 18,45$ mm, $\bar{y} = 6,48$ mm

5.29 $\bar{x} = 51,92$ mm, $\bar{y} = 66,23$ mm

5.30 $\bar{x} = -1,407$ mm, $\bar{y} = 15,23$ mm

5.31 a) $T = 125,26$ N b) $\mathbf{C} = (75,16$ N$)\mathbf{i} + (114,54$ N$)\mathbf{j}$

5.32 $\theta = 56,7°$

5.33 $0,7386$ mm

5.34 $L = 0,204$ m ou $0,943$ m

5.35 a) $h = 0,513a$ b) $h = 0,691a$

5.36 $\bar{y} = 2h/3$

5.37 $\bar{x} = 67,5$ mm

5.38 $\bar{y} = 24$ mm

5.39 $\bar{x} = 2,95a$; $5,65\%$

5.40 $\bar{x} = 2,8467a$

5.41 $\bar{x} = a/3$, $\bar{y} = 2h/3$

5.42 $\bar{x} = 2a/5$, $\bar{y} = 4h/7$

5.43 $\bar{x} = 45a/28$, $\bar{y} = 93h/280$

5.44 $\bar{x} = 2a/3(4 - \pi)$, $\bar{y} = 2b/3(4 - \pi)$

5.45 $\bar{x} = a(3 - 4\sin a)/6(1 - a)$, $\bar{y} = 0$

5.46 $\bar{x} = 0$, $\bar{y} = \dfrac{4}{3\pi}\left[\dfrac{r_2^3 - r_1^3}{r_2^2 - r_1^2}\right]$

5.47 $\bar{x} = 3a/5$, $\bar{y} = 12b/35$

5.48 $\bar{x} = a/4$, $\bar{y} = 3b/10$

5.49 $\bar{x} = 0,546a$, $\bar{y} = 0,423b$

5.50 $\bar{x} = a$, $\bar{y} = 17b/35$

5.51 $\bar{x} = 5L/4$, $\bar{y} = 33a/40$

5.52 $\bar{x} = -2\sqrt{2}\,r/3\pi$

5.53 $\bar{x} = 2a/5$, $\bar{y} = 2a/5$

5.54 $\bar{x} = 0,5457a$

5.55 $\bar{x} = -9,27a$, $\bar{y} = 3,09a$

5.56 $\bar{x} = L/\pi$, $\bar{y} = \pi a/8$

5.57 $\bar{x} = 1,629$ m, $\bar{y} = 0,1853$ m

5.58 $a = 1,901$ mm ou $3,744$ m

5.59 a) $V = 401 \times 10^3$ mm³ ; $A = 34,1 \times 10^3$ mm² b) $V = 492 \times 10^3$ mm³ ; $A = 41,9 \times 10^3$ mm²

5.60 a) $V = 192,1 \times 10^3$ mm³ ; $A = 18,01 \times 10^3$ mm² b) $V = 212 \times 10^3$ mm³ ; $A = 20,5 \times 10^3$ mm²

5.61 a) $V = 169,0 \times 10^3$ mm³ ; $A = 28,4 \times 10^3$ mm² b) $V = 88,9 \times 10^3$ mm³ ; $A = 15,48 \times 10^3$ mm²

5.62 a) $V = 16\pi ah^2/15$ b) $V = 16\pi a^2 h/3$

5.63 $V = 3473$ mm³ ; $A = 2315$ mm²

5.65 720 mm³

5.66 a) $3240,1$ mm² b) $2740,6$ mm² c) $2803,8$ mm²

5.67 $V = 31,9$ litres

5.68 $m = 0,0305$ kg

5.69 $12,6$ litres

5.70 $66,5\%$

5.71 $V = 35\ 814$ mm³ ; $A = 15\ 991$ mm²

5.72 $A = 55\ 114$ mm²

5.73 $t = 1,056$ mm

5.74 $m = 0,0208$ kg

5.75 $\mathbf{R} = 6000$ N$\downarrow$, $3,60$ m à droite de A ; $\mathbf{A} = 6000$ N$\uparrow$, $\mathbf{M}_A = 21,6$ kN·m$\curvearrowright$

5.76 a) $\mathbf{R} = 7600$ N$\downarrow$ à $2,566$ m du point A b) $\mathbf{A} = 4350$ N$\uparrow$; $\mathbf{B} = 3250$ N$\uparrow$

5.77 $\mathbf{A} = 3,85$ kN$\uparrow$; $\mathbf{M}_A = 0,845$ kN·m$\curvearrowright$

5.78 $\mathbf{B} = 4,08$ kN$\uparrow$; $\mathbf{C} = 7,08$ kN$\uparrow$

5.79 $\mathbf{A} = 105$ N$\uparrow$; $\mathbf{B} = 270$ N$\uparrow$

5.80 $\mathbf{A} = 3,33$ kN$\uparrow$; $\mathbf{M} = 6,33$ kN·m$\curvearrowright$

5.81 $\mathbf{A} = 0,27$ kN$\uparrow$; $\mathbf{B} = 0,72$ kN$\downarrow$

5.82 $\mathbf{A} = 3000$ N$\uparrow$; $\mathbf{M}_A = 12,60$ kN·m$\curvearrowright$

5.83 $\mathbf{B} = 10{,}79 \text{ kN}\uparrow$; $\mathbf{C} = 16{,}21 \text{ kN}\uparrow$

5.84 *a)* $w_0 = -5{,}694 \text{ kN/m}$
b) $\mathbf{C} = 5{,}375 \text{ kN}\downarrow$

5.85 *a)* $a = 0{,}536 \text{ m}$
b) $\mathbf{A} = \mathbf{B} = 761 \text{ N}\uparrow$

5.86 *a)* $a = 1{,}00 \text{ m}$
b) $\mathbf{A} = 1050 \text{ N}\uparrow$; $\mathbf{B} = 750 \text{ N}\uparrow$

5.87 $\omega_{BC} = 2812{,}5 \text{ N/m}$; $\omega_{DE} = 3150 \text{ N/m}$

5.88 *a)* $\omega_A = 763{,}6 \text{ N/m}$
b) $\omega_{BC} = \omega_{DE} = 3272{,}7 \text{ N/m}$

5.89 *a)* $\mathbf{H} = 1589 \text{ kN}\rightarrow$, $\mathbf{V} = 5933 \text{ kN}\uparrow$
b) 10,48 m à droite de A
c) $\mathbf{R} = 1675 \text{ kN} \nearrow 18{,}43°$

5.90 *a)* $\mathbf{H} = 194{,}7 \text{ kN}\rightarrow$, $\mathbf{V} = 1596 \text{ kN}\uparrow$
b) 6,72 m à droite de A
c) $\mathbf{R} = 362{,}5 \text{ kN} \nearrow 57{,}5°$

5.91 $\mathbf{T} = 20{,}60 \text{ kN}\uparrow$

5.92 $d = 2{,}64 \text{ m}$

5.93 $\mathbf{T} = 67{,}2 \text{ kN}\leftarrow$; $\mathbf{A} = 141{,}2 \text{ kN}\leftarrow$

5.94 39,08 %

5.95 77,88 ans

5.96 $t = 35{,}7 \text{ s}$; rotation horaire

5.97 $\mathbf{A} = 1197 \text{ N} \nwarrow 53{,}1°$; $\mathbf{B} = 1511 \text{ N} \nwarrow 53{,}1°$

5.98 $T = 3567 \text{ N}$

5.99 $d = 1{,}63 \text{ m}$

5.100 $d = 1{,}763 \text{ m}$

5.101 $d = 0{,}683 \text{ m}$

5.102 $h = 0{,}0711 \text{ m}$

5.103 $\mathbf{F} = (993{,}3 \text{ N})\mathbf{i} + (1560{,}2 \text{ N})\mathbf{j}$

5.104 883 N

5.105 *a)* $\overline{x} = 0{,}548L$ *b)* $h/L = 2\sqrt{3}$

5.106 *a)* $-0{,}4018a$ *b)* $h = 2/3a$ ou $h = 2/5a$

5.107 $\overline{y} = -(2h^2 - 3b^2)/2(4h - 3b)$

5.108 $\overline{z} = -a(4h - 2b)/\pi(4h - 3b)$

5.109 $\overline{x} = 45{,}16 \text{ mm}, \overline{y} = 7{,}113 \text{ mm}, \overline{z} = 35 \text{ mm}$

5.110 $\overline{x} = 18{,}28 \text{ mm}$

5.111 $\overline{z} = 51{,}48 \text{ mm}$

5.112 62,08 mm

5.113 $\overline{x} = 40{,}26 \text{ mm}$

5.114 $\overline{y} = -19{,}02 \text{ mm}$

5.115 $\overline{y} = 18{,}99 \text{ mm}$

5.116 $\overline{x} = 0{,}295 \text{ m}, \overline{y} = 0{,}423 \text{ m}, \overline{z} = 1{,}703 \text{ m}$

5.117 $\overline{x} = 0{,}1402 \text{ m}, \overline{y} = 0{,}0944 \text{ m}, \overline{z} = 0{,}0959 \text{ m}$

5.118 $\overline{x} = 340 \text{ mm}, \overline{y} = 313{,}7 \text{ mm}, \overline{z} = 283{,}2 \text{ mm}$

5.119 $\overline{x} = 20{,}35 \text{ mm}, \overline{y} = -4{,}55 \text{ mm}, \overline{z} = 29{,}03 \text{ mm}$

5.120 $\overline{x} = 46{,}5 \text{ mm}, \overline{y} = 27{,}2 \text{ mm}, \overline{z} = 30{,}0 \text{ mm}$

5.121 $\overline{x} = 180{,}2 \text{ mm}, \overline{y} = 38{,}0 \text{ mm}, \overline{z} = 193{,}5 \text{ mm}$

5.122 $\overline{x} = 28{,}08 \text{ mm}, \overline{y} = 79{,}495 \text{ mm}, \overline{z} = 0 \text{ mm}$

5.123 $\overline{x} = 0 \text{ mm}, \overline{y} = 244{,}587 \text{ mm}, \overline{z} = -69{,}88 \text{ mm}$

5.124 $\overline{x} = 0{,}41 \text{ m}, \overline{y} = 0{,}51 \text{ m}, \overline{z} = 0{,}15 \text{ m}$

5.125 $\overline{x} = 0, \overline{y} = 25{,}1 \text{ cm}, \overline{z} = 12{,}87 \text{ cm}$

5.126 $\overline{x} = 0{,}525 \text{ m}, \overline{y} = 1{,}241 \text{ m}, \overline{z} = 0{,}406 \text{ m}$

5.127 $\overline{x} = 178{,}54 \text{ mm}, \overline{y} = -37{,}48 \text{ mm}, \theta = 2{,}71°$

5.128 $\overline{y} = 10{,}51 \text{ mm}$ au-dessus de la base

5.129 $\overline{x} = 61{,}1 \text{ mm}$ de la fin du manche

5.130 $\overline{y} = 421 \text{ mm}$ à partir du sol

5.131 $\overline{x} = 274{,}86 \text{ m}, \overline{y} = -104{,}07 \text{ m}$

5.132 $(\overline{x})_1 = 21a/88$; $(\overline{x})_2 = 27a/40$

5.133 $(\overline{x})_1 = 21h/88$; $(\overline{x})_2 = 27h/40$

5.134 $(\overline{x})_1 = 2h/9$; $(\overline{x})_2 = 2h/3$

5.135 $\overline{x} = h/6, \overline{y} = \overline{z} = 0$

5.136 $\overline{x} = 2{,}34 \text{ m}, \overline{y} = 0 \text{ mm}, \overline{z} = 0 \text{ mm}$

5.137 $\overline{x} = h, \overline{y} = 0{,}869a$

5.138 $\overline{x} = 1{,}297a, \overline{y} = \overline{z} = 0$

5.139 $\overline{x} = \overline{z} = 0, \overline{y} = 0{,}374b$

5.141 $\overline{x} = 0, \overline{y} = \overline{z} = -R/2$

5.142 *a)* $\overline{x} = \overline{z} = 0, \overline{y} = -121{,}9 \text{ mm}$
b) $\overline{x} = \overline{z} = 0, \overline{y} = -90{,}2 \text{ mm}$

5.143 $V = 9{,}5 \text{ m}^3$; $\overline{x} = 3{,}52 \text{ m}$

5.144 $\overline{x} = a/2, \overline{y} = 8h/25, \overline{z} = b/2$

5.145 $\overline{x} = h, \overline{y} = 11h/24, \overline{z} = -a/2$

5.146 $\overline{x} = 0, \overline{y} = 5h/16, \overline{z} = -b/4$

5.147 $\overline{x} = 16{,}21 \text{ mm}, \overline{y} = 31{,}9 \text{ mm}$

5.148 $\overline{x} = \overline{y} = 9{,}00 \text{ mm}$

5.149 *a)* 5,09 N
b) $\mathbf{C} = 9{,}48 \text{ N} \nwarrow 57{,}5°$

5.150 $\overline{x} = a/2, \overline{y} = 2b/5$

5.151 $\overline{y} = 0{,}48h$

5.152 $A = 30\,788 \text{ mm}^2$

5.153 $\mathbf{A} = 1{,}85 \text{ kN}\uparrow$; $\mathbf{M} = 0{,}465 \text{ kNm}\curvearrowright$

5.154 *a)* $a = 0{,}375 \text{ m}$
b) $w_B = 40 \text{ kN/m}$

5.155 $\overline{z} = 69{,}48 \text{ mm}$

5.156 $\overline{x} = 125 \text{ mm}, \overline{y} = 167{,}0 \text{ mm}, \overline{z} = 33{,}5 \text{ mm}$

5.157 $\overline{x} = 5/8h$

5.158 43,5 kN

5.159 *b)* $\mathbf{A} = 6100 \text{ N}\uparrow$; $\mathbf{B} = 9150 \text{ N}\uparrow$
c) $\mathbf{A} = 6325 \text{ N}\uparrow$; $\mathbf{B} = 8005 \text{ N}\uparrow$

5.160 *a)* $\overline{x} = 0, \overline{y} = 0{,}278 \text{ m}, \overline{z} = 0{,}0878 \text{ m}$
b) $\overline{x} = 0{,}0487 \text{ mm}, \overline{y} = 0{,}1265 \text{ mm}, \overline{z} = 0{,}0997 \text{ mm}$
c) $\overline{x} = -0{,}0372 \text{ m}, \overline{y} = 0{,}1659 \text{ m}, \overline{z} = 0{,}1043 \text{ m}$

5.161 $d = 1{,}00 \text{ m}$: $\mathbf{F} = 5{,}66 \text{ kN} \searrow 30°$;
$d = 3{,}00 \text{ m}$: $\mathbf{F} = 49{,}9 \text{ kN} \searrow 27{,}7°$

5.162 *a)* $\overline{x} = 116 \text{ mm}, \overline{y} = 29{,}84 \text{ mm}$
b) $\overline{x} = 182{,}2 \text{ mm}, \overline{y} = 55{,}6 \text{ mm}$
c) $\overline{x} = 169{,}8 \text{ mm}, \overline{y} = 7{,}5 \text{ mm}$

5.163 Avec $n = 40$: *a)* $\overline{x} = 60{,}2 \text{ mm}, \overline{y} = 23{,}4 \text{ mm}$
b) $\overline{x} = 60{,}2 \text{ mm}, \overline{y} = 146{,}2 \text{ mm}$
c) $\overline{x} = 68{,}7 \text{ mm}, \overline{y} = 20{,}4 \text{ mm}$
d) $\overline{x} = 68{,}7 \text{ mm}, \overline{y} = 127{,}8 \text{ mm}$

5.164 Avec $n = 40$: *a)* $\overline{x} = 60{,}0 \text{ mm}, \overline{y} = 24{,}0 \text{ mm}$
b) $\overline{x} = 60{,}0 \text{ mm}, \overline{y} = 150{,}0 \text{ mm}$
c) $\overline{x} = 68{,}6 \text{ mm}, \overline{y} = 21{,}8 \text{ mm}$
d) $\overline{x} = 68{,}6 \text{ mm}, \overline{y} = 136{,}1 \text{ mm}$

5.165 *a)* $V = 78{,}5 \text{ m}^3$
b) $\overline{x} = 4{,}325 \text{ m}, \overline{y} = -2{,}265 \text{ m}, \overline{z} = 4{,}635 \text{ m}$

6.1 $F_{AB} = 4,00$ kN C ; $F_{AC} = 2,72$ kN T ; $F_{BC} = 2,40$ kN C

6.2 $F_{AB} = 1,700$ kN T ; $F_{AC} = 2,00$ kN T ; $F_{BC} = 2,50$ kN C

6.3 $F_{AB} = 720$ N T ; $F_{BC} = 780$ N C ; $F_{AC} = 1200$ N C

6.4 $F_{AB} = F_{BC} = 31,5$ kN T ; $F_{AD} = 35,7$ kN C ;
$F_{BD} = 10,80$ kN C ; $F_{CD} = 33,3$ kN C

6.5 $F_{AB} = F_{AE} = 6,708$ kN T ; $F_{AC} = F_{AD} = 10$ kN C ;
$F_{BC} = F_{DE} = 6$ kN C ; $F_{CD} = 2$ kN T

6.6 $F_{AC} = 80$ kN T ; $F_{BC} = 19$ kN C ; $F_{BD} = 51$ kN C ;
$F_{CD} = 48$ kN T ; $F_{CE} = 45$ kN T ; $F_{DE} = 51$ kN C

6.7 $F_{AB} = 15,90$ kN C ; $F_{AC} = 13,50$ kN T ;
$F_{BC} = 16,80$ kN C ; $F_{BD} = 13,50$ kN C ;
$F_{CD} = 15,90$ kN T

6.8 $F_{AB} = 20$ kN T ; $F_{AD} = 20,62$ kN C ; $F_{BC} = 30$ kN T ;
$F_{BD} = 11,18$ kN C ; $F_{CD} = 10$ kN T

6.9 $F_{AB} = F_{FH} = 15$ kN C ;
$F_{AC} = F_{CE} = F_{EG} = F_{GH} = 12$ kN T ;
$F_{BC} = F_{FG} = 0$; $F_{BD} = F_{DF} = 10$ kN C ;
$F_{BE} = F_{EF} = 5$ kN C ; $F_{DE} = 6$ kN T

6.10 $F_{AB} = F_{FH} = 15$ kN C ;
$F_{AC} = F_{CE} = F_{EG} = F_{GH} = 12$ kN T ;
$F_{BC} = F_{FG} = 0$; $F_{BD} = F_{DF} = 12$ kN C ;
$F_{BE} = F_{EF} = 600$ N C ; $F_{DE} = 711$ N T

6.11 $F_{AB} = F_{FG} = 11,08$ kN C ; $F_{AC} = F_{EG} = 10,13$ kN T ;
$F_{BC} = F_{EF} = 2,81$ kN C ; $F_{BD} = F_{DF} = 9,23$ kN C ;
$F_{CD} = F_{DE} = 2,81$ kN T ; $F_{CE} = 6,75$ kN T

6.12 $F_{AB} = F_{HI} = 12,31$ kN C ; $F_{AC} = F_{GI} = 11,25$ kN T ;
$F_{BC} = F_{GH} = 2,46$ kN C ;
$F_{BD} = F_{DE} = F_{EF} = F_{FH} = 9,85$ kN C ;
$F_{CD} = F_{FG} = 2,00$ kN C ;
$F_{CE} = F_{EG} = 3,75$ kN T ;
$F_{CG} = 6,75$ kN T

6.13 $F_{DF} = 0$ N ; $F_{AB} = 6,24$ kN C ; $F_{AC} = 5,76$ kN T ;
$F_{EF} = 1,2$ kN C ; $F_{BC} = 2,5$ kN C ; $F_{BD} = 4,16$ kN C ;
$F_{CE} = 2,88$ kN T ; $F_{CD} = 1,866$ kN T ; $F_{DE} = 3,749$ kN C

6.14 $F_{AB} = 7,826$ kN C ; $F_{AC} = 7$ kN T ; $F_{BC} = 1,886$ kN C ;
$F_{BD} = 6,335$ kN C ; $F_{CD} = 1,491$ kN T ; $F_{CE} = 5$ kN T ;
$F_{DE} = 2,828$ kN C ; $F_{DF} = 3,354$ kN C ; $F_{EF} = 2,748$ kN T ;
$F_{FG} = 4,242$ kN C ; $F_{EH} = 3,75$ kN T ; $F_{GH} = 5,305$ kN C ;
$F_{EG} = 1,061$ kN C

6.15 $F_{AB} = F_{FH} = 7,5$ kN C ; $F_{AC} = F_{GH} = 4,5$ kN T ;
$F_{BC} = F_{FG} = 4$ kN T ; $F_{BD} = F_{DF} = 6$ kN C ;
$F_{BE} = F_{EF} = 2,5$ kN T ; $F_{CE} = F_{EG} = 4,5$ kN T ;
$F_{DE} = 0$

6.16 $F_{AB} = 6,25$ kN C ; $F_{AC} = 3,75$ kN T ;
$F_{BC} = 4$ kN T ; $F_{BD} = F_{DF} = 4,5$ kN C ;
$F_{BE} = 1,25$ kN T ; $F_{CE} = 3,75$ kN T ;
$F_{DE} = F_{FG} = 0$; $F_{EF} = 3,75$ kN T ;
$F_{EG} = F_{GH} = 2,25$ kN T ;
$F_{FH} = 3,75$ kN C

6.17 $F_{AB} = 36,14$ kN C ; $F_{AC} = 41,14$ kN T ;
$F_{BC} = 7,68$ kN C ; $F_{BD} = 38,38$ kN C ;

$F_{CD} = 13,71$ kN T ; $F_{CE} = 27,43$ kN T ;
$F_{DE} = 15,36$ kN C

6.18 $F_{DF} = 40,62$ kN C ; $F_{DG} = 13,71$ kN T ;
$F_{EG} = 27,43$ kN T ; $F_{FG} = 7,68$ kN C ;
$F_{FH} = 42,86$ kN C ; $F_{GH} = 41,14$ kN T

6.19 $F_{BC} = 0$ N ; $F_{AB} = 9,90$ kN C ; $F_{AC} = F_{CE} = 7,826$ kN T ;
$F_{BE} = 2$ kN C ; $F_{BD} = 7,071$ kN C ; $F_{DE} = 1$ kN T ;
$F_{EG} = 5,59$ kN T ; $F_{DG} = 0,559$ kN C ; $F_{DF} = 5,031$ kN C

6.20 $F_{KJ} = F_{IJ} = F_{HI} = 0$ N ; $F_{LJ} = F_{HJ} = 4,24$ kN C ;
$F_{KL} = F_{IK} = F_{GI} = 3,354$ kN T ; $F_{GH} = 1,676$ kN C ;
$F_{FH} = 5,028$ kN C ; $F_{FG} = 3,5$ kN T

6.21 $F_{AB} = 22,36$ kN C ; $F_{AC} = F_{CE} = 20$ kN T ;
$F_{BC} = F_{EH} = 0$; $F_{BD} = 17,89$ kN C ;
$F_{BE} = 4,47$ kN C ; $F_{DE} = 6$ kN C ;
$F_{DF} = 20,13$ kN C ; $F_{DG} = 2,24$ kN T ;
$F_{EG} = 17,89$ kN T

6.22 $F_{FG} = 14$ kN T ; $F_{FI} = 20,13$ kN C ; $F_{GI} = 6,71$ kN C ;
$F_{GJ} = 24,32$ kN T ; $F_{IJ} = 3,6$ kN T ; $F_{IK} = 29,06$ kN C ;
$F_{JK} = 4,47$ kN C ; $F_{JL} = 30,4$ kN T ;
$F_{KL} = 33,53$ kN C

6.23 $F_{AB} = F_{DF} = 2,29$ kN T ; $F_{AC} = F_{EF} = 2,29$ kN C ;
$F_{BC} = F_{DE} = 0,600$ kN C ; $F_{BD} = 2,21$ kN T ;
$F_{BE} = F_{EH} = 0$; $F_{CE} = 2,21$ kN C ;
$F_{CH} = F_{EJ} = 1,200$ kN C

6.24 $F_{GH} = F_{JL} = 3,03$ kN T ; $F_{GI} = F_{KL} = 3,03$ kN C ;
$F_{HI} = F_{JK} = 1,800$ kN C ; $F_{HJ} = 2,97$ kN T ;
$F_{HK} = F_{KN} = 0$; $F_{IK} = 2,97$ kN C ;
$F_{IN} = F_{KO} = 2,40$ kN C

6.25 $F_{AB} = 2,29$ kN T ; $F_{AC} = 2,29$ kN C ;
$F_{BC} = 2,26$ kN C ;
$F_{BD} = F_{DE} = F_{DF} = F_{EF} = F_{EH} = 0$;
$F_{BE} = 2,76$ kN C ; $F_{CE} = 2,21$ kN C ;
$F_{CH} = 2,86$ kN C ; $F_{EJ} = 1,658$ kN T

6.26 $F_{AB} = 9,39$ kN C ; $F_{AC} = 8,40$ kN T ;
$F_{BC} = 2,26$ kN C ; $F_{BD} = 7,60$ kN C ;
$F_{CD} = 0,128$ kN C ; $F_{CE} = 7,07$ kN T ;
$F_{DE} = 2,14$ kN C ; $F_{DF} = 6,10$ kN C ;
$F_{EF} = 2,23$ kN T

6.27 $F_{BF} = 28$ kN C ; $F_{DF} = 33,54$ kN T ; $F_{AB} = 30,965$ kN C ;
$F_{BD} = 21,478$ kN C ; $F_{AD} = 15,094$ kN T ; $F_{DE} = 22$ kN T ;
$F_{EG} = 0$ N ; $F_{CG} = 42$ kN C ; $F_{CE} = 41$ kN T ;
$F_{AC} = 28,27$ kN C ; $F_{AE} = 9,505$ kN T

6.28 $F_{BC} = F_{FG} = F_{BE} = F_{DE} = F_{DG} = 0$ N
$F_{AC} = F_{CE} = F_{EG} = 136,7$ kN C
$F_{AB} = F_{BD} = F_{DF} = F_{FH} = 128$ kN T
$F_{GH} = 192,66$ kN C

6.29 Le treillis du problème 6.33a est le seul treillis simple.

6.30 Le treillis du problème 6.32b est le seul treillis simple.

6.31 *a)* BC, CD, IJ, IL, LM, MN
b) BC, BE, DE, EF, FG, IJ, KN, MN

6.32 *a)* AI, BJ, CK, DI, EI, FK, GK *b)* FK, IO

6.33 *a)* BF, BG, GJ, HJ, DH, EH
b) AF, AB, GL, IN, CH, DE, EJ

6.34 a) IJ, GJ, GH

b) BC, BE, DE, DG, FG

6.35 $F_{AB} = F_{AD} = 861$ N C ; $F_{AC} = 676$ N C ;

$F_{BC} = F_{CD} = 162,5$ N T ; $F_{BD} = 244$ N T

6.36 $F_{AB} = F_{AD} = 2810$ N T ; $F_{AC} = 5510$ N C ;

$F_{BC} = F_{CD} = 1325$ N T ; $F_{BD} = 1908$ N C

6.37 $F_{AB} = F_{AD} = 2,44$ kN C ; $F_{AC} = 10,4$ kN T ;

$F_{BC} = F_{CD} = 5$ kN C ; $F_{BD} = 2,8$ kN T

6.38 $F_{AB} = F_{AC} = 10,61$ kN C ; $F_{AD} = 25$ kN T ;

$F_{BC} = 21$ kN T ; $F_{BD} = F_{CD} = 12,5$ kN C ;

$F_{BE} = F_{CE} = 12,5$ kN C ; $F_{DE} = 15$ kN T

6.39 $F_{AB} = 840$ N C ; $F_{AC} = 110,6$ N C ; $F_{AD} = 394$ N C ;

$F_{AE} = 0$; $F_{BC} = 160,0$ N T ; $F_{BE} = 200$ N T ;

$F_{CD} = 225$ N T ; $F_{CE} = 233$ N C ; $F_{DE} = 120,0$ N T

6.40 $F_{AB} = 0$; $F_{AC} = 995$ N T ; $F_{AD} = 1181$ N C ;

$F_{AE} = F_{BC} = 0$; $F_{BE} = 600$ N T ; $F_{CD} = 375$ N T ;

$F_{CE} = 700$ N C ; $F_{DE} = 360$ N T

6.41 b) $F_{AE} = 1008$ N T ; $F_{DE} = F_{EF} = 0$ N ; $F_{EG} = 1460$ N T ;

$F_{BE} = 1492$ N C ; $F_{EH} = 960$ N C

6.42 b) $F_{Barre} = 1008$ N C ; $F_{DG} = F_{CG} = F_{FG} = 0$ N ;

$F_{EG} = 1460$ N T ; $F_{BG} = 1392$ N C ; $F_{GH} = 1100$ N C

6.43 $F_{DF} = 5,45$ kN C ; $F_{DG} = 1,00$ kN T ;

$F_{EG} = 4,65$ kN T

6.44 $F_{GI} = 4,65$ kN T ; $F_{HI} = 1,80$ kN C ;

$F_{HJ} = 4,65$ kN C

6.45 $F_{CE} = 80$ kN T ; $F_{DE} = 26$ kN T ;

$F_{DF} = 90$ kN C

6.46 $F_{EG} = 75$ kN T ; $F_{FG} = 39$ kN C ;

$F_{FH} = 60$ kN C

6.47 $F_{CD} = 9$ kN C ; $F_{DF} = 12$ kN T

6.48 $F_{FG} = 5$ kN T ; $F_{FH} = 20$ kN T

6.49 $F_{DF} = 10,48$ kN C ; $F_{DG} = 3,35$ kN C ;

$F_{EG} = 13,02$ kN T

6.50 $F_{GI} = 13,02$ kN T ; $F_{HI} = 0,8$ kN T ;

$F_{HJ} = 13,97$ kN C

6.51 $F_{CE} = 7,20$ kN T ; $F_{DE} = 1,047$ kN C ;

$F_{DF} = 6,39$ kN C

6.52 $F_{EG} = 3,46$ kN T ; $F_{GH} = 3,78$ kN C ;

$F_{HJ} = 3,55$ kN C

6.53 $F_{FG} = 5,23$ kN C ; $F_{EG} = 0,1476$ kN C ;

$F_{EH} = 5,08$ kN T

6.54 $F_{KM} = 5,02$ kN C ; $F_{LM} = 1,963$ kN C ;

$F_{LN} = 3,95$ kN C

6.55 $F_{AB} = 36,44$ kN T ; $F_{AG} = 20$ kN T ;

$F_{FG} = 51,56$ kN C

6.56 $F_{AE} = 77,6$ kN T ; $F_{EF} = 51,56$ kN C ;

$F_{FJ} = 82$ kN C

6.57 $F_{FG} = 19,68$ kN C ; $F_{GH} = 3,22$ kN C ;

$F_{HJ} = 19,79$ kN T

6.58 $F_{DF} = 13,86$ kN C ; $F_{DG} = 2,00$ kN T ;

$F_{EG} = 4,00$ kN T

6.59 $F_{EG} = 36$ kN T ; $F_{DF} = 37,11$ kN C ; $F_{EF} = 4$ kN T

6.60 $F_{GJ} = 34$ kN T ; $F_{GI} = 17,79$ kN C ; $F_{HI} = 23,75$ kN C

6.61 $F_{AF} = 1,500$ kN T ; $F_{EJ} = 0,900$ kN T

6.62 $F_{AF} = 0,900$ kN T ; $F_{EJ} = 0,300$ kN T

6.63 $F_{CD} = 6,75$ kN T ; $F_{KJ} = 6,75$ kN C

6.64 $F_{DE} = 13,5$ kN T ; $F_{KL} = 13,5$ kN C

6.65 a) CJ b) 1,026 kN T

6.66 a) IO b) 2,05 kN T

6.67 $F_{BG} = 5,48$ kN T ; $F_{DG} = 1,825$ kN T

6.68 $F_{CF} = 3,65$ kN T ; $F_{CH} = 7,3$ kN T

6.69 a) Liaison incorrecte

b) Liaison complète ; isostatique

c) Liaison complète ; hyperstatique

6.70 a) Liaison complète ; isostatique

b) Liaison incomplète

c) Liaison incorrecte

6.71 a) Liaison complète ; statiquement déterminée (isostatique)

b) Liaison indéterminée (hyperstatique)

c) Liaison incorrecte

6.72 a) Liaison incomplète

b) Liaison complète ; statiquement déterminée

c) Liaison complète ; statiquement indéterminée

6.73 a) Hyperstatique b) Isostatique c) Incorrecte

6.74 a) Isostatique b) Partielle c) Hyperstatique

6.75 $F_{BD} = 375$ N C ; $\mathbf{C}_x = 205$ N←, $\mathbf{C}_y = 360$ N↓

6.76 a) 125 N ⭦ 36,9° b) 125 N ⭧ 36,9°

6.77 a) 80 N T b) 72,11 N ⭧ 16,1°

6.78 a) 80 N T b) 72,11 N ⭨ 16,1°

6.79 $\mathbf{A}_x = 18$ kN←, $\mathbf{A}_y = 20$ kN↓ ;

$\mathbf{B} = 9$ kN→ ; $\mathbf{C}_x = 9$ kN→, $\mathbf{C}_y = 20$ kN↑

6.80 $\mathbf{A} = 20$ kN↓ ; $\mathbf{B} = 18$ kN← ;

$\mathbf{C}_x = 18$ kN→, $\mathbf{C}_y = 20$ kN↑

6.81 $\mathbf{A}_x = 25$ kN← ; $\mathbf{A}_y = 20$ kN↑

$\mathbf{B}_x = 25$ kN← ; $\mathbf{B}_y = 10$ kN↓

$\mathbf{C}_x = 50$ kN→ ; $\mathbf{C}_y = 10$ kN↓

6.82 $\mathbf{A}_x = 25$ kN←

$\mathbf{B}_x = 25$ kN← ; $\mathbf{B}_y = 10$ kN↑

$\mathbf{C}_y = 10$ kN ↓

6.83 a) $\mathbf{A}_x = 450$ N←, $\mathbf{A}_y = 525$ N↑ ; $\mathbf{E}_x = 450$ N→, $\mathbf{E}_y = 225$ N↑

b) $\mathbf{A}_x = 450$ N←, $\mathbf{A}_y = 150$ N↑ ; $\mathbf{E}_x = 450$ N→, $\mathbf{E}_y = 600$ N↑

6.84 a) $\mathbf{A}_x = 300$ N←, $\mathbf{A}_y = 660$ N↑ ; $\mathbf{E}_x = 300$ N→, $\mathbf{E}_y = 90$ N↑

b) $\mathbf{A}_x = 300$ N←, $\mathbf{A}_y = 150$ N↑ ; $\mathbf{E}_x = 300$ N→, $\mathbf{E}_y = 600$ N↑

6.85 a) $\mathbf{A}_x = 90$ N←, $\mathbf{A}_y = 45$ N↓ ; $\mathbf{E}_x = 90$ N→, $\mathbf{E}_y = 45$ N↑

b) $\mathbf{A}_x = 90$ N←, $\mathbf{A}_y = 30$ N↑ ; $\mathbf{E}_x = 90$ N→, $\mathbf{E}_y = 30$ N↑

6.86 a) $\mathbf{A}_x = 180$ N←, $\mathbf{A}_y = 54$ N↓ ; $\mathbf{E}_x = 180$ N→, $\mathbf{E}_y = 54$ N↑

b) $\mathbf{A}_x = 180$ N←, $\mathbf{A}_y = 90$ N↓ ; $\mathbf{E}_x = 180$ N→, $\mathbf{E}_y = 90$ N↑

6.87 a) $\mathbf{A}_x = 2700$ N→, $\mathbf{A}_y = 200$ N↑ ; $\mathbf{E}_x = 2700$ N←, $\mathbf{E}_y = 600$ N↑

b) $\mathbf{A}_x = 300$ N→, $\mathbf{A}_y = 200$ N↑ ; $\mathbf{E}_x = 300$ N←, $\mathbf{E}_y = 600$ N↑

6.88 a) et c) $\mathbf{B}_x = 32$ N→, $\mathbf{B}_y = 10$ N↑ ; $\mathbf{F}_x = 32$ N←, $\mathbf{F}_y = 38$ N↑ b) $\mathbf{B}_x = 32$ N→, $\mathbf{B}_y = 34$ N↑ ; $\mathbf{F}_x = 32$ N←, $\mathbf{F}_y = 14$ N↑

6.89 a) et c) $\mathbf{B}_x = 24$ N←, $\mathbf{B}_y = 7,5$ N↓ ; $\mathbf{F}_x = 24$ N→, $\mathbf{F}_y = 7,5$ N↑ b) $\mathbf{B}_x = 24$ N←, $\mathbf{B}_y = 10,5$ N↑ ; $\mathbf{F}_x = 24$ N→, $\mathbf{F}_y = 10,5$ N↓

6.91 $\mathbf{D}_x = 13{,}6$ kN→, $\mathbf{D}_y = 7{,}5$ kN↑; $\mathbf{E}_x = 13{,}6$ kN←, $\mathbf{E}_y = 2{,}7$ kN↓

6.92 $\mathbf{A}_x = 45$ N←, $\mathbf{A}_y = 30$ N↓; $\mathbf{B}_x = 45$ N→, $\mathbf{B}_y = 270$ N↑

6.93 $\mathbf{A}_x = 705$ N←, $\mathbf{A}_y = 240$ N↓; $\mathbf{G}_x = 225$ N→, $\mathbf{G}_y = 2040$ N↑

6.94 $\mathbf{A}_x = 225$ N←, $\mathbf{A}_y = 630$ N↓; $\mathbf{G}_x = 225$ N→, $\mathbf{G}_y = 1530$ N↑

6.95 *a)* $\mathbf{A} = 4{,}91$ kN↑; $\mathbf{B} = 4{,}677$ kN↑; $\mathbf{C} = 3{,}664$ kN↑
b) $\Delta B = +1{,}455$ kN; $\Delta C = -363{,}7$ N

6.96 *a)* 2,862 kN
b) $\mathbf{A} = 5{,}351$ kN↑; $\mathbf{B} = 3{,}546$ kN↑; $\mathbf{C} = 4{,}352$ kN↑

6.97 *a)* 155,87 kN en A; 153,14 kN en B
b) $\mathbf{C} = 42{,}73$ kN←; $\mathbf{D} = 212{,}5$ kN ⭦ 78,4°

6.98 *a)* 8,72 kN en A; 79,57 kN en B
b) $\mathbf{C} = 160{,}45$ kN←; $\mathbf{D} = 171{,}67$ kN ⭦ 20,8°

6.99 $\mathbf{A}_x = 13$ kN←, $\mathbf{A}_y = 4$ kN↓; $\mathbf{B}_x = 36$ kN→, $\mathbf{B}_y = 6$ kN↑; $\mathbf{E}_x = 23$ kN←, $\mathbf{E}_y = 2$ kN↓

6.100 $\mathbf{A}_x = 2025$ N←, $\mathbf{A}_y = 1800$ N↓; $\mathbf{B}_x = 4050$ N→, $\mathbf{B}_y = 1200$ N↑; $\mathbf{E}_x = 2025$ N←, $\mathbf{E}_y = 600$ N↑

6.101 $\mathbf{C}_x = 78$ N→, $\mathbf{C}_y = 28$ N↑; $\mathbf{F}_x = 78$ N←, $\mathbf{F}_y = 12$ N↑

6.102 $\mathbf{C}_x = 21{,}65$ N→, $\mathbf{C}_y = 37{,}5$ N↓; $\mathbf{D}_x = 21{,}65$ N←, $\mathbf{D}_y = 62{,}5$ N↑

6.103 $\mathbf{B}_x = 10$ kN→, $\mathbf{B}_y = 13{,}75$ kN↑; $\mathbf{D}_x = 22$ kN←, $\mathbf{D}_y = 13{,}75$ kN↓

6.104 $\mathbf{B}_x = 8$ kN→, $\mathbf{B}_y = 12{,}5$ kN↑; $\mathbf{D}_x = 20$ kN←, $\mathbf{D}_y = 12{,}5$ kN↓

6.105 *a)* $\mathbf{C}_x = 100$ N←, $\mathbf{C}_y = 100$ N↑; $\mathbf{D}_x = 100$ N→, $\mathbf{D}_y = 20$ N↓
b) $\mathbf{E}_x = 100$ N←, $\mathbf{E}_y = 180$ N↑

6.106 *a)* $\mathbf{C}_x = 100$ N←, $\mathbf{C}_y = 60$ N↑; $\mathbf{D}_x = 100$ N→, $\mathbf{D}_y = 20$ N↑
b) $\mathbf{E}_x = 100$ N←, $\mathbf{E}_y = 140$ N↑

6.107 *a)* $\mathbf{A}_x = 200$ kN→, $\mathbf{A}_y = 122$ kN↑
b) $\mathbf{B}_x = 200$ kN←, $\mathbf{B}_y = 10$ kN↓

6.108 *a)* $\mathbf{A}_x = 205$ kN→, $\mathbf{A}_y = 134{,}5$ kN↑
b) $\mathbf{B}_x = 205$ kN←, $\mathbf{B}_y = 5{,}5$ kN↑

6.109 *a)* 301 N ⭦ 48,37° *b)* 375 N *tension*

6.110 $\mathbf{A} = 327$ N→; $\mathbf{B} = 827$ N←; $\mathbf{D} = 620{,}5$ N↑; $\mathbf{E} = 245{,}5$ N↑

6.111 $F_{AF} = P/4$ *compression*; $F_{BG} = F_{DG} = P\sqrt{2}$ *compression*; $F_{EH} = P/4$ *tension*

6.112 $F_{AG} = \sqrt{2}\,P/6$ *compression*; $F_{BF} = 2\sqrt{2}\,P/3$ *compression*; $F_{DI} = \sqrt{2}\,P/3$ *compression*; $F_{EH} = \sqrt{2}\,P/6$ *tension*

6.113 $F_{AF} = P/\sqrt{2}\,C$; $F_{BG} = 0$; $F_{EH} = P/\sqrt{2}\,T$; $F_{DG} = P\sqrt{2}C$

6.114 $F_{AF} = \sqrt{2}/3\,PT$; $F_{BG} = P\,C$; $F_{EH} = 2\sqrt{2}/3\,P\,C$; $F_{DG} = 2P\,T$

6.115 $F_{AF} = M_0/4a$ *compression*; $F_{BG} = F_{DG} = M_0/\sqrt{2}\,a$ *tension*; $F_{EH} = 3M_0/4a$ *compression*

6.116 $F_{AF} = \sqrt{2}M_0/3a$ *compression*; $F_{BG} = M_0/a$ *tension*; $F_{DG} = M_0/a$ *compression*; $F_{EH} = 2\sqrt{2}\,M_0/3a$ *tension*

6.117 $\mathbf{A} = P/15$↑; $\mathbf{D} = 2P/15$↑; $\mathbf{E} = 8P/15$↑; $\mathbf{H} = 4P/15$↑

6.118 $\mathbf{E} = P/5$↓; $\mathbf{F} = 8P/5$↑; $\mathbf{G} = 4P/5$↓; $\mathbf{H} = 2P/5$↑

6.119 *a)* $\mathbf{A} = 2{,}24P$ ∡ 26,6°; $\mathbf{B} = 2P$←
b) Structure non rigide
c) $\mathbf{A} = P$↑; $\mathbf{B} = P$↓; $\mathbf{C} = P$↑

6.120 *a)* Impossible
b) Statistiquement indéterminée
c) $\mathbf{A} = 2{,}09P$ ⭨ 16,7°; $\mathbf{B} = 2{,}04P$ ∡ 11,3°

6.121 *a)* $\mathbf{A} = 2{,}06P$ ∡ 14,0°; $\mathbf{B} = 2{,}06P$ ⭨ 14,0°; structure rigide
b) Structure non rigide
c) $\mathbf{A} = 1{,}25P$ ⭨ 36,9°; $\mathbf{B} = 1{,}031P$ ∡ 14,0°; structure rigide

6.122 *a)* $\mathbf{P} = 109{,}8$ N→
b) 126,8 N T
c) $\mathbf{C} = 139{,}8$ N ⭨ 38,3°

6.123 564,4 N→

6.124 275,3 N→

6.125 *a)* 746 N↓ *b)* 565 N ⭦ 61,3°

6.126 *a)* 302 N↓ *b)* 682 N ⭦ 61,3°

6.127 $Q = 763{,}7$ N

6.128 *a)* $Q = 1237{,}7$ N *b)* 1083,1 N

6.129 *a)* 21 kN← *b)* 52,5 kN←

6.130 *a)* 1143 N · m↓ *b)* 457 N · m↓

6.131 $\mathbf{M} = 195$ Nm↓

6.132 $\mathbf{M} = 40{,}5$ Nm↱

6.133 8,322 N · m↱

6.134 3,604 N · m↱

6.135 $\mathbf{M} = 1{,}5218$ Nm↱

6.136 $\mathbf{M} = 1{,}25$ Nm↱

6.137 208 N · m↓

6.138 18,43 N · m↓

6.139 $F_{AE} = 800$ N T; $F_{DG} = 100$ N C

6.140 $\mathbf{P} = 120$ N↓; $\mathbf{Q} = 110$ N←

6.141 $\mathbf{D} = 30$ kN←; $\mathbf{F} = 37{,}5$ kN ⭦ 36,9°

6.142 $\mathbf{D} = 150$ kN←; $\mathbf{F} = 96{,}4$ kN ⭦ 13,5°

6.143 $\mathbf{E} = 3880$ N→; $\mathbf{F} = 2530$ N ⭧ 39,2°

6.144 $\mathbf{B} = 948{,}7$ N ⭧ 18,4°; $\mathbf{D} = 948{,}7$ N ∡ 18,4°

6.145 44,8 kN

6.146 350 N

6.147 $P = 156{,}56$ N

6.148 8,45 kN

6.149 $P = 140$ N

6.150 $P = 260$ N

6.151 240 N

6.152 *a)* 14,11 kN ⭦ 19,1°
b) 19,79 kN ⭨ 47,6°

6.153 *a)* $B = 9286{,}17$ N
b) $\mathbf{A} = 8035{,}7$ N ⭦ 34,4°

6.154 *a)* $B = 10002{,}5$ N
b) $\mathbf{A} = 10\,106$ N ∡ 8,6°

6.155 *a)* 12,51 kN C *b)* 41,25 kN C

6.156 *a)* 21,82 kN C *b)* 47,52 kN C

6.157 $F_{CG} = 9{,}697$ kN C; $F_{AD} = 15{,}955$ kN C; $F_{EF} = 31{,}14$ kN T

6.158 $F_{CG} = 9{,}143$ kN C; $F_{AD} = 44{,}10$ kN C; $F_{EF} = 13{,}4$ kN C

6.159 *a)* 27 mm *b)* 40 N · m↓

6.160 *a)* $\mathbf{M}_0 = (90 \text{ Nm})\mathbf{i}$
b) $\mathbf{A} = 0$; $\mathbf{M}_A = (-48 \text{ Nm})\mathbf{i}$; $\mathbf{B} = 0$; $\mathbf{M}_B = (-72 \text{ Nm})\mathbf{i}$

6.161 *a)* 5,77 Nm
b) $\mathbf{B} = 0$; $\mathbf{D} = (-48,11 \text{ N})\mathbf{k}$; $\mathbf{E} = (48,11 \text{ N})\mathbf{k}$

6.162 *a)* 4,33 Nm
b) $\mathbf{B} = (-50 \text{ N})\mathbf{k}$; $\mathbf{D} = (83,33 \text{ N})\mathbf{k}$; $\mathbf{E} = (-33,33 \text{ N})\mathbf{k}$

6.163 $\mathbf{E}_x = 100,0 \text{ kN}\rightarrow$, $\mathbf{E}_y = 154,9 \text{ kN}\uparrow$;
$\mathbf{F}_x = 26,5 \text{ kN}\rightarrow$, $\mathbf{F}_y = 118,1 \text{ kN}\downarrow$;
$\mathbf{H}_x = 126,5 \text{ kN}\leftarrow$, $\mathbf{H}_y = 36,8 \text{ kN}\downarrow$

6.164 *a)* 168 Nm *b)* 155,9 Nm

6.165 $F_{AB} = 2550 \text{ N } C$; $F_{AC} = 1200 \text{ N } T$; $F_{BC} = 750 \text{ N } T$;
$F_{BD} = 1700 \text{ N } C$; $F_{BE} = 400 \text{ N } C$; $F_{CE} = 850 \text{ N } C$;
$F_{CF} = 1600 \text{ N } T$; $F_{DE} = 1500 \text{ N } T$; $F_{EF} = 2250 \text{ N } T$

6.166 *a)* $\mathbf{B} = 98,49 \text{ N} \measuredangle 23,96°$; $\mathbf{C} = 90,55 \text{ N} \searrow 6,34°$
b) $\mathbf{B} = 25 \text{ N}\uparrow$; $\mathbf{C} = 79,06 \text{ N} \measuredangle 18,43°$

6.167 $F_{AB} = 60 \text{ kN } T$; $F_{BC} = 45 \text{ kN } T$; $F_{CD} = 30 \text{ kN } T$;
$F_{AE} = 37,5 \text{ kN } T$; $F_{BE} = 24,01 \text{ kN } C$; $F_{BF} = 6,25 \text{ kN } T$;
$F_{CF} = 19,53 \text{ kN } C$; $F_{EF} = 48,75 \text{ kN } C$; $F_{CG} = 0 \text{ N}$;
$F_{DG} = 32,5 \text{ kN } C$; $F_F \text{ } G = 32,5 \text{ kN } C$

6.168 92,9 N

6.169 *a)* 1900 N
b) 2111 N $\searrow$ 63,25°

6.170 *a)* 1444,45 N
b) 15 Nm

6.171 $F_{CE} = 8,00 \text{ kN } T$; $F_{DE} = 4,50 \text{ kN } C$; $F_{DF} = 10,00 \text{ kN } C$

6.172 $F_{FH} = 10,00 \text{ kN } C$; $F_{FI} = 4,92 \text{ kN } T$;
$F_{GI} = 6,00 \text{ kN } T$

6.173 $\mathbf{A}_x = 19\,800 \text{ N}\rightarrow$, $\mathbf{A}_y = 4400 \text{ N}\uparrow$
$\mathbf{C}_x = 19\,800 \text{ N}\leftarrow$; $\mathbf{C}_y = 4900 \text{ N}\uparrow$

6.174 $\mathbf{A} = 105,0 \text{ N} \searrow 59,0°$; $\mathbf{B} = 36 \text{ N}\leftarrow$;
$\mathbf{C} = 174,9 \text{ N} \measuredangle 59,0°$

6.175 $\mathbf{A} = 58,3 \text{ N} \searrow 59,0°$; $\mathbf{B} = 60 \text{ N}\leftarrow$;
$\mathbf{C} = 58,3 \text{ N} \measuredangle 59,0°$

6.176 *a)* $\theta = 30°$: $W = 155,6 \text{ kg}$, $A_{AB} = 2,143 \text{ cm}^2$,
$A_{AC} = A_{CE} = 1,856 \text{ cm}^2$, $A_{BC} = A_{BE} = 0,7143 \text{ cm}^2$,
$A_{BD} = 2,474 \text{ cm}^2$
b) $\theta_{\text{opt}} = 56,8°$: $W = 102,9 \text{ kg}$, $A_{AB} = 1,28 \text{ cm}^2$,
$A_{AC} = A_{CE} = 0,7014 \text{ cm}^2$, $A_{BC} = 0,7143 \text{ cm}^2$,
$A_{BE} = 0,4271 \text{ cm}^2$, $A_{BD} = 0,9357 \text{ cm}^2$

6.177 *a)* Pour $x = 9,75 \text{ m}$, $F_{BH} = 3,19 \text{ kN } T$
b) Pour $x = 3,75 \text{ m}$, $F_{BH} = 1,313 \text{ kN } C$
c) Pour $x = 6 \text{ m}$, $F_{GH} = 3,04 \text{ kN } T$

6.178 $\theta = 30°$: $\mathbf{M} = 8,79 \text{ kN} \cdot \text{m}\rotatebox{45}{↰}$; $\mathbf{A} = 3,35 \text{ kN} \measuredangle 75,5°$
a) $M_{\max} = 13,02 \text{ kN} \cdot \text{m}$ quand $\theta = 65,9°$
b) $A_{\max} = 7,18 \text{ kN}$ quand $\theta = 68,5°$

6.179 $\theta = 30°$: $\mathbf{M}_A = 1,669 \text{ N} \cdot \text{m}$↰, $F = 11,79 \text{ N}$;
$\theta = 80°$: $\mathbf{M}_A = 3,21 \text{ N} \cdot \text{m}$↰, $F = 11,98 \text{ N}$

6.180 $d = 8 \text{ mm}$: $2536 \text{ N } C$; $d = 11 \text{ mm}$: $1144 \text{ N } C$;
$d = 9,46 \text{ mm}$: $F_{AB} = 2000 \text{ N } C$

6.181 $\theta = 20°$: $M = 31,8 \text{ N} \cdot \text{m}$;
$\theta = 75°$: $M = 12,75 \text{ N} \cdot \text{m}$;
$\theta = 60,0°$: $M_{\min} = 12,00 \text{ N} \cdot \text{m}$

CHAPITRE 7

7.1 (En AB) $\mathbf{F} = 450 \text{ N}\rightarrow$; $\mathbf{V} = 150 \text{ N}\downarrow$;
$\mathbf{M} = 36 \text{ Nm}$↰

7.2 (Selon JC) $\mathbf{F} = 100,0 \text{ N}\rightarrow$; $\mathbf{V} = 75,0 \text{ N}\uparrow$;
$\mathbf{M} = 9,00 \text{ N} \cdot \text{m}$↰

7.3 (En BJ) $\mathbf{V} = 300 \text{ N } \nwarrow$; $\mathbf{F} = 125 \text{ N } \measuredangle$;
$\mathbf{M} = 156 \text{ Nm } \downarrow$

7.4 (En BJ) $\mathbf{V} = 720 \text{ N } \nwarrow$; $\mathbf{F} = 2328 \text{ N } \measuredangle$;
$\mathbf{M} = 374,4 \text{ Nm } \downarrow$

7.5 (En AJ) $\mathbf{V} = 150 \text{ N } \nearrow$; $\mathbf{F} = 200 \text{ N } \searrow$;
$\mathbf{M} = 20 \text{ Nm } \downarrow$

7.6 (En AK) $\mathbf{V} = 150 \text{ N } \nearrow$; $\mathbf{F} = 200 \text{ N } \searrow$;
$\mathbf{M} = 15 \text{ Nm } \downarrow$

7.7 (En AJ) $\mathbf{F} = 103,9 \text{ N}\nwarrow$; $\mathbf{V} = 60,0 \text{ N}\nearrow$;
$\mathbf{M} = 18,71 \text{ N} \cdot \text{m}\downarrow$

7.8 (En BK) $\mathbf{F} = 60,0 \text{ N}\swarrow$; $\mathbf{V} = 103,9 \text{ N}\searrow$;
$\mathbf{M} = 10,80 \text{ N} \cdot \text{m}$↰

7.9 (En CJ) $\mathbf{F} = 23,65 \text{ N}\searrow$; $\mathbf{V} = 29,11 \text{ N}\swarrow$;
$\mathbf{M} = 10,8 \text{ N} \cdot \text{m}$↰

7.10 *a)* 30 N à C *b)* 33,54 N à B et D
c) 19,2 N · m à C

7.11 (En AJ) $\mathbf{F} = 194,6 \text{ N } \nwarrow 60°$; $\mathbf{V} = 257 \text{ N } \measuredangle 30°$;
$\mathbf{M} = 24,7 \text{ N} \cdot \text{m}\downarrow$

7.12 $45,2 \text{ N} \cdot \text{m}$ pour $\theta = 82,9°$

7.13 (En BJ) $\mathbf{V} = 21,65 \text{ N } \searrow$; $\mathbf{F} = 12,5 \text{ N } \measuredangle$;
$\mathbf{M} = 0,75 \text{ Nm } \downarrow$

7.14 (En DK) $\mathbf{V} = 62,5 \text{ N } \searrow$; $\mathbf{F} = 108,25 \text{ N } \measuredangle$;
$\mathbf{M} = 1,005 \text{ Nm } $↰

7.15 (En BJ) $\mathbf{F} = 250 \text{ N}\searrow$; $\mathbf{V} = 120,0 \text{ N}\nearrow$;
$\mathbf{M} = 120,0 \text{ N} \cdot \text{m}$↰

7.16 (En AK) $\mathbf{F} = 560 \text{ N}\leftarrow$; $\mathbf{V} = 90,0 \text{ N}\downarrow$;
$\mathbf{M} = 72,0 \text{ N} \cdot \text{m}\downarrow$

7.17 (En BJ) $\mathbf{F} = 200 \text{ N}\searrow$; $\mathbf{V} = 120,0 \text{ N}\nearrow$;
$\mathbf{M} = 120,0 \text{ N} \cdot \text{m}$↰

7.18 (En AK) $\mathbf{F} = 520 \text{ N}\leftarrow$; $\mathbf{V} = 120,0 \text{ N}\downarrow$;
$\mathbf{M} = 96,0 \text{ N} \cdot \text{m}\downarrow$

7.19 12 N · m à D

7.20 8,4 N · m à E

7.21 *a)* (En AJ) $\mathbf{V} = P/2 \rightarrow$; $\mathbf{M} = Pa/2$ ↰
b) (En AJ) $\mathbf{V} = 3P/2\leftarrow$; $\mathbf{F} = 2P\downarrow$; $\mathbf{M} = 3Pa/2 \downarrow$
c) (En AJ) $\mathbf{V} = 3P/14\rightarrow$; $\mathbf{F} = 2P/7\downarrow$; $\mathbf{M} = 3Pa/14$ ↰

7.22 *a)* (En AJ) $\mathbf{F} = P/2\downarrow$
b) (En AJ) $\mathbf{V} = 2P/7\leftarrow$; $\mathbf{F} = 11P/14\downarrow$; $\mathbf{M} = 2Pa/7 \downarrow$
c) (En AJ) $\mathbf{V} = 2P\leftarrow$; $\mathbf{F} = 5P/2\downarrow$; $\mathbf{M} = 2Pa \downarrow$

7.23 (En BJ) $0,289Wr$↰

7.24 (En BJ) $0,417Wr$↰

7.25 (En AJ) $0,0557Wr$↰

7.26 (En AJ) $0,2887Wr\downarrow$

7.27 (En AB) $\mathbf{M} = 2,406 \text{ Nm }$ ↰

7.28 (En AB) $\mathbf{M} = 4,216 \text{ Nm } \downarrow$

7.29 *b)* $2P/3$; $PL/9$

7.30 *b)* $wL/4$; $3wL^2/32$
7.31 *b)* $\omega_0 L/2$; $\omega_0 L^2/6$
7.32 *b)* P; $PL/2$
7.33 *b)* M_0/L; $M_0/2$
7.34 *b)* P; PL
7.35 *b)* $40,0$ kN; $55,0$ kN $\cdot$ m
7.36 *b)* $50,5$ kN; $39,8$ kN $\cdot$ m
7.37 *b)* $11,5$ kN; 14 kNm
7.38 *b)* 180 N; $1,8$ Nm
7.39 *b)* $64,0$ kN; $92,0$ kN $\cdot$ m
7.40 *b)* $40,0$ kN; $40,0$ kN $\cdot$ m
7.41 *b)* 18 kN; $48,5$ kN $\cdot$ m
7.42 *b)* $15,30$ kN; $46,8$ kN $\cdot$ m
7.43 *b)* 6 kN; 12 kNm
7.44 *b)* 4 kN; 6 kNm
7.45 *b)* 6 kN; 9 kNm
7.46 *b)* 6 kN; 9 kNm
7.47 *b)* $\omega a/2$; $\omega a^2/6$
7.48 *b)* $3\omega a/2$; ωa^2
7.49 *a)* $+400$ N; $+160,0$ N $\cdot$ m
　　　b) -200 N; $+40,0$ N $\cdot$ m
7.50 *b)* $0,9$ kN; $0,675$ kNm
7.51 *b)* $0,9$ kN; $0,924$ kNm
7.52 800 N; $180,0$ N $\cdot$ m
7.53 *b)* 90 N; 14 Nm
7.54 *b)* 165 N; $16,25$ Nm
7.55 *a)* $54,5°$ *b)* 675 N $\cdot$ m
7.56 *a)* $0,311$ m *b)* $193,0$ N $\cdot$ m
7.57 *a)* $40,0$ kN *b)* $40,0$ kN $\cdot$ m
7.58 *a)* $1,236$ *b)* $0,1180wa^2$
7.59 *a)* $0,840$ m *b)* $1,680$ N $\cdot$ m
7.60 *a)* $51,96$ mm *b)* $1,205$ Nm
7.61 *a)* $46,85$ mm *b)* $1,973$ Nm
7.62 *a)* $0,414wL$; $0,0858wL^2$ *b)* $0,250wL$; $0,250wL^2$
7.63 *b)* $2P/3$; $PL/9$
7.64 *b)* $\omega L/4$; $3\omega L^2/32$
7.65 *b)* $\omega L/2$; $3\omega L^2/8$
7.66 *b)* P; $PL/2$
7.67 *b)* M_0/L; $M_0/2$
7.68 *b)* P; PL
7.69 *b)* 15 kN; 42 kNm
7.70 *b)* 17 kN; 17 kNm
7.71 *b)* 18 kN; $48,5$ kNm
7.72 *b)* $15,3$ kN; $46,8$ kNm
7.73 *b)* 64 kN; 92 kNm
7.74 *b)* 40 kN; 40 kNm
7.75 *b)* 3 kN; 15 kNm
7.76 *b)* $4,75$ kN; 39 kNm
7.77 *b)* 75 kNm; 4 m de A
7.78 *b)* $26,4$ kN $\cdot$ m, $2,05$ m à partir de A
7.79 *b)* $5,76$ kNm; $2,4$ m de A
7.80 *a)* $18,00$ kN $\cdot$ m, 3 m à partir de A
　　　b) $34,1$ kN $\cdot$ m, $2,25$ m à partir de A

7.81 *b)* $40,5$ kN $\cdot$ m, $1,800$ m à partir de A
7.82 *b)* $60,5$ kN $\cdot$ m, $2,20$ m à partir de A
7.83 *b)* $30,375$ kNm; $4,5$ m de A
7.84 *b)* $18,375$ kNm; $3,5$ m de A
7.85 *a)* $V(x) = \dfrac{\omega_0}{6L}(L^2 - 3x^2)$; $M(x) = \dfrac{\omega_0}{6L}(L^2 x - x^3)$
　　　b) $M_{max} = 0,0642\omega_0 L^2$; $0,577L$ de A
7.86 *a)* $V = (w_0/3L)(2x^2 - 3Lx + L^2)$;
　　　$M = (w_0/18L)(4x^3 - 9Lx^2 + 6L^2 x - L^3)$
　　　b) $w_0 L^2/72$, à $x = L/2$
7.87 *a)* $V(x) = -\dfrac{\omega_0}{2}(2x - L) - \dfrac{\omega_0 L}{\pi}\cos\left(\dfrac{\pi x}{L}\right)$
　　　$M(x) = -\dfrac{\omega_0}{2}x(x - L) - \dfrac{\omega_0 L^2}{\pi^2}\sin\left(\dfrac{\pi x}{L}\right)$
　　　b) $M_{max} = \omega_0 L^2\left(\dfrac{1}{8} - \dfrac{1}{\pi^2}\right)$
7.88 *a)* $V(x) = \dfrac{2\omega_0}{3L^2}x(2x - L)(x - L)$; $M(x) = \dfrac{\omega_0}{3L^2}x^2(x - L)^2$
　　　b) $M_{max} = \dfrac{\omega_0 L^2}{48}$
7.89 *a)* $\mathbf{P} = 4,00$ kN$\downarrow$; $\mathbf{Q} = 6,00$ kN$\downarrow$
　　　b) $M_C = -900$ N $\cdot$ m
7.90 *a)* $\mathbf{P} = 2,50$ kN$\downarrow$; $\mathbf{Q} = 7,50$ kN$\downarrow$
　　　b) $M_C = -900$ N $\cdot$ m
7.91 *a)* $\mathbf{P} = 13,5$ kN$\downarrow$; $\mathbf{Q} = 4,5$ kN$\downarrow$
　　　b) $V_{max} = 27$ kN, à A;
　　　$M_{max} = 63,45$ kN $\cdot$ m, $5,40$ m à partir de A
7.92 *a)* $\mathbf{P} = 5,4$ kN$\downarrow$; $\mathbf{Q} = 18,6$ kN$\downarrow$
　　　b) $|V|_{max} = 31,4$ kN, à B;
　　　$M_{max} = 69,97$ kN $\cdot$ m, $6,88$ m à partir de A
7.93 *a)* $\mathbf{E}_x = 10$ kN$\rightarrow$; $\mathbf{E}_y = 7$ kN$\uparrow$
　　　b) $12,21$ kN
7.94 $1,667$ m
7.95 *a)* 838 N $\searrow$ $17,4°$
　　　b) 971 N $\measuredangle$ $34,5°$
7.96 *a)* 2669 N $\nearrow$ $2,1°$
　　　b) 2814 N $\measuredangle$ $18,6°$
7.97 *a)* $d_B = 1,733$ m; $d_D = 4,20$ m
　　　b) $21,5$ kN $\measuredangle$ $3,8°$
7.98 *a)* $2,8$ m
　　　b) $\mathbf{A} = 32,0$ kN $\searrow$ $38,7°$; $\mathbf{E} = 25$ kN$\rightarrow$
7.99 *a)* $12,29$ N *b)* 11 m
7.100 *a)* $15,62$ N *b)* 8 m
7.101 *a)* 240 N *b)* 9 m
7.102 $a = 7,5$ m; $b = 17,5$ m
7.103 $196,2$ N
7.104 $157,0$ N
7.105 $P = 72$ kN; $Q = 30$ kN
7.106 $P = 80$ kN; $Q = 60$ kN
7.107 *a)* 2775 N *b)* $75,14$ m
7.108 *a)* $6,75$ m *b)* Pour AB: 615 N; pour BC: 600 N
7.109 *a)* $224,9$ MN *b)* $1092,6$ m

7.110 *a)* 251,6 MN *b)* 1305,7 m
7.111 *a)* 0,0918 m *b)* 2,63°
7.112 *a)* 3,0619 m *b)* 779,2 N
7.113 1,13 m
7.114 *a)* $\sqrt{3L\Delta/8}$ *b)* 12,25 m
7.115 *a)* 258,4 MN *b)* 29,3°
7.116 *a)* 16 m à gauche de *B* *b)* 20 kN
7.117 *a)* 5877 N *b)* 0,873 m
7.118 *a)* 6864 N *b)* 31,0°
7.120 1,667 m
7.121 $d_B = 1,733$ m ; $d_D = 4,20$ m
7.122 11 m
7.123 8 m
7.125 $y = h[1 - \cos(\pi x/L)]$; $T_0 = w_0 L^2/h\pi^2$;
$T_{max} = (w_0 L/\pi)\sqrt{(L^2/h^2\pi^2)+1}$
7.127 *a)* 26,7 m *b)* 70,3 kg
7.128 *a)* 9,89 m *b)* 60,3 N
7.129 49,87 m
7.130 32,96 m ; 981 N
7.131 *a)* 4,41 N *b)* 9,888 m
7.132 *a)* 4,086 m *b)* 17,69 m
7.133 *a)* 5,89 m *b)* 10,89 N→
7.134 *a)* 30,2 m *b)* 56,6 kg
7.135 10,05 m
7.136 *a)* 56,34 m *b)* 2,356 N/m
7.137 5,228 m
7.138 1,822 m
7.139 31,8 N
7.140 29,8 N
7.141 119,1 N→
7.142 177,6 N→
7.143 *a)* $a = 79,02$ m ; $b = 60,0$ m *b)* 103,9 m
7.144 *a)* $a = 65,85$ m ; $b = 50,0$ m *b)* 86,6 m
7.145 *a)* 4,028 m à droite de *A* *b)* 70,726 N
7.146 *a)* 5,101 m à droite de *A* *b)* 46,862 N
7.147 3,503 m
7.148 5,708 m
7.150 *a)* 1,3255 T_m/ω *b)* 424 m
7.151 0,394 m et 10,97 m
7.152 0,1408
7.153 *a)* 0,338 *b)* 56,5° ; 0,755wL
7.154 *a)* (En *AJ*) $\mathbf{V} = 500$ N↑ ; $\mathbf{F} = 500$ N← ; $\mathbf{M} = 300$ Nm ↓
b) (En *AK*) $\mathbf{V} = 171$ N ← ; $\mathbf{F} = 969,8$ N↑ ; $\mathbf{M} = 446,1$ Nm↓
7.155 *a)* 900 N *b)* 9000 N · m
7.156 *b)* $V_{max} = 750$ N ; $M_{max} = 7500$ Nm
7.157 *a)* 138,1 m *b)* 602 N
7.158 *a)* $F_{BF} = 0,3333$ kN T ; $F_{CH} = 1,333$ kN T
b) 1,944 kN *c)* $M_F = +1,667$ kN · m ; $M_G = +3,333$ kN · m
7.159 *a)* $V(x) = -\dfrac{2\omega_0 L}{\pi}\sin\left(\dfrac{\pi x}{2L}\right)$; $M(x) = -\dfrac{4\omega_0 L^2}{\pi^2}\left(1-\cos\left(\dfrac{\pi x}{2L}\right)\right)$
b) $M_{max} = \dfrac{4\omega_0 L^2}{\pi^2}$ en $x = L$

7.160 *a)* (Selon *AC*) $\mathbf{F} = \mathbf{V} = 0$; $\mathbf{M} = 4500$ N · m↑
b) (Selon *AC*) $\mathbf{F} = 2500$ N↙ ; $\mathbf{V} = 0$; $\mathbf{M} = 4500$ N · m↑
7.161 *a)* 1500 N
b) (Sur *ABJ*) $\mathbf{F} = 1324$ N↑ ; $\mathbf{V} = 706$ N← ; $\mathbf{M} = 229$ N · m↑
7.162 *a)* 4,05 m
b) 16,41 m
c) $\mathbf{A}_x = 5886$ N← ; $\mathbf{A}_y = 5297$ N↑
7.163 *b)* 120 kN · m, 6 m à partir de *A*
7.164 *a)* $d_B = 4,40$ m ; $d_D = 3,90$ m
b) 21,9 kN
7.166 *a)* $M_D = +39,8$ kN · m
b) $M_D = +14$ kN · m
c) $M_D = +1,8$ N · m
7.168 $a = 1,923$ m ; $M_{max} = 37,0$ kN · m à 4,64 m du point *A*
7.169 *b)* $M_{max} = 53,17$ kN · m quand $x = 8,5$ m et 11,5 m
7.173 $c/L = 0,300$; $h/L = 0,5225$; $s_{AB}/L = 1,532$;
$T_0/wL = 0,300$; $T_{max}/wL = 0,823$

CHAPITRE 8

8.1 Équilibre ; $\mathbf{F} = 30,1$ N ⬂ 20°
8.2 Mouvement vers le haut ; $\mathbf{F} = 151,7$ N ⬃ 20°
8.3 Mouvement vers le haut ; $\mathbf{F} = 36,1$ N ⬃ 30°
8.4 Équilibre ; $\mathbf{F} = 36,3$ N ⬃ 30°
8.5 7,51 N < P < 83,16 N
8.6 143 N < P < 483,46 N
8.7 *a)* 170,5 N *b)* 14,0°
8.8 *a)* 105,8 N *b)* 46,0°
8.9 *a)* 51,36° *b)* 68°
8.10 *a)* 29,73 N *b)* 20,87 N
8.11 74,5 N
8.12 17,9° ≤ θ ≤ 66,4°
8.13 *a)* 353 N← *b)* 196,2 N←
8.14 *a)* 275 N← *b)* 196,2 N←
8.15 31,0°
8.16 53,5°
8.17 *a)* 0,485 *b)* 254,9 N
8.18 *a)* 0,377 *b)* 174 N
8.19 *a)* 180 N→ *b)* 150 N→ *c)* 64,3 N→
8.20 *a)* 180 N→ *b)* 800 mm
8.21 $M = Wr\mu_s(1+\mu_s)/(1+\mu_s^2)$
8.22 *a)* 0,300Wr *b)* 0,349Wr
8.23 8,34 N
8.24 7,5 N
8.25 151,5 N · m
8.26 1,473 kN
8.27 0,1367Wa↑
8.28 *a)* 75 N *b)* Le tuyau glissera.
8.29 0,208
8.30 0,2
8.31 0,184
8.32 *a)* 136,4° *b)* 0,928W
8.33 *a)* 43,6° *b)* 0,371W
8.34 6,35 ≤ L/a ≤ 10,81

8.35	$L/a \geq 3{,}92$
8.36	664 N↓
8.37	0,75
8.38	0,86
8.39	a) 112,5 N b) 8,81 mm
8.40	$48{,}3° < \theta < 78{,}7°$
8.41	$\mu_{sA} = 0{,}136$; $\mu_{sC} = 0{,}151$
8.42	$\mu_A = 0{,}188$; $\mu_C = 0{,}198$
8.43	a) Plaque en équilibre
	b) Plaque en mouvement
8.44	100 N < P < 366,67 N
8.45	$168{,}4 \text{ N} \leq P \leq 308{,}4 \text{ N}$
8.46	$9{,}38 \text{ N} \cdot \text{m} \leq M \leq 15{,}01 \text{ N} \cdot \text{m}$
8.47	a) $W \leq 34{,}55$ N
	b) $17{,}82 \text{ N} \leq W \leq 98{,}2 \text{ N}$
8.48	a) $W \leq 4{,}067$ N et $W \geq 86{,}39$ N
	b) $W \geq 245{,}5$ N
8.49	$-46{,}8 \text{ N} \leq P \leq 34{,}3 \text{ N}$
8.50	b) 2,69 N
8.51	0,225
8.52	$\dfrac{a}{L} = \dfrac{1}{2}\dfrac{(\mu_s - 1)}{(\mu_s^2 + 1)}$
8.53	a) 45,7 N b) Surface C
8.54	$30{,}6 \text{ N} \cdot \text{m}$↱
8.55	$18{,}90 \text{ N} \cdot \text{m}$↱
8.56	a) 62,78 N ; translation
	b) 73,19 N ; rotation
8.57	135 N
8.58	35,8°
8.59	20,5°
8.60	1,225W
8.61	$46{,}4° \leq \theta \leq 52{,}4°$ et $67{,}6° \leq \theta \leq 79{,}4°$
8.62	a) 283 N
	b) $\mathbf{B}_x = 413$ N← ; $\mathbf{B}_y = 480$ N↓
8.63	a) 107 N
	b) $\mathbf{B}_x = 611$ N← ; $\mathbf{B}_y = 480$ N↓
8.64	1254 N→
8.65	1188 N→
8.66	a) 80,3 kN b) 30 kN
8.67	a) 110,3 kN b) 50,3 kN
8.68	9,86 kN←
8.69	913 N←
8.70	a) 28,1° b) 728 N ∡ 14,0°
8.71	a) 252,25 N b) 252,25 N
8.72	a) 70,28 N b) 70,28 N
8.73	67,4 N
8.74	143,4 N
8.75	1,4 N
8.76	6,647 kN de chaque côté
8.77	b) 283 N←
8.78	0,442
8.79	a) 90,0 N b) Base en mouvement
8.80	a) 89,4 N b) Base au repos
8.81	0,110

8.82	0,101
8.84	$1068 \text{ N} \cdot \text{m}$
8.85	$14{,}45 \text{ N} \cdot \text{m}$
8.86	$7{,}185 \text{ N} \cdot \text{m}$
8.87	$4{,}18 \text{ N} \cdot \text{m}$
8.88	$2{,}888 \text{ N} \cdot \text{m}$
8.89	$15{,}3 \text{ N} \cdot \text{m}$
8.90	$4{,}136 \text{ N} \cdot \text{m}$
8.91	a) Vis A b) 0,807 Nm
8.92	0,232
8.93	450 N
8.94	412 N
8.95	344 N↓
8.96	376 N↑
8.97	4,5 kN
8.98	$T_{AB} = 725{,}9$ N ; $T_{CD} = 775$ N ; $T_{EF} = 827{,}4$ N
8.99	$T_{AB} = 775$ N ; $T_{CD} = 725$ N ; $T_{EF} = 678$ N
8.100	a) 4,80 kN b) 1,375°
8.101	17,89 N
8.102	220,5 N←
8.103	19,48 N↓
8.104	180,1 N←
8.105	a) 919,5 N b) 689,7 N
8.106	124,4 mm
8.107	19,13 N
8.108	0,167
8.112	14,347 N
8.113	154,4 N
8.114	1,5 mm
8.115	46,88 N
8.116	a) 1,288 kN b) 1,058 kN
8.117	300 mm
8.118	a) 0,329 b) 2,67 tours
8.119	$14{,}23 \text{ kg} \leq m \leq 175{,}7 \text{ kg}$
8.120	a) 0,292 b) 310 N
8.121	$326{,}9 \text{ N} \leq P \leq 5525 \text{ N}$
8.122	16 kg
8.123	0,4745
8.124	$35{,}1 \text{ N} \cdot \text{m}$
8.125	$37{,}31 \text{ N} \cdot \text{m}$
8.126	$26{,}62 \text{ N} \cdot \text{m}$
8.127	a) $27{,}0 \text{ N} \cdot \text{m}$ b) 675 N
8.128	a) $39{,}0 \text{ N} \cdot \text{m}$ b) 844 N
8.129	a) $4{,}97 \text{ N} \cdot \text{m}$↓ b) 42,3 N
8.130	$31{,}8 \text{ N} \cdot \text{m}$
8.131	a) 20,708 Nm b) 2,994 Nm
8.132	0,3497
8.133	44,86 mm
8.134	a) 11,66 kg b) 38,6 kg c) 34,4 kg
8.135	a) 9,46 kg b) 167,2 kg c) 121,0 kg
8.136	a) 10,59 kg b) 59,67 kg
8.137	a) et b) 29,41 kg
8.138	a) 4,83 kg b) 31,836 kg
8.139	a) 31,836 kg b) 31,836 kg

8.140 5,97 N

8.141 9,56 N

8.142 *a)* 2,965 N · m↖ *b)* 37,06 N↓

8.143 *a)* 1,689 N · m↓ *b)* 21,07 N↑

8.144 0,214

8.145 0,405

8.148 52,187 Nm

8.149 *a)* 51,0 N · m *b)* 875 N

8.150 163,5 N

8.151 76,9 N

8.152 *a)* 77,01 mm *b)* 42,75 mm

8.153 *a)* 77,01 mm *b)* 77,01 mm

8.154 $0{,}818WL \le M_0 \le 1{,}048WL$

8.155 0,0533

8.156 *a)* 1,333 *b)* 1,192 *c)* 0,8391

8.157 *a)* $T_A = 8{,}4$ N; $T_B = 19{,}6$ N
    b) 0,270

8.158 *a)* $T_A = 11{,}1$ N; $T_B = 20{,}9$ N
    b) 0,913 Nm

8.159 *a)* 16,70° *b)* 50,0°

8.160 26,4°

8.161 *a)* 9,96° *b)* **A** $= 148{,}3$ N ⬎ 60°; **B** $= 79{,}1$ N ⬏ 60°

8.162 $x = 500$ mm: 63,3 N; $P_{max} = 67{,}8$ N à $x = 355$ mm

8.163 $W_B = 10$ N: $\theta = 46{,}4°$; $W_B = 70$ N: $\theta = 21{,}3°$

8.164 $\mu_A = 0{,}25$: $M = 0{,}0603$ N · m

8.165 $\theta = 30°$: $1{,}336$ N · m $\le M_A \le 2{,}23$ N · m

8.166 $\theta = 60°$: **P** $= 160{,}9$ N↓; $R = 50{,}4$ N

8.167 $\theta = 20°$: 10,39 N · m

8.168 $\theta = 20°$: 30,3 N; 13,25 N

8.169 *a)* $x_0 = 0{,}600L$; $x_m = 0{,}604L$; $\theta_1 = 5{,}06°$
    b) $\theta_2 = 55{,}4°$

CHAPITRE 9

9.1 $a^3b/6$

9.2 $a^3b/30$

9.3 $b^3h/12$

9.4 $3a^3b/10$

9.5 $3ab^3/10$

9.6 $ab^3/21$

9.7 $bh^3/4$

9.8 $ab^3/6$

9.9 $ab^3/15$

9.10 $ab^3/15$

9.11 $0{,}1056ab^3$

9.12 $2a^3b/21$

9.13 $3{,}433ba^3$

9.14 $0{,}264a^3b$

9.15 $3ab^3/35$; $0{,}5071b$

9.16 $1{,}638ab^3$; $1{,}108b$

9.17 $3a^3b/35$; $0{,}5071a$

9.18 $4a^3b/15$; $a/\sqrt{5}$

9.19 $0{,}525ah^3$; $1{,}2022h$

9.20 $0{,}613a^3h$; $1{,}2993a$

9.21 $20a^4$; $1{,}826a$

9.22 $4ab(a^2 + 4b^2)/3$; $\sqrt{(a^2 + 4b^2)/3}$

9.23 $64a^4/15$; $1{,}265a$

9.24 $1{,}155r^4$; $0{,}676r$

9.25 *a)* $\pi/2(R_2^4 - R_1^4)$
    b) $\pi/4(R_2^4 - R_1^4)$

9.26 *b)* $-10{,}56\%$; $-2{,}99\%$; $-0{,}125\%$

9.27 $31\pi a^4/20$; $1{,}1526a$

9.28 $bh(12h^2 + b^2)/48$; $\sqrt{(12h^2 + b^2)/24}$

9.31 390×10^3 mm^4; 21,9 mm

9.32 $46{,}0$ m^4; 1,599 m

9.33 $64{,}3 \times 10^3$ mm^4; 8,87 mm

9.34 $46{,}5$ m^4; 1,607 m

9.35 $I_x = 69{,}86a^4$; $I_y = 71{,}98a^4$

9.36 $I_x = 4a^4$; $I_y = 16a^4/3$

9.37 $\bar{I} = 9{,}50 \times 10^6$ mm^4; $d_2 = 60{,}0$ mm

9.38 $A = 6600$ mm^2; $\bar{I} = 3{,}72 \times 10^6$ mm^4

9.39 $J_B = 1800$ m^4; $J_D = 3600$ m^4

9.40 25 m^4

9.41 $\bar{I}_x = 1{,}389 \times 10^7$ mm^4; $\bar{I}_y = 2{,}088 \times 10^7$ mm^4

9.42 $\bar{I}_x = 479 \times 10^3$ mm^4; $\bar{I}_y = 149{,}7 \times 10^3$ mm^4

9.43 $\bar{I}_x = 191{,}3$ m^4; $\bar{I}_y = 75{,}2$ m^4

9.44 $\bar{I}_x = 18{,}13$ m^4; $\bar{I}_y = 4{,}51$ m^4

9.45 *a)* $3{,}13 \times 10^6$ mm^4 *b)* $2{,}41 \times 10^6$ mm^4

9.46 *a)* $185{,}86$ mm^4 *b)* 154 mm^4

9.47 $J_O = 764{,}8$ mm^4; $J_C = 402{,}3$ mm^4

9.48 $J_O = 2230{,}2$ mm^4; $J_C = 1030{,}4$ mm^4

9.49 $\bar{I}_x = 260 \times 10^6$ mm^4, $\bar{I}_y = 17{,}55 \times 10^6$ mm^4;
    $\bar{k}_x = 144{,}6$ mm, $\bar{k}_y = 37{,}6$ mm

9.50 $\bar{I}_x = 256 \times 10^6$ mm^4, $\bar{I}_y = 100{,}0 \times 10^6$ mm^4;
    $\bar{k}_x = 134{,}1$ mm, $\bar{k}_y = 83{,}9$ mm

9.51 $\bar{I}_x = 104 \times 10^6$ mm^4, $\bar{I}_y = 58{,}96 \times 10^6$ mm^4;
    $\bar{k}_x = 104$ mm, $\bar{k}_y = 78{,}34$ mm

9.52 $\bar{I}_x = 1{,}87 \times 10^8$ mm^4; $\bar{I}_y = 1{,}68 \times 10^8$ mm^4;
    $k_x = 118{,}6$ mm; $k_y = 112{,}4$ mm

9.53 $\bar{I}_x = 3{,}57 \times 10^6$ mm^4; $\bar{I}_y = 49{,}9 \times 10^6$ mm^4

9.54 $\bar{I}_x = 633 \times 10^6$ mm^4; $\bar{I}_y = 38{,}2 \times 10^6$ mm^4

9.55 $\bar{I}_x = 1{,}291 \times 10^7$ mm^4; $\bar{I}_y = 5{,}163 \times 10^7$ mm^4;
    $b = 100{,}54$ mm

9.56 *a)* 167 mm *b)* $\bar{I}_x = \bar{I}_y = 1{,}394 \times 10^9$ mm^4

9.57 $3\pi r/16$

9.58 $3\pi b/16$

9.59 $15h/14$

9.60 $4h/7$

9.61 $F_A = F_B = 640{,}9$ N; $F_C = F_D = 707{,}4$ N

9.62 2,86 m

9.63 $5a/8$

9.64 80 mm

9.67 $a^4/2$

9.68 $b^2h^2/4$

9.69 $b^2a^2/6$

9.70 $-0{,}34657a^4$

9.71 $-1{,}760 \times 10^6$ mm^4

9.72 $2{,}4 \times 10^6 \text{ mm}^4$

9.73 864 m^4

9.74 $-0{,}16 \times 10^6 \text{ mm}^4$

9.75 $471 \times 10^3 \text{ mm}^4$

9.76 -9011 mm^4

9.77 $-4{,}254 \text{ m}^4$

9.78 $2{,}54 \times 10^6 \text{ mm}^4$

9.79 *a)* $\overline{I}_{x'} = 0{,}482a^4$; $\overline{I}_{y'} = 1{,}482a^4$; $\overline{I}_{x'y'} = -0{,}589a^4$
b) $\overline{I}_{x'} = 1{,}120a^4$; $\overline{I}_{y'} = 0{,}843a^4$; $\overline{I}_{x'y'} = 0{,}760a^4$

9.80 $I_{x'y'} = -0{,}532 \times 10^6 \text{ mm}^4$; $I_{x'} = 2{,}12 \times 10^6 \text{ mm}^4$; $I_{y'} = 8{,}28 \times 10^6 \text{ mm}^4$

9.81 $\overline{I}_{x'} = 1033 \text{ m}^4$; $\overline{I}_{y'} = 2020 \text{ m}^4$; $\overline{I}_{x'y'} = -873 \text{ m}^4$

9.82 $I_{x'y'} = 7{,}5 \times 10^5 \text{ mm}^4$; $I_{x'} = 1{,}474 \times 10^6 \text{ mm}^4$; $I_{y'} = 5{,}317 \times 10^5 \text{ mm}^4$

9.83 $\overline{I}_{x'} = 0{,}0974 \times 10^6 \text{ mm}^4$; $\overline{I}_{y'} = 0{,}52 \times 10^6 \text{ mm}^4$; $\overline{I}_{x'y'} = 0{,}0461 \times 10^6 \text{ mm}^4$

9.84 $I_{x'y'} = -2{,}315 \times 10^6 \text{ mm}^4$; $I_{x'} = 2{,}385 \times 10^6 \text{ mm}^4$; $I_{y'} = 7{,}465 \times 10^6 \text{ mm}^4$

9.85 $20{,}2°$; $1{,}754a^4$, $0{,}209a^4$

9.86 $25{,}11°$; $8{,}32 \times 10^6 \text{ mm}^4$; $2{,}076 \times 10^6 \text{ mm}^4$

9.87 $29{,}75°$; 2530 m^4, 524 m^4

9.88 $16{,}07°$; $1{,}171 \times 10^5 \text{ mm}^4$; $1{,}888 \times 10^6 \text{ mm}^4$

9.89 $-23{,}85°$; $0{,}525 \times 10^6 \text{ mm}^4$, $0{,}093 \times 10^6 \text{ mm}^4$

9.90 $23{,}8°$; $8{,}36 \times 10^6 \text{ mm}^4$; $1{,}488 \times 10^5 \text{ mm}^4$

9.91 *a)* $\overline{I}_{x'} = 0{,}482a^4$; $\overline{I}_{y'} = 1{,}482a^4$; $\overline{I}_{x'y'} = -0{,}589a^4$
b) $\overline{I}_{x'} = 1{,}120a^4$; $\overline{I}_{y'} = 0{,}843a^4$; $\overline{I}_{x'y'} = 0{,}760a^4$

9.92 $I_{x'y'} = -0{,}532 \times 10^6 \text{ mm}^4$; $I_{x'} = 2{,}12 \times 10^6 \text{ mm}^4$; $I_{y'} = 8{,}28 \times 10^6 \text{ mm}^4$

9.93 $\overline{I}_{x'} = 1033 \text{ m}^4$; $\overline{I}_{y'} = 2021 \text{ m}^4$; $\overline{I}_{x'y'} = -873 \text{ m}^4$

9.94 $I_{x'y'} = 7{,}5 \times 10^5 \text{ mm}^4$; $I_{x'} = 1{,}474 \times 10^6 \text{ mm}^4$; $I_{y'} = 5{,}317 \times 10^5 \text{ mm}^4$

9.95 $\overline{I}_{x'} = 0{,}98 \times 10^6 \text{ mm}^4$; $\overline{I}_{y'} = 0{,}52 \times 10^6 \text{ mm}^4$; $\overline{I}_{x'y'} = 0{,}046 \times 10^6 \text{ mm}^4$

9.96 $I_{x'y'} = -2{,}315 \times 10^6 \text{ mm}^4$; $I_{x'} = 2{,}385 \times 10^6 \text{ mm}^4$; $I_{y'} = 7{,}465 \times 10^6 \text{ mm}^4$

9.97 $20{,}2°$; $1{,}754a^4$, $0{,}209a^4$

9.98 $25{,}11°$; $8{,}32 \times 10^6 \text{ mm}^4$; $2{,}076 \times 10^6 \text{ mm}^4$

9.99 $-33{,}4°$; $22{,}09 \times 10^3 \text{ mm}^4$, 2487 mm^4

9.100 $29{,}75°$; 2530 m^4, 524 m^4

9.101 $-23{,}86°$; $0{,}092 \times 10^6 \text{ mm}^4$; $0{,}525 \times 10^6 \text{ mm}^4$

9.102 $16°$; $19{,}35 \text{ m}^4$; $3{,}29 \text{ m}^4$

9.103 *a)* $-0{,}476 \times 10^6 \text{ mm}^4$
b) $-29{,}24°$
c) $1{,}416 \times 10^6 \text{ mm}^4$

9.104 $-23{,}8°$; $0{,}524 \times 10^6 \text{ mm}^4$, $0{,}0925 \times 10^6 \text{ mm}^4$

9.105 $19{,}61°$; $4{,}35 \times 10^6 \text{ mm}^4$, $0{,}659 \times 10^6 \text{ mm}^4$

9.106 *a)* $25{,}3°$ *b)* 1460 mm^4, $40{,}5 \text{ mm}^4$

9.107 *a)* $88{,}0 \times 10^6 \text{ mm}^4$ *b)* $96{,}3 \times 10^6 \text{ mm}^4$, $39{,}7 \times 10^6 \text{ mm}^4$

9.110 $0{,}1576 \times 10^6 \text{ mm}^4$

9.111 *a)* $I_{AA'} = ma^2/24$; $I_{BB'} = ma^2/24$
b) $I_{CC'} = ma^2/12$

9.112 *a)* $0{,}0699mb^2$ *b)* $m(a^2 + 0{,}279b^2)/4$

9.113 *a)* $5mb^2/4$ *b)* $5m(a^2 + b^2)/4$

9.114 *a)* $mb^2/7$ *b)* $m(7a^2 + 10b^2)/70$

9.115 *a)* $7ma^2/18$ *b)* $0{,}819ma^2$

9.116 *a)* $1{,}389ma^2$ *b)* $2{,}39ma^2$

9.117 $I_x = 5ma^2/18$; $I_y = 65ma^2/18$

9.118 $I_C = 0{,}993ma^2$; $I_{AA'} = 2{,}33ma^2$

9.119 $1{,}329mh^2$

9.120 $m(3a^2 + 4L^2)/12$

9.121 *a)* $0{,}241mh^2$ *b)* $m(3a^2 + 0{,}1204h^2)$

9.122 $m(b^2 + h^2)/10$

9.123 $m(a^2 + b^2)/10$

9.124 $ma^2/3$; $0{,}5774a$

9.125 $I_x = I_y = ma^2/4$; $I_z = ma^2/2$

9.126 *a)* $mh^2/6$
b) $m(a^2 + 4h^2\sin^2 \theta)/24$
c) $m(a^2 + 4h^2\cos^2 \theta)/24$

9.127 $837 \times 10^{-9} \text{ kg} \cdot \text{m}^2$; $6{,}92 \text{ mm}$

9.128 $1{,}57 \times 10^{-6} \text{ kg} \cdot \text{m}^2$; $8{,}66 \text{ mm}$

9.129 $2mr^2/3$; $0{,}8165r$

9.130 $17{,}19 \text{ mm}$

9.131 *a)* $27{,}5 \text{ mm}$ à droite de A *b)* $32{,}0 \text{ mm}$

9.132 *a)* $\pi\rho l^2 \left[6a^2t\left(\dfrac{5a^2}{3l^2} + \dfrac{2a}{l} + 1 \right) + d^2l/4 \right]$
b) $0{,}1851$

9.133 $8{,}897 \times 10^4 \text{ kg} \cdot \text{mm}^2$

9.134 *a)* $58{,}4 \text{ mm}$
b) $28{,}2 \times 10^{-3} \text{ kg} \cdot \text{m}^2$; $57{,}6 \text{ mm}$

9.135 $I_x = 0{,}877 \text{ kg} \cdot \text{m}^2$; $I_y = 1{,}982 \text{ kg} \cdot \text{m}^2$; $I_z = 1{,}652 \text{ kg} \cdot \text{m}^2$

9.136 $I_x = 175{,}5 \times 10^{-3} \text{ kg} \cdot \text{m}^2$; $I_y = 309 \times 10^{-3} \text{ kg} \cdot \text{m}^2$; $I_z = 154{,}4 \times 10^{-3} \text{ kg} \cdot \text{m}^2$

9.137 $I_x = 1002 \times 10^{-6} \text{ kg} \cdot \text{m}^2$; $I_y = 1205 \times 10^{-6} \text{ kg} \cdot \text{m}^2$; $I_z = 412 \times 10^{-6} \text{ kg} \cdot \text{m}^2$

9.138 $I_x = 466 \times 10^{-6} \text{ kg} \cdot \text{m}^2$; $I_y = 179 \times 10^{-6} \text{ kg} \cdot \text{m}^2$; $I_z = 614 \times 10^{-6} \text{ kg} \cdot \text{m}^2$

9.139 $I_x = 196{,}36 \text{ kg} \cdot \text{mm}^2$; $I_y = I_z = 730 \text{ kg} \cdot \text{mm}^2$

9.140 $I_x = 1{,}11 \text{ kg} \cdot \text{m}^2$; $I_y = 5{,}03 \text{ kg} \cdot \text{m}^2$; $I_z = 4{,}93 \text{ kg} \cdot \text{m}^2$

9.141 *a)* $13{,}99 \times 10^{-3} \text{ kg} \cdot \text{m}^2$
b) $20{,}6 \times 10^{-3} \text{ kg} \cdot \text{m}^2$
c) $14{,}30 \times 10^{-3} \text{ kg} \cdot \text{m}^2$

9.142 $0{,}242 \text{ kg} \cdot \text{m}^2$

9.143 $0{,}06 \text{ kg} \cdot \text{m}^2$

9.144 $0{,}1013 \text{ kg} \cdot \text{m}^2$

9.145 *a)* $26{,}4 \times 10^{-3} \text{ kg} \cdot \text{m}^2$
b) $31{,}2 \times 10^{-3} \text{ kg} \cdot \text{m}^2$
c) $8{,}58 \times 10^{-3} \text{ kg} \cdot \text{m}^2$

9.146 $I_y = I_z = 0{,}014 \text{ kg} \cdot \text{m}^2$; $I_y = 0{,}0258 \text{ kg} \cdot \text{m}^2$

9.147 $I_x = 0{,}053 \text{ kg} \cdot \text{m}^2$; $I_y = 0{,}049 \text{ kg} \cdot \text{m}^2$; $I_z = 0{,}041 \text{ kg} \cdot \text{m}^2$

9.148 $I_x = 0{,}323 \text{ kg} \cdot \text{m}^2$; $I_y = I_z = 0{,}419 \text{ kg} \cdot \text{m}^2$

9.149 $I_{xy} = 2{,}50 \times 10^{-3}$ kg·m²; $I_{yz} = 4{,}06 \times 10^{-3}$ kg·m²; $I_{zx} = 8{,}81 \times 10^{-3}$ kg·m²

9.150 $I_{xy} = 0{,}000\,286$ kg·m²; $I_{yz} = I_{xz} = 0$

9.151 $I_{xy} = -727{,}7 \times 10^{-6}$ kg·m²; $I_{yz} = -232 \times 10^{-6}$ kg·m²; $I_{zx} = 1518 \times 10^{-6}$ kg·m²

9.152 $I_{xy} = -2{,}34 \times 10^{-3}$ kg·m²; $I_{yz} = 0{,}687 \times 10^{-3}$ kg·m²; $I_{zx} = -2{,}87 \times 10^{-3}$ kg·m²

9.153 $I_{xy} = 16{,}83 \times 10^{-3}$ kg·m²; $I_{yz} = 82{,}9 \times 10^{-3}$ kg·m²; $I_{zx} = 9{,}82 \times 10^{-3}$ kg·m²

9.154 $I_{xy} = -0{,}0043$ kg·m²; $I_{yz} = I_{xz} = 0$

9.155 $I_{xy} = -8{,}04 \times 10^{-3}$ kg·m²; $I_{yz} = 12{,}90 \times 10^{-3}$ kg·m²; $I_{zx} = 94{,}0 \times 10^{-3}$ kg·m²

9.156 $I_{xy} = 0$; $I_{yz} = 48{,}3 \times 10^{-6}$ kg·m²; $I_{xz} = -4{,}43 \times 10^{-3}$ kg·m²

9.157 $I_{xy} = -11wa^3/g$; $I_{yz} = wa^3(\pi + 6)/2g$; $I_{zx} = -wa^3/4g$

9.158 $I_{xy} = wa^3(1 - 5\pi)/g$; $I_{yz} = -11\pi wa^3/g$; $I_{zx} = 4wa^3(1 + 2\pi)/g$

9.159 $I_{xy} = 47{,}9 \times 10^{-6}$ kg·m²; $I_{yz} = 102{,}1 \times 10^{-6}$ kg·m²; $I_{zx} = 64{,}1 \times 10^{-6}$ kg·m²

9.160 $I_{xy} = -m'R_1^3/2$; $I_{yz} = m'R_1^3/2$; $I_{zx} = -m'R_2^3/2$

9.162 a) $mac/20$ b) $I_{xy} = mab/20$; $I_{yz} = mbc/20$

9.163 $\dfrac{ma^2}{h^2 + a^2}\left(\dfrac{5}{6}h^2 + \dfrac{1}{4}a^2\right)$

9.164 $193ma^2/60$

9.165 $18{,}2 \times 10^{-3}$ kg·m²

9.166 $11{,}81 \times 10^{-3}$ kg·m²

9.167 $5Wa^2/18g$

9.168 $4{,}41\rho ta^4$

9.169 $281{,}1 \times 10^{-3}$ kg·m²

9.170 $0{,}354$ kg·m²

9.171 $0{,}0491$ kg·m²

9.172 $0{,}0228$ kg·m²

9.173 a) $b/a = 2$; $c/a = 2$
b) $b/a = 1$; $c/a = 0{,}5$

9.174 a) 2 b) $\sqrt{2/3}$

9.175 a) $\sqrt{1/3}$ b) $\sqrt{7/12}$

9.179 a) $K_1 = 0{,}363ma^2$; $K_2 = 1{,}583ma^2$; $K_3 = 1{,}720ma^2$
b) $(\theta_x)_1 = (\theta_z)_1 = 49{,}7°$, $(\theta_y)_1 = 113{,}7°$; $(\theta_x)_2 = 45°$, $(\theta_y)_2 = 90°$, $(\theta_z)_2 = 135°$; $(\theta_x)_3 = (\theta_z)_3 = 73{,}5°$, $(\theta_y)_3 = 23{,}7°$

9.180 a) $K_1 = 14{,}30 \times 10^{-3}$ kg·m²; $K_2 = 13{,}96 \times 10^{-3}$ kg·m²; $K_3 = 20{,}6 \times 10^{-3}$ kg·m²
b) $(\theta_x)_1 = (\theta_y)_1 = 90°$, $(\theta_z)_1 = 0$; $(\theta_x)_2 = 3{,}4°$, $(\theta_y)_2 = 86{,}6°$, $(\theta_z)_2 = 90°$; $(\theta_x)_3 = 93{,}4°$, $(\theta_y)_3 = 3{,}4°$, $(\theta_z)_3 = 90°$

9.181 a) $K_1 = 4{,}14 \times 10^{-3}$ kg·m²; $K_2 = 29{,}766 \times 10^{-3}$ kg·m²; $K_3 = 32{,}273 \times 10^{-3}$ kg·m²
b) $(\theta_x)_1 = 67{,}7°$; $(\theta_y)_1 = 80{,}1°$; $(\theta_z)_1 = 24{,}6°$; $(\theta_x)_2 = 31{,}3°$; $(\theta_y)_2 = 71{,}7°$; $(\theta_z)_2 = 114{,}5°$; $(\theta_x)_3 = 69{,}1°$; $(\theta_y)_3 = 159°$; $(\theta_z)_3 = 88{,}5°$

9.182 a) $K_1 = 0{,}1639Wa^2/g$; $K_2 = 1{,}054Wa^2/g$; $K_3 = 1{,}115Wa^2/g$

b) $(\theta_x)_1 = 36{,}7°$, $(\theta_y)_1 = 71{,}6°$, $(\theta_z)_1 = 59{,}5°$; $(\theta_x)_2 = 74{,}9°$, $(\theta_y)_2 = 54{,}5°$, $(\theta_z)_2 = 140{,}5°$; $(\theta_x)_3 = 57{,}4°$, $(\theta_y)_3 = 138{,}7°$, $(\theta_z)_3 = 112{,}5°$

9.183 a) $K_1 = 2{,}26\rho ta^4$; $K_2 = 17{,}27\rho ta^4$; $K_3 = 19{,}08\rho ta^4$
b) $(\theta_x)_1 = 85{,}0°$, $(\theta_y)_1 = 36{,}8°$, $(\theta_z)_1 = 53{,}7°$; $(\theta_x)_2 = 81{,}7°$, $(\theta_y)_2 = 54{,}7°$, $(\theta_z)_2 = 143{,}4°$; $(\theta_x)_3 = 9{,}7°$, $(\theta_y)_3 = 99{,}0°$, $(\theta_z)_3 = 86{,}3°$

9.184 a) $K_1 = 0{,}226$ kg·m²; $K_2 = 0{,}419$ kg·m²; $K_3 = 0{,}516$ kg·m²
b) $(\theta_x)_1 = 35{,}3°$; $(\theta_y)_1 = 65{,}9°$; $(\theta_z)_1 = 65{,}9°$; $(\theta_x)_2 = 90°$; $(\theta_y)_2 = 45°$; $(\theta_z)_2 = 135°$; $(\theta_x)_3 = 54{,}7°$; $(\theta_y)_3 = 125{,}2°$; $(\theta_z)_3 = 125{,}2°$

9.185 $I_x = 16ah^3/105$; $I_y = a^3h/5$

9.186 $I_y = \pi a^3 b/8$; $k_y = a/2$

9.187 $I_x = 1{,}268 \times 10^6$ mm⁴; $I_y = 339 \times 10^3$ mm⁴

9.188 $\bar{I}_x = 7{,}45 \times 10^8$ mm⁴; $\bar{I}_y = 9{,}14 \times 10^7$ mm⁴

9.189 $-1{,}17 \times 10^6$ mm⁴

9.190 a) $\bar{I}_{x'y'} = -1{,}82 \times 10^6$ mm⁴; $\bar{I}_{x'} = 2{,}21 \times 10^6$ mm⁴; $\bar{I}_{y'} = 2{,}8 \times 10^6$ mm⁴
b) $19{,}6°$; $4{,}345 \times 10^6$ mm⁴; $6{,}591 \times 10^5$ mm⁴

9.191 a) $ma^2/3$ b) $3ma^2/2$

9.192 a) $26{,}0 \times 10^{-3}$ kg·m²
b) $38{,}2 \times 10^{-3}$ kg·m²
c) $17{,}55 \times 10^{-3}$ kg·m²

9.193 $I_x = 28{,}3 \times 10^{-3}$ kg·m², $I_y = 183{,}8 \times 10^{-3}$ kg·m²; $k_x = 42{,}9$ mm, $k_y = 109{,}3$ mm

9.194 $I_x = 38{,}1 \times 10^{-3}$ kg·m²; $k_x = 110{,}7$ mm

9.195 $I_x = I_z = 94{,}4 \times 10^{-3}$ kg·m²; $I_y = 79{,}0 \times 10^{-3}$ kg·m²

9.196 $0{,}0802$ kg·m²

9.197 $\theta = 20°$: $I_{x'} = 14{,}20$ m⁴, $I_{y'} = 3{,}15$ m⁴, $I_{x'y'} = -3{,}93$ m⁴

9.199 a) $\bar{I}_{x'} = 371 \times 10^3$ mm⁴, $\bar{I}_{y'} = 64{,}3 \times 10^3$ mm⁴; $\bar{k}_{x'} = 21{,}3$ mm, $\bar{k}_{y'} = 8{,}87$ mm
b) $\bar{I}_{x'} = 40{,}4$ m⁴, $\bar{I}_{y'} = 46{,}5$ m⁴; $\bar{k}_{x'} = 1{,}499$ m, $\bar{k}_{y'} = 1{,}607$ m
c) $\bar{k}_x = 2{,}53$ m, $\bar{k}_y = 1{,}583$ m d) $\bar{k}_x = 1{,}904$ m, $\bar{k}_y = 0{,}950$ m

9.201 a) $5{,}99 \times 10^{-3}$ kg·m²
b) $77{,}4 \times 10^{-3}$ kg·m²

9.203 a) 100×10^{-6} kg·m²
b) 874×10^{-6} kg·m²
c) 282×10^{-6} kg·m²

CHAPITRE 10

10.1 65 N↓

10.2 132 N→

10.3 39 N·m↓

10.4 $13{,}2$ N·m↑

10.5 a) 60 N C, 8 mm↓
b) 300 N C, 40 mm↓

10.6 *a)* 120 N C, 16 mm↓
        b) 300 N C, 40 mm↓

10.7 $P = 75$ N ; $R = 225$ N

10.8 $P = 125$ N

10.9 $Q = (3P/2) \tan \theta$

10.10 $Q = 3P \tan \theta$

10.11 $Q = 3P$

10.12 $Q = P[(l/a)\cos^3 \theta - 1]$

10.13 $Q = P \, l/a \sin \theta \cos^2 \theta$

10.14 $Q = 3P/2 \sin \theta$

10.15 $M = 7Pa \cos \theta$

10.16 $M = Pl/2 \tan \theta$

10.17 $M = Pl(\sin \theta + \cos \theta)$

10.18 *a)* $M = Pl \sin 2\theta$
        b) $M = 3Pl \cos \theta$
        c) $M = Pl \sin \theta$

10.19 *a)* $M = 121,82$ N · m
        b) $M = 78,18$ N · m

10.20 *a)* $P = 2,047$ kN
        b) $P = 2,648$ kN

10.21 85,2 N · m↓

10.22 22,8 N ⟋ 70°

10.23 67,1°

10.24 $\theta = 22,6°$

10.25 39,2°

10.26 $\theta = 32,3°$

10.27 $\theta = 40,8°$

10.28 19,8° et 51,9°

10.29 $P = 8kl(1 - 2 \sin \theta) \cotan \theta$

10.30 25,0°

10.31 390 mm

10.32 330 mm

10.33 40,2°

10.34 $W/4kl = (1 - \cos \theta) \tan \theta$

10.35 22,6°

10.36 51,1°

10.37 $\theta = 52,4°$

10.38 38,7°

10.39 59,0°

10.40 78,7°, 323,8°, 379,1°

10.41 $F = 17,896$ N

10.42 $\theta = 111,31°$

10.43 12,03 kN↘

10.44 20,4°

10.45 9473 N↖

10.46 10 202,5 N↖

10.47 $\eta = 1/(1 + \mu \cot \alpha)$

10.48 $M = \dfrac{1}{2} \dfrac{Pl}{\tan \theta - \mu_s}$

10.49 300 N · m, 81,8 N · m

10.50 $\eta = \tan \theta/\tan (\theta + \varphi)$

10.51 $Q_{\max} = \dfrac{P}{2}(3 \tan (\theta) + \mu_s)$; $Q_{\min} = \dfrac{P}{2}(3 \tan (\theta) - \mu_s)$

10.52 37,6 N, 31,6 N

10.53 $\mathbf{A} = 250$ N↑ ; $\mathbf{M}_A = 450$ N · m↰

10.54 1050 N↑

10.55 12,47 mm

10.56 14,79 mm

10.57 41,67 mm↓

10.58 31,25 mm→

10.59 $P = 8kl(1 - 2 \sin \theta) \cotan \theta$

10.60 25°

10.61 40,2°

10.62 $W/4kl(1 - \cos \theta)\tan \theta$

10.63 22,6°

10.64 51,1°

10.65 390 mm

10.66 38,7°

10.69 $\theta = 0$ et $\theta = 180°$, instable ; $\theta = 75,5°$ et $\theta = 284,5°$, stable

10.70 22,0° et 158,0°, stable ; 90° et 270°, instable

10.71 $\theta = -45°$, instable ; $\theta = 135°$, stable

10.72 $\theta = -63,4°$, instable ; $\theta = 116,6°$, stable

10.73 59,0°, stable

10.74 78,7°, stable ; 323,8°, instable ; 379,1°, stable

10.75 103,96°, stable

10.76 113,85°, stable

10.77 357 mm

10.78 252 mm

10.79 $\cos(\theta)[\sin(\theta) + \cos(\theta) - 1)(1 - \tan(\theta)) - W/2kl] = 0$

10.80 90°, stable ; 9,4°, stable ; 34,16°, instable

10.81 17,1°, stable ; 72,9°, instable

10.82 *a)* $P_{\max} = 960$ N *b)* 15°, stable ; 75°, instable

10.83 49,11°

10.84 70,89°

10.85 54,8°

10.86 37,4°

10.87 11,27 m

10.88 16,88 m

10.89 $k > 694,4$ N/m

10.90 150 mm

10.91 *a)* $P < ka^2/2l$ *b)* $P < ka^2/2l$

10.92 $P < 2kL/9$

10.93 $P < kL/18$

10.94 $P < kl/2$

10.95 $P < 160$ N

10.96 $Q > 108$ N

10.97 $P < 0,382kl$

10.98 $P < 764$ N

10.99 $P < kr^2/l \left(\dfrac{W}{(kr^2/l) + W} \right)$

10.100 *a)* $P < 10$ N *b)* $P < 20$ N

10.101 142,5 mm

10.102 232,5 mm

10.103 38,7°

10.104 67,98°

10.105 27,6°

10.106 a) 22,0° b) 30,6°

10.107 8,13°

10.108 29,6°

10.109 $M = PR \, \text{cosec}^2 \, \theta$

10.110 a) 20 N b) 105 N

10.111 $Q = \dfrac{P \cos \theta}{\cos (\beta - \theta)}$

10.112 53,8 N

10.113 $\theta = 60°$: 48,4 mm ; $\theta = 120°$: 34,64 mm ;

$(M/P)_{\text{max}} = 50,4$ mm à $\theta = 73,7°$

10.114 $\theta = 60°$: 171,1 N C

Pour $32,5° \leq \theta \leq 134,3°$, $|F| \leq 400$ N

10.115 $\theta = 60°$: 296 N T

Pour $\theta \leq 125,7°$, $|F| \leq 400$ N

10.116 b) $\theta = 60°$, donnée à C : $V = -33,2$ N · m

c) 34,2°, stable ; 90°, instable ; 145,8°, stable

10.117 b) $\theta = 50°$, donnée à E : $V = 100,5$ J,

$dV/d\theta = 22,9$ J

c) $\theta = 0$, instable ; 30,4°, stable

10.118 b) $\theta = 60°$, donnée à B : 30,0 J

c) $\theta = 0$, instable ; 41,4°, stable

10.119 b) $\theta = 60°$, donnée à $\theta = 0$: $-37,0$ J

c) 52,2°, stable

SOURCES ICONOGRAPHIQUES

Couverture : Gracieuseté du Musée national des beaux-arts du Québec.

CHAPITRE 1

Ouverture de chapitre : Diego Grandi/Shutterstock.com.

CHAPITRE 2

Ouverture de chapitre : Branko Jovanovic/Shutterstock.com ; **p. 34 :** dmazzz/Shutterstock. com.

CHAPITRE 3

Ouverture de chapitre : Nightman1965/Shutterstock.com ; **p. 101 :** McGraw-Hill Education/Photo by Lucinda Dowell ; **p. 106 :** loveguli/iStockphoto.

CHAPITRE 4

Ouverture de chapitre : cnx4004/iStockphoto ; **p. 153 :** McGraw-Hill/Photo by Lucinda Dowell ; **p. 154 :** Gracieuseté du National Information Service for Earthquake Engineering – University of California in Berkeley ; **p. 180 (haut) :** McGraw-Hill/Photo by Lucinda Dowell ; **p. 180 (bas) :** Gracieuseté de KF Limited.

CHAPITRE 5

Ouverture de chapitre : Hydro-Québec ; **p. 232 :** Fggato/Dreamstime.com ; **p. 242 :** NASA.

CHAPITRE 6

Ouverture de chapitre : Martin Raymond/Dreamstime.com ; **p. 266 (gauche) :** Datacraft Co Ltd/Getty Images ; **p. 266 (centre) :** stockphoto-graf/Shutterstock.com ; **p. 266 (droite) :** Design Pics/Ken Welsh RF ; **p. 267 :** Gracieuseté du National Information Service for Earthquake Engineering – University of California in Berkeley ; **p. 270 :** McGraw-Hill/Photo by Sabina Dowell ; **p. 273 :** Daiju Azuma/Creative Commons Attribution-Share Alike 2.0 Generic license. http://commons.wikimedia.org/wiki/File: Pylon_Kobe_1.jpg ; **p. 295 :** Erik Tham/Alamy Stock Photo ; **p. 310 :** Gracieuseté de Luxo Lamp Corporation.

CHAPITRE 7

Ouverture de chapitre : David Chapman/Design Pics/Corbis ; **p. 332 :** McGraw-Hill/ Photo by Sabina Dowell ; **p. 339 (gauche) :** Chandlerphoto/Getty Images ; **p. 339 (centre) :** Mirvav/Shutterstock.com ; **p. 339 (droite) :** Goodshoot/Getty Images ; **p. 340 :** David Mcshane/Dreamstime.com ; **p. 360 :** Timothy Epp/Dreamstime.com ; **p. 372 :** Nmint/Dreamstime.com.

CHAPITRE 8

Ouverture de chapitre : Ivica Drusany/Shutterstock.com ; **p. 389 :** Marcin Balcerzak/ Shutterstock.com ; **p. 404 :** ginton/iStockphoto ; **p. 405 :** Gracieuseté de REMPCO Inc. ; **p. 422 :** Kevin Burke/Getty Images.

CHAPITRE 9

Ouverture de chapitre : NeydtStock/Shutterstock.com.

CHAPITRE 10

Ouverture de chapitre : Nikonboy/Shutterstock.com ; **p. 525 :** Gracieuseté de Altec Industries ; **p. 528 :** Gracieuseté de De-Sta-Co.

INDEX

TABLEAUX ET FIGURES UTILES

Préfixes SI

Facteur de multiplication	Préfixe	Symbole
$1\ 000\ 000\ 000\ 000 = 10^{12}$	téra	T
$1\ 000\ 000\ 000 = 10^{9}$	giga	G
$1\ 000\ 000 = 10^{6}$	méga	M
$1\ 000 = 10^{3}$	kilo	k
$100 = 10^{2}$	hecto†	h
$10 = 10^{1}$	déca†	da
$0,1 = 10^{-1}$	déci†	d
$0,01 = 10^{-2}$	centi†	c
$0,001 = 10^{-3}$	milli	m
$0,000\ 001 = 10^{-6}$	micro	μ
$0,000\ 000\ 001 = 10^{-9}$	nano	n
$0,000\ 000\ 000\ 001 = 10^{-12}$	pico	p
$0,000\ 000\ 000\ 000\ 001 = 10^{-15}$	femto	f
$0,000\ 000\ 000\ 000\ 000\ 001 = 10^{-18}$	atto	a

† Éviter ces préfixes sauf pour les mesures d'aires et de volumes, ou encore pour l'usage non technique des centimètres, utilisés par exemple pour mesurer les parties du corps ou d'un vêtement.

Principales unités SI utilisées en mécanique

Quantité	Nom de l'unité	Symbole	Détail de l'unité
Accélération	mètre par seconde carrée	...	m/s^2
Angle	radian	rad	‡
Accélération angulaire	radian par seconde carrée	...	rad/s^2
Vitesse angulaire	radian par seconde	...	rad/s
Aire	mètre carré	...	m^2
Densité	kilogramme par mètre cube	...	kg/m^3
Énergie	joule	J	$N \cdot m$
Force	newton	N	$kg \cdot m/s^2$
Fréquence	hertz	Hz	s^{-1}
Impulsion	newton-seconde	$N \cdot s$	$kg \cdot m/s$
Longueur	mètre	m	†
Masse	kilogramme	kg	†
Moment de force	newton-mètre	...	$N \cdot m$
Puissance	watt	W	J/s
Pression	pascal	Pa	N/m^2
Contrainte	pascal	Pa	N/m^2
Temps	seconde	s	†
Vitesse	mètre par seconde	...	m/s
Volume, solides	mètre cube	...	m^3
liquides	litre	L	$10^{-3}\ m^3$
Travail	joule	J	$N \cdot m$

† Unité de base.
‡ Unité dérivée (1 révolution $= 2\pi$ rad $= 360°$).

Centres géométriques de quelques surfaces et courbes

Forme de la surface		$\overline{x}$	$\overline{y}$	Aire
Triangle			$\dfrac{h}{3}$	$\dfrac{bh}{2}$
Quart de cercle		$\dfrac{4r}{3\pi}$	$\dfrac{4r}{3\pi}$	$\dfrac{\pi r^2}{4}$
Demi-cercle		0	$\dfrac{4r}{3\pi}$	$\dfrac{\pi r^2}{2}$
Quart d'ellipse		$\dfrac{4a}{3\pi}$	$\dfrac{4b}{3\pi}$	$\dfrac{\pi ab}{4}$
Demi-ellipse		0	$\dfrac{4b}{3\pi}$	$\dfrac{\pi ab}{2}$
Demi-parabole		$\dfrac{3a}{8}$	$\dfrac{3h}{5}$	$\dfrac{2ah}{3}$
Parabole		0	$\dfrac{3h}{5}$	$\dfrac{4ah}{3}$
Délimitée par une parabole		$\dfrac{3a}{4}$	$\dfrac{3h}{10}$	$\dfrac{ah}{3}$
Délimitée par une courbe polynomiale de degré n		$\dfrac{n+1}{n+2}a$	$\dfrac{n+1}{4n+2}h$	$\dfrac{ah}{n+1}$
Secteur circulaire		$\dfrac{2r\sin\alpha}{3\alpha}$	0	αr^2

Forme de la courbe		$\overline{x}$	$\overline{y}$	Longueur
Quart de circonférence circulaire		$\dfrac{2r}{\pi}$	$\dfrac{2r}{\pi}$	$\dfrac{\pi r}{2}$
Demi-circonférence circulaire		0	$\dfrac{2r}{\pi}$	πr
Arc de cercle		$\dfrac{r\sin\alpha}{\alpha}$	0	$2\alpha r$

Moments d'inertie de formes géométriques courantes

Moments d'inertie (masse) de formes géométriques courantes

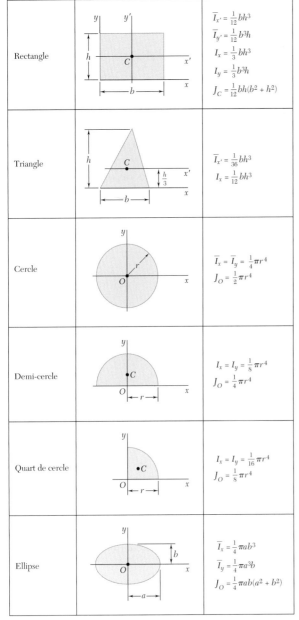

Rectangle		$\overline{I}_{x'} = \frac{1}{12}bh^3$ $\overline{I}_{y'} = \frac{1}{12}b^3h$ $I_x = \frac{1}{3}bh^3$ $I_y = \frac{1}{3}b^3h$ $J_C = \frac{1}{12}bh(b^2 + h^2)$
Triangle		$\overline{I}_{x'} = \frac{1}{36}bh^3$ $I_x = \frac{1}{12}bh^3$
Cercle		$\overline{I}_x = \overline{I}_y = \frac{1}{4}\pi r^4$ $J_O = \frac{1}{2}\pi r^4$
Demi-cercle		$I_x = I_y = \frac{1}{8}\pi r^4$ $J_O = \frac{1}{4}\pi r^4$
Quart de cercle		$I_x = I_y = \frac{1}{16}\pi r^4$ $J_O = \frac{1}{8}\pi r^4$
Ellipse		$\overline{I}_x = \frac{1}{4}\pi ab^3$ $\overline{I}_y = \frac{1}{4}\pi a^3b$ $J_O = \frac{1}{4}\pi ab(a^2 + b^2)$

Tige mince		$I_y = I_z = \frac{1}{12}mL^2$
Plaque rectangulaire mince		$I_x = \frac{1}{12}m(b^2 + c^2)$ $I_y = \frac{1}{12}mc^2$ $I_z = \frac{1}{12}mb^2$
Parallélépipède (prisme rectangulaire)		$I_x = \frac{1}{12}m(b^2 + c^2)$ $I_y = \frac{1}{12}m(c^2 + a^2)$ $I_z = \frac{1}{12}m(a^2 + b^2)$
Disque mince		$I_x = \frac{1}{2}mr^2$ $I_y = I_z = \frac{1}{4}mr^2$
Cylindre circulaire		$I_x = \frac{1}{2}ma^2$ $I_y = I_z = \frac{1}{12}m(3a^2 + L^2)$
Cône circulaire		$I_x = \frac{3}{10}ma^2$ $I_y = I_z = \frac{3}{5}m(\frac{1}{4}a^2 + h^2)$
Sphère		$I_x = I_y = I_z = \frac{2}{5}ma^2$

LISTE DES SYMBOLES

a	Constante, rayon, distance
A, B, C, . . .	Réactions des appuis et liaisons
$A, B, C,$ . . .	Points
A	Aire
b	Largeur, distance
c	Constante
C	Centre géométrique
d	Distance
e	Base des logarithmes naturels
F	Force, force de friction
g	Accélération gravitationnelle
G	Centre de gravité, constante gravitationnelle
h	Hauteur, flèche d'un câble
i, j, k	Vecteurs unitaires selon les axes de coordonnées
$I, I_x,$ . . .	Moment d'inertie
$\bar{I}$	Moment d'inertie central
$I_{xy},$ . . .	Produit d'inertie
J	Moment d'inertie polaire
k	Constante de ressort
k_x, k_y, k_O	Rayon de giration
$\bar{k}$	Rayon de giration central
l	Longueur
L	Longueur, portée
m	Masse
M	Couple, moment
M$_O$	Moment par rapport au point O
M$_O^R$	Moment résultant par rapport au point O
M	Grandeur du couple ou du moment, masse de la Terre
M_{OL}	Moment par rapport à l'axe OL
N	Composante normale
O	Origine des coordonnées
p	Pression
P	Force, vecteur
Q	Force, vecteur
r	Vecteur position
r	Rayon, distance, coordonnée polaire
R	Force résultante, vecteur résultant, réaction
R	Rayon de la Terre
s	Longueur d'arc, longueur d'un câble
S	Force, vecteur
t	Épaisseur
T	Force
T	Tension
U	Énergie potentielle
V	Produit vectoriel, effort tranchant
V	Volume, effort tranchant
w	Charge par unité de longueur
W, W	Poids, charge
$\mathscr{W}$	Travail

x, y, z	Coordonnées, distances
$\bar{x}, \bar{y}, \bar{z}$	Coordonnées du centre géométrique ou du centre de gravité
α, β, γ	Angles
δ	Étirement
$\delta\mathbf{r}$	Déplacement virtuel
$\delta\mathcal{W}$	Travail virtuel
λ	Vecteur unitaire selon une droite
η	Rendement mécanique
θ	Coordonnée angulaire, angle, coordonnée polaire
μ	Coefficient de friction
ρ	Densité
ϕ	Angle de friction, angle